SCARLETT

Alexandra Ripley

SCARLETT

Roman

Aus dem Amerikanischen
von Karin Kersten, Till Lohmeyer
und Christel Rost

Die Originalausgabe erschien unter dem Titel
»Scarlett« bei Warner Books, New York

Aus dem Amerikanischen von Karin Kersten (Kap. 1–43),
Till Lohmeyer und Christel Rost (Kap. 44–89)

Ungekürzte Lizenzausgabe
für die Bertelsmann Club GmbH, Gütersloh
die Buchgemeinschaft Donauland Kremayr & Scheriau, Wien
und die angeschlossenen Buchgemeinschaften

Umschlag- und Einbandgestaltung: Manfred Waller
unter Verwendung einer Illustration von Elaine Duillo/
Agentur Thomas Schlück
Druck und Bindung:
Mohndruck Graphische Betriebe GmbH, Gütersloh
Printed in Germany · Buch-Nr. 03598 0

1. Buch

IM DUNKELN ALLEIN

1. Kapitel

Bald ist es vorbei, und dann kann ich nach Hause, nach Tara.

Scarlett O'Hara Hamilton Kennedy Butler stand allein, ein paar Schritte von den anderen Trauergästen entfernt, auf Melanie Wilkes' Beerdigung. Es regnete, und die schwarzgekleideten Männer und Frauen hielten sich schwarze Regenschirme über die Köpfe. Sie stützten sich gegenseitig, die Frauen weinend, und teilten Regenschutz und Kummer.

Scarlett teilte ihren Schirm mit niemandem und auch nicht ihren Kummer. Windstöße peitschten schneidend kalte Regenschnüre unter ihren Schirm, die ihr als Rinnsale den Hals hinabliefen, doch sie merkte es nicht. Sie empfand nichts, der Verlust hatte sie betäubt. Sie würde später trauern, wenn sie den Schmerz ertragen konnte. Sie hielt ihn von sich fern, allen Schmerz, alles Empfinden, alle Gedanken. Außer den Worten, die sich in ihrem Kopf unablässig wiederholten, den Worten, die ihr verhießen, daß der Schmerz, der auf sie wartete, wieder vergehen und sie die Kraft zum Überleben finden würde, bis die Wunde verheilt war.

Bald ist es vorbei, und dann kann ich nach Hause, nach Tara.

». . . Erde zu Erde, Asche zu Asche . . .«

Die Stimme des Geistlichen durchdrang die Schale ihrer Betäubung, die Worte fanden Gehör. Nein! Scarlett schrie innerlich auf. Nicht Melly. Das ist nicht Mellys Grab, es ist zu groß, sie ist so winzig, sie hat Knochen wie ein Vögelchen. Nein! Sie darf nicht tot sein, sie darf nicht!

Scarletts Kopf wandte sich ruckartig ab, verweigerte sich dem Anblick des offenen Grabes, des schlichten Fichtenholzsarges, der in die Erde hinabgelassen wurde. Im weichen Holz waren kleine Halbkreise zu erkennen, Spuren des Hammers, der die Nägel hineingetrieben hatte, um den Deckel über Melanies sanftem, liebevollem, herzförmigem Gesicht zu schließen.

Nein! Das könnt, das dürft ihr nicht tun, es regnet, ihr könnt sie dort nicht hineinlegen, wo der Regen auf sie fallen wird. Sie friert so leicht, man darf sie nicht im kalten Regen zurücklassen. Ich kann es nicht mit ansehen, ich kann es nicht ertragen, ich will nicht glauben, daß sie nicht mehr ist. Sie liebt mich, sie ist meine Freundin, meine einzige wirkliche Freundin. Melly liebt mich; sie würde mich nicht gerade in diesem Augenblick verlassen, wo ich sie am meisten brauche.

Scarlett sah die Menschen an, die um das Grab standen, und heißer Zorn wallte in ihr auf. Keiner von denen nimmt es so schwer wie ich, keiner von denen hat so viel verloren wie ich. Keiner weiß, wie sehr ich sie liebe. Aber Melly doch wohl? Sie weiß es, ich muß glauben, daß sie es weiß.

Die da werden es niemals glauben. Weder Mrs. Merriwether noch die Meades oder die Whitings oder die Elsings. Schaut sie euch doch nur an, wie sie sich um India Wilkes und Ashley drängen, wie ein Schwarm nasser Krähen in ihrer Trauerkleidung. Na schön, sie trösten Tante Pittypat, wenn auch jeder weiß, daß sie um jede Kleinigkeit Theater macht und sich schon die Augen ausweint, wenn ihr auch nur eine Scheibe Toast verbrennt. Nie käme denen in den Sinn, daß ich diejenige sein könnte, die ein bißchen Trost braucht, daß ich Melanie nähergestanden habe als irgend jemand sonst. Die tun so, als gäbe es mich gar nicht. Kein Mensch kümmert sich auch nur im geringsten um mich. Nicht mal Ashley. Er wußte, er konnte während der schrecklichen zwei Tage nach Melanies Tod auf mich zählen, als er mich brauchte, um alles zu arrangieren. Alle haben mich da plötzlich gebraucht, selbst India hat mich hilflos angeblökt wie ein Schaf: »Was müssen wir nur wegen der Beerdigung unternehmen, Scarlett? Wegen des Essens für die Trauergäste? Wegen des Sargs? Der Sargträger? Der Grabstelle? Der Inschrift auf dem Grabstein? Der Todesanzeige in der Zeitung?« Und jetzt hängen sie sich gegenseitig am Hals und heulen wie die Kinder. Nun, die Genugtuung werde ich ihnen nicht bereiten, daß sie mich hier mutterseelenallein weinen sehen. Ich darf nicht weinen. Nicht hier. Noch nicht. Wenn ich erst einmal anfange, höre ich womöglich niemals mehr auf. Auf Tara kann ich weinen.

Scarlett hob das Kinn und biß die Zähne zusammen, damit sie aufhörten, vor Kälte zu klappern, und um das Würgen in der Kehle zu unterdrücken. Bald ist es vorbei, und dann kann ich nach Hause, nach Tara.

Scarletts Leben war ein Scherbenhaufen, und überall um sie herum hier auf dem Oakland-Friedhof von Atlanta waren einzelne Bruchstücke davon zu finden. Eine hoch aufragende Granitnadel, grauer, mit Regenstreifen bedeckter Stein, erinnerte düster an jene Welt, die für immer dahin war, jene sorglose Welt ihrer Jugend vor dem Krieg – das Confederate Memorial, Symbol des stolzen, schonungslosen Mutes, der den Süden mit leuchtenden Fahnen in die Zerstörung gestürzt hatte. Es stand für zahllose verlorene Menschenleben, die Freunde ihrer Kindheit, die Verehrer, die in jenen Tagen um Walzer und Küsse gebettelt hatten, als ihr größtes Problem noch darin bestanden hatte, welches ihrer vielen Ballkleider mit den ausladenden Röcken sie anziehen sollte. Es stand für ihren ersten Ehemann, für Charles

Hamilton, Melanies Bruder. Es stand für die Söhne, Brüder und Ehemänner, die Väter all der regennassen Trauergäste auf der kleinen Hügelkuppe, wo Melanie beerdigt wurde.

Da waren andere Gräber, andere Gedenktafeln: Frank Kennedy, Scarletts zweiter Mann; und das kleine, entsetzlich kleine Grab mit dem Grabstein, auf dem »Eugenie Victoria Butler« stand und darunter »Bonnie«. Ihr letztes Kind und das meistgeliebte.

Die Lebenden wie die Toten, alle waren sie um sie versammelt, doch Scarlett stand abseits. Halb Atlanta war gekommen, so schien es. Die Menge hatte die Kirche zum Bersten gefüllt und zog sich nun in einem weiten, unregelmäßigen Halbkreis um jenen herben Farbfleck im grauen Regen, das offene Grab, das man aus Georgias rotem Lehmboden für Melanie Wilkes ausgehoben hatte.

In der vordersten Reihe der Trauergäste fanden sich die, die ihr am nächsten gestanden hatten. Weiße und Schwarze, deren Gesichter, mit Ausnahme Scarletts, sämtlich tränenfeucht waren. Onkel Peter, der alte Kutscher, stand mit Dilcey und Cookie im schützenden Dreieck um Beau, Melanies verwirrten kleinen Sohn.

Atlantas ältere Generation war in der traurig dezimierten Zahl vertreten, die überlebt hatte. Die Meades, die Whitings, die Merriwethers, die Elsings, ihre Töchter und Schwiegersöhne, der verkrüppelte Hugh Elsing als einzig noch lebender Sohn, Tante Pittypat Hamilton und Henry Hamilton, ihr Bruder, die im gemeinsamen Kummer um ihre Nichte ihre uralte Fehde vergessen zu haben schienen. Jünger zwar, aber ebenso alt aussehend wie die übrigen, suchte India Wilkes Schutz in der Gruppe und beobachtete ihren Bruder Ashley aus kummervollen und von Selbstvorwürfen verdüsterten Augen. Er stand allein, wie Scarlett, stand ungeachtet der Schirme barhäuptig im Regen, ohne das naßkalte Wetter auch nur zu bemerken, außerstande, die Endgültigkeit der Worte des Geistlichen und den Anblick des schmalen Sargs, wie er in das schlammige, rote Grab gesenkt wurde, zu begreifen.

Ashley. Groß und dünn und farblos, das blaßblonde Haar fast grau, das bleiche, bekümmerte Gesicht so leer wie der Blick seiner blind vor sich hinstarrenden grauen Augen. Er stand straff aufgerichtet, in der Haltung des Salutierenden, ein Relikt jener Jahre als Offizier in der grauen Uniform. Er stand reglos, bar jeglichen Empfindens oder Verstehens.

Ashley. Er war Mittelpunkt und Symbol von Scarletts in die Brüche gegangenem Leben. Aus Liebe zu ihm hatte sie das Glück ausgeschlagen, als sie nur hätte zugreifen müssen. Sie hatte ihrem Ehemann die kalte Schulter gezeigt, keinen Blick für dessen Liebe gehabt, sich ihre Liebe zu ihm nicht eingestanden, da ihr Verlangen nach Ashley stets zwischen ihnen gestanden hatte. Und nun war Rhett fort, vertreten nur durch einen üppigen Blumenschauer aus warmen, goldenen Herbsttönen zwischen so vielen anderen. Sie hatte ihre einzige Freundin hintergangen, Melanies unbeugsame Treue und Liebe verachtet. Und jetzt war Melanie nicht mehr da, und selbst Scarletts Liebe zu Ashley war vergangen, denn sie hatte – zu spät – erkannt, daß an die Stelle der Liebe selbst vor langer Zeit schon die Gewohnheit, ihn zu lieben, getreten war.

Sie liebte ihn nicht mehr und würde es auch nie wieder tun. Doch nun, da sie ihn nicht mehr wollte, gehörte Ashley plötzlich ihr, war Melanies Vermächtnis an sie. Sie hatte Melly versprochen, sich um ihn und um Beau, ihr Kind, zu kümmern.

Ashley war der Grund dafür, daß ihr Leben ein Scherbenhaufen war. Und das einzige, was ihr von diesem Leben geblieben war.

Scarlett stand abseits und allein. Zwischen ihr und den Menschen von Atlanta herrschte eine kalte, finstere Leere, eine Leere, die einst von Melanie ausgefüllt worden war, die sie vor Isolation und Ächtung bewahrt hatte. Und unter ihrem Regenschirm, dort, wo eigentlich Rhett hätte stehen sollen, um sie mit seinen starken, breiten Schultern und seiner Liebe zu beschützen, war nur der kalte Wind.

In ihn hinein reckte sie das Kinn, mißachtete ihn, ohne ihn freilich zu spüren. Ihre Sinne waren völlig auf die Worte konzentriert, aus denen sie ihre Kraft und ihre Hoffnung schöpfte.

Bald ist es vorbei, und dann kann ich nach Hause, nach Tara.

»Sehen Sie sie sich doch an«, flüsterte eine schwarzverschleierte Dame ihrer Begleiterin zu, die den Schirm mit ihr teilte. »Hart wie Granit. Ich habe gehört, die ganze Zeit, als sie sich um die Bestattungsformalitäten gekümmert hat, hat sie nicht eine einzige Träne vergossen. Augen nur fürs Geschäft, das ist typisch Scarlett. Und kein bißchen Herz.«

»Sie wissen ja, was man so redet«, flüsterte es zurück. »Sie hat ein großes Herz, wenn es um Ashley Wilkes geht. Glauben Sie, daß die beiden wirklich ...«

Die Leute um sie herum brachten sie zwar zum Schweigen, dachten aber nicht anders. Wie jeder es tat.

Das gräßlich hohle Aufschlagen der Erde auf das Holz ließ Scarlett die Fäuste ballen. Am liebsten hätte sie sich die Ohren zugehalten, geschrien, gebrüllt – alles, um nur das schreckliche Geräusch nicht hören zu müssen, als das Grab sich über Melanie schloß. Ihre Zähne gruben sich schmerzlich in ihre Lippe. Sie würde nicht schreien, sie würde es nicht tun.

Der Schrei, der die feierliche Stille schließlich durchbrach, war Ashleys: »Melly ... Melliieee!« Und noch einmal: »Melliieee!« Es war der Schrei einer gequälten Seele voller Einsamkeit und Angst.

Ashley torkelte wie ein mit Blindheit Geschlagener auf das tiefe, schlammige Loch zu, und seine Hände suchten tastend nach dem kleinen, stillen Geschöpf, das seine ganze Stärke gewesen war. Doch da war nichts, das sich greifen ließ, nur die herabströmenden Silberstreifen kalten Regens.

Scarlett sah Dr. Meade, India und Henry Hamilton an. Warum tun die denn nichts? Warum halten sie ihn nicht auf? Man muß ihn doch aufhalten!

»Melliieee ... !«

Um Gottes willen! Er wird sich gleich den Hals brechen, und die rühren sich nicht und sehen mit offenem Mund zu, wie er schwankend am Rande des Grabs steht.

»Ashley, hör auf!« schrie sie. »Ashley!« Sie begann zu rennen, rutschte und schlitterte über das nasse Gras. Der Schirm, den sie hatte fallen lassen, fegte vom Wind getrieben über den Boden, bis er sich in den aufgehäuften Blumen verfing. Sie packte Ashleys Taille und versuchte, ihn aus der gefährlichen Lage zu ziehen. Er wehrte sich.

»Ashley, laß das!« Scarlett kämpfte gegen seinen energischen Widerstand an. »Melly kann dir jetzt nicht helfen.« Die Stimme hart, um durch die Umnachtung seines Kummers zu dringen.

Er hielte inne, und die Arme sanken an ihm herab. Er stöhnte leise, und dann sackte sein Körper in Scarletts stützenden Armen zusammen. Ihr Griff drohte sich schon unter seinem Gewicht zu lockern, als Dr. Meade und India Ashleys schlaffe Arme packten und ihn zurück auf die Beine stellten.

»Sie können jetzt gehen, Scarlett«, sagte Dr. Meade. »Sie haben schon genug Schaden angerichtet.«

»Aber ich ...« Sie blickte in die Gesichter um sie herum, die sensationslüsternen Augen. Dann wandte sie sich ab und ging durch den Regen davon. Die Menge wich zurück, als könnte die Berührung ihrer Röcke sie beschmutzen.

Sie durften nicht wissen, wie sehr Scarlett sich getroffen fühlte, sie würde sich nicht anmerken lassen, daß sie imstande waren, sie zu verletzen. Trotzig hob sie das Kinn und ließ es zu, daß der Regen ihr über Gesicht und Hals lief. Den Rücken gerade, die Schultern straff, bis sie das Tor des Friedhofs erreichte und außer Sicht war. Dann griff sie nach einem der eisernen Stäbe. Ihr war schwindlig vor Erschöpfung, und sie hielt sich nur schwankend auf den Beinen.

Elias, ihr Kutscher, kam zu ihr gelaufen und öffnete seinen Schirm, um ihn ihr über den Kopf zu halten. Scarlett ging zu ihrer Kutsche und übersah die Hand, die sich ihr entgegenstreckte, um ihr hineinzuhelfen. Im plüschbespannten Kutscheninnern sank sie in eine Ecke und zog das wollene Plaid über den Schoß. Sie war ausgekühlt bis auf die Knochen und entsetzt über ihr Verhalten. Wie hatte sie Ashley nur vor allen so blamieren können, wo sie Melanie doch noch vor wenigen Tagen versprochen hatte, sich um ihn zu kümmern und ihn zu beschützen, wie auch Melly es stets getan hatte? Aber was hätte sie denn tun sollen? Zusehen, wie er sich in das Grab stürzte? Sie hatte ihn aufhalten müssen.

Die Kutsche schwankte, als die hohen Räder tief in die schlammigen

Lehmfurchen sanken. Um ein Haar wäre Scarlett vom Sitz gefallen. Ihr Ellbogen schlug gegen den Fensterrahmen, und ein scharfer Schmerz durchfuhr ihren Arm.

Doch es war nur ein körperlicher Schmerz, den konnte sie aushalten. Der aufgeschobene, verzögerte, geleugnete Schmerz war es, den sie nicht ertragen konnte. Noch nicht, hier nicht, nicht, bevor sie nicht ganz allein war. Sie mußte nach Tara fahren, unbedingt. Mammy war dort, Mammy würde ihre braunen Arme um sie legen, würde sie festhalten und ihren Kopf an ihrer Brust wiegen, wo sie schon sämtlichen Kummer ihrer Kindheit herausgeschluchzt hatte. Mammy würde sie im Arm halten und in Liebe hüllen, würde ihren Schmerz teilen und ihr so helfen, ihn zu ertragen.

»Beeil dich, Elias«, sagte Scarlett, »beeil dich.«

»Hilf mir aus den nassen Sachen, Pansy«, befahl Scarlett ihrer Dienerin. »Rasch.« Ihr Gesicht war geisterhaft bleich und ließ ihre grünen Augen dunkler aussehen, leuchtender, beängstigender. Das junge schwarze Mädchen war ungeschickt vor Nervosität. »Rasch, habe ich gesagt. Wenn ich deinetwegen den Zug verpasse, zieh ich dir eins übers Fell.«

Das durfte sie nicht, Pansy wußte, daß sie das nicht durfte. Die Tage der Sklaverei waren vorüber, sie war nicht der Besitz von Miss Scarlett, sie konnte sich jederzeit eine andere Stelle suchen. Der verzweifelte, fieberhafte Glanz in Scarletts grünen Augen führte jedoch dazu, daß Pansy an ihrem Wissen zu zweifeln begann. Scarlett sah aus, als sei sie zu allem fähig.

»Pack das schwarze Wolltuch ein, es wird bald kälter werden«, sagte Scarlett. Sie sah zum offenen Kleiderschrank hinüber. Schwarze Wolle, schwarze Seide, schwarze Baumwolle, schwarzer Köper, schwarzer Samt. Sie konnte bis ans Ende ihrer Tage weitertrauern. Noch trauerte sie um Bonnie und jetzt auch um Melanie. Ich sollte mir etwas suchen, was noch schwärzer ist als schwarz, etwas noch Trauervolleres, um mich selbst zu betrauern.

Aber: Ich will darüber jetzt nicht nachdenken, sonst werde ich noch wahnsinnig. Dafür ist Zeit, wenn ich auf Tara bin. Da habe ich die Kraft.

»Mach dich fertig, Pansy. Elias wartet. Und wehe, du vergißt den Trauerflor. Wir sind hier in einem Trauerhaus.«

Die Straßen in Five Points waren das reinste Schlammloch. Fuhrwerke, Kutschen und Einspänner steckten im Morast fest. Ihre Fahrer verfluchten den Regen, die Straßen, die Pferde und die anderen Fahrer, die ihnen den Weg versperrten. Es herrschte großes Geschrei, Peitschen knallten, die Menge lärmte. In Five Points traf man immer auf Scharen von Menschen, eilende, streitende, klagende, lachende Menschen. Five Points brodelte vor

Leben, vor Gedränge, vor Energie. Five Points war das Atlanta, das Scarlett liebte.

Nicht jedoch heute. Heute war ihr Five Points im Weg, hielt Atlanta sie auf. Ich muß den Zug erreichen, ich sterbe, wenn ich ihn verpasse, ich muß zu Mammy und nach Tara, oder ich breche zusammen. »Elias«, schrie sie gellend, »es ist mir gleich, ob du die Pferde zu Tode peitschst, es ist mir gleich, ob du sämtliche Leute auf der Straße in Grund und Boden fährst. Hauptsache, du schaffst es zur Bahnstation.« Ihre Pferde waren die kräftigsten, ihr Kutscher der tüchtigste, ihre Kutsche die beste, die für Geld zu haben war. Wehe dem, der sie aufhielt. Wehe.

Sie schaffte es pünktlich und hatte sogar noch etwas Zeit.

Lautes Zischen von Dampf war zu hören. Scarlett hielt den Atem an und lauschte auf die erste schwerfällige Umdrehung der Räder, die bedeutete, daß der Zug sich in Bewegung gesetzt hatte. Da war sie. Dann noch eine. Und noch eine. Und das Rattern, Rucken des Waggons. Endlich waren sie unterwegs.

Alles würde gut werden. Sie fuhr nach Hause, nach Tara. Sie stellte sich das Haus vor, sonnig und hell, strahlend weiß, die weißen Vorhänge, die in den offenen Fenstern wehten, darunter das schimmernd grüne Laub der Kapjasminsträucher, die mit vollkommenen, wachsweißen Blüten bedeckt waren.

Schwerer, dunkler Regen strömte am Fenster hinab, als der Zug den Bahnhof verließ, doch das machte ihr nichts aus. Auf Tara würde es im Salon ein Feuer mit knisternden Tannenzweigen auf den Holzscheiten geben, die Vorhänge würden zugezogen sein und den Regen, die Dunkelheit und die Welt draußen aussperren. Den Kopf wollte sie an Mammys weiche Brust legen und ihr all die gräßlichen Dinge erzählen, die geschehen waren. Danach würde sie wieder imstande sein nachzudenken, sich zu überlegen, was zu tun war...

Zischender Dampf und quietschende Räder ließen Scarletts Kopf hochschnellen.

War das schon Jonesboro? Sie mußte eingedöst sein, kein Wunder, so müde, wie sie war. Sie hatte zwei Nächte nicht schlafen können, trotz des Brandys, mit dem sie versucht hatte, ihre Nerven zu beruhigen. Nein, sie waren erst in Rough and Ready. Noch eine Stunde bis Jonesboro. Wenigstens hatte der Regen aufgehört, es war sogar ein blauer Fleck am Himmel zu sehen. Vielleicht schien ja auf Tara die Sonne. Sie stellte sich die Auffahrt vor, die dunklen Zedern, die sie säumten, dann den weiten grünen Rasen und das geliebte Haus auf der Kuppe des niedrigen Hügels.

Scarlett seufzte schwer. Ihre Schwester Suellen war jetzt die Herrin auf Tara. Pah! Heulsuse war der treffendere Ausdruck. Suellen tat nichts als jammern, sie hatte nie etwas anderes getan, seit ihrer Kindheit. Und mittlerweile hatte sie auch Kinder, weinerliche kleine Mädchen, wie sie selbst eins gewesen war.

Scarletts Kinder waren ebenfalls auf Tara. Wade und Ella. Zusammen mit Prissy, dem Kindermädchen, hatte sie sie fortgeschickt, als sie erfahren hatte, daß Melanie sterben mußte. Wahrscheinlich hätten sie mit an Melanies Beerdigung teilnehmen sollen. So hatten all die alten Klatschtanten in Atlanta einmal mehr Grund dazu, sich die Mäuler darüber zu zerreißen, was für eine unnatürliche Mutter sie war. Sollten sie doch reden. Sie hätte die schrecklichen Tage und Nächte nach Mellys Tod nicht überstanden, hätte sie sich auch noch um Wade und Ella kümmern müssen.

Wegen alldem wollte sie sich keine Gedanken mehr machen, und fertig. Sie fuhr nach Hause nach Tara und zu Mammy, und sie wollte sich einfach verbieten, über immer noch mehr Dinge nachzugrübeln, die sie nur aufregten. Es gibt doch weiß Gott genug, was mich schier verrückt macht, da muß ich mir nicht noch zusätzlich was aufhalsen. Und ich bin so müde... Der Kopf sank ihr hinab, und die Augen fielen ihr zu.

»Jonesboro, Ma'am«, sagte der Schaffner. Scarlett blinzelte und setzte sich auf.

»Danke.« Sie sah sich im Waggon nach Pansy und ihren Koffern um. Ich zieh dem Mädchen das Fell über die Ohren, wenn sie in irgendeinem anderen Waggon herumtrödelt. Herrje, wenn eine Dame doch nicht jedesmal, wenn sie auch nur einen Fuß vor die Tür setzt, Begleitung haben müßte. Ich käme allein soviel besser zurecht. Da ist sie. »Pansy. Hol die Koffer aus dem Gepäcknetz. Wir sind da.«

Nur noch fünf Meilen bis Tara. Bald bin ich daheim. Daheim!

Will Benteen, Suellens Mann, erwartete sie auf dem Bahnsteig. Es war ein Schock, das Wiedersehen mit Will, die ersten paar Sekunden waren immer ein Schock. Scarlett liebte und respektierte Will aufrichtig. Wenn sie den Bruder hätte haben können, den sie sich immer gewünscht hatte, ihretwegen hätte er genau wie Will sein können. Einmal abgesehen natürlich von seinem Holzbein und daß er ein weißer Habenichts war. Man konnte Will eben nicht mit einem Gentleman verwechseln; er stammte eindeutig aus einfachen Verhältnissen. Doch das vergaß Scarlett, wenn sie ihn nicht sah, und brauchte ebenfalls kaum eine Minute, es zu vergessen, wenn sie ihm gegenüberstand, weil er ein so gütiger, freundlicher Mann war. Selbst Mammy hielt große Stücke auf Will, und Mammy war die gestrengste Richterin der Welt, wenn es darum ging, wer eine Dame oder ein Herr war.

»Will!« Mit seinem unverwechselbaren, schwingenden Gang kam er auf sie zu. Sie warf ihm die Arme um den Hals und umarmte ihn heftig.

»Oh, Will, ich bin so froh, dich zu sehen, daß ich heulen könnte.«

Will ließ sich ihre Umarmung ohne ein Zeichen der Rührung gefallen. »Ich freue mich, dich zu sehen, Scarlett. Es ist lange her.«

»Viel zu lange. Es ist eine Schande. Fast ein Jahr.«

»Eher zwei.«

Scarlett war verwirrt. War es wirklich so lange her? Kein Wunder also, daß ihr Leben in einem so tristen Zustand war. Ihr Zuhause hatte ihr immer neuen Lebensmut und neue Kraft geschenkt, wenn sie welche nötig gehabt hatte. Wie hatte sie nur so lange ohne Tara auskommen können?

Will winkte Pansy und ging auf den Planwagen vor der Bahnstation zu. »Wir beeilen uns besser ein bißchen, wenn wir es vor Anbruch der Dunkelheit schaffen wollen«, sagte er. »Ich hoffe, es macht dir nichts aus, daß es etwas unbequem wird, Scarlett. Da ich nun schon mal in die Stadt mußte, hab ich mir gedacht, ich nehme gleich noch ein paar Vorräte mit.« Der Wagen war vollbeladen mit Säcken und Kästen.

»Überhaupt nichts«, sagte Scarlett wahrheitsgemäß. Sie fuhr nach Hause, und alles, was sie dort hinbrachte, war ihr recht. »Steig auf die Futtersäcke, Pansy.«

Auf der Fahrt nach Tara war sie ebenso schweigsam wie Will, sie sog die altbekannte ländliche Stille in sich ein und erfrischte sich daran. Die Luft war reingewaschen, und warm lag die Nachmittagssonne auf ihren Schultern. Sie hatte recht daran getan, nach Hause zu fahren. Tara würde ihr die Zuflucht bieten, die sie brauchte, und zusammen mit Mammy würde sie einen Weg finden, ihre in Stücke gebrochene Welt wieder in Ordnung zu bringen. Sie beugte sich vor, als sie in den vertrauten Weg einbogen, ein Lächeln der Vorfreude umspielte ihre Lippen.

Doch als das Haus in Sicht kam, stieß sie einen verzweifelten Schrei aus. »Will, was ist denn das?« Die Stirnseite von Tara war von Ranken bedeckt, häßlichen Schnüren, voller toter Blätter, vier Fenster hatten schiefe Läden, zwei gar keine mehr.

»Nichts ist passiert. Es ist lediglich Sommer, Scarlett. Um das Haus kümmere ich mich im Winter, wenn ich auf den Feldern nicht gebraucht werde. Die Fensterläden da sind in ein paar Wochen an der Reihe. Es ist ja noch nicht mal Oktober.«

»Ach, Will, warum darf ich dir denn um Himmels willen nicht ein bißchen Geld geben? Dann könntest du dir eine Hilfe leisten. Da gucken ja die Ziegelsteine durch die Tünche. Das sieht wirklich verlottert aus.«

Will blieb geduldig. »Hilfe ist für Geld und gute Worte nicht zu bekommen. Wer Arbeit mag, hat schon genug davon, und wer keine mag, ist mir keine Hilfe. Wir kommen schon zurecht, Big Sam und ich. Wir brauchen dein Geld nicht.«

Scarlett biß sich auf die Lippe und schluckte hinunter, was sie hatte sagen wollen. Oft genug schon hatte sie sich an Wills Stolz die Zähne ausgebissen, und sie wußte, daß er nicht umzustimmen war. Er hatte recht, die Ernte und das Vieh hatten Vorrang. Was sie verlangten, war nicht aufschiebbar, ein neuer Anstrich hingegen wohl. Jetzt kamen die Felder in den Blick, die sich hinter dem Haus erstreckten. Sie waren frei von Unkraut, frisch gepflügt, und ein leichter Geruch zog von dem Dung herüber, der für die nächste Pflanzung aufgebracht worden war. Die rote Erde sah warm und fruchtbar aus, und Scarlett entspannte sich. Das war das Herz von Tara, seine Seele.

»Du hast recht«, sagte sie zu Will.

Die Haustür flog auf, und die Veranda füllte sich mit Menschen. Suellen stand ganz vorn, ihr kleinstes Kind auf dem Arm über dem geschwollenen Leib, der die Nähte ihres ausgeblichenen Baumwollkleids spannte. Ihr Schultertuch war ihr auf den Arm hinuntergerutscht. Scarlett zwang sich zu einer Fröhlichkeit, die sie nicht empfand. »Mein Gott, Will, bekommt Suellen denn schon wieder ein Baby? Da wirst du wohl noch ein paar Zimmer anbauen müssen.«

Will kicherte. »Wir arbeiten noch immer an einem Jungen.« Er hob die Hand und grüßte seine Frau und seine drei Töchter.

Scarlett winkte ebenfalls und bedauerte, daß sie nicht daran gedacht hatte, den Kindern etwas zum Spielen mitzubringen. Meine Güte, nun seht sie euch bloß an. Suellens Miene war finster. Scarletts Blick schweifte über die Gesichter und suchte nach den schwarzen ... Prissy war da; Wade und Ella versteckten sich hinter ihrem Rock ... und Big Sams Frau Delilah, den Löffel in der Hand, mit dem sie anscheinend gerade noch im Topf gerührt hatte ... und da war auch – wie hieß sie noch? –, ach ja, Lutie, die Kinderfrau von Tara. Aber wo war Mammy? Scarlett rief ihren Kindern zu: »Tag, meine Kleinen, Mutter ist da!« Dann wandte sie sich Will zu und legte ihm die Hand auf den Arm.

»Wo ist Mammy, Will? Sie ist doch nicht so alt, daß sie mich nicht begrüßen kommen kann.« Angst schnürte ihr die Kehle zusammen.

»Sie liegt krank im Bett, Scarlett.«

Scarlett sprang vom Wagen, noch ehe er ausgerollt war, stolperte, fand das Gleichgewicht wieder und rannte zum Haus hinüber. »Wo ist Mammy?« fragte sie Suellen, ohne ein Ohr für die Begrüßungsfreude der Kinder.

»Das ist ja eine schöne Begrüßung, Scarlett, aber ich habe auch nichts anderes von dir erwartet. Was hast du dir eigentlich dabei gedacht, als du Prissy und die Kinder einfach so hergeschickt hast, ohne auch nur ein Wort der Erklärung, wo du doch weißt, daß ich alle Hände voll zu tun habe, und überhaupt?«

Scarlett hob die Hand, sie war nahe daran, ihre Schwester zu schlagen. »Suellen, wenn du mir nicht sofort sagst, wo Mammy ist, fange ich an zu schreien.«

Prissy zog Scarlett am Ärmel. »Ich wissen, wo ist Mammy, Miss Scarlett, ich wissen. Sie mächtig krank, so wir kleine Kammer neben Küche zurechtmachen für sie, die, wo immer Schinken aufhängen, als noch viele Schinken da. Ist schön da, warm, gleich bei Schornstein. Sie schon da, wenn ich kommen, kann nicht sagen, machen alle zusammen Kammer zurecht, doch bring ich Stuhl rein zum Sitzen, wenn sie will aus dem Bett oder kommt Besuch...«

Prissy redete ins Leere. Scarlett war bereits an der Tür zu Mammys Krankenzimmer und griff haltsuchend nach dem Türrahmen.

Das... das... das Etwas da im Bett, das war nicht ihre Mammy. Mammy war eine große Frau, kräftig und üppig, mit warmer brauner Haut. Es war kaum sechs Monate her, daß Mammy Atlanta verlassen hatte, nicht lange genug, um derart hinfällig zu sein. Das durfte nicht wahr sein. Scarlett konnte es nicht ertragen. Das Wesen da war grauhaarig und eingeschrumpft, rührte sich kaum unter der ausgeblichenen Patchworkdecke, die es bedeckte, und die verschränkten Finger bewegten sich nur schwach über deren Falten. Scarlett überlief es kalt.

Dann hörte sie Mammys Stimme. Dünn und stockend zwar, aber doch Mammys geliebte, liebevolle Stimme. »Nu, Missy, ich dir nicht hundertmal sagen, du nicht einen Fuß aus dem Haus gehen, ohne Haube und einen Sonnenschutz zu tragen... Und ich sagen und sagen und wieder sagen...«

»Mammy!« Scarlett sank neben dem Bett auf die Knie. »Mammy, ich bin's, Scarlett. Deine Scarlett. Bitte sei doch nicht krank, Mammy, ich kann es nicht ertragen, nicht du.« Sie legte den Kopf neben die knochige Schulter auf das Bett und weinte hemmungslos wie ein Kind.

Eine federleichte Hand strich ihr über den gesenkten Kopf. »Wein nicht, Kind. Nichts so schlimm, daß sich nicht läßt wieder in Ordnung bringen.«

»Alles«, wimmerte Scarlett, »alles ist schiefgegangen, Mammy.«

»Nun mal pssst, ist doch nur eine Tasse. Und kriegst du sowieso ein neues Teeservice, genauso schönes. Kannst du immer noch deine Teegesellschaft haben, wie dir Mammy versprochen hat.«

Scarlett wich entsetzt zurück. Sie starrte in Mammys Gesicht und sah das Leuchten der Liebe in ihren eingesunkenen Augen, Augen, die sie nicht sahen.

»Nein«, flüsterte sie. Es war zuviel. Erst Melanie, dann Rhett und nun Mammy; alle, die sie liebte, verließen sie. Es war zu grausam. Es durfte nicht wahr sein.

»Mammy«, sagte sie laut, »Mammy, hör mich doch. Ich bin Scarlett.« Sie packte die Kante der Matratze und versuchte, sie zu schütteln. »Schau mich doch an«, schluchzte sie, »mein Gesicht. Du mußt mich doch erkennen. Ich bin's, Scarlett.«

Wills große Hände schlossen sich um ihre Handgelenke. »Tu das lieber nicht«, sagte er. Seine Stimme war sanft, doch sein Griff war eisenhart. »Sie ist glücklich, wenn sie so ist, Scarlett. Sie ist wieder in Savannah und hütet deine Mutter, als sie noch ein kleines Mädchen war. Das waren glückliche Zeiten für sie. Sie war jung, sie war stark und hatte keine Schmerzen. Laß sie, wo sie ist.«

Scarlett versuchte sich loszumachen. »Aber ich will, daß sie mich erkennt, Will. Ich hab ihr nie gesagt, wieviel sie mir bedeutet. Ich muß es ihr sagen.«

»Du bekommst schon noch Gelegenheit dazu. Sehr oft ist sie anders und erkennt alle. Weiß auch, daß sie sterben muß. So ist es besser für sie. Komm du jetzt mit. Alle warten auf dich. Delilah hat von der Küche aus ein Ohr auf Mammy.«

Scarlett ließ sich von Will auf die Füße helfen. Sie war von Kopf bis Fuß wie betäubt, bis in ihr Innerstes, war unfähig, irgend etwas zu empfinden. Schweigend folgte sie ihm in den Salon. Suellen fing auf der Stelle an, ihr heftige Vorwürfe zu machen und ihr Klagelied dort wiederaufzunehmen, wo sie es unterbrochen hatte, aber Will brachte sie zum Schweigen. »Scarlett hat einen schweren Schlag erlitten, Sue, laß sie in Ruhe.« Er goß Whiskey in ein Glas und drückte es Scarlett in die Hand.

Der Whiskey verfehlte seine Wirkung nicht. Er brannte sich den vertrauten Pfad durch ihren Körper und dämpfte ihren Schmerz. Sie hielt Will das leere Glas hin, und er goß noch etwas nach.

»Hallo, meine Herzchen«, sagte sie zu ihren Kindern, »kommt und gebt eurer Mutter einen Kuß.« Scarlett hörte ihre eigene Stimme; sie klang, als gehörte sie jemand anderem, doch wenigstens sagte sie das Richtige.

Sie verbrachte alle Zeit, die sie erübrigen konnte, in Mammys Zimmer, an Mammys Seite. Scarlett hatte all ihre Hoffnungen an Mammys tröstende Umarmung gehängt, doch nun waren es ihre starken jungen Arme, die die sterbende alte Frau umfingen. Sie hob die hinfällige Gestalt hoch, um sie zu baden, um ihr die Bettwäsche zu wechseln, um ihr zu helfen, wenn ihr das Atmen gar zu schwer fiel, und um ihr unter gutem Zureden ein paar Löffel Brühe einzuflößen. Sie sang die Schlaflieder, die Mammy ihr so oft vorgesungen hatte, und wenn Mammy im Delirium mit Scarletts toter Mutter sprach, antwortete Scarlett mit den Worten, die Ellen ihrer Vorstellung nach wohl gewählt hätte.

Manchmal erkannten Mammys tränende Augen sie, und die aufgesprungenen Lippen der alten Frau lächelten beim Anblick ihres Lieblings. Dann schalt ihre zittrige Stimme Scarlett, wie sie sie seit deren Säuglingszeit immer gescholten hatte. »Deine Haare, nicht zum Ansehen sind die, Miss Scarlett, nun gehen und hundert Striche bürsten, wie Mammy dir beigebracht.« – »Kriegst du keinen Verehrer ab, so zerknittertes Kleid, wie du hast. Geh gleich frisch dich anziehen, ehe Leute dich sehen.« Oder: »Siehst bleich wie Gespenst aus, Miss Scarlett. Wohl Puder auf Gesicht legen? Gleich abwaschen, sofort.«

Was immer Mammy befahl, Scarlett versprach zu gehorchen. Kaum hatte sie Zeit, allen Befehlen nachzukommen, ehe Mammy wieder in die Bewußtlosigkeit zurückglitt oder in jene andere Welt, in der Scarlett nicht existierte.

Am Tage und abends beteiligten sich Suellen, Delilah oder sogar Will an der Arbeit im Krankenzimmer, und Scarlett konnte zwischendurch einmal eine halbe Stunde Schlaf ergattern, die sie mit angezogenen Knien im Schaukelstuhl verbrachte. Nachts jedoch hielt sie einsam Wache. Sie drehte die Flamme der Petroleumlampe herunter und hielt Mammys trockene Hand. Wenn das Haus und Mammy schliefen, gelang es ihr endlich zu weinen, und die bitterlichen Tränen linderten ihren Schmerz ein wenig.

Einmal, in der kurzen, stillen Stunde vor der Morgendämmerung, wachte Mammy auf. »Wozu denn weinen, Schatz?« flüsterte sie. »Die alte Mammy ist bereit, will ihre Bürde niederlegen und ausruhen in den Armen des Herrn. Kein Grund so weitermachen.« Ihre Hand fügte sich in Scarletts, befreite sich von ihr und strich Scarlett über den gesenkten Kopf. »Still jetzt. Alles halb so schlimm.«

»Entschuldige«, schluchzte Scarlett, »ich kann einfach nicht aufhören zu weinen.«

Mammys gebeugte Finger schoben Scarlett das wirre Haar aus dem Gesicht. »Erzähl alter Mammy, was ihr Lämmchen für Kummer.«

Scarlett blickte in die alten, weisen, liebevollen Augen und verspürte den tiefsten Schmerz, den sie je erfahren hatte. »Ich habe alles falsch gemacht, Mammy. Ich weiß nicht, wie ich so viele Fehler machen konnte. Ich verstehe es nicht.«

»Miss Scarlett, du getan, was du tun mußtest. Kann niemand mehr tun als das. Der gütige Gott hat dir ein paar schwere Bürden auferlegt, und du sie getragen. Kein Sinn fragen, warum sie dir auferlegt oder was dich gekostet hat, sie zu tragen. Was geschehen, ist geschehen. Nicht dich ängstigen jetzt.« Mammys schwere Lider schlossen sich über Tränen, die im trüben Licht glitzerten, und ihr mühsamer Atem verlangsamte sich, als der Schlaf sie übermannte.

Wie kann ich mich denn nicht ängstigen? hätte Scarlett am liebsten geschrien. Mein Leben ist ruiniert, und ich weiß nicht, was ich tun soll. Ich brauche Rhett, und er ist weg. Ich brauche dich, und auch du verläßt mich.

Sie hob den Kopf, wischte sich die Tränen mit dem Ärmel vom Gesicht und straffte die schmerzenden Schultern. Die Kohlen im Kanonenofen waren fast ganz verbrannt, und der Eimer war leer. Sie mußte ihn wieder füllen, sie mußte das Feuer in Gang halten. Das Zimmer begann schon auszukühlen, und Mammy mußte warm gehalten werden. Scarlett zog die ausgeblichene, zusammengestückelte Decke über Mammys zerbrechliche Gestalt, dann trat sie mit dem Kohleneimer in die kalte Finsternis hinaus. Sie eilte auf die Kohlenkiste zu und bereute, daß sie sich kein Tuch umgelegt hatte.

Es gab keinen wirklichen Mond, nur die Andeutung einer zunehmenden Sichel, die sich hinter einer Wolke verlor. Die Luft war geschwängert von der Feuchtigkeit der Nacht, und die wenigen Sterne, die nicht hinter

Wolken versteckt waren, schienen sehr, sehr weit entfernt und funkelten kalt. Scarlett fröstelte. Die Schwärze um sie herum war formlos, unendlich. Wie blind hastete Scarlett in die Mitte des Hofes, und noch immer vermochte sie die vertrauten Silhouetten von Räucherhaus und Schuppen nicht zu erkennen, die doch ganz in der Nähe sein mußten. In plötzlicher Panik suchte sie nach der weißen Masse des Hauses, das sie gerade verlassen hatte, doch auch das war in der Dunkelheit untergetaucht. Nirgendwo ein Licht. Sie fühlte sich verloren in einer trübsinnigen, stummen Welt; sie hatte sich verlaufen. Nichts rührte sich, nicht einmal ein Blatt, nicht einmal die Feder einer Vogelschwinge. Grauen zerrte an ihren angespannten Nerven, und am liebsten wäre sie gerannt. Doch wohin? Überall nur unheimliche Finsternis.

Scarlett biß die Zähne zusammen. Was war denn das jetzt für ein albernes Benehmen? Ich bin zu Hause, auf Tara, und die dunkle Kälte wird verschwinden, sowie die Sonne aufgeht. Sie zwang sich zu einem Lachen; der schrille, unnatürliche Laut ließ sie zusammenfahren.

Angeblich ist es ja vor der Morgendämmerung immer am dunkelsten, dachte sie. Ich habe eine Art Koller, weiter nichts. Aber ich darf mich nicht davon überwältigen lassen, dafür fehlt mir die Zeit, der Ofen braucht Nachschub. Sie streckte eine Hand in die Schwärze vor ihren Augen und ging in die Richtung, wo die Kohlenkiste sein mußte, neben dem Holzstoß. Eine Vertiefung im Boden ließ sie straucheln, und sie fiel hin. Der Eimer klapperte laut, dann war er weg.

Jedes erschöpfte, verängstigte Atom ihres Körpers schrie ihr zu, aufzugeben, zu bleiben, wo sie war, an den sicheren, unsichtbaren Boden unter sich geschmiegt, bis es Tag wurde und sie sehen konnte. Doch Mammy brauchte Wärme. Und das aufmunternde gelbe Licht hinter dem Quarzglasfenster des Ofens.

Scarlett stemmte sich langsam auf die Knie und tastete nach dem Kohleneimer. Auf der ganzen Welt hatte es bestimmt noch keine solch pechschwarze Finsternis gegeben. Keine so naßkalte Nachtluft. Ihr Atem ging schnell. Wo war der Eimer? Wo war die Morgendämmerung?

Ihre Finger streiften kaltes Metall. Auf den Knien krabbelte Scarlett darauf zu und umklammerte mit beiden Händen die geriffelte Blechwand der Kohlenschütte. Sie hockte sich auf die Fersen und preßte das Metall verzweifelt gegen ihre Brust.

Herrgott, jetzt habe ich völlig die Richtung verloren. Ich weiß nicht einmal, wo das Haus ist, geschweige denn die Kohlenkiste. Ich bin im Dunkeln allein. Sie blickte fieberhaft auf und suchte nach irgendeinem Licht, doch der Himmel war schwarz. Selbst die fernen Sterne waren verschwunden.

Einen Augenblick lang wollte sie nur laut schreien und schreien und schreien, bis drinnen jemand aufwachte, jemand, der eine Lampe anmachen, der kommen, sie finden und ins Haus führen würde.

Ihr Stolz verbot es ihr. Hilflos im eigenen Hof, hinter dem eigenen Haus, nur ein paar Schritt von der Küchentür entfernt! Die Schande würde sie nicht überleben.

Sie klappte sich den Henkel der Kohlenschütte über den Arm und begann, unbeholfen auf Händen und Knien über den dunklen Boden zu kriechen. Früher oder später mußte sie auf etwas stoßen, das Haus, den Holzstoß, den Schuppen, den Brunnen, und so die Orientierung wiederfinden. Schneller würde es freilich gehen, wenn sie aufstehen und laufen würde. Sie würde sich dann auch nicht so albern vorkommen. Doch womöglich fiel sie wieder hin und verstauchte sich den Knöchel oder sonst irgend etwas. Dann war sie hilflos, bis jemand sie fand. Ganz gleich, was sie eigentlich hätte tun sollen oder nicht, alles war besser, als hilflos und allein dazuliegen und nicht zu wissen, wo sie war.

Wo war denn hier eine Mauer? Irgendwo mußte doch eine sein, sie hatte das Gefühl, schon halb bis nach Jonesboro gekrochen zu sein. Panik streifte sie. Wenn diese Finsternis nun niemals aufhörte, wenn sie nun einfach immer nur weiter- und weiterkroch, ohne jemals irgendwo anzukommen?

Hör auf! befahl sie sich, hör sofort damit auf! Ihre Kehle machte eigenartige Geräusche.

Sie stand mühsam auf und zwang sich dazu, langsamer zu atmen, zwang ihr Gehirn, das Kommando über ihr jagendes Herz zu übernehmen. Sie war Scarlett O'Hara, sagte sie sich. Sie war auf Tara, und sie kannte jeden Fußbreit dieses Geländes besser als ihre eigene Hand. Was machte es da schon aus, daß sie die Hand vor Augen nicht sehen konnte? Sie wußte doch, was um sie herum war, sie mußte es lediglich finden.

Und sie würde aufrecht danach suchen, nicht auf allen vieren wie ein Säugling oder ein Hund. Sie hob das Kinn und straffte die schmalen Schultern. Gott sei Dank hatte sie niemand gesehen, wie sie der Länge nach im Schmutz gelegen hatte und wie sie, weil sie sich fürchtete aufzustehen, verängstigt umhergekrochen war. Nie im Leben hatte sie sich unterkriegen lassen, nicht von der Armee des alten Sherman und auch nicht von den ärgsten Spekulantenmachenschaften. Nichts und niemand vermochte sie unterzukriegen, wenn sie es nicht zuließ. Allein schon die Idee, daß sie sich vor der Dunkelheit fürchten sollte wie irgend so eine feige Heulsuse!

Ich muß schon sagen, ich lasse mich gehen, soweit man sich überhaupt nur gehen lassen kann, dachte sie angewidert, und die eigene Verachtung wärmte sie. So weit werde ich es nie wieder kommen lassen, ganz gleich, was passiert. Wenn man erst einmal ganz unten angelangt ist, kann es nur wieder aufwärtsgehen. Bis hierher habe ich mein Leben verpfuscht, aber ich werde es wieder in Ordnung bringen und mich nicht häuslich in den Scherben einrichten.

Die Kohlenschütte vor sich hingestreckt, ging Scarlett mit festen Schritten vorwärts, und schon schlug das Metall gegen etwas. Sie lachte laut, als sie den beißenden Harzduft von frisch gehacktem Kiefernholz roch. Sie war am Holzstoß, und unmittelbar daneben war die Kohlenkiste. Genau dahin hatte sie gewollt.

Mit einem lauten Geräusch schloß sich die eiserne Ofentür vor den wiederbelebten Flammen, und Mammy begann sich in ihrem Bett zu regen. Scarlett eilte zu ihr hinüber, um sie wieder zuzudecken. Das Zimmer war kalt.

Durch ihren Schmerz hindurch sah Mammy Scarlett blinzelnd an. »Dein Gesicht ist schmutzig und die Hände auch«, rügte sie sie mit schwacher Stimme.

»Ich weiß«, sagte Scarlett, »ich wasche sie sofort.« Und noch ehe die alte Frau wieder einschlief, küßte sie sie auf die Stirn. »Ich liebe dich, Mammy.«

»Nicht nötig zu sagen, was ich schon wissen.« Mammy glitt in den Schlaf und entkam so dem Schmerz.

»Doch, das ist nötig«, erklärte ihr Scarlett. Sie wußte zwar, Mammy konnte sie nicht hören, aber dennoch sprach sie laut, halb zu sich selbst. »Das ist sogar dringend nötig. Ich habe es Melanie nicht gesagt, und ich habe es Rhett nicht gesagt, bis es zu spät war. Ich habe mir nie die Zeit genommen, mir klarzumachen, wie sehr ich sie geliebt habe, und mit dir war es genauso. Wenigstens bei dir will ich den Fehler nicht noch einmal machen.«

Scarlett starrte auf das totenkopfähnliche Gesicht der sterbenden alten Frau nieder. »Ich liebe dich, Mammy«, flüsterte sie. »Was soll bloß aus mir werden, wenn ich dich und deine Liebe nicht mehr habe?«

2. Kapitel

Prissy reckte den Kopf durch den Türspalt des Krankenzimmers. »Miss Scarlett, Mister Will sagen, ich bei Mammy sitzen, während Sie bißchen frühstücken. Delilah sagen, Sie werden noch ganz erschöpft von vieler Pflege, und sie hat schöne große Scheibe Schinken mit Soße gemacht für Ihre Grütze.«

»Wo ist die Rinderbrühe für Mammy?« drängte Scarlett. »Delilah weiß doch, daß sie morgens als erstes eine warme Brühe bringen soll.«

»Hab ich hier in der Hand.« Prissy stieß mit dem Ellbogen die Tür auf, ein Tablett vor sich. »Aber Mammy schlafen, Miss Scarlett. Wir sie wach rütteln, damit sie Brühe trinkt?«

»Deck sie einfach zu und stell das Tablett nah an den Ofen. Ich füttere sie, wenn ich zurückkomme.« Scarlett verspürte einen wölfischen Hunger. Der Duft der dampfenden Brühe bewirkte, daß ihr Magen sich zusammenkrampfte.

Sie wusch sich eilig Gesicht und Hände in der Küche. Auch ihr Kleid war schmutzig, doch daran konnte sie jetzt nichts ändern. Sie wollte sich umziehen, wenn sie gegessen hatte.

Will stand gerade vom Tisch auf, als Scarlett das Eßzimmer betrat. Farmer durften keine Zeit vertrödeln und schon gar nicht an einem Tag, so hell und warm, wie die goldene Sonne des frühen Morgens vor den Fenstern ihn verhieß.

»Darf ich dir helfen, Onkel Will?« fragte Wade hoffnungsvoll. Er sprang auf und stieß dabei fast seinen Stuhl um. Dann sah er seine Mutter, und seine eifrige Miene schwand. Nun mußte er am Tisch sitzen bleiben und seine besten Manieren an den Tag legen, sonst wurde sie böse. Langsam ging er und schob Scarlett den Stuhl hin.

»Was für ein wohlerzogener Junge du doch bist, Wade«, säuselte Suellen. »Guten Morgen, Scarlett, bist du nicht stolz auf deinen jungen Gentleman?«

Scarlett schaute erst Suellen, dann Wade verständnislos an. Du liebe Güte, er war doch einfach nur ein Kind, warum um alles in der Welt flötete Suellen denn so? Wie sie sich aufführte, konnte man ja meinen, Wade sei ein Tänzer, mit dem man flirten mußte.

Wade ist wirklich ein hübscher Junge, dachte sie überrascht. Außerdem groß für sein Alter, er sah fast wie dreizehn aus und war doch nicht einmal zwölf. Suellen würde das nicht so herrlich finden, müßte sie die Kleider kaufen, aus denen er so rasch herauswuchs.

Du liebe Güte! Was mache ich nur wegen Wades Kleidern? Rhett hat sich doch immer um alles gekümmert, und ich weiß gar nicht, was Jungen tragen, geschweige denn, wo man es am besten kauft. Die Handgelenke ragen ja bereits aus seinen Hemdsärmeln heraus, wahrscheinlich braucht er längst alles eine Nummer größer. Und das auch noch schnell. Die Schule muß bald anfangen. Wenn sie nicht schon angefangen hat, ich weiß nicht einmal, was heute für ein Datum ist.

Scarlett ließ sich auf den Stuhl fallen, den Wade ihr hingeschoben hatte. Sie hoffte, er wäre imstande, ihr zu sagen, was sie wissen mußte. Doch zuallererst wollte sie frühstücken. Mir läuft dermaßen das Wasser im Mund zusammen, daß ich gleich anfange zu gurgeln. »Danke, Wade Hampton«, sagte sie geistesabwesend. Der Schinken sah genau richtig aus, üppig rosa und saftig, mit einem knusprig braunen Fettrand. Sie ließ die Serviette in ihren Schoß fallen und griff nach Messer und Gabel.

»Mutter?« fragte Wade vorsichtig.

»Hm?« Scarlett schnitt in den Schinken.

»Darf ich bitte Onkel Will bei der Feldarbeit helfen?«

Scarlett verstieß gegen die oberste Regel der guten Tischmanieren und sprach mit vollem Mund. Der Schinken war köstlich. »Ja, ja, lauf nur.« Ihre Hände waren damit beschäftigt, einen weiteren Bissen abzuschneiden.

»Ich auch«, platzte Ella heraus.

»Ich auch«, echote Suellens Susie.

»Ihr werdet nicht gebraucht«, sagte Wade. »Feldarbeit ist Männersache. Mädchen bleiben im Haus.«

Susie fing an zu weinen.

»Siehst du, was du angerichtet hast!« sagte Suellen zu Scarlett.

»Ich? Das ist doch nicht mein Kind, das hier so ein Spektakel veranstaltet.« Scarlett versuchte es immer zu vermeiden, sich mit Suellen zu streiten, wenn sie nach Tara kam, aber die lebenslange Gewohnheit war zu stark. Als Babys hatten sie zu streiten begonnen und im Grunde niemals wirklich wieder aufgehört.

Ich lasse mir von ihr nicht die erste Mahlzeit seit wer weiß wie langer Zeit verderben, auf die ich Appetit habe, beschloß Scarlett, und konzentrierte sich darauf, gleichmäßig Butter unter den schimmernd weißen Berg Grütze auf ihrem Teller zu rühren. Sie hob nicht einmal den Blick, als Wade hinter Will herging und Ellas Geplärr sich mit dem von Susie vereinte.

»Still jetzt, alle beide«, sagte Suellen laut.

Scarlett träufelte Fleischsaft über ihre Grütze, häufte alles auf ein Stück Schinken und spießte das Arrangement mit der Gabel auf.

»Onkel Rhett würde mich lassen«, schluchzte Ella. Ich höre nicht hin, dachte Scarlett, ich verschließe einfach die Ohren und genieße mein Frühstück. Sie schob sich den Schinken mit der Grütze in den Mund.

»Mutter ... Mutter, wann kommt denn Onkel Rhett nach Tara?« Ellas Stimme schrillte durchdringend. Scarlett hörte die Worte wider ihre Absicht, und der wohlschmeckende Bissen wurde in ihrem Mund zu Sägemehl. Was sollte sie sagen, wie konnte sie Ellas Frage beantworten? Nie. War das die Antwort? Sie konnte es nicht, würde es selbst nicht glauben können. Angewidert sah sie ihre rotgesichtige Tochter an. Ella hatte ihr alles verdorben. Hätte sie mich nicht wenigstens für die Dauer des Frühstücks in Frieden lassen können?

Ella hatte das rötlichbraune Haar Frank Kennedys, ihres verstorbenen Vaters. Es stand ihr um das tränenverschmierte Gesicht vom Kopf ab wie verrostete Drahtrollen; ständig entkam es den strammen Zöpfen, die Prissy ihr flocht, sosehr sie es auch mit Wasser anklatschen mochte. Ellas Körper war drahtig, dürr und knochig. Sie war älter als Susie, fast sieben, Susie erst sechseinhalb, doch bereits fast einen halben Kopf größer und um so viel stämmiger, daß sie Ella ungeniert schikanieren konnte.

Kein Wunder, daß Ella froh wäre, wenn Rhett käme, dachte Scarlett. Er hat sie wirklich gern, ganz im Gegensatz zu mir. Sie geht mir ebenso auf die Nerven, wie Frank es getan hat, und ich kann mir so viel Mühe geben, wie ich will, ich kann sie einfach nicht lieben.

»Wann kommt denn Onkel Rhett, Mutter?« fragte Ella wieder. Scarlett schob ihren Stuhl vom Tisch weg und stand auf.

»Das ist Sache der Erwachsenen«, sagte sie. »Ich gehe nach Mammy sehen.« Jetzt an Rhett zu denken war ihr unerträglich, sie würde sich später damit beschäftigen, wenn sie nicht mehr so große Sorgen hätte. Es war wichtiger – wesentlich wichtiger –, Mammy dazu zu überreden, ihre Brühe zu essen.

»Nur noch ein Löffelchen, Mammy-Schatz, mach mir die Freude.«

Die alte Frau wandte das Gesicht ab. »Müde«, seufzte sie.

»Ich weiß«, sagte Scarlett, »ich weiß. Dann schlaf nur. Ich werde dich nicht mehr quälen.« Sie blickte auf den fast vollen Napf nieder. Mammy aß mit jedem Tag weniger und weniger.

»Miss Ellen«, rief Mammy schwach.

»Hier bin ich, Mammy«, antwortete Scarlett. Es tat ihr jedesmal weh, wenn Mammy sie nicht erkannte, wenn sie glaubte, die Hände, die sie so liebevoll pflegten, seien die von Scarletts Mutter. Es sollte mich nicht stören, sagte Scarlett sich dann jedesmal. Schließlich ist es immer Mutter gewesen, die sich um die Kranken gekümmert hat, nicht ich. Mutter war gütig zu allen, war ein Engel, eine vollkommene Dame. Ich sollte mich glücklich schätzen, mit ihr verwechselt zu werden. Vermutlich komme ich in die Hölle, weil ich darauf eifersüchtig bin, daß Mammy sie lieber hat ... bloß, daß ich nicht mehr so recht an die Hölle glaube ... und auch nicht an den Himmel.

»Miss Ellen ...«

»Hier bin ich, Mammy.«

Die uralten Augen öffneten sich halb. »Du bist nicht Miss Ellen.«

»Scarlett bin ich, Mammy, deine Scarlett.«

»Miss Scarlett... Ich will Mist' Rhett. Will ihm sagen ...«

Scarlett biß sich auf die Lippen. Ich brauche ihn ja auch, rief sie innerlich. So sehr. Doch er ist weg, Mammy. Ich kann dir nicht geben, was du möchtest.

Sie erkannte, daß Mammy wieder in ihren komaähnlichen Zustand versunken war, und empfand heftige Dankbarkeit. Wenigstens war sie so von ihren Schmerzen befreit. Ihr eigenes Herz schmerzte, als steckten lauter Messer darin. Wie sehr sie Rhett brauchte, besonders jetzt, wo ihr Mammy immer schneller entglitt, dem Tod entgegen. Wäre er doch nur hier bei mir und spürte denselben Kummer wie ich. Denn auch Rhett hat Mammy geliebt und Mammy ihn. Im ganzen Leben habe er sich nicht so anstrengen müssen, um jemanden für sich einzunehmen, hatte Rhett gesagt, und nie habe er soviel Wert auf die Meinung eines Menschen gelegt wie auf Mammys. Er würde zutiefst betrübt sein, wenn er erfuhr, daß sie nicht mehr da war, es würde ihm so leid tun, daß er ihr nicht Lebewohl hatte sagen können ...

Scarletts Kopf hob sich, ihre Augen weiteten sich. Aber natürlich. Was war sie bloß für ein Dummkopf. Sie blickte auf die verhutzelte alte Frau, die klein und federleicht unter der Decke lag. »Oh, Mammy-Schatz, ich danke dir«, hauchte sie. »Ich bin zu dir gekommen, weil ich deine Hilfe brauche, damit du für mich alles wieder in Ordnung bringst, und genau das wirst du auch tun, genau wie du es immer getan hast.«

Sie traf Will im Stall dabei an, wie er gerade sein Pferd striegelte.

»Ach, bin ich froh, dich hier zu finden, Will«, sagte Scarlett. Ihre grünen Augen funkelten, ihre Wangen zeigten eine natürliche Röte statt des Rouges, das sie gewöhnlich auflegte. »Kann ich das Pferd und den Einspänner haben? Ich muß nach Jonesboro. Es sei denn ... du triffst doch nicht selbst gerade Vorbereitungen, um nach Jonesboro zu fahren?« Sie hielt den Atem an, während sie auf seine Antwort wartete.

Will sah sie ruhig an. Er verstand Scarlett besser, als ihr bewußt war. »Kann ich dort irgend etwas für dich erledigen? Für den Fall, daß ich tatsächlich vorhabe, nach Jonesboro zu fahren, meine ich.«

»Ach, Will, du bist ein lieber, süßer Kerl. Ich würde soviel lieber bei Mammy bleiben, doch ich muß immer noch Rhett Bescheid geben, wie es um sie steht. Sie fragt nach ihm, und er hat sie immer so gern gehabt, er würde es sich nie verzeihen, wenn er sie enttäuschen würde.« Sie nestelte an der Mähne des Pferdes herum. »Er ist wegen einer Familienangelegenheit in Charleston, seine Mutter traut sich ohne Rhetts Rat nicht einmal zu atmen.«

Scarlett blickte auf, sah Wills ausdrucksloses Gesicht und wandte den Blick ab. Sie begann, Zöpfe in die Pferdemähne zu flechten, und betrachtete ihr Werk, als sei es von lebenswichtiger Bedeutung. »Wenn du ihm also einfach nur ein Telegramm schicken würdest. Ich gebe dir gleich die Adresse. Und schick es lieber in deinem Namen, Will. Rhett weiß, wie sehr ich Mammy vergöttere. Er könnte annehmen, daß ich übertreibe, was die Schwere ihrer Krankheit betrifft.« Sie hob den Kopf und lächelte strahlend. »Er findet, ich hätte nicht mehr Verstand als ein Maikäfer.«

Will wußte, daß das die dickste Lüge überhaupt war. »Du hast wohl recht«, sagte er langsam. »Rhett sollte kommen, so rasch er kann. Ich reite gleich rüber, ein Pferderücken ist schneller als ein Fuhrwerk.«

Scarletts Hände entspannten sich. »Danke«, sagte sie, »ich habe die Anschrift in der Tasche.«

»Ich bin rechtzeitig zum Mittagessen zurück«, sagte Will. Er hob den Sattel von seinem Bock. Scarlett war ihm behilflich. Sie fühlte sich voller Tatendrang und war überzeugt, daß Rhett kommen würde. Er konnte in zwei Tagen auf Tara sein, wenn er Charleston verließ, sobald er das Telegramm bekam.

Rhett kam jedoch nicht in zwei Tagen. Und auch nicht in drei oder vier oder fünf Tagen. Scarlett hörte auf, auf das Geräusch von Rädern oder Hufschlägen auf der Zufahrt zu horchen. Sie war ganz zermürbt von dem ständigen Gelausche. Und inzwischen gab es ein anderes Geräusch, das ihre Aufmerksamkeit beanspruchte, das grauenerregende Rasseln, mit dem Mammy nach Atem rang. Es schien unmöglich, daß der hinfällige Körper die Kraft aufbringen sollte, derer es bedurfte, um Luft zu holen und wieder auszuatmen. Doch sie schaffte es jedesmal wieder, und bebend traten die Sehnen an ihrem runzligen Hals hervor.

Suellen teilte sich mit Scarlett in die Krankenwache. »Sie ist ja auch meine Mammy, Scarlett.« Die lebenslangen Eifersüchteleien und Quälereien zwischen ihnen waren vergessen angesichts ihres gemeinsamen Wunsches, der alten schwarzen Frau zu helfen. Überall aus dem Haus holten sie Kopfkissen, um sie aufzusetzen, und hielten den Inhalator ständig am Dampfen. Sie strichen ihr Butter auf die rissigen Lippen, flößten ihr löffelweise Flüssigkeit ein. Nichts jedoch konnte Mammys schweren Kampf erleichtern. Sie sahen sie mitleidig an. »Nicht überanstrengen«, keuchte sie. »Könnt nichts machen.«

Scarlett legte Mammy den Finger auf die Lippen. »Pssst«, bat sie, »bemüh dich nicht zu sprechen. Spar deine Kräfte auf.« Warum, ach warum, haderte sie insgeheim mit Gott, warum konntest Du sie nicht leicht sterben lassen, als sie in der Vergangenheit umherstreifte? Warum mußtest Du sie aufwecken und läßt sie so sehr leiden! Ihr ganzes Leben lang war sie gut, hat immer nur an andere Menschen gedacht, nie an sich selbst. Sie hat wirklich Besseres verdient; niemals werde ich wieder das Haupt vor Dir senken. Solange ich lebe.

Laut jedoch las sie Mammy aus der abgegriffenen alten Bibel auf dem Nachttisch neben dem Bett vor. Sie las die Psalmen, und ihrer Stimme waren die Qual und der unfromme Zorn ihres Herzens nicht im mindesten anzumerken. Wenn es Abend wurde, zündete Suellen die Lampe an und löste Scarlett ab, las, blätterte die dünnen Seiten um und las weiter. Dann kam Scarlett zurück, und schließlich war Suellen wieder da, bis Will sie wegschickte, damit sie sich ein bißchen ausruhen konnte. »Du auch, Scarlett«, sagte er. »Ich setze mich zu Mammy. Ich bin zwar kein großer Leser, aber ich kenne viele Bibelstellen auswendig.«

»Dann sag sie auf. Aber ich gehe nicht weg. Ich kann nicht.« Sie setzte sich auf den Boden und, den erschöpften Rücken an die Wand gelehnt, lauschte den entsetzlichen Lauten des Todes.

Als das erste dünne Tageslicht hinter den Fenstern sichtbar wurde, veränderten die Laute sich auf einmal, die einzelnen Atemzüge wurden geräuschvoller, die Stille zwischen ihnen dehnte sich aus. Scarlett stand mühsam auf. Will erhob sich von seinem Stuhl. »Ich hole Suellen«, sagte er.

Scarlett nahm seinen Platz neben dem Bett ein. »Möchtest du, daß ich dir die Hand halte, Mammy? Laß mich deine Hand halten.«

Mammys Stirn zog sich vor Anstrengung zusammen. »So . . . müde.«

»Ich weiß, ich weiß. Streng dich durch Reden nicht noch mehr an.«

»Wollte . . . warten auf . . . Mist' Rhett.«

Scarlett schluckte. Sie durfte jetzt nicht weinen. »Du mußt nicht mehr warten, Mammy. Ruh dich aus. Er konnte nicht kommen.« Sie hörte eilige Schritte in der Küche. »Suellen kommt gleich. Und Mister Will. Wir werden alle hier bei dir sein, meine Beste. Wir lieben dich alle.«

Ein Schatten fiel über das Bett, und Mammy lächelte.

»Sie verlangt nach mir«, sagte Rhett. Scarlett schaute ungläubig zu ihm auf. »Mach Platz«, sagte er sanft. »Laß mich an Mammy heran.«

Scarlett stand und spürte seine Nähe, seine Größe, seine Stärke und seine Männlichkeit, und die Knie wurden ihr weich. Rhett drängte sich an ihr vorbei und kniete neben Mammy nieder.

Er war gekommen. Alles würde wieder gut werden. Scarlett kniete sich neben ihn, ihre Schulter berührte seinen Arm, und mitten in ihrem tiefen Schmerz um Mammy war sie glücklich. Er war gekommen, Rhett war da. Wie dumm war sie gewesen, daß sie die Hoffnung so einfach aufgegeben hatte.

»Ich möchte etwas von Ihnen«, sagte Mammy nun. Ihre Stimme klang kräftig, so, als hätte sie sich ihre ganze Kraft für diesen Augenblick aufgehoben. Ihr Atem ging flach und rasch, fast hechelnd.

»Alles, was du willst, Mammy«, sagte Rhett, »ich tue alles, was du willst.«

»Begrabt mich in meinem feinen roten Seidenunterrock, den Sie mir schenken. Sie dafür sorgen. Ich weiß, Lutie hat Auge drauf geworfen.«

Rhett lachte. Scarlett war schockiert. Gelächter an einem Totenbett. Dann stellte sie fest, daß Mammy ebenfalls lachte, lautlos.

Rhett legte die Hand aufs Herz. »Ich schwöre dir, daß Lutie ihn nicht mal zu sehen bekommt, Mammy. Ich sorge dafür, daß er mit dir in den Himmel kommt.«

Mammys Hand langte nach ihm und bedeutete ihm, daß er sein Ohr näher an ihre Lippen halten sollte. »Sie sich um Miss Scarlett kümmern«, sagte sie. »Sie jemand brauchen, der für sie sorgt. Ich kann nichts mehr tun.«

Scarlett hielt den Atem an.

»Ja, Mammy.«

»Sie schwören es.« Das Kommando war schwach, aber entschlossen.

»Ich schwöre es«, sagte Rhett. Mammy seufzte zufrieden.

Scarlett atmete mit einem Schluchzer aus. »Oh, Mammy-Schatz, danke«, weinte sie, »Mammy . . .«

»Sie kann dich nicht hören, Scarlett, sie ist nicht mehr.« Rhetts große

Hand strich sanft über Mammys Gesicht und schloß ihr die Augen. »Damit ist eine ganze Welt dahin, eine Epoche zu Ende«, sagte er leise. »Möge sie in Frieden ruhen.«

»Amen«, sagte Will an der Tür.

Rhett richtete sich auf und wandte sich um. »Hallo, Will, hallo, Suellen.«

»Ihr letzter Gedanke galt dir«, rief Suellen, »du bist immer ihr Liebling gewesen.« Sie begann laut zu weinen. Will nahm sie in die Arme, tätschelte ihr den Rücken und ließ seine Frau an seiner Brust vor sich hin jammern.

Scarlett stürzte auf Rhett zu und streckte die Arme nach ihm aus. »Du hast mir so gefehlt«, sagte sie.

Rhett umspannte ihre Handgelenke und drückte ihre Arme nach unten. »Laß das, Scarlett«, sagte er. »Es hat sich nichts geändert.« Seine Stimme war ruhig.

Scarlett war außerstande, sich zurückzuhalten. »Was willst du damit sagen?« rief sie laut.

Rhett zuckte zusammen. »Zwing mich nicht, es noch einmal zu sagen, Scarlett. Du weißt ganz genau, was ich meine.«

»Ich weiß es nicht. Ich glaube dir nicht. Du kannst mich doch nicht verlassen, nicht wirklich. Nicht, wo ich dich so liebe und so schrecklich brauche. Oh, Rhett, sieh mich nicht so an. Warum nimmst du mich nicht in den Arm und tröstest mich? Du hast es Mammy versprochen.«

Rhett schüttelte den Kopf, ein schwaches Lächeln auf den Lippen. »Du bist ein solches Kind, Scarlett. Nun kennst du mich all die Jahre und bist, weil du es willst, doch imstande zu vergessen, was du gelernt hast. Es war eine Lüge. Ich habe gelogen, um einer lieben alten Frau die letzten Augenblicke zu versüßen. Erinnere dich, Kindchen, ich bin ein Schuft und kein Gentleman.«

Er ging zur Tür.

»Geh nicht weg, Rhett, bitte«, schluchzte Scarlett. Dann legte sie sich die Hand auf den Mund, um sich zum Schweigen zu bringen. Nie wieder würde sie Achtung für sich empfinden können, würde sie ihn noch einmal bitten. Ruckartig wandte sie den Kopf ab, außerstande, ihn weggehen zu sehen. Sie bemerkte die freudige Genugtuung in Suellens Blick und das Mitleid in Wills.

»Er kommt schon wieder«, sagte sie und hob stolz den Kopf. »Er kommt immer wieder.« Wenn ich es nur oft genug sage, dachte sie, vielleicht glaube ich es dann sogar. Vielleicht wird es dann sogar wahr.

»Immer«, sagte sie. Sie holte tief Luft. »Wo ist Mammys Unterrock, Suellen? Ich werde dafür sorgen, daß ihr Wunsch erfüllt wird.«

Scarlett wahrte die Fassung, bis die gräßliche Aufgabe, Mammys Leichnam zu waschen und einzukleiden, getan war. Als Will jedoch mit dem Sarg kam, begann sie zu zittern. Ohne ein Wort floh sie.

Sie goß sich ein halbes Glas Whiskey aus der Karaffe im Eßzimmer ein und trank ihn in drei brennenden Schlucken. Die Wärme durchzog ihren erschöpften Körper, und das Zittern hörte auf.

Ich brauche Luft, dachte sie, ich muß aus diesem Haus, weg von allen. Sie konnte die verängstigten Stimmen der Kinder in der Küche hören. Ihre Haut fühlte sich wund an vor Anspannung. Sie raffte die Röcke und lief los.

Die Morgenluft draußen war frisch und kühl. Scarlett atmete tief und schmeckte die Frische auf der Zunge. Eine leichte Brise fuhr ihr durch das Haar, das an ihrem feuchten Nacken klebte. Wann hatte sie wohl zum letztenmal ihre hundert Bürstenstriche gemacht? Sie konnte sich nicht erinnern. Mammy würde böse werden. Ach . . . sie preßte die Fingerknöchel der rechten Hand gegen den Mund, als der Kummer sie im Hals zu würgen begann, und stolperte durch das hohe Gras der Weide hügelabwärts auf die hohen Bäume zu, die den Fluß säumten. Die Fichten mit den hoch aufragenden Wipfeln verströmten einen beißend süßen Duft, sie überschatteten einen dicken weichen Teppich ausgeblichener Tannennadeln, die über Hunderte von Jahren von den Bäumen gefallen waren. In ihrem Schutz war Scarlett allein, vom Haus aus nicht zu sehen. Erschöpft sank sie auf den gepolsterten Waldboden nieder, setzte sich dann jedoch auf und lehnte sich mit dem Rücken gegen einen Baum. Sie mußte nachdenken. Es mußte doch eine Möglichkeit geben, ihr Leben aus den Ruinen zu bergen; sie weigerte sich, etwas anderes zu glauben.

Doch konnte sie nicht verhindern, daß ihre Gedanken wild umhersprangen. Sie war so verwirrt, so müde.

Aber sie war auch früher schon so müde gewesen. Müder als jetzt. Als sie sich von Atlanta nach Tara hatte durchschlagen müssen, von Yankees umgeben, hatte sie sich durch ihre Müdigkeit nicht aufhalten lassen. Als sie dann überall in der Gegend auf Nahrungssuche gewesen war, hatte sie auch nicht bloß deshalb aufgegeben, weil sie das bleierne Gewicht ihrer Arme und Beine nicht mehr ertragen konnte. Als sie Baumwolle gepflückt hatte, bis sie wunde Finger hatte, als sie sich selbst vor den Pflug geschirrt hatte wie ein Maultier, als sie ihre ganze Kraft hatte aufbieten müssen, um trotz allem weitermachen zu können – nie hatte sie aufgegeben, nur weil sie müde war. Und sie würde auch jetzt nicht aufgeben. Sie war kein Mensch, der aufgab.

Sie starrte vor sich hin und stemmte sich gegen alle Vorstellungen, die sie peinigten: Melanies Tod . . . Mammys Tod . . . Rhett, der sie verlassen und gesagt hatte, auch ihre Ehe sei tot.

Das war das Schlimmste. Daß Rhett weggegangen war. Dem mußte sie sich unmittelbar stellen. Sie hörte seine Stimme. »Es hat sich nichts geändert.«

Es konnte nicht wahr sein! Doch es war so.

Sie mußte einen Weg finden, um ihn zurückzubekommen. Noch immer hatte sie jeden Mann haben können, den sie wollte, und Rhett war schließlich ein Mann wie jeder andere, oder etwa nicht?

Nein, er war nicht wie jeder andere, und eben deshalb wollte sie ihn. Sie erschauderte, plötzlich angsterfüllt. Und wenn sie nun diesmal nicht siegreich blieb? Immer hatte sie die Oberhand behalten, auf die eine oder andere Weise. Irgendwie hatte sie immer bekommen, was sie wollte. Bis jetzt.

Über ihrem Kopf schrie heiser ein Eichelhäher. Scarlett blickte empor, hörte einen zweiten höhnischen Schrei. »Laß mich in Ruhe«, rief sie. Der Vogel flog davon, ein einziges grellblaues Geschwirr.

Sie mußte nachdenken, sich erinnern, was Rhett gesagt hatte. Nicht heute morgen oder gestern abend, oder wann immer Mammy nun gestorben war. Was hatte er gesagt, zu Hause, an dem Abend, als er Atlanta verlassen hatte? Er hatte endlos geredet und alles erklärt. Er war so ruhig, so entsetzlich geduldig gewesen, wie man es nur Menschen gegenüber sein kann, die einem nicht wichtig genug sind, um einen aufzuregen.

Ein halbvergessener Satz schoß ihr durch den Sinn, und sie vergaß ihre Erschöpfung. Sie hatte gefunden, was sie brauchte. Ja, ja, sie erinnerte sich deutlich daran. Rhett hatte ihr die Scheidung angeboten. Und dann, nachdem sie sein Angebot wütend abgelehnt hatte, hatte er es gesagt. Scarlett schloß die Augen und hörte seine Stimme: »Gut, dann komme ich so oft zurück, daß es kein Gerede gibt.« Sie lächelte. Noch hatte sie zwar nicht gewonnen, aber es gab eine Chance, und das reichte fürs erste aus. Sie stand auf und las sich die Tannennadeln vom Kleid und aus dem Haar. Sie mußte ja völlig ramponiert aussehen.

Das tiefe schlammiggelbe Wasser des Flint River floß träge unter der felsigen Uferböschung dahin, auf der die Fichten standen. Scarlett blickte hinunter und warf die Handvoll Tannennadeln hinein. In einem Wirbel zogen sie mit der Strömung davon. »Immer weiter«, murmelte sie. »Genau wie ich. Blickt nicht zurück. Was geschehen ist, ist geschehen. Immer weiter.« Sie blinzelte in den klaren Himmel hinauf. Ein Band strahlend weißer Wolken eilte darüber hinweg. Sie schienen vom Wind gebläht. Es wird schon kälter, dachte sie mechanisch. Für die Beerdigung heute nachmittag ziehe ich besser etwas Warmes an. Sie wandte sich nach Hause. Der grasbewachsene Hang sah steiler aus, als sie ihn in Erinnerung hatte. Aber das machte nichts. Sie mußte zusehen, daß sie nach Hause kam und sich zurechtmachte. Sie war es Mammy schuldig, daß sie adrett aussah. Mammy hatte sich immer aufgeregt, wenn sie unordentlich ausgesehen hatte.

3. Kapitel

Scarlett hielt sich kaum noch auf den Beinen. Sicher war sie irgendwann in ihrem Leben schon einmal so müde gewesen, doch konnte sie sich nicht daran erinnern. Dazu war sie zu müde.

Ich bin die ständigen Beerdigungen leid, ich bin den Tod leid, ich bin es leid, mit ansehen zu müssen, wie mein Leben kaputtgeht, Stück um Stück, und ich ganz allein zurückbleibe.

Der Friedhof von Tara war klein. Mammys Grab wirkte groß, unendlich viel größer als das von Melly, dachte Scarlett zusammenhanglos, aber Mammy war so sehr eingeschrumpft, daß sie wahrscheinlich gar nicht mehr größer gewesen war. Sie brauchte kein so großes Grab.

Der Wind hatte etwas Schneidendes, obwohl der Himmel so blau und die Sonne so strahlend war. Gelb gewordene Blätter tanzten vor ihm über den Friedhof. Der Herbst kommt, wenn er nicht schon da ist, dachte sie. Ich habe den Herbst auf dem Land immer gemocht. Wenn man durch die Wälder reitet, sieht der Boden aus wie goldgesprenkelt, und die Luft schmeckt wie Apfelmost. Wie lange das her ist. Seit Pas Tod hat es auf Tara kein anständiges Reitpferd mehr gegeben.

Sie betrachtete die Grabsteine. Gerald O'Hara, geboren in der Grafschaft Meath in Irland. Ellen Robillard O'Hara, geboren in Savannah, Georgia. Gerald O'Hara junior . . . drei völlig gleiche, winzige Grabsteine: die Brüder, die sie nie gekannt hatte. Zumindest wurde auch Mammy hier beerdigt, neben »Miss Ellen«, ihrer ersten Liebe, und nicht auf dem Sklavenfriedhof. Suellen hat zwar Zeter und Mordio geschrien, doch den Kampf hatte ich gewonnen, kaum daß Will meine Partei ergriff. Wenn Will erst einmal ein Machtwort gesprochen hat, dann bleibt es auch dabei. Ein Jammer nur, daß er dermaßen halsstarrig ist, wenn es darum geht, Geld von mir anzunehmen. Das Haus sieht schrecklich aus.

Und der Friedhof auch, wenn wir schon dabei sind. Unkraut, wohin das Auge blickt, einfach trostlos. Die ganze Beerdigung ist trostlos, Mammy hätte zuviel gekriegt. Dieser schwarze Prediger redet und redet, und dabei möchte ich wetten, er hat sie nicht einmal gekannt. Mammy hätte sich mit dieser Sorte gar nicht erst abgegeben, sie war Katholikin, jeder im Haus der Robillards war das, außer Großvater, und der hatte sowieso nichts zu sagen, nach dem, was Mammy erzählt hat. Wir hätten einen richtigen Priester holen sollen, aber der nächste ist in Atlanta, und das hätte Tage gedauert. Arme Mammy. Und arme Mutter. Auch sie starb und wurde ohne Priester begraben. Pa zwar ebenfalls, aber das hat ihn wahrscheinlich nicht groß gekümmert. Abends, wenn Mutter ihre Andacht hielt, hat er immer vor sich hingedöst.

Scarlett blickte von dem struppigen Friedhof zur schäbigen Fassade des Hauses hinüber. Bin ich froh, daß Mutter nicht da ist und das mit ansehen muß, dachte sie in einer plötzlichen heftigen Aufwallung von Zorn und Schmerz. Es würde ihr das Herz brechen. Scarlett sah für einen Augenblick die hochgewachsene, anmutige Gestalt ihrer Mutter so deutlich vor sich, als stände sie unter den Trauergästen. Stets tadellos gepflegt, die weißen Hände mit Handarbeiten beschäftigt oder aber behandschuht, wenn sie ausging, um einer ihrer barmherzigen Pflichten nachzukommen, die Stimme stets gedämpft, stets beschäftigt mit der unaufhörlichen Arbeit, die es brauchte, um den tadellos funktionierenden Organismus in Gang zu halten, der Tara unter ihrer Führung gewesen war. Wie sie das alles bloß geschafft hat? Scarlett weinte innerlich. Wie hat sie es bloß geschafft, daß die Welt so herrlich war, solange es sie gab? Wir waren damals so glücklich. Ganz gleich, was geschah, Mutter brachte es in Ordnung. Wie selig wäre ich, wenn es sie noch gäbe! Ganz fest würde sie mich in den Arm nehmen, und alle Sorgen würden verfliegen. Nein, nein, ich möchte sie gar nicht hierhaben. Es würde sie traurig machen zu sehen, was aus Tara geworden ist, was aus mir geworden ist. Sie wäre enttäuscht von mir, und das könnte ich nicht ertragen. Alles, nur das nicht. Ich will nicht darüber nachdenken, ich darf es nicht. Ich werde an etwas anderes denken... Ich bin gespannt, ob Delilah Verstand genug besessen hat, einen kleinen Imbiß vorzubereiten. Suellen käme das sicher nicht in den Sinn; sie ist sowieso zu geizig, um Geld für Erfrischungen auszugeben.

Nicht, daß sie das in große Unkosten stürzen würde – es ist ja kaum jemand da. Der schwarze Prediger sieht allerdings aus, als könnte er für zwanzig essen. Wenn er jetzt nicht gleich aufhört mit seinem Gerede von Abrahams Schoß und dem Jordan, fange ich an zu schreien. Die drei dürren Frauen da, die er als Chor bezeichnet, sind die einzigen, die sich nicht vor Verlegenheit winden. Ein schöner Chor! Tamburine und Spirituals! Mammy sollte etwas Feierliches auf Latein haben und nicht »Jakobs Leiter himmelan«. Herrje, wie schäbig das alles ist! Gut, daß kaum jemand da ist, nur Suellen und Will, die Kinder und die Diener. Wenigstens haben wir Mammy wirklich geliebt, und es geht uns nahe, daß sie nicht mehr da ist. Big Sam hat ganz rote Augen vom Weinen. Und sieh mal, der arme alte Pork weint sich auch fast die Augen aus. Na so was, sein Haar ist ja fast weiß, ich kann ihn mir einfach nicht als alten Mann vorstellen. Dilcey sieht man ihr Alter nicht an, wie alt sie auch sein mag, sie hat sich kein bißchen verändert, seit sie auf Tara ist...

Scarletts erschöpfter, fahriger Blick wurde auf einmal wieder klar. Was machten Pork und Dilcey hier überhaupt? Sie arbeiteten doch schon seit Jahren nicht mehr auf Tara. Nicht, seit Pork Rhetts Diener geworden und Dilcey, Porks Frau, als Beaus Mammy in Melanies Haus gegangen war. Wie kamen die beiden denn jetzt hier nach Tara? Sie konnten doch unmöglich von Mammys Tod erfahren haben. Es sei denn, Rhett hatte es ihnen gesagt.

Scarlett warf einen Blick über die Schulter. War Rhett zurückgekommen? Er war nirgendwo zu sehen. Sobald der Gottesdienst vorbei war, ging sie schnurstracks zu Pork. Sollten Will und Suellen sich um den langatmigen Prediger kümmern.

»Ein trauriger Tag ist das, Miss Scarlett.« Pork strömten immer noch die Tränen über die Wangen.

»Ja, Pork«, sagte sie. Sie durfte ihn nicht drängen, das wußte sie, sonst würde sie nie erfahren, was sie wissen wollte.

Langsam ging Scarlett neben dem alten schwarzen Diener her und lauschte seinen Erinnerungen an »Mist' Gerald« und Mammy und die alten Zeiten auf Tara. Sie hatte ganz vergessen, daß Pork so lange bei ihrem Vater gewesen war. Er war mit Gerald nach Tara gekommen, als es dort noch nichts gegeben hatte als ein ausgebranntes altes Gebäude und Felder, die nichts als Gestrüpp waren. Dann mußte Pork ja siebzig oder noch älter sein!

Stück für Stück holte sie die Informationen, die sie haben wollte, aus ihm heraus. Rhett war für immer nach Charleston zurückgekehrt. Pork hatte seine gesamte Kleidung eingepackt und zur Bahnstation geschickt, damit sie ihm nachgesandt werden konnte. Es war seine letzte Aufgabe als Rhetts Kammerdiener gewesen, sein Arbeitsleben war damit beendet, und er hatte ein Abschiedsgeld bekommen, das dafür ausreichte, ein eigenes Haus zu kaufen, wo es ihm gefiel. »Und ich kann auch noch für meine Familie sorgen«, sagte Pork stolz. Dilcey würde nie wieder arbeiten müssen, und Prissy hatte jedem Mann, der sie heiraten wollte, etwas mit in die Ehe zu bringen. »Prissy is' keine Schönheit, Miss Scarlett, und wird nun fünfundzwanzig, aber mit 'ner Erbschaft im Rücken kann sie sich 'nen Ehemann einfangen wie ein junges hübsches Ding, das kein Geld hat.«

Scarlett lächelte und stimmte Pork darin zu, daß »Mist' Rhett« ein feiner Gentleman sei. Innerlich wütete sie jedoch. Die Großzügigkeit dieses feinen Gentlemans war für sie ein schöner Schlamassel. Wer sollte sich denn um Wade und Ella kümmern, wenn Prissy nicht mehr da war? Und wie zum Teufel sollte sie es wohl anstellen, ein tüchtiges Kindermädchen für Beau zu finden? Er hatte gerade seine Mutter verloren, und sein Vater war halb verrückt vor Kummer, und nun ging der einzige Mensch im Haus, der halbwegs bei Verstand war, auch noch weg. Am liebsten hätte auch sie sich davongemacht und einfach alles stehen- und liegenlassen. Meine Güte! Da bin ich nun nach Tara gekommen, um mich etwas auszuruhen und mein Leben in Ordnung zu bringen, und finde immer nur noch mehr Probleme vor, um die ich mich kümmern muß. Kann ich denn nie ein bißchen Frieden finden?

Will war es, der Scarlett ebenso ruhig wie bestimmt die ersehnte Ruhepause verschaffte. Er schickte sie zu Bett und ordnete an, sie nicht zu stören. Sie schlief fast achtzehn Stunden lang und erwachte mit einer klaren Vorstellung, wo sie anfangen mußte.

»Ich hoffe, du hast gut geschlafen«, sagte Suellen, als Scarlett zum Frühstück herunterkam. Ihre Stimme war überfreundlich: »Du mußt ja schrecklich müde gewesen sein nach allem, was du durchgemacht hast.« Der Waffenstillstand war mit Mammys Tod zu Ende gegangen.

Scarletts Augen funkelten gefährlich. Sie wußte, Suellen dachte an die schändliche Szene, als sie Rhett angefleht hatte, sie nicht zu verlassen. Doch ihre Worte klangen ebenso süß: »Ich lag noch nicht ganz, da schlief ich auch schon. Die Landluft ist so beruhigend und erholsam.« Du häßliche Kröte, setzte sie innerlich noch hinzu. Das Schlafzimmer, das in ihren Augen immer noch ihres war, gehörte jetzt Susie, Suellens ältester Tochter, und Scarlett war sich darin vorgekommen wie eine Fremde. Suellen wußte das sehr wohl, davon war Scarlett überzeugt. Aber das war jetzt gleichgültig. Sie mußte mit Suellen auskommen, sollte ihr Plan gelingen. Sie lächelte ihrer Schwester zu.

»Was ist denn so komisch, Scarlett? Hab ich einen Fleck auf der Nase oder so was?«

Suellens Stimme ließ Scarlett mit den Zähnen knirschen, aber sie ließ von ihrem Lächeln nicht ab. »Tut mir leid, Sue. Ich habe nur gerade an den albernen Traum gedacht, den ich heute nacht hatte. Ich habe geträumt, wir wären alle wieder Kinder, und Mammy hätte mir mit einer Gerte vom Pfirsichbaum ein paar über die Beine gezogen. Weißt du noch, wie weh die Gerten getan haben?«

Suellen lachte. »Aber sicher. Lutie nimmt sie jetzt für die Mädchen. Ich kann's selbst fast noch spüren, wenn sie sie braucht.«

Scarlett beobachtete das Gesicht ihrer Schwester. »Es wundert mich nur, daß ich nicht bis zum heutigen Tag eine Million Narben habe«, sagte sie. »Ich war ein so scheußliches kleines Mädchen. Ich weiß gar nicht, wie ihr, du und Carreen, es mit mir ausgehalten habt.« Sie strich sich Butter auf einen Keks, als sei das ihr einziges Anliegen.

Suellen blickte argwöhnisch. »Du hast uns gepiesackt, Scarlett. Und irgendwie hast du es jedesmal geschafft, daß bei den ganzen Streitereien am Ende immer wir als die Schuldigen dastanden.«

»Ich weiß. Ich war scheußlich. Selbst noch, als wir älter wurden. Beim Baumwollepflücken, als die Yankees alles gestohlen hatten, habe ich dich und Carreen angetrieben wie Maultiere.«

»Du hast uns fast umgebracht. Dabei waren wir noch halbtot vom Typhus, und du hast uns aus dem Bett in die heiße Sonne gezerrt ...« Suellen wurde immer lebhafter und heftiger, je länger sie sich ihren aufgestauten Groll von der Seele redete.

Scarlett nickte ermutigend und ließ dabei kleine Laute bedauernder Anteilnahme hören. Wie gern Suellen doch klagt, dachte sie. Das ist für sie die reine Labsal. Sie wartete, bis Suellen der Stoff auszugehen drohte, ehe sie erneut zu sprechen begann: »Ich komme mir so gemein vor, und ich weiß einfach überhaupt nicht, wie ich die schlimmen Zeiten wiedergutmachen kann, die ihr meinetwegen durchgemacht habt. Ich finde es ziemlich durchtrieben von Will, daß er überhaupt kein Geld von mir annimmt. Schließlich ist es doch für Tara.«

»Dasselbe habe ich ihm auch schon hundertmal gesagt«, sagte Suellen.

Das kann ich mir lebhaft vorstellen, dachte Scarlett. »Männer sind so dickschädelig«, sagte sie, und dann: »Ach, Suellen, mir kommt da eine Idee. Sag doch ja, es wäre ein solcher Segen für mich. Und Will kann deshalb unmöglich Theater machen. Wie fändest du es, wenn ich Ella und Wade hierließe und dir Geld für ihren Unterhalt schickte? Sie sind so spirrelig vom Stadtleben, und die Landluft würde ihnen ungeheuer guttun.«

»Ich weiß nicht recht, Scarlett. Es wird hier schrecklich eng werden, wenn das Baby erst da ist.« Suellens Miene war gierig, aber noch wachsam.

»Ich weiß«, flötete Scarlett mitfühlend. »Und Wade Hampton futtert außerdem wie ein Ackergaul. Aber es täte ihnen so gut, den armen Stadtpflanzen. Vermutlich wären hundert Dollar im Monat gerade genug, um ihnen die Mäuler zu stopfen und ab und zu ein Paar Schuhe zu kaufen.«

Sie bezweifelte, daß Will es mit seiner harten Arbeit auf Tara im runden Jahr auf hundert Dollar Bargeld brachte. Suellen hatte es die Sprache verschlagen, wie Scarlett befriedigt feststellte. Sie war sich jedoch sicher, daß ihre Schwester sie rechtzeitig wiederfinden würde, um in den Handel einzuwilligen. Nach dem Frühstück schreibe ich einen hübschen, fetten Bankscheck aus, dachte sie. »Das sind die besten Kekse, die ich je gegessen habe«, sagte Scarlett. »Kann ich noch einen haben?«

Sie begann sich wesentlich besser zu fühlen. Sie hatte gut geschlafen, eine Mahlzeit im Leib und die Gewißheit, daß sich jemand um die Kinder kümmerte. Sie wußte, sie sollte eigentlich nach Atlanta zurückkehren – sie mußte wegen Beau noch etwas unternehmen und auch wegen Ashley, sie hatte es Melanie versprochen. Doch im Moment hatte das Zeit. Sie war nach Tara gekommen, weil sie den ländlichen Frieden und die Ruhe brauchte, und sie war entschlossen, sich davon noch etwas zu Gemüte zu führen, ehe sie abfuhr.

Nach dem Essen ging Suellen in die Küche hinaus. Wahrscheinlich, um sich wegen irgend etwas zu beklagen, dachte Scarlett unerbittlich. Wenn schon. Es gab ihr Gelegenheit, ungestört zu sein . . .

Das Haus ist so still. Die Kinder frühstücken offenbar in der Küche, und Will ist natürlich längst aufs Feld hinausgegangen, Wade immer hinter ihm her, genauso wie ganz am Anfang, als Will noch neu auf Tara war. Wade wird hier viel glücklicher sein als in Atlanta, vor allem, wo Rhett nicht mehr da ist – aber genug davon, sonst werde ich noch verrückt. Ich will einfach nur den Frieden und die Stille genießen, deshalb bin ich schließlich hergekommen.

Sie goß sich eine weitere Tasse Kaffee ein, ohne darauf zu achten, daß er nur noch lauwarm war. Das Sonnenlicht, das durch das Fenster hinter ihr in den Raum fiel, beleuchtete das Gemälde über der zerschrammten Anrichte an der Wand gegenüber. Will hatte Großartiges geleistet, als er die Möbel repariert hatte, die von den Yankees zerschlagen worden waren, doch selbst er vermochte die tiefen Kerben nicht zu beseitigen, die sie ihnen mit ihren Säbeln zugefügt hatten. Und auch nicht den Bajonettstich in Großmutter Robillards Porträt.

Welcher Soldat sie auch immer durchbohrt hatte, er mußte betrunken gewesen sein, stellte Scarlett sich vor, weil er sowohl das arrogante, höhnische, nur eben angedeutete Lächeln in Großmutters schmalnasigem Gesicht verfehlt hatte als auch die Brüste, die sich über ihrem tiefausgeschnittenen Kleid wölbten. Er hatte ihr lediglich den linken Ohrring weggestochen, und jetzt, wo sie nur noch einen trug, sah sie fast noch interessanter aus.

Ellens Mutter war die einzige Vorfahrin, die Scarlett wirklich interessierte, und es verdroß sie, daß niemand ihr je genug über ihre Großmutter hatte erzählen wollen. Sie war dreimal verheiratet gewesen, soviel hatte sie von ihrer Mutter erfahren, jedoch keine weiteren Einzelheiten. Und Mammy hatte sämtliche Erzählungen über das Leben in Savannah stets dann abgebrochen, wenn sie interessant zu werden versprachen. Großmutters wegen waren Duelle ausgetragen worden, und auch die Mode jener Zeit war anstößig gewesen, denn die Damen hatten ihre dünnen Musselinkleider leicht angefeuchtet, damit sie ihnen an den Beinen klebten. Und überall sonst ebenfalls, wenn man nach dem Porträt gehen wollte. . .

Ich sollte mich schämen, solche Dinge auch nur zu denken, sagte sich Scarlett. Doch sie drehte sich noch einmal nach dem Porträt um, als sie das Eßzimmer verließ. Wie sie wohl wirklich gewesen war?

Der Salon war voller Spuren von Armut und Abnutzung durch eine Familie mit kleinen Kindern. Scarlett erkannte das samtbezogene Sofa kaum wieder, auf dem sie sich in Positur gesetzt hatte, wenn ihr einer ihrer Bewerber den Hof machte. Und außerdem war alles umgestellt worden. Zwar mußte sie einräumen, daß Suellen das Recht hatte, das Haus nach ihrem Gutdünken einzurichten, aber es nagte dennoch an ihr. Es war nicht mehr das wirkliche Tara, so, wie es jetzt war.

Ihre Stimmung sank mehr und mehr, als sie von Zimmer zu Zimmer ging. Nichts war wie früher. Jedesmal, wenn sie nach Hause kam, gab es neue Veränderungen und neue Schäbigkeit. Ach, warum mußte Will bloß so störrisch sein! Sämtliche Sessel hätten neue Bezüge gebraucht, die Vorhänge waren praktisch Lumpen, und durch die Teppiche schaute der Fußboden hindurch. Sie konnte neue Sachen für Tara anschaffen, wenn Will es zuließ. Dann würde es ihr nicht mehr so eine Trauer bereiten, daß die Dinge, an die sie sich erinnerte, so erbärmlich heruntergekommen waren.

Es sollte mir gehören! Ich würde mich besser darum kümmern. Pa hat immer gesagt, er würde mir Tara hinterlassen. Doch er hat nie ein Testament gemacht. Typisch Pa, nie hat er an morgen gedacht. Scarletts Miene verfinsterte sich, aber sie konnte ihrem Vater nicht wirklich böse sein. Niemand hatte Gerald O'Hara lange böse sein können; er war wie ein liebenswürdiges, ungezogenes Kind gewesen, selbst noch in seinen Sechzigern.

Diejenige, der ich böse bin – immer noch –, ist Carreen. Kleine Schwester oder nicht, es war nicht recht, was sie getan hat, und ich werde es ihr niemals verzeihen. Niemals. Sie war halsstarrig wie ein Maultier, als sie sich einmal entschlossen hatte, ins Kloster zu gehen, und am Ende habe ich eingewilligt. Doch hat sie mir verschwiegen, daß sie ihren Drittelanteil an Tara als Mitgift dem Kloster vermachen würde.

Sie hätte es mir sagen müssen! Ich hätte das Geld schon irgendwie aufgetrieben. Dann gehörte mir Tara jetzt zu zwei Dritteln. Nicht ganz, wie es eigentlich hätte sein sollen, aber ich hätte doch eindeutig das Recht zu bestimmen. Statt dessen muß ich alles runterschlucken und kann nur zusehen, wie Tara verkommt, muß ertragen, daß Suellen mir Vorschriften macht. Das ist nicht gerecht. Ich bin diejenige, die Tara vor den Yankees und den Spekulanten aus dem Norden gerettet hat. Es gehört mir, ganz egal, was das Gesetz besagt, und irgendwann wird es Wade gehören, dafür werde ich sorgen, was immer ich dafür tun muß.

Scarlett lehnte den Kopf an den rissigen Lederbezug des alten Sofas in dem kleinen Zimmer, von dem aus Ellen O'Hara still und unauffällig die Plantage geleitet hatte. Nach all den Jahren schien immer noch eine Spur des Zitronendufts von Mutters Verbenenwasser im Raum zu hängen. Dies war der Friede, um dessentwillen sie hergekommen war. Und wenn auch vieles verändert und heruntergekommen war, Tara war letztlich doch immer noch Tara, war immer noch ihr Zuhause. Und das Herz der Plantage schlug hier, hier in Ellens Zimmer.

Eine zuknallende Tür störte die Stille.

Scarlett hörte Ella und Susie durch die Diele kommen und sich wegen irgend etwas streiten. Lärm und Streitereien konnte sie jetzt nicht ertragen. Sie eilte nach draußen. Sie wollte sich ohnehin die Felder ansehen. Sie waren alle in gutem Zustand, fruchtbar und rot, so, wie sie sie kannte.

Rasch lief sie über den Rasen mit seinem Unkraut und am Kuhstall vorbei. Sie würde ihre Abneigung gegen Kühe niemals überwinden, und wenn sie hundert Jahre alt würde. Diese gemeinen Viecher mit ihren spitzen Hörnern. Am Rand des ersten Feldes lehnte sie sich über den Zaun und atmete tief den satten Ammoniakgeruch von frisch gepflügter Erde und Mist ein. Komisch, daß Dung in der Stadt so stinkig und schmutzig war, auf dem Lande hingegen das Parfüm des Farmers.

Will ist ein guter Farmer. Er ist das Beste, das Tara je widerfahren ist.

Was immer ich auch unternommen hätte, wir hätten es nie geschafft, wenn er auf seinem Weg zurück nach Florida nicht bei uns haltgemacht und sich zum Bleiben entschlossen hätte. Er hat sich in dieses Land verliebt, wie andere Männer sich in eine Frau verlieben. Und dabei ist er nicht einmal Ire! Bis ich Will kennengelernt habe, dachte ich immer, nur ein eingefleischter Ire wie Pa könne sich dermaßen in ein Stück Land vernarren.

Am anderen Ende des Feldes sah Scarlett Wade Will und Big Sam dabei helfen, ein umgefallenes Stück Zaun wieder aufzurichten. Gut für ihn, daß er das alles lernt, dachte sie. Es ist sein Erbe. Sie schaute dem Jungen und den Männern ein paar Minuten bei der Arbeit zu. Es wird Zeit, daß ich wieder ins Haus komme, dachte sie. Ich habe ganz vergessen, den Scheck für Suellen auszuschreiben.

Ihre Unterschrift auf dem Scheck war charakteristisch für Scarlett. Klar und schnörkellos, ohne Gekleckse oder zittrige Linien wie bei zögerlichen Schreibern. Geschäftsmäßig und zielstrebig. Scarlett betrachtete sie einen Augenblick, ehe sie mit dem Löscher darüberging, dann musterte sie sie erneut.

Scarlett O'Hara Butler.

Wenn sie persönliche Briefe oder Einladungen schrieb, folgte Scarlett der neuesten Mode, indem sie jedem Großbuchstaben vertrackte Schnörkel hinzufügte und mit einer ganzen Girlande von Kringeln hinter ihrem Namen schloß. Sie tat es auch jetzt, auf einem Fetzen braunen Packpapier. Dann blickte sie wieder auf den Scheck, den sie gerade unterschrieben hatte. Er war datiert – sie hatte Suellen fragen müssen, was für ein Tag war, und die Antwort hatte sie entsetzt – auf den 11. Oktober 1873. Mehr als drei Wochen waren seit Mellys Tod vergangen. Sie war jetzt zweiundzwanzig Tage auf Tara, seit sie begonnen hatte, sich um Mammy zu kümmern.

Das Datum hatte aber noch andere Bedeutungen. Es war jetzt mehr als sechs Monate her, daß Bonnie tot war. Scarlett konnte das trostlose Schwarz der Volltrauer ablegen, sie konnte Einladungen zu gesellschaftlichen Anlässen annehmen und Leute zu sich einladen. Sie konnte in die Welt zurückkehren.

Ich will nach Atlanta zurück, dachte sie. Ich möchte ein bißchen Heiterkeit. Es hat zuviel Kummer, zuviel Tod gegeben. Ich brauche Leben.

Sie faltete den Scheck für Suellen zusammen. Mir fehlt auch der Laden. Die Kontobücher sind wahrscheinlich in einem fürchterlichen Zustand.

Und Rhett wird nach Atlanta kommen, damit »es kein Gerede gibt«. Ich muß dort sein.

Das einzige Geräusch, das sie im Moment hören konnte, war das langsame Ticken der Standuhr in der Diele hinter der geschlossenen Tür. Die Ruhe, nach der sie sich so sehr gesehnt hatte, machte sie jetzt auf einmal verrückt. Mit einem Ruck stand sie auf.

Ich gebe Suellen den Scheck nach dem Mittagessen, sowie Will wieder aufs Feld hinausgegangen ist. Dann nehme ich den Einspänner und mache den Leuten von Fairhill und Mimosa einen raschen Besuch. Sie würden es mir nie verzeihen, wenn ich nicht vorbeikäme, um ihnen guten Tag zu sagen. Heute abend packe ich meine Sachen, und morgen früh nehme ich den Zug.

Heim nach Atlanta. Tara ist nicht länger mein Zuhause, sosehr ich es auch liebe. Es ist Zeit, daß ich wieder abfahre.

Der Weg nach Fairhill war holprig und von Unkraut überwachsen. Scarlett erinnerte sich, wie er früher jede Woche gesäubert und dann mit Wasser besprengt worden war, damit es nicht so staubte. Früher einmal, dachte sie traurig, da gab es mindestens zehn Plantagen hier in der Nähe, die man bequem erreichen konnte, und überall herrschte ein ständiges Kommen und Gehen. Nun gibt es nur noch Tara, die Tarletons und die Fontaines. Von den übrigen Anwesen stehen nur noch verbrannte Schornsteine und eingefallene Wände. Ich muß einfach in die Stadt zurück. Hier auf dem Land macht mich alles nur traurig. Das langsame alte Pferd und die Federung des Einspänners waren beinahe so schlimm wie die verwahrloste Straße. Sie dachte an ihre gepolsterte Kutsche und die beiden Braunen und an Elias auf dem Kutschbock. Sie mußte zurück nach Atlanta.

Die lärmende Fröhlichkeit in Fairhill riß sie aus ihrer düsteren Stimmung. Wie gewöhnlich hatte Beatrice Tarleton unendliche Geschichten über Pferde zu erzählen, alles andere interessierte sie nicht. Die Ställe, so fiel Scarlett auf, hatten ein neues Dach. Auch das Dach des Wohnhauses war frisch ausgebessert. Jim Tarleton sah mit seinem weißen Haar zwar recht alt aus, doch mit Hilfe seines einarmigen Schwiegersohnes, Betsys Mann, hatte er eine anständige Baumwollernte eingefahren. Aus den drei anderen Mädchen waren alte Jungfern geworden. »Natürlich sind wir deswegen Tag und Nacht kreuzunglücklich«, sagte Miranda, und alle lachten. Scarlett verstand sie nicht. Die Tarletons konnten eben über alles lachen. Vielleicht hing das irgendwie mit den roten Haaren zusammen.

Der Stich des Neides, den sie verspürte, war ihr nicht neu. Sie hätte schon immer gern zu einer Familie gehört, die so herzlich und zu Neckereien aufgelegt war wie Tarletons, doch sie unterdrückte diese Regung. Es war treulos ihrer Mutter gegenüber. Sie blieb sehr lange – es war einfach zu lustig bei den Tarletons –, sie würde die Fontaines morgen besuchen müssen. Die Nacht brach bereits an, als sie nach Tara zurückkehrte. Sie konnte Suellens Jüngste wegen irgend etwas plärren hören, noch ehe sie die Tür aufgemacht hatte. Höchste Zeit, daß sie nach Atlanta zurückkehrte.

Doch dann gab es eine Neuigkeit, die sie sofort anderen Sinnes werden ließ. Suellen schnappte gerade das greinende Kind und beruhigte es, als Scarlett in die Tür trat. Trotz ihres zerzausten Haars und des geschwollenen Leibs sah Suellen hübscher aus, als sie als Mädchen je gewesen war.

»O Scarlett«, rief sie. »Es gibt ja so eine Aufregung, das errätst du nie ... Pssst, Schatz, du kriegst ein schönes Knöchelchen mit deinem Abendbrot, und dann kaust auf dem bösen ollen Zahn so lange herum, bis er rausguckt und dir nicht mehr weh tun kann.«

Wenn ein neuer Zahn eine aufregende Nachricht ist, dann vergeht mir die Lust zum Raten, hätte Scarlett fast gesagt. Doch Suellen kam ihr zuvor. »Tony ist wieder zu Hause!« rief sie. »Sally Fontaine ist rübergeritten gekommen, um es uns zu sagen, du hast sie nur knapp verpaßt. Tony ist wieder da! Kerngesund. Wir fahren morgen abend zum Essen hin, sowie Will mit den Kühen fertig ist. Ach, ist das nicht herrlich, Scarlett?« Suellens Lächeln war strahlend. »Die Gegend füllt sich langsam wieder.«

Scarlett hätte ihre Schwester beinahe umarmt, eine Regung, die sie im ganzen Leben noch nicht verspürt hatte. Suellen hatte recht. Es war herrlich, daß Tony wieder bei ihnen war. Scarlett hatte befürchtet, daß ihn niemand je wiedersehen würde. Jetzt konnte sie die schreckliche Erinnerung an ihre letzte Begegnung für immer aus ihrem Gedächtnis streichen. Er war so erschöpft und verängstigt gewesen, durchnäßt bis auf die Haut und hatte am ganzen Leib gezittert. Wem wäre da nicht kalt gewesen, und wem hätte da nicht die Angst im Nacken gesessen? Die Yankees waren ihm auf den Fersen, und er war um sein Leben gerannt, weil er einen Schwarzen getötet hatte, der Sally belästigt hatte, und dann auch noch den weißen Lump, der den schwarzen Dummkopf dazu angestiftet hatte, sich an eine weiße Frau heranzumachen.

Tony wieder zu Hause! Sie konnte es kaum abwarten bis zum nächsten Nachmittag. Die Gegend begann wirklich wieder zum Leben zu erwachen.

4. Kapitel

Die Fontainesche Plantage hieß Mimosa wegen des Mimosenhains, der das stuckverzierte Haus mit seinem verwaschenen gelben Anstrich umgab. Die flaumigen rosa Blüten waren zu Ende des Sommers zwar abgefallen, aber die farnwedelähnlichen Blätter an den Zweigen waren immer noch saftig grün. Wie Tänzer wiegten sie sich im leichten Wind und warfen bewegte Schattenmuster an die gesprenkelten Wände des butterfarbenen Hauses. Es wirkte warm und gastfreundlich im tiefen, schrägstehenden Sonnenlicht.

Ach, ich hoffe, Tony hat sich nicht allzusehr verändert, dachte Scarlett nervös. Sieben Jahre sind eine so lange Zeit. Ihr Fuß zauderte, als Will sie vom Einspänner herabhob. Wenn Tony nun alt und erschöpft und ... nun ja, vom Leben besiegt aussah wie Ashley! Das würde über ihre Kräfte gehen. Sie folgte Will und Suellen auf dem Weg zur Haustür nur zögernd.

Dann flog die Tür krachend auf, und ihre Besorgnis schwand im Nu.

»Wer kommt denn da herangebummelt, als ginge es in die Kirche? Wißt ihr denn nicht, wie man einen heimgekehrten Helden begrüßt?« Aus Tonys Stimme tönte die Lust zu lachen, ganz genau, wie es früher immer gewesen war, sein Haar und seine Augen waren so schwarz wie eh und je, sein breites Grinsen war genauso freudig und boshaft zugleich.

»Tony!« rief Scarlett. »Du bist ja noch ganz der alte!«

»Bist du das, Scarlett? Komm her und gib mir einen Kuß. Du auch, Suellen. Du warst in den guten alten Tagen zwar nicht ganz so großzügig mit den Küssen wie Scarlett, aber Will wird dir, seit ihr verheiratet seid, ja wohl so einiges beigebracht haben. Ich habe jedenfalls die Absicht, jetzt, wo ich wieder daheim bin, jedes weibliche Wesen im Staate Georgia zu küssen, von sechs Jahren an aufwärts.«

Suellen kicherte nervös und sah Will an. Ein leichtes Lächeln in seinem friedlichen, hageren Gesicht erteilte ihr die Erlaubnis, aber Tony hatte sich gar nicht erst die Mühe gemacht, darauf zu warten . . . Er faßte sie bereits um die dick gewordene Taille und drückte ihr einen schmatzenden Kuß auf die Lippen. Sie war rosig vor Verlegenheit und Freude, als er sie wieder losließ. Die blendend aussehenden Fontaine-Brüder hatten Suellen in den Vorkriegsjahren der Schönen und Schönsten wenig Beachtung geschenkt. Will legte ihr einen warmen, beruhigenden Arm um die Schultern.

»Scarlett, Schatz«, rief Tony und breitete die Arme aus. Scarlett trat auf ihn zu und schlang ihm die Arme fest um den Hals.

»Du bist ja ein ganzes Stück gewachsen in Texas«, rief sie. Tony lachte, als er ihre dargebotenen Lippen küßte. Dann hob er sein Hosenbein, um ihnen die Stiefel mit den hohen Absätzen zu zeigen, die er trug. In Texas würden alle ein Stück größer, sagte er, es würde ihn nicht wundern, wenn das da Gesetz wäre.

Alex Fontaine lächelte über Tonys Schulter hinweg. »Ihr werdet mehr über Texas zu hören bekommen, als man von Rechts wegen wissen sollte«, sagte er gedehnt. »Das heißt, falls Tony euch ins Haus läßt. Solche Dinge hat er nämlich vergessen. In Texas leben alle an Lagerfeuern unter dem Sternenzelt statt zwischen Wänden und unter einem Dach.« Alex glühte vor Freude. Er sieht aus, als würde er Tony selbst gern umarmen und küssen, dachte Scarlett, und warum auch nicht? Schließlich waren die beiden ein Herz und eine Seele, als sie noch Jungen waren. Alex muß ihn schrecklich vermißt haben. Plötzlich brannten ihr Tränen in den Augen. Tonys mit überschäumender Freude aufgenommene Heimkehr war das erste erfreuliche Ereignis im ganzen County, seit Shermans Truppen Land und Leben seiner Menschen verwüstet hatten. Sie wußte gar nicht, wie sie mit soviel Glückseligkeit fertig werden sollte.

Alex' Frau Sally nahm sie bei der Hand, als sie den schäbigen Salon betraten. »Ich weiß genau, wie dir zumute ist, Scarlett«, flüsterte sie. »Wir hatten fast verlernt, wie man sich freut, und bereits heute ist in diesem

Haus mehr gelacht worden als in den ganzen letzten zehn Jahren zusammen. Wir wollen feiern, daß die Wände wackeln.« Auch Sally standen Tränen in den Augen.

Und dann wackelten die Wände. Die Tarletons kamen. »Gott sei Dank, daß an dir noch alles dran ist, mein Junge«, begrüßte Beatrice Tarleton Tony. »Du darfst dir eins von meinen drei Mädchen aussuchen. Ich hab erst ein einziges Enkelkind, und ich werde auch nicht jünger.«

»Ach, Ma!« stöhnten Hetty, Camilla und Miranda Tarleton im Chor. Dann lachten sie. Die Manie ihrer Mutter, für die Aufzucht von Pferden und Menschen zu sorgen, war im County nur allzu bekannt, als daß sie noch irgendwelche Verlegenheit nötig gehabt hätten. Tony wurde hingegen knallrot.

Scarlett und Sally johlten.

Ehe das Licht verebbte, wollte Beatrice Tarleton unbedingt die Pferde sehen, die Tony aus Texas mitgebracht hatte, und schon tobte der Streit über die Vorzüge von Vollblütern aus dem Osten gegenüber Mustangs aus dem Westen. Endlich baten alle um einen Waffenstillstand. »Und etwas zu trinken«, sagte Alex. »Ich habe zur Feier des Tages sogar richtigen Whiskey aufgetrieben statt des gepanschten Zeugs.«

Scarlett hätte, nicht zum erstenmal, etwas darum gegeben, als Dame nicht automatisch davon ausgeschlossen zu sein, einen Schluck zu trinken. Sie hätte jetzt gern einen Schluck genommen. Ja, mehr noch, sie hätte lieber mit den Männern gesprochen, als in die andere Zimmerhälfte verbannt zu sein, wo die Frauen sich über Babys und Haushalt unterhielten. Sie hatte die traditionelle Geschlechtertrennung nie verstanden oder gar akzeptiert. Doch so wurde es nun einmal gehandhabt, seit eh und je, und sie fand sich damit ab. Immerhin konnte sie sich damit amüsieren, daß sie die Tarleton-Mädchen beobachtete, die angeblich durchaus nicht dieselben Vorlieben hatten wie ihre Mutter. Wenn Tony doch bloß zu ihnen hinüberblicken würde, statt so völlig in dem aufzugehen, was die Männer gerade besprachen!

»Klein-Joe muß sich doch halbtot darüber gefreut haben, daß sein Onkel wieder zu Hause ist«, sagte Betsy Tarleton gerade zu Sally. Betsy konnte es sich leisten, keine Notiz von den Männern zu nehmen. Ihr dicker, einarmiger Gatte war einer von ihnen.

Sally antwortete darauf mit Einzelheiten über ihren Kleinen, die Scarlett zu Tode langweilten. Sie fragte sich, wann es wohl das Abendessen gäbe. Es konnte nicht mehr allzulange dauern, denn schließlich waren die Männer Farmer und würden morgen früh bei Tagesanbruch wieder aufstehen müssen. Das bedeutete, daß die Feier frühzeitig beendet sein würde.

Sie hatte recht, was das frühe Abendessen anging – nur noch ein Glas, verkündeten die Männer –, nicht aber, was das frühe Ende des Beisammenseins betraf. Das Vergnügen war zu groß, um es so bald schon enden zu lassen. Tony fesselte sie mit seinen Abenteuern. »Es dauerte kaum eine Woche, da hab ich mich den Texas Rangers angeschlossen«, sagte er und brüllte vor Lachen. »Der Staat stand zwar unter der militärischen Oberhoheit der Yankees, wie alles andere im Süden auch, aber verflucht noch mal – ich bitte die Damen um Verzeihung –, die Blauröcke da hatten nicht die geringste Ahnung, was sie mit den Indianern anstellen sollten. Die Rangers hatten sie unentwegt bekämpft, und die Ranchbesitzer konnten nur hoffen, daß sie sie auch weiterhin beschützen würden. Was sie auch taten. Ich wußte auf Anhieb, daß ich meine Sorte Leute gefunden hatte, und schloß mich ihnen an. Es war großartig! Keine Uniformen, kein Marschieren mit leerem Magen, wohin es irgendeinem Tölpel von General gerade paßt, kein Drill, kein ›Sir‹! Man springt auf sein Pferd, macht sich mit einer Schar Kameraden auf den Weg und sieht zu, wo's was zu kämpfen gibt.«

Tonys schwarze Augen blitzten vor Begeisterung. Alex' standen ihnen darin nicht nach. Die Fontaines hatten schon immer Sinn für einen zünftigen Kampf gehabt. Und Disziplin verabscheut.

»Wie sind denn die Indianer?« fragte eins von den Tarleton-Mädchen. »Martern sie ihre Feinde tatsächlich?«

»Davon reden wir besser nicht«, sagte Tony, und seine lachenden Augen blickten auf einmal düster drein. Dann lächelte er wieder. »Sie sind schlau wie die Füchse, wenn's ums Kämpfen geht. Die Ranger haben beizeiten die Erfahrung gemacht, daß sie die roten Teufel nur dann besiegen können, wenn sie lernen, alles genauso zu machen wie sie. Tja, die Ranger können einen Menschen oder ein Tier über nackten Fels oder selbst übers Wasser hinweg aufspüren, besser als jeder Jagdhund. Und sich von Kieselsteinen ernähren, ohne mit der Wimper zu zucken. Nichts kann einen Texas Ranger unterkriegen, niemand entkommt ihm.«

»Zeig ihnen doch mal deine sechsschüssigen Revolver, Tony«, drängte Alex.

»Ach was, nicht jetzt. Morgen vielleicht oder übermorgen. Sally wird es nicht gern sehen, wenn ich ihr Löcher in die Wände schieße.«

»Ich habe nicht gesagt, daß du sie erschießen sollst, ich habe gesagt, du sollst ihnen deine Revolver zeigen.« Alex grinste seinen Freunden zu. »Sie haben Griffe aus geschnitztem Elfenbein«, prahlte er, »und wartet nur ab, bis mein kleiner Bruder rübergeritten kommt, um euch zu besuchen, auf seinem alten Westernsattel. An dem ist so viel Silber dran, daß man von dem Gefunkel halb blind wird.«

Scarlett lächelte. Das hätte sie sich eigentlich denken können. Tony und Alex waren schon immer die größten Dandys in ganz North Georgia gewesen. Tony hatte sich offensichtlich nicht im mindesten verändert. Hohe Absätze an reichverzierten Stiefeln und Silber am Sattel. Sie wäre jede Wette eingegangen, daß seine Taschen bei der Heimkehr ebenso leer gewesen waren wie damals, als er vor dem Henker geflüchtet war. Es war der helle Wahnsinn, sich einen Silbersattel zu leisten, wenn das Haus auf Mimosa dringend ein neues Dach brauchte. Doch bei Tony war das in Ordnung. Es bedeutete, daß er noch der alte war. Und Alex war so stolz auf ihn, als wäre er mit einer Wagenladung Gold heimgekehrt. Wie sie sie liebte, alle beide! Mochte ihnen auch nichts geblieben sein als eine Farm, deren Boden sie selbst beackern mußten, die Yankees hatten die Fontaines nicht unterkriegen, hatten ihnen nicht einmal eine Schramme zufügen können.

»Herrje, was wären die Jungs nicht gern so herumstolziert, baumlang, und hätten mit dem Hintern Silber poliert«, sagte Beatrice Tarleton. »Ich sehe die Zwillinge vor mir, wie sie sich gar nicht wieder hätten beruhigen können.«

Scarlett verschlug es den Atem. Warum mußte Beatrice bloß auf diese Weise alles verderben? Warum einen so glücklichen Augenblick ruinieren, indem sie die anderen daran erinnerte, daß fast alle alten Freunde tot waren?

Aber gar nichts war ruiniert. »Die wären ihre Sättel doch nach 'ner Woche schon losgeworden, Miss Beatrice, das wissen Sie genau«, sagte Alex. »Entweder hätten sie sie beim Pokern verloren oder verhökert, um Champagner zu kaufen, weil es auf irgendeinem Fest nichts mehr zu trinken gab. Wissen Sie noch, wie Brent die Möbel aus seinem Zimmer an der Universität verkauft und allen, die noch nie geraucht hatten, eine Zigarre spendiert hat, 'n Dollar das Stück?«

»Und wie Stuart beim Kartenspielen seinen Anzug verloren hat und sich nur mit einer Wolldecke bekleidet aus der Gesellschaft schleichen mußte?« setzte Tony hinzu.

»Das Beste war, als sie Boyds Gesetzbücher gepfändet haben, gerade als er seine erste Verhandlung beim Bezirksgericht führen sollte«, sagte Jim Tarleton. »Ich dachte, Sie würden ihm bei lebendigem Leibe das Fell über die Ohren ziehen, Beatrice.«

»Das Fell ist ihnen immer wieder nachgewachsen«, sagte Beatrice lächelnd. »Ich hab versucht, ihnen die Beine zu brechen, als sie das Kühlhaus in Brand steckten, aber sie liefen so schnell, daß ich sie nicht zu fassen bekommen habe.«

»Das war, als sie nach Lovejoy rübergekommen sind und sich in unserer Scheune versteckt haben«, sagte Sally. »Die Kühe gaben eine ganze Woche lang keine Milch mehr, nachdem die Zwillinge versucht hatten, sich selbst einen Eimervoll zum Trinken zu zapfen.«

Jeder wußte eine Geschichte über die Tarleton-Zwillinge, und diese Geschichten führten wieder zu anderen über deren Freunde und ältere Brüder – Lafe Munroe, Cade und Raiford Calvert, Tom und Boyd Tarleton, Joe Fontaine; all die Jungen, die nie wieder heimgekehrt waren. Die Geschichten waren der gemeinschaftlich gehütete Schatz teurer Erinnerungen, und während sie erzählt wurden, bevölkerten sich die schattenerfüllten Zimmerecken mit der lächelnden, strahlenden Jugend derer, die zwar tot, aber nun, endlich, nicht länger einsam und verlassen waren, da man sich ihrer mit liebevollem Lachen statt mit untröstlicher Bitterkeit zu erinnern vermochte.

Und auch die ältere Generation wurde nicht vergessen. Alle, die um den Tisch herum saßen, hatten eine Fülle von Erinnerungen an Old Miss Fontaine, die scharfzüngige, weichherzige Großmutter von Tony und Alex, und an ihre Mutter, Young Miss genannt, bis sie an ihrem sechzigsten Geburtstag gestorben war. Scarlett stellte fest, daß sie sich sogar an dem warmherzigen Gekicher zu beteiligen vermochte, als es um die legendäre Angewohnheit ihres Vaters ging, irische Widerstandslieder zu singen, wenn er, wie er selbst es ausgedrückt hatte, »ein, zwei Gläschen intus« hatte, und daß sie, als von der Güte ihrer Mutter die Rede war, dasitzen konnte, ohne den herzzerreißenden Schmerz zu verspüren, der sie bislang noch immer durchfahren hatte, wenn von Ellen O'Hara die Rede war.

Stunde um Stunde und noch lange, nachdem die Teller geleert waren und vom Kaminfeuer nur noch Holzkohle übrig war, ließen die zwölf Überlebenden all die geliebten Menschen wiederauferstehen, die nicht hatten kommen können, um Tony bei seiner Heimkehr zu begrüßen. Es waren glückliche Stunden, heilsame Stunden. Das trübe, blakende Licht der Petroleumlampe auf der Mitte des Tischs ließ keine der Narben von Shermans Männern in dem rauchgeschwärzten Zimmer mit seinen ausgebesserten Möbeln erkennen. Die Gesichter um den Tisch waren ohne Falten, die Kleider ohne Flicken. Während dieser süßen Augenblicke der Illusion schien Mimosa an einen Ort jenseits von Raum und Zeit verlegt worden zu sein, wo es keinen Schmerz und niemals einen Krieg gegeben hatte.

Vor vielen Jahren hatte Scarlett sich geschworen, niemals zurückzublikken. Es würde nur schmerzen, sich an die glücklichen Vorkriegstage zu erinnern, wo sie doch ihre ganze Kraft und Entschlossenheit brauchte, um zu überleben und ihre Familie zu beschützen. Die gemeinsamen Erinnerungen im Eßzimmer von Mimosa aber schwächten sie keineswegs. Sie machten ihr Mut und waren ein Beweis dafür, daß tüchtige Menschen jeden erdenklichen Verlust erleiden und sich dennoch die Fähigkeit zu lieben und zu lachen bewahren konnten. Sie war stolz darauf, zu diesen Menschen zu gehören, sie ihre Freunde nennen zu dürfen, stolz darauf, wie sie waren.

Will ging auf dem Nachhauseweg vor dem Einspänner her, mit einer Pechfackel in der Hand führte er das Pferd. Es war eine dunkle Nacht, und es war sehr spät. Über ihnen leuchteten die Sterne hell an einem wolkenlosen Himmel, so hell, daß die schmale Sichel des Mondes fast durchscheinend bleich wirkte. Das einzige Geräusch war das langsame Klapp, Klapp der Pferdehufe.

Suellen war eingenickt, Scarlett jedoch kämpfte gegen die Müdigkeit an.

Sie wollte nicht, daß dieser Abend zu Ende ging, sie wollte, daß seine tröstliche Wärme und sein Glück ewig fortwährten. Wie stark Tony wirkte! Und vor Leben geradezu strotzend, so zufrieden mit seinen ulkigen Stiefeln, mit sich selbst, mit allem. Die Tarleton-Mädchen haben sich aufgeführt wie ein Wurf roter Tabby-Kätzchen, die ein Schüsselchen Sahne entdeckt haben. Ich bin gespannt, welche ihn kriegt. Beatrice Tarleton wird schon dafür sorgen, daß eine von ihnen ihn bekommt.

Ein Nachtvogel in den Bäumen neben der Straße stieß einen Lockruf aus, und Scarlett kicherte in sich hinein.

Sie hatten schon mehr als die halbe Strecke nach Tara zurückgelegt, als ihr aufging, daß sie seit Stunden nicht an Rhett gedacht hatte. Gleich drückten Trübsinn und Zukunftsangst wie Bleigewichte auf sie nieder, und jetzt erst bemerkte sie, daß die Nacht kalt und ihr Körper ausgekühlt war. Sie zog sich die Stola fest um die Schultern und trieb Will insgeheim zur Eile an.

Ich will über nichts nachdenken, jedenfalls nicht heute abend. Ich will mir den schönen Abend nicht jetzt noch verderben. Beeil dich doch, Will, es ist kalt, und es ist dunkel.

Am nächsten Morgen fuhren Scarlett und Suellen die Kinder im Planwagen nach Mimosa hinüber. In Wades Augen glänzte die Heldenverehrung, als Tony mit seinen sechsschüssigen Revolvern angab. Selbst Scarlett blieb vor Entzücken der Mund offenstehen, als Tony sie beide gleichzeitig um die Finger wirbeln ließ, sie in die Luft warf, wieder auffing und in die Halfter fallen ließ, die ihm tief von einem reichverzierten, silberbeschlagenen Gürtel herabhingen.

»Schießen die auch?« fragte Wade.

»Ja, Sir, das tun sie. Und wenn du ein bißchen älter bist, bring ich dir bei, wie man damit umgeht.«

»Sie kreisen läßt, so wie du?«

»Na klar. Wozu hat man einen Sechsschüssigen, wenn man nicht zeigt, was er alles kann.« Tony zerwühlte Wade das Haar, eine freundschaftliche Geste unter Männern. »Ich bring dir auch bei, wie man im Westen reitet, Wade Hampton. Ich schätze, du wirst in dieser Gegend der einzige Junge sein, der weiß, wie ein anständiger Sattel auszusehen hat. Aber heute können wir noch nicht anfangen. Mein Bruder will nämlich einen Farmer aus mir machen. Da siehst du mal, jeder lernt immerfort was Neues dazu.«

Tony küßte Suellen und Scarlett rasch auf die Wange, die kleinen Mädchen bekamen einen Kuß oben auf den Kopf gedrückt, und dann verabschiedete er sich. »Alex wartet unten am Bach auf mich. Warum sagt ihr nicht auch Sally eben guten Tag? Ich glaube, sie hängt hinterm Haus Wäsche auf.«

Sally zeigte sich zwar erfreut über ihren Anblick, doch Suellen schlug ihre Einladung aus, noch auf eine Tasse Kaffee zu bleiben. »Ich muß nach Hause, und du bleib auch nur schön bei deiner Wäsche, Sally, wir wollen uns gegenseitig nicht aufhalten. Wir wollten nur nicht einfach vorbeischauen, ohne dir guten Tag zu sagen.« Und sie trieb Scarlett zur Eile an.

»Ich begreife nicht, weshalb du so unfreundlich zu Sally sein mußtest, Suellen«, sagte Scarlett auf dem Heimweg. »Die Wäsche hätte doch so lange warten können, bis wir eine Tasse Kaffee getrunken und ein bißchen über gestern abend geplaudert hätten.«

»Scarlett, du hast ja keine Ahnung von einem Farmhaushalt. Wenn Sally sich mit ihrer Wäsche verspätet, wird sie sich den ganzen Tag auch mit allem anderen verspäten. Wir können uns hier nicht scharenweise Dienstboten halten wie ihr in Atlanta. Wir müssen einen großen Teil der Arbeit selbst erledigen.«

Scarlett empfand den Tonfall ihrer Schwester als beleidigend. »Ich kann genausogut schon mit dem Nachmittagszug nach Atlanta zurückfahren«, sagte sie verstimmt.

»Das wäre für uns alle eine Erleichterung«, versetzte Suellen. »Du machst zusätzlich Arbeit, und ich brauche das Schlafzimmer für Susie und Ella.«

Scarlett öffnete den Mund, bereit, sich mit ihrer Schwester zu streiten. Dann schloß sie ihn wieder. Sie wollte sowieso lieber heute als morgen nach Atlanta. Wäre Tony nicht gekommen, wäre sie bereits dort. Die Leute in der Stadt würden froh sein, sie wiederzusehen. Sie hatte eine Menge Freunde in Atlanta, die reichlich Zeit für einen Kaffee, eine Partie Whist oder gar eine Gesellschaft hatten. Ihren Kindern zuliebe zwang sie sich zu einem Lächeln und wandte Suellen den Rücken zu.

»Wade Hampton, Ella, Mutter muß heute nach dem Mittagessen nach Atlanta fahren. Ich möchte, daß ihr mir versprecht, artig zu sein und Tante Suellen keinen Kummer zu machen, hm?«

Scarlett wartete auf Proteste und Tränen. Doch die Kinder waren viel zu sehr damit beschäftigt, über Tonys blitzende Revolver zu schwatzen, um auf ihre Worte zu achten. Sobald sie wieder auf Tara waren, befahl Scarlett Pansy, ihr den Koffer zu packen. Nun fing Ella doch zu weinen an. »Prissy ist weg, und ich weiß hier keinen, der mir die Zöpfe flechten kann«, schluchzte sie.

Scarlett widerstand dem Drang, dem kleinen Mädchen eine Ohrfeige zu geben. Sie hatte beschlossen abzufahren, und sie würde wahnsinnig werden so ohne Beschäftigung und ohne irgend jemanden, mit dem sie reden konnte, falls sie doch noch länger bliebe. Und Pansy konnte sie auch nicht zurücklassen, es war ungehörig für eine Dame, allein zu reisen. Was sollte sie bloß machen? Ella wollte, daß Pansy blieb. Ella würde womöglich Tage brauchen, sich an Lutie zu gewöhnen, die Mammy der kleinen Susie. Und wenn Ella so weitermachte, würde Suellen es sich womöglich doch noch einmal überlegen, ob sie die Kinder auf Tara behalten wollte.

»Also gut«, sagte Scarlett scharf. »Hör sofort mit dem gräßlichen Geplärre auf, Ella. Ich lasse dir Pansy bis zum Wochenende hier. Da kann sie Lutie beibringen, wie deine Zöpfe geflochten werden.« Ich muß mich eben in Jonesboro auf dem Bahnhof irgendeiner Frau anschließen, dachte sie. Irgend jemand Respektierliches, zu dem ich mich setzen kann, wird doch wohl nach Atlanta fahren.

Ich nehme den Nachmittagszug, und allein darauf kommt es an. Will kann mich rüberfahren und ist allemal zeitig genug zurück, um seine garstigen alten Kühe zu melken.

Auf halbem Weg nach Jonesboro hörte Scarlett plötzlich auf, gut gelaunt über Tony Fontaines Rückkehr zu schwatzen. Sie schwieg einen Augenblick, dann platzte sie mit dem heraus, was ihr wirklich auf der Seele lag. »Will, wegen Rhett... Ich meine, daß er so schnell wieder weggefahren ist... Ich hoffe, Suellen wird das nicht im ganzen County herumerzählen.«

Will sah sie aus seinen blaßblauen Augen an. »Nun, Scarlett, das solltest du eigentlich besser wissen. Das eigene Nest beschmutzt man nicht. Ich hab es immer schon bedauert, daß du Suellens gute Seiten nicht sehen willst. Die hat sie nämlich, nur kommen die irgendwie nicht zur Geltung, wenn du in ihrer Nähe bist. Verlaß dich auf mein Wort. Was immer du von ihr halten magst, Suellen wird nie mit jemandem über deine privaten Probleme reden. Sie will genausowenig wie du, daß die Leute sich über die O'Haras das Maul zerreißen.«

Scarlett entspannte sich ein wenig. Sie vertraute Will vollkommen. Sein Wort war zuverlässiger als Geld auf der Bank. Und außerdem war er lebensklug. Nie hatte sie erlebt, daß Will sich einmal geirrt hatte – außer vielleicht in Suellen.

»Du glaubst doch aber auch, daß er wieder zurückkommt, Will?«

Will brauchte nicht zu fragen, wen sie meinte. Er hörte die Angst aus ihren Worten heraus und kaute gemächlich an dem Strohhalm, den er im Mundwinkel hielt, während er entschied, was er antworten sollte. Schließlich sagte er langsam: »Das kann ich nun gerade nicht behaupten, Scarlett, aber ich bin sicher nicht der, der sich da auskennt. Ich hab ihn doch nicht öfter als vier- oder fünfmal im Leben gesehen.«

Ihr war, als hätte er ihr einen Schlag versetzt. Dann betäubte der Jähzorn den Schmerz. »Du begreifst eben einfach überhaupt nichts, Will Benteen! Rhett ist zwar aufgebracht, aber das legt sich schon wieder. Niemals würde er etwas so Gemeines tun und seine Frau einfach in der Patsche sitzenlassen.«

Will nickte. Scarlett konnte es als Zustimmung auslegen, wenn sie wollte. Doch er hatte Rhetts höhnische Selbstbezichtigung nicht vergessen. Er war ein Schuft. Wenn man glauben wollte, was so geredet wurde, war er schon immer einer gewesen und würde wohl auch einer bleiben.

Scarlett starrte auf die vertraute rote Lehmstraße vor ihren Augen. Ihre Miene war verbissen, in ihr wütete es. Rhett würde zurückkommen. Er mußte, weil sie es wollte, und sie hatte noch immer bekommen, was sie wollte. Sie mußte es sich nur fest vornehmen.

5. Kapitel

Der Lärm und das Gedränge in Five Points wirkten belebend auf Scarlett. Ebenso wie die Unordnung zu Hause auf ihrem Schreibtisch. Nach den betäubenden Todesfällen brauchte sie Leben und Treiben um sich her. Und sie brauchte Arbeit.

Es gab ganze Stapel von Zeitungen zu lesen, Stöße von täglichen Abrechnungen aus dem Laden unmittelbar im Zentrum von Five Points, der ihr gehörte, Berge von Rechnungen, die zu bezahlen, und Briefe und Zettel, die zu zerreißen und wegzuwerfen waren. Scarlett seufzte vor Wonne und zog sich den Stuhl dicht an den Schreibtisch heran.

Sie prüfte, ob die Tinte im Tintenfaß frisch und genügend Federn für ihren Federhalter da waren. Dann zündete sie die Lampe an. Es würde lange dunkel sein, ehe sie hiermit fertig war; vielleicht würde sie sich sogar das Abendessen auf einem Tablett hereinbringen lassen, während sie arbeitete. Gierig griff sie nach den Kontobüchern des Ladens, als ein großer rechteckiger Umschlag, der oben auf den Zeitungen lag, ihren Blick auf sich zog. Er war einfach nur an »Scarlett« adressiert, und die Handschrift war die Rhetts.

Den lese ich jetzt nicht, dachte sie spontan, der lenkt mich nur von den Dingen ab, die als erstes zu erledigen sind. Er beunruhigt mich kein bißchen, ich will ihn einfach nicht sehen. Ich hebe ihn mir auf, beschloß sie, wie ein Dessert, und griff sich einen Stoß Abrechnungen.

Sie konnte sich jedoch nicht auf die Zahlen konzentrieren und warf die Blätter schließlich auf den Tisch. Ihre Finger rissen den versiegelten Umschlag auf.

»Du mußt mir glauben«, begann Rhetts Brief, »wenn ich Dir mein tiefstes Mitgefühl ausspreche. Mammys Tod ist ein großer Verlust, und ich bin Dir dankbar, daß Du mir rechtzeitig Bescheid gegeben hast, so daß ich sie noch einmal sehen konnte, ehe sie starb.«

Scarlett blickte voller Zorn von den dicken schwarzen Federstrichen auf und sprach laut vor sich hin: »Dankbar, wie schön! So, wie du ihr und mir etwas vorgelogen hast, du Halunke!« Wie gern hätte sie den Brief verbrannt, Rhett die Asche ins Gesicht geworfen und ihn dabei laut beschimpft. Oh, das würde sie ihm schon noch heimzahlen, daß er sie vor Suellen und Will so bloßgestellt hatte. Und wenn sie noch solange auf diesen Augenblick warten und Vorkehrungen treffen mußte, irgendwie würde sie das schon schaffen. Er hatte kein Recht, sie und Mammy so zu behandeln, Mammys letzten Wunsch derart mit Füßen zu treten.

Ich verbrenne ihn auf der Stelle, ich werde ihn nicht einmal zu Ende lesen, ich muß mir nicht noch mehr Lügen aufbinden lassen! Ihre Hand tastete nach den Streichhölzern, doch als sie die Schachtel in der Hand hielt, ließ sie sie gleich wieder fallen. Ich würde sterben vor Neugier, was dringestanden hat, gestand sie sich ein, und schon senkte sie den Kopf, um weiterzulesen.

Sie würde ihr Leben unverändert finden, erklärte Rhett. Die Rechnungen für den Haushalt würden von seinen Anwälten bezahlt werden, eine Anordnung, die er schon vor Jahren getroffen habe, und sämtliche Summen, die per Scheck von Scarletts Bankkonto abgehoben würden, würden automatisch ersetzt werden. Neue Geschäfte, in denen sie ein persönliches Konto eröffnete, solle sie doch über die Zahlungsweise informieren, derer man sich auch in allen anderen Läden, wo sie Kundin war, bereits bediente: Sie sollten ihre Rechnungen direkt an Rhetts Anwälte schicken. Ebensogut könne sie aber auch alles per Scheck bezahlen, da ihr Bankkonto ja immer wieder aufgefüllt werde.

Scarlett las das alles mit größter Spannung. Alles, was mit Geld zu tun hatte, interessierte sie seit jeher schon, seit dem Tag, als sie von der Union Army gezwungen worden war, die Armut kennenzulernen. Geld bedeutete Sicherheit, davon war sie überzeugt. Das Geld, das sie selbst verdiente, hortete sie, und sie war erneut schockiert, als sie Rhetts schrankenlose Großzügigkeit vor Augen geführt bekam.

Was ist er doch für ein Dummkopf; wenn ich wollte, könnte ich ihn ausplündern bis aufs Hemd. Wahrscheinlich haben auch seine Anwälte schon seit eh und je seine Bücher frisiert.

Dann: Rhett muß ja mächtig reich sein, wenn er Geld ausgeben kann, ohne sich darum zu scheren, wo es bleibt. Ich wußte zwar immer schon, daß er reich ist. Aber so reich! Ich wüßte zu gern, wieviel Geld er hat.

Dann: Er liebt mich immer noch, das ist der Beweis dafür. Kein Mann würde je eine Frau so sehr verwöhnen, wie Rhett mich all die Jahre verwöhnt hat, wenn er sie nicht bis zur Selbstvergessenheit liebte, und er gibt mir auch weiterhin alles, aber auch alles, was ich haben möchte. Er muß immer noch dasselbe für mich empfinden, sonst wäre er zurückhaltender. Ach, ich wußte es doch! Ich wußte es. Er hat das, was er gesagt hat, nicht wirklich gemeint. Er hat mir nur nicht geglaubt, daß ich ihn liebe.

Scarlett hielt sich Rhetts Brief an die Wange, als wäre es die Hand, die ihn geschrieben hatte. Sie wollte es Rhett beweisen, wollte ihm beweisen, daß sie ihn von ganzem Herzen liebte, und dann würden sie so glücklich sein – die glücklichsten Menschen der Welt!

Sie bedeckte den Brief mit Küssen, ehe sie ihn sorgfältig in eine Schublade legte. Dann machte sie sich mit Begeisterung an die Kontobücher. Ihre Kräfte wuchsen, wenn sie sich um ihre Geschäfte kümmern konnte. Als eine Dienerin an die Tür klopfte und schüchtern wegen des Abendessens nachfragte, blickte Scarlett kaum auf. »Bring mir ein Tablett mit irgend etwas«, sagte sie. »Und mach das Feuer im Kamin an.« Es wurde kühl mit Anbruch der Dunkelheit, und sie war hungrig wie ein Wolf.

In jener Nacht schlief sie ungeheuer gut. Der Laden war während ihrer Abwesenheit ordentlich gelaufen, und der leichte Imbiß im Magen tat ihr wohl. Es war gut, wieder zu Hause zu sein, insbesondere wenn man einen solchen Brief von Rhett hatte, der mittlerweile gut verwahrt unter ihrem Kopfkissen lag.

Sie wachte auf und reckte sich wollüstig. Das Geknister von Papier unter ihrem Kissen ließ sie lächeln. Sie läutete nach ihrem Frühstück und fing an, ihren Tag zu planen. Erst einmal zum Laden. Da mußten eine Menge Vorräte zur Neige gehen; Kershaw führte zwar die Bücher recht ordentlich, hatte jedoch ungefähr soviel Verstand wie ein Perlhuhn. Ihm würden selbst Mehl und Zucker ausgehen, ehe er auf die Idee käme, die Fässer aufzufüllen, und wahrscheinlich hatte er nicht einen Tropfen Kerosin oder auch nur ein Stückchen Anmachholz bestellt, obwohl es doch mit jedem Tag kälter wurde.

Die Zeitungen hatte sie abends nicht mehr geschafft, und wenn sie in den Laden ging, konnte sie sich die ganze langweilige Leserei ersparen. Alles, was sich in Atlanta zu wissen lohnte, würde sie von Kershaw und den Gehilfen zu hören bekommen. Wenn es darum ging, Geschichten aufzuschnappen, die gerade im Umlauf waren, gab es nichts Besseres als einen Gemischtwarenladen. Die Leute schwatzten eben gern, während sie darauf warteten, daß ihnen die Ware eingepackt wurde. Meist wußte sie bereits, was auf der Titelseite stand, ehe die Zeitung auch nur gedruckt war; sie konnte den ganzen Stapel auf ihrem Schreibtisch getrost wegwerfen, da ihr sowieso nichts entgehen würde.

Scarletts Lächeln schwand. Nein, das konnte sie nicht. Die Meldung über Melanies Beerdigung mußte drinstehen, und die wollte sie sehen.

Melanie . . .

Ashley . . .

Der Laden würde warten müssen. Sie hatte dringlichere Verpflichtungen.

Was ist bloß in mich gefahren, als ich Melly versprochen habe, mich um Ashley und Beau zu kümmern?

Aber versprochen ist versprochen. Am besten mache ich mich gleich auf den Weg und nehme Pansy mit, damit auch alles seine Richtigkeit hat. Die ganze Stadt muß sich ja das Maul zerreißen nach der Szene auf dem Friedhof; überflüssig, dem Klatsch noch zusätzlich Nahrung zu geben, indem ich Ashley allein besuche. Scarlett eilte über den dicken Teppich zu dem bestickten Klingelzug und riß ungeduldig daran. Wo blieb denn ihr Frühstück?

Aber nein, Pansy war ja noch auf Tara. Sie mußte eine ihrer anderen Dienerinnen mitnehmen, dies neue Mädchen, Rebecca, mit der würde es schon gehen. Sie hoffte, Rebecca würde ihr auch mit ihrem Kleid helfen können, ohne sich allzu täppisch anzustellen. Sie hatte es plötzlich eilig damit, loszufahren und den Besuch hinter sich zu bringen.

Als ihr Zweispänner vor Ashleys und Melanies winzigem Häuschen in der Ivy Street vorfuhr, sah Scarlett, daß der Trauerkranz von der Tür verschwunden und sämtliche Fensterläden gschlossen waren.

India, dachte sie sofort. Natürlich. Sie hat Ashley und Beau bei Tante Pittypat untergebracht. Sie kommt sich bestimmt ganz großartig vor.

Ashleys Schwester India war Scarletts unerbittliche Feindin und war es immer schon gewesen. Scarlett biß sich auf die Lippe und dachte über ihre mißliche Lage nach. Sie war sich sicher, daß Ashley und Beau zu Tante Pitty gezogen waren, es war das Vernünftigste, was er in seiner Lage tun konnte. Ohne Melanie und wo Dilcey nicht mehr da war, gab es niemanden, der Ashley das Haus führen und seinen Sohn bemuttern konnte. Bei Pittypat hingegen gab es Behaglichkeit, einen ordentlich geführten Haushalt und für den kleinen Jungen die Zuwendung von Frauen, die ihn ihr ganzes Leben lang geliebt hatten.

Zwei alte Jungfern, dachte Scarlett verächtlich. Die sind bereit, alles anzubeten, was Hosen trägt, selbst kurze. Wenn nur India nicht bei Tante Pitty wohnen würde. Mit Pitty selbst würde Scarlett schon fertig werden. Die furchtsame alte Dame würde sich nicht einmal getrauen, einem Kätzchen zu widersprechen, geschweige denn Scarlett.

Ashleys Schwester hingegen war ein anderer Fall. India würde es geradezu ein Vergnügen sein, sich mit Scarlett anzulegen, mit ihrer kalten, verachtungsvollen Stimme Gemeinheiten zu ihr zu sagen, Scarlett die Tür zu weisen.

Wenn sie bloß Melanie nicht versprochen hätte ... doch sie hatte es nun einmal getan. »Fahr mich zu Miss Pittypat Hamilton«, befahl sie Elias. »Rebecca, du gehst nach Hause. Du kannst zu Fuß gehen.«

Bei Pitty würde es genügend Anstandsdamen geben.

India öffnete auf ihr Klopfen. Sie sah Scarletts elegantes, pelzbesetztes Trauerkostüm, und ein schmales, zufriedenes Lächeln verzog ihre Lippen.

Lächle, soviel du willst, du alte Krähe, dachte Scarlett. Indias Kleid war aus trostloser schwarzer Seide, nicht einmal ein Knopf zierte es. »Ich bin gekommen, um zu hören, wie es Ashley geht«, sagte sie.

»Du bist hier nicht willkommen«, sagte India und schickte sich an, die Tür wieder zuzumachen.

Scarlett drückte dagegen. »India Wilkes, daß du es ja nicht wagst, mir die Tür vor der Nase zuzuschlagen. Ich habe es Melly versprochen, und ich werde es halten, und wenn ich dich dazu umbringen muß.«

Indias Antwort bestand darin, daß sie sich mit der Schulter gegen die Tür stemmte und dem Druck von Scarletts Händen Widerstand leistete. Das würdelose Gerangel dauerte jedoch bloß einen Augenblick. Dann hörte Scarlett Ashleys Stimme.

»Ist das Scarlett, India? Ich möchte sie gern sprechen.«

Die Tür flog auf, und Scarlett marschierte ins Haus. Mit Vergnügen registrierte sie, daß Indias Gesicht ganz rotfleckig war vor Wut.

Ashley kam näher, um sie zu begrüßen, und Scarletts energischer Schritt wurde zögernd. Er sah entsetzlich krank aus. Dunkle Ringe umgaben seine blassen Augen, und von den Nasenflügeln zogen sich tiefe Falten zum Kinn hinunter. Sein Anzug wirkte zu groß für ihn, die Jacke hing über seiner zusammengesunkenen Gestalt wie gebrochene Flügel an einem schwarzen Vogel.

Scarlett zog es das Herz zusammen. Sie liebte Ashley zwar nicht mehr auf die Weise, wie sie es all die Jahre getan hatte, doch war er immer noch Teil ihres Lebens. Es gab so viele gemeinsame Erinnerungen aus einer so langen Zeit. Sie konnte ihn nicht solche Qualen leiden sehen. »Lieber Ashley«, sagte sie sanft. »Komm doch und setz dich. Du siehst müde aus.«

Sie saßen über eine Stunde auf dem Sofa in Tante Pittys kleinem, überladenem Empfangszimmer. Scarlett sprach nur selten. Sie hörte Ashley zu, der in einem wirren, sprunghaften Zickzackkurs seinen Erinnerungen folgte. Er sprach von der Güte seiner Frau, ihrer Selbstlosigkeit, ihrem Edelmut, ihrer Liebe zu Scarlett, zu Beau und zu ihm. Seine Stimme war leise und ausdruckslos, ausgebleicht von Kummer und Hoffnungslosigkeit. Seine Hand tastete blind nach Scarletts, und er umklammerte sie mit der Kraft des Verzweifelten, preßte ihre Knochen schmerzhaft gegeneinander. Sie biß sich auf die Lippen und ließ ihn gewähren.

India stand im Türbogen, eine dunkle, reglose Zuschauerin.

Endlich verstummte Ashley und warf wie ein Geblendeter hilflos den Kopf hin und her. »Scarlett, ich kann ohne sie nicht weiterleben«, stöhnte er. »Ich kann es nicht.«

Scarlett entzog ihm ihre Hand. Sie mußte die Hülle der Hoffnungslosigkeit durchdringen, in der er gefangen saß, oder er würde es nicht überstehen, davon war sie überzeugt. Sie stand auf und beugte sich über ihn. »Hör mir zu, Ashley Wilkes«, sagte sie. »Ich habe auch dir zugehört, während du nichts getan hast, als in deinem Kummer zu wühlen. Jetzt bin ich an der

Reihe, und jetzt hörst du dir meinen Kummer an. Meinst du denn, du bist der einzige Mensch, der Melly geliebt hat und von ihr abhängig war? Mir geht es genauso, mehr, als mir bislang klar war, und mehr, als irgend jemandem klar war. Und ich nehme an, das gilt auch noch für viele andere Menschen. Wir dürfen uns nicht in unserem Schmerz vergraben und daran zugrunde gehen. Aber genau das tust du. Und ich schäme mich für dich. Wie sicher auch Melly, falls sie vom Himmel auf uns hinunterblickt. Kannst du dir denn überhaupt vorstellen, was sie durchgemacht hat, als sie Beau bekam? Ich weiß, was sie gelitten hat, und glaube mir, es hätte den stärksten Mann umgebracht, den Gott je geschaffen hat. Jetzt hat er nur noch dich. Willst du Melly das antun? Daß ihr Kind ganz allein ist, praktisch eine Waise, weil sein Vater zuviel Mitleid mit sich selbst hat, um sich um ihn zu kümmern? Willst du ihr das Herz brechen, Ashley Wilkes? Das tust du nämlich gerade.« Sie nahm sein Kinn in die Hand und zwang ihn, sie anzuschauen.

»Du reißt dich jetzt zusammen, hast du mich gehört, Ashley? Du gehst jetzt schnurstracks in die Küche und sagst der Köchin, sie soll dir etwas Warmes zu essen machen. Und dann ißt du. Und wenn dir davon schlecht wird, dann ißt du eben noch einmal. Und dann suchst du deinen Jungen und nimmst ihn in den Arm und sagst ihm, daß er keine Angst zu haben braucht, weil sein Vater sich schon um ihn kümmert. Und dann tu es auch. Denk einmal an jemand anderen als nur an dich selbst.«

Scarlett wischte sich die Hand am Rock ab, als hätte Ashley sie beschmutzt. Dann schritt sie aus dem Zimmer und schob India dabei aus dem Weg.

Als sie die Tür zur vorderen Veranda öffnete, hörte sie, wie India sagte: »Mein armer, lieber Ashley. Gib einfach nichts auf die gräßlichen Dinge, die Scarlett gesagt hat. Sie ist ein Ungeheuer.«

Scarlett blieb stehen und wandte sich um. Sie zog eine ihrer Visitenkarten aus der Handtasche und ließ sie auf den Tisch fallen. »Ich lasse dir meine Karte da, Tante Pitty«, rief sie laut, »wo du nun mal solche Angst davor hast, mich leibhaftig zu sehen.«

Sie knallte die Tür hinter sich zu.

»Fahr einfach drauflos, Elias«, wies sie den Kutscher an, »irgendwohin.« Nicht eine Minute länger hätte sie es in diesem Haus ausgehalten. Was sollte sie denn bloß tun? Ob sie zu Ashley durchgedrungen war? Sie war so gemein gewesen... nun, das mußte sie, er ertrank ja in Selbstmitleid – doch ob es was genutzt hatte? Ashley vergötterte seinen Sohn, vielleicht würde er sich Beau zuliebe zusammenreißen. »Vielleicht« war jedoch nicht genug. Er mußte es, und sie mußte ihn dazu bringen.

»Bring mich in die Kanzlei von Mr. Henry Hamilton«, befahl sie Elias jetzt.

»Onkel Henry« flößte den meisten Frauen Furcht ein, nicht aber Scarlett.

Sie fand es begreiflich, daß jemand zum Weiberfeind wurde, wenn er mit Tante Pittypat im selben Haus aufgewachsen war. Und sie wußte, daß er sie ziemlich gern hatte. Er behauptete, Scarlett sei längst nicht so albern wie die meisten Frauen. Er war ihr Anwalt und wußte, wie gewieft sie in geschäftlicher Hinsicht war.

Als sie sein Büro betrat, ohne erst abzuwarten, daß man sie anmeldete, legte er einen Brief aus der Hand, den er gerade las, und lachte. »Komm nur rein, Scarlett«, sagte er und stand auf. »Du willst wohl dringend jemanden verklagen?«

Sie ging auf und ab und übersah den Stuhl neben seinem Schreibtisch. »Ich würde gern jemanden erschießen, doch ich weiß nicht, ob das was einbrächte. Es stimmt doch, daß Charles mir seinen gesamten Besitz hinterlassen hat?«

»Aber das weißt du doch. Hör auf, so herumzuzappeln, und setz dich. Er hat dir die Speicher in der Nähe der Bahnstation vermacht, die die Yankees niedergebrannt haben. Und er hat dir etwas Farmland außerhalb der Stadt hinterlassen, das bald schon zum Stadtgebiet gehören wird, so rasch, wie Atlanta wächst.«

Scarlett hockte sich auf die Stuhlkante, den Blick starr auf ihn gerichtet. »Und die Hälfte von Tante Pittys Haus in der Peachtree Street«, sagte sie bestimmt, »hat er mir die nicht auch hinterlassen?«

»Mein Gott, Scarlett, erzähl mir nicht, daß du dort einziehen willst?«

»Selbstverständlich nicht. Aber ich will Ashley dort heraushaben. India und Tante Pitty bringen ihn vor lauter Mitgefühl noch ins Grab. Er kann in sein eigenes Haus zurückziehen. Ich werde ihm eine Haushälterin besorgen.«

Henry Hamilton sah sie aus ausdruckslosen Augen prüfend an. »Bist du sicher, daß du ihn deshalb wieder in sein eigenes Haus zurückbringen willst, weil er unter zuviel Mitgefühl zu leiden hat?«

Scarlett warf verächtlich den Kopf in den Nacken. »Heiliger Strohsack, Onkel Henry!« sagte sie. »Entwickelst du dich auf deine alten Tage noch zur Klatschbase?«

»Nun zeig mir mal nicht gleich die Krallen, junge Dame. Lehn dich auf deinem Stuhl zurück und laß dir ein paar Wahrheiten sagen. Du magst den besten kaufmännischen Verstand haben, dem ich je begegnet bin, doch im übrigen bist du begriffsstutzig wie ein Dorftrottel.«

Scarlett blickte zwar finster, doch sie tat, wie ihr geheißen.

»Und was nun Ashleys Haus angeht«, sagte der alte Anwalt bedächtig, »so ist es bereits verkauft. Ich habe den Vertrag gestern ausgefertigt.« Er hielt die Hand hoch, um Scarlett zum Schweigen zu bringen, ehe sie überhaupt sprechen konnte. »Ich war es, der ihm geraten hat, zu Tante Pitty zu ziehen und es zu verkaufen. Nicht, weil das Haus für ihn voller schmerzlicher Erinnerungen ist, und auch nicht, weil ich mir Sorgen gemacht habe, wer sich um ihn und den Jungen kümmern würde, obwohl das beides nicht ohne Belang ist. Ich habe es ihm geraten, weil er das Geld aus dem Verkauf dazu brauchte, sein Bauholzgeschäft vor dem Ruin zu bewahren.«

»Was willst du damit sagen? Ashley mag zwar keine Ahnung davon haben, wie man Geld macht, aber pleite gehen kann er doch wohl nicht. Wo gebaut wird, wird auch Holz gebraucht.«

»Wenn gebaut wird. Steig mal für eine Minute von deinem hohen Roß und hör mir zu, Scarlett. Ich weiß, du interessierst dich für nichts, was in der Welt geschieht, es sei denn, es hat mit dir zu tun, doch es hat vor zwei, drei Wochen in New York einen großen Finanzskandal gegeben. Ein Spekulant namens Jay Cooke hat sich verkalkuliert und Bankrott gemacht. Er hat seine gesamte Eisenbahngesellschaft mitgerissen, Northern Pacific heißt der Laden, und noch einen ganzen Haufen anderer Spekulanten, Burschen, die in seinen Eisenbahngeschäften und anderen Unternehmungen mit drinsteckten. Und die wiederum haben eine ganze Reihe anderer Unternehmen mit ruiniert, die nichts mit Cooke zu tun hatten. Und die Burschen, die in diesen Unternehmen steckten, haben noch mehr Unternehmen mit sich gerissen und weitere Burschen mit in den Bankrott gestürzt, genau wie ein Kartenhaus. In New York sprechen sie nur noch von der ›Panik‹, und sie greift bereits um sich. Ich nehme an, sie wird das ganze Land in Mitleidenschaft ziehen, ehe sie zum Stillstand kommt.«

Scarlett war entsetzt. »Was ist denn mit meinem Laden?« schrie sie. »Und mit meinem Geld? Sind die Banken sicher?«

»Die, bei der du bist, ist es. Ich habe da auch mein Geld, und also habe ich mich vergewissert. Tatsache ist, daß die Geschichte Atlanta nicht zu sehr berühren wird. Wir sind nicht bedeutend genug für irgendwelche großen Geschäfte, und die großen sind es, die zusammenbrechen. Aber überall stehen Geschäfte still. Die Leute trauen sich nicht zu investieren. Das heißt also, auch das Baugewerbe. Und wenn keiner baut, braucht auch keiner Bauholz.«

Scarlett runzelte die Stirn. »Also kann Ashley mit der Sägemühle kein Geld verdienen. Das leuchtet mir ein. Doch wenn niemand investiert, wie konnte er denn dann sein Haus so schnell verkaufen? Ich würde doch denken, wenn es eine Panik gibt, dann sinken zuallererst die Grundstückspreise.«

Onkel Henry grinste. »Wie ein Stein. Du bist und bleibst ein Schlaukopf, Scarlett. Darum habe ich Ashley ja auch gesagt, er soll verkaufen, solange es noch geht. Atlanta hat von der ›Panik‹ noch nichts zu spüren bekommen, doch sie wird bald da sein. Wir haben jetzt seit acht Jahren einen Boom, und hier leben inzwischen mehr als zwanzigtausend Menschen – doch kein Boom ohne Bares.« Er lachte dröhnend über seinen eigenen Witz.

Scarlett lachte mit ihm, obwohl sie an wirtschaftlichen Zusammenbrüchen nichts komisch zu finden vermochte. Sie wußte aber, daß Männer es gern hatten, wenn man ihre Witze amüsant fand.

Onkel Henrys Gelächter verstummte so abrupt, als hätte jemand einen Hahn zugedreht. »So. Nun ist Ashley also bei seiner Schwester und seiner Tante, aus guten, stichhaltigen Gründen und auf meinen Rat hin. Und das paßt dir nicht.«

»Nein, Sir, das paßt mir überhaupt nicht. Er sieht schrecklich aus, und die beiden verschlimmern seinen Zustand nur. Er gleicht einem lebenden Leichnam. Ich habe ihm gehörig den Kopf gewaschen und versucht, ihn aus seinem Zustand herauszureißen. Angeschrien habe ich ihn. Doch ich weiß nicht, ob es irgend etwas genützt hat. Und selbst wenn, es würde nicht vorhalten. Nicht, solange er in diesem Haus ist.«

Sie sah Onkel Henrys skeptische Miene. Die Zornesröte stieg ihr ins Gesicht. »Es ist mir gleichgültig, was du gehört hast oder was du denkst, Onkel Henry. Ich stelle Ashley nicht nach. Ich habe Melanie am Totenbett versprochen, mich um ihn und um Beau zu kümmern. Ich wäre weiß Gott froh, wenn ich es nicht getan hätte, doch so liegen die Dinge nun mal.«

Ihr Ausbruch erfüllte Henry mit Unbehagen. Er mochte keine Gefühlsaufwallungen, schon gar nicht von Frauen. »Wenn du zu heulen anfängst, Scarlett, muß ich dich an die Luft setzen.«

»Ich werde nicht weinen, aber ich bin wütend. Ich muß etwas unternehmen, und du bist mir offensichtlich keine Hilfe.«

Henry Hamilton lehnte sich zurück. Er legte die Fingerspitzen aneinander und ließ die Arme auf seinem ausladenden Bauch ruhen. Es war seine Anwaltshaltung, fast schon die eines Richters.

»Du bist der letzte Mensch, der Ashley jetzt helfen kann, Scarlett. Ich habe dir gesagt, ich werde mit ein paar Wahrheiten aufwarten, und dies ist eine davon. Richtig oder falsch, und ich lege keinen Wert darauf zu wissen, was zutrifft, es hat nun einmal eine Menge Spekulationen gegeben, was dich und Ashley betrifft. Melly hat sich vor dich gestellt, und die meisten Leute sind ihr gefolgt – aus Liebe zu ihr, wohlgemerkt, nicht, weil sie dich besonders gern hatten.

India hingegen hat das Schlimmste angenommen und es auch ausgesprochen, und sie hat eine kleine Anhängerschar um sich versammelt. Keine schöne Situation, doch die Leute hatten sich damit abgefunden, wie sie es immer tun. Die Dinge hätten in dieser Weise ewig vor sich hin schaukeln können, selbst noch nach Melanies Tod. Niemand mag wirkliche Brüche und abrupte Veränderungen. Doch du konntest ja nicht schlicht und einfach abfahren. Oh, nein. Du mußtest dich selbst noch an Melanies offenem Grab in Szene setzen, mußtest deine Arme um Ashley werfen und ihn von seiner toten Frau wegzerren, die für eine Menge Leute fast eine Heilige war.«

Er hob eine Hand. »Ich weiß schon, was du sagen willst, also mach dir gar nicht erst die Mühe, es zu sagen, Scarlett.« Seine Fingerspitzen berührten einander erneut. »Ashley war drauf und dran, sich ins Grab zu stürzen, sich womöglich den Hals zu brechen. Ich war da. Ich habe es gesehen. Darum geht es aber nicht. Da bist du nun so ein schlaues Mädchen, aber von der Welt verstehst du nichts.

Wenn Ashley sich auf den Sarg hinabgestürzt hätte, hätten das alle ›rührend‹ gefunden. Wenn er sich dabei umgebracht hätte, wären alle zwar aufrichtig betrübt gewesen, doch es gibt Regeln für den Umgang mit Kummer. Die Gesellschaft braucht Regeln, Scarlett, um nicht auseinanderzufallen. Du aber hast sämtliche Regeln gebrochen. Du hast in aller Öffentlichkeit eine Szene veranstaltet. Du hast deine Hände auf einen Mann gelegt, der nicht dein Ehemann ist. Öffentlich. Du hast ein Durcheinander heraufbeschworen, das eine Beerdigung unterbrochen hat, eine Zeremonie, deren Regeln jeder kennt. Du hast die Totenfeier einer Heiligen gestört.

Also gibt es in der ganzen Stadt keine Lady mehr, die sich nicht auf Indias Seite gestellt hat. Und wenn christliche Damen erst einmal den Stab über dich gebrochen haben, erhoffst du dir besser keine christliche Barmherzigkeit oder Vergebung. Die stehen ihnen einfach nicht zu Gebote, und die würden sie auch niemand sonst gestatten, schon gar nicht ihrem Mannsvolk. Ihre Männer gehören ihnen ganz, mit Leib und Seele. Deshalb habe ich mich ja auch immer von der fälschlich so bezeichneten ›weiblichen Sanftmut‹ ferngehalten.

Ich wünsche dir alles Gute, Scarlett. Du weißt, ich habe dich immer gemocht. Das ist aber so ungefähr auch alles, was ich dir anbieten kann. Gute Wünsche. Du hast einen Riesenschlamassel angerichtet, und ich weiß nicht, wie du das je wieder in Ordnung bringen willst.«

Der alte Anwalt stand auf. »Laß Ashley, wo er ist. Schon bald wird irgendein Frauchen vorbeikommen und ihn einwickeln. Dann kann die sich um ihn kümmern. Du läßt Pittypats Haus, wie es ist, deine Hälfte inbegriffen. Und hör ja nicht auf, durch mich alle fälligen Rechnungen für Reparaturen und Unterhalt des Hauses zu bezahlen, wie du es immer getan hast. Damit ist deinem Versprechen gegenüber Melanie Genüge getan. Nun komm. Ich bringe dich zu deinem Wagen.«

Scarlett nahm seinen Arm und ging gefügig neben ihm her. Innerlich jedoch kochte sie. Sie hätte es sich auch gleich denken können, daß Onkel Henry ihr keine Hilfe sein würde.

Darüber hinaus mußte sie unbedingt herausfinden, ob es stimmte, was er behauptet hatte, ob es eine Finanzkrise gab, vor allem aber, ob ihr Geld sicher angelegt war.

»Panik« hatte Henry Hamilton die Finanzkrise genannt, die an der Wall Street in New York begonnen hatte und sich nun über ganz Amerika ausbreitete. Scarlett graute es bei der Vorstellung, daß sie das Geld, das sie verdient und beiseite gelegt hatte, verlieren könnte. Nach ihrem Besuch bei Anwalt Hamilton begab sie sich schnurstracks zu ihrer Bank. Sie bebte innerlich, als sie das Büro des Bankdirektors betrat.

»Ich weiß Ihre Besorgnis zu schätzen, Mrs. Butler«, sagte er, doch Scarlett merkte ihm an, daß er das durchaus nicht tat. Er verübelte ihr, daß sie die Sicherheit der Bank in Frage stellte, insbesondere, da er die Leitung innehatte. Je länger er sprach und je beruhigender er klang, desto weniger glaubte Scarlett ihm.

Dann befreite er sie unabsichtlich mit einem Streich von all ihren Ängsten. »Zudem zahlen wir unseren Aktionären diesmal nicht nur die übliche Dividende«, sagte er, »sie ist tatsächlich sogar ein wenig höher ausgefallen als gewöhnlich.« Er betrachtete sie aus den Augenwinkeln. »Ich habe diese Information selbst erst heute morgen erhalten«, sagte er mit Ärger in der Stimme. »Ich wüßte allerdings zu gern, was Ihren Gatten dazu bewogen hat, vor einem Monat seine Aktienanteile aufzustocken.«

Scarlett hatte das Gefühl, es risse sie vor lauter Erleichterung vom Stuhl. Wenn Rhett Aktien dieser Bank gekauft hatte, dann mußte es die sicherste Bank Amerikas sein. Er hatte immer gerade dann Geld gemacht, wenn die Welt in Stücke gegangen war. Sie wußte nicht, woher er über die Lage der Bank Bescheid wußte, doch das war ihr gleichgültig. Es genügte ihr, daß Rhett Vertrauen zu ihr hatte.

»Er hat eben diese süße kleine Kristallkugel«, sagte sie mit einem seligen Lachen, das den Bankdirektor wirklich wütend machte. Sie fühlte sich fast, als wäre sie ein wenig betrunken.

Aber doch wiederum nicht so unbeschwert, daß sie vergessen hätte, das gesamte Bargeld in ihrem Schließfach in Gold umzuwechseln. Sie hatte immer noch die elegant bedruckten wertlosen Konföderationsanleihen vor Augen, auf die ihr Vater gesetzt hatte. Sie hatte überhaupt kein Vertrauen zu Papier.

Als sie die Bank verließ, verharrte sie einen Augenblick auf der Treppe, um die warme Herbstsonne und das pulsierende Leben des Geschäftsviertels zu genießen. Nun sieh dir all die Menschen an, wie sie umherhasten, wie sie es eilig haben, weil es Geld zu verdienen gibt, nicht etwa, weil sie vor irgend etwas Angst hätten. Onkel Henry spinnt sich da etwas zusammen, er ist ein alter Trottel. Das hat nun wirklich nichts mit Panik zu tun.

Ihr nächster Besuch galt ihrem Laden. »Kennedy's Emporium« stand in großen goldenen Lettern quer über die Fassade des Gebäudes geschrieben. Das Geschäft war ihre Erbschaft aus ihrer kurzen Ehe mit Frank Kennedy.

Das Geschäft und Ella und ihr Vergnügen an dem Laden entschädigten sie mehr als reichlich für ihre Enttäuschung über das Kind. Die Schaufensterscheibe war blitzblank, und die Auslage umfaßte so ziemlich alles, was man sich denken konnte. Alles von der blitzenden neuen Axt bis zu ebenso blitzenden Nähnadeln. Sie würde allerdings diese Kalikobahnen da herausnehmen müssen. Die würden im Handumdrehen Streifen von der Sonne haben, und dann würde sie den Preis herabsetzen müssen. Scarlett stürmte durch die Eingangstür, bereit, Willie Kershaw, dem Ladenvorsteher, das Fell über die Ohren zu ziehen.

Am Ende gab es jedoch recht wenig zu beanstanden. Der Kaliko in der Auslage hatte während der Verschiffung bereits einen Wasserschaden davongetragen und war im Preis längst herabgesetzt. Der Hersteller hatte sich bereit erklärt, zwei Drittel im Preis herunterzugehen. Kershaw hatte gleich neue Ware nachbestellt, ohne besonders dazu aufgefordert werden zu müssen, und der quadratische, schwere Eisensafe im Hinterzimmer enthielt die säuberlich mit einer Banderole versehenen und genau abgerechneten Stapel von Dollarscheinen und Münzsäckchen, die letzten Tageseinnahmen. »Ich habe die Gehilfen entlohnt, Mrs. Butler«, sagte Kershaw nervös. »Ich hoffe, das ist in Ordnung. Die Quittung findet sich bei den Samstagsbelegen. Die Jungs haben gesagt, sie kämen ohne ihren Wochenlohn nicht über die Runden. Meinen eigenen habe ich noch nicht genommen, doch ich wäre Ihnen sehr dankbar, wenn Sie sich in der Lage sähen . . .«

»Selbstverständlich, Willie«, sagte Scarlett gnädig. »Sobald ich Kassenbestand und Kontobuch verglichen habe.« Kershaw hatte sich wesentlich wackerer geschlagen, als sie angenommen hatte, doch das hieß nicht, daß sie ihm erlauben würde, sie übers Ohr zu hauen. Als das Geld bis auf den Penny abgerechnet war, zählte sie ihm seine zwölf Dollar und fünfundsiebzig Cents Lohn für die vergangenen drei Wochen ab. Sie würde ihm einen zusätzlichen Dollar geben, wenn sie ihm morgen den Lohn für die laufende Woche ausbezahlte. Er verdiente einen Zuschlag dafür, daß er sich so gut gehalten hatte, während sie weg war.

Außerdem hatte sie vor, seine Pflichten zu vermehren. »Willie«, erklärte sie ihm, als sie allein waren, »ich möchte, daß Sie ein Kreditkonto eröffnen.«

Kershaw fielen beinahe die Augen aus dem Kopf. In diesem Laden war kein einziger Kredit mehr gewährt worden, seit Scarlett die Geschäftsführung übernommen hatte. Aufmerksam lauschte er ihren Anweisungen. Als sie ihn schwören ließ, daß er keiner lebenden Seele davon erzählen würde, legte er die Hand auf sein Herz und tat es. Er würde sich hüten, diesen Eid zu brechen, denn Mrs. Butler würde es in jedem Fall herausbekommen. Er war überzeugt, daß Scarlett auch im Hinterkopf Augen hatte und Gedanken lesen konnte.

Nachdem sie den Laden verlassen hatte, fuhr Scarlett zum Essen nach Hause. Sie wusch sich Gesicht und Hände und machte sich dann an den Zeitungsstapel. Die Meldung über Melanies Beerdigung war, wie sie es erwartet hatte – schließlich hatte sie selbst sie entworfen –: ein Minimum an Worten, aus denen Melanies Name, Geburtsort und das Todesdatum hervorgingen. Der Name einer Dame konnte nur dreimal in die Nachrichtenspalte geraten: bei ihrer Geburt, ihrer Heirat und ihrem Tod. Und niemals durften irgendwelche Einzelheiten beschrieben werden. Scarletts Entwurf hatte allerdings noch enthalten, was sie für eine angemessene Würdigung hielt, nämlich einen Satz darüber, wie tragisch es war, daß Melanie so jung gestorben war und wie sehr ihre Familie und all ihre Freunde in Atlanta sie vermissen würden. Der Satz fehlte. India muß ihn herausgenommen haben, dachte Scarlett ärgerlich. Wenn Ashleys Haushalt doch bloß in den Händen einer anderen Person läge, statt in denen Indias, das Leben wäre um so vieles einfacher.

Gleich die nächste Ausgabe der Zeitung bewirkte dann, daß Scarlett vor Angst die Hände feucht wurden. Die nächste und die nächste und immer so weiter – mit wachsender Unruhe schlug sie die Seiten um. »Stell es dort hin«, sagte sie, als die Dienerin das Mittagessen ankündigte. Die Hühnerbrust klebte in erstarrter Soße, als sie sich endlich an den Tisch setzte, doch das war nicht schlimm. Sie war sowieso zu unruhig, um zu essen. Onkel Henry hatte recht gehabt. Es gab eine Panik, und aus gutem Grund. Die Geschäftswelt befand sich in heilloser Aufregung, ja im Zusammenbruch. Der Aktienmarkt in New York war für zehn Tage geschlossen geblieben, von dem Tag an, den die Reporter als »Schwarzen Freitag« bezeichneten, als die Aktienpreise in den Keller gefallen waren, weil alle verkauften und niemand kaufte. In den großen Städten Amerikas schlossen die Banken, weil die Kunden ihr Geld haben wollten, aber nichts mehr da war, war es doch von den Banken in »sicheren« Aktien angelegt worden, die nahezu wertlos geworden waren. Fast täglich mußten Fabriken in den großen Industriegebieten schließen, und Tausende von Arbeitern standen ohne Arbeit und ohne Geld da.

Onkel Henry meint, in Atlanta kann das nicht passieren, sagte sich Scarlett wieder und wieder. Trotzdem mußte sie den Impuls unterdrücken, zur Bank zu gehen und ihr Gold aus dem Schließfach nach Hause zu holen. Wenn Rhett nicht Aktien der Bank gekauft hätte, hätte sie es getan.

Sie dachte an das, was sie sich für den Nachmittag vorgenommen hatte, und wünschte sich sehnlich, sie hätte diesen Einfall niemals gehabt, entschied jedoch, daß es sein mußte. Auch wenn das Land in Panik lebte. Ja, genaugenommen gerade deshalb.

Vielleicht sollte sie vorher ja ein winziges Gläschen Brandy trinken, um ihre scheuernden Magenwände zu beruhigen. Die Karaffe stand in Reichweite auf der Anrichte. Das würde ihre flatternden Nerven wenigstens halbwegs beruhigen ... Nein, man würde es ihrem Atem anmerken, auch wenn sie anschließend Petersilie oder Pfefferminzblätter aß. Sie atmete tief durch und stand vom Tisch auf. »Lauf zum Kutscherhaus hinaus und sag Elias, daß ich ausfahren will«, trug sie der Dienerin auf, die auf ihr Läuten hin hereingekommen war.

Niemand antwortete, als sie an Tante Pittypats Haustür klingelte. Aber Scarlett war sich sicher, daß sich der Spitzenvorhang an einem der Fenster des Empfangszimmer bewegt hatte. Erneut zog sie den Klingelzug. Man hörte die Klingel jenseits der Tür in der Diele und dann gedämpfte Schritte. Scarlett klingelte abermals. Kein Laut, als das Klingeln verebbt war. Sie zählte bis zwanzig. Pferd und Wagen fuhren auf der Straße hinter ihr vorbei.

Wenn mich hier jemand sieht, wie ich ausgesperrt vor der Tür stehe, kann ich ihm nie wieder ins Gesicht schauen, ohne vor Scham zu vergehen, dachte sie. Sie spürte ihre Wangen brennen. Onkel Henry hatte vollkommen recht. Alle waren gegen sie. Ihr Leben lang hatte sie von Leuten gehört, die so skandalbehaftet waren, daß kein anständiger Mensch ihnen mehr die Tür öffnete, doch selbst in ihren wildesten Phantasien wäre sie nicht auf die Idee gekommen, daß es ihr selbst so ergehen könnte. Sie war Scarlett O'Hara, die Tochter von Ellen Robillard, aus der Familie Robillard in Savannah. Ihr konnte so etwas nicht passieren.

Außerdem bin ich hier, um ein gutes Werk zu tun, dachte sie fassungslos und gekränkt. Ihr Augen fühlten sich heiß an, gleich würden die ersten Tränen fließen. Da packte sie, wie so oft, ein Anfall von Wut und Empörung. Verdammt noch mal, dies Haus gehörte zur Hälfte ihr! Wie konnte man es wagen, die Tür vor ihr verschlossen zu halten? Sie hieb mit der Faust gegen die Tür und rüttelte am Knauf, aber die Tür war sicher verriegelt. »Ich weiß, daß du da drin bist, India Wilkes!« schrie Scarlett durchs Schlüsselloch. So! Ich hoffe, sie hatte gerade das Ohr daran, um zu lauschen.

»Ich bin gekommen, um mit dir zu reden, India, und ich gehe nicht wieder weg, ehe ich das nicht getan habe. Ich setze mich jetzt hier auf die Treppe, bis du aufmachst oder Ashley mit seinem Schlüssel nach Hause kommt. Du hast die Wahl.«

Scarlett wandte sich um und raffte ihre schleppenden Röcke zusammen. Sie hörte Riegel hinter sich knirschen und das Quietschen der Angeln, kaum daß sie einen Schritt gemacht hatte.

»Um Himmels willen, komm schon rein«, flüsterte India rauh. »Du bringst uns noch bei den Nachbarn ins Gerede.«

Scarlett beäugte India kühl über die Schulter hinweg. »Vielleicht solltest du besser zu mir rauskommen und dich mit mir auf die Treppe setzen, India. Schließlich könnte ein blinder Landstreicher vorbeikommen und dir gegen Kost und Logis die Ehe anbieten.«

Kaum hatte sie das gesagt, hätte sie sich am liebsten die Zunge abgebissen. Sie war nicht hergekommen, um sich mit India zu streiten. Doch Ashleys Schwester war für sie immer schon der berühmte Stein im Schuh gewesen, und die Demütigung, die ihr die verschlossene Tür bereitet hatte, nagte an ihr.

India stieß die Tür wieder zu. Scarlett fuhr herum und stürzte darauf los, um zu verhindern, daß sie ins Schloß fiel. »Ich entschuldige mich«, sagte sie zähneknirschend. Ihr wütender Blick widerstand dem Indias. Endlich trat India zurück.

Wie hätte Rhett das geliebt! dachte Scarlett plötzlich. In den guten Tagen ihrer Ehe hatte sie ihm immer von ihren Triumphen im Geschäftsleben und in der kleinen Welt der guten Gesellschaft von Atlanta erzählt. Immer wieder hatte er schallend gelacht und Scarlett eine »unerschöpfliche Quelle des Vergnügens« genannt. Vielleicht würde er ja wieder so lachen, wenn sie ihm erzählte, daß India geschnaubt habe wie ein Drachen auf dem Rückzug.

»Was willst du?« Indias Stimme war eisig, obwohl sie vor Wut bebte.

»Es ist wirklich furchtbar nett von dir, daß du mich bittest, Platz zu nehmen und einen Tee mit dir zu trinken«, sagte Scarlett und tat so vornehm wie möglich. »Doch ich habe gerade eben erst zu Mittag gegessen.« Tatsächlich hatte sie jetzt Hunger. Im Eifer des Gefechts hatte sie den Börsenkrach vollkommen vergessen. Sie hoffte, ihr Magen würde nicht anfangen zu knurren, er fühlte sich ganz hohl an.

India bezog vor einer Tür des Empfangszimmers Posten. »Tante Pitty hält ihren Mittagsschlaf«, sagte sie.

Sie hat mal wieder ihre »Vapeurs«, wäre wohl der zutreffendere Ausdruck, dachte Scarlett, hütete jedoch ihre Zunge. Sie war nicht wütend auf Pittypat. Außerdem beeilte sie sich besser mit ihrem Anliegen. Sie wollte wieder gegangen sein, ehe Ashley nach Hause kam.

»Ich weiß nicht, ob du dir darüber im klaren bist, India, ich hab es ja bereits angedeutet: Melly hat mir auf dem Totenbett das Versprechen abgenommen, daß ich ein Auge auf Beau und auf Ashley habe.«

India fuhr zusammen, als hätte sie ein Schuß getroffen.

»Sag besser nichts«, warnte Scarlett sie, »denn was es auch ist, es führt doch zu nichts, wo das nun einmal Mellys letzte Worte waren.«

»Du wirst Ashleys Namen ruinieren, wie du deinen eigenen ruiniert hast. Ich werde nicht zulassen, daß du hier herumlungerst und Schande über uns alle bringst, weil du es auf ihn abgesehen hast.«

»Das letzte auf Gottes weiter Flur, was ich möchte, India Wilkes, ist, auch nur eine Minute mehr in diesem Haus zu verbringen als unbedingt nötig. Ich bin gekommen, um dir mitzuteilen, daß du auf meine Veranlassung hin von jetzt an in meinem Laden alles bekommst, was du brauchst.«

»Die Wilkes nehmen keine Almosen an, Scarlett.«

»Du Schafskopf, ich rede nicht von Almosen. Ich rede von dem, was ich

Melanie versprochen habe. Du hast ja keine Ahnung, wie schnell ein Junge in Beaus Alter Hosen abwetzt und aus seinen Schuhen herauswächst. Oder wieviel so etwas kostet. Willst du denn, daß Ashley sich wegen derlei Kleinigkeiten Sorgen machen muß, wo er an einem viel größeren Kummer zu tragen hat? Oder möchtest du, daß Beau zum Gespött der Schule wird?

Ich weiß doch, wie hoch Tante Pittys Einkünfte sind. Ich habe hier schließlich mal gewohnt, du erinnerst dich vielleicht? Es ist gerade genug, um Onkel Peter und den Wagen zu unterhalten, ein bißchen Essen auf den Tisch zu stellen und ihr Riechsalz zu bezahlen. Außerdem gibt es da im Moment eine kleine Börsenpanik, und die Hälfte der Geschäftswelt des Landes geht vor die Hunde. Ashley wird wahrscheinlich weniger Geld einnehmen als je zuvor.

Wenn ich meinen Stolz hinunterschlucken und an eure Haustür klopfen kann wie eine Verrückte, dann kannst du auch deinen hinunterschlucken und das annehmen, was ich euch geben will. Es kommt dir nicht zu, es abzulehnen, denn wenn es sich nur um dich handelte, ich würde dich verhungern lassen, ohne auch nur mit der Wimper zu zucken. Ich spreche von Beau. Und von Ashley. Und Melly – weil ich ihr versprochen habe, worum sie mich gebeten hat.

›Kümmere dich um Ashley, doch laß es ihn nicht wissen‹, hat sie gesagt. Das kann ich aber nicht, wenn du mir nicht hilfst, India.«

»Woher soll ich denn wissen, was Melanie gesagt hat?«

»Du hast mein Wort, und mein Wort ist Gold wert. Was immer du von mir halten magst, India, nie wirst du jemanden finden, der behauptet, ich hätte ein Versprechen nicht gehalten oder mein Wort gebrochen.«

India zögerte, und Scarlett wußte, sie würde gewinnen. »Du mußt ja nicht selbst in den Laden gehen«, sagte sie. »Du kannst ja jemanden mit einer Liste schicken.«

India holte tief Luft. »Nur für Beaus Schulsachen«, sagte sie widerwillig.

Scarlett verkniff sich ein Lächeln. Wenn India erst einmal gemerkt hatte, wie angenehm es war, etwas umsonst zu bekommen, würde sie weit mehr als das einkaufen. Dessen war Scarlett sich sicher.

»Dann verabschiede ich mich jetzt, India. Mr. Kershaw, der Ladenvorsteher, ist der einzige, der von der Sache weiß, und er wird es auch nicht ausplaudern. Schreib seinen Namen außen auf deinen Einkaufszettel, dann kümmert er sich um alles.«

Als sie sich wieder in ihrer Kutsche zurücklehnte, ließ Scarletts Magen ein vernehmliches Grummeln hören. Sie lächelte. Gott sei Dank hatte er bis jetzt damit gewartet.

Wieder zu Hause, befahl sie der Köchin, ihr das Mittagessen noch einmal heiß zu machen. Während sie darauf wartete, zu Tisch gerufen zu werden, sah sie die übrigen Seiten der Zeitungen durch und überschlug dabei diejenigen mit den Geschichten über den Börsenkrach. Es gab da eine

Spalte, um die sie sich bislang nie gekümmert hatte, die sie jetzt jedoch faszinierte. Sie enthielt Nachrichten und Klatsch aus Charleston, und es hätte ja sein können, daß Rhett, seine Mutter, seine Schwester oder sein Bruder darin erwähnt worden wären.

Was nicht der Fall war, doch hatte sie es eigentlich auch nicht erwartet. Sollte wirklich etwas Aufregendes in Charleston passieren, würde sie es von Rhett selbst erfahren, wenn er das nächste Mal nach Hause kam. Daß sie sich für seine Angehörigen und den Ort interessierte, wo er aufgewachsen war, mußte für ihn ein Beweis mehr sein, daß sie ihn liebte. Wieder dachte sie an jenen Satz: »... so oft, daß es kein Gerede gibt.« Wie oft das wohl war?

Scarlett fand in jener Nacht keinen Schlaf. Jedesmal, wenn sie die Augen schloß, sah sie die breite Eingangstür von Tante Pittys Haus, die verschlossen und verriegelt für sie war. Das war allein India, befand sie. Onkel Henry hatte bestimmt nicht recht mit seiner Behauptung, daß ihr alle Türen von Atlanta verschlossen bleiben würden.

Doch sie hatte ja auch nicht glauben wollen, daß er mit der Börsenpanik recht hatte, um dann feststellen zu müssen, daß es sogar noch schlimmer war, als er angedeutet hatte.

Schlaflosigkeit war ihr nicht unbekannt, und schon vor Jahren hatte sie die Erfahrung gemacht, daß ein, zwei Brandys sie beruhigten und ihr beim Einschlafen halfen. Lautlos schlich sie auf nackten Füßen die Treppe hinunter zur Anrichte im Eßzimmer. Die Kristallkaraffe funkelte in allen Regenbogenfarben, als das Licht der Lampe auf sie fiel, die sie in der Hand hielt.

Am nächsten Morgen schlief sie länger als gewöhnlich. Nicht wegen des Brandys, sondern weil sie selbst mit seiner Hilfe bis kurz vor Anbruch der Dämmerung nicht hatte einschlafen können. Sie konnte nicht aufhören, voller Sorge darüber nachzudenken, was Onkel Henry gesagt hatte.

Auf ihrem Weg in den Laden hielt sie vor Mrs. Merriwethers Bäckerei. Die Verkäuferin hinter dem Tresen behandelte sie wie Luft und schien taub gegen ihre Worte zu sein.

Die hat mich behandelt, als wäre ich gar nicht vorhanden, sagte sie sich entsetzt. Als sie das Trottoir überquerte, um wieder in ihre Kutsche zu steigen, erblickte sie Mrs. Elsing und ihre Tochter, die zu Fuß auf sie zukamen. Scarlett blieb stehen, drauf und dran zu lächeln und zu grüßen. Die beiden Elsing-Damen hielten ruckartig inne, als sie Scarlett sahen, und wandten sich dann ohne ein Wort oder auch nur einen weiteren Blick ab und gingen davon. Scarlett war einen Augenblick wie gelähmt. Dann eilte sie in ihre Kutsche und verbarg ihr Gesicht in der dämmrigen Ecke ihres gepolsterten Inneren. Einen grauenhaften Augenblick lang hatte sie Angst, sie würde sich übergeben müssen.

Als die Kutsche vor ihrem Laden hielt, blieb Scarlett in ihrer Fluchtburg sitzen. Sie schickte Elias mit den Lohntüten der Verkäufer hinein. Stieg sie aus, traf sie womöglich jemanden, den sie kannte, jemanden, der sie schneiden würde. Die Vorstellung war ihr unerträglich.

India Wilkes mußte hinter alldem stecken. Und das, nachdem ich ihr gegenüber so großzügig war! Das wird sie mir noch büßen. Niemand darf mich so behandeln, ohne dafür zu büßen.

»Zum Holzlager«, befahl sie Elias, als er zurückkehrte. Sie würde es Ashley erzählen. Er würde etwas gegen Indias Gift unternehmen müssen. Ashley würde sich für sie stark machen, er würde India zur Räson bringen und ihre Freundinnen ebenfalls.

Der Mut sank ihr jedoch bereits, als sie das Holzlager sah. Es war übervoll. Stapel um Stapel Fichtenbretter erhoben sich mit ihrem harzigsüßen Duft golden in der Herbstsonne. Kein einziges Fuhrwerk war zu sehen und auch kein Lagerarbeiter. Niemand kaufte.

Scarlett hätte am liebsten geheult. Onkel Henry hat zwar behauptet, daß es so sein würde, aber ich hätte nie gedacht, daß es so schlimm sein könnte. Wie konnten die Leute nur all das schöne Bauholz nicht haben wollen? Sie atmete tief ein. Der Duft von frisch geschnittenem Holz war für sie das lieblichste Parfüm der Welt. Ach, wie sehr fehlte ihr doch das Bauholzgeschäft, nie würde sie begreifen, wie sie so dumm hatte sein können, auf Rhetts Trick hereinzufallen und es Ashley zu verkaufen. Unter ihrer Leitung wäre es nie so weit gekommen. Sie hätte das Holz schon irgendwie an den Mann gebracht. Panik drohte in der Ferne, doch sie schob sie beiseite. Wenn rundherum auch alles schrecklich war, sie durfte Ashley gegenüber jetzt keinen Wirbel machen. Sie wollte, daß er ihr half.

»Der Hof sieht herrlich aus!« sagte sie strahlend. »Du läßt die Sägemühle wohl Tag und Nacht laufen, daß du so einen anständigen Vorrat hast, Ashley?«

Er blickte von den Kontobüchern auf seinem Schreibtisch auf, und Scarlett wußte, sämtliche Fröhlichkeit der Welt war an ihm vergeudet. Sein Aussehen hatte sich keinen Deut verbessert, seit sie ihm ins Gewissen geredet hatte.

Ashley stand auf und versuchte zu lächeln. Seine eingefleischte Höflichkeit war stärker als seine Erschöpfung, doch seine Verzweiflung übertraf alles.

Ich kann ihm nicht mit India kommen, befand Scarlett, und mit dem Geschäft ebensowenig. Er braucht alle Kraft, die er hat, für den nächsten Atemzug. Es ist, als würde er nur noch durch seine Kleider zusammengehalten.

»Scarlett, meine Liebe, wie nett von dir vorbeizuschauen. Willst du nicht Platz nehmen?«

»Nett« war das? Heiliger Strohsack! Ashley gibt ja Artigkeiten von sich wie eine aufgezogene Spieluhr. Nein, das trifft es nicht. Er hört sich eher an, als wüßte er gar nicht, was aus seinem Mund herauskommt, ich glaube, das kommt der Wahrheit schon näher. Was kümmert es ihn, daß ich auch noch den letzten Rest meines guten Rufs aufs Spiel setze, indem ich ohne Anstandsdame hierherkomme? Ihn kümmert nichts außer er selbst – jeder Dummkopf kann das erkennen –, weshalb sollte er sich meinetwegen Gedanken machen? Ich kann mich doch nicht einfach hinsetzen und höflich Konversation machen! Aber was bleibt mir übrig?

»Danke, Ashley«, sagte sie und setzte sich auf den Stuhl, den er ihr hingeschoben hatte. Sie würde sich zwingen, eine Viertelstunde zu bleiben, inhaltslose, lebhafte Bemerkungen über das Wetter zu machen und unterhaltsame Geschichten darüber zu erzählen, wie schön die Zeit auf Tara gewesen war. Von Mammy kann ich nicht gut erzählen, das würde ihn zu sehr aufregen. Von Tonys Heimkehr hingegen schon, das war etwas anderes. Das war eine gute Nachricht. Scarlett fing an zu sprechen.

»Ich war auf Tara . . .«

»Warum hast du mich aufgehalten, Scarlett?« fragte Ashley völlig unvermittelt. Seine Stimme war tonlos, leblos, es stand keine wirkliche Frage dahinter. Scarlett wußte damit nichts anzufangen.

»Warum hast du mich aufgehalten?« fragte er wieder, und diesmal waren Zorn, bittere Enttäuschung und Schmerz aus seinen Worten zu hören. »Ich wollte in ihr Grab. Irgendein Grab, nicht bloß das von Melanie. Das ist das einzige, wozu ich noch tauge . . . Nein, sag jetzt nichts, Scarlett, was immer du gerade sagen willst. Ich bin von so vielen wohlmeinenden Menschen getröstet und aufgerichtet worden, daß ich das alles schon hundertmal gehört habe. Von dir erwarte ich etwas Besseres als die üblichen Platitüden. Ich wäre dir dankbar, wenn du ausspráchest, was du denkst . . . daß ich das Holzgeschäft kaputtgehen lasse. Dein Holzgeschäft, in das du dein ganzes Herzblut investiert hast. Ich bin ein elender Versager, Scarlett. Das weißt du. Ich weiß es. Die ganze Welt weiß es. Warum müssen wir denn alle so tun, als wäre es nicht so? Mach mir doch Vorwürfe, worauf wartest du noch? Du kannst unmöglich schlimmere Vorwürfe an mich richten als ich selbst, du kannst meine Gefühle gar nicht verletzen – Gott, wie ich diesen Ausdruck hasse! Als hätte ich noch irgendwelche Gefühle, die sich verletzen ließen. Als könnte ich überhaupt noch etwas fühlen.«

Ashley bewegte langsam und schwerfällig den Kopf hin und her. Er war wie ein tödlich verwundetes Tier, das von einem Rudel Raubtiere zur Strecke gebracht wurde. Aus seiner Kehle drang ein einziger herzzerreißender Schluchzer, und er wandte sich ab. »Verzeih, Scarlett, ich flehe dich an. Ich hatte kein Recht, dich mit meinen Sorgen zu belasten. Jetzt muß ich zu allem auch noch die Schande dieses Ausbruchs auf mich nehmen. Hab Erbarmen, meine Liebe, und laß mich allein. Ich wäre dir dankbar, wenn du jetzt gehen würdest.«

Scarlett flüchtete ohne ein Wort.

Später saß sie an ihrem Schreibtisch, die Unterlagen über ihre sämtlichen Besitztümer säuberlich vor sich aufgestapelt. Es würde schwieriger werden, als sie gedacht hatte, ihr Versprechen zu halten: Kleidung und Haushaltsartikel waren bei weitem nicht genug.

Ashley selbst würde keinen Finger heben, um wieder auf die Beine zu kommen. Sie allein würde ihn wieder hochbringen müssen, ob er nun dabei mithalf oder nicht. Sie hatte es Melanie versprochen.

Und sie konnte es auch nicht ertragen, das Geschäft, das sie aufgebaut hatte, in den Ruin schlittern zu sehen.

Scarlett machte eine Liste ihrer Aktivposten.

Der Laden, das Gebäude und der Verkauf. Er warf im Monat fast hundert Dollar Reingewinn ab, doch der würde zweifellos um einiges sinken, wenn die »Panik« erst Atlanta erreichte und die Leute kein Geld mehr zum Ausgeben hatten. Sie machte sich eine Notiz, daß sie mehr billige Waren und weniger Luxusartikel wie breites Samtband bestellen mußte.

Der Saloon auf ihrem Grundstück in der Nähe des Bahnhofs. Er gehörte ihr eigentlich nicht, sie hatte Grundstück und Gebäude an den Inhaber für dreißig Dollar im Monat verpachtet. Die Leute würden wahrscheinlich mehr trinken denn je, wenn die Zeiten hart wurden, vielleicht sollte sie die Pacht erhöhen. Aber ein paar Dollar mehr im Monat würden nicht ausreichen, um Ashley aus der Patsche zu helfen. Sie brauchte richtiges Geld.

Das Gold in ihrem Schließfach. Sie hatte richtiges Geld, mehr als fünfundzwanzigtausend Dollar in Gold. In den Augen der Leute war sie eine reiche Frau. Aus eigener Kraft. Doch nicht in ihren eigenen Augen. Sie fühlte sich immer noch nicht sicher.

Ich könnte das Geschäft von Ashley zurückkaufen, dachte sie, und einen Augenblick summte ihr Hirn vor Erregung und Einfällen. Dann seufzte sie. Das würde überhaupt nichts lösen. Ashley war ein derartiger Narr, daß er darauf bestehen würde, dafür nur soviel zu nehmen, wie er auch auf dem Markt dafür bekommen würde, und das war nicht eben viel. Außerdem würde er sich, wenn sie das Geschäft mit Erfolg führte, mehr denn je als Versager fühlen. Nein, so gern sie die Hand auch auf das Holzlager und die Sägemühle gelegt hätte, sie mußte einen Weg finden, daß Ashley selbst damit Erfolg hatte.

Ich glaube einfach nicht, daß es keinen Markt für Bauholz mehr gibt. Panik hin, Panik her, die Leute müssen doch irgend etwas bauen, und wenn es nur ein Stall für eine Kuh oder ein Pferd ist.

Scarlett blätterte rasch den Stapel Unterlagen durch. Sie hatte eine Idee.

Da war es, das Stück Ackerland, das Charles Hamilton ihr hinterlassen hatte. Farmen brachten so gut wie nichts ein. Was nützten ihr schon ein paar Körbe Mais und ein, zwei Baumwollballen? Mit der Verpachtung verschleuderte man nur guten Boden, es sei denn, man hatte wenigstens tausend Hektar und ein Dutzend tüchtige Farmer. Doch lagen diese hundert

Hektar inzwischen unmittelbar am Rand von Atlanta, so rasch war die Stadt gewachsen. Wenn sie einen tüchtigen Bauunternehmer fände – und die mußten doch alle mächtig arbeitshungrig sein –, konnte sie dort hundert Billighäuser hinstellen, vielleicht sogar zweihundert. Alle, die jetzt Geld verloren, würden den Gürtel enger schnallen und kürzertreten müssen. Ihre großen Häuser würden zuallererst den Bach hinuntergehen, und sie würden sich etwas zum Wohnen suchen müssen, das sie sich leisten konnten.

Daran verdiene ich zwar so gut wie nichts, doch verliere ich auch nicht viel. Und ich sorge dafür, daß der Bauunternehmer nur Bauholz von Ashley verwendet und obendrein das beste, das er hat. Er wird Geld machen – kein Vermögen, aber ein anständiges, solides Einkommen –, und er wird niemals erfahren, woher es stammt. Ich kriege das schon irgendwie hin. Ich brauche weiter nichts als einen Baumeister, der den Mund halten kann. Und der nicht allzuviel stiehlt.

Am nächsten Tag fuhr Scarlett hinaus, um den Farmern die Pacht aufzukündigen.

7. Kapitel

»Doch, Ma'am, ich bin durchaus hinter Aufträgen her«, sagte Joe Colleton. Der Bauunternehmer war ein kleiner, hagerer Mann in den Vierzigern; er wirkte jedoch wesentlich älter, weil sein dichtes Haar schlohweiß und sein Gesicht von der Arbeit im Freien gebräunt und gegerbt war. Er blickte finster, und die tiefgerunzelten Brauen überschatteten seine dunklen Augen. »Ich brauche zwar Arbeit, aber nicht so dringend, daß ich für Sie arbeiten würde.«

Scarlett war nahe daran, sich auf dem Absatz umzudrehen und wieder zu gehen. Sie mußte sich von irgendeinem emporgekommenen weißen Habenichts keine Beleidigungen bieten lassen. Doch sie brauchte Colleton. Er war der einzige grundehrliche Bauunternehmer in Atlanta, das wußte sie aus den Jahren des Booms, während des Wiederaufbaus nach dem Krieg, als sie ihnen allen Bauholz verkauft hatte. Am liebsten hätte sie mit dem Fuß aufgestampft. Es war alles Mellys Fehler. Würde es diese alberne Bedingung nicht geben, Ashley nicht wissen zu lassen, daß sie ihm half, könnte sie jeden anderen Bauunternehmer verwenden, weil sie ihm dann wie ein Habicht auf die Finger schauen und jeden einzelnen Schritt der Bauarbeiten selbst überwachen würde. Wieviel Spaß würde ihr das im übrigen machen!

Doch es durfte nicht herauskommen, daß sie damit zu tun hatte. Und sie konnte niemandem trauen außer Colleton. Er mußte den Auftrag ganz einfach übernehmen, sie mußte ihn dazu bringen. Sie legte ihre kleine

Hand auf seinen Arm. Sie wirkte sehr zart in ihrem engen Glacéhandschuh. »Mr. Colleton, ich weiß nicht ein noch aus, wenn Sie nein sagen. Es handelt sich um einen ganz speziellen Auftrag, und ich bin auf Ihre Hilfe angewiesen.« Sie sah ihn flehentlich mit hilfloser Miene an. Zu dumm, daß er nicht größer war als sie. Es war nicht einfach, jemandem, der die eigene Größe hatte, das zerbrechliche kleine Ding vorzuspielen. Trotzdem, oft waren gerade die drahtigen kleinen Draufgänger die besten Beschützer der Frauen. »Ich weiß nicht, was ich machen soll, wenn Sie mich im Stich lassen.«

Colletons Arm wurde steif. »Mrs. Butler, Sie haben mir einmal grünes Holz verkauft, obwohl sie erklärt hatten, es sei abgelagert. Ich mache kein zweites Mal Geschäfte mit jemandem, der mich betrogen hat.«

»Das muß ein Mißverständnis gewesen sein, Mr. Colleton. Da war ich ja selbst noch grün und war gerade erst ins Holzgeschäft eingestiegen. Sie werden doch noch wissen, wie das in den Tagen war. Die Yankees saßen uns jede Minute im Nacken. Ich hatte die ganze Zeit eine tödliche Angst.« Ihre Augen schwammen in ungeweinten Tränen, und ihre nur ganz leicht geschminkten Lippen zitterten. Sie war ein kleines, hilfloses Persönchen. »Mr. Kennedy, mein Mann, wurde getötet, als die Yankees eine Versammlung des Klans hochgehen ließen.«

Colletons direkter, wissender Blick war verwirrend. Seine Augen befanden sich auf einer Höhe mit ihren, und sein Blick war marmorhart. Scarlett nahm ihre Hand von seinem Ärmel. Was sollte sie bloß machen? Sie durfte nicht scheitern, nicht in dieser Sache. Er mußte den Auftrag übernehmen.

»Ich habe es meiner liebsten Freundin am Totenbett versprochen, Mr. Colleton.« Die Tränen, die sie vergoß, waren ungeplant. »Mrs. Wilkes hat mich um Hilfe gebeten, und ich bitte jetzt Sie darum.« Sie sprudelte die ganze Geschichte hervor: Wie Melanie Ashley immer beschützt habe ... Ashley zum Geschäftsmann völlig ungeeignet sei ... Wie er versucht habe, zu seiner Frau ins Grab zu springen ... Die Stapel von unverkauftem Bauholz ... Die Notwendigkeit, das Ganze geheimzuhalten ...

Colleton hob die Hand, um sie zu unterbrechen. »Also gut, Mrs. Butler. Wenn es für Mrs. Wilkes ist, übernehme ich den Auftrag.« Er ließ die Hand sinken und streckte sie ihr entgegen. »Meine Hand darauf. Sie bekommen die bestmöglichen Häuser, in der besten Qualität.«

Scarlett schlug ein. »Danke«, sagte sie. Sie hatte das Gefühl, den Sieg ihres Lebens errungen zu haben.

Erst ein paar Stunden später ging ihr auf, daß sie ja gar nicht die Absicht gehabt hatte, von allem das Beste zu verwenden, sondern nur bestes Bauholz. Die elenden Häuser würden sie noch ein Vermögen kosten, und zwar ihr eigenes schwerverdientes Geld. Ohne zu ihrem Ansehen beizutragen. Alle würden ihr nach wie vor die Tür vor der Nase zuschlagen.

Nun ja, nicht alle. Sie kannte jede Menge andere Leute, und die waren weitaus unterhaltsamer als die altmodischen alteingesessenen Familien Atlantas.

Scarlett schob die Skizze beiseite, die Joe Colleton auf einer Papiertüte für sie angefertigt hatte, damit sie sich ein Bild machen und ihre Einwilligung dazu geben konnte. Sie würde weitaus interessierter bei der Sache sein, wenn er ihr seinen Kostenvoranschlag präsentierte. Was sollte das schon für eine Rolle spielen, wie die Häuser aussahen oder wo er die Treppe hinbaute?

Sie nahm ihr samtgebundenes Adreßbüchlein aus einer Schublade und begann eine Liste aufzustellen. Sie beabsichtigte, eine Gesellschaft zu geben. Eine große mit Musik, Strömen von Champagner und riesigen Mengen des besten, teuersten Essens. Jetzt, wo sie die Volltrauer abgelegt hatte, war es höchste Zeit, ihre Bekannten wissen zu lassen, daß sie wieder eingeladen werden konnte, und der beste Weg, das zu tun, war, selbst mit einer Einladung zu beginnen.

Ihr Blick überflog die Namen der alten Familien Atlantas. Die finden doch alle nur, ich sollte wegen Melly meine Trauer fortsetzen, zwecklos, sie zu bitten. Es besteht kein Grund, daß ich mich in schwarze Seide hülle. Melly war nicht meine Schwester, nur meine Schwägerin, und ich bin mir nicht einmal sicher, daß das zählt, da Charles Hamilton nur mein erster Mann war und nach ihm noch zwei weitere gekommen sind.

Scarlett sackten die Schultern herab. Charles Hamilton tat überhaupt nichts zur Sache und schwarze Seidenkleider ebensowenig. Sie trauerte völlig aufrichtig um Melanie, und die Trauer drückte ihr aufs Gemüt, war ihr ohne Unterlaß schmerzlich bewußt. Sie vermißte die sanftmütige, liebevolle Freundin, die für sie so sehr viel mehr Bedeutung gehabt hatte, als ihr jemals klargeworden war; die Welt war kälter und dunkler ohne Melanie. Und so einsam. Scarlett war erst seit zwei Tagen vom Land zurück, und doch hatte sie in den beiden Nächten so viel Einsamkeit erfahren, daß sich eine tiefe Furcht in ihr eingenistet hatte.

Mit Melanie hätte sie darüber sprechen können, daß Rhett sie verlassen hatte, Melanie war der einzige Mensch, den sie je in einer derart schändlichen Sache hätte ins Vertrauen ziehen können. Außerdem hätte ihr Melly das gesagt, was sie hören wollte. »Selbstverständlich kommt er zurück, Schatz«, hätte sie gesagt, »er liebt dich so sehr.« Das waren ihre Worte gewesen, kurz bevor sie starb: »Sei gut zu Captain Butler, er liebt dich so sehr.«

Schon die Erinnerung an Melanies Worte bewirkte, daß Scarlett sich besser fühlte. Wenn Melly gesagt hatte, daß Rhett sie liebte, dann tat er es auch, und es war nicht nur ihr eigenes Wunschdenken. Scarlett befreite sich aus ihrer düsteren Stimmung und straffte die Schultern. Sie brauchte überhaupt nicht einsam zu sein. Es spielte überhaupt keine Rolle, daß Atlantas alte Garde womöglich nie wieder mit ihr sprechen würde. Sie hatte genügend Freunde. Sieh mal an, die Gästeliste war bereits zwei Seiten lang, und dabei war sie in ihrem Buch erst bei L angelangt.

Die Freunde, die Scarlett einzuladen beabsichtigte, waren die extravagantesten und erfolgreichsten jener Spekulanten, die in den Tagen des Wiederaufbaus gleich hordenweise nach Georgia eingefallen waren. Viele, die gleich zu Anfang gekommen waren, hatten die Gegend wieder verlassen, als 1871 die Regierung abgesetzt wurde, doch etliche waren geblieben und erfreuten sich nach wie vor ihrer großen Häuser und gewaltigen Vermögen aus der Zeit, als die Leiche der Konföderation gefleddert worden war. Sie fühlten sich nicht verlockt, »nach Hause« zurückzukehren. Ihre Herkunft vergaß man besser.

Rhett hatte sie immer verachtet, von »Abschaum« gesprochen und das Haus verlassen, wenn Scarlett ihre rauschenden Feste gab. Scarlett fand das albern und hatte es ihm auch gesagt: »Reiche Leute sind soviel unterhaltsamer als arme. Sie haben schönere Kleider, größere Kutschen und teureren Schmuck, und sie bewirten einen besser, wenn man sie besucht.«

Doch nichts in irgendeinem der Häuser ihrer Freunde war auch nur annähernd so elegant wie das Büfett auf Scarletts Gesellschaften. Dies, so beschloß sie jetzt, würde der prachtvollste Empfang von allen werden. Unter der Überschrift »Nicht vergessen« begann sie eine zweite Liste anzulegen, auf der beispielsweise stand, daß sie Eisschwäne für die kalten Gerichte und zehn weitere Kisten Champagner bestellen mußte. Und außerdem ein neues Kleid. Sie mußte sofort, nachdem sie dem Drucker den Auftrag für die Einladungen erteilt hatte, zu ihrer Schneiderin.

Scarlett legte den Kopf zurück, um die steifen weißen Rüschen der Kappe im Maria-Stuart-Stil zu bewundern. Die Spitze vorn an der Stirn war wirklich sehr kleidsam. Sie betonte den schwarzen Bogen ihrer Brauen und das leuchtende Grün ihrer Augen. Ihr Haar wirkte wie schwarze Seide, wie es sich zu beiden Seiten der Rüschen in Locken über ihre Schultern ergoß. Wer hätte je gedacht, daß Schwarz so schmeichelhaft aussehen konnte?

Sie wandte sich hin und her und schaute über die Schulter in den Spiegel an einem der Pfeiler. Der Perlenbesatz und die Quasten aus Jet an ihrem Kleid glitzerten auf äußerst befriedigende Weise.

»Normale« Trauer war nicht so scheußlich wie Volltrauer, man hatte doch allerhand Spielraum, wenn man eine derart lilienweiße Haut hatte, die sich in einem tiefen Ausschnitt vorzeigen ließ.

Sie trat an ihren Toilettentisch und betupfte sich Schultern und Hals mit Parfüm. Sie beeilte sich besser, ihre Gäste mußten jeden Augenblick eintreffen. Sie konnte bereits die Musiker unten ihre Instrumente stimmen hören. Ihre Augen weideten sich an dem ungeordneten Haufen weißer Karten zwischen den Haarbürsten und Silberspiegeln. Die Einladungen waren nur so hereingeströmt, als ihre Freunde erfahren hatten, daß sie sich wieder in den gesellschaftlichen Strudel stürzen wollte; das reichte für Wochen über Wochen. Und dann würden wieder neue Einladungen kommen, und sie würde einen weiteren Empfang geben. Vielleicht auch einen Ball während der Weihnachtswochen. Ja, alles würde sich zum Besten entwickeln. Sie war so aufgeregt wie ein Mädchen vor seiner ersten Gesellschaft. Nun ja, das war auch kein Wunder. Schließlich war es sieben Monate her, daß sie zuletzt auf einer gewesen war.

Einmal abgesehen von Tony Fontaines Heimkehr. Die Erinnerung daran ließ sie lächeln. Der gute Tony in seinen Stiefeln mit den hohen Absätzen und mit seinem Silbersattel. Wie hätte sie sich gefreut, wenn er heute abend auf ihre Gesellschaft gekommen wäre. Den Leuten wären vielleicht die Augen aus dem Kopf gefallen, wenn er seinen Trick mit den wirbelnden sechsschüssigen Revolvern vorgeführt hätte!

Sie mußte gehen, die Musiker spielten bereits, es war schon spät.

Scarlett eilte die mit rotem Teppich belegten Stufen hinab und schnüffelte beifällig, als ihr der Duft der Treibhausblumen in die Nase stieg, die in jedem Zimmer riesige Vasen füllten. Ihre Augen funkelten vor Freude, als sie von Zimmer zu Zimmer ging, um zu überprüfen, ob auch alles in Ordnung war. Alles war perfekt. Dem Himmel sei Dank, daß Pansy von Tara zurück war. Sie verstand sich ausgezeichnet darauf, andere Dienstboten zur Pflichterfüllung anzuhalten, viel besser als der neue Butler, den sie für Pork eingestellt hatte. Scarlett nahm sich ein Glas Champagner von dem Tablett, das der neue Mann ihr hinstreckte. Wenigstens war er gut im Servieren, tatsächlich sehr stilvoll, wie er das tat, und Scarlett war sehr daran gelegen, daß die Dinge stilvoll waren.

In diesem Augenblick ging die Türglocke. Sie verblüffte den Diener durch ihr glückstrahlendes Lächeln, dann steuerte sie die Diele an, um ihre Freunde zu begrüßen.

Fast eine Stunde lang riß der Strom der Ankömmlinge nicht ab, und das Haus füllte sich mit lauten Stimmen, dem überwältigenden Duft von Parfüm und Puder, den leuchtenden Farben von Seiden- und Satinkleidern, Rubinen und Saphiren.

Scarlett bewegte sich lächelnd und lachend durch das bunte Gewoge, flirtete lässig mit den Männern und ließ sich die übertriebenen Komplimente der Frauen gefallen. Sie seien so froh, sie wiederzusehen, sie hätten sie so sehr vermißt, niemand gebe so aufregende Gesellschaften wie sie, kein Haus sei so schön, kein Kleid so elegant, kein Haar so glänzend, keine Figur so jugendlich, kein Teint von so vollkommener, milchiger Reinheit.

Ich unterhalte mich bestens. Es ist ein herrliches Fest.

Sie warf einen Blick über die Silberschüsseln und Tabletts auf dem langen polierten Tisch, wollte sichergehen, daß auch immer nachgefüllt wurde. Riesenmengen Essen, übertriebene Mengen Essen waren wichtig für sie, denn sie hatte nie völlig vergessen können, was es bedeutet hatte, gegen

Ende des Krieges so sehr hungern zu müssen. Ihre Freundin Mamie Bart fing ihren Blick auf und lächelte. Ein Rinnsal Buttersauce aus dem halbaufgegessenen Austernpastetchen in ihrer Hand lief Mamie aus dem Mundwinkel auf die Brillantkette, die ihren dicken Hals umschloß. Scarlett wandte sich angewidert ab. Mamie würde demnächst so gewaltig sein wie ein Elefant. Gott sei Dank, ich kann essen, was ich will, und nehme nie ein Pfund zu.

Sie lächelte Harry Connington, dem Mann ihrer Freundin Sylvia, verführerisch zu. »Du mußt ein Elixier entdeckt haben, Harry, du siehst zehn Jahre jünger aus als bei unserer letzten Begegnung.« Mit boshaftem Vergnügen beobachtete sie, wie Harry den Bauch einzog. Sein Gesicht wurde erst rot, dann violett, bis er darauf verzichtete, ihn eingezogen zu halten. Scarlett amüsierte sich.

Lautes Gelächter zog jetzt ihre Aufmerksamkeit auf sich, und sie schlenderte auf das Trio von Männern zu, von denen es herüberschallte. Sie hatte sehr viel übrig für Scherze, mochte es sich auch um einen von denen handeln, die Damen angeblich nicht verstanden.

». . . also sag ich mir, ›Bill‹, sag ich mir, ›des einen Panik ist des anderen Profit, und ich weiß schon, auf welcher Seite unser guter alter Bill zu finden sein wird . . .‹«

Scarlett wollte sich schon abwenden. Sie wollte heute abend ihren Spaß haben, und Gespräche über die Börsenpanik entsprachen nicht gerade ihrer Vorstellung von Spaß. Immerhin, vielleicht gab es ja etwas aufzuschnappen. Sie war zwar, selbst wenn sie schlief, noch dreimal schlauer als Bill Weller an seinem besten Tag, davon war sie überzeugt. Doch wenn er von Profit sprach, dann wollte sie wissen, was er damit meinte. Unauffällig trat sie näher.

». . . diese dumpfen Südstaatler, die haben mir von Anfang an Kopfzerbrechen gemacht«, gestand Bill. »Es läßt sich nun mal nichts anfangen mit einem Mann, der nicht über die natürliche menschliche Habgier verfügt, und alle ›Verdreifache-dein-Geld-Anleihen‹ und auch die Anteilscheine an Goldminen, mit denen ich sie bombardiert habe, waren schlicht ein Schuß in den Ofen. Die haben härter gearbeitet als je ein Nigger und jeden Penny, den sie verdient haben, für den nächsten Engpaß auf die hohe Kante gelegt. Und dann erwies sich, daß viele von ihnen auch schon 'ne Schachtel Anleihen und solche Sachen hatten. Von der Konföderierten-Regierung.« Bills röhrendes Gelächter zog das der beiden anderen nach sich.

Scarlett kochte vor Wut. »Dumpfe Südstaatler« – in der Tat! Ihr eigener, geliebter Pa hatte eine »Schachtel« voller Anleihen der Konföderation besessen. Wie alle anständigen Menschen in Clayton County. Sie versuchte, sich zu entfernen, wurde jedoch durch die Leute hinter ihr daran gehindert, die ebenfalls durch das Gelächter der Gruppe um Bill Weller angezogen worden waren. »Nach einiger Zeit bin ich dann dahintergekommen«, fuhr Weller fort. »Die hatten einfach kein großes Vertrauen in irgendwelches Papier. Und auch sonst in keine von den Sachen, die ich ausprobiert habe. Ich hab's mit Wunderkuren, Blitzableitern und all den anderen todsicheren Verkaufsschlagern versucht, doch nichts hat auch nur einen Funken Erfolg gehabt. Ich sag euch, Jungs, mein Stolz war verletzt.« Er setzte eine Leichenbittermiene auf, dann grinste er wieder breit und ließ drei große goldene Backenzähne sehen.

»Ich brauche euch wohl nicht zu erzählen, daß Lula und ich trotzdem nicht gerade hätten darben müssen, wenn mir nichts eingefallen wäre. In den guten, fetten Tagen, als die Republikaner Georgia in der Hand hatten, hab ich genug aus den Eisenbahnverträgen herausgeholt, die die Jungs mir zugeschanzt hatten, so daß wir selbst dann noch wie die Maden im Speck leben könnten, wenn ich wirklich so dämlich gewesen wäre, mich aufzumachen und die Eisenbahnlinien auch tatsächlich zu bauen. Aber ich bin nun mal gern im Geschäft, und Lula fing in letzter Zeit schon an, nervös zu werden, da ich zuviel im Haus herumlungerte, schließlich hatte ich ja kein Geschäft, um das ich mich hätte kümmern können. Und dann – dem Herrn sei Dank – kommt auf einmal die ›Panik‹, und sämtliche Südstaatler raffen ihre Ersparnisse aus der Bank und stopfen das Geld in ihre Matratzen. Jedes Haus – selbst noch die kleinste Elendshütte – ist eine goldene Gelegenheit, die ich mir einfach nicht entgehen lassen darf.«

»Mann, Bill, hör auf mit dem Gequatsche, was ist das denn nun für ein Einfall? Ich verdurste noch, bis du dir endlich genug auf die eigene Schulter geklopft hast und zur Sache kommst.« Amos Bart unterstrich seine Ungeduld, indem er nachdrücklich ausspuckte und dabei den angepeilten Napf nur knapp verfehlte.

Scarlett war ebenfalls ungeduldig. Ungeduldig wegzukommen.

»Immer mit der Ruhe, Amos, ich komme schon noch hin. Auf welche Weise kommt man an diese Matratzen ran? Ich bin ja nicht gerade ein Erweckungsprediger. Ich sitze lieber hinter meinem Schreibtisch und lasse meine Angestellten den hektischen Teil übernehmen. Als ich also wieder mal in meinem ledernen Drehstuhl sitze und aus dem Fenster blicke, da sehe ich einen Trauerzug vorbeikommen. Und da zündet's bei mir. Es gibt in ganz Georgia kein Dach, unter dem nicht einst ein geliebter Mensch lebte, der nicht mehr ist.«

Scarlett starrte Bill Weller grauenerfüllt an, als er den Betrug schilderte, der seinen Reichtum noch vermehrte. »Die Mütter und Witwen sind am leichtesten zu handhaben, und von denen gibt es mehr als von allen anderen. Sie zucken nicht mit der Wimper, wenn meine Jungs ihnen erzählen, die Konföderierten Veteranen errichteten überall auf den Schlachtfeldern Denkmäler, und leeren ihre Matratze schneller, als man ›Abe Lincoln‹ sagen kann, um dafür zu bezahlen, daß der Name ihres

Jungen in Marmor geschnitten wird.« Es war schlimmer, als Scarlett es sich je vorgestellt hätte.

»Du schlauer alter Fuchs, Bill, das ist reineweg genial!« rief Amos, und die Männer lachten noch lauter als zuvor. Scarlett hatte das Gefühl, daß ihr gleich schlecht würde. Nicht-existente Eisenbahnen und Goldminen hatten sie nie weiter beschäftigt, doch die Mütter und Witwen, die Bill Weller betrog, das waren ihre eigenen Leute. Vielleicht hatte er seine Männer gerade erst zu Beatrice Tarleton, zu Cathleen Calvert, Dimity Munroe oder sonst irgendeiner Frau in Clayton County geschickt, die einen Sohn, einen Bruder oder den Mann verloren hatte.

Ihre Stimme schnitt wie ein Messer durch das Gelächter. »Das ist die niederträchtigste, schmutzigste Geschichte, die ich im ganzen Leben gehört habe. Sie widern mich an, Bill Weller. Alle widert ihr mich an. Was wißt ihr schon von den Südstaatlern – überhaupt von irgendwelchen anständigen Menschen? Ihr habt im ganzen Leben doch noch keinen anständigen Gedanken gefaßt oder irgend etwas Anständiges getan!« Mit ausgestreckten Armen drängte sie durch die völlig fassungslosen Männer und Frauen, die sich um Weller versammelt hatten, und eilte davon, nicht, ohne sich die Hände an den Röcken abzuwischen, um sie von der Berührung mit ihnen zu säubern.

Das Eßzimmer und die funkelnden Silberschüsseln voller raffinierter Speisen breiteten sich vor ihr aus. Ekel würgte sie, als sie den Duft der üppigen, schweren Saucen einatmete, der sich mit dem Geruch vollgespiener Spucknäpfe mischte. Sie sah die vom Lampenschein erleuchtete Tafel der Fontaines vor sich, die schlichte Mahlzeit aus hausgeräuchertem Schinken, selbstgebackenem Maisbrot und eigenem Gemüse. Da gehörte sie hin, das waren ihre Leute, nicht diese vulgären, wertlosen, aufgedonnerten Frauen und Männer.

Scarlett wandte sich um und bot Weller und seinen Freunden die Stirn. »Abschaum!« schrie sie. »Das seid ihr: Abschaum! Aus meinem Haus, mir aus den Augen, mir wird schlecht bei eurem Anblick!«

Mamie Bart beging den Fehler, sie beruhigen zu wollen. »Ach, lassen Sie doch, Schätzchen . . .«, sagte sie und streckte ihr die juwelengeschmückte Hand hin.

Scarlett wich zurück, ehe sie sie berühren konnte. »Gerade du, du fetttriefende Sau.«

»Nicht mit mir«, Mamie Barts Stimme bebte. »Der Teufel soll mich holen, wenn ich mir das gefallen lasse. Selbst wenn Sie mich auf den Knien darum anflehten, Scarlett Butler, würde ich hier nicht bleiben.«

Ein wütendes Gedränge und Getrappel begann, und in weniger als zehn Minuten waren sämtliche Zimmer leer bis auf die Überreste des Massenaufbruchs. Scarlett bahnte sich ihren Weg zwischen verstreuten Essensresten, Champagnerpfützen, zerbrochenen Tellern und Gläsern, ohne zu

Boden zu blicken. Sie mußte den Kopf hochtragen, wie ihre Mutter es sie gelehrt hatte. Sie stellte sich vor, wieder auf Tara zu sein und einen schweren Band der Waverley-Romane auf dem Kopf zu balancieren, und so stieg sie die Treppen hinauf, Rücken tannengerade und das Kinn im perfekten Winkel zu den Schultern.

Wie eine Dame. Wie ihre Mutter es sie gelehrt hatte. In ihrem Kopf drehte sich alles, und ihre Beine zitterten, doch sie ging weiter, ohne stehenzubleiben. Eine Dame ließ sich niemals anmerken, daß sie müde oder erregt war.

»Höchste Zeit, daß sie das getan hat, denen hat sie's gegeben«, sagte der Hornist. Das Oktett hatte schon auf etlichen von Scarletts Empfängen gespielt.

Einer der Violinisten spuckte treffsicher in einen der Palmkübel. »Nur zu spät, würde ich sagen. Wer bei den Hunden liegt, steht mit Flöhen auf.«

Über ihren Köpfen lag Scarlett mit dem Gesicht nach unten auf ihrem seidenen Bett und schluchzte herzzerreißend. Sie hatte sich doch so auf diesen Abend gefreut.

Später an jenem Abend, als das Haus still und dunkel war, ging Scarlett hinunter, um sich einen Schlummertrunk einzuschenken. Alle Spuren des Festes waren bereits beseitigt, sah man von den raffinierten Blumenarrangements und den halb herabgebrannten Kerzen in dem sechsarmigen Kandelaber auf dem nackten Tisch im Eßzimmer ab.

Scarlett zündete die Kerzen an und blies ihre Lampe aus. Warum sollte sie wie eine Diebin in fast völliger Finsternis herumschleichen? Es war ihr Haus, ihr Brandy, und sie konnte tun, was ihr gefiel.

Sie wählte ein Glas, trug es mitsamt der Karaffe zum Tisch und setzte sich in den Lehnstuhl am Kopfende. Und auch der Tisch gehörte ihr.

Der Brandy sandte entspannende Wärme durch ihren Körper, und Scarlett seufzte. Gott sei Dank. Noch ein Glas, und diese schreckliche Nervenanspannung müßte eigentlich aufhören. Sie füllte das elegante kleine Likörglas erneut und schüttete den Inhalt mit einem geübten Abknicken des Handgelenks auf einmal hinunter. Nicht so hastig, dachte sie. Ist nicht damenhaft.

Ihr drittes Glas trank sie in kleinen Schlucken. Wie hübsch das Kerzenlicht war, schöne goldene Flammen, die sich auf der polierten Tischplatte spiegelten. Auch das Glas war hübsch. Seine geschliffenen Facetten leuchteten in allen Regenbogenfarben, wenn sie es zwischen den Fingern drehte.

Im Haus war es still wie in einer Gruft. Das Klingen von Glas gegen Glas ließ sie auffahren, als sie sich nachschenkte. Das bewies ja wohl, daß sie ihn brauchte, oder? Sie war immer noch zu überdreht, um zu schlafen.

Die Kerzen brannten herab, die Karaffe leerte sich allmählich, und die Kontrolle, die Scarlett normalerweise über Gedanken und Gedächtnis hatte, lockerte sich. Dies war das Zimmer, in dem alles angefangen hatte. Der Tisch war leer gewesen, nur Kerzen hatten darauf gestanden und das silberne Tablett mit der Brandykaraffe und Gläsern. Rhett war betrunken. Niemals vorher hatte sie ihn betrunken erlebt wie in jener Nacht, er hatte Alkohol immer gut vertragen. Betrunken und grausam war er gewesen. Er hatte gräßliche, verletzende Dinge zu ihr gesagt und ihr den Arm umgedreht, so daß sie vor Schmerz laut aufschreien mußte.

Und dann ... dann hatte er sie in ihr Zimmer hinaufgetragen und mit Gewalt genommen. Nur ... daß es keiner Gewalt bedurfte. Sie war wie elektrisiert, als er sie anfaßte, als er ihre Lippen, ihren Hals und ihren Körper küßte. Sie brannte unter seiner Berührung und schrie nach mehr, und ihr Körper bog sich ihm wieder und wieder verlangend entgegen ...

Es konnte nicht wahr sein. Sie mußte das alles geträumt haben, doch wie konnte man solche Dinge träumen, wenn man sich niemals hätte träumen lassen, daß sie überhaupt existierten?

Keine Dame würde jemals solch ungezügeltes Verlangen spüren, wie sie es gespürt hatte, keine Dame würde die Dinge tun, die sie getan hatte. Scarlett versuchte, ihre Gedanken in den dunklen Winkel ihres Kopfes zurückzuscheuchen, in dem sie das Unerträgliche und das Undenkbare aufbewahrte. Doch sie hatte zuviel getrunken.

Es ist aber doch passiert, schrie ihr Herz. Ich habe es nicht erfunden.

Und ihr Kopf, den ihre Mutter mit solcher Gründlichkeit gelehrt hatte, daß Damen keine tierischen Triebe besaßen, konnte das leidenschaftliche Verlangen ihres Körpers nicht zügeln, das berauschende Gefühl jener Unterwerfung noch einmal zu spüren.

Scarletts Hände umspannten ihre schmerzenden Brüste, doch waren es nicht ihre Hände, nach denen ihr Körper sich sehnte. Sie ließ die Arme vor sich auf den Tisch sinken, den Kopf darauf fallen, überließ sich den Wogen des Verlangens und des Schmerzes. Mit gebrochener Stimme rief sie in den leeren, stillen, von Kerzenschein erleuchteten Raum hinein: »Rhett, o Rhett, ich brauche dich.«

8. Kapitel

Der Winter nahte, und Scarlett wurde hektischer mit jedem Tag, der verging. Joe Colleton hatte zwar die Grube für den Keller des ersten Hauses ausgeschachtet, doch wiederholte Regenfälle machten es unmöglich, das Fundament zu gießen. »Mr. Wilkes hört doch die Glocken läuten, wenn ich das Bauholz kaufe, noch ehe ich überhaupt mit der Verschalung anfangen kann«, sagte er vernünftigerweise, und Scarlett wußte, daß er recht hatte. Das machte die Verzögerung jedoch nicht minder nervenaufreibend.

Vielleicht war die ganze Idee mit dem Bauen überhaupt unsinnig. Tag um Tag meldete die Zeitung weitere Katastrophen aus der Geschäftswelt. Es gab Suppenküchen und Warteschlangen von Menschen, die nach Brot anstanden. In Amerikas Großstädten verloren allwöchentlich Tausende von Menschen ihre Arbeit, und Firmen über Firmen machten Bankrott. Warum riskierte sie jetzt bloß ihr Geld, zum allerungünstigsten Zeitpunkt? Warum hatte sie Melly bloß dieses alberne Versprechen gegeben? Wenn doch nur der kalte Regen aufhörte . . .

Und die Tage wieder länger würden. Sie konnte sich tagsüber zwar beschäftigen, doch die Dunkelheit schloß sie in ihrem leeren Haus ein und ließ sie mit ihren Gedanken allein. Und sie wollte nicht nachdenken, weil sie ja doch auf nichts eine Antwort fand. Wie war sie bloß in diese üble Lage geraten? Sie hatte doch nie absichtlich etwas getan, um die Leute gegen sich aufzubringen, warum war sie ihnen denn nur so verhaßt? Und warum brauchte Rhett bloß so lange, um nach Hause zu kommen? Was konnte sie tun, um ihre Lage zu verbessern? Irgend etwas mußte es doch geben, sie konnte doch nicht ewig weiter in diesem großen Haus von Zimmer zu Zimmer wandern, mutterseelenallein.

Sie wäre froh gewesen, wären Wade und Ella nach Hause gekommen, um ihr Gesellschaft zu leisten, aber Suellen hatte geschrieben, daß sie alle unter Quarantäne stünden, während ein Kind nach dem anderen die Windpocken bekam.

Sie hätte den Umgang mit den Barts und deren Freunden wiederaufnehmen können. Es machte nichts, daß sie Mamie eine Sau genannt hatte, die hatte ein sagenhaft dickes Fell. Einer der Gründe, weshalb es Scarlett gefallen hatte, »den Abschaum« zu Freunden zu haben, war, daß sie ihnen gegenüber nie ein Blatt vor den Mund hatte nehmen müssen, da sie ja doch immer wieder ankamen, sosehr sie sie auch beschimpft haben mochte. So tief bin ich immerhin noch nicht gesunken, Gott sei Dank. Ich komme nicht wieder angekrochen, jetzt, wo ich weiß, was für ein gemeines Volk das ist.

Es ist nur, daß es so früh dunkel wird und die Nächte so lang sind und ich nicht richtig schlafen kann. Aber alles wird besser werden, wenn es zu regnen aufhört . . . wenn der Winter vorbei ist . . . wenn Rhett wieder nach Hause kommt . . .

Endlich brachen helle, kalte, sonnige Tage an. Weiße Wolkenfetzen eilten über einen strahlendblauen Himmel. Colleton pumpte das Wasser aus der Baugrube, und der scharfe Wind trocknete die rote Lehmerde Georgias, bis sie hart war wie Backstein. Also bestellte er Zement und Schalholz für das Fundament.

Scarlett stürzte sich mit wahrer Leidenschaft in den Einkauf der Weihnachtsgeschenke. Es war fast soweit. Sie kaufte Puppen für Ella und die Töchter von Suellen. Babypuppen mit weichen Sägemehlkörpern und pummeligen Porzellangesichtern für die beiden kleineren. Susie und Ella bekamen fast gleich aussehende Puppendamen mit hocheleganten Lederschrankkoffern voller schöner Kleider. Wade war ein Problem. Scarlett wußte nie, was für ihn das Richtige war. Dann fiel ihr Tony Fontaines Versprechen ein, ihm beizubringen, wie man Revolver um die Finger und durch die Luft wirbeln ließ, und sie kaufte Wade ein eigenes Paar und ließ seine Initialen in die mit Elfenbein verzierten Griffe ritzen. Suellen war leicht zu beschenken – das perlenbestickte seidene Ridikül war zwar zu ausgefallen, um es auf dem Land zu benutzen, doch das goldene Zwanzigdollarstück darin ließ sich überall verwenden. Will war ein hoffnungsloser Fall. Scarlett zerbrach sich endlos den Kopf, bis sie es aufgab und ihm wieder die gleiche Lammfelljacke kaufte, die sie ihm schon im Jahr zuvor geschenkt hatte und im Jahr davor ebenfalls. Es ist doch die gute Absicht, auf die es ankommt, befand sie kurzerhand.

Lange ging sie mit sich zu Rate, ehe sie beschloß, für Beau kein Geschenk zu kaufen. Sie würde doch nicht verhindern können, daß India es ungeöffnet zurücksandte. Außerdem fehlt es Beau an nichts, dachte sie bitter. Das Konto der Wilkes im Laden wuchs von Woche zu Woche.

Für Rhett kaufte sie einen goldenen Zigarrenabschneider, hatte dann jedoch nicht den Mut, ihn ihm zu schicken. Zum Ausgleich fielen die Geschenke für ihre beiden Tanten in Charleston schöner als gewöhnlich aus. Es war ja möglich, daß sie Rhetts Mutter erzählten, wie aufmerksam sie war, und daß Mrs. Butler es wiederum Rhett erzählen würde.

Ob er mir wohl etwas schickt? Oder etwas bringt? Vielleicht kommt er ja Weihnachten nach Hause, damit es »kein Gerede« gibt.

Allein die Möglichkeit veranlaßte Scarlett dazu, sich mit Feuereifer an das Schmücken des Hauses zu machen. Als es eine einzige Laube aus Fichtenzweigen, Stechpalmen und Efeu war, brachte sie den noch verbliebenen Schmuck in den Laden.

»Wir hatten doch schon immer die Rauschgoldgirlande im Schaufenster, Mrs. Butler. Mehr ist nicht nötig«, sagte Willie Kershaw.

»Erzählen Sie mir nicht, was nötig ist und was nicht. Hängen Sie die Girlanden aus Tannengrün um sämtliche Ladentische und den Stechpalmenkranz an die Tür. Ich möchte, daß die Leute weihnachtlich gestimmt sind, dann geben sie mehr für Geschenke aus. Im übrigen haben wir längst nicht genug hübsche Kleinigkeiten, die sich verschenken lassen. Wo ist denn die große Schachtel mit den Fächern aus Ölpapier?«

»Sie haben mir doch gesagt, sie wegzuräumen. Wir sollten keinen Regalplatz mit Flitterkram verschwenden, wo die Leute Nägel und Waschbretter wollen.«

»Sie Schlafmütze, die Zeiten ändern sich. Holen Sie sie her.«

»Tja, ich weiß eigentlich gar nicht, wohin ich die getan habe. Das ist schon so lange her.«

»Herr im Himmel! Gehen Sie den Mann da drüben bedienen. Ich suche sie selbst.« Scarlett stürmte in den Lagerraum hinter dem eigentlichen Ladenlokal.

Sie stand auf einer Leiter und sah die staubigen Schachteln auf dem obersten Regalbrett durch, als sie die vertrauten Stimmen von Mrs. Merriwether und ihrer Tochter Maybelle hörte.

»Du hast doch gesagt, du würdest nie wieder einen Fuß über die Schwelle von Scarletts Laden setzen.«

»Pssst, sonst hört dich der Verkäufer. Schließlich haben wir die ganze Stadt abgesucht, und es ist keine Elle schwarzer Samt aufzutreiben. Ohne ihn ist mein Kostüm nichts wert. Wer hat je gehört, daß Königin Victoria ein buntes Cape trug?«

Scarlett runzelte die Stirn. Worüber sprachen die denn bloß? Leise stieg sie die Leiter hinunter und ging auf Zehenspitzen zur Wand, um zu lauschen.

»Nein, Ma'am«, hörte sie den Verkäufer sagen. »Samt geht bei uns kaum.«

»Hab ich's mir doch gedacht. Komm, Maybelle, wir gehen.«

»Wo wir schon mal hier sind, kann ich auch gleich nach den Federn fragen, die ich für meinen Pocahontas brauche«, sagte Maybelle darauf.

»Unsinn. Komm schon. Wir hätten niemals herkommen sollen. Stell dir nur vor, jemand sieht uns.« Mrs. Merriwethers Schritt war schwerfällig, aber eilig. Sie knallte die Ladentür hinter sich zu.

Scarlett stieg wieder auf die Leiter. Ihre Weihnachtsstimmung war verflogen. Jemand veranstaltete ein Kostümfest, und sie war nicht eingeladen. Hätte Ashley sich doch den Hals in Melanies Grab brechen sollen! Sie fand die gesuchte Schachtel und warf sie auf den Boden, wo sie aufsprang und in weitem Bogen leuchtend bunte Fächer um sich verstreute.

»Heben Sie die auf und stauben jeden einzeln ab«, befahl sie einem der Männer. »Ich fahre nach Hause.« Lieber wäre sie gestorben, als vor ihren Angestellten loszuheulen.

Die Zeitung vom selben Tag lag auf dem Sitz ihrer Kutsche. Sie hatte zuviel mit dem Schmücken des Hauses zu tun gehabt, um sie zu lesen. Und sie hatte auch jetzt keine große Lust dazu, doch immerhin würde es ihr helfen, das Gesicht vor neugierigen Gaffern zu verbergen. Scarlett glättete den Knick und schlug die Zeitung in der Mitte auf, wo »Unser Brief aus Charleston« zu finden war. Er handelte ausschließlich vom Washington Race Course, der Pferderennbahn, die kürzlich wiedereröffnet worden war, und dem ersten Renntag im Januar. Scarlett überflog die verzückten Schilderungen der Rennwochen vor dem Krieg, die einmal mehr bezeugten, wie sehr man in Charleston auf allen Gebieten stets das Feinste und Raffinierteste für sich zu beanspruchen wußte. Es hieß, die künftigen Rennen würden die früheren noch übertreffen. Nach Ansicht des Korrespondenten würde es wochenlang tagaus, tagein Gesellschaften und jeden Abend einen Ball geben.

»Und Rhett Butler wird auf jedem dieser Bälle zu finden sein, darauf möchte ich wetten«, murmelte Scarlett. Zornig warf sie die Zeitung zu Boden.

Eine Überschrift auf der Titelseite, die ihr zunächst nicht aufgefallen war, fesselte ihre Aufmerksamkeit: »Karneval soll mit Maskenball zu Ende gehen.« Das muß es sein, worüber der alte Drachen und Maybelle gesprochen haben, dachte sie. Alle Welt außer mir geht auf herrliche Feste. Sie klaubte die Zeitung wieder vom Boden auf.

»Wir können nun, da Planung und Vorbereitungen abgeschlossen sind«, hieß es da, »mitteilen, daß Atlanta am sechsten Januar in den Genuß eines Karnevals kommen wird, der sich an Großartigkeit ganz gewiß mit dem berühmten ›Mardi Gras‹ von New Orleans messen können wird. Die ›Schwärmer der Zwölften Nacht‹ sind ein Verein, der kürzlich von den führenden Persönlichkeiten unserer Stadt, Mitgliedern der guten Gesellschaft, der Geschäftswelt und den geistigen Vätern dieses famosen Ereignisses, gegründet worden ist. ›König Karneval‹ wird über Atlanta herrschen, unterstützt vom ›Hof der Hohen Herren‹. Auf einem königlichen Festwagen wird er in die Stadt kommen und sie im Rahmen eines Festzugs durchqueren, der voraussichtlich mehr als eine Meile lang sein wird. Alle Bürger der Stadt, für den Tag Untertanen von König Karneval, sind eingeladen, den Festzug zu säumen und seine Herrlichkeiten zu bestaunen. Zeitplan und Route des Zuges werden in einer späteren Ausgabe dieser Zeitung bekanntgegeben.

Die Zerstreuungen, die den ganzen Tag über anhalten sollen, werden mit einem Maskenball beschlossen werden, für den DeGives Opernhaus in ein wahres Wunderland verwandelt werden wird. Die ›Schwärmer‹ haben fast dreihundert Einladungen an Atlantas vornehmste Ritter und schönste Damen verschickt.«

»Verdammt!« sagte Scarlett.

Dann überwältigte sie die Trostlosigkeit, und sie begann zu weinen wie ein Kind. Es war nicht gerecht, daß Rhett in Charleston tanzte und lachte und all ihre Feinde in Atlanta auf ihre Kosten kamen, während sie ganz allein in ihrem riesigen, schweigsamen Haus hockte. Eine derartige Strafe hatte sie nicht verdient.

Und seit wann bist du so zartbesaitet, daß du dich von denen zum Weinen bringen läßt? ging sie wütend mit sich ins Gericht.

Scarlett rieb sich mit dem Handrücken die Tränen weg. Sie würde sich nicht in ihrem Unglück baden. Sie würde sich das holen, was sie haben wollte. Sie würde zu dem Ball gehen, irgendwie würde sie einen Weg finden.

Es war nicht unmöglich, eine Einladung zum Ball zu bekommen, es war nicht einmal schwierig. Scarlett brachte in Erfahrung, daß der vielgepriesene Festzug im wesentlichen aus geschmückten Planwagen bestehen würde, von denen aus für bestimmte Produkte und Läden geworben werden sollte. Natürlich wurde eine Teilnahmegebühr erhoben, und dazu kamen die Kosten für die Dekoration des »Festwagens«, aber alle Geschäfte, die am Festzug teilnahmen, erhielten zwei Einladungen für den Ball. Sie schickte Willie Kershaw los, um »Kennedy's Emporium« für den Festzug anzumelden.

Die Umstände bestärkten sie in dem Glauben, daß nahezu alles käuflich war. Mit Geld ließ sich alles erreichen.

»Wie wollen Sie den Wagen denn schmücken, Mrs. Butler?« fragte Kershaw.

Die Frage eröffnete hundert Möglichkeiten.

»Ich werde darüber nachdenken, Willie.« Ach Gott, da konnte sie ja Stunden und Stunden mit verbringen – zahllose Abende, um darüber nachzudenken, wie sie es anstellen sollte, alle anderen Festwagen neben ihrem dürftig aussehen zu lassen.

Außerdem mußte sie über ihr Kostüm für den Ball nachdenken. Was für eine Zeit das beanspruchen würde! All ihre Modezeitschriften mußte sie durchsehen, herausfinden, was die Leute tragen wollten, Stoffe aussuchen, Anproben verabreden, über eine neue Frisur nachdenken ...

Nein! Sie war ja immer noch in Trauer! Aber galt das auch für einen Maskenball? Sie war noch nie auf einem gewesen, sie kannte die Spielregeln nicht. Alles in allem ging es doch wohl darum, anderen etwas vorzugaukeln, oder nicht? Nicht auszusehen wie gewöhnlich, sondern verkleidet zu sein. Dann konnte sie ganz bestimmt kein Schwarz tragen. Der Ball nahm sich in ihren Augen immer verlockender aus.

Scarlett entledigte sich schleunigst ihrer Aufgaben im Laden und eilte dann zu Mrs. Marie, ihrer Schneiderin.

Die füllige, schnaufende Mrs. Marie nahm ein Sträußchen Stecknadeln aus dem Mund, um ihr mitzuteilen, daß auch andere Damen diverse Kostüme bei ihr bestellt hatten: eine »Rosenknospe« – ein rosa Ballkleid, mit Seidenrosen besetzt; eine »Schneeflocke« – ein weißes Ballkleid, mit steifer, münzenbestickter Spitze abgesetzt; eine »Nacht« – dunkelblauer Samt mit aufgestickten silbernen Sternen; eine »Morgendämmerung« – rosa Seide über einem Rock in dunklerem Rosé; eine »Schäferin« – ein gestreiftes Kleid mit weißer Spitzenschürze ...

»Schon gut, schon gut«, sagte Scarlett ungeduldig. »Ich hab's begriffen. Ich sage Ihnen morgen, was es sein soll.«

Mrs. Marie hob abwehrend die Hände. »Aber ich habe keine Zeit, auch Ihnen noch ein Kleid zu machen, Mrs. Butler. Ich mußte so schon zwei zusätzliche Schneiderinnen auftreiben und sehe immer noch nicht, wie ich alles rechtzeitig fertig bekommen soll ... Es ist gänzlich ausgeschlossen, daß ich außer den bereits versprochenen noch ein weiteres Kostüm machen kann.«

Scarlett wischte die Weigerung der Frau mit einer Handbewegung beiseite. Sie wußte, wenn sie ihr genügend zusetzte, würde sie ihr den Gefallen schon tun. Schwierig war eigentlich nur die Entscheidung, wie das Kostüm aussehen sollte.

Beim Patiencelegen, während sie darauf wartete, daß es Zeit zum Abendessen wurde, fand sie die Lösung. Sie griff gerade nach der obersten Karte des Talons und hoffte auf den König, den sie für eine Lücke benötigte. Nein, zuerst kamen noch zwei Königinnen. Die Partie würde nicht aufgehen.

Eine Königin! Selbstverständlich. Sie würde ein herrliches Kostüm tragen, mit einer langen, mit weißem Pelz besetzten Schleppe. Und soviel Schmuck, wie sie wollte.

Sie warf die noch übrigen Karten auf den Tisch und lief nach oben, um in ihren Schmuckkoffer zu sehen. Warum, ach warum war Rhett, was Schmuck anging, so heikel gewesen? Er hatte ihr gekauft, was sie nur wollte, aber der einzige Schmuck, mit dem er einverstanden gewesen war, waren Perlen. Sie zog eine Kette nach der anderen hervor und häufte sie auf ihrem Schreibtisch auf. Da! Ihre Brillantohrringe. Die würde sie ganz bestimmt tragen. Und sie konnte im Haar ebensogut Perlen haben wie um den Hals und die Handgelenke. Nur schade, daß sie nicht riskieren konnte, ihren Verlobungsring mit dem Smaragd und den Brillanten zu tragen. Zu viele Leute würden ihn erkennen, und wenn sie erst wüßten, wer sie war, würden sie sie womöglich schneiden. Sie baute darauf, daß ihr Kostüm und ihre Maske sie vor Mrs. Merriwether, India Wilkes und den anderen Frauen schützen würden. Sie hatte die Absicht, voll auf ihre Kosten zu kommen, jeden Tanz zu tanzen, wieder dazuzugehören.

Am fünften Januar, dem Tag vor dem großen Ereignis, war ganz Atlanta mit den Festvorbereitungen beschäftigt. Der Bürgermeister hatte angeordnet, daß am sechsten alle Geschäfte geschlossen bleiben und sämtliche Häuser an der Route des Festzugs rot und weiß dekoriert werden sollten, den Farben von Rex, dem Karnevalskönig.

Scarlett hielt es zwar für eine schreckliche Verschwendung, den Laden gerade dann zu schließen, wenn die Stadt wimmeln würde von Leuten, die vom Land zu den Feierlichkeiten in die Stadt kamen. Doch hängte sie große Rosetten aus Schleifen ins Schaufenster und an den Eisenzaun vor ihrem Haus, und wie alle anderen ging sie und bestaunte die Verwandlung von Whitehall und Marietta Street. Banner und Flaggen hingen von jeder Straßenlaterne und jeder Fassade herab und bildeten auf dem letzten Abschnitt von Rex' Parade zu seinem Thron einen Tunnel aus flatterndem Rotweiß.

Ich hätte Wade und Ella für den Festzug von Tara herholen sollen, dachte sie. Aber wahrscheinlich sind sie noch geschwächt von den Windpocken, setzte sie im Geiste rasch hinzu. Und ich habe auch keine Ballkarten für Suellen und Will. Außerdem habe ich ihnen ja bergeweise Weihnachtsgeschenke geschickt.

Der unaufhörliche Regen am großen Tag tilgte jede Spur von schlechtem Gewissen wegen der Kinder. Sie hätten sowieso nicht draußen in der Nässe und Kälte stehen können, um den Festzug zu sehen.

Sie hingegen konnte das sehr wohl. Sie hüllte sich in ein warmes Schultertuch und stand unter einem großen Regenschirm auf der steinernen Bank in der Nähe des Gartentors, von wo sie einen unverstellten Blick über die Köpfe und Schirme der Zuschauer draußen auf dem Trottoir hatte.

Wie versprochen, war die Parade mehr als eine Meile lang. Es war ein ebenso tapferes wie klägliches Schauspiel. Der Regen hatte die mittelalterlichen, höfischen Kostüme fast vollkommen zerstört. Rote Farbe war zerlaufen, Straußenfedern hingen schlaff herab, einst verwegene Samthüte sackten über Gesichter wie welker Salat. Die marschierenden Herolde und Pagen wirkten kalt und naß, aber entschlossen, die zu Pferde sitzenden Ritter mühten sich mit grimmigen Mienen, ihre schlammbespritzten Rösser durch den schmatzenden, glitschigen Morast zu treiben. Scarlett schloß sich dem Beifall der Menge für den Großzeremonienmeister an. Es war Onkel Henry Hamilton, der als einziger voll auf seine Kosten zu kommen schien. Er schritt barfuß durch den schmatzenden Schlamm, in der einen Hand die Schuhe, in der anderen seinen ramponierten Hut, und winkte der Menge erst mit der einen, dann mit der anderen Hand zu, wobei er von einem Ohr zum anderen grinste.

Auch Scarlett mußte grinsen, als in offenen Kutschen langsam die Hofdamen vorbeirollten. Die tonangebenden Damen der besseren Gesellschaft von Atlanta trugen zwar Masken, aber das stoisch ertragene Unglück war ihren Gesichtern trotz allem deutlich anzumerken. Maybelle Merriwethers Pocahontas prunkte mit trostlosen Federn, von denen ihr das Wasser nur so über die Wangen und den Hals rann. Mrs. Elsing und Mrs. Whiting waren leicht als eine durchnäßte, zitternde Betsy Ross und eine ebensolche Florence Nightingale zu erkennen. Mrs. Meade war eine niesende Darstellung der guten alten Zeit in einer Woge von nassem, zu einem Reifrock verarbeitetem Taft. Nur Mrs. Merriwether hatte der Regen nichts anhaben können: Königin Victoria hielt einen ausladenden schwarzen Schirm über ihr königliches Haupt. Ihr Samtcape war makellos.

Als die Damen vorbei waren, tat sich eine große Kluft auf, und schon wollten sich die Zuschauer entfernen. Doch dann erklang in der Ferne »Dixie«. Binnen einer Minute schrie die Menge sich heiser und hörte nicht auf zu jubeln, bis die Kapelle unmittelbar vor ihr war. Die Leute verstummten.

Es war eine kleine Kapelle, nur zwei Trommler, zwei Männer mit Blechpfeifen und einer mit einem lieblichen Horn in hoher Tonlage. Sie waren grau gekleidet, trugen goldene Schärpen und glänzende Messingknöpfe. Und vor ihnen her schritt ein Einarmiger, der die Flagge der Konföderierten in der verbliebenen Hand trug. Die »Stars« und »Bars« waren zwar tüchtig mitgenommen, doch sie wurden wieder stolz durch die Peachtree Street getragen. Die Rührung erstickte die Hochrufe.

Scarlett spürte Tränen auf den Wangen, doch waren es keine Tränen der Niederlage, es waren Tränen des Stolzes. Shermans Männer hatten Atlanta niedergebrannt, die Yankees hatten Georgia ausgeplündert, aber es war ihnen nicht gelungen, den Süden zu zerstören. Sie sah die gleichen Tränen auf den Gesichtern der Männer und Frauen vor ihr. Alle hatten die Regenschirme gesenkt und standen barhäuptig zu Ehren der Flagge.

Stolz aufgerichtet standen die Leute da, dem kalten Regen preisgegeben, eine lange Zeit. Der Kapelle folgte eine Marschreihe von konföderierten Veteranen in den zerlumpten hellbraunen, grobgewebten Uniformen, in denen sie nach Hause zurückgekehrt waren. Sie marschierten nach den Klängen von »Dixie«, als wären sie wieder junge Männer, und die durchnäßten Südstaatler, die sie beobachteten, fanden ihre Stimmen wieder und jubelten und pfiffen und ließen den durch Mark und Bein gehenden, erregenden Rebellenschrei hören.

Der Jubel hielt an, bis die Veteranen außer Sicht waren. Schirme schnellten empor, und die Menschen begannen zu gehen. Sie hatten Rex und die »Zwölfte Nacht« vergessen. Der Höhepunkt des Festzugs war gekommen und vorbeigezogen und ließ sie naß, aber hochgestimmt zurück. »Wundervoll.« Scarlett hörte es aus Dutzenden von lächelnden Mündern, als die Menschen an ihrem Gartentor vorbeigingen.

»Der Festzug ist aber noch nicht zu Ende«, sagte sie zu einigen von ihnen.

»›Dixie‹ kann er doch wohl nicht übertreffen«, war die Antwort.

Sie schüttelte den Kopf. Selbst sie hatte keine Lust mehr, die Festwagen zu sehen, und dabei hatte sie auf ihren eigenen ungeheuer viel Mühe verwandt; und zudem viel Geld dafür ausgegeben, für Kreppapier und Flitter, die der Regen längst ruiniert haben mußte. Wenigstens konnte sie jetzt im Sitzen weiter zuschauen, das war immerhin etwas. Sie hatte nicht die Absicht, sich zu sehr anzustrengen, wo doch am Abend der Maskenball war.

Zehn endlose Minuten schleppten sich dahin, bis der erste Festwagen auftauchte. Die Wagenräder fraßen sich immer wieder im aufgewühlten lehmigen Schlamm der Straße fest. Sie seufzte und zog das Tuch noch enger um ihre Schultern. Sieht ganz so aus, als mußte ich mich auf eine lange Wartezeit einrichten.

Es dauerte über eine Stunde, bis die geschmückten Wagen an ihr vorbeigefahren waren; sie schlotterte vor Kälte, noch ehe alles vorüber war. Doch wengistens war ihrer der beste gewesen. Die grellbunten Kreppapierblumen an den Seitenwänden waren zwar durchweicht, aber immer noch ansehnlich. Und »Kennedy's Emporium« in silbernem und goldenem Flitter leuchtete deutlich lesbar durch die Regentropfen, die sich darin verfangen hatten. Die großen Fässer mit der Aufschrift »Mehl«, »Zucker«, »Maismehl«, »Rohrzucker«, »Kaffee« und »Salz« waren selbstverständlich leer, so daß kein Schaden entstehen konnte. Und die verzinkten Waschzuber und Waschbretter würden nicht rosten. Die Eisenkessel waren ohnehin beschädigt, sie hatte Papierblumen über die Beulen geklebt. Der einzige glatte Verlust würden die Werkzeuge mit den hölzernen Stielen sein. Selbst die Stoffbahnen, die sie so kunstvoll über ein Stück Hühnerdraht drapiert hatte, würden sich für die Wühlkiste retten lassen.

Wenn doch nur alle ausgeharrt hätten, um ihren Festwagen zu sehen, sie wären bestimmt beeindruckt gewesen.

Sie zog die Schultern ein und schnitt dem letzten Wagen eine Grimasse. Er war von Dutzenden schreiender, herandrängender Kinder umringt. Ein Mann in einem buntscheckigen Zwergenkostüm warf Bonbons nach beiden Seiten. Scarlett erspähte den Namen auf dem Schild über seinem Kopf: »Rich's«. Willie sprach andauernd von diesem neuen Laden in Five Points. Er machte sich Sorgen, weil die Preise dort niedriger waren und »Kennedy's« bereits Kunden einzubüßen begann. Mumpitz, dachte Scarlett verächtlich. »Rich's« wird nicht lange genug im Geschäft bleiben, um mir zu schaden. Preise zu unterbieten und Ware förmlich wegzuwerfen ist kein Weg, um geschäftlich erfolgreich zu sein. Ich bin mächtig froh, daß ich das gesehen habe. Ich werde Willie Kershaw sagen, er soll nicht so ein Dummkopf sein.

Noch mehr freute sie der Anblick des großen Finales. Es war Rex' Thron. In dem rotweiß gestreiften Baldachin darüber war ein Loch, und das Wasser floß unaufhörlich auf das golden gekrönte Haupt und den Wattebauschhermelin auf den Schultern von Dr. Meade. Er sah kreuzunglücklich aus.

»Ich hoffe, du holst dir eine beidseitige Lungenentzündung und gehst daran zugrunde«, murmelte Scarlett. Dann lief sie ins Haus, um ein heißes Bad zu nehmen.

Scarlett war als Herzkönigin kostümiert, auch wenn sie lieber als Diamantkönigin gegangen wäre, mit glitzernder Pappkrone, Diamanthalsband und Broschen. Dann hätte sie jedoch ihre Perlen nicht tragen können, die, wie ihr der Juwelier erklärt hatte, »fein genug für die Königin selbst« waren. Und außerdem hatte sie hübsche falsche Rubine gefunden, die man rund um den tiefen Halsausschnitt ihres roten Samtkleides nähen konnte. Es war so wohltuend, Farbe zu tragen!

Die Schleppe ihres Kleides war mit weißem Fuchs abgesetzt. Sie würde ruiniert sein, noch ehe der Ball zu Ende war, doch das machte nichts; sie wirkte elegant, wenn sie sie beim Tanzen über den Arm drapierte. Sie trug eine geheimnisvolle rote Satinmaske, die ihr Gesicht bis zur Nasenspitze hinab bedeckte, und ihre Lippen waren in dazu passendem Rot geschminkt. Scarlett fühlte sich kühn und völlig sicher. Heute abend konnte sie nach Herzenslust tanzen, ohne daß jemand wußte, wer sie war, und sie beleidigen könnte. Was für ein herrlicher Einfall, so ein Kostümball!

Dennoch, trotz ihrer Maske, war Scarlett nervös, als sie ohne Begleitung den Ballsaal betrat, doch sie hätte es nicht sein müssen. Eine große Gruppe maskierter Schwärmer strömte in die Halle, als sie aus ihrer Kutsche stieg, und sie schloß sich ihnen an, ohne daß jemand etwas gesagt hätte. Drinnen angelangt, sah sie sich staunend um. DeGives Opernhaus war fast bis zur Unkenntlichkeit verwandelt. Das schmucke Theater war ein wahrhaft überzeugender Königspalast geworden.

Über die untere Hälfte des Zuschauerraums hinweg hatte man eine Tanzfläche gebaut, die die große Bühne in einen wahren Riesensaal verwandelte. Ganz hinten saß Dr. Meade als Rex auf seinem Thron, uniformierte Lakaien zu beiden Seiten, darunter auch ein Königlicher Mundschenk. In der Mitte des ersten Ranges war das größte Orchester, das Scarlett je gesehen hatte, und im Parkett bewegten sich Scharen von Tänzern, Zuschauern, Umherstreifenden. Es herrschte spürbar Hochstimmung, eine Tollheit, die von der Anonymität der Masken und Kostüme herrührte. Sowie sie den Saal betrat, legte ein Mann in chinesischem Gewand mit langem Zopf seinen seidenen Arm um ihre Taille und wirbelte sie auf die Tanzfläche hinaus. Womöglich war es ein völlig Fremder. Es war gefährlich und aufregend.

Das Orchester spielte einen Walzer, und Scarletts Partner war ein berauschender Tänzer. Während sie herumwirbelten, erhaschte Scarlett flüchtige Blicke auf Inder, Clowns, Harlekine, Pierretten, Nonnen, Bären, Piraten, Nymphen und Kardinäle, die alle so ausgelassen tanzten wie sie. Als die Musik aufhörte, war sie außer Atem. »Herrlich«, keuchte sie, »es ist herrlich. So viele Menschen. Ganz Georgia muß hier tanzen.«

»Nicht ganz«, sagte ihr Partner. »Einige hatten keine Einladung.« Er wies mit dem Daumen nach oben. Scarlett sah jetzt erst, daß die Galerie voller Zuschauer in normaler Straßenkleidung war, darunter manche in nicht ganz so normaler, Mamie Bart beispielsweise, brillantenbehängt und umgeben von anderen Vertretern des Abschaums. Bloß gut, daß ich mit dem Haufen nicht wieder Verbindung aufgenommen habe. Die sind ein solches Pack, daß sie wirklich nirgendwohin eingeladen werden. Es war Scarlett gelungen, die Herkunft ihrer eigenen Einladung zu vergessen.

Die Anwesenheit von Publikum machte den Ball noch reizvoller. Scarlett warf den Kopf zurück und lachte. Ihre Brillantohrringe blitzten; und durch die Augenschlitze in der Mandarinmaske ihres Tänzers konnte sie erkennen, wie sie sich in seinen Augen spiegelten.

Dann war er weg. Beiseite gedrängt von einem Mönch, der die Kapuze tief hinabgezogen hatte, um sein maskiertes Gesicht zu verdecken. Wortlos nahm er Scarletts Hand und legte ihr den Arm um die Taille, als das Orchester eine muntere Polka zu spielen begann.

Sie tanzte, wie sie seit Jahren nicht getanzt hatte. Ihr war schwindlig, sie war angesteckt von der erregenden Tollheit der Masken, berauscht von der Seltsamkeit der ganzen Veranstaltung, von dem Champagner, der von Pagen in Satinanzügen angeboten wurde, von der Freude, wieder auf einem Fest zu sein, und von ihrem unbestreitbaren Erfolg. Sie war ein Erfolg, und sie glaubte, unerkannt und unverletzlich zu sein.

Sie sah die Witwen der alten Garde. Sie trugen dieselben Kostüme wie während des Umzugs. Ashley war zwar maskiert, doch auch ihn erkannte sie auf den ersten Blick. Er trug einen Trauerflor um den Ärmel seines schwarzweißen Harlekinkostüms. India muß ihn hergeschleppt haben, damit sie einen Begleiter hat, dachte Scarlett, wie gemein von ihr. Natürlich ist es ihr gleichgültig, was er empfindet, solange es nur schicklich ist, und ein Mann in Trauer braucht ja auch nicht darauf zu verzichten auszugehen wie eine Frau. Er kann sich einen Trauerflor über seinen besten Anzug ziehen und der nächsten Flamme den Hof machen, noch ehe seine Frau ganz kalt ist. Aber auch ein Blinder kann sehen, daß es Ashley hier überhaupt nicht gefällt. Wie schon sein Harlekinkostüm an ihm herumschlottert. Nun, sei unbesorgt, mein Lieber. Es wird noch jede Menge solcher Häuser geben, wie Joe Colleton jetzt eines baut. Wenn erst das Frühjahr da ist, wirst du so viel Arbeit haben, mit dem Holz nachzukommen, daß dir gar keine Zeit mehr bleibt, traurig zu sein.

Im Verlauf des Abends wurde die Stimmung der Maskierten immer übermütiger. Einer von Scarletts Bewunderern fragte nach ihrem Namen, einer versuchte gar, ihre Maske zu lüften. Sie wurde spielend mit ihnen fertig. Ich habe noch nicht vergessen, wie man mit übermütigen Jungen umgeht, dachte sie lächelnd. Und Jungen waren sie, ganz gleich, wie alt sie waren. Sie stahlen sich sogar in irgendeinen Winkel davon, um einen Schluck von etwas Stärkerem als Champagner zu trinken. Wenn das so weitergeht, werden sie gleich noch ihren Rebellenschrei ausstoßen.

»Worüber lächelt Ihr denn, meine rätselhafte Königin?« sagte der stattliche Kavalier, der sich offensichtlich alle Mühe gab, ihr während des Tanzes auf den Fuß zu treten.

»Nun, über Euch natürlich«, antwortete Scarlett lächelnd. Nein, sie hatte nichts vergessen.

Als der Kavalier ihre Hand an den eifrigen Mandarin abgetreten hatte, der bereits zum drittenmal zurückgekehrt war, bat Scarlett artig um einen Stuhl und ein Glas Champagner. Einen ihrer Zehen hatte es bös erwischt.

Auf dem Weg auf die andere Seite des Ballsaals, die zum Sitzen gedacht war, erklärte sie jedoch auf einmal, das Orchester spiele gerade ihr Lieblingslied, und sie könne diesen Tanz unmöglich auslassen.

Tante Pittypat und Mrs. Elsing hatten ihren Weg gekreuzt. Konnten die sie erkannt haben?

Eine Mischung aus Wut und Furcht dämpfte die freudige Erregung, die sie empfand. Schmerzhaft wurde sie sich ihres lädierten Fußes bewußt und roch auf einmal den Whiskeyatem des Mandarins.

Ich will jetzt weder an Mrs. Elsing noch an meinen schlimmen Fuß denken. Ich will mir das Vergnügen durch nichts verderben lassen. Sie versuchte, die dunklen Wolken beiseite zu schieben und sich wieder ganz dem Vergnügen zu überlassen.

Doch gegen ihren Willen schweifte ihr Blick immer häufiger zu den Seiten des Ballsaals und den Männern und Frauen hinüber, die dort saßen oder standen.

Sie streiften einen großen, bärtigen Piraten, der an einem Türpfosten lehnte, und er verneigte sich vor ihr. Scarlett stockte der Atem. Sie wandte sich noch einmal nach ihm um. Irgend etwas an ihm . . . die unverschämte Miene . . .

Der Pirat trug einen Smoking mit weißer Jacke und schwarzen Hosen. Ganz und gar keine Kostümierung, abgesehen von der breiten roten Seidenschärpe, die er um die Taille gebunden hatte und in der zwei Pistolen steckten. Und den blauen Schleifen, die er an den Zipfeln seines dichten Barts trug. Seine Maske war eine einfache schwarze Halbmaske. Das war doch wohl niemand, den sie kannte? So wenige Männer trugen heutzutage dichte Bärte. Trotzdem, seine Art zu stehen . . . Und die Art, wie er sie durch die Maske hindurch unverwandt anzustarren schien.

Als Scarlett ihn zum drittenmal ansah, lächelte er, und seine Zähne hoben sich sehr weiß gegen den dunklen Bart und die schwärzliche Haut ab. Scarlett bekam weiche Knie. Rhett.

Es konnte nicht sein . . . sie mußte unter Einbildungen leiden . . . Nein, das tat sie nicht, sie würde nicht so empfinden, wenn es jemand anderes wäre. Sah ihm das nicht ähnlich? Auf einem Ball aufzutauchen, zu dem die meisten Leute keine Einladung bekommen hatten . . . Rhett war zu allem imstande!

»Entschuldigen Sie, ich muß weg. Nein, wirklich, allen Ernstes . . . « Sie machte sich von dem Mandarin los und rannte zu ihrem Mann.

Rhett verbeugte sich erneut. »Edward Teach, Ihr gehorsamer Diener, Ma'am.«

»Wer?« Dachte er etwa, sie hätte ihn nicht erkannt?

»Edward Teach, gemeinhin bekannt als Schwarzbart, der größte Schurke, der je den Atlantischen Ozean durchpflügt hat.« Rhett zwirbelte eine der durchflochtenen Locken seines Barts.

Scarletts Herz tat einen Sprung. Er amüsiert sich, dachte sie, indem er diese Art von Scherzen macht, von denen er weiß, daß ich sie fast nie verstehe. Wie er es immer getan hat, ehe . . . ehe alles schiefging. Ich darf mich jetzt nicht im Ton vergreifen. Ich darf nicht. Was hätte ich denn geantwortet, ehe ich ihn so sehr zu lieben anfing?

»Ich bin überrascht, dich auf einem Ball in Atlanta anzutreffen, wo in deinem kostbaren Charleston doch solche großartigen Dinge geschehen«, sagte sie.

So. Das war genau das Richtige. Nicht gerade gehässig, aber auch nicht zu liebevoll.

Rhetts Brauen hoben sich als schwarze Halbmonde über seine Maske. Scarlett hielt den Atem an. So hatte er immer reagiert, wenn er etwas amüsant fand. Sie verhielt sich genau richtig.

»Wie kommt es denn, daß du so gut über das gesellschaftliche Leben von Charleston informiert bist, Scarlett?«

»Ich lese schließlich Zeitung. Irgend so eine alberne Person verbreitet sich endlos über irgendein Pferderennen.«

Der Teufel sollte den Bart holen. Sie glaubte zwar, daß Rhett lächelte, konnte seine Lippen aber nicht wirklich sehen.

»Auch ich habe die Zeitung gelesen«, sagte Rhett. »Selbst in Charleston ist es eine Meldung wert, wenn eine emporgekommene Provinzstadt wie Atlanta beschließt, so zu tun, als wäre sie New Orleans.«

New Orleans. Sie hatten ihre Hochzeitsreise dorthin gemacht. Fahr doch wieder mit mir hin, wollte sie sagen, wir fangen noch einmal von vorn an, und diesmal wird alles ganz anders. Doch das durfte sie nicht. Noch nicht. Ihr Gehirn sprang rasch von einer Erinnerung zur anderen. Die engen Kopfsteinpflasterstraßen, die hohen Zimmer mit den Vorhängen, die die Sonne aussperrten, mit prächtigen Spiegeln in mattgoldenen Rahmen, fremdartiges, herrliches Essen . . .

»Ich gebe zu, das Büfett ist nicht so ausgefallen«, sagte sie unwillig.

Rhett mußte lachen. »Eine gewaltige Untertreibung.«

Ich habe ihn zum Lachen gebracht. Ich habe ihn schon endlos lange nicht mehr lachen gehört . . . viel zu lange. Er muß gesehen haben, wie ich von Männern umringt war, die alle mit mir tanzen wollten.

»Wie hast du mich erkannt?« fragte sie. »Ich habe doch eine Maske auf.«

»Ich brauchte bloß nach der am auffälligsten gekleideten Frau Ausschau zu halten, Scarlett. Das konntest nur du sein.«

»Oh, du . . . du widerwärtiger Kerl.« Sie vergaß, daß sie ihn hatte unterhalten wollen. »Du siehst auch nicht gerade ansprechend aus, Rhett Butler, mit diesem albernen Bart. Du hättest dir gleich ein Bärenfell vors Gesicht hängen sollen.«

»Es war die wirksamste Verkleidung, die mir eingefallen ist. Es gibt in Atlanta eine ganze Reihe von Leuten, bei denen ich nicht gerade erpicht darauf bin, daß sie mich allzu mühelos erkennen.«

»Warum bist du denn dann gekommen? Doch wohl nicht nur, um mich zu beleidigen.«

»Ich habe dir doch versprochen, mich öfter mal sehen zu lassen, damit kein Gerede aufkommt, Scarlett. Und das hier ist dazu eine ideale Gelegenheit.«

»Ein Maskenball? Da weiß doch niemand, wer der andere ist.«

»Um Mitternacht werden die Masken abgenommen, also in ungefähr vier Minuten. Wir werden in die Sichtbarkeit hineintanzen und dann gehen.« Rhett legte den Arm um sie, und Scarlett vergaß ihren Zorn, vergaß die bedrohlich bevorstehende Demaskierung, vergaß die Welt. Nichts sonst war wichtig, nur daß er hier war und sie im Arm hielt.

Scarlett lag den größten Teil der Nacht wach und bemühte sich zu begreifen, was geschehen war. Auf dem Ball war alles gutgegangen . . . Um zwölf hatte Dr. Meade alle aufgefordert, die Masken abzunehmen, und Rhett hatte lachend seinen Bart gleich mit heruntergerissen. Ich könnte schwören, daß ihm das Ganze gefallen hat. Er hat dem Doktor so etwas wie einen militärischen Gruß entboten und sich vor Mrs. Meade verneigt, und dann ist er blitzartig mit mir aus dem Saal verschwunden. Er hat nicht einmal bemerkt, daß die Leute sich von mir abwandten, jedenfalls hat er es sich nicht anmerken lassen. Die ganze Zeit hat er breit gegrinst.

In der Kutsche auf dem Nachhauseweg war es dann zu dunkel, um sein Gesicht zu sehen, doch seine Stimme klang, als wäre alles in Ordnung. Ich wußte nicht, was ich sagen sollte, doch das war nicht weiter schlimm. Er fragte, wie es auf Tara gegangen sei und ob sein Anwalt meine Rechnungen pünktlich bezahlte, und als ich seine Fragen beantwortet hatte, waren wir auch schon da. Und dann passierte es, drinnen, gleich am Eingang, unten in der Diele. Er sagte einfach nur gute Nacht, er sei müde, und ging in sein Ankleidezimmer hinauf.

Sein Ton war nicht boshaft oder kalt, er sagte einfach nur gute Nacht und ging nach oben. Was hat das zu bedeuten? Warum hat er sich denn nur die Mühe gemacht, den weiten Weg bis hierher zu kommen? Doch nicht nur, um auf den Ball zu gehen, wo in Charleston ein Ball nach dem anderen stattfindet. Daß es ein Maskenball war, war schließlich nichts Besonderes, er hätte ja auch zum Mardi Gras gehen können, wenn er gewollt hätte. Er hat schließlich jede Menge Freunde in New Orleans.

»Damit kein Gerede aufkommt . . .« Schön wär's. Das hat er doch gerade erst aufgebracht, indem er sich auf diese Weise seinen albernen Bart abgerissen hat.

Ihr Hirn spulte das Ganze noch einmal zurück, nahm den Abend wieder und wieder von vorn durch, bis ihr der Kopf schmerzte. Ihr Schlaf war, als er sich endlich einstellte, kurz und ruhelos. Immerhin erwachte sie rechtzeitig, um in ihrem schmeichelhaftesten Morgenrock zum Frühstück hinunterzugehen. Heute würde sie sich kein Tablett aufs Zimmer bringen lassen. Rhett frühstückte immer im Eßzimmer.

»So früh schon auf, meine Liebe?« fragte er. »Wie fürsorglich von dir. Dann brauche ich ja kein Abschiedsbriefchen zu schreiben.« Er schob seine Serviette auf den Tisch. »Ich habe noch ein paar Dinge eingepackt, die Pork übersehen hat. Ich komme sie später holen, auf dem Weg zum Zug.«

Verlaß mich nicht, drängte Scarletts Herz. Sie blickte zur Seite, damit er ihre flehenden Augen nicht sah. »Nun trink doch um Himmels willen deinen Kaffee aus, Rhett«, sagte sie. »Ich werde dir schon keine Szene machen.« Sie trat an die Anrichte und goß sich selbst etwas Kaffee ein, während sie ihn im Spiegel beobachtete. Sie mußte ruhig bleiben. Vielleicht blieb er dann.

Er stand bereits, die Taschenuhr aufgeklappt in der Hand. »Keine Zeit«, sagte er. »Ich muß noch ein paar Leute treffen, bevor ich wieder fahre. Weißt du, ich werde bis zum Sommer sehr viel zu tun haben, also streue ich das Gerücht aus, daß ich geschäftlich nach Südamerika muß. Keiner wird sich dann über meine lange Abwesenheit das Maul zerreißen. Die meisten Leute in Atlanta wissen nicht einmal, wo Südamerika liegt. Du siehst, meine Liebe, ich halte mein Versprechen, dir deinen makellosen Ruf zu erhalten.« Rhett grinste boshaft, klappte die Uhr zu und steckte sie in die Tasche. »Auf Wiedersehen, Scarlett!«

»Warum fährst du nicht wirklich nach Südamerika und verschwindest dort spurlos für alle Zeiten!«

Als die Tür sich hinter ihm schloß, griff Scarletts Hand nach der Brandykaraffe. Warum hatte sie nur ein solches Theater gemacht? Sie meinte es ja gar nicht so. Rhett hatte es schon immer geschafft, daß sie Dinge sagte, die sie gar nicht sagen wollte. Warum nur war sie wieder darauf hereingefallen und hatte dermaßen aufbrausen müssen? Doch er hätte mich nicht wegen meines guten Rufes verspotten sollen. Wie hat er nur herausgefunden, daß ich eine Ausgestoßene bin?

In ihrem ganzen Leben war sie nicht so unglücklich gewesen.

9. Kapitel

Später schämte sich Scarlett. Am frühen Morgen schon zu trinken! Nur Trunkenbolde in ärmlichen Verhältnissen machten so etwas. So schlecht standen die Dinge doch gar nicht, befand sie. Immerhin hatte sie die Gewißheit, daß Rhett zurückkehren würde. Zwar in viel zu ferner Zukunft, aber er würde kommen. Ab sofort brauchte sie keine Zeit mehr damit zu vergeuden, sich zu fragen, ob vielleicht heute der Tag war, an dem er kam ... oder morgen ... oder übermorgen ...

Der Februar begann mit einem überraschenden Wärmeeinbruch, der die Bäume vorzeitig ausschlagen ließ und die Luft mit dem Duft der erwachenden Erde erfüllte. »Macht alle Fenster auf«, befahl Scarlett den Dienstboten, »und laßt die muffige Luft heraus.« Die Brise, die mit den losen Haarsträhnen an ihren Schläfen spielte, war köstlich. Plötzlich wurde sie von einer schrecklichen Sehnsucht nach Tara gepackt. Wie gut würde sie dort schlafen können, wenn die Frühlingsluft den Duft der warmen Erde in ihr Schlafzimmer wehte.

Doch ich kann hier nicht weg. Colleton kann mit wenigstens drei weiteren Häusern beginnen, sowie das warme Wetter den Frost aus dem Boden zieht, aber er wird das niemals tun, wenn ich ihm nicht unablässig in den Ohren liege. In meinem ganzen Leben bin ich keinem derart heiklen Menschen begegnet. Der wartet, bis der Boden warm genug ist, um sich bis nach China durchzugraben und auch dort auf offenen Boden zu stoßen.

Und wenn sie nur für ein paar Tage fuhr? Auf ein paar Tage mehr oder weniger kam es doch wohl nicht an, oder? Scarlett rief sich Ashleys Blässe und seine mutlos zusammengesunkene Gestalt auf dem Ball ins Gedächtnis und stieß einen resignierten kleinen Seufzer aus.

Sie würde sich selbst auf Tara nicht entspannen können.

Sie schickte Pansy mit der Botschaft zu Elias, er solle die Kutsche vorfahren. Sie mußte Joe Colleton aufsuchen.

Als sollte sie für ihr Pflichtbewußtsein belohnt werden, ging an jenem Abend gleich nach Anbruch der Dunkelheit die Türglocke. »Scarlett, mein Schatz«, rief Tony Fontaine, als der Butler ihn hereingeführt hatte, »ein alter Freund braucht eine Unterkunft für die Nacht, hast du ein Einsehen?«

»Tony!« Scarlett kam aus dem Salon gerannt, um ihn zu umarmen.

Tony ließ sein Gepäck fallen, hielt die Arme auf und drückte sie an sich. »Allmächtiger Gott, Scarlett, du hast es aber wirklich weit gebracht«, sagte er. »Ich dachte schon, irgendein Dummkopf hätte mich zu einem Hotel geschickt, als ich das große Haus gesehen habe.« Er blickte auf den üppig verzierten Leuchter, die plüschige Samttapete und die Spiegel in ihren mächtigen, vergoldeten Rahmen in der Diele, dann grinste er sie an. »Kein Wunder, daß du einen aus Charleston geheiratet hast, statt auf mich zu warten. Wo ist denn Rhett? Ich würde den Mann gern näher kennenlernen, der mein Mädchen gekriegt hat.«

Scarlett spürte, wie ihr die Angst eiskalt den Rücken emporkroch. Ob Suellen den Fontaines etwas erzählt hatte? »Rhett ist in Südamerika«, sagte sie strahlend, »kannst du dir so etwas vorstellen? Herr im Himmel, ich dachte immer, nur Missionare suchten derart entlegene Gegenden auf!«

Tony lachte. »Ich auch. Tut mir leid, daß ich dadurch keine Gelegenheit habe, ihn kennenzulernen, aber im Grunde kann mir das nur recht sein. Damit habe ich dich ganz für mich allein. Wie wär's denn mit einem Schluck für einen durstigen Mann?«

Er wußte nicht, daß Rhett sie verlassen hatte, dessen war sie sich sicher. »Ich finde, ein Besuch wie deiner schreit nach Champagner.«

Tony sagte, später herzlich gern, doch im Augenblick sei ihm nach einem guten alten Bourbon und einem heißen Bad. Er habe das sichere Gefühl, noch immer nach Kuhmist zu stinken.

Scarlett machte ihm selbst seinen Drink zurecht, dann schickte sie ihn unter der Führung des Butlers nach oben in eines der Gästeschlafzimmer. Gott sei Dank lebten die Dienstboten bei ihr im Haus; es würde keinen Skandal geben, wenn Tony blieb, solange er Lust hatte. Und sie hätte einen Freund zum Reden.

Zum Abendessen tranken sie Champagner, und Scarlett trug ihre Perlen. Tony aß vier große Stücke von dem Schokoladenkuchen, den die Köchin rasch zum Nachtisch gemacht hatte.

»Sag ihnen, sie sollen mir den Rest zum Mitnehmen einpacken«, bat er. »Das einzige, wonach ich reineweg verrückt bin, ist Kuchen mit so einem dicken Guß wie diesem. Ich hab schon immer einen süßen Zahn gehabt.«

Scarlett lachte und ließ in der Küche Bescheid sagen. »Was soll das heißen, Tony? Daß Sally keine phantasievolle Köchin ist?«

»Sally? Wie kommst du denn darauf? Die hat jeden Abend einen umwerfenden Nachtisch gemacht, nur für mich allein. Alex ist nämlich nicht so verrückt danach.«

Scarlett blickte verdutzt.

»Willst du damit sagen, du weißt noch nicht Bescheid?« sagte Tony. »Ich habe gedacht, Suellen hätte dir längst davon geschrieben. Ich gehe nach Texas zurück, Scarlett. Ich habe mich um die Weihnachtszeit dazu entschlossen.«

Sie sprachen stundenlang. Erst bat sie ihn noch, doch zu bleiben, bis Tonys hilflose Verlegenheit in den berühmten Fontaineschen Zorn umschlug. »Verdammt noch mal, Scarlett, hör auf damit! Ich hab's versucht, bei Gott, ich hab's versucht, aber ich halte das nicht aus. Also hör besser auf, mir damit in den Ohren zu liegen.«

Seine Stimme war so laut, daß die Glasprismen am Leuchter hin und her zu schwingen und zu klirren anfingen.

»Du könntest doch auch an Alex denken«, sagte sie beharrlich.

Seine Miene brachte sie zum Schweigen. Seine Stimme war ruhig, als er sprach. »Ich habe es wirklich versucht«, sagte er.

»Tut mir leid, Tony.«

»Mir auch, Scarlett. Warum läßt du deinen hocheleganten Butler nicht noch eine Flasche aufmachen, und dann sprechen wir von etwas anderem?«

»Erzähl mir von Texas.«

Tonys schwarze Augen leuchteten auf. »Da gibt's auf hundert Meilen keinen Zaun.« Er lachte und setzte dann hinzu: »Das kommt daher, daß es nicht viel gibt, was sich einzuzäunen lohnte, es sei denn, du hast etwas für

Staub und verdorrtes Gestrüpp übrig. Aber du weißt, wer du bist, wenn du ganz allein da draußen in der menschenleeren Weite stehst. Da gibt es keine Vergangenheit, da klammert man sich nicht an die Fetzen, die einem noch geblieben sind. Alles gehört dem Augenblick, vielleicht auch der Zukunft, nicht aber dem Gestern.« Er trank ihr zu. »Du siehst bildhübsch aus, Scarlett. Dein Rhett kann nicht allzu gescheit sein, sonst würde er dich hier nicht allein zurücklassen. Ich wollte dir wohl schon Avancen machen, wenn ich es mir erlauben könnte.«

Scarlett warf kokett den Kopf in den Nacken. Es war vergnüglich, wieder die alten Spiele zu spielen. »Du würdest selbst meiner Großmutter noch Avancen machen, wenn sie das einzige greifbare weibliche Wesen wäre, Tony Fontaine. Keine Frau ist vor dir sicher, wenn sie mit dir allein in einem Zimmer ist und du mit deinen schwarzen Augen funkelst und dein Lächeln blitzen läßt.«

»Nein, mein Schatz, du weißt, daß das nicht stimmt. Ich bin ein mustergültiger Kavalier ... solange die Dame nicht so schön ist, daß sie mich vergessen läßt, wie ich mich zu benehmen habe.«

Sie techtelten und genossen es, bis der Butler die Flasche Champagner hereinbrachte, und dann tranken sie einander zu. Scarlett war schon vor Freude beschwipst und deshalb nur froh, daß Tony die Flasche allein austrank. Währenddessen erzählte er Geschichten aus Texas, die so komisch waren, daß sie sich vor Lachen ausschüttete.

»Tony, ich würde mich wirklich freuen, wenn du ein bißchen bliebest«, sagte sie, als er verkündete, er wolle gleich an ihrem Tisch einschlafen. »Ich habe schon seit ewigen Zeiten keinen solchen Spaß mehr gehabt.«

»Würde ich auch gern. Es macht mir großes Vergnügen, nach Herzenslust zu essen und zu trinken und obendrein noch ein hübsches Mädchen an der Seite zu haben, mit dem ich lachen kann. Aber ich muß das gute Wetter nutzen. Ich fahre morgen früh mit dem Zug Richtung Westen, ehe alles wieder einfriert. Er fährt ziemlich früh. Willst du mit mir Kaffee trinken, ehe ich aufbreche?«

»Versuche nur, mich daran zu hindern.«

Elias fuhr die beiden im grauen Licht vor der Morgendämmerung zum Bahnhof, und Scarlett winkte mit dem Taschentuch, als Tony den Zug bestieg. Er trug einen kleinen Lederranzen und einen riesigen Segeltuchsack, in dem sein Sattel war. Als er sie auf die Plattform des Waggons geworfen hatte, wandte er sich um und schwenkte seinen großen Texashut mit dem Band aus Klapperschlangenhaut. Bei der Geste öffnete sich sein Rock, und sie konnte seinen Gürtel und die Trommelrevolver sehen.

Wenigstens hat er es lange genug ausgehalten, um Wade beizubringen, wie man sie herumwirbeln läßt, dachte sie. Ich hoffe nur, er schießt sich nicht den Fuß ab. Sie blies Tony einen Kuß zu. Er fing ihn mit seinem Hut auf, holte ihn heraus und steckte ihn in die Uhrtasche seiner Weste. Scarlett lachte noch, als der Zug den Bahnhof verließ.

»Fahr raus auf mein Land zur Baustelle, wo Mr. Colleton arbeitet«, sagte sie zu Elias. Die Sonne würde aufgegangen sein, wenn sie dort ankamen, und die Kolonne der Arbeiter war besser am Graben, sonst würde sie Krach schlagen. Tony hatte recht. Man mußte die Unterbrechung des Winterwetters nutzen.

Joe Colleton war unerschütterlich. »Ich bin rausgekommen, wie versprochen, Mrs. Butler, doch es ist genau, wie ich es erwartet habe. Der Boden ist nicht annähernd so weit aufgetaut, daß man einen Keller ausheben könnte. Da vergeht noch ein weiterer Monat, bis ich anfangen kann.«

Scarlett versuchte es erst mit Schmeicheln, dann wütete sie, doch es nützte nichts. Und selbst einen Monat später war ihr Zorn noch nicht vergangen, als Colleton sie aufs neue auf die Baustelle hinausbestellte.

Sie sah Ashley erst, als es zu spät war, sich abzuwenden. Was sage ich ihm bloß? Ich habe nicht die geringste Veranlassung, hier draußen zu sein, und Ashley ist so gewitzt, der durchschaut jede Lüge, die ich mir einfallen lassen könnte. Sie war überzeugt, das hastig aufgesetzte Lächeln wirkte genauso gräßlich, wie sie sich fühlte.

Aber wenn es so war, dann schien Ashley es nicht zu bemerken. Er half ihr mit seiner üblichen eingefleischten Höflichkeit aus der Kutsche. »Wie schön, daß ich dich nicht verfehlt habe, Scarlett, es ist mir eine solche Freude, dich zu sehen. Mr. Colleton sagte, du kämest womöglich heraus, also habe ich hier so lange herumgetrödelt, wie ich konnte.« Er lächelte betrübt. »Wir wissen ja beide, daß ich nicht gerade ein großer Geschäftsmann bin, meine Liebe, so daß mein Rat nicht viel wert sein mag, doch trotzdem, wenn du hier draußen tatsächlich noch einen Laden baust, kannst du damit unmöglich etwas verkehrt machen.«

Wovon redet er da bloß? Ach so . . . natürlich, ich verstehe. Wie schlau von Joe Colleton; er hat die Ausrede für meine Anwesenheit bereits geliefert. Sie wandte ihre Aufmerksamkeit wieder Ashley zu.

». . . und ich habe gehört, daß die Stadt sehr wahrscheinlich eine Trolleybus-Linie bis hierher an den Stadtrand einrichten wird. Es ist schon erstaunlich, in welchem Tempo Atlanta wächst, findest du nicht?«

Ashley wirkte kräftiger. Erschöpft zwar von den Anstrengungen, die das Leben ihm abforderte, aber doch lebenstüchtiger. Scarlett hoffte sehnlichst, das rühre daher, daß das Bauholzgeschäft besser ging. Sie würde es nicht ertragen können, wenn auch noch die Sägemühle und das Holzlager eingingen. Das würde sie Ashley nie verzeihen können.

Er nahm ihre Hand und schaute mit einem besorgten Ausdruck seines erschöpften Gesichts auf sie nieder. »Du siehst müde aus, meine Liebe. Es ist doch alles in Ordnung?«

Wie gern hätte sie den Kopf an seine Brust gelehnt und beklagt, wie gräßlich alles war. Doch sie lächelte. »Papperlapapp, Ashley. Ich war bis spätnachts auf einer Gesellschaft, das ist alles. Du solltest dich schämen, einer Dame zu bedeuten, daß sie nicht gerade blendend aussieht.« Und das dann noch India und all ihren gehässigen alten Freunden weiterzuerzählen, setzte Scarlett insgeheim hinzu.

Ashley akzeptierte ihre Erklärung ohne Fragen. Er begann ihr von Joe Colletons Häusern zu erzählen. Als ob sie das nicht alles wüßte, bis hin zur Anzahl der Nägel, die er für jedes einzelne verwendete. »Das sind Qualitätshäuser«, sagte Ashley. »Ausnahmsweise einmal werden die weniger Begüterten genausogut behandelt werden wie die Reichen. Ich hätte nie gedacht, daß ich das in diesen Zeiten des nackten Opportunismus einmal erleben würde. Es scheinen also doch nicht sämtliche alten Werte verlorengegangen zu sein. Es ist mir eine Ehre, daran beteiligt zu sein. Verstehst du, Scarlett, Mr. Colleton will nämlich, daß ich das Bauholz liefere.«

Sie machte ein erstauntes Gesicht. »Ach so, aber das ist ja wunderbar, Ashley!«

Und das war es. Sie war aufrichtig froh, daß ihr Plan, Ashley zu helfen, so gut funktionierte. Allerdings, dachte Scarlett, nachdem sie unter vier Augen mit Colleton gesprochen hatte, sollten die Häuser nicht zu einer fixen Idee für Ashley werden. Ashley hatte die Absicht, sich täglich auf der Baustelle einzufinden, hatte Joe ihr erzählt. Sie hatte Ashley ein gewisses Einkommen verschaffen wollen, nicht aber ein Steckenpferd, um Himmels willen! Nun würde sie überhaupt nicht mehr hier heraus fahren können.

Außer sonntags, wenn die Arbeit ruhte. Dieser wöchentliche Ausflug wurde für sie fast zur Obsession. Sie dachte nicht mehr an Ashley, wenn sie die sauberen, starken Hölzer sah, die Rahmen und Balken, dann die Wände und Fußböden, während das erste Haus wuchs. Sie wanderte mit sehnsüchtigem Herzen zwischen den ordentlichen Stapeln von Baumaterial und den Abfällen umher. Wie gern hätte sie dazugehört, das Hämmern gehört, zugesehen, wie die Hobelspäne sich vom Hobel herabringelten, die täglichen Fortschritte miterlebt. Wie gern hätte sie selbst damit zu tun gehabt.

Ich muß nur bis zum Sommer durchhalten – die Worte waren ihre Litanei und ihr Lebensmotto –, dann kommt Rhett. Ihm kann ich alles erzählen, Rhett ist der einzige, dem ich es erzählen kann, der einzige, dem an mir liegt. Er wird mich kein solches Leben mehr führen lassen, ausgestoßen und unglücklich, wenn er erfährt, wie gräßlich alles ist. Was ist bloß schiefgegangen? Ich war so sicher, sowie ich erst einmal genug Geld hätte, könnte mir nichts mehr passieren. Und jetzt bin ich reich und ängstige mich mehr als je zuvor.

Doch der Sommer kam, und Rhett blieb aus; kein Wort von ihm. Scarlett eilte jeden Morgen vom Laden nach Hause, damit sie da war, falls er den Mittagszug genommen hatte. Abends trug sie ihr schmeichelhaftestes Kleid und ihre Perlen zum Essen für den Fall, daß er auf anderem Weg eintreffen würde. Die lange Tafel dehnte sich schimmernd von Silber und mattglänzendem, gestärktem Damast vor ihr aus. Um diese Zeit etwa begann sie regelmäßig zu trinken – um die Stille nicht mehr hören zu müssen, wenn sie auf seine Schritte lauschte.

Sie dachte sich nichts dabei, schon nachmittags Sherry zu trinken, schließlich waren ein, zwei Glas Sherry durchaus etwas Damenhaftes. Und sie merkte es kaum, daß sie bald schon von Sherry zu Whiskey wechselte ... daß sie plötzlich erst einmal einen Schluck brauchte, um die Kassenbücher durchsehen zu können, denn es deprimierte sie, daß die Geschäfte immer schlechter gingen ... daß sie das Essen auf dem Teller liegen zu lassen begann, weil der Alkohol ihren Hunger besser stillte ... daß sie anfing, ein Glas Brandy zu trinken, sobald sie morgens aufstand ...

Fast bemerkte sie es nicht einmal, daß aus dem Sommer Herbst wurde.

Pansy brachte ihr die Nachmittagspost auf einem Tablett ins Schlafzimmer. In letzter Zeit hatte Scarlett nach dem Mittagessen ein bißchen zu schlafen versucht. Es füllte einen Teil der leeren Nachmittagsstunden und verschaffte ihr ein wenig Ruhe und eine Erleichterung, die sie nachts nicht fand.

»Möchten Sie, daß ich Ihnen eine Kanne Kaffee raufbringe oder irgendwas, Miss Scarlett?«

»Nein. Geh nur wieder, Pansy.« Scarlett nahm den obersten Brief und öffnete ihn. Sie warf Pansy immer wieder einen raschen Blick zu, während sie die Kleidungsstücke auflas, die Scarlett auf den Boden geworfen hatte. Warum verschwand das dumme Ding nur nicht aus ihrem Zimmer?

Der Brief war von Suellen. Scarlett machte sich nicht die Mühe, die zusammengefalteten Seiten aus dem Umschlag zu nehmen. Sie wußte schon, was in ihm stand. Noch mehr Klagen darüber, wie ungezogen Ella war – als wären Suellens Mädchen die reinsten Engel! Vor allem aber unschöne kleine Anspielungen darauf, wie teuer alles war und wie wenig Tara abwarf und wie reich Scarlett war. Scarlett warf den Brief auf den Boden. Sie konnte es nicht ertragen, ihn jetzt zu lesen. Sie würde es morgen tun ... Gott sei Dank war Pansy endlich weg.

Ich brauche etwas zu trinken. Es ist schon beinahe dunkel, und was könnte falsch daran sein, daß man abends ein Glas trinkt. Ich werde nur ganz langsam einen kleinen Brandy nippen, während ich die Post zu Ende lese.

Die Flasche, die sie hinter den Hutschachteln versteckt hatte, war fast leer. Scarlett tobte innerlich. Verdammte Pansy. Wenn sie nicht so geschickt mit meinem Haar wäre, ich würde sie morgen schon an die Luft setzen. Pansy muß das sein, die das wegtrinkt. Oder eins der anderen Dienstmädchen. Ich könnte gar nicht soviel vertragen. Ich habe die Flasche doch erst vor ein paar Tagen dort versteckt. Macht nichts. Ich werde die

Briefe mit ins Eßzimmer hinunternehmen. Was macht es schließlich schon aus, wenn die Dienstboten sehen, wie der Pegel der Karaffe sinkt? Es ist mein Haus und meine Karaffe und mein Brandy, ich kann tun und lassen, was ich will. Wo ist mein Morgenrock? Da ist er. Warum gehen bloß die Knöpfe so schwer zu? Man braucht ja ewig, bis man ihn anhat.

Scarlett lief nach unten und warf ihre Post in einem Stoß auf den Tisch. Sie schenkte sich einen Brandy ein und nahm einen belebenden Schluck, dann trug sie das Glas zum Tisch und setzte sich. Von Zeit zu Zeit würde sie ein Schlückchen trinken und währenddessen in Ruhe ihre Briefe lesen.

Ein Reklamezettel – eine neueröffnete Zahnarztpraxis. Puh. Ihre Zähne waren ausgezeichnet, herzlichen Dank. Noch einer, Reklame für einen Milchlieferdienst. Die Ankündigung eines neuen Stücks am DeGives. Scarlett sah gereizt die Umschläge durch. War denn gar keine richtige Post darunter? Ihre Hand hielt inne, als sie einen dünnen Florpostumschlag berührte, der in spinnenwebfeiner Schrift an sie adressiert war. Tante Eulalie. Sie kippte den Rest ihres Brandys hinunter und riß den Brief auf. Seit eh und je hatte sie die belehrenden, gouvernantenhaften Briefsendungen der Schwester ihrer toten Mutter gehaßt. Doch Tante Eulalie lebte in Charleston. Vielleicht würde sie Rhett erwähnen. Seine Mutter war ihre engste Freundin.

Scarletts Augen bewegten sich rasch hin und her und blinzelten, um die Wörter erkennen zu können. Tante Eulalie beschrieb stets beide Seiten des dünnen Papiers, und häufig beschrieb sie sie obendrein »quer«, das heißt, sie drehte das beschriebene Blatt um neunzig Grad und schrieb quer durch die bereits vorhandenen Zeilen. All das, um furchtbar viel über herzlich wenig zu sagen.

Der für die Jahreszeit zu warme Herbst ... das sagte sie jedes Jahr ... Tante Pauline, die wieder mit ihrem Knie zu tun hatte ... Sie hatte mit ihrem Knie zu tun, solange Scarlett zurückdenken konnte ... Ein Besuch bei Schwester Mary Joseph ... Scarlett schnitt eine Grimasse. Sie konnte sich einfach nicht an den religiösen Namen ihrer kleinen Schwester Carreen gewöhnen, obwohl Carreen nun schon seit acht Jahren in Charleston im Kloster war ... Der Kuchenverkauf zugunsten des Fonds für den Dombau war weit hinter dem Planziel zurückgeblieben, weil die Beiträge nicht hereinkamen, und ob Scarlett nicht ... Kreuzdonnerwetter noch einmal! Sie kam schon für das Dach über dem Kopf ihrer Tanten auf, sollte sie nun auch noch für das Dach eines Doms aufkommen? Sie wandte stirnrunzelnd die Seite um.

Plötzlich stach ihr Rhetts Name aus dem Gewirr der kreuz und quer über die Seite laufenden Sätze ins Auge ...

»... es freut einen doch von Herzen, miterleben zu dürfen, wie eine teure Freundin wie Eleanor Butler nach so vielen schweren Jahren im Glück lebt.

Rhett ist ganz der Kavalier seiner Mutter, und seine treue Ergebenheit hat viel dazu beigetragen, ihn in den Augen all jener freizusprechen, die sein ungezügeltes Benehmen in jüngeren Jahren beklagt haben. Es entzieht sich völlig meinem Verständnis und dem Deiner Tante Pauline ebenfalls, warum Du darauf beharrst, Dich auch weiter rücksichtslos dem Geschäftsleben zu widmen, wo doch keinerlei Notwendigkeit besteht, daß Du Dich länger mit dem Laden abgibst. Ich habe Deine Handlungsweise in dieser Hinsicht schon früher bei vielen Gelegenheiten beklagt, und Du hast meinen flehentlichen Bitten, ein Gebaren aufzugeben, das so gänzlich unpassend für eine Dame ist, keinerlei Beachtung geschenkt. Deshalb habe ich auch seit einigen Jahren nicht mehr davon angefangen. Jetzt jedoch, da es Dich von Deinem eigentlichen Platz an der Seite Deines Gatten fernhält, empfinde ich es als meine Pflicht, einmal mehr auf diese abscheuliche Angelegenheit zu sprechen zu kommen.«

Scarlett warf den Brief auf den Tisch. Das war also die Geschichte, mit der Rhett aufwartete! Daß sie den Laden nicht aufgeben wollte, um mit ihm nach Charleston zu gehen. Was für ein rabenschwarzer Lügner er doch war! Sie hatte ihn gebeten, sie mitzunehmen, als er weggegangen war. Wie konnte er es wagen, solche Verleumdungen zu verbreiten? Sie würde schon die richtigen Worte für Mister Rhett Butler zu finden wissen, wenn er nach Hause kam.

Sie steuerte auf die Anrichte zu und füllte ihr Glas nach. Ein bißchen davon ging auf die schimmernde, hölzerne Oberfläche. Eine Bewegung mit dem Ärmel genügte, um es wegzuwischen. Er würde es wahrscheinlich leugnen, der widerwärtige Kerl. Na schön, dann wollte sie ihm Tante Eulalies Brief unter die Nase halten. Wollen wir doch mal sehen, ob er die beste Freundin seiner Mutter als Lügnerin zu bezeichnen wagt!

Auf einmal legte sich ihre Wut, und ihr wurde kalt. Sie kannte seine Antwort bereits: »Sollte ich denn vielleicht die Wahrheit erzählen? Daß ich dich verlassen habe, weil das Zusammenleben mit dir unerträglich geworden ist?«

Welche Schande. Alles war besser als das. Selbst noch die Einsamkeit, während sie wartete, daß er nach Hause zurückkehrte. Ihre Hand hob das Glas an die Lippen, und sie nahm einen tiefen Schluck.

Scarlett erblickte sich dabei aus dem Augenwinkel im Spiegel über der Anrichte. Langsam ließ sie die Hand sinken und setzte das Glas nieder. Sie sah sich in die Augen, die sich vor Entsetzen über das weiteten, was sie sahen. Sie hatte sich seit Monaten nicht mehr richtig angeschaut, und sie konnte nicht glauben, daß die bleiche, dünne Frau mit den tief in die Höhlen gesunkenen Augen etwas mit ihr zu tun haben sollte. Herrje, ihre Haare sahen ja aus, als wären sie seit Wochen nicht gewaschen worden!

Was war bloß aus ihr geworden?

Ihre Hand griff automatisch nach der Karaffe – was ihre Frage beantwortete. Scarlett zog die Hand zurück und sah, daß sie zitterte.

»Oh, mein Gott«, flüsterte sie. Haltsuchend umklammerte sie die Kante der Anrichte und starrte auf ihr Spiegelbild. »Närrin!« sagte sie. Ihre Augen schlossen sich, und Tränen liefen ihr langsam die Wangen hinab, doch sie wischte sie mit bebenden Fingern weg.

Sie sehnte sich nach einem Glas, wie sie sich nie im Leben nach etwas gesehnt hatte. Ihre Zunge zuckte über die Lippen. Ihre rechte Hand bewegte sich unwillkürlich und schloß sich um den Hals der funkelnden Karaffe. Scarlett sah ihre Hand an, als gehörte sie einer Fremden, sah die schöne schwere Kristallkaraffe und das Versprechen in ihr, dem allen entfliehen zu können. Langsam, wobei sie sich im Spiegel beobachtete, hob sie die Karaffe und wich vor ihrem eigenen beängstigenden Spiegelbild zurück.

Sie holte tief Atem und legte alle Kraft in ihren Arm, die sie aufbringen konnte. Die Karaffe funkelte blau, rot und violett im Sonnenlicht, als sie in den riesigen Spiegel krachte. Einen Augenblick lang sah Scarlett ihr Gesicht in Stücke springen, sah sie ihr verzerrtes Siegeslächeln. Dann zerbarst das versilberte Glas, und winzige Splitter ergossen sich über die Anrichte. Das obere Ende des Spiegels schien sich aus seinem Rahmen vorzuneigen, und riesige gezackte Stücke fielen mit dem Lärm von Kanonenschüssen krachend auf das Holz, den Boden und auf die Scherben, die bereits unten lagen.

Scarlett weinte, lachte und frohlockte angesichts der Zerstörung ihres eigenen Bildes. »Feigling! Feigling! Feigling!«

Sie spürte die winzigen Schnitte nicht, die die umherfliegenden Glasscherben ihr beigebracht hatten – auf den Armen, am Hals und im Gesicht. Ihre Zunge schmeckte Salz; sie berührte das blutige Rinnsal auf ihrer Wange und blickte überrascht auf ihre geröteten Finger.

Sie starrte die Stelle an der Wand an, wo ihr Spiegelbild gewesen war, doch es war weg. Sie lachte unsicher. Die wären wir los.

Die Dienstboten waren zur Tür gestürzt, als sie den Lärm hörten. Sie standen dicht aneinandergedrängt, da sie sich nicht trauten, das Zimmer zu betreten, und schauten furchtsam auf Scarletts steife Gestalt. Sie wandte sich ihnen zu, und Pansy stieß beim Anblick ihres blutverschmierten Gesichts einen kleinen Schrei des Entsetzens aus.

»Geht weg«, sagte Scarlett ruhig. »Mir fehlt überhaupt nichts. Geht weg. Ich will allein sein.« Sie gehorchten ohne ein Wort.

Sie war allein, ob sie das wollte oder nicht, und noch soviel Brandy würde daran nichts ändern. Rhett kam nicht wieder zurück, dieses Haus war für ihn kein Zuhause mehr. Sie wußte das seit langer Zeit, hatte sich jedoch geweigert, es zur Kenntnis zu nehmen. Sie war ein Feigling gewesen und eine Närrin. Kein Wunder, daß sie die Frau im Spiegel nicht erkannt hatte.

Diese feige Närrin war nicht Scarlett O'Hara. Scarlett O'Hara ertränkte, so hieß es doch wohl, ihren Kummer nicht in Alkohol, Scarlett O'Hara versteckte sich nicht vor der Wirklichkeit. Sie stellte sich auch dem Schlimmsten, das die Welt ihr antun mochte. Und sie scheute keine Gefahr, um sich zu holen, was sie haben wollte.

Scarlett erschauderte. Sie war nah daran gewesen, sich selbst zu besiegen.

Schluß damit. Es war Zeit – es war schon lange an der Zeit, daß sie ihr Leben wieder in die Hand nahm. Schluß mit dem Brandy. Diese Krücke brauchte sie nicht.

Ihr ganzer Körper schrie nach einem Schluck, doch sie verschloß ihre Ohren dagegen. Sie hatte schon schwierigere Dinge im Leben bewältigt, sie würde auch damit fertig werden. Sie mußte.

Sie schüttelte die Faust gegen den zerbrochenen Spiegel. »Bring du nur sieben Jahre Pech – wenn schon, zur Hölle mit dir!« Ihr trotziges Lachen klang rauh.

Sie lehnte sich einen Augenblick an den Tisch, um Kraft zu schöpfen. Sie hatte soviel zu tun.

Sie schritt durch die Zerstörung, die sie umgab, und ihre Absätze zertraten das Spiegelglas zu kleinen Stückchen. »Pansy!« rief sie von der Tür aus. »Ich möchte, daß du mir das Haar wäschst.«

Scarlett zitterte zwar von Kopf bis Fuß, doch sie zwang ihre Beine, sie bis zur Treppe zu tragen und dann die endlos vielen Stufen hinaufzusteigen. »Ich muß ja eine Haut haben wie Drillich«, sagte sie laut und lenkte ihre Gedanken von den Entbehrungen ihres Körpers ab. »Ich werde literweise Rosenwasser und Glyzerin brauchen. Und ich brauche eine völlig neue Garderobe. Mrs. Marie kann gleich eine zusätzliche Nähhilfe einstellen.«

Es durfte nicht mehr als ein paar Wochen dauern, bis sie ihre Schwäche überwunden und zu ihrem alten Aussehen zurückgefunden hatte. Sie würde nicht zulassen, daß es länger dauerte.

Sie mußte stark und schön sein, und sie hatte keine Zeit zu verlieren. Davon hatte sie bereits viel zuviel verschwendet.

Rhett war nicht zu ihr zurückgekehrt, also würde sie zu ihm gehen müssen.

Nach Charleston.

2. Buch

MIT HOHEM EINSATZ

10. Kapitel

Nachdem ihr Entschluß einmal gefaßt war, änderte sich Scarletts Leben von Grund auf. Sie hatte ein Ziel und setzte ihre gesamte Energie dafür ein, es zu erreichen. Wie sie Rhett im einzelnen zurückbekommen wollte, darüber war Zeit nachzudenken, wenn sie in Charleston angekommen war. Fürs erste mußte sie ihre Abreise vorbereiten.

Mrs. Marie raufte sich die Haare und erklärte, es sei ausgeschlossen, innerhalb weniger Wochen eine komplette neue Garderobe anzufertigen; Onkel Henry Hamilton legte die Fingerspitzen aneinander und tat seine Mißbilligung kund, als Scarlett ihm erklärte, was sie von ihm wollte. Die Gegensätzlichkeit ihrer Ansichten rief jedoch lediglich ein kriegerisches Funkeln in Scarletts Augen hervor, und am Ende hatte sie gewonnen. Anfang November hatte Onkel Henry die finanzielle Leitung des Ladens und des Saloons übernommen und sich dafür verbürgt, daß die Zahlungen an Joe Colleton weitergingen. Und in Scarletts Schlafzimmer herrschte ein einziges Chaos von Farben und Spitzen – ihre neuen Kleider lagen ausgebreitet und warteten darauf, für die Reise eingepackt zu werden.

Sie war zwar immer noch dünn, und unter den Augen sah man schwache Schatten wie blaue Flecken, denn ihre Nächte waren ein einziger, grausamer Kampf zwischen der Schlaflosigkeit und ihrer verzweifelten Willensanstrengung gewesen, der schlafverheißenden Verlockung der Brandykaraffe zu widerstehen. Sie hatte den Kampf aber gewonnen und unterdessen zu ihrem normalen Appetit zurückgefunden. Ihr Gesicht war bereits wieder voll genug, daß sich Grübchen bilden konnten, wenn sie lächelte, und ihre Brust war verführerisch gerundet. Mit geschickt geschminkten Lippen und Wangen sah sie, so fand sie, fast wieder wie ein Mädchen aus.

Es war Zeit, sich auf den Weg zu machen.

Auf Wiedersehen, Atlanta, sagte Scarlett stumm, als der Zug den Bahnhof verließ. Du hast versucht, mich zu zerstören, doch ich habe es nicht zugelassen. Es ist mir gleichgültig, ob du mit mir einverstanden bist oder nicht.

Sie beschloß, daß das Frösteln, das sie verspürte, vom Zugwind kommen mußte. Sie hatte keine Angst, kein bißchen. Sie würde sich großartig amüsieren in Charleston. Hatte es nicht immer schon geheißen, Charleston sei die Stadt mit den meisten und schönsten Festen im ganzen Süden? Und ganz bestimmt würde sie auch überallhin eingeladen werden, Tante Pauline und Tante Eulalie kannten jeden. Sie würden alles über Rhett wissen – wo er wohnte, was er gerade machte –, und Scarlett würde nichts weiter tun müssen, als ...

Es hatte keinen Sinn, jetzt darüber nachzudenken. Das würde sie noch früh genug entscheiden. Wenn sie jetzt darüber nachdachte, würde es sie nur unsicher machen, ob es überhaupt richtig gewesen war, sich auf die Reise zu machen, und dazu hatte sie sich nun einmal entschlossen.

Herrje! Der bloße Gedanke war albern, daß es vielleicht nicht richtig sein könnte. Charleston lag doch nicht am Ende der Welt. Tony Fontaine war mit solcher Selbstverständlichkeit nach Texas gegangen, eine Million Meilen weg, als ritte er mal eben nach Decatur. Sie war außerdem schon in Charleston gewesen. Sie wußte, wohin sie fuhr ...

Es spielte auch gar keine Rolle, daß sie es scheußlich gefunden hatte. Schließlich war sie damals noch so jung gewesen, erst siebzehn, obendrein gerade eine Witwe geworden, und ein Baby hatte sie auch dabeigehabt. Wade Hampton hatte noch nicht einmal gezahnt. Das war über zwölf Jahre her. Alles würde jetzt völlig anders sein. Es würde sich alles zum Besten entwickeln, genau wie sie es sich wünschte.

»Pansy, geh zum Schaffner und sag ihm, er soll unser Gepäck woanders hinstellen. Ich möchte mich näher an den Ofen setzen. Es zieht an diesem Fenster.«

Scarlett schickte ihren Tanten vom Bahnhof in Augusta, wo sie in einen Zug der South-Carolina-Linie umstieg, ein Telegramm mit dem Inhalt: »Ankomme mit Vieruhrzug auf Besuch stop Nur ein Dienstbote stop Gruß Scarlett stop.«

Sie hatte sich alles bis ins kleinste überlegt. Genau zehn Worte, wenn sie bereits unterwegs war, dann riskierte sie nicht, daß ihre Tanten zurücktelegrafierten und sie mit irgendeiner Ausrede am Kommen hinderten. Nicht daß das sehr wahrscheinlich gewesen wäre. Eulalie bat sie seit ewigen Zeiten, sie doch besuchen zu kommen, und Gastfreundschaft war immer noch ein ungeschriebenes Gesetz im Süden. Doch wozu ein Risiko eingehen, wenn man auf Nummer Sicher gehen konnte, und sie brauchte anfangs nun einmal das Haus und den Schutz ihrer Tanten. Charleston war ein mächtig hochnäsiger, dünkelhafter Ort, und Rhett versuchte offensichtlich, die Leute gegen sie aufzubringen.

Nein, sie wollte jetzt nicht ins Grübeln kommen. Sie würde Charleston diesmal lieben. Dazu war sie entschlossen. Alles würde anders sein. Ihr ganzes Leben würde anders sein. Blicke nicht zurück, hatte sie sich immer schon gesagt, und jetzt war es ihr ernst damit. Ihr ganzes bisheriges Leben rückte mit jeder Umdrehung der Räder in weitere Ferne. Alle für die Abwicklung der Geschäfte erforderlichen Vollmachten lagen in Onkel Henrys Hand, ihrer Verpflichtung Melanie gegenüber wurde Genüge getan, ihre Kinder waren auf Tara untergebracht. Zum erstenmal in ihrem Erwachsenenleben konnte sie tun, was ihr beliebte, und sie wußte, was das war. Sie würde Rhett beweisen, daß er unrecht hatte, wenn er sich zu glauben weigerte, daß sie ihn liebte. Sie würde es ihm beweisen. Er würde schon sehen. Und dann würde es ihm leid tun, daß er sie verlassen hatte. Er würde die Arme um sie legen und sie küssen, und sie würden auf alle Zeiten glücklich miteinander sein ... Selbst in Charleston, falls er darauf bestehen sollte.

In ihren Tagtraum versunken, bemerkte Scarlett den Mann nicht, der in Ridgewill zugestiegen war, bis ein Rucken des Zuges ihn gegen ihre Armlehne warf. Sie wich zurück, als hätte er sie geschlagen. Er trug die blaue Uniform der Unionsarmee.

Ein Yankee! Was machte der denn hier? Jene Zeiten waren doch lange vorbei, und sie wollte sie für immer vergessen, aber der Anblick der Uniform brachte sie schlagartig wieder zurück – ihre ständige Angst, als Atlanta belagert worden war, die Brutalität der Soldaten, als sie Taras klägliche Lebensmittelvorräte geplündert und das Haus angezündet hatten, die blutige Explosion, als sie den Nachzügler erschossen hatte, ehe er sie hatte vergewaltigen können ... Scarlett spürte, wie ihr Herz wieder vor Entsetzen pochte, und fast hätte sie laut geschrien. Zum Teufel mit ihnen, zum Teufel mit ihnen, denn sie hatten den Süden zerstört. Zum Teufel mit ihnen, denn ihretwegen fühlte sie sich hilflos und ängstigte sich. Sie haßte dieses Gefühl, und sie haßte sie!

Ich lasse nicht zu, daß mich das jetzt aufregt, wo ich doch in bester Verfassung sein muß, bereit für Charleston und bereit für Rhett. Ich sehe den Yankee nicht an, und ich werde auch nicht über die Vergangenheit nachdenken. Nur die Zukunft zählt. Scarlett starrte entschlossen aus dem Fenster in die hügelige Landschaft, die dem Land um Atlanta so ähnlich war. Rote Lehmstraßen führten durch dunkle Kiefernwälder und über Felder mit frostgeschwärzten Stoppeln. Sie war schon länger als einen Tag unterwegs, und es war doch, als wäre sie gar nicht von zu Hause fortgefahren. Mach schnell, drängte sie die Lokomotive, mach doch schnell.

»Wie ist Charleston, Miss Scarlett?« fragte Pansy zum hundertstenmal, als das Licht draußen zu schwinden begann.

»Sehr hübsch, es wird dir bestimmt gefallen«, antwortete auch Scarlett zum hundertstenmal. »Da!« Sie zeigte in die Landschaft. »Siehst du den Baum da, von dem das Zeug herunterhängt? Das ist das spanische Moos, von dem ich dir erzählt habe.«

Pansy drückte sich die Nase an der schmierigen Fensterscheibe platt. »Uhuuh«, wimmerte sie, »das sieht wie flatternde Gespenster aus. Ich habe Angst vor Gespenstern, Miss Scarlett!«

»Nun sei kein Kindskopf!« Doch Scarlett erschauderte. Die wehenden, grauen Moosbärte wirkten im Dämmerlicht unheimlich. Immerhin bedeutete es, daß sie jetzt ins Lowcountry hineinfuhren, dem Meer und damit Charleston nahe waren. Scarlett schaute auf ihre Armbanduhr. Halb sechs. Der Zug hatte über zwei Stunden Verspätung. Ihre Tanten würden bestimmt warten, davon war sie überzeugt. Dennoch wäre sie lieber nicht im Dunkeln angekommen. Die Dunkelheit hatte so etwas Unfreundliches.

Der höhlenartige Bahnhof von Charleston war nur spärlich beleuchtet. Scarlett reckte den Hals und hielt nach ihren Tanten oder auch einem Kutscher Ausschau, den sie vielleicht geschickt hatten und der sie nun suchte. Was sie statt dessen erblickte, war ein halbes Dutzend weiterer Soldaten in blauer Uniform und mit geschultertem Gewehr.

»Miss Scarlett...« Pansy zupfte an ihrem Ärmel. »Da sind überall Soldaten.« Die Stimme der jungen Zofe bebte.

Ihre Angst zwang Scarlett, sich den Anschein von Tapferkeit zu geben. »Tu einfach, als wären sie gar nicht da, Pansy. Die können dir nichts tun, der Krieg ist seit praktisch zehn Jahren vorbei.« Sie machte dem Träger, der die Karre mit ihrem Gepäck schob, ein Zeichen. »Wo finde ich denn die Kutsche, die mich abholen soll?« fragte sie hochmütig.

Er führte sie hinaus, doch das einzige Gefährt, das dort stand, war ein klappriger Einspänner mit einer Schindmähre und einem verlottert wirkenden schwarzen Kutscher. Scarlett sank der Mut. Wenn ihre Tanten nun gar nicht in der Stadt waren? Sie fuhren manchmal nach Savannah, ihren Vater besuchen, das wußte sie. Wenn ihr Telegramm nun an der Haustür eines dunklen, leeren Hauses steckte?

Sie atmete tief durch. Ganz egal, was nun wirklich passiert war, sie mußte vom Bahnhof und von den Yankees weg. Zur Not schlage ich eine Fensterscheibe ein, um ins Haus zu kommen. Warum auch nicht? Ich bezahle einfach die Reparatur, so, wie ich die Reparatur des Daches und alles andere für sie bezahlt habe. Seit sie im Krieg ihr gesamtes Vermögen verloren hatten, hatte Scarlett ihren Tanten Geld zum Leben geschickt.

»Laden Sie meine Sachen in den Klapperkasten dort, und sagen Sie dem Kutscher, er soll absteigen und Ihnen helfen. Ich fahre zum Haus von Mistress Carey Smith auf der Battery.«

Das Zauberwort »Battery« hatte genau die erhoffte Wirkung. Träger und Kutscher zeigten sich respektvoll und diensteifrig. Es ist also immer noch die beste Adresse in Charleston, dachte Scarlett erleichtert. Dem Himmel sei Dank. Es wäre zu schrecklich, wenn Rhett erführe, daß ich in einem heruntergekommenen Elendsviertel lebte.

Pauline und Eulalie rissen die Haustür auf, sowie der Einspänner hielt. Goldgelbes Licht ergoß sich auf den Weg, der vom Trottoir zum Haus führte, und Scarlett rannte in seinem Schein auf die Zuflucht zu, die er verhieß.

Aber wie alt sehen die beiden denn aus! dachte Scarlett, als sie fast vor ihren Tanten stand. Ich erinnere mich gar nicht, daß Tante Pauline so dürr war wie eine Bohnenstange und so viele Runzeln hatte. Und wann ist Tante Eulalie bloß so dick geworden? Sie sieht aus wie ein grauhaariger Ballon.

»Nun sieh mal an!« rief Eulalie aus. »Du hast dich ja so verändert, also, ich erkenne dich kaum wieder!«

Scarlett zuckte innerlich zusammen. War sie etwa ebenfalls alt geworden? Sie ließ die Umarmungen ihrer Tanten über sich ergehen und rang sich ein Lächeln ab.

»Sieh dir Scarlett an, Schwester«, sprudelte Eulalie hervor. »Sie ist zu Ellens Ebenbild herangewachsen.«

Pauline schnüffelte. »Ellen war nie so dünn, Schwester, das weißt du genau.« Sie nahm Scarlett beim Arm und zog sie von Eulalie weg. »Es besteht allerdings eine deutliche Ähnlichkeit, darüber gibt es keinen Zweifel.«

Scarlett lächelte, diesmal erfreut. Ein größeres Kompliment konnte man ihr überhaupt nicht machen.

Unter viel Gewese und Gezanke widmeten die Tanten sich der Aufgabe, Pansy in der Dienstbotenkammer unterzubringen und Scarletts Gepäck in ihr Zimmer hinaufschaffen zu lassen. »Daß du bloß keinen Finger rührst, Schatz«, sagte Eulalie zu Scarlett. »Du mußt nach der langen Reise ja ganz erschöpft sein.«

Scarlett machte es sich dankbar auf dem Sofa im Salon bequem, wo sie von allem Durcheinander nichts mitbekam. Jetzt, wo sie endlich angekommen war, schien die fieberhafte Zielstrebigkeit, die sie während der Vorbereitungen nicht hatte ruhen lassen, völlig erlahmt, und sie stellte fest, daß die Tanten recht hatten: Sie war erschöpft.

Fast wäre sie beim Abendessen eingenickt. Eulalie und Pauline hatten leise Stimmen mit dem charakteristischen Tieflandakzent, seinen gedehnten Vokalen und verwischten Konsonanten. Ihr Gespräch bestand weitgehend aus höflich formulierter Mißbilligung von allem und jedem, und ihr Gemurmel wirkte einlullend. Nichts von dem, was sie sagten, interessierte Scarlett auch nur im mindesten. Das, was sie wissen wollte, hatte sie fast sofort, nachdem sie den Fuß über die Schwelle gesetzt hatte, in Erfahrung gebracht. Rhett lebte zwar im Haus seiner Mutter, befand sich jedoch nicht in der Stadt.

»Er ist nach Norden gefahren«, sagte Pauline mit säuerlicher Miene.

»Aber aus guten Gründen, Schwester«, hielt ihr Eulalie vor. »Er ist nämlich in Philadelphia und kauft einen Teil des Familiensilbers zurück, das die Yankees gestohlen haben.«

Pauline gab nach. »Es ist wunderbar zu sehen, wie sehr er sich bemüht, seiner Mutter dadurch eine Freude zu machen, daß er ihr alles wiederbeschafft, was sie verloren hat.«

Diesmal kam der kritische Einwand von Eulalie: »Ein wenig von dieser Anhänglichkeit hätte er allerdings schon weitaus früher an den Tag legen können, wenn du mich fragst.«

Scarlett fragte nach nichts. Sie war mit ihren eigenen Gedanken beschäftigt, das heißt mit der Frage, wann sie wohl nach oben ins Bett gehen konnte. Schlaflosigkeit würde sie heute nacht nicht behelligen, davon war sie überzeugt.

Und sie hatte recht. Jetzt, da sie ihr Leben in die Hand genommen hatte und auf dem besten Wege war, sich zu holen, was sie wollte, konnte sie schlafen wie ein Säugling. Sie wachte am nächsten Morgen mit einem Wohlgefühl auf, das sie schon seit Jahren nicht mehr verspürt hatte. Sie war ihren Tanten willkommen, wurde nicht gemieden und war zur Einsamkeit verurteilt wie in Atlanta, und sie brauchte sich auch noch nicht den Kopf darüber zu zerbrechen, was sie Rhett sagen wollte, wenn sie ihn endlich traf. Sie konnte sich erholen und verwöhnen lassen, während sie darauf wartete, daß er aus Philadelphia zurückkehrte.

Tante Eulalie riß sie aus ihrem süßen Traum, noch ehe sie ihre erste Tasse Kaffee ausgetrunken hatte. »Ich weiß, du brennst darauf, Carreen zu besuchen, Schatz, doch sie darf nur dienstags und samstags Besuch empfangen, also haben wir uns für heute etwas anderes vorgenommen.«

Carreen! Scarlett preßte die Lippen zusammen. Sie hatte nicht die geringste Lust, sie zu sehen, die Verräterin. Ihren Anteil an Tara wegzugeben, als bedeutete er überhaupt nichts . . . Doch was sollte sie ihren Tanten sagen? Sie werden nie begreifen, daß eine Schwester sich nicht nach der anderen verzehrt. Schließlich leben die beiden seit ewigen Zeiten zusammen, sie stehen einander so nahe. Ich werde so tun müssen, als wünschte ich mir nichts auf der Welt sehnlicher, als Carreen zu sehen, und dann einen plötzlichen Migräneanfall bekommen, wenn es soweit ist.

Dann hörte sie, was Pauline vorzuschlagen hatte, und in ihren Schläfen begann es, schmerzhaft zu pochen.

». . . also haben wir das Mädchen Susie mit einem Briefchen zu Eleanor Butler geschickt. Wir werden sie heute vormittag besuchen gehen.« Sie griff nach der Butterglocke. »Würdest du mir bitte den Sirup reichen, Scarlett?«

Scarletts Hand griff wie in Trance danach, doch sie stieß den Behälter um, und der Sirup floß aufs Tischtuch. Rhetts Mutter. Sie war noch nicht darauf eingestellt, Rhetts Mutter zu sehen. Sie war Eleanor Butler nur ein einziges Mal begegnet, auf Bonnies Beerdigung, und hatte fast keine Erinnerung an sie, außer daß Mrs. Butler sehr groß, vornehm und beeindruckend schweigsam gewesen war. Ich weiß, daß ich ihr einen Begrüßungsbesuch machen muß, dachte Scarlett, aber nicht jetzt, noch nicht. Ich bin noch nicht darauf eingestellt. Ihr Herz pochte, und sie tupfte unbeholfen mit ihrer Serviette in dem klebrigen Fleck auf dem Tischtuch herum, der sich immer mehr ausbreitete.

»Scarlett, so reibst du den Sirup ja nur noch tiefer ins Tischtuch.« Pauline legte ihr die Hand auf den Arm. Scarlett zog ruckartig ihre Hand zurück. Wie konnte sich jemand in einer Zeit wie dieser bloß so anstellen wegen eines alten Tischtuchs?

»Tut mir leid, Tantchen«, brachte sie immerhin hervor.

»Ist schon gut, Liebes. Es ist ja nur, daß du praktisch ein Loch hineinreibst, und uns sind doch nur so wenige hübsche Dinge geblieben ...« Eulalies Stimme verebbte kummervoll.

Scarlett knirschte mit den Zähnen. Sie hätte am liebsten geschrien. Was spielte ein Tischtuch schon für eine Rolle, wo sie Rhetts Mutter gegenübertreten mußte, die von ihrem Sohn geradezu vergöttert wurde? Wenn er ihr nun die Wahrheit darüber gesagt hatte, weshalb er von Atlanta weggegangen war – wenn er die Ehe wirklich aufgekündigt hatte? »Ich gehe mich besser um meine Kleider kümmern«, sagte Scarlett ungeachtet ihrer zusammengeschnürten Kehle. »Pansy wird noch bügeln müssen, was ich heute tragen möchte.« Sie mußte weg von Pauline und Eulalie, um sich wieder zu fassen.

»Ich sage Susie Bescheid, daß sie das Bügeleisen heiß machen soll«, bot Eulalie an. Sie läutete das silberne Glöckchen neben ihrem Teller.

»Sie wäscht besser erst dies Tischtuch aus, ehe sie etwas anderes anfängt. Wenn so ein Fleck sich erst einmal festsetzt ...«

»Würdest du bitte zur Kenntnis nehmen, Schwester, daß ich noch nicht mit dem Frühstück fertig bin? Du erwartest doch wohl nicht von mir, daß ich alles kalt werden lasse, weil Susie den ganzen Tisch abräumt.«

Scarlett flüchtete in ihr Zimmer.

»Das schwere Pelzcape wirst du nicht brauchen, Scarlett«, sagte Pauline.

»Nein, wirklich nicht«, sagte Eulalie. »Wir haben derzeit den typischen Charlestoner Winter. Wahrhaftig, ich würde nicht einmal dieses Schultertuch umlegen, wenn ich nicht erkältet wäre.«

Scarlett hakte das Cape auf und reichte es Pansy. Wenn Eulalie wollte, daß alle anderen ebenfalls eine Erkältung bekamen, gut, dann wollte sie ihr den Gefallen tun. Ihre Tanten mußten sie für etwas beschränkt halten. Sie wußte schon, warum sie nicht wollten, daß sie ihr Cape trug. Sie waren genau wie die alte Garde in Atlanta. Um respektierlich zu sein, mußte man genauso schäbig herumlaufen wie sie. Sie bemerkte, wie Eulalie ihren eleganten, mit Federn geschmückten Hut beäugte, und schob kriegerisch den Unterkiefer vor. Wenn sie schon Rhetts Mutter gegenübertreten mußte, dann wollte sie es wenigstens auf stilvolle Weise tun.

»Dann wollen wir mal«, sagte Eulalie und schickte sich drein. Susie hielt die große Tür für sie auf, und Scarlett folgte ihren Tanten in den strahlendhellen Tag hinaus. Es verschlug ihr die Sprache, als sie die Eingangstreppe hinabstieg. Es war wie im Mai, nicht wie im November. Die Sonne strahlte warm vom weichen Muschelkies des Gartenwegs zurück und legte sich wie eine schwerelose Decke um ihren Körper. Scarlett reckte das Kinn empor, um die Sonne im Gesicht zu spüren, und ihre Augen schlossen sich in wollüstigem Vergnügen. »Oh, was für ein herrliches Gefühl«, sagte sie zu ihren beiden Tanten. »Ich hoffe nur, eure Kutsche hat ein Klappverdeck.«

Die Tanten lachten. »Liebes Kind«, sagte Eulalie, »in ganz Charleston hat keine Menschenseele mehr eine Kutsche, außer Sally Brewton. Wir gehen zu Fuß. Alle tun das.«

»Es gibt schon noch Kutschen, Schwester«, korrigierte Pauline sie. »Die Spekulanten haben welche.«

»Du willst einen Spekulanten doch wohl kaum als ›Menschenseele‹ bezeichnen, Schwester. So einer ist weder Mensch noch Seele, sonst wäre er kein Spekulant.«

»Aasgeier«, stimmte Pauline mit einem Schnauben zu.

»Habichte«, sagte Eulalie. Die Schwestern lachten wieder. Scarlett lachte mit ihnen. Der schöne Tag versetzte sie in einen Rausch des Entzückens. An einem solchen Tag konnte doch unmöglich etwas schiefgehen. Plötzlich verspürte sie große Zuneigung zu ihren Tanten, ja selbst noch zu ihren harmlosen Streitereien. Sie folgte ihnen über die breite, leere Straße vor dem Haus und die kurze Treppe auf der anderen Seite hinauf. Als sie oben standen, plusterte eine Brise die Federn auf ihrem Hut auf und strich ihr salzig über die Lippen.

»Oh, mein Gott«, sagte Scarlett. Jenseits der erhöhten Uferpromenade dehnte das grünbraune Wasser des Hafens von Charleston sich bis zum Horizont. Links von ihr flatterten Flaggen an den hohen Masten der Schiffe längs den Kaimauern. Rechts waren die Bäume einer langgezogenen, flachen Insel in helles Sonnenlicht getaucht. Die Sonne glitzerte auf den Kämmen der kleinen spitzen Wellen wie übers Wasser verstreute Diamanten. Ein Trio wunderbar weißer Vögel schwang sich in den wolkenlos blauen Himmel empor und schoß dann hinab, wobei sie fast die Wellenkämme berührten. Sie wirkten, als spielten sie ein Spiel, ein schwereloses, unbeschwertes Kinderspiel. Die leichte, salzig frische Brise streichelte Scarlett über den Nacken.

Sie hatte gut daran getan herzukommen, davon war sie überzeugt. Sie wandte sich ihren Tanten zu. »Ein herrlicher Tag ist das«, sagte Scarlett.

Die Promenade war so breit, daß sie zu dritt nebeneinanderher gehen konnten. Zweimal begegneten sie anderen Leuten, zuerst einem älteren Herrn mit einem altmodischen Gehrock und einem Biberhut, dann einer

Dame in Begleitung eines dürren Knaben, der errötete, als sie das Wort an ihn richteten. Beide Male blieben sie stehen, und die Tanten stellten Scarlett vor: »... unsere Nichte aus Atlanta. Ihre Mutter war unsere Schwester Ellen, und sie ist mit Eleanor Butlers Sohn Rhett verheiratet.« Der alte Herr verbeugte sich und küßte Scarlett die Hand, die Dame stellte ihren Enkel vor, der Scarlett anstarrte, als sei er vom Blitz getroffen. In Scarletts Augen wurde der Tag mit jeder Minute besser. Dann sah sie, daß die nächsten Spaziergänger, die ihnen entgegenkamen, Männer in blauen Uniformen waren.

Ihr Schritt wurde zögernd, sie griff nach Paulines Arm.

»Tantchen«, flüsterte sie, »da kommen Yankee-Soldaten.«

»Geh nur schön weiter«, sagte Pauline vernehmlich. »Die müssen uns Platz machen.«

Scarlett schaute Pauline mit entsetztem Blick an. Wer hätte gedacht, daß ihre dürre alte Tante so tapfer sein konnte? Ihr eigenes Herz pochte so laut, daß sie sicher war, die Yankees würden es hören, doch zwang sie ihre Füße dazu, sich voranzubewegen.

Als sie nur noch drei Schritte voneinander entfernt waren, wichen die Soldaten aus und quetschten sich an das Geländer aus Metallrohren, das die Promenade zur Seeseite hin begrenzte. Pauline und Eulalie segelten an ihnen vorbei, als wären sie gar nicht vorhanden. Scarlett hob das Kinn, um es den Tanten gleichzutun, und hielt mit ihnen Schritt.

Irgendwo vor ihnen fing eine Kapelle »Oh! Susanna« zu spielen an. Die schwungvolle, fröhliche Melodie war so heiter und sonnig wie der Tag. Eulalie und Pauline schritten rascher aus und fielen in den Takt der Musik ein, allein Scarlett spürte ihre Füße wie Blei. Feigling! schalt sie sich.

»Warum sind bloß so verdammt viele Yankees in Charleston?« fragte sie wütend. »Auf dem Bahnhof habe ich schon welche gesehen.«

»Meine Güte, Scarlett«, sagte Eulalie, »weißt du das denn nicht? Charleston ist immer noch besetzt. Die werden uns wahrscheinlich nie mehr in Frieden lassen. Sie hassen uns, weil wir sie aus Fort Sumter hinausgeworfen und es dann gegen ihre gesamte Flotte gehalten haben.«

»Und weiß der Himmel, wie viele Regimenter«, setzte Pauline hinzu. Die Gesichter der Schwestern glühten vor Stolz.

»Du lieber Gott«, flüsterte Scarlett. Was hatte sie getan? Sie war schnurstracks in die Arme des Feindes gelaufen. Sie wußte, was eine Militärregierung bedeutete: die Hilflosigkeit und den Zorn, sie kannte sie, die ständige Angst, daß sie einem das Haus beschlagnahmen, einen ins Gefängnis stecken oder gar erschießen würden, wenn man gegen ihre Gesetze verstieß. Militärregierungen waren allmächtig. Sie hatte unter ihrer launenhaften Herrschaft mehr als fünf harte Jahre verbracht. Wie konnte sie nur so dumm sein, abermals in eine solche Lage hineinzustolpern?

»Sie haben allerdings eine gute Kapelle«, sagte Pauline. »Komm, Scarlett, wir wollen die Straße überqueren. Das Butlersche Haus ist das mit dem frischen Anstrich.«

»Glückliche Eleanor«, sagte Eulalie, »daß sie einen derart treuergebenen Sohn hat. Rhett betet seine Mutter förmlich an.«

Scarlett musterte das Haus. Nicht Haus, Herrenhaus. Strahlendweiße Säulen erhoben sich unendlich hoch, um das Dach zu stützen, das die breiten Veranden zu beiden Seiten des hohen, eindrucksvollen Backsteinbaus überragte. Scarlett spürte, wie ihr die Knie weich wurden. Sie konnte da nicht hineingehen, sie konnte es einfach nicht. Noch nie hatte sie ein derart prächtiges, derart eindrucksvolles Wohnhaus gesehen. Wie sollte sie denn einer Frau gegenüber die richtigen Worte finden, die in einer solchen Pracht lebte? Einer Frau gegenüber, die all ihre Hoffnungen durch ein einziges Wort zu Rhett zunichte machen konnte?

Pauline nahm sie beim Arm und schob sie eilig über die Straße. »... *with a banjo on my knee*«, sang sie, leise und unmusikalisch vor sich hin brummelnd. Scarlett ließ es sich gefallen, daß man sie wie eine Schlafwandlerin führte. Kurz darauf fand sie sich schon im Innern des Hauses wieder und sah eine große, elegant gekleidete Frau an, deren weißes Haar ein von Falten durchzogenes, schönes Gesicht umrahmte.

»Liebe Eleanor«, sagte Eulalie.

»Ihr habt mir Scarlett gebracht«, sagte Mrs. Butler. »Mein liebes Kind«, sagte sie dann zu Scarlett, »du siehst blaß aus.« Sie legte die Hände leicht auf Scarletts Schultern und beugte sich ihr zu, um sie auf die Wange zu küssen.

Scarlett schloß die Augen. Der schwache Zitronenduft von Verbenenwasser umgab sie, der sanft von Eleanor Butlers Seidenkleid und ihrem seidigen Haar aufstieg. Es war Ellen O'Haras Duft, der Duft tröstlicher Nähe, von Geborgenheit, Liebe und dem Leben vor dem Krieg.

Scarlett fühlte, wie ihr Tränen in die Augen stiegen, gegen die sie machtlos war.

»Nun, nun«, sagte Rhetts Mutter. »Ist ja alles gut, mein Liebes. Was es auch sein mag, jetzt ist doch alles gut. Du bist endlich zu Hause. Das habe ich mir so sehr gewünscht.« Sie legte die Arme um ihre Schwiegertochter und drückte sie an sich.

11. Kapitel

Eleanor Butler war eine Südstaatenlady. Ihre gedehnte, weiche Sprechweise und ihre trägen, anmutigen Bewegungen verbargen eine ungeheure Tatkraft und Tüchtigkeit. Damen wurden von Geburt an dazu erzogen, dekorativ und mitfühlend zu sein, faszinierte Zuhörerinnen, bezaubernd hilflos, mit nichts im Kopf als Bewunderung. Daneben wurde ihnen jedoch beigebracht, mit der so verzwickten wie anspruchsvollen Führung riesiger Haushalte und ihrem vielköpfigen, oft zerstrittenen Personal fertig zu werden – und dabei doch immer den Eindruck zu erwecken, daß das Haus, der Garten, die Küche, das Personal, daß alles wie von selbst und am Schnürchen lief, während die Dame des Hauses sich darauf konzentrierte, die passenden Seidenfarben für ihre zarte Stickarbeit zusammenzustellen.

Als die verheerenden Ereignisse des Krieges das Personal dann von dreißig oder vierzig auf ein oder zwei Bedienstete reduzierten, stiegen die Anforderungen noch gewaltig an, da man nach wie vor die gleichen Dinge erwartete. Die ramponierten Häuser mußten auch weiterhin Gäste willkommen heißen, Familien aufnehmen, blitzblanke Fensterscheiben und schimmerndes Messing vorweisen und sich auf eine gepflegte, vollendete Dame des Hauses verlassen können, die in aller Muße im Salon anzutreffen war. Und irgendwie schaffte eine wirkliche Südstaatenlady das alles.

Eleanor beruhigte Scarlett mit sanften Worten und duftendem Tee, schmeichelte Pauline dadurch, daß sie sie um ihre Meinung zu einem erst kürzlich im Salon aufgestellten Sekretär befragte, machte Eulalie die Freude, sie den Teekuchen probieren zu lassen, damit sie ihr sagen konnte, ob der Vanilleextrakt auch ausreichend zu schmecken war. Überdies murmelte sie Manigo, ihrem Hausdiener, zu, ihre Zofe Celie würde ihm und Scarletts Mädchen helfen, Scarletts Sachen aus dem Haus ihrer Tanten in das große Schlafzimmer herüberzuholen, das auf den Garten hinausging, das von Mr. Rhett.

In weniger als zehn Minuten war alles Erforderliche getan, um ohne irgendwelchen Widerspruch, verletzte Gefühle oder auch nur die geringste Störung des gleichmäßig ruhigen Lebensrhythmus unter Eleanor Butlers Dach Scarletts Umzug in die Wege zu leiten. Scarlett fühlte sich wieder wie als kleines Mädchen, gegen jegliches Ungemach geschützt, behütet durch die allmächtige Liebe einer Mutter.

Sie starrte Eleanor aus tränenfeuchten, bewundernden Augen an. So wollte sie sein, das hatte sie immer werden sollen: eine Dame wie ihre Mutter, wie Eleanor Butler. Ellen O'Hara hatte sie alles gelehrt, hatte es geplant und sich gewünscht. Jetzt habe ich die Möglichkeit dazu, sagte Scarlett sich. Jetzt kann ich alle Fehler wiedergutmachen. Ich kann erreichen, daß Mutter stolz auf mich ist.

Als sie noch ein Kind war, hatte Mammy ihr den Himmel als ein Wolkenland wie aus dicken Federbetten beschrieben, auf denen Engel ruhten, die sich damit vergnügten, dort, wo sie einen Riß fanden, auf das Treiben unten auf der Erde hinabzuspähen. Seit ihre Mutter tot war, war Scarlett in kindlicher Weise davon überzeugt, daß Ellen sie mit trauriger Besorgnis beobachtete.

Ab jetzt werde ich alles besser machen, versprach sie ihr. Eleanors liebevoller Empfang hatte für den Augenblick alle Ängste und Erinnerungen zum Verstummen gebracht, die ihr Herz und Hirn überschwemmten, seit sie die Yankee-Soldaten gesehen hatte. Eleanor hatte sogar Scarletts uneingestandene Besorgnis ausgelöscht, ob es richtig von ihr war, Rhett nach Charleston zu folgen. Sie fühlte sich geborgen, geliebt und unbesiegbar. Sie konnte alles, überhaupt alles erreichen. Und das würde sie auch. Sie würde Rhetts Liebe zurückerobern. Sie würde die Dame werden, die Ellen immer aus ihr hatte machen wollen. Sie würde von allen bewundert und respektiert, ja angebetet werden. Und sie würde nie, nie wieder einsam sein.

Als Pauline die letzte winzige, mit Elfenbein eingelegte Schublade des Rosenholzsekretärs schloß und Eulalie hastig die letzte Scheibe Kuchen hinunterschlang, stand Eleanor Butler auf und zog Scarlett mit sich hoch. »Ich muß heute morgen meine Stiefel vom Schuhmacher abholen«, sagte sie, »da kann ich Scarlett gleich mitnehmen und ihr die King Street zeigen. Eine Frau kann sich doch unmöglich hier zu Hause fühlen, solange sie nicht einmal weiß, wo die Geschäfte sind. Gehen wir alle zusammen?«

Zu Scarletts ungeheurer Erleichterung lehnten ihre Tanten ab. Sie wollte Eleanor Butler ganz für sich haben.

In dem warmen, hellen Wintersonnenschein war der Spaziergang zu den Geschäften von Charleston das reinste Vergnügen. Die King Street war eine Offenbarung und eine einzige Augenweide. Geschäft um Geschäft säumte sie, Kurzwaren, Eisenwaren, Stiefelmacher, Tabak- und Zigarrenhändler, Hüte, Schmuck, Porzellan, Sämereien, Arzneimittel, Weine, Bücher, Handschuhe, Süßigkeiten – man hatte den Eindruck, in dieser Straße alles und jedes kaufen zu können. Außerdem drängten sich Scharen von Käufern und Dutzende von eleganten Einspännern und offene Wagen mit livrierten Kutschern und modisch gekleideten Insassen vor den Läden. Charleston war bei weitem nicht so langweilig, wie sie es im Gedächtnis behalten und wiederzufinden gefürchtet hatte. Es war viel größer und geschäftiger als Atlanta. Und von der Panik keine Spur.

Unglücklicherweise benahm Rhetts Mutter sich, als existierte diese bunte Lebendigkeit und Geschäftigkeit gar nicht. Sie ging an Schaufenstern voller Straußenfedern und bemalter Fächer vorüber, ohne ihnen auch nur einen Blick zu gönnen, überquerte die Straße, ohne das kleinste Dankeschön an die Frauen in den Einspännern, die gehalten hatten, um sie nicht anzufahren. Scarlett erinnerte sich an das, was ihre Tanten gesagt hatten: daß es in Charleston keine Kutschen mehr gebe, außer denen, die Yankees, Spekulanten und Kriegsgewinnlern gehörten. Sie spürte, wie der Jähzorn in ihr aufwallte angesichts der Aasgeier, die sich am besiegten Süden mästeten. Als sie Eleanor Butler in eins der Geschäfte folgte, das einem Stiefelmacher gehörte, vermerkte sie mit Genugtuung, wie der Eigentümer einen reichgekleideten Kunden sofort seinem Gehilfen überließ, um Rhetts Mutter entgegeneilen zu können. Es war eine Wohltat, mit einem Mitglied der alten Garde in Charleston unterwegs zu sein. Sie wünschte sich glühend, daß Mrs. Merriwether oder Mrs. Elsing sie jetzt sehen könnte.

»Ich hatte Ihnen ein paar Stiefel zum Besohlen gebracht«, sagte Eleanor, »und außerdem möchte ich meiner Schwiegertochter zeigen, wo man die feinste Fußbekleidung und die angenehmste Bedienung findet. Scarlett, mein Liebes, Mr. Braxton wird sich deiner bestimmt mit derselben Fürsorglichkeit annehmen, mit der er sich meiner nun schon so viele Jahre lang annimmt.«

»Ich werde es mir zur Ehre anrechnen, Ma'am.« Mr. Braxton verbeugte sich elegant.

»Es freut mich, Ihre Bekanntschaft zu machen, Mr. Braxton, und ich danke Ihnen«, erwiderte Scarlett auf das vornehmste. »Ich glaube, ich kaufe mir heute selbst ein Paar Stiefel.« Sie hob ihren Rock ein paar Fingerbreit, um ihre empfindlichen dünnen Lederschuhe zu zeigen. »Etwas, das geeigneter dafür ist, in der Stadt umherzulaufen«, sagte sie stolzerfüllt. Niemand sollte sie für eine kutschenfahrende Kriegsgewinnlerin halten.

Mr. Braxton zog ein blütenweißes Taschentuch aus der Tasche und fegte damit über das makellose Polster zweier Stühle. »Wenn die Damen so freundlich sein wollen ...«

Als er am hinteren Ende des Ladens hinter einem Vorhang verschwand, neigte Eleanor sich Scarletts Ohr zu und flüsterte: »Schau dir sein Haar an, wenn er dir die Stiefel anpaßt. Er färbt es mit Schuhwichse.«

Scarlett mußte sich ungeheuer zusammennehmen, um nicht herauszulachen, als sie festellte, daß Eleanor Butler recht hatte und sie obendrein noch mit diesem verschwörerischen Funkeln in den Augen ansah. Als sie den Laden verließen, begann sie zu kichern. »Das hätten Sie mir nicht sagen dürfen, Miss Eleanor. Ich habe mich dort drinnen fast unmöglich gemacht.«

Mrs. Butler lächelte gutgelaunt. »Jetzt kannst du ihn künftig um so leichter erkennen«, sagte sie. »Und nun wollen wir zu Onslow's gehen und ein Eis essen. Einer der Kellner dort macht den besten ›Moonshine‹ von South Carolina, und ich möchte ein, zwei Flaschen bestellen, um die Rosinenkuchen damit zu tränken. Das Eis ist aber auch ganz ausgezeichnet.«

»Miss Eleanor!«

»Nun, mein Liebes, Brandy ist für Geld und gute Worte nicht zu haben. Also müssen wir alle sehen, daß wir das Beste daraus machen, nicht wahr? Schwarzmarktgeschäfte haben doch etwas Aufregendes an sich, findest du nicht?«

Scarlett fand nur, daß man Rhett nicht den geringsten Vorwurf daraus machen konnte, wenn er seine Mutter anbetete.

Eleanor Butler fuhr fort, Scarlett in die Geheimnisse von Charleston einzuweihen, indem sie mit ihr zur Putzmacherin ging und eine Spule weißes Baumwollgarn kaufte (die Frau hinter dem Ladentisch hatte ihren Mann mit einer angespitzten Stricknadel ermordet, die sie ihm ins Herz gestochen hatte, der Richter hatte jedoch befunden, er sei in betrunkenem Zustand in die Nadel gefallen, weil man jahrelang die dunklen Flecke in ihrem Gesicht und auf ihren Armen hatte sehen können). Anschließend gingen sie zum Apotheker, um irgendeinen Zauber-Hasel zu kaufen (»der arme Mann ist so kurzsichtig, daß er vor Jahren ein kleines Vermögen für einen ausgefallenen tropischen Fisch in Alkohol bezahlt hat, weil er überzeugt davon war, daß es sich um eine Meerjungfrau handelte – wenn du richtige Medizin kaufen willst, gehst du besser in die Broad Street, ich werde sie dir zeigen«).

Scarlett war arg enttäuscht, als Eleanor erklärte, es sei an der Zeit, nach Hause zu gehen. Sie konnte sich nicht erinnern, je soviel Spaß gehabt zu haben, und fast hätte sie darum gebeten, doch noch mehr Läden aufzusuchen, aber Mrs. Butler sagte: »Ich glaube fast, wir nehmen die Pferdetrambahn. Ich bin ein bißchen müde.« Sofort begann Scarlett sich Sorgen zu machen. War Eleanors Blässe womöglich Anzeichen einer Krankheit und nicht nur einfach die blasse Haut, die so damenhaft war? Sie hielt den Ellbogen ihrer Schwiegermutter, als sie in die leuchtend grün und gelb gestrichene Pferdebahn stiegen, und beugte sich über sie, bis sie sich auf dem mit Korbgeflecht bespannten Sitz niedergelassen hatte. Rhett würde es ihr nie verzeihen, wenn sie zuließ, daß seiner Mutter etwas Schlimmes zustieß. Und auch sie selbst würde es sich nicht verzeihen.

Sie betrachtete Eleanor Butler aus dem Augenwinkel, als die Pferdebahn langsam ihren Weg fortsetzte, doch sie konnte keinerlei äußere Anzeichen für irgendwelche Beschwerden erkennen. Eleanor plauderte heiter über weitere Einkäufe, die sie zusammen machen würden. »Morgen gehen wir auf den Markt, da wirst du allen begegnen, die man kennen muß. Außerdem ist es seit eh und je der Ort, wo man alle Neuigkeiten erfährt. Die Zeitung druckt doch nie die wirklich interessanten Dinge.«

Der Wagen rumpelte und bog nach links ab, fuhr dann einen Block weiter und hielt an einer Kreuzung. Scarlett riß vor Schreck die Augen auf. Unmittelbar draußen vor dem Fenster neben Eleanor erblickte sie einen Soldaten in Blau, mit geschultertem Gewehr, der im Schatten einer hohen Kolonnade auf und ab marschierte. »Yankees«, wisperte sie.

Mrs. Butlers Blick folgte dem Scarletts. »Ach, richtig, Georgia ist sie ja längst los, nicht wahr? Wir sind jetzt schon so lange ein besetztes Land, daß wir sie kaum mehr wahrnehmen. Zehn Jahre sind es nächsten Februar. Mit der Zeit gewöhnt man sich an fast alles.«

»Ich werde mich nie an sie gewöhnen«, flüsterte Scarlett, »niemals.«

Ein plötzliches Geräusch ließ sie auffahren. Dann erkannte sie, daß es das Geläut einer großen Uhr irgendwo über ihnen war. Die Pferdebahn fuhr auf eine Kreuzung und bog dann nach rechts ab.

»Ein Uhr«, sagte Mrs. Butler. »Kein Wunder, daß ich müde bin, es war ein langer Morgen.« Das Uhrwerk hinter ihnen beendete sein Geläut, und eine einzelne Glocke schlug einmal. »Danach richten sich alle Charlestoner«, erklärte Eleanor Butler, »die Glocken von Saint Michael. Sie verkünden unsere Geburts- wie unsere Todesstunden.«

Scarlett betrachtete die hohen und von Mauern umgebenen Häuser, an denen sie vorbeikamen. Ohne Ausnahme trugen sie noch die Narben des Krieges, die Spuren von Granatfeuer zeichneten jede Fassade, und die Armut sprang allenthalben ins Auge: abblätternde Farbe, Bretter, vor zerbrochene Fenster genagelt, deren Scheiben nicht ersetzt werden konnten, Lücken und Rost, die die kunstvollen, wie Häkelspitzen gearbeiteten schmiedeeisernen Gitter an Balkonen und Gartentoren entstellten. Die Bäume, die die Straße säumten, hatten noch dünne Stämme, sie waren der jugendliche Ersatz für die Riesen, die im Krieg ihr Leben gelassen hatten. Verdammte Yankees.

Und dennoch funkelte das Sonnenlicht auf blitzblank geputzten Messingklinken, und die Blumen, die hinter den Mauern blühten, verströmten ihren Duft nach überall hin. Ein zähes Volk, diese Charlestoner, dachte sie. Sie sind nicht kleinzukriegen.

An der letzten Haltestelle, der Meeting Street, half sie Mrs. Butler aus dem Wagen. Vor ihnen befand sich ein Park mit sauber geschnittenem Gras und weißen Wegen, die sämtlich auf einen frisch gestrichenen Musikpavillon, dessen schimmerndes Dach an eine Pagode denken ließ, zuliefen und ihn umschlossen. Dahinter lag der Hafen. Sie konnte das Wasser und das Salz riechen. Eine Brise schüttelte die schwertförmigen Wedel der Palmen und ließ die langen, luftigen Büschel von spanischem Moos an den narbigen Ästen der immergrünen Eichen hin und her schwingen. Kleine Kinder liefen umher und spielten unter den wachsamen Augen von turbantragenden schwarzen Kindermädchen, die auf Bänken saßen, mit Reifen und warfen sich auf dem Rasen Bälle zu.

»Scarlett, ich hoffe, du nimmst es mir nicht übel, ich weiß, ich sollte das nicht tun, aber ich muß dich nun doch etwas fragen.« Auf den Wangen von Mrs. Butler leuchteten rote Flecken.

»Was ist denn, Miss Eleanor? Geht es Ihnen nicht gut? Möchten Sie, daß ich Ihnen etwas hole? Kommen Sie, setzen Sie sich doch.«

»Nein, nein, ich fühle mich ausgezeichnet. Ich ertrage es nur nicht, nicht zu wissen, ob ... Habt ihr, du und Rhett, je daran gedacht, wieder ein Kind zu bekommen? Ich verstehe, daß ihr Angst davor habt, noch einmal einen so schrecklichen Kummer durchmachen zu müssen wie bei Bonnies Tod ...«

»Ein Baby...« Scarlett versagte die Stimme. Hatte Mrs. Butler ihre Gedanken gelesen? Sie baute darauf, daß sie so bald wie möglich wieder schwanger werden würde. Rhett würde sie dann nie wieder wegschicken. Er war verrückt nach Kindern, und er würde sie ewig lieben, wenn sie ihm eins schenkte. Sie war folglich völlig aufrichtig, als sie antwortete: »Miss Eleanor, ich wünsche mir ein Baby mehr als alles in der Welt.«

»Gott sei Dank«, sagte Mrs. Butler. »Ich sehne mich so sehr danach, wieder Großmutter zu werden. Als Rhett Bonnie mit zu Besuch gebracht hat, hätte ich sie fast nicht mehr weggelassen. Weißt du, Margaret – die Frau meines anderen Sohnes, du wirst sie heute noch kennenlernen –, die arme Margaret ist unfruchtbar. Und Rosemary... Rhetts Schwester... Ich fürchte doch sehr, daß sich für Rosemary kein Ehemann finden läßt.«

In Scarletts Hirn arbeitete es fieberhaft, als sie die einzelnen Teile von Rhetts Familie zusammensetzte und überlegte, was sie jeweils für sie bedeuteten. Rosemary konnte ein Problem werden. Alte Jungfern waren so garstig. Aber der Bruder... wie war noch sein Name? Ach ja, Ross, so hieß er. Ross war ein Mann, und es war ihr nie schwergefallen, Männer zu bezaubern. Die kinderlose Margaret konnte sie vernachlässigen. Es war nicht anzunehmen, daß sie irgendwelchen Einfluß auf Rhett hatte. Und überhaupt, was hatten die alle schon für eine Bedeutung? Eleanor war der Mensch, den Rhett über alles liebte, und Eleanor wollte, daß sie zusammen waren, ein Kind bekamen, eins, ein Dutzend. Rhett mußte sie zurücknehmen.

Scarlett küßte Mrs. Butler auf die Wange. »Ich sehne mich so sehr nach einem Baby, Miss Eleanor. Wir werden Rhett überzeugen, beide gemeinsam.«

»Du machst mich sehr glücklich, Scarlett. Gehn wir jetzt nach Hause, es ist gleich dort um die Ecke. Ich will mich vor dem Mittagessen noch ein wenig ausruhen. Unsere Komiteesitzung findet heute nachmittag bei mir zu Hause statt, und da muß ich meine Gedanken beieinanderhaben. Ich hoffe, du bist dabei, wenigstens beim Tee. Margaret wird auch dasein. Ich möchte dich nicht dazu drängen, aber wenn du Interesse an unserer Arbeit finden solltest, würde mich das natürlich freuen. Wir sammeln Geld, indem wir Kuchen verkaufen und Basare veranstalten, auf denen wir Handarbeiten und ähnliches anbieten. Das Geld ist für das Konföderiertenheim für Witwen und Waisen bestimmt.«

Heiliger Strohsack, waren diese Südstaatenladys denn alle gleich? Es war genau wie in Atlanta. Ständig konföderiertes Dies und konföderiertes Das. Konnte man denn nicht einfach zugeben, daß der Krieg zu Ende war, und wieder ein normales Leben führen? Sie könnte Kopfschmerzen vorschützen. Scarlett verlangsamte ihren Schritt, ging dann jedoch zügig weiter wie zuvor und paßte sich dem Schritt Mrs. Butlers an. Nein, sie würde an der Sitzung teilnehmen, sie würde sogar im Komitee mitarbeiten, falls man sie darum bitten würde. Sie wollte nicht wieder die gleichen Fehler machen, die sie schon in Atlanta gemacht hatte. Sie wollte nie wieder ausgeschlossen und einsam sein, und sollte sie sich auch die Korsage mit der Flagge der Konföderierten besticken lassen müssen.

»Das hört sich sehr verlockend an«, sagte sie. »Ich habe es immer bedauert, daß ich in Atlanta für solche Dinge nie wirklich Zeit gefunden habe. Mein früherer Mann Frank Kennedy hat mir ein gutgehendes Geschäft hinterlassen, das unser kleines Mädchen einmal erben soll, und ich habe es immer für meine Pflicht gehalten, mich für sie darum zu kümmern.«

Damit war auch der Geschichte Genüge getan, die Rhett erzählte.

Eleanor Butler nickte verständnisvoll. Scarlett senkte die Augen, um die freudige Genugtuung in ihrem Blick zu verbergen.

Während Eleanor Butler sich ausruhte, streifte Scarlett durchs Haus. Sie eilte die Treppe hinab, um zu sehen, was es eigentlich war, das Rhett mit solchem Einsatz für seine Mutter von den Yankees zurückkaufte.

Scarlett kam das Haus trotz aller Pracht ziemlich kahl vor. Ihr Auge verstand es nicht, die Vollkommenheit dessen zu würdigen, was Rhett vollbracht hatte. Im ersten Stock, in dem großen Doppelsalon, standen erlesene Sofas, Tische und Sessel so plaziert, daß jedes einzelne Stück sowohl gewürdigt als auch benutzt werden konnte. Scarlett bewunderte die auffällig gute Qualität der seidenen Bezüge und die schimmernde Politur des Holzes, doch die Schönheit der Raumaufteilung entging ihr völlig. Ihr gefiel das kleine Spielzimmer besser. Mit seinem Kartentisch und den Stühlen wirkte es voller, und außerdem spielte sie sehr gern.

Das Eßzimmer im Erdgeschoß war für sie nur ein Eßzimmer, von Hepplewhite hatte sie nie etwas gehört. Und die Bibliothek war einfach nur ein Raum voller Bücher und folglich langweilig. Was ihr am besten gefiel, waren die breiten Veranden, weil der Tag so warm war und der Blick über den Hafen die segelnden Möwen und kleinen Segelboote einschloß, die ebenfalls aussahen, als würden sie gleich in die Luft hinaufschnellen. Scarlett, die ihr Leben lang auf dem Land gelebt hatte, fand die weite Ausdehnung des Wassers unglaublich exotisch. Und die Luft roch so gut! Sie machte ihr außerdem Appetit. Sie konnte es kaum erwarten, daß Miss Eleanors Ruhepause beendet war und sie miteinander essen konnten.

»Möchtest du deinen Kaffee draußen auf der Veranda trinken, Scarlett?« fragte Eleanor Butler, als sie fast mit dem Nachtisch fertig waren. »Es ist womöglich für eine ganze Weile die letzte Gelegenheit. Es sieht so aus, als würde das Wetter umschlagen.«

»Oh, ja, sehr gern.« Das Mittagessen war ausgezeichnet gewesen, doch sie fühlte sich ruhelos, fast wie eingesperrt. Draußen würde es schön sein.

Sie folgte Mrs. Butler auf die Veranda im ersten Stock. Wie schade, es ist kühl geworden, seit ich vor dem Mittagessen hier war, dachte sie. Ein heißer Kaffee tut jetzt gut.

Sie trank die erste Tasse rasch und wollte gerade um eine zweite bitten, als Eleanor lachte und in Richtung Straße zeigte. »Da kommt mein Komitee«, sagte sie. »Das Geräusch würde ich überall wiedererkennen.«

Scarlett hörte es ebenfalls, das Geklingel winziger Glöckchen. Sie lief zum Geländer über der Straße, um hinunterzusehen.

Ein Pferdegespann kam die Straße heruntergejagt und zog einen hübschen dunkelgrünen Brougham mit gelben Speichen. Die Räder blitzten silbern und ließen zugleich das fröhliche Klingeln hören. Die Kutsche verlangsamte ihre Fahrt und hielt vor dem Haus. Jetzt konnte Scarlett auch die Glöckchen erkennen, es waren Schlittenglöckchen an einem Lederriemen, den man durch die gelben Speichen gewunden hatte. So etwas hatte sie noch nie gesehen. Und auch noch nie so jemanden wie den Kutscher auf dem Bock. Es war eine Frau, die ein dunkelbraunes Reitkostüm und gelbe Handschuhe trug. Sie hatte sich halb erhoben und zog mit aller Kraft an den Zügeln, das häßliche Gesicht in verbissene Falten gelegt; am ehesten ließ sie sich noch mit einem bekleideten Äffchen vergleichen. Die Tür des Broughams öffnete sich, und ein lachender junger Mann stieg auf den Trittstein hinab.

Er streckte die Hand aus. Eine füllige Dame ergriff sie und stieg hinter ihm aus der Kutsche. Sie lachte ebenfalls. Der junge Mann half erst ihr und dann einer jüngeren Frau mit einem breiten Lächeln vom Trittstein hinunter. »Komm mit hinein, Liebes«, sagte Mrs. Butler, »und geh mir mit dem Tee zur Hand.« Scarlett folgte ihr eifrig, von brennender Neugierde erfüllt. Was für ulkig aussehende Leute! Miss Eleanors Komitee unterscheidet sich wahrhaftig von der Schar der alten Krähen, die in Atlanta das Sagen haben. Wo hatten sie bloß diesen affenähnlichen weiblichen Kutscher her? Und wer wohl der Mann sein mochte? Männer backten schließlich keine Kuchen für wohltätige Zwecke. Er war recht hübsch. Scarlett blieb einen Augenblick stehen, um sich das windzerzauste Haar vor einem Spiegel glattzustreichen.

»Du siehst ein bißchen mitgenommen aus, Emma«, sagte Mrs. Butler gerade. Sie und die füllige Frau tauschten Wangenküsse aus, erst auf der einen, dann auf der anderen Seite. »Ruh dich aus und trink eine Tasse Tee, doch erst muß ich dir Rhetts Frau Scarlett vorstellen.«

»Ich werde mehr als eine Tasse trinken müssen, um mich von der reizenden Fahrt zu erholen, Eleanor«, sagte die Frau. Sie streckte die Hand aus. »Guten Tag, Scarlett. Ich bin Emma Anson, oder besser gesagt, das, was von Emma Anson noch übrig ist.«

Eleanor umarmte die jüngere Frau und führte sie zu Scarlett. »Das ist Margaret, Liebes, Ross' Frau. Margaret, das ist Scarlett.«

Margaret Butler war eine blonde, blasse junge Frau mit schönen saphirblauen Augen, die ihr schmales, farbloses Gesicht beherrschten. Als sie lächelte, bildete sich um ihre Augen ein Netz vorzeitiger Falten. »Ich freue mich, dich endlich kennenzulernen«, sagte sie. Sie faßte Scarlett bei beiden Händen und küßte sie auf die Wange. »Ich habe mir schon immer eine Schwester gewünscht, und eine Schwägerin ist praktisch dasselbe. Ich hoffe, du wirst mit Rhett recht bald zum Abendessen zu uns kommen. Ross wird es kaum erwarten können, dich kennenzulernen.«

»Ich komme sehr gern, Margaret, und Rhett bestimmt auch«, sagte Scarlett. Sie lächelte und hoffte, daß es tatsächlich so war. Wer weiß, ob Rhett sie zu seinem Bruder oder sonst irgendwohin begleiten würde? Allerdings würde es nicht ganz leicht für ihn werden, seiner eigenen Familie diesen Wunsch abzuschlagen. Miss Eleanor und jetzt auch Margaret waren auf ihrer Seite. Scarlett erwiderte Margarets Kuß.

»Scarlett«, sagte Mrs. Butler, »ich möchte dich Sally Brewton vorstellen.«

»Und Edward Cooper«, setzte eine männliche Stimme hinzu. »Bringen Sie mich nicht um die Chance, Mrs. Butler die Hand zu küssen, Eleanor. Ich bin schon völlig hingerissen.«

»Warten Sie ab, bis Sie an der Reihe sind, Edward«, sagte Mrs. Butler. »Ihr jungen Leute habt wirklich überhaupt keine Manieren mehr.«

Scarlett gönnte Edward Cooper kaum einen Blick, und seine Schmeichelei entging ihr gänzlich. Sie versuchte zwar, es nicht zu tun, starrte aber dennoch Sally Brewton an, den affengesichtigen Kutscher.

Sally Brewton war eine winzige Frau in den Vierzigern. Sie hatte die Gestalt eines schmächtigen, agilen Knaben, und ihr Gesicht hatte in der Tat große Ähnlichkeit mit der eines Äffchens. Scarletts unhöfliches Gestarre regte sie nicht im mindesten auf. Sally war diese Reaktion gewohnt: Ihre bemerkenswerte Häßlichkeit – mit der sie sich vor langer, langer Zeit abgefunden hatte – und ihr unkonventionelles Auftreten setzten Leute, die sie nicht kannten, häufig in Erstaunen. Sie ging auf Scarlett zu, und ihre Röcke schleppten wie ein brauner Fluß hinter ihr her. »Meine liebe Mrs. Butler, Sie finden uns vermutlich verrückt wie die Märzhasen. Die Wahrheit ist jedoch, mag sie auch noch so langweilig sein, daß es eine völlig vernünftige Erklärung für unsere – wie soll man sagen? – dramatische Ankunft gibt. Ich bin die einzige lebende Kutschenbesitzerin in der Stadt, und es gelingt mir einfach nicht, einen Kutscher zu halten. Sie haben etwas dagegen, meine verarmten Freunde zu befördern, und ich bestehe darauf. Also habe ich es aufgegeben, Männer einzustellen, die dann doch sofort wieder kündigen, und übernehme, wenn mein Mann anderweitig beschäftigt ist, das Kutschieren selbst.« Sie legte Scarlett ihre kleine Hand auf den Arm und sah in ihr Gesicht empor. »Nun frage ich Sie, hört sich das nicht völlig vernünftig an?«

Scarlett fand die Stimme wieder und sagte: »Ja.«

»Sally, du darfst die arme Scarlett nicht so in die Zange nehmen«, sagte Eleanor Butler. »Was soll sie dann schon anderes antworten? Erzähl ihr nur auch noch den Rest.«

Sally zuckte die Achseln und grinste. »Ihre Schwiegermutter spielt vermutlich auf meine Glocken an. Grausames Geschöpf. Tatsache ist, daß ich nun einmal eine entsetzlich schlechte Kutscherin bin. Also besteht mein mitfühlender Mann, wenn ich mit der Kutsche irgendwohin will, jedesmal darauf, die Glocken an die Räder zu binden, um die Leute beizeiten warnend darauf hinzuweisen, daß ich komme und sie besser das Feld räumen.«

»Als hätte sie Lepra«, schlug Mrs. Anson vor.

»Das will ich lieber nicht gehört haben«, sagte Sally, ganz gekränkte Würde. Sie schenkte Scarlett ein so durch und durch gutmütiges Lächeln, daß ihr ganz warm ums Herz wurde. »Ich hoffe doch«, sagte Sally, »Sie wenden sich an mich, wann immer Sie den Brougham brauchen, trotz allem, was Sie bisher mitbekommen haben.«

»Danke, Mrs. Brewton, das ist sehr freundlich von Ihnen.«

»Keineswegs. Ich liebe es nämlich, so durch die Straßen zu preschen und Kriegsgewinnler und Spekulanten in alle Winde zu zerstreuen. Aber ich habe Sie allzusehr mit Beschlag belegt. Lassen Sie mich Ihnen Edward Cooper vorstellen, ehe er vor Ungeduld vergeht...«

Scarlett antwortete in geübter Weise auf die Galanterien Edward Coopers, indem sie lächelte, um das verführerische Grübchen am Mundwinkel hervorzurufen, und Verlegenheit über seine Komplimente vortäuschte, während sie mit den Augen weitere erheischte. »Aber, Mr. Cooper«, sagte sie, »Sie haben ja vielleicht ein Tempo. Ich gestehe, ich bin drauf und dran, den Kopf zu verlieren. Schließlich bin ich bloß ein einfaches Mädchen vom Lande, aus Clayton County in Georgia, und ich weiß nicht, wie ich mich einem so weltläufigen Charlestoner gegenüber, wie Sie es sind, zu verhalten habe.«

»Miss Eleanor, bitte verzeihen Sie«, hörte sie da eine weitere Stimme sagen. Scarlett wandte sich um und schnappte nach Luft. In der Tür stand ein Mädchen, ein junges Mädchen mit glänzendem braunem Haar, das über ihren sanften braunen Augen einen hübschen Bogen in die Stirn beschrieb. »Es tut mir leid, daß ich zu spät komme«, fuhr das Mädchen fort. Ihre Stimme war leise und ein wenig atemlos. Sie trug ein braunes Kleid mit weißem Leinenkragen und weißen Manschetten und eine mit brauner Seide bezogene altmodische Kappe.

Sie sieht haargenau aus wie Melanie, als ich sie kennenlernte, dachte Scarlett. Wie ein sanftes braunes Vögelchen. Ob sie eine Cousine von ihr ist? Ich habe nie gehört, daß die Hamiltons Verwandte in Charleston haben.

»Sie kommen doch gar nicht zu spät, Anne«, sagte Eleanor Butler. »Kommen Sie, nehmen Sie einen Tee, Sie sehen ja ganz durchgefroren aus.«

Anne lächelte dankbar. »Der Wind frischt auf, und es bezieht sich ungeheuer rasch. Ich glaube, ich habe es gerade noch vor dem Regen geschafft ... Guten Tag, Miss Emma, Miss Sally, Margaret, Mr. Cooper ...« Sie verstummte, und ihre Lippen öffneten sich ein wenig, als ihr Blick auf Scarlett fiel. »Guten Tag. Ich glaube, wir kennen uns noch nicht. Ich bin Anne Hampton.«

Eleanor eilte dem Mädchen zu Hilfe. Sie hielt eine dampfende Tasse in der Hand. »Wie barbarisch von mir«, rief sie aus. »Ich war dermaßen mit dem Tee beschäftigt, daß ich ganz vergessen habe, daß Sie Scarlett ja noch gar nicht kennen können – meine Schwiegertochter. Hier, Anne, trinken Sie ihn sofort, Sie sind so weiß wie ein Geist ... Scarlett, Anne ist unsere Expertin in Fragen des Konföderiertenheims. Sie hat letztes Jahr ihren Schulabschluß dort gemacht, und nun unterrichtet sie selbst. Anne Hampton – Scarlett Butler.«

»Guten Tag, Mrs. Butler.« Anne reichte Scarlett eine kalte kleine Hand. Scarlett fühlte sie zittern, als sie sie schüttelte.

»Bitte nennen Sie mich Scarlett«, sagte sie.

»Danke ... Scarlett. Ich bin Anne.«

»Tee, Scarlett?«

»Danke, Miss Eleanor.« Sie nahm hastig die Tasse entgegen und war froh, die Verwirrung überspielen zu können, die sie empfand, wenn sie Anne Hampton anschaute. Das ist Melly, wie sie leibt und lebt. Genauso zart, genauso mäuschenhaft, genauso lieb, das weiß ich schon jetzt. Sie muß eine Waise sein, wenn sie in diesem Heim beschäftigt ist. Melanie war auch eine Waise. Ach, Melly, du fehlst mir so sehr.

Der Himmel vor den Fenstern verdüsterte sich. Eleanor Butler bat Scarlett, die Vorhänge vorzuziehen. Als sie am letzten Fenster angekommen war, hörte sie in der Ferne Donner grollen, und dann prasselte auch schon der Regen gegen die Scheiben.

»Kommen wir zur Tagesordnung«, sagte Miss Eleanor. »Wir haben eine Menge zu erledigen. Setzt euch doch bitte alle. Margaret, übernimmst du es, weiter Kuchen und Sandwiches herumzureichen? Ich möchte nicht, daß irgend jemandes Aufmerksamkeit unter seinem leeren Magen leidet. Emma, du gießt doch weiter nach, ja? Ich lasse noch heißes Wasser bringen.«

»Lassen Sie mich gehen, Miss Eleanor«, sagte Anne.

»Nein, meine Liebe, wir brauchen Sie hier. Scarlett, wenn du bitte einfach nur an der Schnur dort ziehen willst, mein Kind. So, meine Damen und Herren, der erste Tagesordnungspunkt ist sehr erfreulich. Ich habe einen großzügigen Scheck von einer Dame aus Boston bekommen. Was sollen wir damit machen?«

»Zerreiß ihn und schick ihr die Fetzen zurück.«

»Emma! Was ist denn mit deinem Kopf los? Wir brauchen alles Geld, was wir nur irgendwie auftreiben können. Außerdem heißt die Spenderin Patience Bedford. Du erinnerst dich gewiß. Wir haben sie und ihren Gatten in früheren Zeiten fast jedes Jahr in Saratoga getroffen.«

»Gab es in der Unionsarmee nicht einen General Bedford?«

»Nein, keineswegs. Es gab einen General Nathan Bedford Forrest in unserer Armee.«

»Der beste Kavallerist, den wir hatten«, sagte Edward.

»Ich glaube nicht, daß Ross damit einverstanden wäre, Edward.« Margaret setzte mit lautem Klappern eine Platte mit Sandwiches ab. »Er war schließlich bei General Lees Kavalleristen.«

Scarlett zog ein zweites Mal an der Schnur. Verflucht und zugenäht! Mußten denn sämtliche Südstaatler jedesmal, wenn sie zusammenkamen, den Krieg noch einmal führen? Was tat das schon zur Sache, und wenn das Geld von Ulysses Grant persönlich kam. Geld war Geld, und man nahm, was man bekommen konnte.

»Waffenstillstand!« Sally Brewton schwenkte ein weißes Taschentuch. »Wenn ihr bitte Anne das Wort geben wollt, sie versucht, etwas zu sagen.«

Annes Augen glühten vor Einsatzfreude. »Ich habe neun kleine Mädchen, denen ich Lesen und Schreiben beibringe, und nur ein einziges Schulbuch. Selbst wenn der Geist von Abe Lincoln hier plötzlich auftauchte und uns anböte, uns ein paar Bücher zu kaufen, ich würde ... ich würde ihm um den Hals fallen.«

Recht hast du, frohlockte Scarlett insgeheim. Sie sah das Erstaunen in den Gesichtern der anderen Frauen. Edward Coopers Ausdruck war hingegen ein ganz anderer. Sieh mal an, er ist in sie verliebt, dachte sie. Man braucht ja nur zu sehen, wie er sie anschaut. Und sie nimmt ihn nicht einmal wahr, sieht nicht, daß er nach ihr schmachtet wie ein Mondkalb. Vielleicht sollte ich es ihr sagen. Er ist eigentlich recht anziehend, wenn man für seinen Typ etwas übrig hat, ein schlanker, verträumter Junge. Unterscheidet sich nicht sehr von Ashley, wenn man es recht besieht.

Sally Brewton beobachtete Edward ebenfalls, fiel Scarlett auf. Sallys Blick begegnete ihrem, und sie tauschten verstohlen ein Lächeln aus.

»Dann sind wir uns also einig, ja?« fragte Eleanor. »Emma?«

»Einverstanden. Bücher sind wichtiger als alter Groll. Ich bin allzu gefühlsbetont. Es muß der Flüssigkeitsmangel sein. Wo bleibt denn nur das heiße Wasser?«

Scarlett läutete abermals. Vielleicht war ja die Klingel kaputt; ob sie hinunter in die Küche gehen sollte und dem Personal Bescheid sagen? Sie erhob sich und sah dann, wie die Tür sich öffnete.

»Haben Sie nach Tee geläutet, Mrs. Butler?« Rhett stieß die Tür mit dem Fuß weiter auf. Seine Hände hielten ein großes Silbertablett, das beladen war mit einer schimmernden Teekanne, mit Schälchen, einer Teemaschine,

Zuckerdose, Milchkännchen, Sieb und drei Teedosen. »Indisch, chinesisch oder Kamille?« Er lächelte voller Freude über seine Überraschung.

Rhett! Scarlett verschlug es den Atem. Wie gut er aussah. Er mußte irgendwo in der Sonne gewesen sein, er war braun wie ein Indianer. Oh, Gott, wie sehr sie ihn liebte, ihr Herz schlug so laut, daß es jeder hören mußte.

»Oh, Rhett! Ich fürchte, ich benehme mich albern.« Mrs. Butler griff nach einer Serviette und wischte sich die Augen. »Du hast gesagt ›irgendwelches Silber‹ in Philadelphia. Ich hatte doch keine Ahnung, daß es das Teeservice war. Und unversehrt. Das ist ein Wunder.«

»Es ist außerdem sehr schwer. Miss Emma, würden Sie netterweise das ›Behelfsservice‹ zur Seite schieben? Ich glaube, ich habe Sie etwas von Durst sagen hören. Ich würde mich geehrt fühlen, wenn Sie sich nach Herzenslust Tee aufschütten würden ... Sally, mein Augenstern, wann geben Sie mir endlich die Einwilligung, mich mit Ihrem Gatten zu duellieren und Sie zu entführen?« Rhett stellte das Tablett auf den Tisch, beugte sich darüber hinweg und küßte die drei Frauen, die auf dem Sofa dahinter saßen. Dann sah er sich um.

Schau zu mir her, flehte Scarlett stumm aus ihrer dämmrigen Ecke. Küß mich. Doch er sah sie nicht. »Margaret, wie hübsch du in deinem Kleid aussiehst. Ross hat dich wirklich nicht verdient. Hallo, Anne, ich freue mich, Sie zu sehen. Edward, von Ihnen kann ich das nicht behaupten. Ich finde es gar nicht gut, daß Sie sich hier in meinem Haus einen Harem anlegen, während ich im trostlosesten Nordamerika im Regen sitze und das Familiensilber an meine Brust presse, um es vor Spekulanten zu bewahren.« Rhett sah seine Mutter mit einer solchen Zärtlichkeit an, daß Emma Anson einen Kloß in der Kehle verspürte. »Hör jetzt mit dem Weinen auf, Mama, Liebling«, sagte er, »sonst muß ich ja denken, meine Überraschung gefällt dir nicht.«

Eleanor blickte zu ihm auf, und ihr Gesicht strahlte vor Liebe. »Gott segne dich, mein Sohn. Du machst mich sehr glücklich.«

Scarlett hielt es keinen Augenblick länger aus. Sie rannte los. »Rhett, Liebster ...« Er wandte den Kopf nach ihr um, und sie blieb stehen. Seine Miene war erstarrt, ausdruckslos, während er mit eiserner Entschlossenheit jede Gefühlsregung unterdrückte. Seine Augen leuchteten jedoch; sie sahen einander einen atemlosen Augenblick lang an. Dann verzog sich sein Mundwinkel zu dem höhnischen Lächeln, das sie so gut kannte und so sehr fürchtete. »Der kann sich glücklich preisen«, sagte er langsam und deutlich, »der eine noch größere Überraschung erlebt, als er selbst zu bereiten weiß.« Er streckte ihr die Hände entgegen. Scarlett legte ihm die zitternden Finger auf die Handflächen, wobei ihr nicht entging, daß er sie mit seinen ausgestreckten Armen auf Distanz hielt. Sein Schnurrbart strich erst über ihre rechte, dann über ihre linke Wange.

Er würde mich gern umbringen, dachte sie, und die Bedrohung übte einen seltsamen Reiz auf sie aus. Rhett legte ihr den Arm um die Schultern, seine Hand legte sich wie ein Schraubstock um ihren Oberarm.

»Ich bin sicher, die Damen – und Edward – werden verzeihen, wenn wir sie jetzt verlassen«, sagte er. Sein Tonfall war eine verständnisheischende Mischung aus jungenhafter Verlegenheit und Dreistigkeit. »Es ist allzulange her, seit ich Gelegenheit hatte, mich mit meiner Frau zu unterhalten. Wir gehen hinauf und überlassen es euch, die Probleme des Konföderiertenheims zu lösen.«

Er schleuste Scarlett hinaus, ohne ihr auch nur Gelegenheit zu geben, sich zu verabschieden.

12. Kapitel

Rhett sagte kein Wort, während er sie eilends die Treppen hinauf und in sein Zimmer führte. Er schloß die Tür und stellte sich mit dem Rücken davor. »Was zum Teufel machst du hier, Scarlett?«

Sie hätte ihm gern die Arme entgegengestreckt, doch der flammende Zorn in seinen Augen riet ihr, es lieber nicht zu tun. Scarlett riß, ganz unverstandene Unschuld, die Augen auf. Sie sprudelte ihre Worte mit bezaubernder Atemlosigkeit hervor.

»Tante Eulalie hat mir geschrieben, du hättest gesagt, wie sehr du dich danach sehnen würdest, mich hier bei dir zu haben, doch ich wollte den Laden nicht aufgeben. Ach, Liebling, warum hast du mir das bloß nicht gesagt? Der Laden ist mir doch völlig gleichgültig, jedenfalls verglichen mit dir.«

»Das verfängt nicht, Scarlett.«

»Was soll das heißen?«

»Nichts davon verfängt bei mir. Weder fieberhafte Erklärungen noch die ahnungslose Unschuld. Du weißt genau, daß es keinen Sinn hat, mir etwas vorzulügen. Ich falle doch nicht darauf herein.«

Das stimmte, und sie wußte es. Sie mußte aufrichtig sein.

»Ich bin hergekommen, weil ich bei dir sein möchte.« Ihre ruhige Erklärung besaß eine schlichte Würde.

Rhett betrachtete ihren geraden Rücken und ihren stolz emporgereckten Kopf, und seine Stimme wurde nachgiebiger. »Meine liebe Scarlett«, sagte er, »vielleicht hätten wir ja nach und nach Freunde werden können, falls die Erinnerungen sich zu bittersüßer Wehmut gemildert hätten. Und vielleicht können wir tatsächlich immer noch dahin gelangen, wenn wir beide barmherzig und geduldig sind. Aber mehr ist nicht möglich.« Er durchmaß ungeduldig das Zimmer. »Was muß ich denn noch tun, um es dir begreiflich zu machen? Ich möchte dich nicht verletzen, doch du zwingst mich dazu. Ich will dich nicht hierhaben. Geh nach Atlanta zurück, Scarlett, laß mich in Frieden. Ich liebe dich nicht mehr. Deutlicher kann ich es doch nicht sagen.«

Alles Blut war aus Scarletts Gesicht gewichen. Ihre funkelnden grünen Augen stachen gegen die geisterhaft weiße Haut ab. »Ich kann ebenso deutlich werden, Rhett. Ich bin deine Frau, und du bist mein Mann.«

»Ein unglückseliger Umstand, den ich zu korrigieren angeboten habe.« Seine Worte waren wie ein Peitschenhieb. Scarlett vergaß, daß sie sich beherrschen mußte.

»Mich von dir scheiden lassen? Nie, nie, nie. Und ich werde dir auch niemals einen Scheidungsgrund liefern. Ich bin deine Frau, und wie es die Pflicht einer guten Ehefrau ist, bin ich an deine Seite geeilt und habe alles stehen- und liegenlassen, was mir teuer ist.« Ein Lächeln der Genugtuung umspielte ihre Mundwinkel, als sie ihre Trumpfkarte aufdeckte. »Deine Mutter ist selig, daß ich gekommen bin. Wie willst du es ihr erklären, wenn du mich hinauswirfst? Ich werde ihr die Wahrheit sagen, und es wird ihr das Herz brechen.«

Rhett ging mit schwerem Schritt in dem großen Zimmer auf und ab. Halblaut murmelte er Flüche von einer solchen gotteslästerlichen Vulgarität vor sich hin, wie Scarlett sie noch nie gehört hatte. Das war der Rhett, den sie nur vom Hörensagen kannte, der Rhett, der dem Goldrausch nach Kalifornien gefolgt war und seinen Claim mit Messer und schweren Stiefeln verteidigt hatte. Das war Rhett, der Rumschmuggler, der Stammgast der miesesten Schänken von Havanna, Rhett, der gesetzlose Abenteurer, Freund und Gefährte solcher Aufsässigen, wie er selbst es war. Trotz seiner Bedrohlichkeit beobachtete sie ihn fasziniert und erregt zugleich. Plötzlich hielt er in seiner animalischen Ruhelosigkeit inne und wandte ihr das Gesicht zu. Seine schwarzen Augen funkelten zwar, doch nicht mehr vor Wut. Ein schwarzer, bitterer, wachsamer Humor sprach aus seinem Blick. Er war Rhett Butler, der Charlestoner Gentleman.

»Schach«, sagte er mit einem ironisch verzogenen Mundwinkel. »Ich habe die unberechenbare Beweglichkeit der Königin übersehen. Aber nicht matt, Scarlett.« Er hob zum Zeichen der vorläufigen Kapitulation die geöffneten Handflächen.

Sie begriff zwar nicht, was er damit sagen wollte, doch die Geste und sein Tonfall sagten ihr, daß sie gewonnen hatte ... irgend etwas jedenfalls.

»Dann bleibe ich also?«

»Du bleibst so lange, bis du wieder gehen willst. Ich nehme nicht an, daß das sehr lange dauern wird.«

»Da irrst du dich, Rhett, ich finde es wunderbar hier!«

Ein altvertrauter Ausdruck huschte über sein Gesicht. Er war amüsiert, skeptisch und allwissend zugleich. »Seit wann bist du hier in Charleston, Scarlett?«

»Seit gestern abend.«

»Und schon hast du gelernt, es wunderbar zu finden. Rasche Arbeit, ich gratuliere dir zu deiner Anpassungsfähigkeit. Du bist aus Atlanta vertrieben worden – wunderbarerweise nicht geteert und gefedert – und bist von Damen anständig empfangen worden, die keine andere Art kennen, Menschen zu behandeln, und deshalb meinst du schon, hier Zuflucht gefunden zu haben.« Er lachte über ihre Miene. »Oh, ja, ich habe immer noch Kontakte in Atlanta. Ich weiß alles über deine Ächtung dort. Nicht einmal der Abschaum, mit dem du dich gewöhnlich abgegeben hast, will noch länger mit dir zu tun haben.«

»Das stimmt nicht«, rief sie. »Ich habe sie hinausgeworfen.«

Rhett zuckte die Achseln. »Wir brauchen das nicht länger zu erörtern. Worauf es ankommt, ist, daß du jetzt hier bist, im Haus meiner Mutter und unter ihren Fittichen. Da mir an ihrem Glück ungeheuer gelegen ist, kann ich im Augenblick daran wohl nichts ändern. Das brauche ich eigentlich aber auch nicht. Du wirst das Notwendige schon ohne mein Zutun erledigen. Du wirst dich als das zu erkennen geben, was du bist, und dann werden alle Mitleid mit mir haben, und meine Mutter wird ihnen leid tun. Und dann pack ich dich ein und schicke dich unter dem stummen Jubel der gesamten Gemeinde wieder nach Atlanta zurück. Du glaubst wohl, du könntest dich als Dame ausgeben, hm? Du könntest nicht einmal einen blinden Taubstummen hinters Licht führen.«

»Ich bin eine Dame, verdammt. Du weißt bloß nicht, was das ist, ein anständiger Mensch. Ich wäre dir dankbar, wenn du dich daran erinnern würdest, daß meine Mutter eine Robillard aus Savannah war und daß die O'Haras von den Königen Irlands abstammen!«

Rhetts Antwort war ein nachsichtiges Grinsen, das Scarlett rasend werden ließ. »Laß es gut sein, Scarlett. Zeig mir bitte die Kleider, die du mitgebracht hast.« Er setzte sich in den nächsten Sessel und streckte die langen Beine weg.

Scarlett starrte ihn bloß an, denn sein abrupter Themenwechsel hatte ihr die Sprache verschlagen. Rhett holte eine Zigarre aus der Tasche und rollte sie zwischen den Fingern. »Du hast doch hoffentlich nichts dagegen, daß ich in meinem Zimmer rauche?«

»Selbstverständlich nicht.«

»Danke. Nun zeig mir deine Sachen. Sie sind garantiert neu; du würdest doch nicht versuchen, meine Gunst zurückzuerobern ohne ein ganzes Arsenal von gerüschten Halbunterröcken und Seidenkleidern, alle von dem abscheulichen Geschmack, der dein Markenzeichen ist. Ich werde nicht dulden, daß du meine Mutter zum Gespött der Leute machst. Also zeig sie mir, Scarlett, und wir werden sehen, was zu retten ist.« Er holte einen Zigarrenabschneider hervor.

Scarletts Miene war zwar finster, aber trotzdem stelzte sie ins Ankleidezimmer, um seiner Aufforderung Folge zu leisten. Womöglich war es ein gutes Zeichen. Rhett hatte immer schon ihre Garderobe überwacht. Wie gern hatte er sie in Kleidern gesehen, die er für sie ausgesucht hatte, war stolz darauf gewesen, wie stilvoll und schön sie aussah. Wenn er sich wieder mit ihrem Äußeren befassen wollte, wieder stolz auf sie sein wollte, war sie bereit, darauf einzugehen. Sie wollte sie alle für ihn anziehen. Auf die Weise würde er sie in ihren Unterkleidern sehen. Scarletts Finger hakten flink das Kleid und die gepolsterte Corsage auf, die die Büste stützte. Sie stieg aus dem üppigen Stoffberg, raffte ihre neuen Kleider zusammen und betrat dann langsam das Schlafzimmer, mit nackten Armen, halb entblößter Brust und in Seidenstrümpfen.

»Wirf sie aufs Bett«, sagte Rhett. »Und zieh dir etwas über, ehe du erfrierst. Es ist kälter geworden mit dem Regen, oder ist dir das entgangen?« Er blies eine Rauchwolke nach links und wandte den Kopf von ihr ab. »Erkälte dich nicht, bloß weil du reizvoll sein willst, Scarlett. Du vergeudest deine Zeit.« Scarlett begann innerlich zu kochen. Ihre Augen loderten grün. Doch Rhett sah sie nicht an. Er musterte die Garderobe auf dem Bett. »Reiß die ganze Spitze hier herunter«, sagte er zu dem ersten Kleid, »und behalte nur eine von diesen Kaskaden von Schleifen an der Seite. Dann wird es einigermaßen gehen ... Das hier schenkst du deiner Zofe, es ist hoffnungslos ... Das hier wird gehen, wenn du den Besatz abtrennst, die goldenen durch schlichte schwarze Knöpfe ersetzt und die Schleppe kürzt ...« Er brauchte nur wenige Minuten dazu, um sie alle durchzusehen.

»Und du brauchst ein paar handfeste Stiefel, schlichte schwarze«, sagte er, als er mit den Kleidern fertig war.

»Ich habe heute morgen welche gekauft«, sagte Scarlett mit eisiger Stimme. »Deine Mutter und ich waren einkaufen«, setzte sie hinzu und betonte jedes einzelne Wort. »Ich verstehe gar nicht, warum du ihr nicht eine Kutsche kaufst, wo du sie doch so sehr liebst. Die viele Lauferei ermüdet sie ziemlich.«

»Du kennst dich in Charleston nicht aus. Deshalb wirst du hier auch im Handumdrehen unglücklich werden. Ich konnte ihr dies Haus kaufen, weil unseres von den Yankees zerstört worden ist und jeder, den sie kennt, immer noch ein ebenso prächtiges besitzt. Ich kann es ihr sogar noch behaglicher möblieren, als es die ihrer Freunde sind, weil jedes Stück hier etwas ist, das die Yankees beim Plündern erbeutet haben, oder doch wenigstens ein Duplikat dessen, was sie früher hatte. Aber ich kann sie nicht dadurch von ihren Freunden absondern, daß ich ihr Dinge kaufe, die sie sich nicht leisten können.«

»Sally Brewton hat eine Kutsche.«

»Sally Brewton ist wie niemand sonst. Das ist sie immer schon gewesen. Sally ist ein Original. Charleston hat zwar ein respektvolles, ja zuweilen sogar liebevolles Verhältnis zur Exzentrik, aber keinerlei Verständnis für Protzerei. Und du, meine liebe Scarlett, hast der Versuchung zu protzen noch nie widerstehen können.«

»Ich hoffe, es macht dir wenigstens Spaß, mich zu beleidigen, Rhett Butler!«

Rhett lachte. »Das tut es in der Tat. Fang am besten sofort damit an, eins der Kleider für den Abend zurechtzumachen. Ich fahre gleich das Komitee nach Hause. Sally sollte das bei diesem Unwetter besser bleiben lassen.«

Als er gegangen war, zog Scarlett Rhetts Morgenrock an. Er war wärmer als ihrer, und er hatte recht, es war viel kälter als zuvor. Sie fröstelte. Sie zog sich den Kragen bis hoch an die Ohren und ging zu dem Sessel hinüber, in dem er gesessen hatte. Seine Anwesenheit im Zimmer war für sie noch spürbar, und sie hüllte sich darin ein. Ihre Finger strichen über die weiche Krawattenseide, die sie umhüllte – seltsam, sich vorzustellen, daß Rhett sich einen so leichten, ja fast zarten Morgenrock ausgesucht hatte, wo er selbst doch so kräftig gebaut und stark war. Aber schließlich waren ihr so viele Dinge an ihm ein Rätsel. Sie kannte ihn überhaupt nicht, hatte ihn nie gekannt. Scarlett spürte, wie eine schreckliche Hoffnungslosigkeit sie beschlich, doch sie schüttelte sie ab und erhob sich rasch. Sie mußte sich anziehen, ehe Rhett zurückkehrte. Du liebe Güte, wie lange hatte sie wohl so, in ihre Tagträume versunken, in diesem Sessel gesessen? Es war schon fast dunkel. Sie klingelte durchdringend nach Pansy. Die Schleifen und die Spitze mußten von dem roten Kleid entfernt werden, damit sie es heute abend anziehen konnte, und die Brennschere mußte heiß gemacht werden. Sie wollte besonders hübsch und weiblich für Rhett aussehen. Scarlett blickte auf die breite Fläche der Tagesdecke auf dem großen Bett, und ihre Gedanken ließen sie erröten...

Der Lampenanzünder war noch nicht im oberen Teil der Stadt angekommen, in dem Emma Anson wohnte, und Rhett mußte langsam fahren und vorgebeugt durch den schweren Regen spähen, der auf die Straße niederging. Hinter ihm in der geschlossenen Kutsche saßen nur noch Mrs. Anson und Sally Brewton. Margaret Butler war als erste zu dem winzigen Häuschen in der Water Street gebracht worden, in dem sie und Ross lebten, dann war Rhett zur Broad Street gefahren, wo Edward Cooper Anne Hampton unter seinem großen Regenschirm an die Tür des Konföderiertenheims geleitet hatte. »Den restlichen Weg gehe ich zu Fuß«, rief Edward vom Trottoir zu Rhett hinauf, »es wäre doch unsinnig, diesen tropfenden Regenschirm mit zu den Damen hineinzunehmen.« Er wohnte in der Church

Street, nur einen Block weit weg. Rhett tippte grüßend an den breiten Rand seines Hutes und fuhr weiter.

»Glaubst du, daß Rhett uns hören kann?« murmelte Emma Anson.

»Ich kann selbst dich kaum hören, Emma, und ich sitze nur eine Handbreit von dir entfernt«, antwortete Sally griesgrämig. »Sprich um Himmels willen lauter. Dieser Wolkenbruch ist ja ohrenbetäubend.« Sie war schlechter Laune wegen des Regens. Er hinderte sie daran, den Brougham selbst zu kutschieren.

»Was hältst du von seiner Frau?« fragte Emma. »Ich habe etwas völlig anderes erwartet. Hast du schon einmal etwas derartig lachhaft Aufgeputztes gesehen wie das Straßenkostüm, das sie anhatte?«

»Ach, Kleider sind rasch verändert, und viele Frauen haben einen gräßlichen Geschmack. Nein, aber interessant ist, daß sie durchaus Anlagen hat«, sagte Sally. »Die Frage ist nur, ob sie sich ihnen entsprechend entwickeln wird. Manchmal ist es ein großes Handikap, schön und eine umschwärmte Schönheit gewesen zu sein. Viele Frauen erholen sich davon nie.«

»Die Art, wie sie mit Edward geflirtet hat, war doch lächerlich.«

»Angelernt, wie automatisch, meine ich, nicht wirklich lächerlich. Außerdem gibt es heute etliche Männer, die genau das von einer Frau erwarten. Vielleicht brauchen sie es jetzt mehr denn je. Sie haben alles andere verloren, worauf einst das Gefühl ihrer Männlichkeit beruhte, ihr Vermögen, ihr Land, ihre Macht.«

Die beiden Frauen schwiegen eine Weile und dachten an Dinge, die sich ein stolzes Volk unter der Knute militärischer Besatzer lieber nicht eingesteht.

Sally räusperte sich und durchbrach die düstere Stimmung. »Ein Gutes läßt sich jedenfalls feststellen«, sagte sie befriedigt, »Rhetts Frau ist leidenschaftlich in ihn verliebt. In ihrem Gesicht ging die Sonne auf, als er in der Türöffnung erschien, hast du das gesehen?«

»Nein, habe ich nicht«, sagte Emma. »Ich wünschte bei Gott, ich hätte es. Was ich nämlich gesehen habe, war genau derselbe Ausdruck – nur in Annes Gesicht.«

13. Kapitel

Scarletts Blick kehrte immer wieder zur Tür zurück. Was Rhett bloß so lange aufhielt? Eleanor Butler tat zwar, als bemerkte sie es nicht, doch ein winziges Lächeln umspielte ihre Mundwinkel. Geschickt und flink bewegten ihre Finger ein schimmerndes Elfenbeinschiffchen hin und her und stellten ein kompliziertes Schlingenmuster her. Es hätte ein behaglicher

Augenblick sein sollen. Die Vorhänge des Salons waren gegen das Unwetter und die Dunkelheit geschlossen, überall auf den Tischen der zwei wunderschönen, zusammenhängenden Räume standen Lampen, und ein goldenes, knisterndes Feuer verbannte Kühle und Feuchtigkeit. Scarletts Nerven hatten jedoch zu sehr unter der Anspannung des Nachmittags gelitten, als daß sie die häusliche Szene hätte genießen können. Wo war bloß Rhett? Ob er immer noch wütend sein würde, wenn er zurückkam?

Sie versuchte sich auf das zu konzentrieren, was Rhetts Mutter sagte, doch es gelang ihr nicht. Das Konföderiertenheim für Witwen und Waisen war ihr gleichgültig. Scarletts Finger berührten die Korsage ihres Kleids, doch da waren keine Spitzenkaskaden mehr, an denen man hätte herumspielen können. Rhett würde sich doch bestimmt keine Gedanken über ihre Kleidung machen, wenn er wirklich überhaupt nichts mehr für sie übrig hatte?

»... so ist die Schule gewissermaßen von selbst entstanden, weil es keinen wirklichen Platz für die Waisen gab«, sagte Mrs. Butler gerade. »Sie ist erfolgreicher, als wir zu hoffen gewagt hätten. Letzten Juni haben sechs Mädchen ihre Abschlußprüfung gemacht und sind jetzt alle selbst Lehrerinnen. Zwei von ihnen sind nach Walterboro gegangen, um dort zu unterrichten, und eins hatte tatsächlich die Auswahl, entweder Yemassee oder Camden. Ein anderes – ein ganz reizendes Mädchen – hat uns geschrieben, ich zeige dir später den Brief ...«

Ach, wo war er nur? Was mochte ihn nur aufhalten? Wenn ich hier noch lange sitzen muß, schreie ich.

Die Bronzeuhr auf dem Kaminsims schlug, und Scarlett fuhr auf. Zwei ... drei ... »Ich frage mich, wo Rhett wohl steckt?« sagte seine Mutter ... fünf ... sechs. »Er weiß doch, daß wir um sieben essen, und vorher hat er gern seinen Aperitif. Außerdem wird er bis auf die Haut durchnäßt sein und sich umziehen müssen.« Mrs. Butler legte ihr Schiffchen neben sich auf den Tisch. »Ich gehe eben mal nachsehen, ob es zu regnen aufgehört hat«, sagte sie.

Scarlett sprang auf. »Ich gehe.« Erleichtert eilte sie durchs Zimmer und zog einen der schweren Seidenvorhänge zur Seite. Draußen wallte dichter Dunst über der Deichpromenade, wirbelte in der Straße umher und ringelte sich empor wie ein Lebewesen. Die Straßenlaterne war ein unbestimmter glühender Fleck in der bewegten Weiße, die sie umgab. Scarlett wich zurück angesichts des unheimlichen Gewabers und ließ die Seide davor herabsinken. »Es ist ganz neblig«, sagte sie, »aber es regnet nicht. Meinen Sie, daß mit Rhett alles in Ordnung ist?«

Eleanor Butler lächelte. »Er hat schon Schlimmeres durchgemacht als ein bißchen Nässe und Nebel, Scarlett, das weißt du doch. Selbstverständlich ist mit ihm alles in Ordnung. Du wirst ihn jede Minute an der Haustür hören.«

Als hätten ihre Worte den Anlaß dazu gegeben, war prompt das Geräusch der großen Eingangstür zu hören, die geöffnet wurde. Scarlett hörte Rhetts Lachen und die tiefe Stimme von Manigo, dem Butler.

»Am besten, Sie geben mir die nassen Sachen, Mist' Rhett, die Stiefel auch. Ich habe Ihre Hausschuhe schon hier«, sagte Manigo.

»Danke, Manigo. Ich gehe nach oben und ziehe mich um. Sag Mrs. Butler, ich bin in einer Minute unten. Ist sie im Salon?«

»Yessir, sie und Missus Rhett.«

Scarlett lauschte auf Rhetts Reaktion, doch sie hörte nur seinen festen, raschen Schritt auf den Treppenstufen. Es schien ein Jahrhundert zu dauern, bis er wieder herunterkam. Die Uhr auf dem Kaminsims mußte falsch gehen. Der Zeiger brauchte für jede Minute eine Stunde.

»Du siehst müde aus, mein Junge«, rief Eleanor Butler, als Rhett den Salon betrat.

Rhett hob die Hand seiner Mutter an die Lippen und küßte sie. »Bemuttere mich nicht, Mama, ich bin eher hungrig als müde. Gibt es bald Abendessen?«

Mrs. Butler erhob sich halb aus ihrem Sessel. »Ich sage in der Küche Bescheid, daß sie gleich auftragen sollen.« Rhett berührte sanft ihre Schulter, um sie daran zu hindern.

»Ich trinke erst etwas, nur keine Eile.« Er trat an den Tisch, auf dem das Tablett mit den Flaschen stand. Während er sich einen Whiskey eingoß, schaute er Scarlett zum erstenmal an. »Leistest du mir Gesellschaft, Scarlett?« Seine hochgezogene Braue verhöhnte sie. Der Whiskeygeruch ebenfalls. Scarlett wandte sich ab, als sei sie beleidigt. Rhett hatte also vor, Katze und Maus mit ihr zu spielen, ja? Er versuchte, sie zu etwas zu zwingen oder mit einem Trick dazu zu verlocken, was seine Mutter gegen sie einnehmen würde. Aber da mußte er schon ungeheuer schlau sein, wenn er sie reinlegen wollte. Scarlett schürzte trotzig die Lippen, und ihre Augen funkelten. Auch sie würde ziemlich auf der Hut sein müssen. Sie spürte ein leises Pochen der Erregung in der Kehle. Wettbewerb hatte sie schon immer in Erregung versetzt.

»Miss Eleanor, ist Rhett nicht unmöglich?« Sie lachte. »War er eigentlich auch schon als Junge ein solches Schlitzohr?« Sie spürte Rhetts abrupte Bewegung in ihrem Rücken. Ha! Das hatte gesessen. Jahrelang hatte er unter Schuldgefühlen gelitten, weil er seiner Mutter soviel Kummer bereitet hatte, als sein Vater ihn wegen seiner Eskapaden enterbt hatte.

»Es ist angerichtet, Miz Butler«, sagte Manigo von der Tür her.

Rhett bot seiner Mutter den Arm, und Scarlett spürte einen Stich voller Eifersucht. Dann hielt sie sich vor Augen, daß es Rhetts Anhänglichkeit an seine Mutter war, die es ihr ermöglichte zu bleiben, und sie schluckte ihren Zorn hinunter. »Ich bin so hungrig, ich könnte einen ganzen Ochsen verschlingen«, sagte sie mit fröhlicher Stimme, »und Rhett ist ebenfalls am

Verhungern, nicht wahr, Liebling?« Sie hatte gegenwärtig die Oberhand, soviel hatte er immerhin zugegeben. Wenn sie die verlor, war das ganze Spiel verloren, und sie würde ihn nie wieder zurückbekommen.

Wie sich herausstellte, hätte sich Scarlett keine Sorgen wegen der Konversation zu machen brauchen. Rhett nahm, sowie sie sich gesetzt hatten, das Gespräch in die Hand. Er erzählte von seiner Suche nach dem Teeservice in Philadelphia und machte daraus ein Abenteuer, indem er der Reihe nach gelungene Porträts all der Leute malte, die er getroffen hatte, und dabei ihren Akzent und ihre Absonderlichkeiten so gekonnt nachmachte, daß seine Mutter und Scarlett Tränen lachten.

»Und nachdem ich nun so lange seine Spur verfolgt und ihn endlich gefunden hatte«, schloß Rhett mit einer theatralischen Geste der Fassungslosigkeit, »stellt euch nur mein Entsetzen vor, als der neue Besitzer zu anständig schien, um das Teeservice für das Zwanzigfache seines eigentlichen Werts wieder zu verkaufen, den Preis, den ich ihm geboten hatte. Einen Augenblick fürchtete ich schon, ich würde es stehlen müssen, um es zurückzubekommen, doch glücklicherweise war er empfänglich für die Anregung, daß wir uns doch mit einem netten kleinen Spielchen vergnügen könnten.«

Eleanor Butler versuchte, eine mißbilligende Miene aufzusetzen. »Ich hoffe, du hast nichts Unehrenhaftes getan, Rhett«, sagte sie, doch man hörte das Vergnügen hinter ihren Worten.

»Mama! Ich muß schon sagen. Ich gebe nur von unten, wenn ich mich mit Berufsspielern einlasse. Dieser elende ehemalige Colonel aus Shermans Armee war ein derartiger Dilettant, daß ich schummeln mußte, damit er ein paar hundert Dollar gewinnen und sich so über seinen Schmerz hinwegtrösten konnte. Er war ganz das Gegenteil von Ellinton.«

Mrs. Butler lachte. »Ach, der Arme. Und seine Frau ... sie hat mein ganzes Mitgefühl.« Rhetts Mutter neigte sich Scarlett zu. »Eins der Familienskelette auf meiner Seite der Familie«, sagte Eleanor spöttisch im Flüsterton. Und wieder lachte sie und begann, in ihren Erinnerungen zu kramen.

Die Ellintons, so erfuhr Scarlett, waren die ganze Ostküste herauf und herunter für ein Familienlaster bekannt: Sie wetteten auf alles und jedes. Der erste Ellinton, der sich im kolonialen Amerika niedergelassen hatte, war nur deshalb an Bord jenes Schiffes gegangen, weil er bei einer Wette ein Stück Land gewonnen hatte, bei der es zwischen ihm und dessen Besitzer darum gegangen war, wer am meisten Ale trinken konnte, ohne zu Boden zu gehen. »Als er dann gewonnen hatte«, sagte Mrs. Butler und kam ohne weitere Umschweife zum Schluß, »war er so betrunken, daß er es für sinnvoll hielt, seinen Gewinn gleich aus der Nähe zu betrachten. Angeblich wußte er nicht einmal, wohin er fuhr, bis sie schließlich ankamen, da er beim Würfelspiel den größten Teil der Rumration der Matrosen gewann.«

»Und was hat er gemacht, als er wieder nüchtern wurde?« wollte Scarlett wissen.

»Ach, mein Kind, dazu kam es nicht mehr. Er starb, nur zehn Tage nachdem das Schiff angelegt hatte. Doch bis dahin blieb ihm noch genug Zeit, um einen anderen Glücksspieler beim Würfeln auszustechen und ein Mädchen zu gewinnen – eins der Dienstmädchen vom Schiff, das einen Arbeitsvertrag eingegangen war –, und da sich später dann herausstellte, daß sie schwanger von ihm war, kam es zu einer Art nachträglicher Eheschließung an seinem Grabstein, und ihr Sohn wurde einer meine Ururgroßväter.«

»Der war doch selbst ein tüchtiger Glücksspieler, nicht wahr?« fragte Rhett.

»Oh, gewiß. Es lag wirklich in der Familie.« Und Mrs. Butler erzählte weiter, indem sie dem Stammbaum der Familie folgte.

Scarlett warf Rhett immer wieder Blicke zu. Wie viele überraschende Seiten dieser Mann, den sie kaum kannte, wohl noch offenbaren würde? Sie hatte ihn noch nie so entspannt, glücklich und zufrieden unter seinem eigenen Dach erlebt. Ich habe ihm nie ein Zuhause gegeben, erkannte sie. Er hat das Haus nie gemocht. Es war meines, so eingerichtet, wie ich es haben wollte, ein Geschenk von ihm, aber seinen eigenen Wünschen entsprach daran überhaupt nichts. Scarlett hätte Miss Eleanor bei ihren Erzählungen gern unterbrochen und Rhett gesagt, daß sie bereute, wie sie sich in der Vergangenheit verhalten hatte, daß sie all ihre Fehler wiedergutmachen wollte. Doch sie schwieg. Er war zufrieden, kam auf seine Kosten und genoß die Ausflüge seiner Mutter in die Vergangenheit. Scarlett durfte ihm die Stimmung nicht verderben.

Die Kerzen in den hohen Kerzenhaltern spiegelten sich in der Politur des Mahagonitisches und den Pupillen von Rhetts glänzend schwarzen Augen. Sie badeten den Tisch und die drei Menschen in einem warmen, stillen Licht, so daß sich innerhalb der Schatten des langgestreckten Raums so etwas wie eine weich strahlende Insel bildete. Die Außenwelt war durch die Intimität der kleinen, von Kerzenschein erhellten Insel ausgeschlossen. Eleanors Stimme war sanft, Rhetts Lachen ein ruhiges, ermunterndes Kichern. Die Liebe schuf ein zartes und dabei unzerreißbares Gespinst um Mutter und Sohn, und Scarlett verspürte mit einemmal eine verzehrende Sehnsucht, in jenes Gespinst mit eingeschlossen zu werden.

Dann sagte Rhett: »Erzähl Scarlett doch von Vetter Townsend, Mama«, und sie fühlte sich in der Wärme des Kerzenlichts geborgen, einbezogen in das Glück, das den Tisch umgab. Sie wünschte, die Zeit würde stehenbleiben, und schloß sich Rhetts Bitte an, ja, Miss Eleanor sollte von Vetter Townsend erzählen.

»Townsend ist kein Vetter ersten oder zweiten Grades, weißt du, sondern nur ein Vetter dritten Grades, doch er ist ein direkter Nachfahre von

Ururgroßvater Ellinton, einziger Sohn eines ältesten Sohnes eines ältesten Sohnes. So erbte er also das ursprüngliche Stück Land und die Spielwut und das Glück der Ellintons. Sie hatten immer Glück, die Ellintons. Von einem anderen Familienmerkmal abgesehen: Die Knaben schielten alle. Townsend heiratete ein außerordentlich schönes Mädchen aus einer vornehmen Familie in Philadelphia – ganz Philadelphia sprach damals von der Hochzeit zwischen der Schönen und dem Untier. Doch der Vater des Mädchens war Anwalt und für Besitz sehr empfänglich, und Townsend war märchenhaft reich. Townsend und seine Frau ließen sich in Baltimore nieder. Dann kam natürlich der Krieg. Townsends Frau rannte mit fliegenden Fahnen zu ihrer Familie zurück, sowie Townsend aufbrach, um sich General Lees Armee anzuschließen. Sie war immerhin eine Yankee und ging davon aus, daß Townsend aller Wahrscheinlichkeit nach sowieso getötet werden würde. Er traf nicht einmal eine Scheune, von einem Scheunentor ganz zu schweigen, weil er doch schielte. Dennoch hatte er das Ellintonsche Glück. Er trug lediglich die Blattern davon, obwohl er bis hinunter nach Appomattox dabei war. Unterdessen wurden die drei Brüder seiner Frau und ihr Vater im Kampf für die Unionsarmee getötet. Also erbte sie alles, was ihr treusorgender Vater und seine treusorgenden Vorfahren angehäuft hatten. Townsend lebt heute wie ein Fürst in Philadelphia, und es läßt ihn völlig kalt, daß sein gesamtes Vermögen in Savannah von Sherman konfisziert wurde. Hast du ihn besucht, Rhett? Wie geht es ihm?«

»Er schielt stärker denn je und hat zwei schieläugige Söhne und eine Tochter, die, Gott sei Dank, nach der Mutter schlägt.«

Scarlett hörte kaum hin. »Haben Sie gesagt, die Ellintons wären aus Savannah, Miss Eleanor? Meine Mutter war doch auch aus Savannah«, sagte sie eifrig. Die verwandtschaftlichen Kreuz- und Querverbindungen, die so sehr Teil des Lebens im Süden waren, hatte sie immer schon schmerzlich vermißt. Jeder, den sie kannte, hatte ein ganzes Netz von Cousins, Onkeln und Tanten, das Generationen und Hunderte von Meilen überspannte. Sie jedoch hatte das nicht. Pauline und Eulalie hatten keine Kinder. Gerald O'Haras Brüder in Savannah waren ebenfalls kinderlos. Es mußte noch Unmengen O'Haras in Irland geben, doch das nützte ihr nichts, und sämtliche Robillards mit Ausnahme ihres Großvaters waren von Savannah weggegangen.

Und nun saß sie hier und hörte schon wieder über anderer Leute Familie erzählen. Rhett hatte Verwandte in Philadelphia. Zweifellos war er außerdem mit halb Charleston verwandt. Das war nicht gerecht. Doch vielleicht waren ja diese Ellintons irgendwie mit den Robillards verschwägert. Dann wäre sie ein Teil des Gewebes, von dem Rhett umsponnen war. Vielleicht konnte sie ja eine Verbindung zur Welt der Butlers und zu Charleston finden, der Welt, die Rhett gewählt hatte und in die aufgenommen zu werden sie entschlossen war.

»Ich erinnere mich sehr gut an Ellen Robillard«, sagte Mrs. Butler, »und an ihre Mutter. Deine Großmutter, Scarlett, war wahrscheinlich die faszinierendste Frau von ganz Georgia und South Carolina.«

Scarlett beugte sich gebannt vor. Sie hatte nur Fetzchen und Bruchteile von Geschichten über ihre Großmutter gehört. »War sie wirklich so skandalumwittert, Miss Eleanor?«

»Sie war eine ungewöhnliche Frau. Aber als ich sie wirklich kannte, da konnte von Skandalen keine Rede sein. Da war sie zu sehr mit Kinderkriegen beschäftigt. Erst deine Tante Pauline, dann Eulalie, dann deine Mutter. Tatsächlich war ich in Savannah, als deine Mutter geboren wurde. Ich erinnere mich noch an das Feuerwerk. Dein Großvater hat irgendeinen berühmten Italiener angeheuert, der von New York herunterkam und jedesmal, wenn deine Großmutter ihm ein Kind schenkte, ein prächtiges Feuerwerk veranstaltete. Du wirst dich nicht daran erinnern, Rhett, und wirst mir vermutlich auch nicht dankbar dafür sein, daß ich mich erinnere, doch du warst außer dir vor Angst. Ich hatte dich extra mitgenommen, damit du alles sehen konntest, und du hast so laut geschrien, daß ich vor Scham fast gestorben bin. Alle anderen Kinder klatschten in die Hände und quietschten vor Vergnügen. Aber sie waren auch älter. Du stecktest ja noch in den Windeln, warst kaum älter als ein Jahr.«

Scarlett starrte erst Mrs. Butler an, dann Rhett. Das war doch nicht möglich! Rhett konnte doch nicht älter sein als ihre Mutter. Sie hatte es immer für selbstverständlich gehalten, daß ihre Mutter alt war, über das Alter starker Empfindungen hinaus. Wie konnte Rhett denn dann älter sein? Wie konnte sie ihn nur so verzweifelt lieben, wenn er dermaßen alt war?

Und dann ging alles Schlag auf Schlag. Rhett warf die Serviette auf den Tisch, stand auf, trat neben Scarlett, küßte sie auf den Scheitel, nahm als nächstes die Hand seiner Mutter und küßte auch sie. »Ich muß jetzt los, Mama«, sagte er.

Ach, Rhett, nein! wollte Scarlett rufen. Doch sie war zu verblüfft, um irgend etwas zu sagen oder auch nur zu fragen, wohin er ging.

»Mußt du denn unbedingt in die regnerische, stockfinstere Nacht hinaus, Rhett?« protestierte seine Mutter. »Und wo Scarlett doch da ist. Du hattest ja noch kaum Gelegenheit, ihr guten Tag zu sagen.«

»Es hat zu regnen aufgehört, und es ist Vollmond«, sagte Rhett. »Ich darf die Flut für die Fahrt flußaufwärts nicht versäumen, und ich kann sie gerade noch erwischen. Scarlett hat dafür Verständnis, daß man nach seinen Arbeitskräften sehen muß, wenn man weg war und sie sich selbst überlassen hat, sie ist Geschäftsfrau. Ist es nicht so, mein Schatz?« Seine Augen glitzerten im Schein des Kerzenlichts, als er sie ansah. Dann ging er in die Diele hinaus.

Scarlett rückte vom Tisch ab und stieß vor lauter Eile fast ihren Stuhl um.

Dann rannte sie ihm, ohne ein Wort zu seiner Mutter, völlig aufgelöst hinterher.

Er stand im Vestibül, knöpfte sich den Überrock zu und hielt bereits den Hut in der Hand. »Rhett, Rhett, warte!« rief Scarlett. Sie ignorierte den warnenden Blick, mit dem er sich ihr zuwandte. »Es war doch alles so schön beim Abendessen«, sagte sie. »Warum willst du denn noch weg?«

Rhett ließ sie stehen und stieß die Tür vom Vestibül zum Hausflur auf. Scarlett folgte ihm. Die Tür schloß sich mit einem schweren, dumpfen Klacken des Schlosses hinter ihnen und sperrte das ganze übrige Haus aus. »Mach mir keine Szene, Scarlett. So was verfängt bei mir nicht.« Und als könnte er ihre Gedanken lesen, setzte er knurrend hinzu: »Und denk bloß nicht, daß wir das Bett miteinander teilen, Scarlett.«

Er öffnete die Tür zur Straße. Ehe sie auch nur ein Wort erwidern konnte, war er schon weg. Langsam schloß sich die Tür hinter ihm.

Scarlett stampfte mit dem Fuß auf. Aber das war ein unzureichendes Ventil für ihren Zorn und ihre Enttäuschung. Warum mußte er nur so gemein sein? Sie zog eine Grimasse, halb wütend, halb widerwillig lachend, als sie sich widerstrebend eingestand, daß Rhett die Sache schlau eingefädelt hatte. Er hatte gleich durchschaut, was sie vorhatte. Nun gut, dann mußte sie eben noch schlauer sein, das war alles. Sie mußte die Idee aufgeben, sofort ein Kind zu bekommen, und sich statt dessen etwas anderes einfallen lassen. Ihre Brauen waren gerunzelt, als sie zu Rhetts Mutter zurückkehrte.

»Aber Kind, wer wird sich denn so aufregen«, sagte Eleanor Butler. »Ihm passiert schon nichts. Rhett kennt sich auf dem Fluß aus wie in seiner Westentasche.« Sie hatte beim Kamin gestanden, da sie nicht in die Diele hinaustreten und so womöglich Rhetts Abschied von seiner Frau stören wollte. »Gehen wir doch in die Bibliothek, da ist es gemütlich, und die Dienstboten können den Tisch abräumen.«

Scarlett setzte sich in einen Ohrensessel, wo sie gegen Zug geschützt war. Nein, sie wollte keine Decke über die Knie, alles war genau richtig, danke. »Aber ich darf Sie doch richtig zudecken, Miss Eleanor?« drängte sie und nahm Rhetts Mutter die Kaschmirstola aus der Hand. »Sie setzen sich jetzt hin und machen es sich bequem.« Sie duldete keinen Widerspruch, bis Mrs. Butler versorgt war.

»Was bist du doch für ein liebes Mädchen, Scarlett, so ganz deine liebe Mutter. Ich weiß noch, wie aufmerksam sie immer war, so ein angenehmes Benehmen. Alle Robillard-Mädchen waren wohlerzogen, doch Ellen war etwas ganz Besonderes ...«

Scarlett schloß die Augen und atmete den schwachen Verbenenduft ein. Alles würde gutgehen. Miss Eleanor liebte sie, sie würde dafür sorgen, daß Rhett nach Hause zurückkehrte, und sie würden auf alle Zeiten glücklich miteinander leben.

Scarlett döste friedlich in den tiefen Kissen ihres Sessels vor sich hin, eingelullt von den sanften Erinnerungen an eine angenehmere Zeit. Doch plötzlich erhob sich hinter der Tür zur Diele störender Lärm, und mit einem Ruck wurde Scarlett in einen verworrenen Wachzustand zurückgerissen. Einen Augenblick lang wußte sie nicht, wo sie war und wie sie dorthin gekommen war, und sah blinzelnd und mit geröteten Augen den Mann in der Türöffnung an. Rhett? Nein, das konnte Rhett nicht sein, es sei denn, er hatte sich seinen Schnurrbart abrasiert.

Der große Mann, der nicht Rhett war, trat mit unsicherem Schritt über die Schwelle. »Ich bin gekommen, um meine Schwägerin kennenzulernen«, sagte er. Er sprach lallend.

Margaret Butler lief auf Eleanor zu. »Ich habe versucht, ihn davon abzuhalten«, rief sie, »doch er war in einer dieser Stimmungen, er hat einfach nicht auf mich gehört, Miss Eleanor.«

Mrs. Butler stand auf. »Still, Margaret«, sagte sie ebenso gelassen wie nachdrücklich. »Ross, ich warte noch auf eine angemessene Begrüßung.« Ihre Stimme war ungewöhnlich laut, ihre Worte klar und deutlich.

Scarlett war inzwischen wieder hellwach. Das war also Rhetts Bruder. Und betrunken obendrein, allem Anschein nach. Nun gut, sie hatte schon mehr betrunkene Männer gesehen, das war nichts sonderlich Neues für sie. Sie stand auf, lächelte Ross zu und ließ ihr Grübchen spielen. »Ich muß wirklich sagen, Miss Eleanor, wie kann eine einzige Frau nur soviel Glück haben, gleich zwei Söhne, und einer noch besser geraten als der andere? Rhett hat mir nie erzählt, daß er einen so gutaussehenden Bruder hat!«

Ross torkelte auf sie zu. Sein Blick tastete ihren Körper ab und verweilte dann bei ihren wirren Locken und dem geschminkten Gesicht. Sein Lächeln war eher ein Hohnlächeln. »Das ist also Scarlett«, sagte er mit schwerer Zunge. »Hätte ich mir doch gleich denken können, daß Rhett mal mit so einem Flittchen enden würde. Na los, Scarlett, gib deinem neuen Bruder einen freundschaftlichen Kuß. Du weißt doch, was Männer gern haben.« Seine großen Hände liefen wie riesige Spinnen ihre Arme hinauf und legten sich um ihren nackten Hals. Dann war sein geöffneter Mund auf ihrem, sein saurer Atem stach ihr in die Nase, seine Zunge drang zwischen ihre Zähne. Scarlett versuchte, die Hände hochzubekommen, um ihn wegzustoßen, doch Ross war zu stark, sein Körper preßte sich zu fest gegen ihren.

Sie konnte Eleanor Butlers Stimme hören und Margarets, verstand jedoch nicht, was sie sagten. Ihre ganze Aufmerksamkeit konzentrierte sich auf die Notwendigkeit, sich aus der abstoßenden Umarmung zu befreien, und auf Ross' beleidigende Worte. Er hatte sie eine Hure genannt! Und er behandelte sie dementsprechend.

Plötzlich schob Ross sie weg, stieß sie unsanft in ihren Sessel zurück. »Ich wette, zu meinem reizenden großen Bruder bist du nicht so kalt«, knurrte er.

Margaret Butler schluchzte an Eleanors Schulter.

»Ross!« Mrs. Butler ließ das Wort wie ein Messer durch die Luft sausen. Ross drehte sich mit einer tölpelhaften Bewegung um und stieß krachend ein Tischchen zu Boden.

»Ross!« sagte seine Mutter noch einmal. »Ich habe nach Manigo geläutet. Er wird dir helfen, heil nach Hause zu kommen, und dafür sorgen, daß Margaret einen anständigen Begleiter hat. Wenn du wieder nüchtern bist, wirst du Rhetts Frau und mir Entschuldigungsbriefe schreiben. Du hast dich selbst, Margaret und mich entehrt, und du wirst in diesem Haus nicht eher wieder empfangen werden, bis ich mich von der Schande erholt habe, die du über mich gebracht hast.«

»Es tut mir so leid, Miss Eleanor«, weinte Margaret.

Mrs. Butler legte Margaret die Hände auf die Schultern. »Mir tut es leid für dich, Margaret«, sagte sie. Dann schob sie ihre Schwiegertochter von sich weg. »Geh jetzt nach Hause. Du bist selbstverständlich stets willkommen in diesem Haus.«

Manigos weise alte Augen erfaßten die Situation mit einem Blick, und er nahm Ross mit hinaus, der überraschenderweise mit keinem Wort protestierte. Margaret beeilte sich, hinter ihnen herzukommen. »Es tut mir so leid«, wiederholte sie wieder und wieder, bis die große Eingangstür sich schloß und ihr die Stimme abschnitt.

»Mein liebes Kind«, sagte Eleanor zu Scarlett, »ich weiß überhaupt nicht, wie ich mich entschuldigen soll. Ross war betrunken, er wußte nicht, was er sagte. Aber das ist keine Entschuldigung.«

Scarlett zitterte am ganzen Leib. Aus Ekel, aus Demütigung, aus Zorn. Warum hatte sie nur zugelassen, daß Rhetts Bruder sie beschimpfte und auf diese Weise angefaßt und geküßt hatte? Ich hätte ihm ins Gesicht spucken, ihm die Augen auskratzen, ihn mit meinen Fäusten auf seinen ekligen, übelriechenden Mund schlagen sollen. Aber nein, ich habe es einfach nur geschehen lassen – als hätte ich es verdient, als sei alles wahr. Scarlett war noch niemals so beschämt gewesen. Beschämt durch Ross' Worte, beschämt durch ihre eigene Schwäche. Sie fühlte sich erniedrigt, schmutzig und auf alle Zeiten gedemütigt. Hätte Ross sie doch geschlagen oder mit einem Messer verletzt. Von einer Prellung oder einer Wunde würde sich ihr Körper schon erholen. Doch ihr Stolz würde den Ekel, den sie empfand, nie wieder abschütteln können.

Eleanor beugte sich über sie, versuchte, die Arme um sie zu legen, doch Scarlett wich vor ihrer Berührung zurück. »Lassen Sie mich in Ruhe!« versuchte sie zu schreien, doch kam es nur als Wimmern aus ihr heraus.

»Das werde ich nicht tun«, sagte Mrs. Butler, »nicht, ehe du mir nicht zugehört hast. Du mußt begreifen, Scarlett, du mußt mich anhören. Da sind so viele Dinge, die du nicht weißt. Hörst du mir zu?« Sie zog einen Sessel ganz nah an den von Scarlett heran und setzte sich neben sie.

»Nein! Gehen Sie weg.« Scarlett legte sich die Hände über die Ohren.

»Ich lasse dich jetzt nicht allein«, sagte Eleanor. »Und ich werde es dir erzählen, wieder und wieder, tausendmal, wenn es sein muß, bis du mir zuhörst...« Ihre Stimme sprach immer weiter, sanft, aber beharrlich, während ihre Hand tröstend und teilnahmsvoll über Scarletts gesenkten Kopf strich und durch Scarletts Ablehnung hindurch Güte und Liebe zum Ausdruck brachte. »Was Ross getan hat, ist unverzeihlich«, sagte sie. »Ich bitte dich auch gar nicht, ihm zu verzeihen. Ich aber muß es, Scarlett. Er ist schließlich mein Sohn, und ich weiß, welche innere Qual ihn dazu verleitet hat. Er hat nicht dich verletzen wollen, mein Kind. Es war eigentlich Rhett, den er angegriffen hat, er weiß nämlich, daß Rhett zu stark für ihn ist, daß er es niemals in etwas mit Rhett wird aufnehmen können. Rhett langt hin und nimmt sich, was er will, er setzt die Dinge in Bewegung, er läßt sie für sich arbeiten. Und der arme Ross ist in allem ein Versager.

Margaret hat mir heute nachmittag unter vier Augen anvertraut, daß sie Ross am Morgen, als er zur Arbeit kam, die Kündigung ausgesprochen haben. Wegen seiner Trinkerei, verstehst du? Er hat zwar immer schon getrunken, Männer scheinen das wohl zu müssen, doch nicht so, wie er trinkt, seit Rhett vor einem Jahr nach Charleston zurückgekehrt ist. Ross hat versucht, unsere Plantage in Gang zu bringen, seit seiner Rückkehr aus dem Krieg hat er dafür geschuftet, doch irgend etwas ging immer schief, nicht ein einziges Mal hat er eine anständige Reisernte eingebracht. Wegen der Steuerrückstände sollte dann alles verkauft werden. Als Rhett ihm also anbot, die Plantage zu übernehmen, mußte Ross sie ihm abtreten. Es wäre ohnehin Rhetts gewesen, nur daß er und sein Vater... doch das ist eine andere Geschichte.

Ross bekam eine Anstellung als Kassierer bei einer Bank, aber ich fürchte, er hielt den Umgang mit Geld für vulgär. In den guten alten Zeiten zeichnete man als Gentleman einfach nur die Rechnung ab oder gab sein Wort, und die Verwalter kümmerten sich um alles. Jedenfalls, Ross machte alles mögliche falsch, seine Kontobücher stimmten nie, und eines Tages beging er einen schweren Fehler, und er verlor seine Stelle. Schlimmer noch, die Bank erklärte, sie wolle sich das verlorene Geld, das versehentlich zuviel ausgezahlt worden war, auf gerichtlichem Wege wieder zurückholen. Rhett brachte die Sache in Ordnung. Das war wie ein Dolchstoß in Ross' Herz. Damals fing das schlimme Trinken an, und nun hat es ihn wieder die Stelle gekostet. Dazu kommt noch, daß irgendein Dummkopf oder Schuft hat durchsickern lassen, daß er die Stelle vor allem Rhett zu verdanken hatte. Also ist er schnurstracks nach Hause und hat sich dermaßen entsetzlich betrunken.

Ich habe Rhett lieber, Gott verzeih mir, ich hatte ihn immer schon lieber. Er ist mein Erstgeborener, und ich habe ihm in dem Augenblick mein Herz in seine winzigen Hände gelegt, als er zur Welt kam. Natürlich liebe ich auch Ross und Rosemary, doch nicht so, wie ich Rhett liebe, und ich fürchte, das wissen sie auch. Rosemary glaubt, daß das daherkommt, daß er so lange fort war und dann wie der Geist aus der Flasche gestiegen ist und mir alles gekauft hat, was sich in diesem Haus befindet. Ihr hat er die hübschen Kleider geschenkt, nach denen sie sich immer so gesehnt hat. Sie erinnert sich nicht daran, wie es war, ehe er wegging, damals war sie ja noch ein Baby, und sie weiß nicht, daß ich ihn immer schon vorgezogen habe. Ross aber weiß das, er hat es die ganze Zeit gewußt, doch er hat sich zunächst an seinen Vater gehalten, so daß es ihm nicht allzuviel ausgemacht hat. Steven hat Rhett verstoßen, Ross zu seinem Alleinerben gemacht. Er hat Ross geliebt und war stolz auf ihn. Doch nun ist Steven tot, diesen Monat sind es sieben Jahre. Und Rhett ist wieder zu Hause, und die Freude darüber ist mein Lebensinhalt, und Ross kann das nicht übersehen.«

Mrs. Butlers Stimme war rauh, heiser von der Anstrengung, derart schwerwiegende Geheimnisse ihres Herzens auszusprechen. Dann brach ihr die Stimme, und sie weinte bitterlich. »Mein armer Junge, mein armer, gequälter Ross.«

Ich sollte etwas sagen, dachte Scarlett, etwas, das ihr darüber hinweghilft. Aber sie konnte nicht. Sie litt selbst zu sehr.

»Miss Eleanor, weinen Sie doch nicht«, sagte sie, allerdings ohne sich viel davon zu versprechen. »Sie dürfen sich nicht grämen. Bitte, ich muß Sie etwas fragen.«

Mrs. Butler holte tief Luft, sie wischte sich die Augen und setzte eine gefaßte Miene auf. »Worum geht es denn, mein Liebes?«

»Ich muß es wissen«, sagte Scarlett eindringlich. »Sie müssen es mir sagen. Stimmt es, sehe ich aus wie... wie er gesagt hat... Sehe ich wirklich so aus?« Sie war verunsichert, sie brauchte die Zustimmung dieser liebevollen, nach Zitrone duftenden Dame.

»Mein Goldstück«, sagte Eleanor, »es ist doch ganz und gar unwichtig, wie du aussiehst. Rhett liebt dich, und deshalb liebe ich dich auch.«

Herr im Himmel! Das heißt doch, daß ich zwar wie eine Hure aussehe, daß es aber nicht schlimm ist. Ist sie verrückt? Natürlich ist es wichtig, es ist wichtiger als alles andere in der Welt. Ich möchte eine Dame sein, ich bin dazu bestimmt!

Verzweifelt umklammerte sie Mrs. Butlers Hände und merkte gar nicht, wie sie ihr damit weh tat. »Ach, Miss Eleanor, helfen Sie mir doch! Bitte, ich brauche Ihre Hilfe!«

»Aber gewiß doch, mein Liebes. Sag mir, was es ist.« Aus Mrs. Butlers gefaßter Miene sprach nur Zuneigung. Sie hatte schon vor vielen Jahren gelernt, jeden Schmerz zu verbergen, den sie empfand.

»Ich muß wissen, was ich falsch mache, warum ich nicht wie eine Dame aussehe. Ich bin eine Dame, Miss Eleanor, ich bin es. Sie haben doch meine Mutter gekannt, also müssen Sie es doch wissen.«

»Selbstverständlich bist du das, Scarlett, und selbstverständlich weiß ich das. Das Äußere täuscht so oft, es ist wirklich nicht gerecht. Wir können uns praktisch ohne jede Mühe alles und jedes zu eigen machen.« Sanft entwand Mrs. Butler Scarlett ihre schmerzenden Finger. »Du besitzt soviel Vitalität, mein liebes Kind, die ganze Lebenskraft der Welt, in der du aufgewachsen bist. Das führt bei den Menschen hier im alten, müden Lowcountry zu Mißverständnissen. Doch du darfst deine Kraft nicht verlieren, sie ist zu wertvoll. Wir werden schon Mittel und Wege finden, um dich etwas weniger auffällig herzurichten, mehr wie uns. Dann fühlst du dich wohler.«

Und ich mich auch, dachte Eleanor Butler insgeheim. Sie würde die Frau, von der sie annahm, daß Rhett sie liebte, bis zum letzten Atemzug verteidigen, doch das Ganze wäre wesentlich einfacher, wenn Scarlett aufhören würde, Schminke aufzulegen und teure, unpassende Kleider zu tragen. Eleanor begrüßte die Gelegenheit, Scarletts Aussehen nach Charlestoner Fasson zu verändern.

Scarlett ließ sich Mrs. Butlers diplomatische Darstellung ihres Problems dankbar gefallen. Sie war jedoch zu schlau, um ihr ganz und gar zu glauben – sie hatte schließlich gesehen, wie Miss Eleanor mit Eulalie und Pauline umgegangen war. Doch Rhetts Mutter würde ihr helfen, und das war es, worauf es ankam, jedenfalls fürs erste.

14. Kapitel

Das Charleston, das Eleanor Butler geformt und Rhett nach Jahrzehnten des Abenteurertums zurückzulocken vermocht hatte, war eine alte Stadt, eine der ältesten Amerikas. Sie drängte sich auf einer schmalen dreieckigen Halbinsel zwischen zwei breiten Gezeitenflüssen, die sich in einem großangelegten Hafen trafen, der mit dem Atlantik verbunden war. 1682 gegründet, hatte die Stadt sich aus ihrer Anfangszeit eine romantische Schwermut und Sinnenfreude bewahrt, die dem flotten Tempo und der puritanischen Selbstverleugnung der neuenglischen Kolonien fremd waren. Salzige Brisen regten sich in den Palmen und Glyzinien, und Blumen blühten das ganze Jahr über. Der Boden war schwarz, fruchtbar und frei von Steinen, die einen Pflug hätten schartig machen können; in den Gewässern wimmelte es von Fischen, Krebsen, Garnelen, Sumpfschildkröten und Austern und in den Wäldern von Wild. Es war ein reiches Land, dazu geschaffen, genossen zu werden.

Schiffe aus allen Weltgegenden ankerten im Hafen, um den Reis aufzunehmen, der auf den ausgedehnten Charlestoner Plantagen entlang der Flüsse angebaut wurde; und sie brachten die schönen Dinge der Welt zum

Vergnügen und zum Putz der kleinen Bevölkerung. Es war die reichste Stadt Amerikas.

Dem segensreichen Umstand zufolge, daß Charleston seine Reife im Zeitalter der Vernunft erreichte, nutzte die Stadt ihren Reichtum zum Erwerb von Schönheit und Wissen. Dem Klima und den natürlichen Gaben entsprechend, nutzte sie ihre reichen Möglichkeiten darüber hinaus für den Sinnengenuß. Jedes Haus hatte seinen Küchenchef und seinen Ballsaal, jede Dame ihre Brokatstoffe aus Frankreich und ihre Perlen aus Indien. Es gab gelehrte Gesellschaften und Akademien für Musik und Tanz, wissenschaftliche Schulen und Reitställe. Die Stadt war zugleich zivilisiert und den Genüssen zugetan, und das in einem so ausgewogenen Verhältnis, daß sich eine Kultur von äußerst erlesener Anmut herausbilden konnte, innerhalb derer unvergleichlicher Luxus durch eine anspruchsvolle geistige Disziplin und durch Bildung gemäßigt wurde. Die Charlestoner bemalten ihre Häuser in allen Regenbogenfarben und spickten sie mit schattigen Veranden, durch die die Meeresbrisen den Rosenduft hindurchfächelten wie eine Liebkosung. Im Innern eines jeden Hauses gab es ein Zimmer mit Globus, Teleskop und Wänden voller Bücher in den verschiedensten Sprachen. Mittags setzte man sich zu einem sechsgängigen Mahl an die Tafel, bei dem jeder Gang in einer ganzen Auswahl von Gerichten bestand, die in dezent schimmernden, generationenalten Silberschüsseln aufgetragen wurden. Das Gespräch war die Sauce, der Geist die bevorzugte Würze.

Das war die Welt, die Scarlett O'Hara, einstige Schönheit eines ländlichen Bezirks auf dem rohen, roten Grenzlandboden im Norden Georgias, zu erobern gedachte, mit nichts bewaffnet als Energie, Hartnäckigkeit und einem ungeheuer starken Verlangen. Der Zeitpunkt hätte jedoch nicht schlechter gewählt sein können.

Mehr als ein Jahrhundert lang waren die Charlestoner für ihre Gastfreundschaft berühmt gewesen. Es war nichts Ungewöhnliches, daß jemand hundert Gäste im Haus hatte, von denen glatt die Hälfte Gastgeber und Gastgeberin lediglich durch Empfehlungsschreiben bekannt waren. Zur Rennwoche, dem Höhepunkt des Gesellschaftslebens der Stadt, brachten Pferdebesitzer aus England, Frankreich, Irland und Spanien ihre Pferde oft Monate vorher in die Stadt, um sie an das Klima und das Wasser zu gewöhnen. Während dieser Zeit wohnten die Besitzer in den Häusern ihrer Charlestoner Konkurrenten, ihre Pferde wurden als Gäste neben die Pferde gestellt, die der Charlestoner Gastgeber gegen sie laufen lassen würde. Es war eine freigebige, offenherzige Stadt.

Bis der Krieg kam. Die ersten Schüsse des Bürgerkriegs fielen in Fort Sumter, im Hafen von Charleston. Für den größten Teil der Welt war Charleston das Symbol des mysteriösen, magischen, moosbehängten, magnolienduftenden Südens. Für die Charlestoner ebenfalls.

Und für den Norden nicht minder. »Das stolze und überhebliche

Charleston« war eine stehende Wendung in den New Yorker und Bostoner Zeitungen. Die Militärs der Union waren entschlossen, die blumenstrotzende, pastellfarbene alte Stadt zu zerstören. Zunächst wurde die Hafeneinfahrt blockiert, später dann feuerten Kanonen von Geschützständen auf den nahen Inseln während einer fast sechshundert Tage andauernden Belagerung Granaten in enge Straßen und Häuser. Schließlich kam Shermans Armee mit ihren Fackeln, um die Häuser der Pflanzer an den Flüssen niederzubrennen. Als die Unionstruppen dann endlich einmarschierten, um ihre Trophäe in Besitz zu nehmen, sahen sie sich einer trostlosen Ruine gegenüber. Unkraut wucherte in den Straßen und erstickte die Gärten fensterloser, von Einschüssen zernarbter Häuser mit kaputten Dächern. Sie trafen außerdem auf eine dezimierte Bevölkerung, die so stolz und überheblich geworden war, wie es ihrem Ruf im Norden entsprach.

Auswärtige waren in Charleston nicht mehr willkommen.

Die Leute reparierten ihre Dächer und Fenster, so gut sie irgend konnten, und verschlossen ihre Türen. Unter sich erweckten sie die geliebten heiteren Gewohnheiten zu neuem Leben. Sie trafen sich zum Tanzen in den geplünderten Salons und ließen den Süden mit Wasser aus zersprungenen und wieder zusammengesetzten Tassen hochleben. »Hungerleiderfeste« nannten sie ihre Treffen lachend. Die Tage des französischen Champagners in kristallenen Champagnerflöten mochten vorüber sein, doch sie waren immer noch Charlestoner. Zwar hatten sie ihre Besitztümer verloren, doch ihre zweihundertjährige Tradition und ihren Stil konnte ihnen keiner nehmen. Der Krieg war zwar vorbei, aber sie waren nicht besiegt. Sie würden nie besiegt werden, was immer die verdammten Yankees auch unternehmen mochten. Nicht, solange sie zusammenhielten. Und jeden anderen aus ihrem geschlossenen Kreis fernhielten.

Die militärische Besatzung und die Zumutungen der Rekonstruktionszeit stellten ihr Stehvermögen zwar auf eine harte Probe, doch sie hielten ihr stand. Ein Staat der Konföderation nach dem anderen wurde wieder in die Union aufgenommen, ihre Staatsregierung der Bevölkerung zurückgegeben. Nicht so South Carolina. Und schon gar nicht Charleston. Rund zehn Jahre nach Kriegsende patrouillierten noch immer bewaffnete Soldaten durch die alten Straßen und verhängten Ausgehverbote. Unablässig sich ändernde Vorschriften galten allem und jedem, vom Papierpreis bis zur Heirats- und Bestattungserlaubnis. Charleston verfiel zwar äußerlich immer mehr, doch seine Entschlossenheit, die alten Lebensformen zu erhalten, wuchs im selben Maße. Der Junggesellenball wurde wiederbelebt, und eine neue Generation füllte die Lücken, die die Blutbäder von Bull Run, Antietam und Chancelorsville gerissen hatten. Ehemalige Plantagenbesitzer arbeiteten als Verkäufer oder Landarbeiter, und nach der Arbeit nahmen sie die Pferdebahn oder gingen zu Fuß hinaus an den Stadtrand, um das zwei Meilen lange Oval der Charlestoner Rennbahn wieder aufzubauen und den blutgetränkten, zerstampften roten Schlamm des Umlandes mit Gras einzusäen, dessen Samen von den Scherflein der Kriegerwitwen gekauft worden war.

Stück um Stück, an Symbolen und Fingerbreit gemessen, eroberten sich die Charlestoner das Wesen ihrer verlorenen, geliebten Welt zurück. Doch in ihr war kein Raum für jemanden, der nicht dazugehörte.

15. Kapitel

Pansy konnte ihr Erstaunen über die Befehle nicht verbergen, die Scarlett ihr gab, als sie sie aufschnürte, damit sie zum erstenmal im Haus der Butlers zu Bett gehen konnte. »Nimm das grüne Straßenkostüm, das ich heute morgen getragen habe, und bürste es ordentlich aus. Dann trenne jedes noch so kleine Fetzchen Besatz ab, die goldenen Knöpfe eingeschlossen, und nähe statt dessen ein paar schlichte schwarze Knöpfe an.«

»Wo finde ich denn schwarze Knöpfe, Miss Scarlett?«

»Behellige mich nicht mit solchen Albernheiten. Frage die Zofe von Mrs. Butler – wie heißt sie noch gleich? Celie. Und wecke mich morgen früh um fünf.«

»Um fünf?«

»Bist du taub? Du hast doch gehört, was ich gesagt habe. Und jetzt beeile dich. Ich möchte das grüne Kostüm morgen früh fertig vorfinden, wenn ich aufstehe.«

Scarlett sank dankbar auf die Federmatratze und die Daunenkissen des großen Betts. Es war ein übervoller, allzu aufregender Tag gewesen. Erst hatte sie Miss Eleanor kennengelernt, dann waren sie einkaufen gegangen, dann die alberne Sitzung wegen des Konföderiertenheims, dann Rhett, der urplötzlich mit dem silbernen Teegeschirr aus dem Nichts aufgetaucht war. Ihre Hand fühlte nach dem leeren Platz neben ihr. Wie gern hätte sie ihn dort gehabt, doch vielleicht war es ja besser, noch ein paar Tage abzuwarten, bis sie in Charleston wirklich akzeptiert war. Dieser elende Ross! Sie wollte nicht an ihn und die gräßlichen Sachen denken, die er gesagt und getan hatte. Miss Eleanor hatte ihm das Haus verboten, und sie würde ihn nicht wiedersehen müssen, sie hoffte, niemals wieder. Sie wollte an etwas anderes denken, an Miss Eleanor, die sie liebte und die ihr helfen würde, Rhett zurückzubekommen, auch wenn sie selbst gar nicht wußte, was sie da tat.

Der Markt, hatte Miss Eleanor gesagt, sei der Ort, wo man alle anderen treffen und sämtliche Neuigkeiten erfahren konnte. So wollte Scarlett also zum Markt gehen – morgen. Sie hätte zwar etwas darum gegeben, wenn es sich hätte umgehen lassen, schon so früh das Haus zu verlassen, um sechs Uhr morgens. Doch was sein mußte, mußte sein. Das muß ich den Charlestonern lassen, dachte sie schläfrig, sie sind recht rührig, und das gefällt mir. Sie hatte noch nicht zu Ende gegähnt, als sie schon eingeschlafen war.

Der Markt war der ideale Ort für Scarlett, um das Leben einer Charlestoner Dame zu beginnen. Er war ein sichtbares, greifbares Destillat des Wesens der Stadt. Seit den frühesten Zeiten war es der Ort gewesen, wo die Charlestoner sich ihre Nahrungsmittel kauften. Die Dame des Hauses, in seltenen Fällen auch der Herr, wählte und bezahlte, eine Zofe oder der Kutscher nahm die Waren entgegen und gab sie in einen großen Korb, den sie am Arm trugen. Vor dem Krieg waren die Waren von Sklaven verkauft worden, die sie von den Plantagen ihrer Herren in die Stadt transportiert hatten. Viele der Händler standen noch an denselben Plätzen, nur daß sie jetzt frei waren und die Körbe von Dienstboten getragen wurden, die für ihre Dienste bezahlt wurden; wie auch die Händler waren viele von ihnen noch dieselben und trugen dieselben Körbe, die sie zuvor getragen hatten. Worauf es für Charleston ankam, war, daß die alten Gewohnheiten nicht umgeworfen wurden.

Tradition war der Felsen der Gesellschaft, in Charleston geboren zu sein, das unbezahlbare Erbe, das kein Kriegsgewinnler oder Soldat stehlen konnte. Dieser Umstand wurde auf dem Markt auch äußerlich sichtbar. Außenseiter konnten dort zwar einkaufen, das war schließlich ein öffentliches Recht. Doch sie fanden es wenig angenehm. Irgendwie gelang es ihnen nie, den Blick der Frau auf sich zu ziehen, die das Gemüse verkaufte, oder des Mannes, der mit den Krebsen handelte. Und die Schwarzen waren genauso stolze Charlestoner wie die Weißen. Wenn der Nicht-Charlestoner sich schließlich trollte, hallte der ganze Markt von Gelächter wider. Der Markt war ausschließlich für Charlestoner reserviert.

Scarlett zog die Schultern hoch, um den Kragen höher den Hals hinaufzuschieben. Ihren Bemühungen zum Trotz fuhr ein kalter Wind hinein, und sie erschauderte heftig. Sie blinzelte aus verschlafenen Augen, und ihre Schuhe waren offensichtlich mit Blei beschwert. Wie viele Meilen konnten fünf Blocks in einer Stadt wohl lang sein? Sie sah überhaupt nichts. Die Straßenlaternen waren nur ein heller Kreis innerhalb des dunstigen, gespenstisch grauen Zwielichts vor der Morgendämmerung. Wie kann Miss Eleanor bloß so verdammt wohlgemut sein? Plaudert vor sich hin, als wüßte sie nichts von eisiger Kälte und pechschwarzer Finsternis. Da vorn war irgendein Licht zu sehen – noch ein ganzes Stück weg. Scarlett stolperte darauf zu. Wenn doch bloß dieser elende Wind aufhören wollte. Was war das denn? Sie schnüffelte. Es stimmte! Es war Kaffeeduft. Vielleicht würde sie es ja doch überleben. Ihr Schritt beschleunigte sich voller Eifer und paßte sich dem Mrs. Butlers an.

Der Markt war wie ein Basar, eine Oase von Licht und Wärme, Farbe und

Leben im formlosen Grau. Fackeln loderten an Backsteinsäulen, auf denen weitgeschwungene Bögen ruhten, die zu den Straßen rund um den Platz hin offen waren. Ihr Feuerschein beleuchtete die hellen Schürzen und Kopftücher lächelnder schwarzer Frauen und strahlte deren Waren an, die in Körben jeder Größe und Form auf langen, grüngestrichenen Holztischen ausgelegt waren. Es wimmelte von Menschen, die sich von einem Tisch zum anderen schoben und mit Käufern und Händlern sprachen und dabei immer wieder in ein herausforderndes, von Lachen begleitetes Ritual des Gefeilsches verfielen, das offensichtlich alle genossen.

»Zuerst Kaffee, Scarlett?«

»Ach ja, bitte.«

Eleanor führte sie zu einer Gruppe von Frauen, die nicht weit weg standen. Sie hielten dampfende Blechbecher in den behandschuhten Händen und nippten daran, während sie miteinander sprachen und lachten und von dem Treiben um sie herum gar nichts mitzubekommen schienen.

»Guten Morgen, Eleanor... Eleanor, guten Tag!... Mach ein bißchen Platz, Mildred, laß Eleanor durch... Ach, Eleanor, hast du schon gehört, daß Kerrison richtige Wollstrümpfe im Angebot hat? Er annonciert sie heute. Willst du nicht mit Alice und mir zusammen hingehen? Wie wär's heute nach dem Mittagessen... Ach, Eleanor, wir sprachen gerade von Lavinias Tochter. Sie hat ihr Kind heute nacht verloren. Lavinia ist todtraurig. Meinst du, deine Köchin könnte ein bißchen von ihrem herrlichen Weingelee machen? Niemand versteht sich so gut darauf wie sie. Mary hat eine Flasche Rosé, und ich steure den Zucker bei...« – »Morgen, Miz Butler, ich hab Sie kommen sehen, Ihr Kaffee ist schon fertig.«

»Und noch eine Tasse für meine Schwiegertochter, bitte, Sukie. Meine Damen, darf ich Ihnen Rhetts Frau Scarlett vorstellen?«

Das Geplauder hörte schlagartig auf, und alle Köpfe wandten sich nach Scarlett um.

Sie lächelte, wobei sie die Gruppe der Damen mit einiger Unruhe betrachtete, da sie annahm, daß sich die Sache mit Ross bereits in der ganzen Stadt herumgesprochen haben mußte. Ich hätte nicht herkommen sollen, ich ertrage es nicht. Ihre Kinnmuskeln spannten sich, sie erwartete das Schlimmste, und ihre ganze alte Feindseligkeit gegenüber den aristokratischen Prätentionen Charlestons war auf einmal wieder da.

Sie lächelte jedoch und neigte vor jeder der Damen, die Eleanor ihr vorstellte, den Kopf... »Ja, Charleston gefällt mir sehr... Ja, Ma'am, ich bin Pauline Smiths Nichte... Nein, Ma'am, ich habe die Kunstgalerie noch nicht gesehen, ich bin erst vorgestern angekommen... Ja, Ma'am, ich finde den Markt wirklich aufregend... Atlanta, eigentlich eher Clayton County, meine Familie hatte dort eine Baumwollplantage... O ja, Ma'am, das Wetter ist wirklich himmlisch, solche warmen Wintertage... Nein, Ma'am, ich glaube nicht, daß ich Ihren Neffen kennengelernt habe, als er in

Valdosta war, das ist ein ganzes Stück von Atlanta entfernt . . . Ja, Ma'am, für eine Partie Whist habe ich sehr viel übrig . . . Oh, haben Sie vielen Dank, ich habe geradezu gelechzt nach einer Tasse Kaffee . . .«

Sie hielt den Kopf tief über ihren Becher gebeugt, nachdem sie die Begrüßung hinter sich gebracht hatte. Miss Eleanor hat nicht mehr Verstand als ein Perlhuhn, dachte sie aufrührerisch. Wie hat sie mich nur einfach hier mitten hineinstoßen können? Sie muß ja wohl annehmen, daß ich ein Gedächtnis habe wie ein Elefant. So viele Namen, und die geraten jetzt alle durcheinander. Im übrigen sehen mich die alle so an, als wäre ich tatsächlich ein Elefant oder sonst irgendein Tier aus dem Zoo. Die wissen, was Ross gesagt hat, da bin ich mir sicher. Miss Eleanor mag sich ja von ihrem Lächeln täuschen lassen, aber ich nicht. Alte Krähen! Ihre Zähne bissen knirschend auf den Rand des Bechers.

Sie würde ihre Gefühle nicht zeigen, und wenn sie blind werden würde von der Anstrengung, die Tränen zurückzuhalten. Ihre Wangen waren jedoch hochrot.

Als sie ihren Kaffee ausgetrunken hatten, nahm Mrs. Butler Scarletts Becher und reichte ihn zusammen mit ihrem eigenen der Kaffeehändlerin zurück. »Ich muß dich um etwas Wechselgeld bitten, Sukie«, sagte sie. Sie reichte ihr eine Fünfdollarnote. Mit abgemessenen Bewegungen tauchte Sukie die Becher in einen großen Eimer mit bräunlichem Wasser und schwenkte sie darin herum, setzte sie dann neben sich auf den Tisch, wischte die Hände an der Schürze ab und nahm die Banknote, ohne sie anzusehen. »Das ist Ihr Rest, Miz Butler, hoffentlich hat's geschmeckt.«

Scarlett war fassungslos. Zwei Dollar für eine Tasse Kaffee! Also wirklich, für zwei Dollar konnte man die besten Stiefel auf der King Street kaufen.

»Er schmeckt mir immer, Sukie, auch wenn ich bedenke, daß ich aufs Essen verzichten muß, um ihn bezahlen zu können. Schämst du dich denn eigentlich nie dafür, daß du solch eine Straßenräuberin bist?«

Sukies weiße Zähne stachen blitzend gegen ihre braune Haut ab. »Nein, Ma'am, ganz gewiß nicht!« sagte sie und gluckste vor Vergnügen. »Ich kann bei der Bibel schwören, daß nichts meinen Schlaf stört!«

Die anderen Kaffeetrinkerinnen lachten. Alle hatten sie schon viele Male das gleiche Wortgeplänkel mit Sukie gehabt.

Eleanor Butler sah sich um, bis sie Celie und ihren Korb erspähte. »Komm, Liebes«, sagte sie zu Scarlett, »wir haben heute eine lange Liste. Wir müssen uns tummeln, ehe alles weg ist.«

Scarlett folgte Mrs. Butler ans andere Ende der Markthalle, wo die Reihen der Tische voller zerbeulter verzinkter Waschzuber mit Fischen standen, die einen stark beißenden Geruch verströmten. Scarletts Nase krauste sich, und sie blickte verächtlich in die Zuber. Sie meinte, sich mit Fisch bestens auszukennen. Häßliche, schnurrbärtige Katfische mit vielen

Gräten gab es zuhauf in dem Fluß, der Tara durchquerte. Sie hatten sie essen müssen, als es nichts anderes gab. Warum jemand allerdings eins von den scheußlichen Dingern hier kaufen sollte, war ihr schleierhaft, aber es gab eine ganze Menge Damen, die einen Handschuh ausgezogen hatten und in den Zubern herumfischten. Oh, wie öde! Miss Eleanor würde sie jetzt jeder einzelnen vorstellen. Scarlett legte ihr Lächeln zurecht.

Eine winzige, weißhaarige Dame hob ein großes silbriges Viech von einem Fisch aus dem Zuber vor ihr. »Wie lieb von dir, Eleanor, daß du sie mir nicht vorenthältst. Was meinst du denn zu dieser Flunder? Ich hatte eigentlich an Schafskopfsbrassen gedacht, aber sie sind noch nicht da, und ich kann nicht warten. Ich weiß auch nicht, warum die Fischerboote nicht pünktlicher sein können, und erzähle mir bloß keiner, daß Flaute herrscht. Mir ist heute morgen fast die Haube vom Kopf geflogen.«

»Ich nehme eigentlich sowieso lieber Flunder, Minnie, sie gibt für die Sauce doch sehr viel mehr her. Darf ich dir Rhetts Frau Scarlett vorstellen... Das ist Mrs. Wentworth, Scarlett.«

»Guten Morgen, Scarlett. Sagen Sie, macht diese Flunder auf Sie einen guten Eindruck?«

Scarlett fand sie ekelhaft, murmelte jedoch: »Ich war selbst auch immer mehr für Flundern.« Sie hoffte, daß nicht sämtliche Freundinnen von Miss Eleanor sie um ihre Meinung bitten würden. Sie wußte ja nicht einmal, was eine Flunder war, um Gottes willen, und schon gar nicht, ob sie gut war oder nicht.

Innerhalb der nächsten Stunde wurde Scarlett mit mehr als zwanzig Damen und einem Dutzend Fischsorten bekannt gemacht. Sie erhielt gründlichen Unterricht in Fischen und Meeresfrüchten. Mrs. Butler kaufte Krebse und suchte fünf verschiedene Händler auf, bis sie acht beisammen hatte. »Ich komme dir wohl schrecklich heikel vor«, sagte sie, als sie endlich zufriedengestellt war, »aber die Suppe ist einfach nicht dieselbe, wenn man sie mit männlichen Krebsen macht. Der Rogen verleiht ihr nämlich einen besonderen Geschmack. Es ist zwar zu dieser Jahreszeit weitaus schwieriger, weibliche Krebse zu finden, doch ich glaube, die Mühe lohnt sich.«

Scarlett war es herzlich gleichgültig, welches Geschlecht die Krebse hatten. Sie war entsetzt, daß sie noch lebten, in den Zubern herumkrabbelten, ihre Zangen ausstreckten, nervös scharrende Geräusche machten, als sie übereinander kletterten und versuchten, die Wände hinaufzugelangen, um zu entkommen. Und jetzt konnte sie sie in Celies Korb hören, wo sie gegen die Papiertüte stießen, in der sie steckten.

Die Garnelen waren noch schlimmer, obwohl sie tot waren. Ihre Augen waren schreckliche schwarze Kugeln an Stengeln, und sie hatten lang herabhängende Barthaare und Fühler und stachlige Bäuche. Sie konnte nicht glauben, daß sie überhaupt jemals etwas gegessen haben sollte, das so ausgesehen hatte, geschweige denn mit Genuß.

Die Austern machten ihr nichts aus, die sahen einfach nur wie schmutzige Steine aus. Doch als Mrs. Butler ein gekrümmtes Messer von einem der Tische nahm und eine öffnete, drehte sich Scarlett der Magen um. Das sieht ja aus wie ein Batzen Auswurf in schmutzigem Spülwasser, dachte sie.

Nach den Meeresfrüchten war der Anblick der verschiedenen Fleischsorten beruhigend vertraut, wenn ihr auch die Schwärme von Fliegen auf den blutgetränkten Zeitungen, die darunter lagen, Übelkeit verursachten. Es gelang ihr aber immerhin, dem kleinen Jungen zuzulächeln, der sie mit einem großen herzförmigen Fächer aus irgendeinem strohartigen Geflecht wegfächelte. Als sie schließlich bei dem Geflügel mit den schlaffen Hälsen anlangten, war Scarlett wieder so weit bei Kräften, daß sie auf den Einfall kam, ein paar Federn für ihren Hut mitnehmen zu wollen.

»Was für Federn denn, mein Liebes?« fragte Mrs. Butler. »Vom Fasan? Selbstverständlich kannst du davon ein paar haben.« Sie feilschte munter mit der tintenschwarzen dicken Frau, die das Geflügel verkaufte, und erstand am Ende eine reichliche Handvoll für einen Penny, die sie selbst ausrupfte.

»Was zum Kuckuck treibt Eleanor denn da?« sagte eine Stimme neben Scarletts Ellbogen. Sie sah sich um und erblickte Sally Brewtons Meerkatzengesicht.

»Guten Morgen, Mrs. Brewton.«

»Guten Morgen, Scarlett. Warum kauft Eleanor denn gerade die Federn? Hat etwa jemand eine Möglichkeit entdeckt, Federn zu kochen? Ich habe noch etliche Matratzen bei mir herumliegen ...«

Scarlett erklärte, was sie damit anfangen wollte, und spürte, wie sie errötete. Vielleicht putzten in Charleston ja nur »Flittchen« ihre Hüte auf.

»Was für eine gute Idee!« sagte Sally mit aufrichtiger Begeisterung. »Ich habe noch einen alten Reitzylinder, der mit Hilfe einer Kokarde und ein paar Federn wieder hinzukriegen wäre. Freilich nur, wenn ich ihn finden kann, es ist schon so lange her, seit ich ihn zuletzt getragen habe. Reiten Sie, Scarlett?«

»Seit Jahren nicht mehr. Nicht seit ...« Sie versuchte sich zu erinnern.

»Seit Kriegsbeginn. Ich weiß. Ich auch nicht mehr. Es fehlt mir schrecklich.«

»Was fehlt Ihnen, Sally?« Mrs. Butler trat zu ihnen. Sie reichte Celie die Federn. »Binde an beiden Enden ein Stück Schnur herum und paß auf, daß du sie nicht zerdrückst.« Dann hielt sie auf einmal den Atem an. »Entschuldigt mich«, sagte sie mit einem Lachen, »ich kriege sonst keine von Brewtons Würsten ab. Gott sei Dank, daß ich dich getroffen habe, Sally, es war mir doch völlig entfallen.« Sie eilte davon, Celie auf den Fersen.

Sally lächelte über Scarletts verdutzte Miene. »Keine Sorge, sie ist nicht wahnsinnig geworden. Die beste Wurst der Welt ist nur samstags zu haben, und sie ist schnell ausverkauft. Der Mann, der sie herstellt, war als Sklave bei uns. Lucullus heißt er. Seit der Befreiung nennt er sich zusätzlich Brewton. Die meisten Sklaven haben die Namen der alten Herrschaften angenommen, Sie werden die gesamte Aristokratie von Charleston hier antreffen – soweit es die Namen betrifft. Natürlich gibt es auch eine ordentliche Zahl von Lincolns. Begleiten Sie mich einen Augenblick, Scarlett. Ich muß mein Gemüse holen. Eleanor findet uns schon.«

Sally blieb vor einem Tisch mit Zwiebeln stehen. »Wo zum Teufel steckt denn Lila ... ah, da bist du ja. Scarlett, ob Sie's glauben oder nicht, dies winzige, junge Geschöpf führt meinen gesamten Haushalt, als wäre sie Iwan der Schreckliche. Das ist Mrs. Butler, Lila, Mister Rhetts Frau.«

Das hübsche junge Dienstmädchen knickste. »Wir brauchen viele, viele Zwiebeln, Miss Sally«, sagte sie, »wo ich doch Artischocken einlegen will.«

»Hören Sie das, Scarlett? Sie hält mich für senil. Ich weiß, daß wir viele, viele Zwiebeln brauchen.« Sally griff sich eine der braunen Tüten vom Tisch und begann, die Zwiebeln hineinfallen zu lassen. Scarlett beobachtete sie entsetzt. Impulsiv legte sie die Hand vor die Öffnung der Tüte.

»Entschuldigen Sie, Mrs. Brewton, aber die Zwiebeln taugen nichts.«

»Taugen nichts? Wie können Zwiebeln denn nichts taugen? Sie sind doch nicht verfault oder haben getrieben.«

»Diese Zwiebeln sind zu früh aus der Erde geholt worden«, erklärte Scarlett. »Sie sehen zwar recht gut aus, haben aber keinerlei Geschmack. Ich bin selbst schon darauf hereingefallen. Als ich unsere Plantage führen mußte, habe ich Zwiebeln angepflanzt. Da ich mich mit Gemüseanbau überhaupt nicht auskannte, habe ich eine ganze Reihe ausgegraben, sowie die Blattspitzen braun zu werden begannen. Ich hatte Angst, sie würden absterben und verfaulen. Sie waren bildschön, und ich war stolz wie ein Pfau, weil das meiste, was ich gepflanzt hatte, ziemlich kläglich ausgefallen war. Wir aßen sie gekocht, gedämpft und im Frikassee, um dem Geschmack von Eichhörnchen und Waschbären etwas aufzuhelfen. Sie hatten jedoch keinerlei Biß. Später, als ich das Beet umgrub, um etwas anderes zu pflanzen, bin ich dann auf eine gestoßen, die mir entgangen war. Die war so, wie eine Zwiebel sein sollte. Tatsache ist, sie brauchen Zeit, um Geschmack zu bekommen. Lassen Sie mich Ihnen zeigen, wie eine gute Zwiebel sein sollte.« Scarlett stöberte mit geübtem Blick, mit Hilfe von Händen und Nase durch die Körbe auf dem Tisch. »Das hier sind die, die Sie wollen«, sagte sie schließlich. Ihr Kinn hatte einen kriegerischen Zug. Ihr könnt mich gern für eine Landpomeranze halten, dachte sie, doch ich schäme mich nicht dafür, daß ich mir die Hände schmutzig gemacht habe, als ich es mußte. Ihr hochnäsigen Charlestoner meint wohl, ihr seid das Maß aller Dinge, doch das seid ihr nicht.

»Danke«, sagte Sally. Ihr Blick war nachdenklich. »Ich bin Ihnen dankbar. Ich habe Ihnen Unrecht getan, Scarlett. Ich konnte mir nicht vorstellen, daß jemand, der so hübsch ist, auch noch einen so praktischen Verstand besitzen könnte. Was haben Sie denn noch angepflanzt? Ich hätte nichts dagegen, etwas über Sellerie zu erfahren.«

Scarlett musterte Sallys Gesicht. Sie sah ehrliches Interesse und ging darauf ein. »Sellerie war zu ausgefallen für mich. Ich hatte ein Dutzend Mäuler zu füttern. Ich weiß jedoch alles, was man wissen kann, über Yamswurzeln, Mohrrüben, weiße Kartoffeln und Rüben. Und über Baumwolle.« Es war ihr gleichgültig, ob sie prahlte oder nicht. Sie hätte darauf gewettet, daß keine Dame in Charleston je baumwollpflückend in der Sonne geschwitzt hatte!

»Da müssen Sie sich ja halb totgearbeitet haben.« Der Respekt in Sally Brewtons Blick war nicht zu übersehen.

»Wir mußten doch essen.« Sie tat die Vergangenheit mit einem Achselzucken ab. »Gott sei Dank liegt das alles heute weit hinter uns.« Sie lächelte. Sally Brewton hatte sie aufgemuntert. »Das Ergebnis ist allerdings, daß ich sehr heikel in bezug auf Gemüse geworden bin. Rhett hat mal gesagt, er kenne viele Leute, die im Restaurant einen Wein zurückgehen ließen, doch ich sei die einzige, die das auch mit Mohrrüben macht. Wir waren im feinsten Restaurant von New Orleans, und das hat vielleicht einen Wirbel gemacht!«

Sally prustete los. »Ich glaube, das Restaurant kenne ich. Erzählen Sie. Hat der Kellner die Serviette am Arm zurechtgerückt und mißbilligend an seiner Nase hinabgeblickt?«

Scarlett kicherte. »Er hat die Serviette fallen lassen, und sie ist in einer dieser Pfannen gelandet, in denen sie das Dessert am Tisch zubereiten.«

»Und hat womöglich auch noch Feuer gefangen?« Sally grinste schadenfroh.

Scarlett nickte.

»Mein Gott!« Sally jubelte. »Was gäbe ich nicht darum, wenn ich das hätte miterleben können!«

Eleanor Butler schaltete sich ein. »Was habt ihr zwei denn? Ein bißchen Lachen täte mir jetzt ganz gut. Brewton hatte nur noch zwei Pfund, und die hatte er Minnie Wentworth versprochen.«

»Laß es dir von Scarlett erzählen«, sagte Sally, immer noch lachend. »Deine Schwiegertochter ist Gold wert, doch jetzt muß ich leider gehen.« Sie legte die Hand auf den Zwiebelkorb, den Scarlett ausgesucht hatte. »Ich nehme den hier«, sagte sie zu der Händlerin. »Ja, Lena, den ganzen Korb. Schütte sie einfach nur in einen Papiersack und gib sie Lila. Wie geht's deinem Jungen, bellt er immer noch so?« Ehe sie jedoch in eine Erörterung von Hustenmedizinen verwickelt werden konnte, wandte sie sich Scarlett zu und sah zu ihr auf. »Ich hoffe, Sie nennen mich Sally und kommen mich einmal besuchen, Scarlett. Ich bin jeden ersten Mittwochnachmittag des Monats zu Hause anzutreffen.«

Scarlett wußte es zwar nicht, aber sie hatte gerade die höchste Stufe von

Charlestons enggeknüpfter, streng nach Schichten unterteilter Gesellschaft erreicht. Türen, die sich für Eleanor Butlers Schwiegertochter einen höflichen Spalt geöffnet hätten, öffneten sich weit für einen Schützling Sally Brewtons.

Eleanor Butler richtete sich mit Vergnügen nach Scarletts Urteil über die Kartoffeln und Mohrrüben, die sie kaufen mußte. Dann erstand sie Maismehl, Maisgrütze, Weizenmehl und Reis. Schließlich kaufte sie Butter, Buttermilch, Milch und Eier. Celies Korb quoll über. »Wir müssen alles noch einmal auspacken und wieder neu einpacken«, fürchtete Mrs. Butler.

»Ich trage auch etwas«, bot Scarlett sich an. Sie hatte es eilig wegzukommen, ehe sie noch weitere von Mrs. Butlers Freundinnen kennenlernen mußte. Sie waren so oft stehengeblieben, der Gang durch die Gemüse- und Wildabteilung hatte sie mehr als eine Stunde aufgehalten. Sie hatte nichts dagegen, die Frauen kennenzulernen, die die Ware verkauften, sie wollte sie sich sogar ganz genau einprägen, weil sie überzeugt davon war, daß sie künftig mit ihnen zu tun haben würde. Miss Eleanor war zu nachgiebig. Sie war sich sicher, daß sie bessere Preise erzielen würde. Es würde ihr Spaß machen. Sowie sie erst einmal Fuß gefaßt hätte, würde sie anbieten, die Einkäufe zu übernehmen. Nicht das Fischzeug allerdings. Davon wurde ihr übel.

Allerdings nicht, so entdeckte sie, wenn sie es aß. Das Mittagessen war eine Offenbarung. Die Krebssuppe entpuppte sich als eine samtige Mischung aus Geschmackskomponenten, die ihr die Sprache verschlugen. Noch nie hatte sie etwas von solch erlesener Köstlichkeit gegessen, außer in New Orleans. Natürlich! Jetzt, wo sie daran dachte, ging ihr auf, daß Rhett damals viele von den Gerichten, die er bestellte, als Gerichte aus Meeresfrüchten bezeichnet hatte.

Scarlett nahm noch eine zweite Tasse Suppe und genoß jeden einzelnen Tropfen. Sie vernachlässigte auch die übrigen Gänge des großzügigen Mittagessens nicht, das Dessert inbegriffen, ein knuspriges Gebilde aus Nüssen und Früchten mit einer Sahnehaube, das Mrs. Butler als Hugenottentorte bezeichnete.

Am Nachmittag litt sie zum erstenmal in ihrem Leben unter Verdauungsbeschwerden – die jedoch nicht allein daherrührten, daß sie zuviel gegessen hatte. Eulalie und Pauline waren ihr auf den Magen geschlagen. »Wir sind auf dem Weg zu Carreen«, verkündete Pauline bei ihrem Eintreffen, »und wir dachten uns, Scarlett würde uns sicher gern begleiten. Entschuldigt die Störung. Ich wäre nicht auf die Idee gekommen, daß ihr mit dem Mittagessen noch nicht fertig sein könntet.« Ihr schmaler Mund ließ erkennen, daß sie derart ausgiebige Mahlzeiten mißbilligte. Eulalie ließ einen neiderfüllten kleinen Seufzer hören.

Carreen! Sie hatte keinerlei Lust, ihre Schwester zu sehen. Doch das durfte sie nicht sagen, ihre Tanten bekämen einen Anfall.

»Ich würde ja furchtbar gern mitkommen, Tantchen«, rief sie, »doch ich fühle mich wirklich nicht wohl. Ich will mir gerade ein kühles Tuch auf die Stirn legen und mich ausstrecken.« Sie senkte den Blick. »Du weißt doch, wie das ist.« So! Sollen sie doch denken, ich habe Monatsbeschwerden. Sie sind viel zu zimperlich, um Fragen zu stellen.

Sie hatte recht. Ihre Tanten verabschiedeten sich so rasch wie möglich. Scarlett begleitete sie zur Tür, vorsichtig auftretend, als hätte sie Magenkrämpfe. Eulalie tätschelte ihr mitfühlend die Schulter, als sie sich zum Abschied küßten. »Du ruhst dich jetzt ordentlich aus«, sagte sie. Scarlett nickte kläglich. »Und sei morgen um halb zehn bei uns. Man läuft eine halbe Stunde bis Saint Mary.«

Scarlett starrte sie mit entsetzt aufgerissenem Mund an. Noch kein einziges Mal war ihr die Messe in den Sinn gekommen.

In diesem Augenblick fühlte sie tatsächlich einen Stich im Magen, der so schmerzhaft war, daß sie sich beinah zusammengekrümmt hätte.

Den ganzen Nachmittag verbrachte sie mit gelöstem Korsett und einer Wärmflasche auf dem Bauch im Bett. Die Magenschmerzen wurden unangenehm, waren ihr nicht vertraut und folglich beängstigend. Doch weit, weit beängstigender war ihre abgrundtiefe Furcht vor Gott.

Ellen O'Hara war eine gläubige Katholikin gewesen, und sie hatte getan, was sie nur konnte, um die Religion zu einem Teil des Lebensablaufs auf Tara zu machen. Abends gab es Gebete, die Litanei und den Rosenkranz, und unablässig richtete sie sanfte Ermahnungen an ihre Töchter, ihre christlichen Pflichten nicht zu vergessen. Die Abgelegenheit der Plantage bereitete Ellen Kummer, weil sie die Tröstungen der Kirche vermißte. Auf ihre ruhige Art versuchte sie, sie ihrer Familie zu verschaffen. Mit zwölf waren Scarlett und ihren Schwestern die Gebote des Katechismus durch die geduldige Unterweisung ihrer Mutter unverrückbar eingepflanzt worden.

Jetzt wand Scarlett sich vor Schuldgefühlen, weil sie so viele Jahre hindurch sämtlichen religiösen Gehorsam hatte vermissen lassen. Ihre Mutter mußte im Himmel Tränen vergießen. Ach, warum mußten die Schwestern ihrer Mutter bloß in Charleston leben? Niemand in Atlanta hatte je von ihr erwartet, daß sie zur Messe ging, und auch Mrs. Butler hätte ihr nicht damit in den Ohren gelegen, schlimmstenfalls hätte sie erwartet, daß Scarlett sie in die episkopale Kirche begleitete. Das wäre auch gar nicht so schlimm gewesen. Scarlett hatte das unbestimmte Gefühl, daß Gott auf das, was in protestantischen Kirchen vor sich ging, nicht die mindeste Aufmerksamkeit verwandte. Doch würde er in dem Augenblick, wo sie ihren Fuß über die Schwelle von Saint Mary setzte, wissen, daß sie eine bange Sünderin war, die keine Beichte mehr abgelegt hatte, seit ... sie konnte sich nicht einmal mehr erinnern, wann sie das letzte Mal gebeichtet hatte. Sie würde nicht einmal an der Kommunion teilnehmen können, und jeder würde wissen, warum. Sie stellte sich die unsichtbaren Schutzengel vor, von denen Ellen ihr erzählt hatte, als sie noch ein Kind war. Alle runzelten die Stirn; Scarlett zog sich die Decke über den Kopf.

Sie wußte nicht, daß ihre Auffassung vom religiösen Glauben so abergläubisch und unwissend war wie die eines Steinzeitmenschen. Sie wußte nur, daß sie sich ängstigte und unglücklich und wütend war, weil sie sich in einer Zwickmühle befand. Was sollte sie nur tun?

Sie dachte an das gleichmütige, von Kerzenschein beleuchtete Gesicht ihrer Mutter, als sie ihrer Familie und ihren Dienstboten erzählte, daß Gott das verirrte Lamm mehr liebte als alle anderen, doch es war ihr kein großer Trost. Ihr fiel einfach nichts ein, wie sie sich um den Gang zur Messe hätte herumdrücken können.

Das war ungerecht! Gerade, wo sich die Dinge so gut angelassen hatten. Mrs. Butler hatte ihr erzählt, daß Sally Brewton sehr aufregende Whist-Abende veranstaltete, und sie war überzeugt, dazu eingeladen zu werden.

16. Kapitel

Selbstverständlich ging Scarlett zur Messe. Zu ihrer Überraschung waren das alte Ritual und die Responsorien seltsam tröstlich, wie alte Freunde in einem neuen Leben, das sie begann. Es fiel ihr nicht schwer, sich daran zu erinnern, wie die Lippen ihrer Mutter das Vaterunser gemurmelt hatten, und die glatten Perlen des Rosenkranzes waren ihren Fingern so vertraut. Ellen mußte es gefallen, sie hier auf den Knien zu sehen, davon war sie überzeugt, und es stimmte sie froh.

Da es unausweichlich war, legte sie die Beichte ab und ging Carreen besuchen. Das Kloster und ihre Schwester stellten sich als weitere Überraschungen heraus. Scarlett hatte sich unter einem Kloster immer ein festungsgleiches Gebäude mit verschlossenen Toren vorgestellt, worin Nonnen von morgens bis abends Steinfußböden scheuerten. In Charleston lebten die Sisters of Mercy jedoch in einem prächtigen Backsteingebäude und unterrichteten in dessen schönem Ballsaal.

Carreen lebte strahlend glücklich ihrer Berufung und war so ganz anders als das stille, in sich gekehrte Mädchen, als das Scarlett sie in Erinnerung hatte, daß sie einen anderen Menschen vor sich zu haben glaubte. Wie konnte sie aber wütend auf eine Fremde sein? Insbesondere eine Fremde, die eher älter wirkte als sie und nicht wie eine jüngere Schwester. Carreen – Schwester Mary Joseph – war außerdem überströmend herzlich vor lauter Wiedersehensfreude. Scarlett empfand diese Freude und die Bewunderung, die sie ungehemmt zum Ausdruck brachte, als herzerwärmend. Wenn Suellen nur halb so nett wäre, dachte sie, dann würde ich mich auf Tara nicht so ausgeschlossen fühlen. Es war ihr ein aufrichtiges Vergnügen,

Carreen zu besuchen und im streng formellen Klostergarten Tee mit ihr zu trinken, auch wenn ihre Schwester so viel von den kleinen Mädchen in ihrem Rechenunterricht sprach, daß Scarlett fast eingeschlafen wäre.

Wie selbstverständlich wurden die Sonntagsmesse, der ein Frühstück im Haus ihrer Tanten folgte, und der Dienstagnachmittagstee mit Carreen zu willkommenen stillen Augenblicken innerhalb von Scarletts dichtgedrängtem Tagesplan.

Denn den hatte sie.

Ein Gestöber von weißen Visitenkarten war in der Woche, nachdem Scarlett Sally Brewton über die Zwiebel aufgeklärt hatte, über Eleanor Butlers Haus niedergegangen. Eleanor war Sally dankbar, oder wenigstens meinte sie das. Erfahren, wie sie war im Umgang mit der Charlestoner Lebensweise, sorgte sie sich Scarletts wegen. Selbst unter den spartanischen Bedingungen des Nachkriegslebens war das gesellschaftliche Parkett wie Treibsand, was die ungeschriebenen Regeln betraf, ein byzantinisches Labyrinth von ausgeklügelten Raffinessen, die auf den Unachtsamen und Uneingeweihten lauerten.

Eleanor versuchte, Scarlett zu lenken. »Du brauchst diese Leute nicht alle zu besuchen, die ihre Karten dagelassen haben, Liebes«, sagte sie. »Es reicht, wenn du deine eigene Karte daläßt und die Ecke umknickst. Dadurch bestätigst du, daß man bei dir vorbeigeschaut hat, und zeigst deine Bereitschaft, Bekanntschaft zu schließen, zugleich aber, daß du die betreffende Person nicht wirklich zu Hause aufsuchen wirst.«

»Ist das der Grund, weshalb so viele von den Karten geknickt waren? Ich dachte, die wären einfach nur alt und ramponiert. Nun gut, ich werde den Damen dennoch einer nach der anderen einen Besuch abstatten. Ich freue mich, daß alle Freundschaft mit mir schließen wollen, und ich will es auch.«

Eleanor hüllte sich in Schweigen. Es war tatsächlich so, daß die meisten Karten »alt und ramponiert« waren. Keiner konnte sich neue leisten – oder jedenfalls fast keiner. Und die, die es konnten, wollten die anderen durch neue nicht in Verlegenheit bringen. Es war ein mittlerweile allgemein akzeptierter Brauch, alle Visitenkarten, die man bekommen hatte, auf einem Tablett in der Diele liegenzulassen, wo ihre Besitzer sie unauffällig wieder an sich nehmen konnten. Eleanor beschloß fürs erste, daß sie Scarletts Erziehung durch diese Feinheiten nicht noch komplizierter gestalten wollte. Das liebe Kind hatte ihr eine Schachtel mit hundert frischgedruckten weißen Karten gezeigt, die sie aus Atlanta mitgebracht hatte. Sie waren so neu, daß sie an den Schnittkanten zum Teil noch zusammenhingen. Sie sollten lange Zeit vorhalten. Eleanor beobachtete Scarlett, als sie mit hochgemuter Zielstrebigkeit aufbrach, und hatte dasselbe Gefühl, das sie gehabt hatte, als Rhett im Alter von drei Jahren triumphierend vom höchsten Ast einer riesigen Eiche zu ihr hinuntergerufen hatte.

Eleanor Butlers Besorgnisse waren unnötig. Sally Brewton hatte sich deutlich ausgedrückt: »Dem Mädchen geht fast jegliche Bildung ab, und sie hat einen Geschmack wie ein Hottentotte. Aber sie besitzt Energie und Lebenskraft, und sie ist eine Überlebende des Krieges. Wir brauchen diese Art von Menschen im Süden, ja, selbst in Charleston. Vielleicht ganz besonders in Charleston. Ich stelle mich hinter sie, und ich erwarte von all meinen Freunden, daß sie ihr das Leben hier so angenehm wie möglich machen.«

Bald waren Scarletts Tage wahre Strudel der Betriebsamkeit. Sie fing mit dem Markt an, dann folgte ein großes Frühstück zu Hause – wozu gewöhnlich Brewtons Wurst gehörte –, und etwa um zehn Uhr war sie, frisch angekleidet, bereits unterwegs, Pansy im Kielwasser, die mit der Visitenkartenschachtel und dem persönlichen Zuckervorrat hinter ihr hertrabte, der in der Zeit der Rationierung bei allen Gästen als selbstverständliches Mitbringsel vorausgesetzt wurde. Es blieb ihr genug Zeit, um immerhin fünf Besuche zu machen, ehe sie zum Mittagessen nach Hause zurückkehrte. Die Nachmittage waren ausgefüllt mit Besuchen bei Damen, die »zu Hause anzutreffen« waren, mit Whist-Partien, Ausflügen mit neuerworbenen Feundinnen zum Einkaufen in die King Street oder, an Miss Eleanors Seite, mit dem Empfang von Besuchern.

Scarlett liebte die unablässige Betriebsamkeit und vor allem die Aufmerksamkeit, die man ihr entgegenbrachte. Mehr als alles aber liebte sie es, Rhetts Namen aus aller Munde zu hören. Ein paar alte Frauen waren offen gegen ihn eingenommen. Die meisten jedoch verziehen ihm seine einstigen Sünden. Er war eben jetzt älter und geläutert. Und er war seiner Mutter ergeben. Alte Damen, die ihre eigenen Söhne und Enkel im Krieg verloren hatten, konnten Eleanor Butlers Glückseligkeit gut verstehen.

Die jüngeren Frauen betrachteten Scarlett mit kaum verhohlenem Neid. Sie hielten sich dadurch schadlos, daß sie alle Tatsachen und alle Gerüchte weitergaben, die Rhetts Beweggründe betrafen, wenn er ohne jede Erklärung die Stadt verließ. Manche sagten, ihre Männer wüßten ganz genau, daß Rhett die politische Bewegung finanzierte, die die Regierung der Spekulanten aus dem Kapitol des Staates hinauswerfen wollte. Andere flüsterten, er hole sich mit vorgehaltener Pistole die Butlerschen Familienporträts und Möbel zurück. Alle kannten Geschichten über seine Eroberungszüge während des Krieges, als sein dunkles, schnittiges Schiff wie der Leibhaftige durch die Blockade der Unionsflotte gejagt war. Sie hatten einen ganz besonderen Ausdruck im Gesicht, wenn sie über ihn sprachen, eine Mischung aus Neugier und romantischer Schwärmerei. Rhett war eher ein Mythos als ein Mann. Und er war Scarletts Gatte. Wie hätten sie sie nicht beneiden sollen?

Scarlett war es schon immer am besten gegangen, wenn sie unablässig beschäftigt war, und so waren es gute Tage für sie. Die gesellschaftliche Umtriebigkeit war genau das, was sie nach der entsetzlichen Einsamkeit von

Atlanta brauchte, und rasch vergaß sie die Verzweiflung, die sie dort befallen hatte. Atlanta mußte sich geirrt haben, weiter nichts. Sie hatte nichts getan, um eine so grausame Behandlung verdient zu haben, denn sonst würde man sie in Charleston nicht so sehr mögen. Und das war der Fall. Weshalb sonst wurde sie so viel eingeladen?

Der Gedanke war ungeheuer wohltuend. Sie kehrte oft zu ihm zurück. Wann immer sie Besuche machte, mit Mrs. Butler zusammen Besuche empfing, ins Konföderiertenheim zu Anne Hampton ging, die sie sich zur ganz speziellen Freundin auserkoren hatte, oder kaffeetrinkend auf dem Marktplatz plauderte, wünschte Scarlett sich jedesmal, Rhett könnte sie so sehen. Manchmal sah sie sich rasch um, da sie sich einbildete, er wäre da, so heftig war ihr Verlangen. Ach, wenn er doch nur nach Hause käme!

Am nächsten schien er ihr in der stillen Stunde nach dem Abendessen zu sein, wenn sie mit seiner Mutter in der Bibliothek saß und fasziniert zuhörte, wie Miss Eleanor erzählte. Sie war stets bereit, sich an Dinge zu erinnern, die Rhett getan oder gesagt hatte, als er noch ein kleiner Junge war.

Scarlett gefielen auch Miss Eleanors andere Geschichten. Manchmal waren sie von boshafter Komik. Eleanor Butler war, wie die meisten ihrer Charlestoner Altersgenossinnen, von Gouvernanten erzogen worden, und Reisen hatten ein übriges getan. Sie war belesen, aber nicht intellektuell, sprach die romanischen Sprachen hinlänglich, allerdings mit einem schrecklichen Akzent, war mit London, Paris, Rom, Florenz vertraut, soweit es die berühmten historischen Sehenswürdigkeiten und die luxuriösen Geschäfte betraf. Trotz allem war sie ihrem Zeitalter und ihrer Schicht verhaftet geblieben. Niemals hatte sie die Autorität ihrer Eltern oder ihres Gatten in Frage gestellt und stets klaglos in jeder Hinsicht ihre Pflicht getan.

Was sie jedoch von den meisten Frauen ihres Schlages unterschied, war, daß sie einen unbezwingbaren Hang zur Lebensfreude hatte. Sie genoß, was das Leben ihr bot, fand das menschliche Dasein im wesentlichen unterhaltsam, und sie war eine begabte Geschichtenerzählerin, deren Repertoire von der Wiedergabe unterhaltsamer Begebenheiten des eigenen Lebens bis zum klassischen Geschichtenvorrat des Südens über berühmte und berüchtigte Vorfahren reichte, wie sie jede Familie in der Gegend vorzuweisen hatte.

Scarlett hätte, wenn ihr dieser Vergleich zu Gebote gestanden hätte, Eleanor ihre persönliche Scheherazade nennen können. Niemals wurde ihr bewußt, daß Mrs. Butler indirekt versuchte, ihren seelischen und geistigen Horizont zu erweitern. Eleanor erkannte wohl die Verletzlichkeit und die Tapferkeit, die ihren geliebten Sohn zu Scarlett hingezogen hatte. Sie erkannte außerdem, daß etwas in dieser Ehe schrecklich danebengegangen war, so daneben, daß Rhett nichts mehr davon wissen wollte. Sie wußte darüber hinaus, ohne daß jemand es ihr hätte sagen müssen, daß Scarlett verzweifelt entschlossen war, ihn zurückzugewinnen, und hatte ihre eigenen Gründe dafür, daß sie sich bald schon noch sehnlicher als Scarlett eine Versöhnung erhoffte. Sie war sich zwar nicht sicher, ob Scarlett Rhett wirklich glücklich zu machen vermochte, doch war sie zutiefst davon überzeugt, daß ein weiteres Kind die Ehe zum Guten wenden würde. Sie würde nie vergessen, welche Freude es für sie gewesen war, als Rhett sie mit Bonnie besucht hatte. Sie hatte das kleine Mädchen geliebt, und noch mehr Freude hatte es ihr bereitet, ihren Sohn so glücklich zu sehen. Sie wollte, daß er und sie dieses Glück wiederfanden. Und sie war bereit, dazu alles in ihrer Macht Stehende zu tun.

Vor lauter Beschäftigung dauerte es über einen Monat, bis Scarlett merkte, daß sie sich langweilte. Es geschah bei Sally Brewton, im am wenigsten langweiligen Haus der Stadt, als alles über Mode sprach, ein Thema, das Scarlett immer brennend interessiert hatte. Anfangs hörte sie noch fasziniert zu, als Sally und die anderen von Paris sprachen. Ihr fiel die Haube wieder ein, die Rhett ihr vor so langer Zeit aus Paris mitgebracht hatte, das schönste und aufregendste Geschenk, das sie je bekommen hatte. Grün – damit sie zu ihren Augen passe, hatte er gesagt – mit prächtigen weißen Seidenbändern, die unter dem Kinn zusammengebunden wurden. Sie zwang sich zum Zuhören, als Alicia Savage sprach, obwohl schwer vorstellbar war, was eine dürre alte Dame wie sie über Kleidung wissen konnte. Oder auch Sally. Mit ihrem Gesicht und ihrer flachen Brust konnte sie anstellen, was sie wollte, sie würde nie gut aussehen.

»Erinnert ihr euch noch an die Anproben bei Worth's?« fragte Mrs. Savage. »Ich dachte, ich würde zusammenbrechen, wenn ich endlos auf dem Podest stehen mußte.«

Ein halbes Dutzend Stimmen sprach durcheinander, einig in der Klage über die Brutalität der Pariser Schneider. Woraufhin ihnen andere entgegenhielten, noch die größte Unbequemlichkeit sei ein geringer Preis für die Qualität, die nur Paris zu liefern imstande sei. Einige der Damen seufzten bei der Erinnerung an Handschuhe und Stiefel, an Fächer und Parfüms.

Scarlett wandte sich automatisch in die Richtung, aus der die Stimme jeweils kam, und ihre Miene schien interessiert. Wenn sie Lachen hörte, lachte sie. Aber sie war mit ihren Gedanken anderswo . . . Ob wohl noch ein Stück von der guten Pastete vom Mittagessen übrig war? Die würde sie gern zum Abendessen haben wollen . . . Ihr blaues Kleid brauchte einen neuen Kragen . . . Rhett . . . Sie schaute auf die Uhr hinter Sallys Kopf. Sie konnte mindestens noch weitere acht Minuten nicht weg. Und Sally hatte ihren Blick bemerkt. Sie mußte aufpassen.

Die acht Minuten kamen ihr wie acht weitere Stunden vor.

»Das einzige, wovon gesprochen wurde, Miss Eleanor, waren Kleider. Ich dachte, ich würde verrückt, so habe ich mich gelangweilt!« Scarlett ließ sich in den Sessel gegenüber von Mrs. Butler fallen. Kleider hatten ihre Faszination für sie eingebüßt, seit ihre Garderobe auf die vier »nützlichen« Gewänder in den tristen Farben reduziert worden war, die sie mit Hilfe von Mrs. Butler beim Schneider bestellt hatte. Selbst die Ballkleider, die gerade angefertigt wurden, waren von geringem Interesse – nur zwei für die ganze bevorstehende Saison, in der sechs Wochen lang fast allabendlich Bälle stattfinden würden. Und außerdem waren sie langweilig – öde Farben, eins aus blauer Seide und eins aus weinrotem Samt – und so geschnitten, daß sie fast ohne jeden Besatz auskamen. Immerhin, noch der langweiligste Ball bedeutete Musik und Tanz, und Scarlett tanzte ungeheuer gern. Rhett würde rechtzeitig von der Plantage zurück sein, hatte Miss Eleanor ihr versprochen. Wenn sie nur nicht mehr so lange warten müßte, bis die Saison anfing. Drei Wochen erschienen ihr auf einmal eine unerträglich lange Zeit, wenn sie daran dachte, daß sie nichts anderes zu tun hatte, als herumzusitzen und mit Frauen zu plaudern.

Ach, wie sehr sie sich danach sehnte, daß etwas Aufregendes passierte!

Ihr Wunsch wurde bald schon erfüllt, wenn auch nicht in der erhofften Weise. Statt dessen war die Aufregung beängstigender Art.

Es begann als boshafter Klatsch, über den die ganze Stadt lachen mußte. Mary Elizabeth Pitt, eine ledige Frau in den Vierzigern, behauptete, sie sei mitten in der Nacht aufgewacht und habe einen Mann in ihrem Zimmer gesehen. »Klar und deutlich«, behauptete sie, »mit einem Tuch vor dem Gesicht wie Jesse James.«

»Wenn man je von Wunschdenken sprechen konnte, dann jetzt«, lautete ein wenig liebenswürdiger Kommentar. »Mary Elizabeth muß mindestens zwanzig Jahre älter sein als Jesse James.« Die Zeitung hatte eine Artikelserie gebracht, in der die tollkühnen Streiche der James-Brüder und ihrer Bande romantisiert worden waren.

Tags darauf nahm die Geschichte jedoch eine häßliche Wendung. Alicia Savage war ebenfalls in den Vierzigern, doch war sie bereits zum zweitenmal verheiratet, und alle wußten, sie war eine ruhige, vernünftige Frau. Auch sie war aufgewacht und hatte einen Mann in ihrem Schlafzimmer entdeckt, der neben ihrem Bett stand und im Mondschein auf sie hinabblickte. Er hielt den Vorhang beiseite, um das Licht hereinzulassen, und starrte über ein Tuch hinweg, das den unteren Teil seines Gesichts bedeckte. Der obere Teil war vom Schirm seiner Mütze überschattet.

Er trug die Uniform eines Unionssoldaten.

Mrs. Savage schrie und warf ein Buch von ihrem Nachttisch nach ihm. Der Kerl war bereits durch den Vorhang auf die Veranda verschwunden, noch ehe Mr. Savage das Zimmer erreicht hatte.

Ein Yankee! Auf einmal hatte alles Angst: alleinstehende wie verheiratete Frauen, die neben der Angst um sich selbst mehr noch um ihre Männer fürchteten, denn wer einen Unionssoldaten verletzte, kam ins Gefängnis oder sogar an den Galgen.

In der nächsten und in der übernächsten Nacht tauchte der Soldat wieder im Schlafzimmer einer Frau auf. Der Bericht über die dritte Nacht fiel am schlimmsten aus. Nicht das Mondlicht weckte Theodosia Harding, es war die Bewegung einer warmen Hand auf der Bettdecke über ihren Brüsten. Alles war finster, als sie die Augen öffnete. Doch sie konnte den gepreßten Atem hören, spürte die Anwesenheit des lauernden Fremden. Sie schrie auf und sank gleich darauf in Ohnmacht. Niemand wußte, was danach geschehen war. Theodosia war zu ihren Cousinen nach Summerville geschickt worden. Es hieß, sie befinde sich im Zustand völliger Auflösung. In einer Art Stupor, setzten die Boshaften hinzu.

Eine Delegation von Charlestoner Männern ging ins Hauptquartier der Armee, angeführt von Josiah Anson, einem älteren Anwalt. Sie wollten auf eigene Faust nachts im alten Teil der Stadt Patrouillen durchführen. Wenn sie den Eindringling zu fassen bekämen, wollten sie ihn überwältigen.

Der Kommandant war mit den Patrouillen einverstanden. Er warnte jedoch davor, womöglich einen seiner Soldaten zu verletzen, denn in diesem Fall würden der Schuldige oder die Schuldigen hingerichtet. Es würde auch unter dem Deckmantel, daß man Charlestons Frauen schützen wolle, keine Selbstjustiz und keine Übergriffe gegen Soldaten aus dem Norden geben.

Scarletts alte Ängste, über Jahre aufgestaut, schlugen wie eine Flutwelle über ihr zusammen. Sie hatte gelernt, den Besatzungstruppen mit Verachtung zu begegnen; wie alle Bewohner Charlestons ignorierte sie sie, tat sie, als wären sie gar nicht vorhanden, und man machte ihr den Weg frei, wenn sie mit flottem Schritt die Promenade entlangging. Jetzt hatte sie Angst vor jeder blauen Uniform, der sie begegnete. Jeder einzelne konnte doch der nächtliche Eindringling sein. Sie konnte sich ihn nur allzugut vorstellen, eine aus dem Dunkel springende Gestalt.

Ihr Schlaf wurde durch häßliche Träume gestört – eigentlich Erinnerungen. Wieder und wieder sah sie den Yankee, den Nachzügler, der nach Tara gekommen war, roch seinen ranzigen Geruch, sah, wie seine schmutzigen, haarigen Hände die Schubladen im Nähkasten ihrer Mutter durchwühlten, wie seine rotgeränderten Augen in heftiger Begierde erglühten, wie er sie anstarrte und wie sein Mund mit den verrotteten Zähnen in geiler Vorfreude zu triefen und sich zu verziehen begann. Sie hatte ihn erschossen. Den Mund und die Augen in einer Explosion von Blut, Knochensplittern und zähflüssigen rotgestreiften Brocken seines Hirns ausgelöscht.

Niemals würde sie den Nachhall des Schusses und die gräßlichen roten

Spritzer und ihr wildes, herzzerreißendes Triumphgefühl vergessen können.

Ach, wenn sie doch nur eine Pistole hätte, um sich und Miss Eleanor vor dem Yankee zu schützen!

Es war jedoch keine Waffe im Haus. Sie hatte Wandschränke und Schrankkoffer durchstöbert, Kleiderschränke und Kommodenschubladen, selbst die Regalbretter hinter den Büchern in der Bibliothek. Sie war ohne Schutz und Hilfe. Zum erstenmal im Leben fühlte sie sich schwach und nicht wie sonst imstande, auch noch das ärgste Hindernis in ihrem Weg zu überwinden. Sie kam sich geradezu vor wie ein Krüppel und flehte Eleanor Butler an, Rhett doch eine Nachricht zu schicken.

Eleanor hielt sie hin. Ja, ja, sie wollte ihn benachrichtigen. Ja, sie wollte ihm schreiben, was Alicia über die riesenhafte Größe des Mannes und das unirdische Schimmern des Mondlichts in seinen unmenschlich schwarzen Augen gesagt hatte. Ja, sie wollte ihm zu bedenken geben, daß Scarlett und sie nachts in dem großen Haus allein waren, daß die Dienstboten nach dem Abendessen alle zu sich nach Hause gingen, außer Manigo, dem alten Mann, und Pansy, dem zierlichen, schwachen Mädchen.

Ja, sie wollte den Brief mit dem Vermerk »Eilt« versehen, und sie würde ihn umgehend abschicken, gleich mit dem nächsten Boot, das Wild von der Plantage brachte.

»Aber wann wird das denn sein, Miss Eleanor? Rhett muß jetzt gleich kommen! Der Magnolienbaum bildet ja praktisch eine Leiter zur Veranda vor unseren Schlafzimmern!« Scarlett umklammerte Mrs. Butlers Arm und schüttelte ihn, um ihren Worten Nachdruck zu verleihen.

Eleanor tätschelte ihr die Hand. »Bald, Liebes. Das Boot kommt bestimmt schon bald. Wir haben seit einem Monat keine Ente bekommen, und gebratene Ente gehört zu meinen Lieblingsgerichten. Rhett weiß das. Außerdem wird schon alles in Ordnung kommen. Ross und seine Freunde gehen jede Nacht Streife.«

Ross! Scarlett schrie innerlich auf. Was konnte ein Trunkenbold wie Ross schon ausrichten? Oder sonst irgendeiner der Männer aus Charleston? Die meisten waren alt oder Krüppel, oder es waren noch Jungen. Wenn sie zu etwas taugten, dann hätten sie diesen verdammten Krieg nicht verloren. Warum sollte man ihnen denn jetzt mit einemmal zutrauen, daß sie mit den Yankees fertig würden?

Scarlett rannte mit ihrem Schutzbedürfnis gegen Eleanor Butlers unterschütterlichen Optimismus an, und sie vermochte nichts auszurichten.

Eine Weile sah es so aus, als seien die Patrouillen wirkungsvoll. Es gab keine neuen Berichte von Eindringlingen mehr, und alles beruhigte sich. Scarlett hielt ihren ersten »Empfangstag« ab, der so gut besucht war, daß ihre Tante Eulalie sich beschwerte, es sei nicht genügend Kuchen da. Eleanor Butler zerriß das Briefchen, das sie Rhett geschrieben hatte. Die Leute gingen zur Kirche, gingen einkaufen, spielten Whist und holten ihre Abendgarderobe zum Auslüften und Ausbessern heraus, ehe die Ballsaison begann.

Scarlett kam von ihrer morgendlichen Besuchsrunde mit glühenden Wangen nach Hause, weil sie zu schnell gelaufen war. »Wo ist Mrs. Butler?« wollte sie von Manigo wissen. Als er antwortete, sie sei in der Küche, rannte Scarlett in den hinteren Teil des Hauses.

Eleanor Butler blickte auf, als Scarlett hereingestürzt kam. »Gute Nachrichten, Scarlett! Ich habe heute morgen einen Brief von Rosemary bekommen. Sie wird übermorgen nach Hause zurückkehren.«

»Telegrafieren Sie ihr lieber, daß sie wegbleiben soll«, sagte Scarlett. Ihre Stimme klang hart und gefühllos. »Der Yankee hat sich letzte Nacht Harriet Madison vorgenommen. Ich habe es gerade eben gehört.« Sie blickte auf den Tisch vor Mrs. Butler. »Enten? Die Enten, die Sie da gerade rupfen! Das Boot ist gekommen! Ich werde damit zur Plantage fahren, um Rhett zu holen.«

»Du kannst nicht mit vier Männern allein in einem Boot fahren, Scarlett.«

»Ich werde Pansy mitnehmen, ob ihr das nun gefällt oder nicht. Geben Sie mir eine Tüte und ein paar von den Keksen. Ich bin hungrig. Ich esse sie auf dem Weg.«

»Aber Scarlett ...«

»Kein Aber, Miss Eleanor. Geben Sie mir nur die Kekse. Ich bin schon unterwegs.«

Was mache ich da bloß? dachte Scarlett, einer Panik nahe. Ich hätte niemals so losstürzen sollen, Rhett wird wütend auf mich sein. Und außerdem muß ich schrecklich aussehen. Es ist schon schlimm genug, daß ich auf der Plantage auftauche, ohne dort etwas zu suchen zu haben, also könnte ich wenigstens hübsch aussehen. Ich hatte doch alles ganz anders geplant. Sie hatte sich tausendmal vorgestellt, wie es sein würde, wenn sie Rhett das nächste Mal träfe.

Manchmal malte sie sich aus, daß er spät nach Hause käme; sie wäre im Nachthemd, dem mit der Kordel am Kragen – die aufgebunden wäre –, und sie würde sich das Haar zum Schlafengehen bürsten. Rhett hatte ihr Haar immer geliebt, es sei etwas Lebendiges, hatte er gesagt und es ihr in der Anfangszeit sogar selbst gebürstet, um das blaue Geknister zu sehen.

Oft stellte sie sich vor, wie sie gerade am Teetisch ein Stück Zucker in eine Tasse fallen ließ, die Zuckerzange elegant in der Hand. Sie würde gemütlich mit Sally Brewton plaudern, und er würde sehen, wie gut sie sich eingelebt hatte, daß sie von Charleston aufgenommen worden war. Er würde ihre

Hand einfangen und sie küssen, und die Zange würde herunterfallen, doch das würde nichts machen . . .

Oder sie war nach dem Abendessen mit Miss Eleanor zusammen, und beide saßen sie in ihren Sesseln vor dem Feuer, fühlten sich so wohl miteinander, ganz dicht saßen sie nebeneinander, wenn sie auch einen Platz für ihn vorgesehen hatten, der ihn erwartete. Nur einmal hatte sie sich ausgemalt, daß sie zur Plantage fahren würde, weil sie nicht wußte, wie das Haus dort aussah, außer daß Shermans Leute es niedergebrannt hatten. Ihr Tagtraum fing gut an – sie und Miss Eleanor trafen mit Körben voller Kuchen und Champagner in einem hübschen grüngestrichenen Boot ein, in Berge von seidenen Kissen gelehnt und mit leuchtendbunten Blumen gemusterte Sonnenschirme über sich haltend. »Picknick«, riefen sie, und Rhett lachte und rannte mit offenen Armen auf sie zu. Doch dann verläpperte der Traum sich und endete in schierer Ratlosigkeit. Allein schon, weil Rhett Picknicks haßte. Er sagte, da könnte man auch gleich in einer Höhle leben, wenn man am Boden sitzend wie ein Tier essen wollte, statt auf einem Stuhl und an einem Tisch wie ein zivilisiertes menschliches Wesen.

Bestimmt hatte sie niemals an die Möglichkeit gedacht, daß sie auf diese Weise dort auftauchen würde, zwischen Kisten und Fässern, der Himmel wußte, welchen Inhalts, auf einem räudigen Boot, das zum Himmel stank.

Jetzt, fern von der Stadt, sorgte sie sich mehr wegen Rhetts Zorn als wegen des herumschleichenden Yankees. Wenn er nun den Männern im Boot aufträgt, sofort wieder umzukehren und mich zurückzubringen?

Die Ruderer tauchten die Ruder nur zum Steuern ins grünbraune Wasser, die Flut bildete eine unsichtbare langsame, aber kraftvolle Strömung, die sie mit sich zog. Scarlett blickte ungeduldig auf die Ufer des breiten Flusses. Sie hatte nicht den Eindruck, daß sie sich überhaupt bewegten. Alles blieb gleich – breite Streifen von hohem, braunem Gras, das langsam, oh, so langsam, in der Gezeitenströmung wogte, und dahinter dichte Wälder, die mit grauen Vorhängen von spanischem Moos drapiert waren, unter ihnen das verworrene Unterholz von überwuchertem, immergrünem Gesträuch. Es war alles so still. Warum sangen denn überhaupt keine Vögel, um Himmels willen? Und warum wurde es schon so früh dunkel?

Es begann zu regnen.

Lange schon, bevor die Ruder stetig zum linken Ufer hinüberzuziehen begannen, war sie naß bis auf die Haut und zitterte. Sie fühlte sich innerlich wie äußerlich gleichermaßen erbärmlich. Das Anstoßen des Bugs gegen die Kaimauer riß sie aus der Trostlosigkeit und der zusammengekauerten Haltung, in die sie versunken war. Sie blickte durch den Regenschleier vor ihrem Gesicht auf und sah eine Gestalt in regenüberströmter Ölhaut, die von einer lodernden Fackel beleuchtet wurde. Das Gesicht war unter einem tief herabgezogenen Hut verborgen.

»Werft mir ein Tau zu.« Rhett beugte sich vor, einen Arm ausgestreckt. »Gute Fahrt gehabt, Jungs?«

Scarlett zog sich an den Kisten hoch, die ihr am nächsten standen. Ihre Beine waren zu verkrampft, um sie zu tragen, und so fiel sie wieder zurück auf ihren Platz, wobei sie krachend die oberste Kiste mitriß.

»Was ist denn los, zum Teufel?« Rhett fing die Schlinge des Taus, das der Bootsführer auf ihn zuschnellen ließ, und warf es über einen Poller. »Werft die Heckleine rüber«, befahl er. »Woher kommt denn das Gepolter? Seid ihr betrunken?«

»Nein, Sir, Mister Rhett«, antworteten die Ruderer im Chor. Es war das erste Mal, das sie gesprochen hatten, seit sie vom Kai in Charleston abgelegt hatten. Einer von ihnen wies auf die beiden Frauen im Heck der Barke.

»Mein Gott!« sagte Rhett.

17. Kapitel

»Fühlst du dich jetzt besser?« Rhetts Stimme war hörbar um Beherrschung bemüht.

Scarlett nickte benommen. Sie war in eine Decke gehüllt, trug darunter ein grobes Arbeitshemd von Rhett und saß auf einem Hocker dicht bei einem offenen Feuer, die Füße in einem Bottich mit heißem Wasser.

»Und du, Pansy?« Scarletts Zofe, die ebenfalls in einem Deckenkokon auf einem Hocker saß, grinste und erklärte, es gehe ihr sehr gut, nur habe sie mächtigen Hunger.

Rhett schmunzelte. »Ich auch. Wenn ihr trocken seid, essen wir.«

Scarlett zog die Decke enger um sich. Er ist zu nett, so habe ich ihn früher schon erlebt, nur Lächeln und eitel Sonnenschein, und danach stellte sich dann heraus, daß er in Wirklichkeit so wütend war, daß er Flammen hätte speien können. Nur weil Pansy dabei ist, führt er dieses Theater auf. Wenn sie nicht mehr da ist, fällt er über mich her. Ich könnte ja sagen, daß sie bleiben muß – doch weshalb? Ich bin bereits ausgezogen, und ich kann meine Sachen nicht wieder anziehen, ehe sie nicht trocken sind, und weiß der Himmel, wann das sein wird, wo es draußen so regnet und hier drinnen so feucht ist. Wie kann Rhett das nur aushalten, in diesem Haus zu leben? Es ist schrecklich hier!

Der Raum, ein großes Quadrat, vielleicht zwanzig mal zwanzig Fuß, mit einem gestampften Lehmboden und fleckigen Wänden, die den größten Teil des Bewurfs verloren hatten, wurde nur durch ein Feuer erhellt. Es roch nach billigem Whiskey und Tabaksaft, mit einer Beimischung von verbranntem Holz und Stoff. Das Mobiliar bestand aus einem Sammelsurium von rohgefügten Hockern und Bänken, vervollständigt nur durch eine ganze Reihe verbeulter Spucknäpfe. Das Kaminsims über der großen Feuerstelle und die Rahmen um Türen und Fenster wirkten wie eine Art Versehen. Sie waren aus Fichtenholz, schön geschnitzt, mit einem zarten Muster, und schimmerten goldbraun vom Ölen. In einer Ecke erhob sich eine rohgezimmerte Treppe mit rissigen Holzstufen und einem wackeligen, durchgebogenen Geländer.

»Warum bist du nicht in Charleston geblieben, Scarlett?« Das Abendessen war beendet, und Pansy war zu der alten schwarzen Frau zum Schlafen hinaufgeschickt worden, die für Rhett kochte. Scarlett straffte die Schultern.

»Deine Mutter wollte dich in deinem Paradies hier nicht stören.« Sie sah sich verächtlich um. »Doch ich meine, du solltest wissen, was los ist. Ein Yankee-Soldat schleicht sich nachts in die Schlafzimmer ... in die Schlafzimmer von Frauen und macht sich an sie heran. Ein Mädchen ist regelrecht durchgedreht und mußte weggeschickt werden.« Sie versuchte in seiner Miene zu lesen, doch sie war ausdruckslos. Rhett schaute sie schweigend an, als warte er auf etwas.

»Nun? Macht es dir nichts aus, daß deine Mutter und ich in unseren Betten ermordet werden könnten, oder noch Schlimmeres?«

Rhetts Mundwinkel zogen sich zu einem verächtlichen Lächeln nach unten. »Höre ich richtig? Mädchenhafte Zimperlichkeit bei einer Frau, die einen Planwagen durch die gesamte Yankee-Armee hindurchgesteuert hat? Komm schon, Scarlett. Du warst immer bekannt dafür, daß du stets die Wahrheit sagst. Warum bist du den ganzen Weg im Regen hergekommen? Hast du gehofft, mich in den Armen eines Liebchens zu erwischen? Hat Onkel Henry dir das als taugliches Mittel empfohlen, um mich dazu zu bewegen, deine Rechnungen weiter zu bezahlen?«

»Wovon redest du denn da um Himmels willen, Rhett Butler? Was hat denn Onkel Henry Hamilton hiermit zu schaffen?«

»So viel Ahnungslosigkeit! Mein Kompliment. Doch kannst du von mir nicht erwarten, daß ich auch nur einen Augenblick glaube, dein gewiefter alter Anwalt hätte dich nicht davon unterrichtet, daß ich meine Überweisungen nach Atlanta eingestellt habe. Ich mag Henry Hamilton zu sehr, um ihm eine solche Nachlässigkeit anlasten zu wollen.«

»Aufgehört, Geld zu überweisen? Das kannst du doch nicht tun!« Scarlett wurde schwarz vor Augen. Rhett konnte das nicht im Ernst gesagt haben. Was sollte bloß aus ihr werden? Das Haus in der Peachtree Street, die Tonnen Kohle, die benötigt wurden, um es zu heizen, die Bediensteten zum Putzen, Kochen und Waschen, für den Garten und die Pferde und zum Wienern der Kutschen, das Essen für sie alle – oje, das kostete ein Vermögen. Wie konnte Onkel Henry denn dann die Rechnungen bezahlen? Er würde ihr Geld dafür nehmen! Nein, das durfte nicht sein. Sie war ohne

Essen im Bauch über die Felder gekrochen, mit zerrissenen Schuhen an den Füßen, schmerzendem Rücken und blutenden Händen, um sich vor dem Verhungern zu bewahren. Ihren ganzen Stolz hatte sie aufgegeben, allem den Rücken gekehrt, was man sie je gelehrt hatte, Geschäfte gemacht mit nichtswürdigen Menschen, die es nicht wert waren, daß man auf sie spuckte, mit allen Finessen und selbst betrügerischen Mitteln hatte sie Tag und Nacht gearbeitet für ihr Geld. Sie würde es nicht aufgeben, sie konnte nicht. Es war ihrs. Es war alles, was sie besaß.

»Du kannst mir mein Geld nicht wegnehmen!« schrie sie Rhett ins Gesicht. Doch kam nur ein krächzendes Flüstern heraus.

Er lachte. »Ich habe dir doch gar nichts weggenommen, Herzchen. Ich habe nur aufgehört, deinen Reichtum zu vermehren. Solange du in dem Haus in Charleston lebst, das ich unterhalte, besteht für mich kein Grund, für ein leeres Haus in Atlanta zu zahlen. Wenn du natürlich zurückkehren würdest, wäre es nicht länger leer, und ich würde mich verpflichtet fühlen, meine Zahlungen wiederaufzunehmen.« Rhett trat zum Kamin, von wo er ihr Gesicht im Licht der Flammen sehen konnte. Sein herausforderndes Lächeln schwand, und seine Stirn runzelte sich besorgt.

»Du hast es also tatsächlich nicht gewußt, hm? Warte, Scarlett. Ich hole dir einen Brandy. Du siehst aus, als würden dir gleich die Sinne schwinden.«

Er mußte ihre Hände halten, als sie das Glas an die Lippen führte. Sie vermochte ihr Zittern nicht zu kontrollieren. Als das Glas leer war, ließ er es zu Boden fallen und rieb ihre Hände, bis sie warm wurden und zu beben aufhörten.

»Und jetzt erzähle einmal ohne irgendwelche Schnörkel: Steigt wirklich ein Soldat in die Schlafzimmer ein?«

»Rhett, du hast das nicht ernst gemeint, nicht wahr? Du hörst doch nicht auf, Geld nach Atlanta zu schicken?«

»Zum Teufel mit dem Geld, Scarlett, ich habe dich etwas gefragt!«

»Zum Teufel mit dir«, sagte sie, »ich habe dich etwas gefragt.«

»Hätte ich mir doch gleich denken können, daß du für nichts anderes mehr einen Sinn haben würdest, sowie von Geld die Rede ist. Also gut, ich schicke Henry welches. Willst du mir jetzt antworten?«

»Schwörst du es?«

»Ich schwöre.«

»Morgen?«

»Ja! Ja, verdammt noch mal, morgen. Und jetzt rück gefälligst raus damit: Was hat es mit dieser Geschichte von dem Yankee-Soldaten auf sich?«

Scarletts Seufzer der Erleichterung schien gar nicht mehr aufhören zu wollen. Schließlich jedoch holte sie tief Luft und erzählte ihm alles, was sie über den Eindringling wußte.

»Du sagst, Alicia Savage hat seine Uniform erkannt?«

»Ja«, antwortete Scarlett und setzte verächtlich noch hinzu: »Es ist ihm egal, wie alt sie sind. Vielleicht vergewaltigt er in diesem Augenblick gerade deine Mutter.«

Rhetts große Hände ballten sich zu Fäusten. »Ich könnte dich erwürgen, Scarlett. Und die Welt wäre zumindest von einem Übel befreit.«

Er fragte sie fast eine Stunde lang aus.

»Also schön«, sagte er dann, »wir fahren morgen, sobald die Flut kommt.« Er ging zur Tür und riß sie auf. »Gut«, sagte er, »der Himmel ist klar. Es wird eine harmlose Fahrt werden.«

An seiner Silhouette vorbei erblickte Scarlett den Nachthimmel. Der Mond war dreiviertel voll. Sie stand müde auf. Dann sah sie den Dunst vom Fluß, der den Boden draußen bedeckte. Das Mondlicht färbte ihn weiß, und einen Augenblick lang meinte sie verwirrt, es hätte geschneit. Wabernder Dunst umhüllte Rhetts Füße und Knöchel und verzog sich dann ins Zimmer. Er schloß die Tür und wandte sich um. Ohne das Mondlicht wirkte der Raum sehr dunkel, bis ein Streichholz aufflammte und Rhetts Kinn und Nase von unten beleuchtete. Er hielt es an einen Lampendocht, und sie konnte sein Gesicht sehen. Sie sehnte sich so schrecklich nach ihm. Er setzte den Glassturz auf die Lampe und hielt sie hoch. »Komm mit. Oben ist ein Schlafzimmer, wo du schlafen kannst.«

Es war nicht annähernd so primitiv wie der Raum unten. Das hohe Himmelbett hatte eine dicke Matratze und dicke Kissen, und eine helle Wolldecke lag über den gestärkten Bettüchern. Scarlett gönnte den anderen Möbelstücken keinen Blick. Sie ließ die Decke von ihren Schultern fallen und stieg auf den Tritt neben dem Bett, um sich unter die Decke zu verkriechen.

Er stand einen Augenblick über ihr, ehe er das Zimmer verließ. Sie lauschte auf seine Schritte. Nein, er ging nicht nach unten, er würde in der Nähe sein. Scarlett lächelte, dann schlief sie ein.

Der Alptraum begann, wie er immer begonnen hatte – mit dem Nebel. Es war Jahre her, daß sie ihn zuletzt geträumt hatte, aber ihr Unbewußtes erinnerte sich daran, noch während es den Traum schuf, und sie begann sich zu winden und hin und her zu werfen und tief in der Kehle zu wimmern, so sehr fürchtete sie sich vor dem, was kommen würde. Dann rannte sie wieder, und ihr jagendes Herz pulste in ihren Ohren, und sie rannte und stolperte und rannte immer weiter, durch einen dichten weißen Nebel hindurch, der ihr kalte, wirbelnde Schwaden um Hals, Arme und Beine wand. Ihr war kalt, eiskalt, und sie war hungrig und verängstigt. Es war dasselbe, es war immer dasselbe gewesen, doch jedesmal schlimmer als das Mal zuvor, als hätten Furcht, Hunger und Kälte sich aufgestaut, als würden sie immer stärker.

Und doch war es diesmal anders. Denn früher war sie gerannt und hatte die Hand nach etwas Namenlosem und Unbekanntem ausgestreckt, aber diesmal konnte sie durch die lichten Stellen im Nebel Rhetts breiten Rücken erkennen, der sich immerfort von ihr entfernte. Und sie wußte, daß er es war, nach dem sie suchte, wußte, wenn sie ihn erreichte, würde der Traum seine Macht verlieren und verblassen, um niemals wiederzukehren. Sie lief und lief, doch er lief ihr weit voraus und kehrte ihr auch weiterhin den Rücken zu. Dann wurde der Nebel dichter, und Rhett begann zu verschwinden, und sie rief laut seinen Namen: »Rhett ... Rhett ... Rhett ... Rhett ... Rhett ...!«

»Ruhig, nur ruhig. Du träumst, du hast alles nur geträumt.«

»Rhett ...«

»Ja, ich bin hier. Sei still jetzt. Keiner tut dir was.« Starke Arme hoben sie empor und hielten sie, und endlich war sie im Warmen und in Sicherheit.

Ruckartig wurde Scarlett wach. Da war kein Nebel.

Statt dessen strömte eine Lampe auf dem Tisch warmes Licht aus, und sie erkannte Rhetts Gesicht, dicht über ihres gebeugt. »O Rhett«, rief sie, »es war furchtbar.«

»Der alte Traum?«

»Ja, ja ... nun ja, beinahe. Irgend etwas war anders, doch ich kann mich nicht genau daran erinnern ... Aber ich fror und war hungrig, und ich konnte nicht sehen wegen des Nebels, und ich hatte solche Angst, Rhett, es war so schrecklich.«

Er hielt sie an sich gedrückt, und seine Stimme vibrierte in seiner muskulösen Brust nahe an ihrem Ohr. »Natürlich hast du gefroren und warst hungrig. Das Abendessen taugte nichts, und du hast dich freigestrampelt. Ich ziehe dir die Decke wieder hoch, und dann sollst du mal sehen, wie gut du schläfst.« Er legte sie wieder in die Kissen.

»Laß mich nicht allein. Er kommt bestimmt wieder.«

Rhett breitete die Decken über ihr aus. »Zum Frühstück gibt's Kekse, Maisbrei und Butter, soviel du magst. Denk daran, denk an Landschinken und frische Eier, und du schläfst wie ein Säugling. Du warst doch immer schon ein guter Futterverwerter, Scarlett.« Rhetts Stimme klang amüsiert. Und müde. Sie schloß die schweren Lider.

»Rhett?« Es war ein undeutlicher, schläfriger Laut.

Er blieb in der Tür stehen und schirmte das Lampenlicht mit der Hand ab. »Ja, Scarlett?«

»Danke, daß du gekommen bist. Wie hast du denn gemerkt, daß ich geträumt habe?«

»Du hast laut genug geschrien, um die Fenster zum Zerspringen zu bringen.« Das letzte Geräusch, das sie hörte, war sein warmes, sanftes Lachen. Es war wie ein Wiegenlied.

Rhetts Voraussage getreu, aß Scarlett ein riesiges Frühstück, ehe sie sich auf die Suche nach ihm machte. Er sei schon vor dem Morgengrauen aufgestanden, hatte die Köchin ihr gesagt. Er stehe immer vor Sonnenaufgang auf. Sie hatte Scarlett mit unverhohlener Neugier betrachtet.

Ich sollte ihr für ihre Unverschämtheit eine Lektion erteilen, dachte Scarlett, doch sie war froh, daß sie sich zu wirklichem Zorn nicht aufraffen konnte. Rhett hatte sie in den Arm genommen, sie getröstet, sogar über sie gelacht. Genau, wie er es getan hatte, ehe die Dinge sich zum Schlechten entwickelten. Wie gut sie daran getan hatte, zur Plantage zu kommen! Sie hätte es früher schon tun sollen, statt ihre Zeit auf zahllosen Teegesellschaften zu vertändeln.

Das Sonnenlicht ließ sie die Augen zusammenkneifen, als sie aus dem Haus trat. Es war stark, legte sich warm auf ihren Körper, obwohl es noch sehr früh war. Sie beschattete die Augen mit der Hand und blickte sich um.

Ein leises Aufstöhnen war ihre erste Reaktion. Die Backsteinterrasse unter ihren Füßen setzte sich nach links fast hundert Schritte fort. Zerklüftet, geschwärzt und grasüberwachsen, wie sie war, bildete sie den Rahmen für eine monumentale verkohlte Ruine. Gezackte Reste von Mauern und Kaminen waren alles, was von einem einst prächtigen Herrenhaus übriggeblieben war. Die wirren Haufen von rauch- und feuergeschwärzten Backsteinen innerhalb der Mauerbruchstücke waren Andenken an Shermans Armee, bei deren Anblick einem das Herz stehenblieb.

Scarlett war elend zumute. Das war Rhetts Zuhause gewesen, Rhetts Leben – auf immer dahin, ehe er hatte zurückkehren können, um seinen Anspruch darauf anzumelden.

Nichts in ihrem unruhigen Leben war je so schlimm gewesen wie das hier. Sie hatte ein solches Ausmaß an Schmerz nie gekannt, wie er es empfunden haben mußte, heute noch hundertmal empfinden mußte, wenn er die Ruinen erblickte. Kein Wunder, daß er zum Wiederaufbau entschlossen war, entschlossen, soviel wie nur möglich von seinem einstigen Besitztum wiederzufinden und zurückzuerobern.

Sie konnte ihm helfen! Hatte sie nicht selbst Taras Felder gepflügt, bepflanzt und abgeerntet? Dabei hätte sie gewettet, daß Rhett nicht einmal guten von schlechtem Mais unterscheiden konnte. Sie würde stolz darauf sein, ihm zu helfen, weil sie wußte, wieviel es bedeutete, was für ein Sieg über die Verheerer es war, wenn das Land wiedergeboren wurde. Ich verstehe das, dachte sie triumphierend. Ich kann nachempfinden, was er empfindet. Ich kann mit ihm zusammenarbeiten. Wir könnten es gemeinsam machen. Ich habe nichts gegen Lehmböden. Nicht, wenn ich mit Rhett zusammen bin. Wo ist er? Ich muß es ihm vorschlagen.

Scarlett wandte sich ab und sah sich einem Anblick gegenüber, der mit nichts zu vergleichen war, das sie je im Leben gesehen hatte. Die Backsteinterrasse, auf der sie stand, führte zu einem ebenerdigen Stück Land, der höchstgelegenen einer ganzen Reihe von grasbewachsenen Terrassen, die sich in vollkommenem Schwung zu zwei Seen hinabzogen, die wie riesige Schmetterlingsflügel angeordnet waren. Zwischen ihnen hindurch führte ein grasbewachsener Weg zum Fluß und zur Schiffsanlegestelle. Das extravagante Gebilde war so perfekt proportioniert, daß die an sich großen Entfernungen geringer erschienen und das Ganze fast wie ein mit Teppich ausgelegtes Freiluftzimmer wirkte. Das üppige Gras verbarg die Narben des Krieges, als hätte es ihn nie gegeben. Es war eine Szene von sonnenerfüllter Beschaulichkeit, ein Stück Natur, das liebevoll in ein harmonisches Verhältnis zum Menschen gebracht worden war. In der Ferne sang ein Vogel wie zur Feier eine anhaltende Melodie. »Oh, wie schön!« sagte sie laut.

Eine Bewegung links von der untersten Terrasse zog ihren Blick auf sich. Das mußte Rhett sein. Sie begann zu laufen. Die Terrassen hinab – die Wellenbewegung steigerte die Geschwindigkeit, und sie verspürte ein schwindelerregendes, berauschendes, beseligendes Gefühl der Freiheit. Lachend breitete sie die Arme aus, ein Vogel oder ein Schmetterling, der gleich hinaufschweben würde in die blauen, blauen Lüfte.

Sie war atemlos, als sie die Stelle erreichte, wo Rhett stand und sie beobachtete. Scarlett keuchte, die Hand auf der Brust, bis sie wieder zu Atem gekommen war. »Noch nie hat mir etwas soviel Vergnügen gemacht!« sagte sie, halb keuchend. »Was für ein herrliches Land, Rhett. Kein Wunder, daß du es liebst. Bist du diesen Rasen als kleiner Junge hinabgerannt? Hattest du das Gefühl, fliegen zu können? Oh, mein Liebling, wie entsetzlich, die Spuren des Brandes zu sehen! Es tut mir in der Seele weh für dich, wie gern würde ich sämtliche Yankees der Welt dafür umbringen! Ach, Rhett ich muß dir so viel erzählen! Ich habe gerade nachgedacht. Es kann alles wieder werden wie zuvor, Liebling, genau wie das Gras. Ich verstehe, verstehe wirklich, was du hier tust.«

Rhett sah sie mit einem seltsamen Ausdruck der Neugier an. »Was ›verstehst‹ du, Scarlett?«

»Warum du hier bist und nicht in der Stadt. Warum du die Plantage zu neuem Leben erwecken mußt. Erzähl mir doch, was du getan hast und was du gerade tust. Es ist so aufregend!«

Rhetts Miene hellte sich auf, und er wies auf die langen Reihen von Pflanzen hinter sich. »Sie sind zwar verbrannt«, sagte er, »aber sie sind nicht abgestorben. Es sieht fast so aus, als wären sie durch den Brand sogar gekräftigt worden. Die Asche hat ihnen womöglich etwas gegeben, woran es ihnen bis dahin gefehlt hatte. Ich muß das herausfinden. Ich muß noch viel lernen.«

Scarlett blickte auf die niedrigen, struppigen Überreste. Sie kannte diese dunkelgrünen, glänzenden Blätter nicht. »Was für ein Baum ist das denn? Ziehst du hier Pfirsiche?«

»Das sind keine Bäume, Scarlett. Das sind Büsche. Kamelien. Die ersten, die je nach Amerika gebracht wurden, hat man hier auf Dunmore Landing gepflanzt. Diese sind Ableger, mehr als dreihundert Jahre alt.«

»Du meinst, es sind Blumen?«

»Natürlich. So ziemlich die vollkommensten Blumen der Welt. Die Chinesen vergöttern sie.«

»Aber Blumen kann man nicht essen. Was für Nutzpflanzen baust du denn an?«

»An Nutzpflanzen kann ich nicht denken. Ich muß einhundert Hektar Gartenland retten.«

»Das ist doch verrückt, Rhett. Wozu taugt denn ein Blumengarten? Du könntest doch etwas anbauen, das sich verkaufen läßt. Ich weiß, Baumwolle wächst in dieser Gegend nicht, aber es muß doch irgendeine Art von Ackerbau geben, die gutes Geld bringt. Also, auf Tara nutzen wir inzwischen jeden Fuß Land. Du könntest bis direkt hinauf an die Wände des Hauses pflanzen. Sieh doch nur, wie grün und dicht das Gras dort steht. Das Land muß ungeheuer fruchtbar sein. Du müßtest nichts weiter tun als pflügen und aussäen, und es würde wahrscheinlich schon aus dem Boden sprießen, noch bevor du dich umgedreht hättest.« Sie sah ihn eifrig an, bereit, ihn an ihrem hart erarbeiteten Wissen teilhaben zu lassen.

»Du bist eine Barbarin, Scarlett«, sagte Rhett niedergeschlagen. »Geh zum Haus hinauf und sag Pansy, sie soll sich fertigmachen. Wir treffen uns unten am Kai.«

Was hatte sie nur falsch gemacht? Vor einem Augenblick noch war er lebhaft und unternehmungslustig gewesen, und schlagartig hatte er sich verändert, war kalt, ein Fremder. Sie würde ihn nie verstehen, und wenn sie hundert Jahre alt wurde. Rasch schritt sie die grünen Terrassen hinauf, jetzt blind für ihre Schönheit, und ging ins Haus.

Das Schiff, das am Landungssteg vertäut lag, unterschied sich sehr von der räudigen Barke, die Scarlett und Pansy zur Plantage gebracht hatte. Es war eine schmale, braungestrichene Schaluppe mit blanken Messingbeschlägen und vergoldeten Schnörkeln. Weiter hinten auf dem Fluß sah man noch ein anderes Schiff, eins, das ich bei weitem vorgezogen hätte, dachte Scarlett ärgerlich. Es war fünfmal so groß wie die Schaluppe und hatte zwei Decks mit weißer und blauer Lebkuchenverzierung und ein leuchtendrotes Schaufelrad am Heck. Lustig bunte Wimpel liefen von den Schornsteinen hinab, und hell gekleidete Männer und Frauen drängten sich auf den Decks an der Reling. Es wirkte festlich und lustig.

Das sieht Rhett ähnlich, dachte Scarlett finster, daß er lieber mit diesem kleinen Schmuckstück in die Stadt fährt, statt den Dampfer heranzuholen, damit er uns mitnimmt. Sie erreichte den Anlegesteg gerade in dem Augenblick, als Rhett seinen Hut abnahm und eine schwungvolle, großartige Verbeugung in Richtung Raddampfer machte.

»Kennst du die Leute?« fragte sie. Vielleicht hatte sie sich ja geirrt, vielleicht winkte er den Dampfer heran.

Rhett wandte sich vom Fluß ab und setzte den Hut wieder auf. »Allerdings kenne ich die. Nicht jeden einzelnen, so hoffe ich, aber alle zusammen schon. Das ist das wöchentliche Ausflugsschiff von Charleston, flußaufwärts und wieder zurück. Ein höchst einträgliches Geschäft für einen unserer Spekulantenmitbürger. Die Yankees buchen schon lange im voraus ihre Plätze, um des Vergnügens teilhaftig zu werden, die Gerippe der niedergebrannten Plantagenhäuser zu besichtigen. Ich grüße sie jedesmal, wenn es sich gerade trifft, und es bereitet mir großes Vergnügen, mit anzusehen, welche Verwirrung das hervorruft.« Scarlett war zu entsetzt, um auch nur ein Wort zu sagen. Wie konnte Rhett Vergnügen daran finden, wenn eine Schar von Yankee-Habichten sich darüber ausschüttete vor Lachen, was sie seinem Zuhause angetan hatten?

Gehorsam ließ sie sich auf einer gepolsterten Bank in der kleinen Kajüte nieder, doch als Rhett an Deck ging, sprang sie auf, um die durchdachte Anordnung der Wandschränke, Regalbretter und Ausrüstungsgegenstände zu untersuchen, von denen jedes einzelne sich an einem offenbar eigens dafür ausgeklügelten Platz befand. Sie war immer noch damit beschäftigt, ihre Neugier zu befriedigen, als die Schaluppe sich langsam ein Stück am Flußufer entlang bewegte und dann wieder anlegte. Rhett stieß munter Befehle aus. »Schafft die Ballen dort rüber und macht sie im Bug fest.« Scarlett steckte den Kopf aus der Luke, um zu sehen, was da vor sich ging.

Du lieber Himmel, was war denn das? Dutzende von Schwarzen standen auf Spitzhacken und Schaufeln gelehnt da und schauten zu, wie einem Maat der Schaluppe eine Reihe von prallen Säcken zugeworfen wurde. Wo um alles in der Welt waren sie nur gelandet? Dieser Ort sah aus wie die Rückseite des Mondes. Im Wald befand sich eine riesige Lichtung, in die man ein gewaltiges Loch gegraben hatte; auf der einen Seite waren riesige Haufen von etwas aufgestapelt, das aussah wie bleiche Felsbrocken. Kalkstaub erfüllte die Luft und bald auch ihre Nase, und sie nieste.

Pansys Niesen, das wie ein Echo vom Achterdeck kam, zog Scarletts Aufmerksamkeit auf sich. Das ist nicht gerecht, dachte sie. Pansy hatte einen guten Überblick über alles. »Ich komme rauf«, rief Scarlett.

»Leinen los«, rief Rhett gleichzeitig.

Die Schaluppe machte eine rasche Bewegung, als die Strömung des Flusses sie erfaßte, und Scarlett plumpste von der unteren Stufe der Kajütenleiter auf gar nicht anmutige Weise rücklings auf den Kabinenboden. »Der Teufel soll dich holen, Rhett Butler, ich hätte mir den Hals brechen können.«

»Hast du aber nicht. Bleib, wo du bist. Ich bin in Kürze bei dir unten.«

Scarlett hörte das Knarzen von Tauen, und die Schaluppe nahm Fahrt auf. Sie rappelte sich hoch und setzte sich aufrecht auf eine der Bänke.

Schon kam Rhett leichtfüßig die Leiter herab, mit eingezogenem Kopf, um dem Rand der Luke auszuweichen. Er richtete sich auf, und sein Kopf streifte das polierte Holz darüber. Scarlett funkelte ihn an.

»Das hast du absichtlich getan«, fauchte sie.

»Was denn?« Er öffnete eines der kleinen Bullaugen und schloß die Luke. »Gut«, sagte er dann. »Wir haben Rückenwind und eine starke Strömung. Wir werden in Rekordzeit in der Stadt sein.« Er ließ sich auf eine Bank fallen und lehnte sich zurück, geschmeidig wie eine Katze. »Ich nehme an, es macht dir nichts aus, wenn ich rauche.« Seine langen Finger tauchten in die Innentasche seines Rocks und zogen einen Stumpen heraus.

»Eine ganze Menge sogar. Warum werde ich hier im Dunkeln eingesperrt? Ich will nach oben in die Sonne.«

»An Deck«, verbesserte Rhett mechanisch. »Das hier ist ein ziemlich kleines Schiff, die Mannschaft ist schwarz, Pansy ist schwarz, und du bist weiß und eine Frau. Sie haben den Platz oben zugeteilt bekommen und du die Kajüte. Pansy kann für die beiden Männer die Augen rollen lassen, über ihre reichlich unfeinen Galanterien lachen, und alle drei zusammen werden voll auf ihre Kosten kommen. Deine Anwesenheit würde ihnen den Spaß verderben.

Während also die Unterschicht die Reise in vollen Zügen genießt, werden du und ich, die privilegierte Elite, zutiefst unglücklich einer zur Gesellschaft des anderen verdonnert sein, und du wirst nicht aufhören, zu schmollen und zu klagen.«

»Ich schmolle und klage nicht! Und ich wäre dir dankbar, wenn du nicht mit mir reden würdest wie mit einem Kind!« Scarlett zog die Unterlippe ein. Sie haßte es, wenn Rhett sie so behandelte. »Was war das für ein Steinbruch, bei dem wir gehalten haben?«

»Das, mein Herzblatt, war die Rettung von Charleston und mein Passierschein für die Heimkehr in den Schoß meines Volkes. Es ist eine Phosphatmine. An beiden Ufern liegen Dutzende davon verstreut.« Er zündete sich betont genießerisch eine Zigarre an, und der Rauch wand sich dem Bullauge entgegen. »Ich sehe das Leuchten in deinen Augen, Scarlett. Es ist nicht das gleiche wie eine Goldmine. Man kann keine Münzen oder Juwelen aus Phosphat machen, doch ergibt es, gemahlen, gewaschen und mit bestimmten Chemikalien behandelt, den besten schnell wirkenden Dünger der Welt. Wir haben Kunden, die uns alles abnehmen, was wir überhaupt produzieren können.«

»So daß du also reicher wirst als je zuvor.«

»Ja, das stimmt. Doch worauf es weitaus mehr ankommt, es ist respektables Charlestoner Geld. Ich kann jetzt ohne Mißbilligung von meinem auf unanständige Weise erzielten, erspekulierten Profit soviel ausgeben, wie ich will. Jeder kann mit eigenen Augen sehen, daß es aus der Phosphatmine stammt, auch wenn meine vergleichsweise winzig ist.«

»Warum vergrößerst du sie dann nicht?«

»Weil ich nicht muß. Sie genügt meinen Zwecken, so, wie sie ist. Ich habe einen Vorarbeiter, der mich nicht sonderlich übers Ohr haut, ein paar Dutzend Arbeiter, die fast genausoviel arbeiten, wie sie herumstehen, und genieße Respekt. Und ich kann mein Geld, meine Zeit und meinen Schweiß auf das verwenden, woran mir liegt, und das sind augenblicklich die Gärten.«

Scarlett platzte fast vor Ärger. War es nicht typisch Rhett, daß ihm mal wieder alles in den Schoß fiel? Und daß er sich die wahre Chance obendrein entgehen ließ? Mochte er so reich sein, wie er wollte, es würde ihm nicht schaden, wenn er noch reicher würde. Allein, wenn er selbst den Platz des Vorarbeiters einnahm und die Männer anständig auf Trab brachte, würde er den Ertrag wohl verdreifachen können. Mit einem weiteren paar Dutzend Arbeitern würde er den wiederum verdoppeln können...

»Entschuldige, wenn ich deine imperialen Gedankenflüge unterbreche, Scarlett, doch ich muß dir eine ernsthafte Frage stellen. Was würde es kosten, dich davon zu überzeugen, daß du mich besser in Frieden läßt und nach Atlanta zurückkehrst?«

Scarlett sah ihn mit offenem Mund an. Sie war aufrichtig erstaunt. Das konnte doch nicht sein Ernst sein, nicht, nachdem er sie letzte Nacht so zärtlich in den Armen gehalten hatte. »Du scherzt wohl«, sagte sie vorwurfsvoll.

»Nein, das tue ich nicht. Ich bin in meinem ganzen Leben noch nicht ernsthafter gewesen. Zwar habe ich nie die Angewohnheit gehabt zu erklären, was ich gerade tue oder was ich denke, und ich habe eigentlich auch keinerlei Hoffnung, daß du verstehst, was ich dir jetzt erzähle. Doch ich will's versuchen.

Ich arbeite härter, als ich je im Leben arbeiten mußte, Scarlett. Ich habe meine Brücken zu Charleston damals so gründlich und mit so viel öffentlichem Aplomb abgebrochen, daß der Geruch der Zerstörung den Leuten in der Stadt heute noch in der Nase hängt. Sie ist unsäglich viel einschneidender gewesen, als es die eines Sherman je hätte sein können, weil ich einer der ihren war und allem den Kampf angesagt hatte, auf das sie ihr Leben gründeten. Wenn ich nun versuche, mir die Gunst Charlestons zurückzuerobern, dann ist das, als kletterte ich im Dunkeln einen vereisten Berg hinauf. Ein falscher Schritt, und ich bin tot. Bis jetzt bin ich sehr vorsichtig und sehr langsam zu Werke gegangen, und ich bin schon ein Stückchen vorangekommen. Ich kann das Risiko nicht eingehen, daß du alles wieder zerstörst, was ich erreicht habe. Ich möchte, daß du zurück nach Atlanta gehst, und ich frage dich nach dem Preis.«

Scarlett lachte erleichtert auf. »Ist das alles? Du kannst dich beruhigen, wenn es das war, was dir Sorgen gemacht hat. Du wirst sehen, die Leute in Charleston sind ganz entzückt von mir. Ich werde mit Einladungen förmlich überschüttet, und es vergeht kein Tag, wo nicht irgendeine von den Damen auf dem Markt auf mich zukommt und mich um meinen Rat beim Einkaufen fragt.«

Rhett zog an seiner Zigarre. Dann beobachtete er, wie ihr glühendes Ende abkühlte und zu Asche wurde. »Ich habe schon befürchtet, daß ich auf taube Ohren stoßen würde«, sagte er schließlich, »und ich hatte recht damit. Ich gebe gern zu, daß du dich länger gehalten und zurückgehalten hast, als ich erwartet hatte – oh, doch, ich bekomme schon die eine oder andere Neuigkeit aus der Stadt zu hören, wenn ich auf der Plantage bin. Aber du bist wie ein Pulverfaß auf meinem Rücken, Scarlett, während ich mich diesen vereisten Berg emporarbeite. Du bist totes Gewicht, ungebildet, unzivilisiert, katholisch und von allem halbwegs Anständigen in Atlanta ausgeschlossen. Du könntest mir jeden Augenblick ins Gesicht hinein explodieren. Ich will, daß du gehst. Was soll es kosten?«

Scarlett warf sich auf die einzige Anschuldigung, gegen die sie sich zur Wehr zu setzen vermochte. »Ich wäre dir dankbar, wenn du mir sagen würdest, was daran verkehrt ist, daß jemand katholisch ist, Rhett Butler! Wir waren schon gottesfürchtige Menschen, als von euch Episkopalen noch kein Mensch gehört hatte.«

Rhetts unerwartetes Gelächter war ihr unverständlich. »*Pax*, Henry Tudor«, sagte er, was ihr ebenso unverständlich war. Doch was dann folgte, war so unmißverständlich, daß es Scarlett bis ins Mark traf. »Wir wollen unsere Zeit nicht mit theologischen Debatten vertun, Scarlett. Tatsache ist, und du weißt das ebensogut wie ich, daß die Katholiken, ohne stichhaltigen Grund, im Süden von oben herab betrachtet werden. In Charleston kann man heute Saint Phillip, Saint Michael, die Hugenottenkirche oder auch die First Scots Presbyterian besuchen. Schon andere episkopale oder presbyterianische Kirchen sind leicht suspekt, und jede andersartige protestantische Strömung wird als schiere individualistische Eigenbrötelei betrachtet. Und der Römische Katholizismus ist auf keinen Fall mehr vertretbar. Es entbehrt zwar jeder Vernunft und ist weiß Gott auch nicht christlich, aber es ist eine Tatsache.«

Scarlett schwieg. Sie wußte, daß er recht hatte. Rhett nutzte ihre Niederlage, um seine ursprüngliche Frage zu wiederholen. »Was willst du, Scarlett? Du kannst es mir sagen. Die dunklen Seiten deines Wesens haben mich nie zu schockieren vermocht.«

Er meint es ernst, dachte sie verzweifelt. All die Teegesellschaften, die ich abgesessen habe, und die trostlosen Kleider, die ich tragen mußte, und jeden Morgen der endlose Weg durch Dunkelheit und Kälte zum Markt – alles war umsonst. Sie war nach Charleston gekommen, um Rhett zurückzuerobern, und es war ihr nicht gelungen.

»Ich will dich«, sagte Scarlett in aller Aufrichtigkeit.

Diesmal war es Rhett, der stumm blieb. Sie konnte nur seinen Umriß und den bleichen Rauch seiner Zigarre erkennen. Er war so nah; wenn sie den Fuß ein wenig bewegt hätte, hätte sie seinen berührt. Sie begehrte ihn so sehr, das es sie körperlich schmerzte. Am liebsten hätte sie sich vorgebeugt, um den Schmerz weniger stark zu spüren, ihn daran zu hindern, noch stärker zu werden. Doch sie blieb aufrecht sitzen und wartete darauf, daß er sprach.

18. Kapitel

Von oben hörte Scarlett Stimmengemurmel, das immer wieder von Pansys schrillem Kichern unterbrochen wurde. Es ließ das Schweigen in der Kajüte noch schlimmer werden.

»Eine halbe Million in Gold«, sagte Rhett.

»Was hast du gesagt?« Ich muß mich verhört haben. Ich habe ihm gestanden, wie es um meine Gefühle steht, und er antwortet überhaupt nicht darauf.

»Ich sagte, ich gebe dir eine halbe Million Dollar in Gold, wenn du weggehst. Was immer dich in Charleston hält, soviel dürfte es dir doch kaum wert sein. Ich biete dir ein ansehnliches Bestechungsgeld, Scarlett. Dein gieriges kleines Herz kann den aussichtslosen Versuch, unsere Ehe zu retten, doch unmöglich einem Vermögen vorziehen, das größer ist, als du es dir je erhoffen konntest. Und als Bonus dafür, daß du einwilligst, verspreche ich dir obendrein, daß ich meine Zahlungen für den Unterhalt der Scheußlichkeit in der Peachtree Street wiederaufnehme.«

»Du hast mir gestern abend schon versprochen, daß du Onkel Henry heute Geld schicken würdest«, sagte sie mechanisch. Wenn er doch bloß einen Augenblick still wäre. Sie mußte nachdenken. War es wirklich ein »aussichtsloser Versuch«? Sie weigerte sich, das zu glauben.

»Versprechen sind dazu da, gebrochen zu werden«, sagte Rhett gelassen. »Was ist mit meinem Angebot, Scarlett?«

»Ich muß nachdenken.«

»Also gut, denke nach, während ich meine Zigarre zu Ende rauche. Danach will ich eine Antwort haben. Stell dir nur vor, was wird, wenn du dein eigenes Geld in dieses Scheusal von einem Haus in der Peachtree Street stecken mußt, das du so sehr liebst, du hast ja keine Vorstellung von den Kosten. Und dann stell dir auch noch vor, wie es wäre, tausendmal mehr Geld zu haben, als du in all den Jahren gehortet hast, ein Königreich, Scarlett, alles auf einmal und alles deins. Mehr noch, als du je ausgeben könntest. Dazu die Kosten des Hauses, für die ich aufkomme. Ich übertrage es sogar auf deinen Namen.« Seine Zigarre leuchtete hell auf, als er daran zog.

Scarlett versuchte verzweifelt, sich zu konzentrieren. Sie mußte einen Weg finden, wie sie bleiben konnte. Sie konnte nicht weggehen, nicht für alles Geld der Welt.

Rhett stand auf und trat an das Bullauge. Er warf die Zigarre hinaus und schaute einen Augenblick durch die Öffnung zum Ufer, bis er einen Orientierungspunkt gefunden hatte. Das Sonnenlicht lag hell auf seinem Gesicht. Wie sehr er sich verändert hat, seit er von Atlanta weggegangen ist, dachte Scarlett. Damals hatte er getrunken, als hätte er die ganze Welt auslöschen wollen. Doch jetzt war er wieder der alte Rhett mit seiner sonnendunklen Haut, die straff über den feinen, scharfen Zügen seines Gesichts lag, und den Augen, so dunkel wie die Begierde. Unter seinem elegant geschnittenen Jackett und dem Leinenhemd zeichneten sich harte Muskeln ab, die deutlich hervortraten, wenn er sich bewegte. Er war in allem, wie ein Mann sein sollte. Sie wollte ihn wiederhaben, und sie würde ihn bekommen, koste es, was es wolle. Scarlett holte tief Luft. Sie war bereit, als er sich umdrehte und fragend eine Braue hob. »Wie ist deine Antwort, Scarlett?«

»Du willst einen Handel machen, hast du gesagt, Rhett.« Scarlett gab sich geschäftsmäßig. »Doch du handelst nicht, du bombardierst mich mit Drohungen. Außerdem weiß ich, daß du nur bluffst, was das Geld angeht, das du nach Atlanta schickst. Du bist höllisch darum besorgt, dich in Charleston lieb Kind zu machen, und die Leute haben nicht eben eine hohe Meinung von einem Mann, der nicht für seine Frau sorgt. Deine Mutter würde den Leuten nicht mehr ins Gesicht sehen können, wenn sich das herumspräche.

Was das andere angeht – den Haufen Geld –, so hast du recht. Ich hätte ihn gern. Doch nicht, wenn das bedeutet, daß ich auf der Stelle nach Atlanta zurückkehren soll. Ich kann meine Karten auch ebensogut auf den Tisch legen, wo du im Grunde ja sowieso Bescheid weißt. Ich habe ungeheure Dummheiten begangen, und ich kann sie nicht ungeschehen machen. Deshalb habe ich in diesem Augenblick im ganzen Staat Georgia nicht einen einzigen wirklichen Freund.

Ich schließe jedoch Freundschaften in Charleston. Du magst es vielleicht nicht glauben, aber es stimmt. Und außerdem lerne ich eine Menge dazu. Wenn ich den Leuten in Atlanta genug Zeit gebe, ein paar Dinge zu vergessen, kann ich vermutlich den einen oder anderen Fehler auch wiedergutmachen.

Also schlage ich dir einen Handel vor. Du hörst auf, so schrecklich zu mir zu sein, sondern bist nett und trägst das Deine dazu bei, daß ich mich gut unterhalte. Wir bringen die Ballsaison hinter uns wie ein liebendes, glückliches Ehepaar, und wenn es Frühling wird, fahre ich nach Hause und fange noch einmal von vorn an.«

Sie hielt den Atem an. Er mußte ja sagen, er mußte es einfach. Die Ballsaison dauerte fast acht Wochen, und sie würden jeden Tag zusammensein. Es gab keinen Mann auf Gottes Erdboden, den sie nicht dazu brachte, ihr aus der Hand zu fressen, wenn er soviel mit ihr zusammen war. Rhett war zwar anders als andere Männer, aber so anders nun auch wieder nicht. Es hatte noch nie einen Mann gegeben, den sie nicht hatte haben können.

»Mit dem Geld, willst du sagen.«

»Ja, selbstverständlich mit dem Geld. Hältst du mich für dumm?«

»Das ist eigentlich nicht das, was ich mir unter einem Handel vorstelle, Scarlett. Denn für mich springt dabei so gut wie gar nichts heraus. Du nimmst das Geld, aber du gehst nicht weg. Wo liegt denn da mein Vorteil?«

»Ich bleibe ja nicht für immer, und ich erzähle deiner Mutter auch nicht, was für ein Ekel du bist.« Sie war sich fast sicher, ihn lächeln zu sehen.

»Weißt du, wie der Fluß heißt, auf dem wir uns befinden, Scarlett?«

Was für eine alberne Frage. Und er hatte auch ihrem Vorschlag mit der Ballsaison noch nicht zugestimmt. Was war denn nun wieder los?

»Es ist der Ashley River.« Rhett sprach den Namen mit übertriebener Deutlichkeit aus. »Er ruft mir jenen schätzenswerten Herrn in Erinnerung, jenen Mr. Wilkes, um dessen Zuneigung du einst gekämpft hast. Ich war Zeuge deiner ausdauernden Anhänglichkeit, Scarlett, und es war eine eindrückliche Erfahrung, deine hartnäckige Entschlossenheit kennenzulernen. Und kürzlich warst du so liebenswürdig zu erwähnen, daß du beschlossen hast, mich auf diesen erhöhten Platz zu setzen, den Ashley einst innehatte. Diese Aussicht erfüllt mich mit großer Unruhe.«

Scarlett unterbrach ihn, sie mußte es tun. Er war drauf und dran abzulehnen, das spürte sie. »Papperlapapp, Rhett. Ich weiß doch, daß es keinen Zweck hat, dich einwickeln zu wollen. Du bist nun mal nicht der Mann, der auf so was einginge. Außerdem kennst du mich zu gut.«

Rhett lachte bitter. »Wenn du nur einsehen willst, wie wahr das ist, können wir vielleicht miteinander ins Geschäft kommen«, sagte er.

Scarlett war vorsichtig genug, nicht zu lächeln. »Ich bin offen für alle Vorschläge«, sagte sie. »Was hast du dir vorgestellt?«

Diesmal war Rhetts abruptes Auflachen echt. »Ich glaube, die wahre Miss O'Hara weilt jetzt unter uns«, sagte er. »Also, das sind meine Bedingungen: Du wirst meiner Mutter anvertrauen, daß ich schnarche, und deshalb schlafen wir in getrennten Zimmern. Nach dem Saint-Cecilia-Ball, der die Saison beschließt, wirst du das dringende Bedürfnis äußern, eilends nach Atlanta zurückzukehren, und dort angekommen, wirst du unverzüglich einen Anwalt, Henry Hamilton oder sonst einen, beauftragen, mit meinen Anwälten eine Vereinbarung auszuhandeln, zu der unter anderem eine verbindliche Trennungszusage gehört. Außerdem wirst du nie wieder einen Fuß nach Charleston setzen. Und du wirst auch nicht schreiben oder mir oder meiner Mutter sonst irgendwelche Nachrichten zukommen lassen.«

Scarletts Gedanken überschlugen sich. Sie hatte fast gewonnen. Außer, was die »getrennten Zimmer« anging. Vielleicht sollte sie um mehr Zeit bitten. Nein, nicht bitten. Sie mußte darum feilschen.

»Was die Bedingungen grundsätzlich angeht, Rhett, so könnte ich mich unter Umständen darauf einlassen, nicht aber auf deine Zeitvorstellungen. Wenn ich direkt im Anschluß an die Saison meine Koffer packe, wird das jedem auffallen. Du wirst nach dem Ball auf die Plantage zurückkehren, und es wäre weit einleuchtender, wenn ich dann an Atlanta zu denken anfinge. Warum sagen wir nicht, ich gehe Mitte April?«

»Ich bin damit einverstanden, daß du noch eine Weile bleibst, nachdem ich zurück aufs Land gegangen bin. Aber der erste April ist angemessener.«

Besser, als sie gehofft hatte! Die Ballsaison und dazu noch ein Monat. Und sie hatte nichts davon gesagt, daß sie allein in der Stadt bleiben würde, wenn er aufs Land gegangen war. Sie würde ihm dorthin folgen können.

»Ich möchte ja nicht wissen, wer von uns beiden am Ende in den April geschickt werden wird, Rhett Butler, doch wenn du schwörst, daß du die ganze Zeit über nett zu mir bist, stehe ich zu dem Handel. Wenn du allerdings wieder eklig wirst, hast du die Vereinbarung gebrochen, nicht ich, und ich gehe nicht weg.«

»Mrs. Butler, die Ergebenheit Ihres Gatten wird Ihnen den Neid jeder Frau in Charleston sichern.«

Er machte sich über sie lustig, doch Scarlett achtete nicht weiter darauf. Sie hatte gewonnen.

Rhett öffnete die Luke und ließ die scharfe Salzluft, Sonnenlicht und eine erstaunlich kräftige Brise herein. »Wirst du leicht seekrank, Scarlett?«

»Ich weiß es nicht. Bis gestern habe ich überhaupt noch nie in einem Boot gesessen.«

»Gleich wirst du es wissen. Der Hafen liegt unmittelbar vor uns, und da ist die See ganz schön kabbelig. Hol dir für alle Fälle einen Eimer aus dem Spind hinter dir.« Er eilte an Deck. »Klüverbaum hoch und bringt sie auf Kurs«, rief er in den Wind.

Einen Augenblick später hatte die Bank sich in beängstigendem Maße schräg gelegt, und Scarlett mußte feststellen, daß sie hilflos von ihr herunterzurutschen begann. Die langsame Fahrt flußabwärts in der breiten, flachen Barke am Tag zuvor hatte sie auf die Eigenschaften eines Segelboots nicht vorbereitet, und die Fahrt flußabwärts mit der Strömung, vor einem sanften Wind, der das Großsegel zur Hälfte gefüllt hatte, war zwar schneller gewesen, doch genauso friedlich verlaufen wie die Fahrt in der Barke. Sie kroch an die kurze Leiter heran und zog sich so hoch, daß ihr Kopf über Deckhöhe kam. Der Wind nahm ihr den Atem und hob ihr den Federhut vom Kopf. Sie blickte auf und sah ihn durch die Luft flattern, während eine Seemöwe unter panischem Gekreisch mit den Flügeln schlug, um aus der Nähe dieses komischen Vogels zu kommen. Scarlett lachte hell auf vor Entzücken. Das Boot legte sich noch stärker zur Seite, und Wasser spülte schäumend über die niedrige Bordkante. War das aufregend! Durch den Wind hindurch hörte Scarlett Pansy vor Entsetzen kreischen. Was für eine Gans das Mädchen doch war!

Scarlett hatte das Gleichgewicht wiedergefunden und stieg die Leiter weiter hoch. Rhetts brüllende Stimme hielt sie zurück. Er ließ das Ruder herumwirbeln, und das Deck der Schaluppe wurde zu einer auf- und abtanzenden Ebene, während die Segel erschlafften. Auf ein Zeichen hin übernahm einer von der Mannschaft das Ruder. Der andere hielt Pansy fest, die sich übergeben mußte. Mit zwei Schritten war Rhett bei Scarlett und blickte sie finster an. »Du kleiner Dummkopf, das hätte dir den Kopf abschlagen können. Geh unter Deck, wo du hingehörst.«

»Ach, Rhett, nein! Laß mich doch mit raufkommen, wo ich sehen kann, was passiert. Es macht solchen Spaß. Ich möchte den Wind spüren und die Gischt schmecken.«

»Dir ist nicht schlecht? Und du hast auch keine Angst?«

Der verachtungsvolle Blick, mit dem sie ihn bedachte, war ihre ganze Antwort.

»Ach, Miss Eleanor, so etwas Herrliches habe ich noch nie erlebt! Ich verstehe nicht, warum nicht alle Männer auf der Welt Seeleute werden.«

»Ich freue mich zwar, daß du soviel Spaß gehabt hast, Liebes, aber man sollte Rhett die Ohren dafür langziehen, daß er dich in dieser übertriebenen Weise Sonne und Wind ausgesetzt hat. Du bist rot wie eine Indianerin.« Mrs. Butler schickte Scarlett mit Glyzerin und Rosenwasserkompressen auf ihr Zimmer. Dann schimpfte sie ihren Sohn aus, bis er zu lachen aufhörte und in vorgeblicher Reue den Kopf hängen ließ.

»Wenn ich den Weihnachtsschmuck aufhänge, den ich dir mitgebracht habe, darf ich dann den Nachtisch essen, oder muß ich in der Ecke stehen?« fragte er in gespielter Unterwürfigkeit.

Eleanor Butler spreizte zum Zeichen der Kapitulation die Hände. »Ich weiß nicht, was ich mit dir machen soll, Rhett«, sagte sie, doch ihr Versuch, das Lächeln zu unterdrücken, mißriet völlig. Sie liebte ihren Sohn über alle Vernunft hinaus.

Am gleichen Nachmittag, während sich Scarlett einer Behandlung ihres Sonnenbrandes mit diversen Lotionen unterzog, nahm Rhett einen der Stechpalmenkränze, die er von der Plantage mitgebracht hatte, als Geschenk mit zu Alicia Savage.

»Wie nett von Eleanor und von dir, Rhett. Danke. Möchtest du einen Gespritzten als Auftakt zur Saison?«

Rhett nahm mit Vergnügen an, und sie plauderten ohne Eile über das ungewöhnliche Wetter, über den Winter vor dreißig Jahren, als es doch tatsächlich geschneit hatte, und den Winter in dem Jahr, als es achtunddreißig Tage ohne Unterbrechung geregnet hatte. Sie kannten einander seit ihrer Kindheit. Die Häuser ihrer Familien hatten eine gemeinsame Gartenmauer und einen Maulbeerbaum mit süßen violetten, die Finger verfärbenden Früchten, die tief zu beiden Seiten der Mauer herabhingen.

»Scarlett fürchtet sich halb zu Tode wegen dieses Yankees, der in die Schlafzimmer eindringt«, sagte Rhett, nachdem er und Alicia mit ihren Erinnerungen durch waren. »Ich hoffe, du hast nichts dagegen, mit einem alten Freund darüber zu sprechen, der dir unter den Rock geguckt hat, als du fünf warst.«

»Nicht, wenn du es fertigbringst, meine jugendliche Abneigung gegen Unterwäsche zu vergessen.« Mrs. Savage lachte herzlich. »Ich war damals mindestens ein Jahr lang eine echte Prüfung für die ganze Familie, auch wenn es aus heutiger Sicht ziemlich komisch scheint . . . Diese Angelegenheit mit dem Yankee ist allerdings überhaupt nicht komisch. Irgendwann juckt es jemanden in den Fingern, und er erschießt einen der Soldaten, und dann machen sie uns die Hölle heiß.«

»Erzähl mir, wie er ausgesehen hat, Alicia. Ich habe da eine Theorie.«

»Ich habe ihn doch nur einen Augenblick lang gesehen, Rhett . . .«

»Das sollte schon ausreichen. War er groß oder klein?«

»Groß. Ja, eigentlich sogar sehr groß. Sein Kopf befand sich nur etwa einen Fuß unterhalb der Vorhangstange, und die Fenster sind sieben Fuß und vier Zoll hoch.«

Rhett grinste. »Ich wußte doch, daß ich auf dich zählen konnte. Du bist der einzige Mensch, den ich je gekannt habe, der auf einem Kindergeburtstag vom anderen Ende des Zimmers erkennen konnte, auf welchem Teller der größte Schlag Eiscreme lag. ›Adlerauge‹ haben wir dich hinter deinem Rücken immer genannt.«

»Und auch ganz offen, wenn ich mich recht erinnere, zusammen mit anderen unerfreulichen Bemerkungen. Du warst ein gräßlicher kleiner Junge.«

»Und du warst ein scheußliches kleines Mädchen. Ich hätte dich selbst dann noch geliebt, wenn du Unterwäsche angehabt hättest.«

»Ich hätte dich geliebt, wenn du keine angehabt hättest. Ich habe dir immer wieder unter den Rock geguckt, aber da war nichts zu entdecken.«

»Hab Erbarmen, Alicia. Nenn ihn wenigstens einen Kilt.«

Sie lächelten einander freundlich zu. Dann kam Rhett zurück zum Thema. Alicia fielen ungeheuer viele Dinge ein, als sie erst einmal angefangen hatte, darüber nachzudenken. Der Soldat war jung gewesen – eigentlich sogar sehr jung – und hatte die ungelenken Bewegungen eines Jungen gehabt, der sich noch nicht daran gewöhnt hat, auf einmal so groß zu sein. Außerdem war er sehr mager gewesen. Die Uniform war ihm um die Glieder geschlottert, und die Handgelenke hatten deutlich unter den Ärmelaufschlägen hervorgeschaut; die Uniform hätte sehr gut die eines anderen sein können. Sein Haar war dunkel – »nicht pechschwarz wie deins, Rhett, und nebenbei bemerkt, die Spur von Grau ist außerordentlich kleidsam, nein, sein Haar muß braun gewesen sein und im Dämmer dunkler gewirkt haben« –, gut geschnitten und nahezu ohne Pomade. Alicia hatte Macassar-Öl gerochen. Stück um Stück setzte sie ihr Erinnerungsbild zusammen. Dann geriet sie ins Stocken.

»Du weißt, wer es ist, stimmt's, Alicia?«

»Ich muß mich irren.«

»Nein, du hast recht. Du hast schließlich einen Sohn in dem Alter, etwa vierzehn, fünfzehn, und bestimmt kennst du seine Freunde. Sobald ich von dieser Geschichte gehört habe, dachte ich, es muß ein Junge aus Charleston sein. Glaubst du denn wirklich, einer von den Soldaten würde in das Schlafzimmer einer Frau einbrechen, bloß um einen Blick auf deren Umriß unter der Decke zu werfen? Es handelt sich bestimmt nicht um den Auswuchs eines Schreckensregimes, Alicia, sondern um einen armen Bengel, den sein Körper in Verwirrung gestürzt hat. Er will wissen, wie der Körper einer Frau ohne Schnürleib und Tournüre aussieht, will es so sehr wissen, daß er sich dazu verleiten läßt, heimlich in fremde Schlafzimmer einzusteigen. Höchstwahrscheinlich schämt er sich seiner Wünsche, wenn er die Frauen am Tage vollständig bekleidet vor sich sieht. Armer, kleiner Teufel. Ich nehme an, sein Vater ist im Krieg gefallen, und es ist keiner da, der mit ihm reden kann.«

»Er hat einen älteren Bruder ...«

»Ach ja? Dann irre ich mich vielleicht. Oder du denkst an den falschen Jungen.«

»Ich fürchte nein. Er heißt Tommy Cooper, und er ist der Größte der ganzen Korona und der Adretteste. Dazu kommt, daß er sich, als ich ihn zwei Tage nach dem Zwischenfall auf der Straße gegrüßt habe, fast zu Tode erschrocken hat. Sein Vater ist bei Bull Run gefallen. Tommy hat ihn nie kennengelernt. Sein Bruder ist zehn oder elf Jahre älter.«

»Du meinst Edward Cooper, den Anwalt?«

Alicia nickte.

»Kein Wunder. Cooper ist im Komitee meiner Mutter für das Konföderiertenheim. Ich habe ihn bei uns zu Hause kennengelernt. Der ist ja fast ein Eunuch. Von ihm wird Tommy kaum Hilfe bekommen.«

»Er ist keineswegs ein Eunuch, er ist einfach nur zu sehr in Anne Hampton verliebt, um Augen für die Bedürfnisse seines kleinen Bruders zu haben.«

»Wie du willst, Alicia. Ich werde mir Tommy mal vorknöpfen.«

»Rhett, das kannst du doch nicht machen. Du erschrickst den armen Jungen ja zu Tode.«

»Dein ›armer Junge‹ erschrickt im Moment die ganze weibliche Bevölkerung von Charleston zu Tode. Gott sei Dank ist bis jetzt noch nicht wirklich etwas passiert. Das nächste Mal verliert er womöglich die Beherrschung. Oder er wird sogar erschossen. Wo wohnen die Coopers, Alicia?«

»In der Church Street, gleich an der Ecke zur Broad Street. Es ist das mittlere der Backsteinhäuser auf der Südseite von Saint Michael's Alley. Aber Rhett, was willst du denn sagen? Du kannst doch nicht einfach dort hineinmarschieren und ihn beim Kragen packen wie ein Karnickel!«

»Verlaß dich ganz auf mich, Alicia.«

Alicia legte Rhett die Hände auf die Wange und küßte ihn sanft auf den Mund. »Schön, daß du wieder zu Hause bist, Nachbar. Und viel Glück mit Tommy.«

Rhett saß auf der Cooperschen Veranda und trank Tee mit Tommys Mutter, als der Junge nach Hause kam. Mrs. Cooper stellte Rhett ihren Sohn vor und schickte ihn dann ins Haus, damit er seine Schulbücher ablegen und sich Gesicht und Hände waschen konnte. »Mr. Butler nimmt dich zu seinem Schneider mit, Tommy. Er hat einen Neffen in Aiken, der genauso schnell wächst wie du, und er braucht dich zum Anprobieren, damit er ein passendes Weichnachtsgeschenk aussuchen kann.«

Außer Sichtweite zog Tommy eine gräßliche Grimmasse. Dann erinnerte er sich an das eine oder andere, das er über Rhetts ungestüme Jugend gehört hatte, und plötzlich freute er sich sogar darauf, Mr. Butler zu begleiten und ihm zu helfen. Vielleicht fand er ja sogar genügend Mumm, Mr. Butler ein paar Fragen über die Dinge zu stellen, die ihn quälten.

Tommy brauchte gar nicht zu fragen. Kaum daß sie weit genug vom Haus entfernt waren, legte Rhett dem Jungen den Arm um die Schulter. »Tom«, sagte er, »ich habe vor, dir ein paar wertvolle Lektionen zu erteilen. Die erste ist, wie man eine Mutter überzeugend anlügt. Während wir in der Pferdebahn sitzen, werde ich dir alles über meinen Schneider, sein Geschäft und seine Gewohnheiten erzählen, und du wirst es wiederholen, bis du die Geschichte parat hast. Weil ich nämlich gar keinen Neffen in Aiken habe und wir auch nicht auf dem Weg zu meinem Schneider sind. Wir fahren bis zum Ende der Linie in der Rutledge Avenue, und dann machen wir einen tüchtigen Spaziergang bis zu dem Haus, wo ich dir ein paar Freunde von mir vorstellen möchte.«

Tommy Cooper fügte sich widerspruchslos. Er war daran gewöhnt, von den Erwachsenen gesagt zu bekommen, was er zu tun hatte, und außerdem gefiel ihm, daß Mr. Butler ihn »Tom« nannte. Ehe der Nachmittag vorüber war und Tom wieder bei seiner Mutter abgeliefert wurde, blickte der Junge bereits mit solcher Heldenverehrung zu ihm auf, daß Rhett wußte, Tom Cooper würde ihm noch jahrelang erhalten bleiben.

Er war außerdem zuversichtlich, daß Tom niemals die »Freunde« vergessen würde, die sie besuchen gegangen waren. Unter den vielen »ersten« Dingen in Charleston befand sich auch das erste eingetragene Hurenhaus

»nur für Gentlemen«. Es hatte in den nahezu zweihundert Jahren seiner Existenz zwar viele Male den Standort gewechselt, doch hatte es seinen Betrieb ungeachtet aller Kriege, Seuchen und Hurrikane niemals auch nur für einen Tag eingestellt. Eine der Spezialitäten des Hauses lag in der sanften, diskreten Einführung von Knaben in die Freuden der Mannbarkeit. Es war eine der gehätschelten Traditionen Charlestons. Rhett dachte manchmal darüber nach, wie anders sein eigenes Leben wohl verlaufen wäre, wenn sein Vater im Hinblick auf die Tradition so sorgfältig gewesen wäre, wie er es in allen anderen Dingen gewesen war, die von einem Charlestoner Gentleman erwartet wurden . . . Doch das alles gehörte der Vergangenheit an. Seine Lippen verzogen sich zu einem betrübten Lächeln. Immerhin hatte er wenigstens die Stelle von Tommys Vater übernehmen können, der sicher dasselbe für den Jungen getan hätte. Traditionen haben ihre sinnvollen Aspekte. So gab es nun keinen nächtlichen Eindringling mehr. Rhett ging nach Hause, um ein Glas auf sich selbst zu trinken, bevor es Zeit wurde, seine Schwester vom Bahnhof abzuholen.

19. Kapitel

»Und wenn der Zug nun früher ankommt, Rhett?« Eleanor Butler sah zum zehntenmal in den letzten zwei Minuten auf die Uhr. »Die Vorstellung, daß Rosemary ohne Begleitung im Dunkeln auf dem Bahnhof stehen könnte, mißfällt mir sehr. Ihre Zofe ist nämlich ein grünes Ding und ein dummes obendrein, jedenfalls sehe ich das so. Ich weiß auch nicht, warum Rosemary sich mit ihr abgibt.«

»Dieser Zug ist, seit es ihn gibt, noch niemals weniger als vierzig Minuten zu spät eingetroffen, Mama, und selbst wenn er pünktlich wäre, käme er erst in einer halben Stunde.«

»Ich habe dich doch ausdrücklich gebeten, reichlich Zeit einzukalkulieren, um zum Bahnhof zu kommen. Ich hätte selbst hinfahren sollen, wie ich es auch getan hätte, wenn du nicht zu Hause wärst.«

»Versuche, dich nicht aufzuregen, Mama.« Rhett erklärte noch einmal, was er seiner Mutter bereits gesagt hatte. »Ich habe eine Droschke bestellt, die mich in zehn Minuten abholen wird. Dann brauche ich fünf Minuten bis zum Bahnhof. Ich werde also fünfzehn Minuten zu früh sein, der Zug wird überdies eine Stunde oder auch mehr Verspätung haben, und Rosemary wird gerade rechtzeitig zum Abendessen an meinem Arm hier eintreffen.«

»Darf ich mitfahren, Rhett? Ich würde gern etwas Luft schnappen.« Scarlett malte sich die Stunde im kleinen Gehäuse der Droschke aus. Sie würde Rhett über seine Schwester ausfragen, das würde ihm gefallen. Er war verrückt nach Rosemary. Und wenn er genug redete, würde Scarlett wissen, was sie zu erwarten hatte. Die Vorstellung, daß Rosemary sie womöglich nicht mögen würde, daß sie wie Ross wäre, erfüllte sie mit Entsetzen. Der blumige Entschuldigungsbrief ihres Schwagers hatte nichts daran geändert, daß sie ihn verabscheute.

»Nein, mein Liebes, du darfst nicht mit. Ich möchte, daß du dich nicht von der Stelle rührst und mit Kompressen auf den Augen auf der Couch liegenbleibst. Sie sind immer noch vom Sonnenbrand geschwollen.«

»Möchtest du denn, daß ich mitkomme, mein Lieber?« Mrs. Butler rollte ihre Handarbeit zusammen. »Es wird ja vielleicht doch eine ziemliche Warterei werden.«

»Das Warten macht mir überhaupt nichts aus, Mama. Ich muß sowieso einiges für die Frühjahrspflanzung auf der Plantage überlegen.«

Scarlett lehnte sich in die Kissen zurück und wünschte sich, Rhetts Schwester käme nicht wieder nach Hause. Sie hatte keine klare Vorstellung davon, wie Rosemary war, und am liebsten hätte sie es auch gar nicht herausgefunden. Sie wußte von dem einen oder anderen Fetzchen Klatsch, das sie mitbekommen hatte, daß Rosemarys Geburt heimlich von vielen belächelt worden war. Sie war ein »Wechselbaby«, geboren, als Eleanor Butler bereits über vierzig war. Außerdem war sie eine alte Jungfer, eines der Kriegsopfer jenseits des Schlachtfelds – zu jung, um vorher schon verheiratet gewesen zu sein, und zu alt und zu häßlich, um die Aufmerksamkeit der wenigen noch verfügbaren Männer auf sich zu ziehen, als der Krieg vorüber war. Rhetts Rückkehr nach Charleston und sein märchenhafter Reichtum hatten allerdings einiges bedeutungsvolles Zungenschnalzen ausgelöst. Rosemary würde jetzt über eine beträchtliche Mitgift verfügen. Aber sie schien ständig unterwegs zu sein, eine Cousine oder eine Freundin in einer anderen Stadt zu besuchen. Hielt sie dort etwa nach einem Ehemann Ausschau? Waren die Charlestoner Männer nicht gut genug für sie? Über ein Jahr lang hatte man allgemein auf eine Verlobungsankündigung gewartet, doch bislang gab es auch nicht die Spur einer Verbindung, geschweige denn eines Verlöbnisses. »Ein reiches Feld für Spekulationen«, war Emmas Beschreibung der Situation.

Scarlett spekulierte auf eigene Faust. Sie wünschte sich von Herzen, daß Rosemary bald heiratete, gleichgültig, wieviel Rhett das kosten würde. Sie legte keinen Wert darauf, sie im Haus zu haben. Mochte Rosemary auch sterbenshäßlich sein, sie war immer noch jünger als Scarlett und zudem Rhetts Schwester. Es galt, sie auszubooten. Sie würde zuviel von seiner Aufmerksamkeit in Anspruch nehmen. Scarletts Anspannung wuchs, als sie, ein paar Minuten vor der Tischzeit, die Haustür aufgehen hörte. Rosemary war da.

Rhett trat in die Bibliothek und lächelte seiner Mutter zu. »Deine unstete Tochter ist endlich wieder daheim«, sagte er. »Sie ist putzmunter und vor lauter Hunger wild wie ein Löwe. Sowie sie sich die Hände gewaschen hat, kommt sie herein und wird dich vermutlich mit Haut und Haaren verschlingen.«

Scarlett blickte mit einiger Besorgnis auf die Tür. Die junge Fau, die einen Augenblick später eintrat, hatte ein angenehmes Lächeln und beileibe nichts Raubtierhaftes an sich. Trotzdem versetzte sie Scarlett einen ebenso großen Schock, als hätte sie eine Mähne getragen und gebrüllt. Sie sieht genau aus wie Rhett! Nein, das ist es nicht. Sie hat zwar die gleichen schwarzen Augen, das gleiche Haar und die gleichen weißen Zähne, doch das ist es nicht. Es ist ihre Art – sie steht einfach sofort im Mittelpunkt. Das gefällt mir nicht, das gefällt mir überhaupt nicht.

Scarletts grüne Augen verengten sich, während sie Rosemary musterte. Sie ist eigentlich gar nicht häßlich, wie immer gesagt wird, aber sie macht überhaupt nichts aus sich. Allein schon wie sie ihr Haar straff zurückgenommen und im Nacken zu einem großen Knoten gebunden hat. Und sie trägt noch nicht einmal Ohrringe, obwohl sie richtig hübsche Ohren hat. Eine etwas fahle Haut hat sie. Vermutlich hätte Rhett die auch, wenn er nicht ständig draußen in der Sonne wäre. Doch ein Kleid in einer hellen Farbe würde dem abhelfen. Mit diesem öden bräunlichen Grün hat sie sich wirklich das Schlimmste herausgesucht. Vielleicht kann ich ihr ja aushelfen.

»Das ist also Scarlett.« Rosemary durchquerte den Raum mit vier langen Schritten. Oje, ich werde ihr beibringen müssen, wie man geht, dachte Scarlett. Männer mögen keine Frauen, die auf diese Art drauflosgaloppieren. Scarlett war aufgestanden, ehe Rosemary sie erreichte, hatte ein schwesterliches Lächeln aufgesetzt und hob ihr das Gesicht zum gesellschaftlich vorgeschriebenen Kuß entgegen.

Statt auf die allgemein übliche Weise Scarletts Wangen mit ihren zu berühren, starrte Rosemary ihr unverhohlen ins Gesicht. »Rhett hat behauptet, du seist katzenhaft«, sagte sie. »Ich sehe, an was er dabei denkt – die grünen Augen. Ich hoffe, du schnurrst, wenn du mich siehst, und fauchst nicht etwa, Scarlett. Ich fände es schön, wenn wir Freunde werden könnten.«

Scarlett war fassungslos. Sie war zu verblüfft, um sprechen zu können.

»Mama, sag doch bitte, daß das Essen fertig ist«, sagte Rosemary. Sie hatte sich bereits abgewandt. »Ich habe Rhett gesagt, er sei ein gedankenloser Rohling, daß er mir keinen Korb mit kleinen Häppchen an den Zug gebracht hat.«

Scarletts Blick suchte ihn, und Zorn wallte in ihr auf. Rhett stand lässig gegen den Türrahmen gelehnt, und sein höhnisches Lächeln ließ darauf schließen, daß er voll auf seine Kosten kam. Mistkerl! dachte sie. »Katzenhaft« bin ich also? Das hast du ihr eingeredet. Wie gern würde ich es dir jetzt beweisen. Wie gern würde ich dir das Lachen aus den Augen kratzen.

Sie schaute rasch zu Rosemary hinüber. Lachte sie etwa auch? Nein, sie umarmte Eleanor Butler.

»Das Abendessen«, sagte Rhett. »Manigo kommt gerade, um uns zu rufen.«

Scarletts Sonnenbrand war schmerzhaft, und Rosemarys großspurige Art verursachte ihr Kopfschmerzen, denn Rhetts Schwester vertrat ihre Meinung zu diesem und jenem auf eine ebenso leidenschaftliche wie laute Weise, sie suchte geradezu die Auseinandersetzung. Die Vettern, die sie in Richmond besucht hatte, seien hoffnungslose Holzköpfe, erklärte sie, und jede Minute, die sie dort verbracht habe, habe sie wahre Qualen ausgestanden. Sie sei sich absolut sicher, daß keiner von ihnen je ein Buch gelesen habe – jedenfalls keins, das zu lesen sich lohne.

»Meine Güte«, sagte Eleanor Butler leise. Sie sah Rhett an, und aus ihrem Blick sprach eine stumme Bitte.

»Vettern sind eine echte Prüfung, Rosemary«, sagte er mit einem Lächeln. »Hör dir nur das Allerneueste von Vetter Townsend Ellinton an. Ich hab ihn vor kurzem in Philadelphia besucht, und hinterher hatte ich fast eine Woche lang Sehstörungen. Mir ist ganz schwindlig geworden bei dem Versuch, ihm in die Augen zu blicken.«

»Immer noch besser, wenn einem schwindlig wird, als daß man sich zu Tode langweilt!« unterbrach ihn seine Schwester. »Kannst du dir vorstellen, wie das ist, nach dem Abendessen herumzusitzen und Cousine Miranda aus den Waverly-Romanen vorlesen zu hören? Diesen sentimentalen Quatsch!«

»Ich habe Scott immer mit Vergnügen gelesen, und du auch, dachte ich.« Eleanor versuchte, Rosemary etwas den Wind aus den Segeln zu nehmen.

Es nützte nichts. »Mama, damals wußte ich es eben nicht besser, das ist doch Jahre her.«

Scarlett dachte sehnsüchtig an die stillen Stunden nach dem Abendessen, die sie mit Miss Eleanor verbracht hatte. Mit Rosemary im Haus würde es die offensichtlich nicht mehr geben. Wie konnte Rhett sie nur so sehr mögen? Gerade eben schien sie fest entschlossen, einen Streit mit ihm vom Zaun zu brechen.

»Wenn ich ein Mann wäre, würdest du mich fahren lassen«, griff Rosemary Rhett an. »Ich lese gerade Henry James' Artikelreihe über Rom, und ich habe das Gefühl, ich komme vor Unwissenheit um, wenn ich das nicht mit eigenen Augen sehen kann.«

»Aber du bist kein Mann, meine Gute«, sagte Rhett ruhig. »Wo um Himmels willen bekommst du denn The Nation her? Du könntest dafür aufgeknüpft werden, daß du solchen liberalen Schund liest.«

Scarlett spitzte die Ohren und schaltete sich in das Gespräch ein. »Warum läßt du Rosemary nicht fahren, Rhett? Rom ist doch gar nicht so weit weg. Wir kennen bestimmt jemanden, der dort Verwandte hat. Es kann doch auch nicht weiter sein als nach Athen. Und da haben allein die Tarletons eine Unzahl von Cousins.«

Rosemary starrte sie mit offenem Mund an. »Wer sind denn diese Tarletons, und was hat Athen mit Rom zu tun?«

Rhett hustete, um sein Lachen zu verbergen. Dann räusperte er sich. »Es gibt zwei Provinzstädte in Georgia, die Athen und Rom heißen, Rosemary«, sagte er gedehnt. »Würdest du die nicht gern mal besuchen?«

Rosemary preßte sich die Hände in einer dramatischen Geste der Verzweiflung gegen den Kopf. »Ich traue meinen Ohren nicht. Wer will denn um Himmels willen schon nach Georgia? Ich will nach Rom, in das richtige Rom, die Ewige Stadt. Nach Italien!«

Scarlett spürte, wie ihr das Blut in die Wangen stieg. Das hätte ich aber auch wissen können, daß sie Italien meint.

Bevor sie jedoch genauso laut werden konnte wie Rosemary, flog krachend die Eßzimmertür auf, so daß alle drei erschrocken verstummten, und Ross wankte, nach Atem ringend, in das von Kerzenschein erleuchtete Zimmer.

»Helft mir«, sagte er flehend, »sie sind hinter mir her. Ich habe den Yankee erschossen, der in die Schlafzimmer einsteigt.«

In Sekundenschnelle war Rhett an der Seite seines Bruders und hatte ihn beim Arm gepackt. »Die Schaluppe liegt am Kai, und es scheint kein Mond, wir können sie zu zweit segeln«, sagte er mit sanfter Autorität. Während sie das Zimmer verließen, sagte er ruhig über die Schulter: »Sagt, ich sei sofort aufgebrochen, nachdem ich Rosemary hergebracht hätte, um die Flut zu erwischen, und ihr habt Ross nicht gesehen, wißt von nichts. Ich lasse von mir hören.«

Eleanor Butler stand ohne Hast von ihrem Stuhl auf, als wäre es ein ganz normaler Abend und sie hätten gerade das Essen beendet. Sie ging zu Scarlett und legte den Arm um sie. Scarlett zitterte am ganzen Leibe. Die Yankees kamen. Sie würden Ross aufhängen, weil er einen von ihnen erschossen hatte, und sie würden Rhett aufhängen, weil er Ross zur Flucht verhalf. Warum ließen sie nur Ross nicht für sich selber sorgen? Rhett hatte kein Recht, seine Frau schutzlos sich selbst zu überlassen, wenn die Yankees kamen.

Eleanors Stimme hatte etwas Schneidendes bekommen, obwohl sie genauso leise und langsam sprach wie sonst auch: »Ich gehe und trage Rhetts Gedeck in die Küche. Die Dienstboten müssen angewiesen werden, was sie sagen sollen. Es darf kein Anzeichen dafür geben, daß Rhett noch länger hier war. Wollt ihr beiden bitte den Tisch umdecken?«

»Was sollen wir bloß tun, Miss Eleanor? Die Yankees kommen.« Scarlett wußte, sie mußte ruhig bleiben, und sie verachtete sich selbst dafür, daß sie so ängstlich war. Doch sie konnte ihre Angst nicht kontrollieren. Sie hatte sich angewöhnt, die Yankees als harmlos, als lächerlich und störend zu betrachten, aber es raubte ihr die Fassung, daran erinnert zu werden, daß die Besatzungsarmee tun und lassen konnte, was sie wollte, und imstande war, jede ihrer Launen zum Gesetz zu erheben.

»Wir essen jetzt zu Ende«, sagte Mrs. Butler. Ihre Augen begannen zu lachen. »Danach werde ich, glaube ich, aus ›Ivanhoe‹ vorlesen.«

»Wissen Sie nichts Besseres mit Ihrer Zeit anzufangen, als einen Frauenhaushalt zu schikanieren?« Rosemary funkelte den Captain an, die Hände in die Hüften gestemmt.

»Setz dich hin und sei still, Rosemary«, sagte Mrs. Butler. »Ich entschuldige mich für die Grobheit meiner Tochter, Captain.«

Der Offizier ließ sich durch Eleanors versöhnliche Höflichkeit nicht aus dem Tritt bringen.

»Das Haus durchsuchen!« befahl er seinen Männern.

Scarlett lag mit einer Kamillenkompresse auf dem sonnenverbrannten Gesicht und den immer noch gereizten Augen auf dem Sofa ausgestreckt. Sie war dankbar für ihren Schutz, zumindest brauchte sie so die Yankees nicht anzuschauen. Was für einen kühlen Kopf Eleanor doch besaß, daß sie auf den Einfall gekommen war, die Bibliothek als Krankenzimmer herzurichten. Und doch brachte sie die Neugier fast um. Sie konnte Schritte hören und Türen, die auf- und zugemacht wurden, und dann herrschte Stille. War der Captain gegangen? Waren Miss Eleanor und Rosemary ebenfalls weg? Sie konnte es nicht ertragen. Sie hob die Hand langsam an die Augen und lüftete eine Ecke der Kompresse.

Rosemary saß in dem Sessel nahe beim Schreibtisch und las seelenruhig ein Buch.

»Tzzzt!« machte Scarlett tonlos.

Rosemary klappte das Buch sofort zu und verdeckte den Titel mit der Hand. »Was ist denn?« fragte sie, ebenfalls wispernd. »Hast du etwas gehört?«

»Nein, nicht das Geringste. Was machen die denn? Wo ist Miss Eleanor? Haben sie sie verhaftet?«

»Um Himmels willen, Scarlett, weshalb flüsterst du denn nur?« Rosemarys normale Stimme klang schrecklich laut. »Die Soldaten durchsuchen das Haus nach Waffen, sie beschlagnahmen sämtliche Schußwaffen in Charleston. Mama geht mit ihnen mit, um aufzupassen, daß sie nicht auch sonst noch was mitnehmen.«

War das alles? Scarlett entspannte sich. Es gab im Haus keine Schußwaffen. Sie wußte das, weil sie selbst nach einer gesucht hatte. Sie schloß die Augen und schlummerte fast ein. Es war ein langer Tag gewesen. Sie erinnerte sich, wie aufregend das Wasser die schnelle Schaluppe umbrandet hatte, und einen Augenblick lang beneidete sie Rhett, der jetzt unter den

Sternen dahinsegelte. Wenn sie nur anstelle von Ross an seiner Seite sein könnte! Sie machte sich keine Sorgen mehr, daß die Yankees ihn schnappen würden. Rhetts wegen brauchte man sich keine Sorgen zu machen. Er war unbezwingbar...

Als Eleanor Butler in die Bibliothek zurückkam, nachdem sie die Unionssoldaten hinausbegleitet hatte, deckte sie Scarlett, die tief und fest schlief, mit ihrer Kaschmirstola zu. »Es besteht kein Anlaß, sie aufzuwecken«, sagte sie ruhig, »sie hat es hier bequem genug. Gehen wir schlafen, Rosemary. Du hast eine lange Reise hinter dir, und auch ich bin müde, und der morgige Tag wird bestimmt anstrengend.« Sie lächelte in sich hinein, als sie das Lesezeichen in »Ivanhoe« stecken sah. Rosemary war eine Schnellleserin. Und dabei nicht halb so modern, wie sie sich gern hinstellte.

Der Markt schwirrte am nächsten Morgen vor Empörung und aberwitzigen Plänen. Scarlett lauschte den erregten Gesprächen um sie herum mit Verachtung. Was erwarteten die Charlestoner denn? Daß die Yankees zusehen würden, wie man ihre Leute erschoß, und nichts dagegen unternahmen? Dadurch, daß sie sich ereiferten und protestierten, erreichten sie doch nichts weiter, als daß alles immer nur noch schlimmer wurde. Was spielte es denn nach so langer Zeit noch für eine Rolle, ob General Lee General Grant abgerungen hatte, daß die Offiziere der Konföderierten auch nach der Kapitulation in Appomattox ihre Handfeuerwaffen noch behalten durften? Es war trotz allem das Ende des Südens, und was nützte einem im übrigen schon ein Revolver, wenn man zu arm war, um Kugeln dafür zu kaufen? Und dann diese Duellpistolen! Wem sollte denn um Gottes willen daran gelegen sein, die zu retten? Die waren doch zu gar nichts gut, außer dazu, daß Männer sich damit brüsteten und ihre albernen Köpfe damit durchlöchern konnten.

Sie hielt jedoch den Mund und konzentrierte sich auf den Einkauf. Sonst wäre er auch nie erledigt worden. Selbst Miss Eleanor rannte umher wie ein kopfloses Huhn und sprach in kaum hörbarem, eindringlichem Ton mit jedem, der greifbar war.

»Sie sagen, die Männer wollten alle dort weitermachen, wo Ross aufgehört hat«, sagte sie zu Scarlett, als sie auf dem Heimweg waren. »Sie können einfach nicht mit ansehen, wie ihre Häuser vom Militär durchsucht werden. Da werden wohl wir Frauen die Dinge in die Hand nehmen müssen, den Männern brennt es doch allzusehr unter den Nägeln.«

Scarlett verspürte einen Schauder des Entsetzens. Sie hatte gemeint, das sei alles nur Gerede. Sie würden doch nicht alles noch schlimmer machen wollen! »Da gibt es nichts in die Hand zu nehmen!« rief sie. »Das einzig Richtige ist, den Kopf einzuziehen, bis der Sturm sich gelegt hat. Rhett hat Ross bestimmt längst in Sicherheit gebracht, sonst hätten wir doch wohl etwas gehört.«

Mrs. Butler blickte erstaunt. »Wir dürfen das der Unionsarmee nicht durchgehen lassen, Scarlett, das wirst du doch einsehen. Erst haben sie unsere Häuser durchsucht, und jetzt haben sie auch noch angekündigt, daß die Ausgangssperre verschärft werden soll, und sie nehmen bereits sämtliche Händler fest, die rationierte Waren verkaufen. Wenn wir sie so weitermachen lassen, sind wir bald wieder da, wo wir im Jahr vierundsechzig waren, als sie uns völlig unterjocht hatten und wir nicht einmal mehr über unseren eigenen Atem bestimmen durften. Wir können ihnen das einfach nicht durchgehen lassen.«

Scarlett fragte sich, ob die ganze Welt verrückt zu werden begann. Was stellte sich diese Handvoll teetrinkender, Deckchen häkelnder Charlestoner Damen eigentlich vor, wie sie gegen eine ganze Armee vorgehen wollten?

Zwei Abende später fand sie es heraus.

Lucinda Wraggs Hochzeit war auf den dreiundzwanzigsten Januar festgesetzt gewesen. Die Einladungen waren bereits adressiert und warteten darauf, am zweiten Januar ausgetragen zu werden, doch sie sollten niemals Verwendung finden. Von fast schon »beängstigender Tüchtigkeit« war Rosemary Butlers Beitrag zu den Bemühungen ihrer eigenen, der Mutter Lucindas und aller anderen Damen in Charleston: Lucindas Hochzeit fand am neunzehnten Dezember in Saint Michael statt, und zwar abends um neun Uhr. Genau zu Beginn der Ausgangssperre klangen die majestätischen Akkorde des Hochzeitsmarsches durch die geöffneten Türen und Fenster der berstend vollen und wunderschön geschmückten Kirche. Sie waren im Guardhouse auf der anderen Straßenseite gegenüber der Kirche klar und deutlich zu hören. Ein Offizier erzählte später seiner Frau – in Hörweite der Köchin –, er habe die ihm unterstellten Männer noch nie so nervös gesehen, nicht einmal bevor sie in die »Wildnis« einmarschiert waren. Die Geschichte machte am nächsten Tag in der ganzen Stadt die Runde. Alles lachte herzlich, doch überrascht war niemand.

Um halb zehn brach die gesamte Bevölkerung Alt-Charlestons von Saint Michael auf und machte sich zu Fuß auf den Weg zum Empfang in der South Carolina Hall. Männer, Frauen und Kinder von fünf bis siebenundneunzig schlenderten lachend durch die warme Nachtluft und trotzten in ungeheuerlicher Weise dem Gesetz. Die Unionsarmee konnte unmöglich so tun, als bemerkte sie von dem ganzen Geschehen nichts, es fand schließlich unmittelbar vor ihrer Nase statt. Noch gab es irgendeine Möglichkeit, die Übeltäter festzunehmen. Das Guardhouse hatte sechsundzwanzig Haftzellen: Selbst wenn man die Büroräume und Flure mitbenutzt hätte, hätte der Platz nicht ausgereicht, um all die Menschen aufzunehmen. Das Kirchengestühl von Saint Michael hatte auf den stillen Friedhof hinausgeschafft werden müssen, um so viel Platz im Innern der Kirche zu schaffen, daß alle Leute hineinpaßten, auch wenn sie sich immer noch Schulter an Schulter drängten.

Während des Empfangs mußten die Menschen abwechselnd immer wieder auf die Säulenveranda vor dem überfüllten Ballsaal hinaustreten, um Luft zu schöpfen und einen Blick auf die hilflose Patrouille zu werfen, die in sinnloser Disziplin die menschenleere Straße auf und ab marschierte

Rhett war am Nachmittag mit der Nachricht in die Stadt zurückgekehrt, daß Ross sicher nach Wilmington gelangt war. Scarlett gestand ihm draußen auf der Veranda, daß sie sich davor gefürchtet habe, auf die Hochzeit zu gehen, selbst mit ihm als Begleiter. »Ich habe mir nicht vorstellen können, daß eine Schar von Damen, die Teegesellschaften besuchen, der Yankee-Armee eins auswischen könnten. Ich muß wirklich sagen, Rhett, diese Charlestoner haben einen Mordsschneid.«

Er lächelte. »Ich liebe diese arroganten Narren, einen wie den anderen. Selbst den armen Ross. Ich hoffe, er erfährt niemals, daß er den Yankee um eine Meile verfehlt hat, das wäre ihm sicher sehr peinlich.«

»Er hat ihn nicht einmal getroffen? Da wird er wohl betrunken gewesen sein.« Ihre Stimme troff vor Verachtung. Dann wurde sie schrill vor Angst. »Dann ist der Einbrecher also immer noch unterwegs!«

Rhett tätschelte ihr die Schulter. »Nein. Bleib ganz ruhig, meine Liebe, von dem wirst du nichts mehr hören. Mein Bruder und die in aller Eile vollzogene Trauung unserer kleinen Lucinda haben die Yankees Gottesfurcht gelehrt.« Er gluckste aus unerfindlichen Gründen in sich hinein.

»Was freut dich denn so?« fragte Scarlett argwöhnisch. Sie konnte es nicht ausstehen, wenn andere lachten, und sie wußte nicht, warum.

»Nichts, was du verstehen würdest«, sagte Rhett. »Ich war nur gerade dabei, mich dazu zu beglückwünschen, auf eigene Faust ein Problem gelöst zu haben, und da kommt mein stümperhafter Bruder und setzt noch eins drauf: Ohne sich darüber im klaren zu sein, hat er der ganzen Stadt etwas beschert, worüber sie sich freuen und worauf sie stolz sein kann. Schau dir mal die an, Scarlett.«

Die Veranda war voller als je zuvor. Lucinda Wragg, jetzt Lucinda Grimball, warf Blumen aus ihrem Brautstrauß auf die Soldaten hinab.

»Pahh! Ich würde lieber Backsteine runterwerfen!« sagte Scarlett.

»Davon bin ich überzeugt. Du hast schon immer das Nächstliegende bevorzugt. Lucindas Vorgehen hingegen erfordert Phantasie.« Sein wohlgelaunter, träge gedehnter Ton klang auf einmal bösartig verletzend.

Scarlett warf den Kopf in den Nacken. »Ich gehe wieder hinein. Lieber ersticke ich, als daß ich mich hier weiter beleidigen lasse.«

Unsichtbar im Schatten einer nahen Säule stehend, zuckte Rosemary zusammen. Sie hatte die Boshaftigkeit in Rhetts Tonfall und den gekränkten Zorn in Scarletts Stimme gehört. Später in der Nacht, es war längst Schlafenszeit, klopfte sie an die Tür der Bibliothek, in der Rhett saß und las, trat ein und schloß die Tür hinter sich.

Sie hatte geweint. »Ich glaubte, dich zu kennen, Rhett«, stieß sie hervor,

»doch das ist keineswegs der Fall. Ich habe dich heute auf der Veranda des Ballsaals mit Scarlett sprechen hören. Wie konntest du nur so gehässig zu deiner Frau sein? Wen wirst du dir als nächstes vornehmen?«

20. Kapitel

Rhett erhob sich rasch aus dem Sessel und ging mit ausgebreiteten Armen auf seine Schwester zu. Rosemary streckte ihm ihrerseits jedoch die Hände abwehrend entgegen und wich zurück. Rhetts Gesicht verdunkelte sich vor Kummer, und er stand ganz still und ließ die Arme nach unten sinken. Mehr als alles andere wollte er Rosemary vor Kummer bewahren, und nun war er die Quelle ihrer Betrübnis.

Er sah Rosemarys kurzes, trauriges Leben vor sich und die Rolle, die er darin gespielt hatte. Rhett hatte noch nie etwas bedauert oder auch nur erklärt, was er in seinen stürmischen jüngeren Jahren getan hatte. Es gab da nichts, dessen er sich schämte. Außer der Auswirkung, die sein damaliges Verhalten auf seine Schwester gehabt hatte.

Wegen seiner trotzigen Auflehnung gegen Familie und Gesellschaft hatte sein Vater ihn enterbt. Rhetts Name war nur noch eine mit Tinte durchgestrichene Zeile in der Butlerschen Familienbibel gewesen, als Rosemary geboren wurde. Sie war über zwanzig Jahre jünger als er. Er hatte sie nicht gesehen, bis sie dreizehn war, ein linkisches junges Mädchen mit langen Beinen, großen Füßen und knospenden Brüsten. Es war eins der wenigen Male gewesen, daß Eleanor Butler ihrem Mann nicht gehorchte, als Rhett sein gefahrvolles Leben als Blockadebrecher begonnen hatte und durch die Flotte der Union hindurch in den Hafen von Charleston gelangt war. Sie kam damals nachts an den Kai, an dem sein Schiff vertäut lag, und brachte Rosemary mit, damit sie ihn kennenlernen konnte. Die Verwirrung und das Liebebedürfnis seiner kleinen Schwester rührten an eine tief verborgene Ader in Rhett, ohne daß es irgendwelcher Worte bedurft hätte, sie weckten eine zärtliche Liebe, und er schloß sie mit der ganzen Wärme in sein Herz, die ihr Vater ihr nicht zu geben vermochte. Im Gegenzug schenkte Rosemary ihm das Vertrauen und die Anhänglichkeit, die ihr Vater in ihm nicht zu wecken vermocht hatte. Das Band zwischen Bruder und Schwester war seitdem nie mehr gerissen, und das ungeachtet der Tatsache, daß sie einander nach der ersten Begegnung nur etwa ein dutzendmal sahen, bis Rhett elf Jahre später nach Charleston heimkehrte.

Er hatte es sich nie verziehen, daß er sich mit der Versicherung seiner Mutter begnügt hatte, Rosemary führe dank des Geldes, mit dem er sie verschwenderisch zu überhäufen begann, sowie sein Vater gestorben war und es nicht mehr abfangen und zurückschicken konnte, ein glückliches und geborgenes Leben. Er hätte wachsamer sein müssen, aufmerksamer, warf er sich später vor. Dann wäre seine Schwester vielleicht nicht mit diesem Mißtrauen gegen die Männer groß geworden, wie es der Fall war. Vielleicht hätte sie dann geliebt und geheiratet und Kinder gehabt.

Tatsächlich fand er, als er nach Hause zurückkehrte, eine Vierundzwanzigjährige vor, die genauso linkisch war wie die Dreizehnjährige, die er damals am Kai von Charleston kennengelernt hatte. Sie fühlte sich unwohl in Gegenwart von Männern – außer in seiner – und bediente sich weltfremder Lebensgeschichten aus Romanen als Ersatz für die Ungewißheit des Lebens in der Wirklichkeit. Sie verwarf die gesellschaftlichen Konventionen, die Aussehen, Denken und Verhalten der Frau betrafen. Rosemary war ein Blaustrumpf, niederschmetternd offenherzig und gänzlich frei von Weiberlist und Eitelkeit.

Rhett liebte sie, und er respektierte ihren kratzbürstigen Drang zur Unabhängigkeit. Er konnte die verlorenen Jahre zwar nicht nachholen, doch konnte er ihr das allerkostbarste Geschenk überhaupt machen – er konnte ihr Einblick in sein Inneres gewähren. Er war vollkommen aufrichtig mit Rosemary, sprach mit ihr von gleich zu gleich und vertraute ihr gelegentlich sogar die Geheimnisse seines Herzens an, wie er es nie mit einem anderen Menschen getan hatte. Sie erkannte, welch gewaltiges Geschenk er ihr damit machte, und sie betete ihn an. In den vierzehn Monaten, die Rhett nun zu Hause war, waren das überlange, ungelenke, unschuldige, unverheiratete Mädchen und der überraffinierte, desillusionierte Abenteurer engste Freunde geworden. Doch fühlte Rosemary sich getäuscht. Plötzlich hatte sie Rhett von einer Seite kennengelernt, von der sie bislang nichts geahnt hatte, einen Hang zur Boshaftigkeit, ja Grausamkeit an diesem Bruder entdeckt, den sie nur als gleichermaßen nett und liebevoll kannte. Sie war verwirrt und argwöhnisch.

»Du hast meine Frage noch nicht beantwortet, Rhett.« Rosemarys gerötete Augen blickten anklagend.

»Es tut mir leid, Rosemary«, sagte er vorsichtig. »Es tut mir ungeheuer leid, daß du uns beobachtet hast. Aber es war etwas, das ich tun mußte. Ich will, daß Scarlett hier weggeht und uns in Frieden läßt.«

»Aber sie ist doch deine Frau!«

»Ich habe sie verlassen, Rosemary. Sie wollte sich nicht scheiden lassen, obwohl sie wußte, daß die Ehe beendet war.«

»Warum ist sie denn dann hier?«

Rhett zuckte die Achseln. »Vielleicht setzen wir uns besser. Das ist eine lange, ermüdende Geschichte.«

Langsam, methodisch, strikt darum bemüht, seine Gefühle zu beherrschen, erzählte Rhett seiner Schwester von Scarletts ersten beiden Ehen, von seinem Heiratsantrag und ihrer Einwilligung, ihn um seines Geldes willen zu heiraten. Er erzählte ihr auch von Scarletts nahezu besessener Liebe zu Ashley Wilkes während all der Jahre, die er sie gekannt hatte.

»Aber wenn du das wußtest, warum hast du sie denn dann geheiratet?«

»Warum?« Rhetts Mund verzog sich zu einem Lächeln. »Weil sie so temperamentvoll und von einer unglaublich störrischen Unerschrockenheit war, die vor nichts haltmachte. Weil sie bei all ihrem Gehabe ein solches Kind war. Weil sie anders war als alle Frauen, die ich je gekannt hatte. Sie faszinierte mich, sie machte mich wütend, sie machte mich wahnsinnig. Ich liebte sie mit der gleichen verzehrenden Leidenschaft wie sie Ashley. Von dem Tag an, als ich sie zum erstenmal gesehen hatte. Es war eine Art Krankheit.« Sein Tonfall hatte etwas zutiefst Bekümmertes.

Er legte den Kopf in beide Hände und lachte abgehackt. Seine Stimme war gedämpft und wurde von den Fingern verzerrt. »Was für ein grotesker Witz das Leben doch ist. Inzwischen ist Ashley Wilkes ein freier Mann und würde Scarlett lieber heute als morgen heiraten, und ich will sie loswerden. Das bestärkte sie natürlich in dem Entschluß, mich haben zu wollen. Sie will immer nur das, was sie nicht haben kann.«

Rhett hob den Kopf. »Ich habe Angst«, sagte er ruhig, »Angst, daß das alles wieder von vorn anfängt. Ich weiß, daß sie herzlos und völlig eigensüchtig ist und daß sie wie ein Kind nach einem Spielzeug schreit und es kaputtmacht, sowie sie es hat. Doch dann gibt es Momente, wenn sie den Kopf schief legt und ihr beglücktes kleines Lächeln lächelt oder plötzlich so einsam aussieht ... dann fehlt nicht viel, und ich vergesse alles, was ich gelernt habe.«

»Mein armer Rhett.« Rosemary legte ihm die Hand auf den Arm.

Er bedeckte sie mit seiner eigenen. Dann lächelte er ihr zu und war wieder er selbst. »Du siehst hier den Mann vor dir, mein Liebes, der einst einmal der strahlende Stern auf sämtlichen Mississippi-Flußdampfern war. Ich habe mein ganzes Leben lang gespielt, und ich habe noch nie verloren – und diese Runde werde ich ebenfalls gewinnen. Scarlett und ich haben einen Handel geschlossen. Ich konnte es nicht riskieren, sie allzulange im Haus zu behalten. Entweder würde ich mich erneut in sie verlieben, oder ich würde sie umbringen. Also habe ich Gold vor ihren Augen baumeln lassen, und ihre Geldgier hielt der unsterblichen Liebe, die sie für mich zu empfinden behauptet, die Waage. Sie wird für immer fortgehen, wenn die Ballsaison zu Ende ist. Bis dahin brauche ich sie nur auf Distanz zu halten, den längeren Atem zu haben und ihr so ein Schnippchen zu schlagen. Ich freue mich geradezu darauf. Es ist ihr ein Greuel zu verlieren, und sie macht keinen Hehl daraus. Es ist lange nicht so lustig, jemanden zu besiegen, der ein guter Verlierer ist.« Er sah seine Schwester mit lachenden Augen an. Dann wurde sein Blick wieder nüchtern. »Es würde Mama umbringen, wenn sie die Wahrheit über meine traurige Ehe erführe, doch sie würde sich auch schämen, wenn sie erführe, daß ich diese Ehe einfach aufgekündigt habe, ganz gleich, wie unglücklich sie gewesen sein mag. Es ist ein schrecklicher Zwiespalt. So aber wird Scarlett diejenige sein, die geht, ich werde der verletzte, aber von tapferem Gleichmut erfüllte Teil sein, und es wird keine Schande geben.«

»Und keine Reue?«

»Nur deshalb, weil ich einmal ein solcher Dummkopf war – vor vielen Jahren. Dafür werde ich den ungeheuren Trost genießen, kein zweites Mal auf sie hereingefallen zu sein. Das trägt eine Menge dazu bei, die Demütigung aufzuheben.«

Rosemary starrte ihn mit unverhohlener Neugier an. »Und wenn Scarlett sich nun ändert? Sie könnte ja erwachsen werden.«

Rhett grinste. »Um die Lady selbst zu Wort kommen zu lassen: Eher lernt die Kuh das Tanzen.«

21. Kapitel

»Geh weg.« Scarlett vergrub ihr Gesicht in den Kissen.

»Es ist Sonntag, Miss Scarlett, Sie können nicht lange schlafen. Miss Pauline und Miss Eulalie, die warten doch.«

Scarlett stöhnte. Das allein reichte schon aus, um aus einem Menschen einen Anhänger der episkopalen Kirche zu machen. Die konnten wenigstens länger schlafen. Der Gottesdienst in Saint Michael begann erst um elf Uhr. Scarlett seufzte und stand auf.

Ihre Tanten bemühten sich an diesem Tag, sie über alles aufzuklären, was in der bevorstehenden Ballsaison von ihr erwartet werden würde. Ungeduldig hörte sie zu, während Eulalie und Pauline sie über die Bedeutung von anständigem Benehmen, Unauffälligkeit, Respekt gegenüber den Älteren und damenhaftem Auftreten belehrten. Herrje! Sie kannte all diese Vorschriften doch schon im Schlaf. Ihre Mutter und Mammy hatten sie ihr eingehämmert, seit sie laufen konnte. Scarlett schob rebellisch das Kinn vor und starrte auf ihre Füße, während sie auf dem Weg zu Saint Mary waren. Sie würde nicht hinhören, fertig.

Als sie jedoch später im Haus ihrer Tanten beim Frühstück saßen, sagte Pauline etwas, das ihre Aufmerksamkeit erzwang.

»Du brauchst mich nicht so finster anzuschauen, Scarlett, ich erzähle dir nur zu deinem eigenen Besten, was die Leute sagen. Es geht das Gerücht, du hättest zwei funkelnagelneue Ballkleider. Das ist ein Skandal, wenn alle anderen zufrieden sind mit dem, was sie jahrelang getragen haben. Du bist neu in der Stadt, und du mußt auf deinen guten Ruf bedacht sein. Und auf Rhetts ebenfalls. Die Leute sind sich noch nicht im klaren darüber, was sie von ihm halten sollen.«

Scarletts Herz setzte einen Schlag aus, und Übelkeit stieg in ihr auf. Rhett würde sie umbringen, wenn sie ihm alles verdarb. »Was ist denn mit Rhett? Erzähl es mir doch bitte, Tante Pauline!«

Pauline erzählte. Mit Wonne. All die alten Geschichten – er war aus West Point herausgeworfen worden, sein eigener Vater hatte ihn wegen seines ungebärdigen Verhaltens enterbt, und man wußte, daß er auf anrüchige Weise Geld verdient hatte, als Berufsspieler auf den Flußdampfern des Mississippi, unter gewalttätigen Goldwäschern in Kalifornien und, das war das Schlimmste überhaupt, indem er sich mit Kriegsgewinnlern und Spekulanten aus dem Norden eingelassen hatte. Es stimmte zwar, er war ein tapferer Soldat im Dienste der Konföderierten gewesen, Blockadebrecher und Kanonier in Lees Armee, und er hatte den größten Teil seines schmutzigen Geldes für die Sache der Konföderierten hergegeben . . .

Hah! dachte Scarlett. Rhett ist weiß Gott gut darin, Geschichten in Umlauf zu bringen.

. . . aber trotzdem, seine Vergangenheit war eindeutig unappetitlich. Es war ja schön und gut, daß er heimgekehrt war, um sich seiner Mutter und seiner Schwester anzunehmen, aber hatte er sich damit nicht doch reichlich Zeit gelassen? Wenn sein Vater nicht jeden Penny dreimal umgedreht hätte, um eine großzügige Lebensversicherung abschließen zu können, wären seine Mutter und seine Schwester in der Zwischenzeit wahrscheinlich verhungert gewesen, so wenig hatte er sich um sie gekümmert.

Scarlett biß sich auf die Lippen, um Pauline nicht anzuschreien. Das mit der Versicherung war doch absolut falsch! Rhett hatte niemals, niemals auch nur für eine Minute aufgehört, sich um seine Mutter zu kümmern, aber sein Vater hatte nicht zulassen wollen, daß sie etwas von ihm annahm! Erst als Mr. Butler starb, hatte Rhett Miss Eleanor das Haus kaufen und ihr Geld geben können. Mrs. Butler hatte die Geschichte von der Versicherung verbreiten müssen, um ihren guten Ruf nicht zu beschmutzen. Weil Rhetts Geld als schmutziges Geld betrachtet wurde. Doch Geld war Geld, konnten diese halsstarrigen Charlestoner das denn nicht einsehen? Was machte das schon für einen Unterschied, woher es kam, wenn es für ein Dach über ihren Köpfen und Essen in ihren Mägen sorgte?

Warum hörte Pauline nur nicht auf, ihr Predigten zu halten? Worüber sprach sie denn um Himmels willen nun schon wieder? Dieses alberne Geschäft mit dem Kunstdünger. Das war auch so ein Witz. Es konnte auf der ganzen Welt nicht genug Kunstdünger geben, um alle Kosten zu decken, die Rhett aus solchen Torheiten erwuchsen, daß er den alten Möbeln seiner Mutter hinterherjagte und den Bildern von Ururgroßeltern und kerngesunde Männer dafür bezahlte, daß sie seine kostbaren Kamelien hätschelten, statt anständig Ackerbau zu treiben, der etwas abwarf.

». . . es gibt eine ganze Reihe Charlestoner, die an den Phosphaten sehr gut verdienen, doch sie brüsten sich nicht damit. Du mußt dich vor diesem

Hang zur Extravaganz und zum Geprotze hüten. Er ist schließlich dein Mann, und es ist deine Pflicht, ihn zu warnen. Eleanor Butler ist zwar davon überzeugt, daß er überhaupt nichts falsch machen kann, sie hat ihn immer schon verwöhnt, doch zu ihrem Besten wie zu deinem eigenen und dem von Rhett mußt du dafür sorgen, daß die Butlers nicht allzusehr auffallen.«

»Ich habe zwar versucht, mit Eleanor zu sprechen«, schnüffelte Eulalie, »doch ich bin sicher, sie hat mir auch nicht einen Augenblick zugehört.«

Scarletts Augen hatten sich verengt und glitzerten gefährlich. »Ich bin euch dankbarer, als ich es ausdrücken kann«, sagte sie übertrieben liebenswürdig, »und ich werde mir jedes Wort zu Herzen nehmen. Aber jetzt muß ich wirklich gehen. Danke für das köstliche Frühstück.« Sie stand auf, hauchte jeder Tante einen Kuß auf die Wange und eilte zur Tür. Wenn sie nicht sofort das Haus verließ, würde sie losschreien. Trotzdem erzählte sie Rhett wohl besser, was die Tanten gesagt hatten.

»Du verstehst doch, Rhett, warum ich es für richtig hielt, es dir zu erzählen? Die Leute kritisieren deine Mutter. Ich weiß, meine Tanten sind langweilige alte Schnüffelnasen, doch schließlich sind ja genau die es, die am Ende immer schuld an allem Ärger zu sein scheinen. Denk nur an Mrs. Merriwether, Mrs. Meade und Mrs. Elsing.«

Scarlett hatte gehofft, Rhett würde ihr dankbar sein. Auf sein Gelächter war sie ganz und gar nicht vorbereitet. »Gesegnet seien ihre alten Seelen, die sich in alles einmischen«, sagte er schmunzelnd. »Komm mit, Scarlett, das mußt du Mama erzählen.«

»Ach nein, Rhett, das könnte ich nicht. Sie wird sich doch nur aufregen.«

»Du mußt. Es ist eine ernsthafte Angelegenheit. Absurd zwar, aber das sind die meisten ernsthaften Angelegenheiten letztlich immer. Komm schon. Und spar dir diese töchterlich besorgte Miene. Dir ist es doch herzlich gleichgültig, was meiner Mutter passiert, solange die Einladungen nicht ausbleiben.«

»Das ist ungerecht! Ich habe deine Mutter sehr gern.«

Rhett war bereits halb aus der Tür, doch bei Scarletts letzten Worten wandte er sich um und trat ihr mit ein, zwei langen Schritten in den Weg. Er faßte ihre Schultern mit beiden Händen und hielt sie so fest gepackt, daß sie zu ihm aufblicken mußte. Seine Augen waren kalt, als er ihre Miene erforschte, als stünde sie vor Gericht. »Lüg mir nichts vor, was meine Mutter betrifft, Scarlett. Ich warne dich, das ist gefährlich.«

Er stand so dicht vor ihr, daß sein Körper ihren berührte. Scarletts Lippen teilten sich, sie wußte, ihre Augen mußten ihm verraten, wie sehr sie sich nach seinem Kuß sehnte. Wenn er seinen Kopf nur ein klein wenig senken würde, ihre Lippen würden seinen entgegenkommen . . . Sie hielt den Atem an.

Rhetts Griff wurde fester, sie spürte es, gleich würde er sie an sich ziehen... Ein winziger Schluchzer der Freude vibrierte in ihrer Kehle.

»Zum Teufel mit dir!« knurrte Rhett leise. Er stieß sie von sich. »Komm mit hinunter. Mama ist in der Bibliothek.«

Eleanor Butler ließ ihre Handarbeit in den Schoß sinken und legte die Hände obenauf. Das war ein Zeichen dafür, daß sie Scarletts Bericht ernst nahm und ihm volle Aufmerksamkeit schenkte. Am Ende wartete Scarlett nervös auf ihre Reaktion. »Setzt euch, ihr beiden«, sagte Eleanor gleichmütig. »Eulalie irrt sich sehr. Ich habe ihr aufmerksam zugehört, als sie mir erklärt hat, daß ich zuviel Geld ausgebe.« Scarlett machte große Augen. »Und ich habe danach ausgiebig darüber nachgedacht«, fuhr Eleanor fort. »Insbesondere, was das betrifft, daß wir Rosemary zu Weihnachten die Grand Tour geschenkt haben, Rhett. Seit vielen Jahren hat kein Charlestoner mehr eine Europareise antreten können, praktisch seit der Zeit, wo du gefahren wärst, wenn du nicht solch ein Plagegeist gewesen wärst, daß dein Vater dich statt dessen auf die Militärakademie geschickt hat.

Ich bin jedoch zu dem Schluß gelangt, daß wir nicht wirklich Gefahr laufen, in Ungnade zu fallen. Die Charlestoner sind pragmatische Menschen, alte Kulturen sind das immer. Wir sehen ein, daß Reichtum wünschenswert und Armut äußerst unerfreulich ist. Und wenn einer selbst arm ist, ist es hilfreich, reiche Freunde zu haben. Die Leute würden es unverzeihlich – nicht nur beklagenswert – finden, würde ich Muskateller statt Champagner servieren.«

Scarlett saß mit gerunzelter Stirn da. Sie hatte Mühe, Eleanor Butlers Gedankengang zu folgen. Nicht, daß es darauf ankam – der gleichmäßig friedliche Ton von Mrs. Butlers Stimme sagte ihr, daß alles in Ordnung war. »Vielleicht sind wir ein wenig zu auffällig gewesen«, sagte Eleanor, »doch gerade im Augenblick kann es sich in Charleston niemand leisten, uns etwas anhaben zu wollen, weil Rosemary sich jeden Augenblick entscheiden könnte, die Werbung irgendeines Bruders oder Sohnes der Familie zu erhören, und ihre Mitgift imstande wäre, alle nur erdenklichen Verlegenheiten aus der Welt zu schaffen.«

»Mama, du bist eine schamlose Zynikerin.« Rhett lachte.

Eleanor Butler lächelte einfach nur.

»Worüber lacht ihr denn?« fragte Rosemary, als sie die Tür öffnete. Ihr Blick bewegte sich rasch von Rhett zu Scarlett und wieder zurück. »Ich habe dich durch die halbe Diele röhren hören, Rhett. Laßt mich mitlachen.«

»Mama war ein wenig bissig«, sagte er. Er und Rosemary waren seit langem übereingekommen, ihre Mutter vor den unschönen Realitäten der Welt zu bewahren, und sie lächelten einander zu wie die Verschwörer. Scarlett fühlte sich ausgeschlossen und wandte ihnen den Rücken zu.

»Darf ich mich ein Weilchen zu Ihnen setzen, Miss Eleanor? Ich wollte Sie um Rat fragen wegen meines Ballkleids.« Wenn du denkst, Rhett

Butler, mir macht das etwas aus, daß du deine alte Jungfer von einer Schwester umsorgst, als wäre sie die Maikönigin, dann irrst du dich. Und wenn du dir einbildest, du könntest mich aufregen oder eifersüchtig machen, dann hast du dich geschnitten!

Eleanor beobachtete verblüfft, wie Scarletts Mund sich plötzlich überrascht öffnete und ihre Augen vor Erregung zu funkeln begannen. Sie blickte sich um, um herauszufinden, was Scarlett wohl sehen mochte.

Doch obwohl Scarletts Blick starr war, sah sie nichts. Sie war geblendet von der Hellsichtigkeit des Gedankens, den sie gerade gehabt hatte.

Eifersüchtig! Was für eine dumme Gans ich doch gewesen bin! Natürlich ist es das und nichts anderes. Es erklärt alles. Warum habe ich es nur so lange nicht erkannt? Rhett hat mich doch praktisch mit der Nase draufgestoßen, als er dem Namen des Flusses soviel Bedeutung beigemessen hat. Ashley. Er ist immer noch eifersüchtig auf Ashley. Er war immer schon eifersüchtig auf ihn, und deshalb wollte er mich auch unbedingt haben. Ich brauche im Grunde nichts anderes zu tun, als ihn wieder eifersüchtig zu machen. Nicht auf Ashley – um Himmels willen. Ich bräuchte nur einmal in seine Richtung zu lächeln, und er würde mich kläglich ansehen und mich bitten, ihn zu heiraten. Nein, ich werde jemand anderen finden, jemanden unmittelbar hier in Charleston. Das dürfte mir nicht schwerfallen. In sechs Tagen fängt die Ballsaison an, und dann wird es Gesellschaften und Bälle, Tanz und Erfrischungspausen geben, bei denen man ein Stück Kuchen ißt und ein Glas Punsch trinkt. Wir mögen hier zwar im schrulligen, versnobten, alten Charleston sein, aber die Männer verändern sich nicht mit der geographischen Lage. Ich werde eine ganze Traube von Galanen an mir hängen haben, sowie das erste Fest auch nur halb vorüber ist. Ich kann es kaum abwarten.

Am Sonntag nach dem Mittagessen ging die ganze Familie zum Konföderiertenheim und brachte Körbe mit grünen Zweigen von der Plantage und außerdem zwei von Miss Eleanors whiskeygetränkten Kuchen dorthin. Scarlett tänzelte das Trottoir entlang, schwang ihren Korb und sang ein Weihnachtslied dazu. Ihre Fröhlichkeit war ansteckend, und bald schon gaben sie zu viert Ständchen vor den Häusern auf ihrem Weg. »Kommt herein«, riefen die Leute dann jedesmal, doch Mrs. Butler schlug statt dessen vor: »Kommt mit, wir schmücken das Heim.« Als sie das schöne, aber schäbige Haus auf der Broad Street erreichten, waren sie mehr als ein Dutzend freiwillige Helfer.

Die Waisenkinder quietschten vor Erwartungsfreude, als die Kuchen ausgepackt wurden, doch Eleanor sagte bestimmt: »Nur für die Erwachsenen« und packte dann die zuckerbestreuten Plätzchen aus, die sie für die Kleinen mitgebracht hatte. Zwei von den Witwen, die im Heim lebten, holten eilig Tassen mit Milch und setzten die Kinder rund um einen niedrigen Tisch auf der Veranda. »Jetzt können wir in Ruhe das Grün aufhängen«, sagte Mrs. Butler. »Rhett, übernimm doch bitte das Geklet- ter auf der Leiter.«

Scarlett setzte sich neben Anne Hampton. Sie war gern besonders nett zu dem scheuen jungen Mädchen, da sie Melanie so sehr ähnelte. Es gab Scarlett das Gefühl, wiedergutmachen zu können, daß sie all die Jahre, als Melanie unerschütterlich zu ihr gestanden hatte, so unfreundlich von ihr gedacht hatte. Außerdem zeigte Anne so offen ihre Bewunderung für Scarlett, daß ihre Gesellschaft immer ein Vergnügen war. Ihre leise Stimme war geradezu lebhaft, als sie Scarlett Komplimente über ihr Haar machte. »Es muß herrlich sein, solch eine dunkle, üppige Haarfarbe zu haben«, sagte sie. »Es ist wie tiefschwarze Seide. Wie ein Bild, das ich einmal von einem herrlichen geschmeidigen schwarzen Panther gesehen habe.« Annes Gesicht leuchtete vor unschuldiger Anbetung und errötete dann, weil sie aufdringlicherweise eine derart persönliche Bemerkung gemacht hatte.

Scarlett tätschelte ihr freundlich die Hand. Anne konnte ja nichts dafür, daß sie eine so sanfte, furchtsame braune Feldmaus war. Später, als alles fertig geschmückt war und die hohen Räume harzig süß nach Tannen- zweigen dufteten, bat Anne, sie zu entschuldigen, und ging, um die Kin- der zum Weihnachtssingen zu holen. Wie Melly das geliebt hätte, dachte Scarlett. Sie hatte einen Kloß im Hals, als sie Anne ansah, die die Arme um zwei aufgeregte kleine Mädchen gelegt hatte, während sie im Duett sangen. Melly war so verrückt nach Kindern gewesen. Einen Augenblick verspürte Scarlett Schuldgefühle, nicht mehr Weihnachtsgeschenke an Wade und Ella geschickt zu haben, doch dann war das Duett vorbei, und es war Zeit, sich am Singen zu beteiligen, und sie mußte sich konzentrieren, damit ihr sämtliche Strophen von »Bei Öchselein und Eselein« wieder einfielen.

»War das schön!« rief sie, als sie das Haus verlassen hatten. »Wie ich Weihnachten liebe.«

»Ich auch«, sagte Eleanor. »Es ist eine gute Atempause vor der Ballsai- son. Obwohl dieses Jahr alles bestimmt nicht so friedlich verlaufen wird wie gewöhnlich. Die armen Yankees werden uns höchstwahrscheinlich die Hölle heiß machen. Ihr Colonel kann es doch nicht einfach hinnehmen, daß wir alle mit einem solchen Knall die Ausgehvorschriften gebrochen haben.« Sie kicherte wie ein Mädchen. »So ein Spaß!«

»Aber nun wirklich, Mama!« sagte Rosemary. »Wie kommst du nur dazu, diese ganzen schändlichen Blauröcke als ›arme‹ Yankees zu bezeich- nen?«

»Weil sie an den Feiertagen doch viel lieber zu Hause bei ihren eigenen Familien wären als hier, um uns zu schikanieren. Ich nehme an, es ist ihnen peinlich.«

Rhett schmunzelte. »Du und deine Busenfreundinnen, ihr habt doch in euren reizend frisierten Köpfen wieder irgend etwas ausgeheckt, möchte ich wetten.«

»Nur für den Fall der Fälle.« Mrs. Butler mußte erneut lachen. »Wir meinen, daß es heute so ruhig war, kommt nur daher, daß der Colonel ein richtiger Bibelfex ist und deshalb für den Sabbat keinerlei Aktion angeordnet hat. Morgen wird der Tag der Wahrheit sein. In früheren Zeiten hat er uns gern damit schikaniert, daß er unsere Körbe nach Schmuggelware durchsuchen ließ, wenn wir vom Markt kamen. Wenn sie das erneut versuchen sollten, werden ihre Hände unter Rübenkraut und Reis auf einige interessante Dinge stoßen.«

»Innereien?« vermutete Rosemary.

»Kaputte Eier?« regte Scarlett an.

»Juckpulver!« schlug Rhett vor.

Miss Eleanor kicherte zum drittenmal. »Und sonst noch ein paar Dinge«, sagte sie selbstzufrieden. »Wir haben damals eine ganze Reihe interessanter Taktiken ausgearbeitet. Die Soldaten von heute waren zu der Zeit noch nicht hier, es wird ihnen alles ganz neu sein. Ich gehe jede Wette ein, daß die Männer noch nie etwas vom giftigen Gerberstrauch gehört haben. Ich bin zu Weihnachten ungern so wenig barmherzig, doch sie müssen lernen, daß wir unsere Angst vor ihnen schon vor langer, langer Zeit abgelegt haben. Ich wünschte mir wirklich, Ross wäre zu Hause«, setzte sie dann abrupt hinzu, und ihre Heiterkeit war schlagartig verflogen. »Was meinst du, Rhett, wann dein Bruder sich gefahrlos wieder herwagen kann?«

»Das hängt davon ab, wie rasch ihr, du und deine Freundinnen, den Yankees den Kopf zurechtsetzt, Mama. Bestimmt jedoch rechtzeitig zum Saint-Cecilia-Ball.«

»Dann ist es ja gut. Es macht nichts, wenn er alles andere verpaßt, solange er nur zum Ball zu Hause ist.« Scarlett hörte den bestimmten Artikel aus ihren Worten heraus – es war nun einmal der Ball schlechthin.

Scarlett ging davon aus, daß die Stunden bis zum sechsundzwanzigsten, dem Beginn der Ballsaison, sich endlos hinziehen würden. Doch zu ihrer Überraschung verging die Zeit so schnell, daß sie kaum zur Besinnung kam. Der unterhaltendste Teil des Ganzen war die Schlacht mit den Yankees. Der Colonel ordnete tatsächlich Vergeltungsmaßnahmen für die Überschreitung der Ausgangssperre an. Und am Montag hallte der Markt von Gelächter wider, als die Charlestoner Damen ihre Körbe mit den Waffen ihrer Wahl vollpackten.

Am nächsten Tag achteten die Soldaten darauf, daß sie ihre Handschuhe anhatten. Die Hand in etwas zu stecken, das sich derartig widerwärtig anfühlte, oder erleben zu müssen, wie sie plötzlich heftig zu jucken begann und anschwoll, das waren nicht gerade Erfahrungen, die sie gern noch einmal machen wollten.

»Die Dummköpfe hätten doch wissen müssen, daß wir genau das von ihnen erwarten würden, was sie dann getan haben«, sagte Scarlett bei einer Whist-Party am selben Nachmittag zu Sally Brewton. Sally stimmte zu und lachte bei der Erinnerung an das Spektakel beglückt auf.

»Ich hatte eine nur lose abgedeckte Schachtel mit Lampenruß unter meinen Einkäufen«, sagte sie. »Und was hatten Sie?«

»Cayenne-Pfeffer. Ich hatte eine Heidenangst, daß ich zu niesen anfangen und die ganze Falle verraten würde. Wo ich schon von Falle spreche ... ich glaube, der Kaffee gehört mir.« Am Tag zuvor waren neue Rationierungsvorschriften erlassen worden, und die Damen von Charleston spielten jetzt um Kaffee statt um Geld. Da der Schwarzmarkt fürs erste lahmgelegt war, war dies das Kartenspiel um den höchsten Einsatz, um den Scarlett gespielt hatte. Sie fand es herrlich.

Herrlich fand sie es auch, die Yankees zu quälen. Es gab zwar immer noch Patrouillen in den Straßen von Charleston, doch sie waren gehörig am Ohr gezogen worden und würden es wieder und wieder werden, bis sie ihre Niederlage eingestanden. Und Scarlett würde zu denen gehören, die dabei mitgeholfen hatten.

»Bitte geben«, sagte sie, »ich habe das Gefühl, ich habe heute eine Glückssträhne.« Nur noch wenige Tage, und sie würde auf einem Ball sein und mit Rhett tanzen. Er hielt sich seit einigen Tagen zwar von ihr fern und richtete es so ein, daß sie nie allein waren, aber auf dem Parkett würden sie zusammensein – und einander berühren –, allein miteinander, ganz gleich, wie viele Paare sonst noch tanzten.

Scarlett hielt die weißen Kamelien, die Rhett ihr geschickt hatte, an die Perlentraube in ihrem Nacken und verrenkte sich den Hals, um sich im Spiegel sehen zu können. »Das sieht ja aus wie ein fetter Wurstzipfel«, sagte sie angewidert. »Pansy, du mußt mir das Haar anders zurechtmachen. Kämm es hoch.« Sie konnte sich die Blumen zwischen die einzelnen Haarrollen stecken, das wäre gar nicht so schlecht. Ach, warum mußte Rhett nur so gemein sein und ihr erzählen, seine kostbaren alten Plantagenblumen seien die einzigen Juwelen, die sie tragen könne? Es war schlimm genug, daß ihr Ballkleid so öde aussah. Und wenn sie dessen Schlichtheit mit nichts abhelfen durfte als mit einem Blumensträußchen ... da hätte sie ja auch gleich ein Loch in einen Mehlsack schneiden und den anziehen können. Sie hatte sich auf ihre Perlen und ihre Brillantohrringe verlassen.

»Du mußt mir nicht gleich ein Loch in die Kopfhaut bürsten«, knurrte sie.

»Ja, 'am.« Pansy fuhr fort, die lange dunkle Haarflut mit kräftigen Strichen zu bürsten und die Locken wieder zu beseitigen, nachdem sie mit solchem Aufwand arrangiert worden waren.

Scarlett betrachtete ihr Spiegelbild mit wachsender Genugtuung. Doch, das war sehr viel besser. Ihr Hals war wirklich viel zu schön, um zugedeckt zu werden. Sie sah weit besser aus, wenn sie das Haar hochgesteckt trug. Und ihre Ohrringe kämen deutlicher zu Geltung. Sie würde sie tragen, ungeachtet dessen, was Rhett gesagt hatte. Sie mußte einfach umwerfend aussehen, sie mußte die Bewunderung sämtlicher Männer auf dem Ball gewinnen und die Herzen wenigstens einiger von ihnen. Das würde Rhett schon Beine machen.

Sie befestigte die Brillanten an ihren Ohrläppchen. So! Sie legte den Kopf erst auf die eine, dann auf die andere Seite, denn was sie sah, gefiel ihr.

»Ist es so recht, Miss Scarlett?« Pansy wies auf ihr Werk.

»Nein. Über den Ohren muß es üppiger sein.« Gott sei Dank hatte Rosemary ihr Angebot ausgeschlagen, ihr Pansy heute abend zu leihen. Obwohl es ein Rätsel war, weshalb Rosemary diese Chance nicht mit beiden Händen ergriffen hatte; sie brauchte jede Unterstützung. Sie würde ihr Haar wahrscheinlich zu demselben knubbeligen Altjungfernknoten binden, den sie immer trug. Scarlett lächelte. Wenn sie den Ballsaal gemeinsam mit Rhetts Schwester betrat, dann würde das nur unterstreichen, wieviel hübscher sie war.

»So ist es schön, Pansy«, sagte sie und hatte ihre gute Laune wiedergefunden. Ihr Haar glänzte wie eine Rabenschwinge. Die weißen Blüten würden ihr tatsächlich gut stehen. »Gib mir ein paar Haarnadeln.«

Eine halbe Stunde später war Scarlett fertig. Sie warf einen abschließenden Blick in den hohen Säulenspiegel. Die tiefblaue Moiréseide ihres Kleides schimmerte im Lampenschein und ließ ihre nackten Schultern und ihren Brustansatz alabasterweiß erscheinen. Ihre Brillanten funkelten ebenso wie ihre grünen Augen. Schwarze Samtbänder, zu Schleifen gebunden, säumten ihre Schleppe, und eine breite schwarze Samtschleife, die mit blasserer blauer Seide abgesetzt war, war an der Tournüre ihres Kleides befestigt und unterstrich ihre schmale Taille. Ihre Pumps waren aus blauem Samt und schwarz geschnürt, und um die Handgelenke wie um den Hals trug sie ein schmales schwarzes Samtband. Weiße Kamelien, mit schwarzen Samtschleifen gebunden, waren an den Schultern befestigt und füllten zudem einen Buketthalter aus silberner Papierspitze. Sie hatte nie hübscher ausgesehen, und es entging ihr nicht. Die Erregung legte einen natürlichen, rosigen Hauch auf ihre Wangen.

Scarletts erster Ball in Charleston war voller Überraschungen. Fast nichts war so, wie sie es erwartet hatte. Zuerst wurde sie darüber aufgeklärt, daß sie ihre Stiefel würde anziehen müssen und nicht ihre Tanzschuhe. Sie würden nämlich zu Fuß zum Ball gehen. Wenn sie das gewußt hätte, hätte sie eine Droschke bestellt, sie konnte nicht glauben, daß Rhett es nicht längst getan hatte. Die Situation verbesserte sich auch dadurch nicht, daß

Pansy ihr ihre Tanzschuhe in einer Charlestoner Erfindung namens »Tanzschuhbeutel« tragen sollte, denn einen Tanzschuhbeutel besaß sie nicht, und Miss Eleanors Zofe brauchte volle fünfzehn Minuten, statt dessen einen geeigneten Korb aufzutreiben. Warum ihr denn bloß niemand gesagt habe, daß sie eins von den elenden Dingern brauchte? »Wir haben nicht daran gedacht«, sagte Rosemary. »Alle haben doch Tanzschuhbeutel.«

In Charleston vielleicht, dachte Scarlett, aber nicht in Atlanta. Dort gehen die Leute nicht zu Fuß zum Ball, sie fahren. Ihre ausgelassene Vorfreude auf ihren ersten Charlestoner Ball begann sich in nervöse Besorgnis zu verwandeln. Was wohl sonst noch anders sein würde?

Alles, stellte sie fest. Charleston hatte in den langen Jahren seiner Geschichte Förmlichkeiten und Rituale entwickelt, die in der kraftstrotzenden Welt von Georgia unbekannt waren. Als der Sturz der Konföderation dem üppigen Reichtum den Garaus machte, der der Nährboden für all die Formvollendetheit gewesen war, blieben allein die Rituale am Leben – und waren somit das einzige, das von der Vergangenheit übriggeblieben und aus ebendiesem Grunde gehätschelt und unwandelbar war.

Innerhalb des Ballsaals im Obergeschoß des Wentworthschen Hauses fand eine Empfangstour statt. Alle mußten sich auf der Treppe aufreihen und darauf warten, daß sie einzeln den Saal betreten, erst Minnie Wentworth die Hand reichen und etwas murmeln durften, danach ihrem Gatten, ihrem Sohn, der Frau ihres Sohnes, dem Gatten ihrer Tochter, ihrer verheirateten und ihrer unverheirateten Tochter. Während die Musik längst im Gang war und die früher Eingetroffenen bereits tanzten, mußte Scarlett, die vor Tanzlust kaum noch stillstehen konnte, auf der Treppe stehen und warten.

In Georgia, dachte sie ungeduldig, treten die Leute, die eine Gesellschaft geben, auf ihre Gäste zu, um sie zu begrüßen. Sie lassen sie nicht wie eine Sträflingskolonne in der Reihe warten. Das macht jedenfalls einen gastfreundlicheren Eindruck als diese Albernheit hier.

Als sie Mrs. Butler in den Saal folgen wollte, hielt ein würdevoller Hausdiener ihr ein Tablett hin. Darauf lag ein Stoß gefalteter Blättchen, kleine Büchlein, die von einer dünnen blauen Schnur zusammengehalten wurden, an der ein winziger Bleistift hing. Ballkarten? Das mußten Ballkarten sein. Scarlett hatte Mammy über die Bälle in Savannah in der Mädchenzeit Ellen O'Haras reden hören, doch sie hatte nie wirklich zu glauben vermocht, daß die Gesellschaften so beschaulich verlaufen sein sollten, daß die Mädchen in einem Buch nachschauten, um festzustellen, mit wem sie als nächstes tanzen sollten. Also, die Tarleton-Zwillinge und die Fontaine-Brüder hätten sich ja vor Lachen gekugelt, wenn ihnen jemand gesagt hätte, sie sollten mit einem Stift, der so zierlich war, daß er in den Fingern eines richtigen Mannes zerbrechen mußte, ihren Namen auf ein winziges Stück

Papier schreiben! Sie war sich nicht einmal sicher, ob sie überhaupt mit dieser Art von Hänflingen tanzen wollte, die zu so etwas bereit wären.

Doch, sie wollte! Sie war überzeugt, sie hätte selbst mit dem Teufel – Hörner und Schwanz und alles inbegriffen – getanzt, nur um tanzen zu können. Es schienen ihr zehn Jahre und nicht eines seit dem Maskenball in Atlanta vergangen zu sein.

»Ich bin so froh, daß ich dabeisein darf«, sagte Scarlett zu Minnie Wentworth, und diese Worte kamen aus tiefster Seele. Sie lächelte sämtlichen anderen Wentworths zu, einem nach dem anderen, und dann hatte sie die Reihe hinter sich gebracht und wandte sich der Tanzfläche zu, ihre Füße bewegten sich bereits im Takt der Musik, aber da verschlug es ihr den Atem. Ach, es war so wunderschön, so seltsam und dabei doch so vertraut wie ein Traum, an den sie sich nur halb erinnerte: Der von Kerzenlicht erleuchtete Saal wogte von der Musik, den Farben und den raschelnden, wirbelnden Röcken. An den Wänden saßen die Witwen auf zerbrechlichen, goldbemalten Stühlen, genau wie sie es immer schon getan hatten, und tuschelten hinter ihren Fächern über die Dinge, über die sie immer schon getuschelt hatten – die jungen Leute, die zu eng tanzten, die letzte greuliche Geschichte von der übermäßig langen Niederkunft der Tochter von irgend jemandem, die neueste Skandalgeschichte über ihre liebsten Freunde. Kellner in Galalivree gingen mit Tabletts voller gefüllter Gläser und geeister Julepbecher von einer Gruppe von Männern und Frauen, die gerade nicht tanzten, zur anderen. Es herrschte ein ungeheures Stimmengewirr, das von Gelächter durchbrochen wurde, hohem wie tiefem, der uralte, geliebte Lärm vom Glück begünstigter, unbeschwerter Menschen, die sich ihres Lebens freuten. Es war, als existierte die alte Welt, die schöne, sorglose Welt ihrer Jugend noch, als hätte sich nichts verändert und als hätte es nie einen Krieg gegeben.

Zwar erkannte Scarletts scharfes Auge die abblätternde Farbe an den Wänden und die Narben der Sporen im Boden unter den dicken Wachsschichten, doch sie weigerte sich, sie zur Kenntnis zu nehmen. Besser, sie gab sich der Illusion hin, vergaß den Krieg und die Yankee-Patrouillen draußen auf der Straße. Es gab Musik, und es wurde getanzt, und Rhett hatte versprochen, nett zu ihr zu sein. Mehr brauchte sie nicht.

Rhett war mehr als nur nett, er war bezaubernd. Und niemand auf der Welt konnte das besser als Rhett, wenn er nur wollte. Unglücklicherweise nur war er zu allen anderen genauso bezaubernd wie zu ihr. Sie schwankte haltlos zwischen dem stolzen Gefühl, daß alle übrigen Frauen sie beneideten, und eifersüchtiger Wut auf Rhett, weil er so vielen seine Aufmerksamkeit schenkte. Er war aufmerksam ihr gegenüber, sie konnte ihm nicht vorwerfen, daß er sie vernachlässigte, doch ebenso aufmerksam war er seiner Mutter, Rosemary und Dutzenden von anderen Frauen gegenüber, die Scarletts Meinung nach langweilige alte Matronen waren.

Sie sagte sich, daß sie nichts darauf geben dürfe, und nach einer Weile tat sie es auch nicht mehr. Am Ende eines jeden Tanzes wurde sie sofort von Männern umringt, die unbedingt von ihrem letzten Partner vorgestellt werden wollten, so daß sie sie um den nächsten Tanz bitten durften.

Es war nicht nur einfach deshalb, weil sie neu in der Stadt war, ein noch unverbrauchtes Gesicht in einer Schar von Menschen, die einander seit etlichen Jahren kannten. Sie war unwiderstehlich, verführerisch. Ihr Entschluß, Rhett eifersüchtig zu machen, hatte ihren faszinierenden, ungewöhnlich grünen Augen ein rücksichtsloses Funkeln hinzugefügt, und ein hitziges Rot der Erregung färbte ihre Wangen wie eine rote Flagge, die Gefahr signalisierte.

Viele der Männer, die sich um einen Tanz mit ihr rissen, waren die Ehemänner von Frauen, mit denen sie sich angefreundet hatte, Frauen, die sie besucht hatte, die am Whist-Tisch ihre Partnerinnen gewesen waren und mit denen sie beim Kaffeetrinken auf dem Marktplatz geschwatzt hatte. Es war ihr gleichgültig. Der Schaden ließ sich immer noch in aller Ruhe ausbügeln, wenn Rhett erst wieder ihr gehörte. In der Zwischenzeit wurde sie bewundert und umschmeichelt, man umschwärmte sie, und sie war in ihrem Element. Nichts hatte sich wirklich verändert. Die Männer reagierten immer noch auf dieselbe Weise auf ihre flatternden Wimpern und das Spiel ihres Grübchens und ihre unverschämt dick aufgetragene Schmeichelei. Sie glauben jede Lüge, die man ihnen erzählt, solange sie ihnen nur dazu verhilft, sich als Helden zu fühlen, dachte sie mit einem boshaften Lächeln des Entzückens, das ihren Partner aus dem Takt brachte. Mit einem Ruck zog sie ihre Zehen unter seinem Fuß hervor. »Ach, Sie müssen mir verzeihen!« bat sie. »Mein Absatz muß sich im Saum meines Kleides verfangen haben. Wie konnte mir nur so ein gräßlicher Fehler unterlaufen, und das obendrein, wo ich das Glück habe, mit einem so wunderbaren Tänzer wie Ihnen den Walzer zu tanzen.« Ihre Augen waren bestrickend, und das betrübte Schmollmündchen, das ihre Entschuldigung begleitete, ließ ihre Lippen aussehen, als seien sie zu einem Kuß bereit. Es gibt Dinge, die verlernt ein Mädchen niemals mehr.

»Was für ein wunderschönes Fest!« sagte sie glücklich, als sie nach Hause zurückgingen.

»Ich freue mich, daß es dir gefallen hat«, sagte Eleanor Butler. »Und ich bin sehr, sehr froh für dich, Rosemary. Du scheinst auf deine Kosten gekommen zu sein.«

»Ha! Ich fand es gräßlich, Mama, das solltest du doch wissen. Aber ich bin so glücklich, daß ich bald nach Europa fahre, daß der alberne Ball mich nicht weiter gestört hat.«

Rhett lachte. Er ging hinter Scarlett und Rosemary her, die Hand seiner Mutter eingehakt in seinem linken Arm. Sein Lachen klang warm durch die kalte Dezembernacht. Scarlett dachte an die Wärme seines Körpers und bildete sich ein, sie könnte ihn in ihrem Rücken spüren. Warum ging nicht sie an seinem Arm, spürte nicht sie seine Wärme? Sie wußte, warum: Mrs. Butler war alt, es gehörte sich so, daß ihr Sohn sie stützte. Aber das verminderte Scarletts Sehnsucht nicht.

»Wer ist denn Miss Julia Ashley?« fragte Scarlett. Der Name mußte sie unvermeidlich interessieren.

»Sie ist Rosemarys Idol«, sagte Rhett, »und der einzige Mensch, vor dem ich mich in meinem Erwachsenenleben gefürchtet habe. Miss Ashley wäre dir aufgefallen, wenn du sie gesehen hättest, Scarlett. Sie trägt immer Schwarz, und sie sieht aus, als hätte sie Essig getrunken.«

»Oh, du . . . !« stieß Rosemary hervor. Sie lief zu Rhett und schlug ihm mit der Faust gegen die Brust.

»Frieden!« rief er. Er legte den rechten Arm um sie und zog sie eng an sich.

Scarlett spürte den Wind kalt vom Fluß heraufwehen. Sie hob ihm das Kinn entgegen, wandte sich dann ab und ging die letzten paar Schritte allein zum Haus hinauf.

22. Kapitel

Wieder ein Sonntag, und das bedeutete wieder eine Predigt von Eulalie und Pauline, dessen war Scarlett sicher. Sie war, wenn sie ehrlich sein wollte, mehr als nur ein kleines bißchen beunruhigt, was ihr Benehmen auf dem Ball betraf. Vielleicht war sie ja doch ein wenig zu . . . zu lebhaft gewesen, das war der richtige Ausdruck. Doch sie hatte sich schon seit endlos langer Zeit nicht mehr so gut unterhalten, und es war doch nicht ihre Schuld, daß sie weit mehr Aufmerksamkeit fand als die spröden Charlestoner Damen! Außerdem geschah das alles eigentlich nur um Rhetts willen, damit er aufhörte, so kalt und abweisend zu ihr zu sein. Niemand konnte eine Frau dafür tadeln, daß sie versuchte, ihre Ehe zusammenzuhalten.

Schweigend ließ sie während des Ganges nach Saint Mary und zurück die lastende, unausgesprochene Kritik ihrer gleichermaßen schweigenden Tanten über sich ergehen. Eulalies bekümmertes Geschnüffel während der Messe machte sie zwar fast rasend, aber es gelang ihr, sich davon abzulenken, indem sie sich ihren Tagträumen über den Augenblick hingab, wo Rhett seinen störrischen Stolz vergessen und zugeben würde, daß er sie immer noch liebte. Denn das tat er doch, oder etwa nicht? Jedesmal, wenn er sie beim Tanzen im Arm gehalten hatte, hatte sie gemerkt, wie ihr die Knie weich wurden. Dieses Knistern in der Luft, wenn sie einander berührten, das konnte sie doch sicher nur spüren, wenn es ihm ebenfalls so ging?

Sie würde es bald schon herausfinden. Am Sylvesterabend würde er mehr tun müssen, als einfach nur zum Tanzen die behandschuhte Hand auf ihre Taille legen. Um Mitternacht würde er sie küssen müssen. Nur noch fünf Tage waren zu überstehen, dann würden ihre Lippen einander begegnen, und er würde glauben müssen, wie stark und aufrichtig ihre Liebe zu ihm war. Ihr Kuß würde ihm mehr sagen, als Worte es je zu tun vermochten . . .

Die Messe entfaltete vor Scarletts blinden Augen ihre uralte Schönheit und Rätselhaftigkeit, während sie sich ausmalte, wie ihre Wünsche wahr wurden. Paulines spitzer Ellbogen stieß sie jedesmal an, wenn sie mit ihren Responsorien nicht mehr nachkam.

Das Schweigen hielt ungebrochen an, als sie sich an den Frühstückstisch setzten. Scarlett hatte das Gefühl, sämtliche Nerven ihres Körpers wären der Luft, Paulines eisigem Starren und dem Geräusch von Eulalies Geschnüffel ausgesetzt. Dann hielt sie es nicht mehr länger aus und attakkierte die beiden, noch bevor sie sie ihrerseits angreifen konnten.

»Ihr habt mir doch erzählt, daß die Leute überall zu Fuß hingehen, und ich habe mir schon lauter Blasen an den Füßen geholt, weil ich mich immer danach gerichtet habe. Gestern abend aber war die Straße vor Wentworths Haus gedrängt voll mit Kutschen!«

Pauline hob die Augenbrauen und kniff die Lippen zusammen. »Verstehst du jetzt, was ich meine, Schwester?« sagte sie zu Eulalie. »Scarlett ist entschlossen, sich über alles hinwegzusetzen, was Charleston teuer ist.«

»Ich vermag nicht recht einzusehen, was die Kutschen im Zusammenhang mit den Dingen, über die wir mit ihr sprechen wollten, für eine Rolle spielen sollen, Schwester.«

»Sie sind ein Beispiel«, sagte Pauline beharrlich. »Ein ausgezeichnetes Beispiel für ihre Haltung auch allen anderen Dingen gegenüber.«

Scarlett trank den blassen, dünnen Kaffee aus, den Pauline ihr eingeschenkt hatte, und stellte die Tasse unsanft zurück auf den Tisch. »Ich wäre euch sehr verbunden, wenn ihr freundlicherweise aufhören würdet, so über mich zu reden, als wäre ich taub und verblödet zugleich. Ihr könnt mir Moralpredigten halten, bis ihr Fransen am Mund habt, wenn es euch Spaß macht, aber zuerst verratet ihr mir jetzt mal, wem diese ganzen Kutschen gehören!«

Die Tanten starrten sie aus weit aufgerissenen Augen an. »Ja, den Yankees selbstverständlich«, sagte Eulalie.

»Kriegsgewinnlern«, setzte Pauline präzisierend hinzu.

Unter ständigen Verbesserungen und Ergänzungen dessen, was die jeweils andere gerade erzählte, klärten die Schwestern Scarlett darüber auf, daß die Kutscher ihren ehemaligen Herren immer noch treu ergeben seien, obwohl sie jetzt für die Neureichen in der Oberstadt arbeiteten. Während der Ballsaison verfielen sie auf alle möglichen Schliche, um die Kutschen ihrer neuen Arbeitgeber zu entführen und ihre »weißen Leute« zu Bällen und Empfängen fahren zu können, wenn der Weg zu weit oder das Wetter zum Laufen zu ungnädig war.

»Am Abend von Saint Cecilia verlangen sie dann rundheraus, den Abend frei und die Kutsche zu ihrer Verfügung zu haben«, setzte Eulalie hinzu.

»Es sind alles ausgebildete Kutscher, und sie tragen die Nase sehr hoch«, sagte Pauline, »so daß die Kriegsgewinnler davor zurückschrecken, sie vor den Kopf zu stoßen.« Es fehlte nicht viel, und sie hätten gelacht. »Sie wissen, die Kutscher verachten sie. Hausdiener sind immer schon die hochnäsigsten Geschöpfe auf Erden gewesen.«

»Und diese schon ganz und gar«, sagte Eulalie schadenfroh. »Schließlich sind sie genauso Charlestoner wie wir. Deshalb liegt ihnen auch die Ballsaison so sehr am Herzen. Die Yankees haben zwar alles an sich gerissen, was sie nur konnten, und haben alles übrige zu zerstören versucht, doch wir haben immer noch unsere Ballsaison.«

»Und unseren Stolz«, verkündete Pauline.

Mit Hilfe ihres Stolzes und eines Pennys vermögen sie mit der Pferdebahn bis ans Ende der Welt zu kutschieren, dachte Scarlett säuerlich. Doch sie war dankbar, daß sie sich durch die Geschichten über die getreuen Diener der alten Familien hatten ablenken lassen, die sie für den Rest der Mahlzeit beschäftigten. Sie achtete sogar darauf, nicht mehr als die Hälfte ihres Frühstücks zu essen, so daß Eulalie es zu Ende essen konnte, sowie sie gegangen wäre. Tante Paulines Haushaltsführung war mächtig knauserig.

Sie war angenehm überrascht, Anne Hampton im Butlerschen Haus anzutreffen, als sie dort eintraf. Es würde ihr wohltun, sich nach den Stunden eisiger Mißbilligung durch ihre Tanten eine Weile in Anne Hamptons Bewunderung zu sonnen.

Doch Anne und die Witwe aus dem Heim, die sie begleitete, waren fast gänzlich von den Schalen mit Kamelien in Anspruch genommen, die von der Plantage heruntergeschickt worden waren.

Und Rhett ebenfalls. ». . . bis auf den Boden herunter verbrannt«, sagte er gerade, »doch kräftiger denn je, sowie sie einmal vom Unkraut befreit waren.«

»Ach, sehen Sie nur!« rief Anne. »Das ist die Reine des Fleurs!«

»Und eine Rubra Plena!« Die dünne, ältliche Witwe legte die hohlen Hände stützend um die vibrierende rote Blüte. »Ich habe meine immer in einer Kristallvase auf dem Klavier stehen gehabt.«

Annes Augen blinzelten rasch. »Wir auch, Miss Harriet, und die Alba Plenas auf dem Teetisch.«

»Meine Alba Plena ist nicht so gesund, wie ich gehofft hatte«, sagte Rhett. »Die Knospen sind alle aus irgendeinem Grund zurückgeblieben.«

Die Witwen und Anne lachten gleichzeitig. »Bis Januar werden Sie da keine Blüten zu sehen bekommen, Mr. Butler«, erklärte Anne. »Die Alba blüht immer erst später.«

Rhetts Mund verzog sich zu einem betrübten Lächeln. »Das gilt auch für mich, wie es scheint, wenn es um Gärten geht.«

Herrje! dachte Scarlett. Gleich werden sie wohl auch darüber zu plaudern anfangen, ob Kuhfladen ein besserer Dünger sind als Pferdeäpfel. Was ist das denn für ein weibisches Gerede für einen Mann wie Rhett! Sie wandte ihnen den Rücken zu und setzte sich in einen Sessel in der Nähe des Sofas, wo Eleanor mit ihrer Handarbeit saß.

»Das Stück hier ist fast lang genug, um damit den Halsausschnitt deines weinroten Kleides abzusetzen, wenn es neu zurechtgemacht werden muß«, sagte sie mit einem Lächeln zu Scarlett. »Wenn die Saison zur Hälfte vorbei ist, ist ein bißchen Abwechslung immer schön. Bis dahin bin ich damit fertig.«

»Ach, Miss Eleanor, Sie sind immer so lieb und fürsorglich. Ich merke schon, wie meine schlechte Laune verfliegt. Ehrlich gesagt, ich staune darüber, daß Sie mit meiner Tante Eulalie so eng befreundet sind. Sie ist überhaupt nicht wie Sie. Die ganze Zeit schnüffelt sie und klagt und zankt sich mit Tante Pauline.«

Eleanor ließ ihr elfenbeinernes Schiffchen sinken. »Scarlett, ich muß mich über dich wundern. Selbstverständlich ist Eulalie meine Freundin, ich betrachte sie praktisch als Schwester. Weißt du denn nicht, daß sie fast meinen jüngeren Bruder geheiratet hätte?«

Scarlett sperrte Mund und Nase auf. »Ich kann mir nicht vorstellen, daß irgend jemand Tante Eulalie heiraten möchte«, sagte sie unverblümt.

»Aber Liebes, sie war ein hübsches Mädchen, ein bildhübsches sogar. Sie kam zu Besuch, nachdem Pauline Carly Smith geheiratet hatte, und ließ sich dann in Charleston nieder. Das Haus, in dem sie jetzt wohnen, ist das Smithsche Stadthaus; ihre Plantage lag drüben am Wando River. Mein Bruder Kemper verliebte sich auf der Stelle in sie. Alle rechneten damit, daß die beiden heiraten würden. Aber dann wurde er von einem Pferd abgeworfen und starb. Eulalie betrachtet sich seit der Zeit als Witwe.«

Tante Eulalie verliebt! Scarlett konnte es nicht glauben.

»Ich war mir sicher, daß du das wüßtest«, sagte Mrs. Butler. »Sie gehört schließlich zu deiner Familie.«

Aber ich habe ja gar keine Familie, dachte Scarlett, jedenfalls nicht in dem Sinne, wie Miss Eleanor es meint. Keine, die einem nahesteht, sich um einen kümmert und alles über die Herzensgeheimnisse der anderen weiß. Ich habe nichts weiter als die garstige alte Suellen und Carreen mit ihrem Nonnenschleier und ihren Gelübden. Plötzlich fühlte sie sich trotz der fröhlichen Gesichter und der munteren Unterhaltung um sie herum sehr einsam. Ich muß hungrig sein, entschied sie, darum könnte ich auch jeden Augenblick in Tränen ausbrechen. Ich hätte mein ganzes Frühstück essen sollen.

Sie hielt sich gerade am Mittagessen schadlos, als Manigo hereinkam und Rhett leise etwas mitteilte.

»Entschuldigt mich«, sagte Rhett, »wir haben offenbar einen Yankee-Offizier an der Haustür stehen.«

»Was können die denn jetzt schon wieder wollen?« fragte Scarlett sich laut.

Rhett lachte, als er einen Augenblick später wieder zurückkehrte. »Fehlt nur noch die weiße Flagge der Kapitulation«, sagte er. »Ihr habt gesiegt, Mama. Sie fordern alle Männer auf, morgen zum Guardhouse zu kommen und sich die beschlagnahmten Schußwaffen wieder abzuholen.«

Rosemary applaudierte laut.

Miss Eleanor bedeutete ihr, daß sie das lassen sollte. »Wir sollten uns darauf nicht allzuviel einbilden. Sie können es einfach nicht riskieren, daß all unsere Häuser am Befreiungstag unbewaffnet sind.« Sie sah Scarletts fragende Miene und fuhr fort. »Der Neujahrstag ist nicht mehr, was er einmal war – ein besinnlicher Tag, an dem man seine Kopfschmerzen von einem allzu ausgiebig genossenen Sylvesterabend pflegte. Mr. Lincoln hat schließlich am ersten Januar die Sklavenbefreiung proklamiert, so daß dieser Tag jetzt zumindest hier in Charleston der große Feiertag für alle Schwarzen ist. Sie besetzen den Park unten am Ende der Battery und feuern den ganzen Tag und die ganze Nacht über Knallkörper und Pistolen ab, während sie immer betrunkener werden. Wir verrammeln und verriegeln dann natürlich alles, die Fensterläden inbegriffen, genau wie bei einem Hurrikan. Doch es kann nichts schaden, außerdem einen bewaffneten Mann im Haus zu haben.«

Scarlett runzelte die Stirn. »Aber wir haben doch gar keine Waffen im Haus.«

»Es werden welche da sein«, sagte Rhett. »Und dazu noch zwei Männer. Sie kommen extra aus diesem Anlaß von Dunmore Landing herunter.«

»Und wann fährst du hin?« fragte Eleanor Rhett.

»Am dreißigsten. Ich habe an dem Tag eine Verabredung mit Julia Ashley. Wir müssen unsere Strategie für die Einheitsfront absprechen.«

Rhett fuhr weg! Fuhr zu dieser ewigen, elenden, übelriechenden Plantage! Er würde nicht da sein, um sie am Sylvesterabend zu küssen. Scarlett hatte das sichere Gefühl, daß sie gleich losheulen würde.

»Ich fahre mit dir mit nach Dunmore Landing«, sagte Rosemary. »Ich bin schon Monate nicht mehr dort gewesen.«

»Du kannst nicht mit nach Dunmore fahren, Rosemary.« Rhetts Tonfall war geduldig.

»Ich fürchte, da hat Rhett recht, mein Liebes«, sagte Mrs. Butler. »Er kann nicht die ganze Zeit ein Auge auf dich haben, er muß sich um zu viele

Dinge kümmern. Und du kannst nicht allein mit dem Kind, das du als Zofe hast, in dem Haus oder sonst irgendwo bleiben. Da läuft zuviel rauhbeiniges Volk herum.«

»Dann nehme ich eben deine Celie mit. Scarlett leiht dir bestimmt Pansy aus, damit sie dir beim Anziehen helfen kann, nicht wahr, Scarlett?«

Scarlett lächelte. Sie brauchte nicht zu weinen. »Ich fahre mit dir, Rosemary«, sagte sie liebenswürdig. »Und Pansy ebenfalls.« Der Sylvesterabend würde auch auf die Plantage kommen. Ohne einen Ballsaal voller Leute, nur zu ihr und Rhett.

»Wie großzügig von dir, Scarlett«, sagte Miss Eleanor. »Ich weiß, es wird dir um die Bälle in der nächsten Woche leid tun. Du hast wirklich mehr Glück, als du verdient hast, Rosemary, daß du solch eine fürsorgliche Schwägerin hast.«

»Ich bin dagegen, daß eine von ihnen mitfährt, Mama. Ich werde es nicht zulassen«, sagte Rhett.

Rosemary öffnete schon den Mund, um ihm zu widersprechen, doch ihre Mutter hob ein wenig die Hand und hieß sie schweigen. Mrs. Butler sprach in ruhigem Ton: »Nimm doch ein wenig Rücksicht, Rhett. Rosemary liebt Dunmore Landing genau wie du, und sie hat nicht die Freiheit, zu kommen und zu gehen, wie du es tun kannst. Ich meine schon, du solltest sie mitnehmen, zumal du auch noch zu Julia Ashley willst. Sie hat deine Schwester sehr gern.«

Scarletts Gedanken überschlugen sich. Was machte es ihr schon aus, daß sie ein paar Tanzabende versäumen würde, wenn sie nur mit Rhett allein sein konnte? Sie wollte Rosemary schon irgendwie loswerden – vielleicht würde ja diese Miss Ashley sie einladen, bei ihr zu bleiben. Dann würde nur Rhett noch dort sein . . . und Scarlett.

Sie dachte daran, wie er zuletzt in ihrem Zimmer gewesen war. Er hatte sie im Arm gehalten, sie getröstet, mit soviel Zärtlichkeit zu ihr gesprochen . . .

»Warte nur ab, bis du Miss Julias Plantage siehst, Scarlett«, sagte Rosemary. »Sie ist so, wie eine Plantage eigentlich sein sollte.« Rhett ritt vor ihnen her und schob die Ranken des Geißblatts, die über den Waldweg gewachsen waren, beiseite oder riß sie ab. Scarlett folgte Rosemary und interessierte sich ausnahmsweise nicht für das, was Rhett gerade tat, da sie mit ihren Gedanken anderswo war. Gott sei Dank, daß das Pferd so dick und faul ist. Ich bin schon so lange nicht mehr geritten, daß eins, das nur das mindeste Temperament besäße, mich garantiert abwerfen würde. Wie gern bin ich geritten damals, als die Ställe auf Tara noch voller Pferde waren. Pa war stolz auf seine Pferde. Und auf mich. Suellen hatte eine dermaßen harte Hand, die hätte noch einem Alligator das Maul ruiniert. Und Carreen fürchtete sich selbst vor ihrem Pony. Aber ich bin immer mit Pa um die

Wette geritten, wie die Verrückten die Fahrwege entlang, und manchmal hätte ich beinahe gesiegt. »Katie Scarlett«, hat er immer gesagt, »du hast die Hände eines Engels und den Schneid eines Teufels. Das ist die O'Hara in dir, ein Pferd wird einen Iren immer erkennen und sein Bestes für ihn geben.« Der liebe Pa ... Taras Fichtenwälder rochen beißend, genau wie die hier, und der Harzduft hat mir in die Nase gestochen. Wieviel Hektar Rhett wohl hat? Ich werde es von Rosemary erfahren. Die weiß es wahrscheinlich auf den Fuß genau. Ich hoffe bloß, diese Miss Ashley ist nicht der Drachen, als den Rhett sie hinstellt. Was hat Rhett noch gesagt? Sie sieht aus, als tränke sie Essig. Er ist komisch, wenn er Gemeinheiten sagt – solange sie nicht mir gelten.

»Scarlett, schließ zu uns auf, wir sind fast da!« Rosemarys Ruf kam von weit vorn. Scarlett ließ ihre Reitgerte gegen den Hals des Pferdes schnellen, und es bewegte sich eine Spur schneller. Rhett und Rosemary hatten den Wald bereits verlassen, als sie sie erreichte. Das erste, was sie überhaupt erblickte, war Rhetts scharf umrissene Silhouette im hellen Sonnenlicht. Wie gut er aussieht, und wie gut er auf seinem Pferd sitzt, nicht so einem verbummelten alten Vieh wie meinem, sondern einem, das jede Menge Feuer hat. Allein schon, wie die Muskeln unter seinem Fell zucken, und dabei steht es reglos wie eine Statue, bloß auf den Druck von Rhetts Knien hin und weil es seine Hände an den Zügeln spürt. Seine Hände ...

Rosemarys Geste, mit der sie auf die Szenerie vor ihnen hinwies, nahm Scarletts Aufmerksamkeit gefangen, und es verschlug ihr den Atem. Sie hatte noch nie etwas auf Architektur gegeben, sie nicht einmal zur Kenntnis genommen. Selbst die prächtigen Häuser, die Charlestons Battery weltberühmt gemacht hatten, waren für sie einfach nur Häuser. An der strengen Schönheit von Julia Ashleys Haus auf Ashley Barony war jedoch etwas, das anders war als alles, was sie bisher gesehen hatte, etwas Großartiges, das sie nicht zu benennen vermochte. Das Haus stand isoliert auf weiten Rasenflächen, die ohne gärtnerischen Schmuck waren, weit entfernt von den riesigen immergrünen Eichen, die am Rand des Rasens in größeren Abständen wie Wachtürme aufragten. Ein Ziegelsteinbau, mit weißgerahmten Türen und Fenstern, quadratisch. »Eigenartig«, flüsterte Scarlett. Kein Wunder, daß es als einziges am ganzen Fluß von den Fackeln der Shermanschen Truppen verschont geblieben war. Selbst die Yankees hatten es nicht gewagt, das imposante Gebilde vor ihren Augen zu entweihen.

Lachen war zu hören, das durch Singen abgelöst wurde. Scarlett wandte den Kopf. Das Haus erfüllte sie mit Ehrfurcht und schüchterte sie ein. Weit links von ihr sah sie Flächen von einem kräftigen, grellen Grün, das ganz anders war als das vertraute tiefe, satte Grün des Grases. Dutzende schwarzer Männer und Frauen arbeiteten und sangen inmitten dieser eigenartigen Farbe. Das sind einwandfrei Feldarbeiter, die mit dem Anbau von etwas beschäftigt sind. Und so viele. Ihre Gedanken flogen zu den Baumwollfeldern von Tara, die sich einst so weit erstreckt hatten, wie sie schauen konnte, so, wie dieses grelle Grün sich jetzt bis in eine grenzenlose Ferne zu beiden Seiten des Flusses hinzog. Ach ja, Rosemary hat recht. Es ist eine richtige Plantage, so, wie eine Plantage sein sollte. Nichts war verbrannt, nichts war verändert, nichts würde sich je ändern. Die Zeit selbst schien die majestätische Größe von Ashley Barony zu respektieren.

»Sehr gütig von Ihnen, sich mit mir zu treffen, Miss Ashley«, sagte Rhett. Er beugte sich über die Hand, die Julia Ashley ihm hinstreckte; der Rücken seiner unbehandschuhten Rechten stützte sie respektvoll, und seine Lippen verharrten die vorgeschriebenen zwei Fingerbreit über ihr, denn kein Gentleman hätte je die Unverschämtheit begangen, die Hand einer unverheirateten Dame wirklich zu küssen, ganz unabhängig davon, wie fortgeschritten ihr Alter auch sein mochte.

»Es nützt uns beiden, Mr. Butler«, sagte Julia. »Du siehst zwar wieder einmal erbärmlich ungepflegt aus, Rosemary, aber ich freue mich trotzdem, dich zu sehen. Stell mir bitte deine Schwägerin vor.«

Oje, die ist wirklich ein Drachen, dachte Scarlett nervös. Sie erwartet doch wohl hoffentlich keinen Knicks von mir?

»Das ist Scarlett, Miss Julia«, sagte Rosemary lächelnd. Die Kritik der älteren Frau schien sie überhaupt nicht aufzuregen.

»Guten Tag, Mrs. Butler.«

Scarlett war davon überzeugt, daß Julia Ashley keinen Gedanken an sie verschwendete. »Guten Tag«, antwortete sie auf dieselbe Weise. Sie deutete eine kleine Verneigung an, deren Sparsamkeit exakt der frostigen Höflichkeit Miss Ashleys entsprach. Was bildete diese alte Frau sich überhaupt ein, wer sie war?

»Im Salon steht Tee bereit«, sagte Julia. »Du kannst Mrs. Butler eingießen, Rosemary. Läute, wenn du mehr heißes Wasser brauchst. Wir besprechen die geschäftlichen Dinge in der Bibliothek, Mr. Butler, und nehmen erst danach unseren Tee.«

»Ach, Miss Julia, kann ich nicht zuhören, was Sie mit Rhett sprechen?« bat Rosemary.

»Nein, Rosemary, das kannst du nicht.«

Ende der Debatte, dachte Scarlett. Julia Ashley entfernte sich, und Rhett folgte ihr gehorsam.

»Komm mit, Scarlett, zum Salon geht's hier hinein.« Rosemary öffnete eine hohe Tür und machte Scarlett ein Zeichen.

Der Raum, den sie betraten, überraschte sie. Er hatte nichts von der Kälte seiner Besitzerin an sich und auch nichts Einschüchterndes. Er war sehr groß, größer als Minnie Wentworths Ballsaal. Doch der Fußboden war mit einem alten Perserteppich bedeckt, dessen Grundton ein verblichenes Rot war, und die Draperien an den hohen Fenstern waren von einem warmen, weichen Rosarot. Ein helles Feuer knisterte in einem ausladenden Kamin: Das Sonnenlicht flutete durch die blitzenden Fensterscheiben und ergoß sich über das strahlend blanke silberne Teeservice, auf die golden, blau und rosarot gemusterten Samtbezüge der breiten, bequemen Sofas und Ohrensessel. Und eine riesige gelbe Tabbykatze lag schlafend auf dem Kaminvorleger.

Scarlett schüttelte vor Verwunderung leise den Kopf. Es fiel ihr schwer zu glauben, daß dieser heitere, behagliche Raum etwas mit der steifen Frau im schwarzen Kleid zu tun haben sollte, die sie vor seiner Tür kennengelernt hatte. Sie setzte sich neben Rosemary auf eines der Sofas. »Erzähl mir etwas über Miss Ashley«, sagte sie, ungeheuer neugierig geworden.

»Miss Julia ist wundervoll!« rief Rosemary aus. »Sie führt Ashley Barony selbst. Sie behauptet, sie hätte noch nie einen Aufseher gehabt, der nicht selbst einen Aufseher gebraucht hätte. Und sie hat praktisch so viele Reisfelder wie vor dem Krieg. Sie könnte Phosphat abbauen wie Rhett, doch sie will damit nichts zu schaffen haben. Plantagen sind zum Pflanzen da, sagt sie, nicht dazu . . .«, Rosemarys Stimme senkte sich zu einem schockierten, erfreuten Flüsterton, ». . . das Land zu vergewaltigen, um an das heranzukommen, was darunter ist. Sie macht alles noch so wie früher. Da gibt es Zuckerrohr und eine Presse, damit sie sich selbst ihre Melasse herstellen kann, und einen Schmied, der die Maultiere beschlägt und die Räder für die Fuhrwerke macht, einen Küfer, der die Fässer für den Reis und die Melasse anfertigt, einen Zimmermann, der alles in Schuß hält, und einen Sattler, der die Geschirre macht. Sie bringt ihren Reis zwar zum Polieren in die Mühle und kauft sich Mehl, Kaffee und Tee, doch alles andere kommt von ihrem eigenen Land. Sie hat Kühe, Schafe, Geflügel, Schweine, eine Molkerei und ein Brunnenhaus, eine Räucherkammer und Vorratsräume voller eingemachter Gemüse und enthülster Maiskörner und Obstkonserven von der Ernte des letzten Sommers. Sie macht sich auch ihren Wein selbst. Rhett behauptet, sie hätte in den Fichtenwäldern sogar einen Destillierapparat, mit dem sie Terpentin herstellt.«

»Hat sie vielleicht auch noch Sklaven?« Scarletts schneidender Sarkasmus war nicht zu überhören. Die Tage der großen Plantagen waren vorüber, und nichts würde sie wieder zurückbringen.

»Ach, Scarlett, du hörst dich manchmal genau wie Rhett an. Ich würde euch gern beide mal richtig durchschütteln. Miss Julia zahlt Arbeitslöhne wie alle anderen auch. Trotzdem schafft sie es, daß die Plantage noch genug abwirft. Ich werde auf Dunmore Landing dasselbe tun, falls ich je Gelegenheit dazu erhalten sollte. Ich finde es furchtbar, daß Rhett es nicht einmal versuchen will.«

Rosemary begann mit Tassen und Untertassen auf dem Teetablett herumzuklappern. »Ich weiß es schon wieder nicht mehr – nimmst du Milch oder Zitrone, Scarlett?«

»Was? Ach so . . . Milch, bitte.« Scarlett hatte kein Interesse an Tee. Sie schwelgte wieder in der Phantasie, die sie so lange gehegt hatte – daß Tara zu neuem Leben erweckt wurde, daß seine Felder wieder voller weißer Baumwolle waren, so weit das Auge reichte, und seine Scheunen voll und das Haus genauso wie zu Lebzeiten ihrer Mutter. Ja, in diesem Raum hing jener längst vergessene Duft von Zitronenöl, von Messingpolitur und Dielenwachs, zwar nur schwach, doch sie war sich sicher, daß sie ihn trotz des scharfen harzigen Duftes der Fichtenscheite im Kaminfeuer riechen konnte.

Ihre Hand nahm mechanisch die Teetasse entgegen, die Rosemary ihr reichte, und hielt sie und ließ den Tee kalt werden, während sie ihren Tagträumen nachhing. Warum soll ich aus Tara nicht das machen, was es einst gewesen ist? Wenn die alte Dame diese Plantage so leiten kann, kann ich es auf Tara auch. Will kennt Tara gar nicht, nicht das eigentliche Tara, die einst bestgeführte Plantage von Clayton County. Eine »Zwei-Maultier-Farm« nennt er sie jetzt. Nein, bei allen Heiligen, Tara ist viel mehr als das! Ich könnte das auch, wette ich! Hat Pa nicht hundertmal gesagt, ich wäre eine echte O'Hara? Dann kann ich auch tun, was er getan hat, Tara wieder zu dem machen, zu dem er es gemacht hat. Vielleicht sogar noch zu etwas Besserem. Ich weiß, wie man Bücher führt, wie man selbst da noch einen Gewinn herauspreßt, wo niemand es für möglich hält. Ja, und die anderen Ländereien um Tara herum sind doch praktisch wieder zu Heide verwildert. Ich möchte wetten, ich könnte dort spottbillig Land kaufen!

Ihre Phantasie sprang von einem Bild zum nächsten – üppige Felder, fettes Vieh, ihr altes Schlafzimmer mit blütenweißen Vorhängen, die von einer nach Jasmin duftenden Frühlingsbrise ins Zimmer geweht wurden, ein Ritt durch den – vom Unterholz befreiten – Wald, Meilen von Zäunen aus Kastanienholzbarren, die ihren Grund umfriedeten, der sich immer weiter und weiter in das Land mit der roten Erde erstreckte . . . Sie mußte diese Vision beiseite schieben. Widerstrebend konzentrierte sie ihre Aufmerksamkeit auf Rosemarys durchdringend laute Stimme.

Reis, Reis, Reis! Kann Rosemary Butler denn von nichts anderem mehr reden als von Reis? Und was kann Rhett nur bloß mit dieser alten Fregatte Miss Ashley so lange zu besprechen haben? Scarlett veränderte abermals ihre Position auf dem Sofa. Rhetts Schwester hatte die Angewohnheit, sich ihrem Gesprächspartner zuzubeugen, wenn sie das, was sie gerade äußerte, in Erregung versetzte. Rosemary hatte Scarlett schon fast bis in die Ecke des langen Sofas getrieben. Scarlett wandte sich begierig der Tür zu, als sie sich öffnete. Der Teufel sollte Rhett holen! Worüber lachte er denn bloß so herzhaft mit Julia Ashley? Er nahm wohl an, daß sie es lustig fand, hier langsam Wurzeln zu schlagen, doch das war nicht der Fall.

»Sie waren zwar immer schon ein Schurke, Rhett Butler«, sagte Julia gerade, »doch erinnere ich mich nicht, daß auch die Unverschämtheit zu Ihrem Sündenregister gehörte.«

»Miss Ashley, nach allem, was ich weiß, ist Unverschämtheit ein Etikett, das man dem Benehmen von Dienern gegenüber ihrer Herrschaft und dem junger Leute gegenüber älteren anheftet. Während ich gewiß in allem Ihr getreuer Diener bin, können Sie im Ernst nicht behaupten wollen, Sie seien älter als ich. Gleichaltrig, das will ich mit Vergnügen gelten lassen, aber älter ist ganz ausgeschlossen.«

Na sieh mal an, er geht dem alten Weib ja um den Bart! Da muß er ja wirklich etwas von ihr wollen, wenn er sich dermaßen zum Narren macht.

Julia Ashley stieß einen Laut aus, den man nur als würdevolles Schnauben bezeichnen konnte. »Nun, also gut«, sagte sie, »ich stimme zu, und sei es auch nur, um diesem absurden Theater Einhalt zu gebieten. Setzen Sie sich jetzt, und hören sie mit Ihren Albernheiten auf.«

Rhett schob sich einen Sessel näher an den Teetisch heran und verbeugte sich mit zeremonieller Feierlichkeit, als Julia sich darin niederließ. »Ich danke Ihnen, Miss Julia, für Ihre gütige Herablassung.«

»Seien Sie nicht so ein Esel, Rhett.«

Scarlett blickte die beiden stirnrunzelnd an. War das alles? Dieses ganze Gewese nur um den Wechsel von »Miss Ashley« und »Mr. Butler« zu »Rhett« und »Miss Julia«? Rhett war zwar ein Esel, da hatte die alte Frau ganz recht, aber »Miss Julia« war selbst nahe daran, sich wie eine Eselin aufzuführen. Wie sie Rhett schon anlächelte! Es grenzte ans Widerwärtige, wie er die Frauen immer wieder um den Finger zu wickeln verstand!

Eine Dienerin kam herbeigeeilt und nahm das Tablett mit den Teesachen von dem Tisch vor dem Sofa. Eine zweite folgte ihr, die stumm den Teetisch vor Miss Julia hinsetzte, und dann kam ein Diener mit einem größeren Silbertablett, auf dem ein anderes silbernes Teeservice und Platten mit frisch zubereiteten Sandwiches und Kuchen standen. Scarlett mußte zugeben: So unangenehm Julia Ashley auch sein mochte, sie besaß Stil in allem, was sie tat!

»Rhett hat mir erzählt, daß du die Grand Tour vorhast, Rosemary«, sagte Julia.

»Ja, Ma'am! Ich könnte sterben vor Aufregung.«

»Das wäre aber sehr unpassend, würde ich denken. Hast du denn deine Route schon auszuarbeiten begonnen?«

»Nicht richtig, Miss Julia. Ich habe ja erst vor ein paar Tagen erfahren, daß ich reisen werde. Das einzige, was ich genau weiß, ist, daß ich so lange wie möglich in Rom bleiben möchte.«

»Du mußt nur zusehen, daß du dir die richtige Zeit dafür aussuchst. Die Hitze im Sommer ist dort ziemlich unerträglich, selbst für Charlestoner. Die Römer verlassen die Stadt dann und fahren in die Berge oder ans Meer. Ich stehe immer noch im Briefwechsel mit ein paar reizenden Menschen, die dir sicher gefallen werden. Ich werde dir selbstverständlich Einführungsschreiben mitgeben. Wenn ich etwas vorschlagen darf ...«

»Ach ja, bitte, Miss Julia. Ich habe so viele Fragen auf dem Herzen.«

Scarlett stieß einen kleinen Seufzer der Erleichterung aus. Es wäre Rhett durchaus zuzutrauen gewesen, daß er Miss Ashley erzählt hätte, wie dumm sie sich angestellt hatte, als sie davon ausgegangen war, Rom liege in Georgia, doch er hatte die Gelegenheit ungenutzt verstreichen lassen. Im Moment trug er sein Scherflein zum Gespräch bei, indem er mit der alten Frau über all die Menschen mit den seltsamen Namen das Blaue vom Himmel herunterschwatzte. Und Rosemary konnte gar nicht genug davon hören.

Die Unterhaltung interessierte Scarlett nicht im geringsten. Aber sie langweilte sich nicht. Fasziniert beobachtete sie jede Bewegung, die Julia Ashley machte, während sie am Kopf der Teetafel saß. Ohne das Gespräch über die römischen Altertümer auch nur eine Sekunde lang zu unterbrechen – außer, um Scarlett zu fragen, ob sie Milch oder Zitrone nahm und wieviel Stücke Zucker sie wollte –, füllte Julia die Tassen und hielt sie dann jedesmal empor, auf eine Höhe etwas unterhalb ihrer rechten Schulter, damit eine der Dienerinnen sie ihr abnehmen konnte. Sie hielt sie empor, wartete nicht länger als drei Sekunden und zog dann die Hand weg.

Sie schaut nicht einmal hin! staunte Scarlett. Wenn die Dienerin nicht dastünde oder nicht schnell genug wäre, dann würde die ganze Angelegenheit einfach auf den Fußboden fallen. Eines der Mädchen war jedoch stets zur Stelle, und die Tasse gelangte schweigend zur richtigen Person, ohne daß auch nur ein Tropfen verschüttet wurde.

Woher kam der denn bloß? Scarlett war verblüfft, als ein Diener neben ihr auftauchte und ihr eine bereits auseinandergefaltete und glattgeschüttelte Serviette und die dreistufige Sandwichplatte anbot. Sie wollte schon die Hand ausstrecken, als der Mann einen Teller hervorholte, den er ihr praktisch in die Hand gab.

Aha, verstehe, da steht eine Dienerin, die ihm die Sachen anreicht, die er an mich weitergeben soll! Ungeheuer kompliziert für ein Sandwich mit Fischpaste, das mit einem Happs weg wäre.

Die Eleganz des Ganzen beeindruckte sie jedoch, und noch beeindruckter war sie, als der Diener eine elegante Silberzange in seiner behandschuhten Hand hielt und ihr eine Auswahl Sandwiches auf den Teller gab. Das I-Tüpfelchen der Vollendung war das Tischchen, auf dem eine mit Spitze eingefaßte Decke lag und das die zweite Dienerin gerade in dem Augenblick neben ihr Knie stellte, als sie sich fragte, wie sie denn mit Tasse und Untertasse in der einen und einem Teller in der anderen Hand fertig werden sollte.

Trotz ihres Hungers und ihrer Neugier auf die Sandwiches – was für ein ausgefallener Bissen mochte das wohl sein, der nach einer derart ausgefallenen Zeremonie verlangte? – interessierte Scarlett sich doch am meisten für die stumme, routinierte Tüchtigkeit im Auftreten der Diener, als erst Rosemary und dann Rhett mit Teller, Sandwiches und Tisch versehen wurden. Es war beinahe schon enttäuschend, daß Mrs. Ashley keine gesonderte Bedienung zuteil wurde, sondern nur die Platte auf den Tisch vor ihr zurückkehrte. Na, so ein Schwindel! Sie faltete sogar ihre Serviette selbst auseinander. Es war entschieden eine Enttäuschung, als sie in das erste Sandwich biß und es sich nur um Brot und Butter handelte, wenn in der Butter auch noch irgend etwas war, das gut schmeckte – Petersilie, meinte sie erst, doch nein, etwas Stärkeres, vielleicht Schnittlauch. Sie aß zufrieden; die Sandwiches waren gut. Und die Kuchen auf der anderen Platte sahen noch besser aus.

Mein Gott! Die redeten ja immer noch über Rom! Scarlett warf den Dienern einen verstohlenen Blick zu. Sie standen reglos wie die Laternenpfähle hinter Miss Ashley an der Wand. Der Kuchen würde offensichtlich in absehbarer Zeit nicht herumgereicht werden. Um Himmels willen, Rosemary hatte ja noch nicht einmal ein einziges Sandwich gegessen.

»... doch ich glaube, wir sind rücksichtslos«, sagte Julia Ashley. »Mrs. Butler, welche Stadt würden Sie denn gern besuchen? Oder teilen Sie Rosemarys Überzeugung, daß alle Wege berechtigtermaßen nach Rom führen?«

Scarlett setzte ihr bestes Lächeln auf. »Ich bin viel zu bezaubert von Charleston, um auch nur zu erwägen, irgendwo anders hinzufahren, Miss Ashley.«

»Eine reizende Antwort«, sagte Julia, »wenn sie auch so ziemlich den Schlußpunkt des Gesprächs bedeutet. Darf ich Ihnen noch etwas Tee anbieten?«

Ehe Scarlett annehmen konnte, ergriff Rhett das Wort. »Ich fürchte, wir müssen aufbrechen, Miss Julia. Ich habe die Waldwege noch nicht wieder in den Zustand gebracht, daß man auch im Dunkeln reiten könnte, und die Tage sind so kurz.«

»Sie könnten Alleen haben statt Pfade, wenn Sie Ihre Männer auf Ihrem Grund und Boden arbeiten ließen anstatt in dieser abscheulichen Phosphatmine.«

»Jetzt aber, Miss Julia ... Ich dachte, wir hätten einen Waffenstillstand geschlossen?«

»Das haben wir. Und ich werde ihn respektieren. Außerdem bin ich gleich Ihnen der Meinung, daß Sie recht daran tun, vor Einbruch der Dämmerung nach Hause zurückzukehren. Ich habe so sehr in glücklichen Erinnerungen an Rom geschwelgt, daß ich gar nicht auf die Uhrzeit geachtet habe. Vielleicht kann Rosemary ja über Nacht bei mir bleiben. Ich würde sie dann morgen nach Dunmore Landing zurückbegleiten.«

Ach ja, bitte! dachte Scarlett.

»Das wird leider nicht gehen«, sagte Rhett. »Ich muß heute abend vielleicht noch einmal weg, und ich möchte nicht, daß Scarlett ohne jemand, den sie kennt, im Haus bleibt, allein mit ihrer Zofe aus Georgia.«

»Das macht mir nichts aus, Rhett«, sagte Scarlett, »wirklich überhaupt nichts. Glaubst du denn, ich bin eine Zimperliese, die sich vor der Dunkelheit fürchtet?«

»Sie haben völlig recht, Rhett«, sagte Julia Ashley. »Und Sie sollten sich ein wenig Vorsicht angewöhnen, Mrs. Butler. Wir leben in unsicheren Zeiten.«

Julias Ton war entschieden. Ebenso ihre abrupte Bewegung. Sie stand auf und ging auf die Tür zu. »Dann bringe ich Sie jetzt hinaus. Hector wird Ihre Pferde schon vorgeführt haben.«

23. Kapitel

Mehrere große Gruppen von zornig wirkenden schwarzen Männern und eine kleine Gruppe von schwarzen Frauen hatten sich auf dem hufeisenförmigen Grasplatz hinter dem Haus auf Dunmore Landing versammelt. Rhett half Scarlett und Rosemary vom Trittstein bei den behelfsmäßigen Ställen herunter und hielt sie weiter am Ellbogen gefaßt, während der Stalljunge die Zügel nahm und die Pferde wegführte. Als der Junge außer Hörweite war, sagte Rhett mit gedämpfter Stimme in eindringlichem Ton: »Ich begleite euch jetzt ums Haus herum bis zum Vordereingang. Geht hinein und sofort nach oben in eines der Schlafzimmer. Macht die Tür zu und bleibt dort, bis ich euch holen komme. Ich schicke Pansy hinauf. Behaltet sie bei euch.«

»Was ist denn los, Rhett?« In Scarletts Stimme schwang ein leises Zittern mit.

»Das erzähle ich euch später, jetzt ist dazu keine Zeit. Tut einfach nur, was sich euch sage.« Er hielt die beiden Frauen immer noch am Ellbogen und zwang sie, sich seinem zielstrebigen, aber normal schnellen Schritt anzupassen, als er sie ums Haus herumführte. »Mist' Butler!« rief einer der Männer. Ein halbes Dutzend anderer schloß sich ihm an, als er auf Rhett zuzugehen begann. Das ist nicht gut, dachte Scarlett, daß sie ihn Mr. Butler nennen statt Mr. Rhett. Das hört sich überhaupt nicht freundlich an, und es mußten fast fünfzig sein.

»Bleibt, wo ihr seid«, rief Rhett zurück. »Ich komme und rede mit euch, sowie ich die Damen untergebracht habe.« Rosemary stolperte über einen losen Stein auf dem Weg, und Rhett riß sie hoch, ehe sie fallen konnte. »Es ist mir gleichgültig, ob du dir das Bein gebrochen hast«, murmelte er, »geh einfach immer weiter.«

»Ich habe nichts«, sagte Rosemary. Sie hört sich eiskalt an, dachte Scarlett. Sie verachtete sich selbst dafür, daß sie so nervös war. Gott sei Dank waren sie mittlerweile fast am Haus. Nur noch ein paar Schritte, und sie hatten es umrundet. Sie war sich nicht bewußt, daß sie den Atem anhielt, bis sie sich der Vorderfront genähert hatten. Als sie die grünen Terrassen erblickte, die zu den Schmetterlingsseen und dem Fluß hinabführten, ließ sie einen Stoßseufzer der Erleichterung hören.

Dann stockte ihr erneut der Atem. Als sie um die Ecke bogen und auf die Backsteinterrasse gelangten, sah sie dort zehn weiße Männer sitzen, mit dem Rücken an die Hauswand gelehnt. Sie waren sämtlich dürr, schlaksig, und ihre weißen nackten Fesseln schauten zwischen ihren plumpen schweren Schuhen und ihren Hosenbeinen hervor. Auf den Knien hielten sie mit geübtem, lässigem Griff Gewehre oder Schrotflinten. Ramponierte, breitkrempige Hüte, die sie tief in die Stirn gezogen hatten, beschatteten zwar ihre Augen, doch Scarlett wußte, daß sie Rhett und die Frauen musterten. Einer von ihnen spie eine Ladung braunen Tabaksaft über den Rasen, der unmittelbar vor Rhetts feinen Reitstiefeln landete.

»Du kannst Gott danken, daß du meine Schwester nicht angespuckt hast, Clinch Dawkins«, sagte Rhett. »Ich hätte dich sonst töten müssen. Ich rede mit euch Jungs in Kürze. Erst muß ich noch etwas anderes erledigen.« Er sprach ungezwungen, beiläufig. Doch Scarlett spürte die Spannung in der Hand, die ihren Arm hielt. Sie hob das Kinn und paßte ihren festen, entschlossenen Schritt dem von Rhett an. Kein armes weißes Gesindel sollte Rhett auf der Nase herumtanzen und ihr selbst auch nicht.

Sie blinzelte in der plötzlichen Dunkelheit, als sie das Haus betraten. Was für ein Gestank! Ihre Augen paßten sich dem spärlichen Licht rasch an, und Scarlett erkannte, weshalb im Hauptraum so viele Bänke und Spucknäpfe standen. Noch mehr wettergegerbte, hungrig aussehende Weiße lümmelten sich auf den Bänken, und der Raum war rappelvoll. Auch sie waren bewaffnet, und ihre Hüte ließen ihren Blick nur erahnen. Der Boden war von Tabakflecken übersät, und die Spucknäpfe schwammen fast über. Scarlett löste ihren Arm aus Rhetts Griff, raffte ihre Röcke auf Knöchelhöhe und steuerte die Treppe an. Nach zwei Stufen besann sie sich jedoch eines Besseren und ließ die Schleppe ihres Reitkleides durch den Staub schleifen. Der Teufel sollte sie holen, wenn sie dieses Gesindel auch noch zu einem Gratisblick auf die Fesseln einer Dame einladen würde. Sie stieg die wackelige Treppe empor, als ginge sie das Treiben der Welt überhaupt nichts an.

»Was ist denn los, Miss Scarlett? Und keiner erzählt mir nichts!« Pansy fing augenblicklich zu jammern an, als die Schlafzimmertür sich hinter ihr schloß.

»Halt den Mund!« befahl Scarlett. »Soll dich vielleicht ganz South Carolina hören?«

»Ich will nichts mit niemand in South Carolina zu tun haben, Miss Scarlett. Ich will nach Atlanta zurück, zu meinen eigenen Leuten. Ich mag hier nicht sein.«

»Keinen kümmert es auch nur im mindesten, was du magst oder nicht magst, also gehst du jetzt in die Ecke da hinüber, setzt dich auf den Schemel und bist still. Wenn ich auch nur einen Pieps von dir höre, werde ich... werde ich etwas ganz Schreckliches mit dir anstellen.«

Sie sah Rosemary an. Wenn Rhetts Schwester jetzt auch noch die Nerven verlöre, wäre sie völlig hilflos. Rosemary sah zwar sehr blaß aus, wirkte jedoch leidlich gefaßt. Sie saß auf der Bettkante und betrachtete das Muster der Bettdecke, als ob sie so etwas noch nie gesehen hätte.

Scarlett trat ans Fenster, das auf den Rasen hinter dem Haus hinausging. Wenn sie sich auf der Seite hielt, würde sie von unten niemand sehen können. Sie schob vorsichtig den Musselinvorhang ein wenig zur Seite und spähte hinaus. War Rhett da draußen? Du lieber Gott, tatsächlich! Sie konnte ihn im Moment nur an seinem Hut erkennen, einem dunklen Kreis inmitten einer großen Menge schwarzer Köpfe und gestikulierender schwarzer Hände. Die getrennten Gruppen hatten sich zu einer einzigen bedrohlichen Menge vereinigt.

Die würden ihn binnen einer Minute schlichtweg zu Tode trampeln können, dachte Scarlett, und ich kann dagegen nicht das geringste unternehmen. Ihre Hand krallte sich voll hilflosem Zorn in den Vorhang.

»Geh lieber weg vom Fenster, Scarlett«, sagte Rosemary. »Wenn Rhett anfängt, sich deinet- und meinetwegen Sorgen zu machen, dann lenkt ihn das zu sehr von dem ab, was er gerade tun muß.«

Scarlett wirbelte herum, als sie die rügenden Worte hörte. »Es ist dir wohl völlig gleichgültig, was geschieht?«

»Ganz und gar nicht, aber ich weiß nicht, um was es da geht. Und du auch nicht.«

»Ich weiß immerhin, daß Rhett im nächsten Augenblick schon von einer Horde wütender Schwarzgesichter niedergemacht wird. Warum machen denn diese verlotterten Tabaksaftspucker keinen Gebrauch von den Flinten, mit denen sie unten herumsitzen?«

»Dann säßen wir erst richtig in der Klemme. Ich kenne einige von den Schwarzen, sie arbeiten in der Phosphatmine. Die wollen nicht, daß Rhett etwas passiert, weil sie dann ihre Arbeit verlieren. Außerdem sind viele von denen Butler-Leute. Die gehören hierher. Die Weißen sind es, die mir angst machen. Rhett ebenfalls, nehme ich an.«

»Rhett hat nie vor etwas Angst!«

»Aber gewiß hat er das. Und er wäre ein Dummkopf, wenn es nicht so wäre. Ich habe mächtige Angst, und du genauso.«

»Keineswegs!«

»Dann bist du eben dumm.«

Scarlett verschlug es die Sprache. Die schneidende Verachtung in Rosemarys Stimme schockierte sie mehr als die Beleidigung. Na also, die hört sich ja schon an wie Julia Ashley! Eine halbe Stunde mit dem alten Drachen, und Rosemary hat sich in ein Ungeheuer verwandelt.

Sie wandte sich rasch wieder dem Fenster zu. Es fing an, dunkel zu werden. Was war bloß los?

Sie konnte nicht das geringste erkennen. Nur dunkle Schatten vor dem dunklen Boden. War Rhett einer davon? Sie vermochte es nicht zu sagen. Sie legte das Ohr an die Fensterscheibe und bemühte sich, etwas zu hören. Das einzige Geräusch war jedoch Pansys gedämpftes Wimmern.

Wenn ich nichts unternehme, werde ich noch verrückt, dachte Scarlett und begann, in dem kleinen Zimmer auf und ab zu gehen. »Warum hat eine so große Plantage wie diese bloß so beengte kleine Schlafzimmer?« beschwerte sie sich. »Von den Räumen hier würden mühelos zwei in einen von denen auf Tara hineinpassen.«

»Willst du das wirklich wissen? Dann setz dich hin. Da drüben vor dem anderen Fenster steht ein Schaukelstuhl. Du kannst schaukeln, statt herumzulaufen. Ich mache die Lampe an, und dann erzähle ich dir alles über Dunmore Landing – wenn du es hören willst.«

»Ich ertrag es nicht stillzusitzen! Ich gehe nach unten und versuche herausfinden, was da vorgeht.« Scarlett tastete in der Dunkelheit nach dem Türknauf.

»Wenn du das tust, wird er dir das nie verzeihen«, sagte Rosemary.

Scarlett ließ die Hand sinken.

Das Anreißen des Zündholzes hörte sich an wie ein Pistolenschuß. Scarlett spürte, daß ihre Nerven zum Zerreißen gespannt waren. Dann wandte sie sich um und stellte überrascht fest, daß Rosemary genauso aussah wie immer. Sie befand sich auch immer noch auf demselben Platz, auf der Bettkante. Die Petroleumlampe ließ die willkürlich angeordneten Farben der Bettdecke sehr heiter wirken. Scarlett zögerte einen Augenblick, dann ging sie zum Schaukelstuhl hinüber und ließ sich in ihn hineinfallen.

»Also schön. Dann erzähl mir von Dunmore Landing.« Sie fing an, den Stuhl mit wütenden Fußbewegungen zum Schaukeln zu bringen. Er knarzte, während Rosemary von der Plantage erzählte, die ihr so viel bedeutete. Scarlett schaukelte mit boshaftem Vergnügen.

Das Haus, in dem sie sich aufhielten, begann Rosemary, hatte deshalb so kleine Schlafzimmer, weil es als Gästetrakt für die unverheirateten Männer unter den Gästen errichtet worden war. Oberhalb des Stockwerks, in dem sie sich aufhielten, gab es ein weiteres Stockwerk für die Diener der Gäste. Die Räume unten, wo sich jetzt Rhetts Büro und das Eßzimmer befanden, waren ebenfalls als Gästezimmer genutzt worden – Räume, in denen man spätabends seinen Schlummertrunk nehmen, Karten spielen und gesellig beisammensein konnte. »Alle Sessel waren aus rotem Leder«, sagte Rosemary leise. »Ich bin immer hergekommen, weil ich das Leder so gern gerochen habe und den Whiskey und die Zigarren, wenn alle Männer draußen auf der Jagd waren.

Dunmore Landing ist nach dem Anwesen benannt worden, auf dem die Butlers lebten, ehe unser Ururgroßvater nach Barbados gegangen ist. Und Urgroßvater ist dann vor etwa einhundertfünfzig Jahren von dort nach Charleston gekommen. Er hat Dunmore Landing erbaut und die Gärten angelegt. Der Mädchenname von Ururgroßvaters Frau war Sophia Rosemary Ross. Von ihr haben Ross und ich unsere Namen.«

»Und woher stammt Rhetts Name?«

»Von unserem Großvater.«

»Rhett hat mir erzählt, daß euer Großvater ein Pirat war.«

»Ach ja?« Rosemary lachte. »Das hat er immer schon behauptet. Großpapa hat während der Revolution die Blockade gebrochen, wie Rhett die Blockade der Yankees. Er war felsenfest entschlossen, seine Reisernte hinauszuschaffen, und nichts und niemand hätte ihn davon abhalten können. Ich stelle mir vor, daß er nebenher das eine oder andere schlaue Geschäft gemacht hat, doch in der Hauptsache war er Reispflanzer. Dunmore Landing ist immer eine Reispflanzung gewesen. Darum bin ich ja auch so wütend auf Rhett...«

Scarlett schaukelte schneller. Wenn sie jetzt schon wieder mit dem Reis anfängt, fange ich an zu schreien.

Der laute, zweifache Knall einer Schrotflinte hallte durch die Nacht, und Scarlett schrie auf. Sie sprang aus dem Schaukelstuhl und rannte zur Tür. Rosemary sprang ebenfalls auf und rannte ihr hinterher. Sie schlang Scarlett die kräftigen Arme um die Taille und hielt sie zurück.

»Laß mich gehen, wenn Rhett nun...«, krächzte Scarlett. Rosemary drückte ihr die Luft ab.

Ihr Griff wurde fester. Scarlett versuchte sich loszureißen. Sie hörte ihren eigenen, erstickten Atem laut in ihren Ohren und – seltsamerweise deutlicher – die monotone Bewegung des Schaukelstuhls, die sich gleichzeitig mit ihrem Atem verlangsamte. Der erleuchtete Raum schien wieder dunkel zu werden.

Ihre wild um sich schlagenden Hände flatterten immer schwächer, und ihre nach Atem ringende Kehle machte ein schwaches, raspelndes Geräusch. Rosemary ließ sie los. »Tut mir leid«, meinte Scarlett Rosemary sagen zu hören. Es war nicht weiter wichtig. Das einzig Wichtige war, in tiefen Zügen Luft in die Lunge zu saugen. Es war nicht einmal wichtig, daß sie auf Hände und Knie gefallen war. Auf diese Weise ließ sich leichter atmen.

Es dauerte eine ganze Weile, bis sie wieder sprechen konnte. Dann blickte sie auf und sah Rosemary mit dem Rücken vor der Tür stehen. »Du hast mich fast umgebracht«, sagte Scarlett.

»Tut mir leid. Ich wollte dir nicht weh tun. Aber ich mußte dich aufhalten.«

»Warum denn? Ich will zu Rhett. Ich muß zu Rhett.« Er bedeutete ihr mehr als alles andere auf der Welt. Konnte diese dumme Person das denn nicht begreifen? Nein, das konnte sie nicht, sie hatte ja noch nie jemanden geliebt, und nie hatte jemand sie geliebt.

Scarlett versuchte, wieder auf die Füße zu kommen. O heilige Jungfrau Maria, Mutter Gottes, wie schwach ich bin. Ihre Hände fanden den Bettpfosten. Langsam zog sie sich hoch. Sie war weiß wie ein Geist, und ihre grünen Augen loderten wie kalte Flammen.

»Ich gehe zu Rhett«, sagte sie.

Rosemary versetzte ihr daraufhin einen Schlag – aber nicht mit den Händen oder gar mit der Faust, das hätte Scarlett überstehen können.

»Er will dich nicht«, sagte Rosemary ruhig. »Er hat es mir gesagt.«

24. Kapitel

Rhett unterbrach sich mitten im Satz. Er sah Scarlett an und sagte: »Was ist denn das? Kein Appetit? Und dann heißt es, Landluft macht hungrig. Du versetzt mich in Erstaunen, meine Liebe. Ich glaube wirklich, es ist heute das erste Mal, daß ich dich in deinem Essen herumstochern sehe.«

Sie blickte von ihrem vollen Teller auf und funkelte ihn wütend an. Wie konnte er es wagen, auch nur das Wort an sie zu richten, wo er hinter ihrem Rücken über sie geredet hatte? Mit wem außer Rosemary hatte er wohl noch gesprochen? Ob schon ganz Charleston wußte, daß er sie in Atlanta hatte sitzenlassen und sie sich dadurch zum Narren machte, daß sie ihm hinterhergefahren war?

Sie senkte den Blick und stocherte weiter auf ihrem Teller herum.

»Worum ging es denn nun eigentlich wirklich?« wollte Rosemary wissen. »Ich verstehe es immer noch nicht.«

»Es war genau das, was Miss Julia und ich erwartet hatten. Ihre Feldarbeiter und meine Phosphatarbeiter hatten ein Komplott geschmiedet. Du weißt doch, daß am Neujahrstag die Arbeitsverträge für das kommende Jahr unterzeichnet werden. Miss Julias Männer wollten ihr erzählen, daß ich meinen Grubenarbeitern fast doppelt soviel bezahlte wie sie ihren Feldarbeitern und daß sie ihre Löhne entsprechend erhöhen sollte, sonst würden sie zu mir wechseln, und meine Leute wollten es mit mir genauso machen, nur andersherum. Auf die Idee, daß Miss Julia und ich ihnen auf die Schliche kommen könnten, sind sie offenbar nie gekommen.

Als wir dann nach Ashley Barony hinüberritten, begann das Nachrichtensystem zu sirren. Da wußten alle, daß das Spiel verloren war. Du hast doch gesehen, wie fleißig die Arbeiter von Ashley Barony auf den Reisfeldern bei der Sache waren. Die wollten nicht riskieren, ihre Arbeit zu verlieren, und sie haben eine Höllenangst vor Miss Julia.

Hier gingen die Dinge nicht ganz so glatt. Es hatte sich herumgesprochen, daß die Schwarzen von Dunmore Landing etwas im Schilde führen, und das wiederum reizte die weißen Pächter, die von drüben auf der anderen Seite der Straße nach Summerville. Sie machten das, was arme Weiße immer machen, sie griffen nach ihren Schießeisen und rüsteten sich zu einer kleinen Auseinandersetzung. Sie sind hergekommen, ins Haus eingedrungen und haben sich an meinem Whiskey gütlich getan, um sich ordentlich anzuwärmen.

Nachdem ihr sicher untergebracht wart, habe ich ihnen erklärt, ich würde mich selbst um meine Angelegenheiten kümmern, und dann bin ich zu den Schwarzen hinter dem Haus. Die hatten Angst, wie man verstehen kann, doch ich konnte sie davon überzeugen, daß ich die Weißen beruhigt hätte und daß sie nach Hause gehen könnten.

Als ich wieder nach vorn kam, sagte ich den Pächtern, ich hätte mit den Arbeitern alles geregelt, und sie sollten ebenfalls nach Hause gehen. Wahrscheinlich habe ich mir dabei nicht genug Zeit gelassen. Ich war selbst so erleichtert, daß es keinen Ärger gegeben hatte, daß mich das allzu sorglos machte. Das nächste Mal werde ich es schlauer anstellen. Falls es ein nächstes Mal gibt, und da sei Gott vor. Jedenfalls ist Clinch Dawkins der Kragen geplatzt. Er war auf Ärger aus. Er bezeichnete mich als Niggerfreund und zielte mit diesem Ofenrohr von einer Schrotflinte, die er mit sich rumschleppt, in meine Richtung. Ich hab mir nicht die Mühe gemacht herauszufinden, ob er nun betrunken genug war oder nicht, um zu schießen, sondern trat auf ihn zu und schlug den Lauf nach oben. Der Himmel hat seitdem ein paar Löcher mehr.«

»Ist das alles?« Scarlett schrie fast. »Das hättest du uns doch auch sagen können.«

»Ich war zu beschäftigt, mein Herzblatt. Clinch war in seinem Stolz gekränkt, und er zog ein Messer. Ich zog meines, und wir hatten bewegte zehn Minuten, bis ich ihm die Nase abgeschnitten habe.«

Rosemary verschlug es den Atem.

Rhett tätschelte ihr die Hand. »Nur das unterste Ende. Sie war sowieso zu lang. Sein Aussehen ist dadurch entscheidend verbessert worden.«

»Aber Rhett, jetzt wird er sich an dir rächen wollen.«

Rhett schüttelte den Kopf. »Nein, ich kann dir versichern, daß er das nicht tun wird. Es war ein fairer Kampf. Und Clinch ist einer meiner ältesten Weggefährten. Wir waren zusammen in der Konföderiertenarmee. Er war Lader an der Kanone, die meinem Befehl unterstand. Zwischen uns besteht ein Band, dem ein Scheibchen von einer Nase nichts anhaben kann.«

»Ich wäre froh, wenn er dich umgebracht hätte«, sagte Scarlett laut und vernehmlich. »Ich bin müde und gehe jetzt schlafen.« Sie schob den Stuhl zurück und rauschte hocherhobenen Hauptes aus dem Zimmer.

Rhetts Worte, die er betont gedehnt sprach, folgten ihr: »Glücklich der Mann, der ein liebend Weib sein eigen nennen kann!«

Scarlett spürte, wie der Zorn in ihr aufwallte. »Hoffentlich steht Clinch Dawkins in diesem Augenblick vor dem Haus«, murmelte sie, »und wartet nur auf die Gelegenheit, einen sauberen Schuß anzubringen.«

Und wo sie schon dabei war: Sie würde sich auch nicht gerade die Augen ausweinen, falls die zweite Salve Rosemary erwischte.

Rosemary prostete Rhett mit ihrem Weinglas zu. »Na fein, dann weiß ich ja jetzt, weshalb du gesagt hast, dieses Abendessen sei ein Festessen. Ich jedenfalls feiere gerade, daß der Tag vorbei ist.«

»Ist Scarlett krank?« fragte Rhett seine Schwester. »Was ich über ihren Appetit gesagt habe, war nur halb scherzhaft gemeint. Es ist überhaupt nicht ihre Art, nichts zu essen.«

»Sie ist beunruhigt.«

»Ich habe sie schon öfter beunruhigt gesehen, als sich zählen läßt, und sie hat noch jedesmal ihren gesegneten Appetit behalten.«

»Es ist nicht nur ihre Laune, Rhett. Während du Nasen abgeschnitten hast, haben wir einen Ringkampf ausgetragen.« Rosemary schilderte Scarletts Panik und ihre Entschlossenheit, zu ihm hinunterzugehen. »Ich wußte doch nicht, wie gefährlich es hier unten womöglich war, also habe ich sie zurückgehalten. Ich hoffe, ich habe richtig gehandelt.«

»Absolut richtig. Es hätte sonstwas passieren können.«

»Ich fürchte, ich habe sie ein bißchen zu hart angepackt«, gestand Rosemary. »Sie ist fast ohmächtig geworden, weil sie keine Luft mehr gekriegt hat.«

Rhett legte den Kopf in den Nacken und lachte. »Mein Gott, das hätte ich zu gern miterlebt. Scarlett O'Hara von einem Mädchen auf die Matte geschickt. In Georgia gibt es wahrscheinlich hundert Frauen, die sich die Hände wund applaudieren würden.«

Rosemary dachte darüber nach, ob sie auch den Rest beichten sollte. Sie war sich darüber im klaren, daß das, was sie gesagt hatte, Scarlett weit mehr verletzt hatte als der Ringkampf. Sie beschloß, es nicht zu tun. Rhett kicherte immer noch; es brachte nichts ein, daß sie ihm die gute Laune verdarb.

Scarlett wachte vor Tagesanbruch auf. Sie lag reglos im dunklen Zimmer und traute sich nicht, sich zu rühren. Atme so, als schliefest du noch, befahl sie sich, du würdest doch nicht mitten in der Nacht aufwachen, wenn es nicht ein Geräusch oder sonst eine Störung gegeben hätte. Sie lauschte eine

Zeitlang, die ihr wie eine Ewigkeit vorkam, doch die Stille blieb lastend und ungestört.

Als sie begriff, daß es der Hunger war, der sie geweckt hatte, weinte sie fast vor Erleichterung. Selbstverständlich war sie hungrig! Sie hatte seit dem Frühstück am Tag zuvor nichts zu essen gehabt, sah man einmal ab von den paar Sandwiches zum Tee auf Ashley Barony.

Die Nachtluft war zu kalt, als daß sie ihren eleganten seidenen Morgenrock hätte anziehen können, den sie mitgebracht hatte. Also hüllte sie sich in ihre Bettdecke. Sie war aus schwerer Wolle und noch warm von ihrem Körper. Fast stolperte sie mit ihren nackten Füßen über sie, als sie sich lautlos durch den dunklen Flur und die Treppe hinabtastete. Gott sei Dank, das heruntergebrannte Feuer in dem gewaltigen Kamin strahlte noch ein wenig Wärme aus und genügend Licht, so daß sie die Tür zum Eßzimmer und dahinter die Küchentür erkennen konnte. Es war ihr ganz gleichgültig, was sie finden würde, selbst gegen kalten Reis mit Ragout hatte sie nichts einzuwenden. Während sie mit der einen Hand die Decke festhielt, in die sie gehüllt war, tastete sie mit der anderen nach dem Türknauf. War er rechts oder links? Sie hatte bisher nicht darauf geachtet.

»Stillgestanden, oder ich jage dir eine Kugel in den Leib!« Rhetts barsche Stimme ließ sie zusammenfahren. Die Decke entglitt ihr, und kalte Luft wehte sie an.

»Verflixt und zugenäht!« Scarlett wandte sich nach ihm um, während sie sich bückte, um ihren wollenen Überwurf zusammenzuraffen. »Genügt es nicht, daß du mir gestern abend schon eine Heidenangst eingejagt hast? Fängst du schon wieder damit an? Fast hätte mich der Schlag getroffen!«

»Was geisterst du denn um diese Uhrzeit auch hier herum, Scarlett? Ich hätte dich erschießen können.«

»Und wozu soll das gut sein, daß du hier herumschleichst und andere Leute in Angst und Schrecken versetzt?« Scarlett zog sich die Bettdecke über die Schultern, als handelte es sich um einen kaiserlichen Hermelinumhang. »Ich bin auf dem Weg in die Küche, um etwas zu frühstücken«, sagte sie mit aller Würde, die sie aufzubringen imstande war.

Rhett lächelte über die absurd hochmütige Figur, die sie herauskehrte. »Ich mache das Feuer im Herd an«, sagte er. »Ich hatte selbst gerade an etwas Kaffee gedacht.«

»Es ist dein Haus, da kannst du tun und lassen, was du willst.« Scarlett lüftete die Bettdecke hinter sich wie die Schleppe eines Ballkleids. »Nun? Willst du mir nicht die Tür aufmachen?«

Rhett legte ein paar Scheite in den Kamin. Die Glut ließ ein Büschel trockener Blätter an einem Zweig auflodern. Rasch setzte er wieder eine nüchterne Miene auf, ehe Scarlett sein Gesicht sehen konnte. Er öffnete die Tür zum Eßzimmer und trat zurück. Scarlett rauschte an ihm vorbei, mußte jedoch fast sofort wieder stehenbleiben. Der Raum war völlig dunkel.

»Du gestattest doch ...« Rhett riß ein Zündholz an. Er hielt es an die Lampe über dem Tisch und stellte dann sorgfältig die Flamme ein.

Scarlett merkte seiner Stimme zwar an, daß er sich amüsierte, doch aus irgendeinem Grund störte es sie nicht. »Ich könnte ein Pferd verschlingen«, gestand sie.

»Nicht gerade ein Pferd, bitte.« Rhett lachte. »Ich habe doch nur drei, und zwei davon taugen sowieso nicht viel.« Er setzte den Glassturz auf die Lampe und lächelte dann zu ihr hinab. »Wie wär's denn mit ein paar Eiern und einer Scheibe Schinken?«

»Zwei Scheiben«, sagte Scarlett. Sie folgte ihm in die Küche und setzte sich auf eine Bank am Tisch, die Füße unter der Decke, während er in dem großen gußeisernen Herd ein Feuer anmachte. Als die Kienspäne knisterten, streckte sie die Füße ins Warme.

Rhett brachte einen zur Hälfte verzehrten Schinken und Schüsseln mit Butter und Eiern aus der Vorratskammer. »Die Kaffeemühle steht auf dem Tisch hinter dir«, sagte er. »Die Bohnen sind in der Büchse dort. Wenn du ein bißchen mahlst, während ich den Schinken aufschneide, wird das Frühstück um so eher fertig.«

»Warum mahlst du nicht Kaffee, während ich die Eier brate?«

»Weil der Herd noch nicht heiß genug ist, Miss Gierig. Dort neben der Mühle steht eine Backform mit kaltem Maisbrot. Damit solltest du dich bis dahin über Wasser halten können. Ich übernehme das Braten.«

Scarlett drehte sich rasch um die eigene Achse. In der Backform unter der Serviette waren noch vier Rechtecke Maisbrot übrig. Sie ließ ihre Decke fallen, um sich ein Stück zu nehmen. Während sie kaute, füllte sie eine Handvoll Kaffeebohnen in die Mühle. Dann nahm sie abwechselnd einen weiteren Bissen Maisbrot und drehte an der Kaffeemühle. Als das Maisbrot fast aufgegessen war, hörte sie das Zischen des Schinkens, den Rhett in eine Kasserolle legte.

»Das riecht ja himmlisch«, sagte sie beglückt. Sie beendete das Kaffeemahlen mit ein paar raschen abschließenden Umdrehungen. »Wo ist die Kaffeekanne?« Sie wandte sich um und mußte bei Rhetts Anblick lachen. Er hatte sich ein Geschirrtuch in den Hosenbund gesteckt und hielt eine lange Gabel in der Hand. Er schwenkte die Gabel in Richtung Tür, neben der sich ein Bord befand.

»Was findest du denn so komisch?«

»Dich. Wie du den Fettspritzern ausweichst. Deck die Kochstelle zu, sonst gerät noch die ganze Pfanne in Brand. Hätte ich mir doch gleich denken können, daß du dich nicht auskennst.«

»Unsinn, Madam. Ich ziehe lediglich das Erlebnis des offenen Feuers vor. Es führt mich in jene herrlichen Tage zurück, da wir am Lagerfeuer Steaks von frisch erlegten Büffeln gebraten haben.« Er ließ die Kasserolle jedoch neben die Öffnung in der Herdplatte gleiten.

»Hast du wirklich Büffelfleisch gegessen?«

»Büffel, Ziege und Maultier – und das Fleisch von solchen Leuten, die keinen Kaffee gemacht haben, wenn ich welchen haben wollte.«

Scarlett lachte. Sie lief über den kalten Steinfußboden, um die Kanne zu holen.

Sie aßen schweigend am Küchentisch, und beide konzentrierten sich, hungrig, wie sie waren, auf das Essen. Es war warm und freundlich in dem dunklen Raum. Aus einer offenen Tür am Herd fiel ungleichmäßiges, rötliches Licht. Der Geruch des Kaffees, der auf der Herdplatte zog, war kräftig und süß zugleich. Scarlett wünschte sich sehnlich, daß dieses Frühstück ewig dauern würde. Rosemary mußte gelogen haben. Rhett konnte ihr nicht gesagt haben, daß er sie nicht wollte.

»Rhett?«

»Hm?« Er goß den Kaffee ein. Scarlett hätte ihn gern gefragt, ob sie nicht immer so behaglich und so gutgelaunt zusammensein könnten, doch sie hatte Angst, alles zu verderben. »Gibt es wohl ein bißchen Sahne?« fragte sie statt dessen.

»In der Vorratskammer. Ich gehe schon. Halt du deine Füße in der Nähe des Herds.« Er war nur ein paar Sekunden weg.

Sie rührte Zucker und Sahne in ihren Kaffee und wurde dabei immer nervöser. »Rhett?«

»Ja?«

Scarlett sprudelte die Worte so rasch wie möglich hervor, damit er sie nicht aufhalten konnte: »Rhett, können wir es nicht immer so gut haben? Im Moment ist es doch ganz wunderbar, empfindest du nicht auch so? Warum mußt du denn immer so tun, als haßtest du mich?«

Rhett seufzte: »Scarlett«, sagte er müde, »jedes Tier greift an, wenn es in die Enge getrieben wird. Dann ist der Instinkt stärker als die Vernunft, stärker als alle Willenskraft. Als du nach Charleston gekommen bist, hast du mich in die Enge getrieben. Mich bedrängt. Und du tust es auch jetzt wieder. Du kannst keinen Menschen in Frieden lassen. Ich will mich ja anständig aufführen, aber du läßt mir keine Wahl.«

»Doch, bestimmt werde ich das von nun an tun. Ich möchte, daß du nett zu mir bist.«

»Du willst nicht Nettigkeit, Scarlett, du willst Liebe. Liebe, die nicht zweifelt, nicht rechnet, keine Zweideutigkeit kennt. Ich habe sie dir einmal gegeben, als du sie nicht haben wolltest. Ich habe sie völlig aufgebraucht, Scarlett.« Rhetts Ton wurde nach und nach kälter, und eine grimmige Ungeduld schwang darin mit. Scarlett schrak davor zurück und streckte, ohne sich dessen bewußt zu sein, die Hand auf die Bank neben sich, um die Wärme der abgelegten Wolldecke wiederzufinden.

»Laß es mich mit deinen eigenen Worten sagen, Scarlett. Ich hatte Liebe im Wert von tausend Dollar im Herzen. In Gold, nicht in Eindollarnoten. Und ich habe sie für dich ausgegeben, bis auf den letzten Penny. Soweit es die Liebe betrifft, bin ich bankrott. Du hast mich ausgeplündert bis aufs Hemd.«

»Ich war im Unrecht, Rhett, und es tut mir leid. Ich will versuchen, es wiedergutzumachen.« Scarletts Gedanken überschlugen sich in fieberhafter Erregung. Ich kann ihm die tausend Dollar Liebe aus meinem Herzen schenken, dachte sie. Zweitausend, fünf-, zwanzig-, tausendmal tausend. Dann wird er mich wieder lieben können. Er wird alles zurückbekommen – und mehr. Wenn er es nur annimmt. Ich muß ihn dazu bringen, es anzunehmen . . .

»Scarlett«, sagte Rhett, »es gibt keine Wiedergutmachung der Vergangenheit. Zerstöre das Wenige nicht, das übriggeblieben ist. Laß mich nett zu dir sein, und ich fühle mich besser.«

Sie klammerte sich an seine Worte. »Ach, ja! Ja, Rhett, bitte. Sei doch nett, so, wie du warst, ehe ich alles verdorben habe. Ich werde dich nicht bedrängen. Laß uns Spaß miteinander haben, Freunde sein, bis ich nach Atlanta zurückkehre. Ich will schon zufrieden sein, wenn wir nur miteinander lachen können. Ich habe mich eben so glücklich gefühlt. Himmel, du siehst aber auch aus in dieser ulkigen Schürze.« Sie kicherte. Gott sei Dank, daß er sie auch nicht besser sehen konnte als sie ihn.

»Mehr verlangst du nicht?« Die Erleichterung nahm Rhetts Stimme die Schärfe. Scarlett trank einen großen Schluck Kaffee, während sie überlegte, was sie sagen sollte. Dann brachte sie ein unbeschwertes Lachen zustande.

»Aber nein, bestimmt nicht, du dummer Kerl. Ich werde dich nicht mehr bedrängen, aber bitte sorg dafür, daß wir eine schöne Ballsaison haben. Du weißt doch, wie sehr ich Feste liebe.« Sie lachte wieder. »Und wenn du wirklich nett sein willst, Rhett Butler, dann kannst du mir noch eine Tasse Kaffee eingießen. Der Kaffeewärmer steht direkt neben dir.«

Nach dem Frühstück ging Scarlett nach oben, um sich anzuziehen. Es war zwar immer noch finster, doch sie war so aufgeregt, daß an eine Rückkehr ins Bett gar nicht zu denken war. Sie hatte das ziemlich gut hinbekommen, fand sie. Sein Mißtrauen war verschwunden. Er hatte das Frühstück ebenfalls genossen, dessen war sie sicher.

Sie zog das braune Reisekostüm an, das sie auf der Fahrt nach Dunmore Landing getragen hatte, bürstete sich das schwarze Haar aus den Schläfen und steckte es mit Kämmen fest. Dann verrieb sie sich ein kleines bißchen Eau de Cologne auf den Handgelenken und an der Kehle, nur die Spur einer Erinnerung daran, daß sie weiblich, zart und begehrenswert war.

Als sie den Flur und die Treppe hinabging, war sie so leise, wie sie irgend konnte. Je länger Rosemary schlief, desto besser. Das nach Osten hinausgehende Fenster auf dem Treppenabsatz war in der Dunkelheit deutlich zu erkennen. Es war fast Morgen. Scarlett blies die Flamme in der Lampe aus, die sie in der Hand hielt. Ach, bitte, mach doch, daß dies ein guter Tag wird, laß mich alles richtig machen. Laß es den ganzen Tag wie beim Frühstück sein. Und die Nacht danach auch. Denn heute ist Sylvester.

Im Haus herrschte jene besondere Art von Stille, wie sie die Erde ganz kurz vor Sonnenaufgang einhüllt. Scarlett trat behutsam auf, um kein Geräusch zu machen, bis sie die Tür des mittleren Zimmers erreicht hatte. Das Feuer brannte hell, Rhett mußte noch mehr Scheite nachgelegt haben. Im Nebenzimmer konnte sie den dunklen Umriß seiner Schultern und seines Kopfes erkennen, die vom grauen Zwielicht eines Fensters dahinter eingerahmt wurden. Es war sein Büro, die Tür war halb geöffnet, und er kehrte ihr den Rücken zu. Sie durchquerte das Zimmer auf Zehenspitzen und klopfte dann mit den Fingern sachte gegen den Türrahmen. »Darf ich reinkommen?« flüsterte sie.

»Ich dachte, du wärst wieder ins Bett gegangen«, sagte Rhett. Er klang sehr müde. Sie erinnerte sich, daß er die ganze Nacht aufgewesen war und das Haus bewacht hatte. Und sie. Wie gern hätte sie seinen Kopf an ihrer Brust gewiegt und ihm die Müdigkeit durch zärtliches Streicheln vertrieben.

»Es hatte nicht mehr viel Sinn, wieder ins Bett zu gehen, die Hähne werden sowieso schon bald wie verrückt zu krähen anfangen.« Sie überschritt zaghaft mit einem Fuß die Schwelle. »Ist es dir recht, wenn ich mich hier hinsetze? In deinem Büro riecht es nicht so schlimm.«

Scarlett ging leise auf einen Stuhl in der Nähe der Bürotür zu. Über Rhetts Schulter hinweg konnte sie das Fenster sich immer deutlicher abzeichnen sehen. Wonach mag er bloß so angestrengt Ausschau halten? Ob diese Pächter wieder da draußen sind? Oder Clinch Dawkins? Ein Hahn krähte, und sie fuhr vor Schreck zusammen.

Dann berührten die ersten schwachen roten Strahlen der Morgendämmerung die Szene vor dem Fenster. Die zerklüfteten und zu wüsten Ziegelhaufen aufgetürmten Ruinen des Hauses von Dunmore Landing wurden auf dramatische Weise beleuchtet und ragten rot vor dem dunklen Himmel hinter ihnen empor. Scarlett entschlüpfte ein Ausruf. Es sah aus, als sackten sie noch immer in sich zusammen – Rhett beobachtete die Todeszuckungen seines Zuhauses.

»Schau nicht hin, Rhett«, bat sie, »schau nicht hin. Es bricht dir doch nur das Herz.«

»Ich hätte hiersein müssen, ich hätte sie vielleicht daran hindern können.« Rhetts Stimme sprach langsam, wie von ferne, als wüßte er gar nicht, was er sagte.

»Das hättest du nicht. Es müssen Hunderte von ihnen hiergewesen sein. Sie hätten dich erschossen und dann trotzdem alles niedergebrannt!«

»Julia Ashley haben sie nicht erschossen«, sagte Rhett. Doch es klang jetzt anders. In seinen Worten schwang eine Spur von Ironie, ja fast von Humor mit. Das rote Licht draußen veränderte sich, es wurde beinahe golden, und die Ruinen waren nur noch geschwärzte Ziegelsteine und Kamine, auf denen der sonnenbeschienene Tau blinkte.

Rhetts Drehstuhl schwang herum. Er rieb sich das Kinn mit der Hand, und Scarlett meinte fast, das Kratzen seines unrasierten Bartes zu hören. Er hatte Schatten unter den Augen, die selbst in dem halbdunklen Zimmer noch zu sehen waren, und sein schwarzes Haar war zerwühlt. Eine Strähne stand ihm vom Schädel ab, und eine Locke fiel ihm ungebärdig in die Stirn. Er stand auf, gähnte und reckte sich. »Ich glaube, ich kann es riskieren, jetzt ein bißchen zu schlafen. Du und Rosemary, ihr bleibt im Haus, bis ich aufwache.« Er legte sich auf eine Holzbank und schlief sofort ein.

Scarlett beobachtete ihn, während er schlief.

Ich darf ihm nie wieder sagen, daß ich ihn liebe. Dadurch fühlt er sich bedrängt. Und wenn er dann eklig wird, fühle ich mich armselig und zudringlich, weil ich den Mund nicht habe halten können. Nein, ich werde es nie wieder sagen, nicht, ehe er selbst mir gesagt hat, daß er mich liebt.

25. Kapitel

Rhett hatte es sehr eilig von dem Augenblick an, da er nach einer Stunde tiefen Schlafes erwachte, und er befahl Rosemary und Scarlett kurz und bündig, sich von den Schmetterlingsseen fernzuhalten. Er wollte dort unten ein Podium für die Ansprachen und die Zeremonien im Zusammenhang mit den neuen Arbeitsverträgen am nächsten Tag errichten. »Arbeitende Männer haben für die Anwesenheit von Frauen keinen Sinn.« Er lächelte seiner Schwester zu. »Und ich möchte nachher auch nicht von Mama gefragt werden, warum ich dir erlaubt habe, einen derart farbigen neuen Wortschatz zu erwerben.«

Auf Rhetts Aufforderung hin nahm Rosemary Scarlett auf einen Rundgang durch die verwilderten Gärten mit. Die Wege waren inzwischen gesäubert, aber noch nicht wieder mit Kies bestreut worden, und Scarletts Rocksaum war bald schon schwarz von feinem Staub. Wie anders als auf Tara doch alles war, selbst der Boden. Es kam ihr unnatürlich vor, daß die Wege und die Erde nicht rot waren. Die Vegetation war außerdem auch so dicht, und viele von den Pflanzen waren ihr nicht vertraut. Für ihren Hochlandgeschmack war einfach alles zu üppig.

Rhetts Schwester liebte die Plantage mit einer Leidenschaft, die Scarlett überraschte. Sieh mal an, sie empfindet für diesen Platz das gleiche, was ich für Tara empfinde. Vielleicht werde ich ja am Ende doch noch mit ihr auskommen können. Rosemary bekam von Scarletts Bemühungen um eine gemeinsame Grundlage nichts mit. Sie war eingetaucht in eine Welt, die es nicht mehr gab: Dunmore Landing vor dem Krieg. »Dies hier wurde der ›versteckte Garten‹ genannt wegen der hohen Hecken, die verhinderten, daß man ihn sah, bis man auf einmal mitten in ihm stand. Als ich kleiner war, habe ich mich hier immer versteckt, wenn es Zeit war, in die Wanne zu steigen. Die Diener waren furchtbar lieb zu mir – sie rannten um die Hecken herum und riefen einander zu, daß sie mich niemals finden würden. Ich kam mir dann ungeheuer schlau vor. Und wenn meine Mammy durch die Pforte gekeucht kam, tat sie bei meinem Anblick immer wer weiß wie überrascht... Ich habe sie so geliebt.«

»Ich hatte auch eine Mammy. Sie...«

Rosemary ging jedoch bereits weiter. »Hier herunter geht es zum Spiegelteich. Auf dem gab es schwarze und weiße Schwäne. Rhett meint, vielleicht kommen sie ja wieder, wenn erst mal das Riedgras geschnitten und das ganze Algenzeug herausgeholt worden ist. Siehst du das viele Gebüsch dort? Das ist eigentlich eine Insel, die als Nistplatz für die Schwäne angelegt wurde. Da war natürlich lauter Gras, das kurz geschoren wurde, wenn keine Brutzeit war. Und dann gab es dort einen Miniaturtempel aus weißem Marmor. Vielleicht sind die Trümmer davon noch irgendwo in dem ganzen Gewirr versteckt. Viele Leute haben Angst vor Schwänen. Sie können einem mit ihren Schnäbeln und Flügeln ziemliche Wunden beibringen. Aber unsere ließen mich zusammen mit sich herumschwimmen, sowie die Schwanenjungen das Nest verlassen hatten. Mama las mir immer ›Das häßliche Entlein‹ vor, während sie auf einer Bank am Teich saß. Nachdem ich lesen gelernt hatte, hab ich es den Schwänen vorgelesen...

Dieser Weg führt zum Rosengarten hinab. Im Mai konnte man ihn schon meilenweit vom Fluß aus riechen, noch ehe man Dunmore Landing erreichte. Wenn an Regentagen die Fenster geschlossen waren, wurde mir von dem süßlichen Duft der vielen dicken Rosensträuße im Haus ganz hundeelend...

Da unten am Fluß stand die große Eiche mit dem Baumhaus. Rhett hat es als Junge gebaut, und dann hat Ross es übernommen. Ich bin mit einem Buch und ein paar Marmeladenkeksen hinaufgeklettert und habe dort endlose Stunden verbracht. Es war viel besser als das Spielhaus, das Papa vom Schreiner für mich hatte machen lassen. Das war viel zu fein mit seinen Teppichen auf dem Fußboden und den Möbeln für meine Größe, dem Teeservice und den Puppen...

Komm hier entlang. Der Zypressensumpf ist dort drüben. Vielleicht können wir ja ein paar Alligatoren beobachten. So warm, wie es bislang war, haben die sich wahrscheinlich gar nicht in ihre Winterquartiere zurückgezogen.«

»Bitte, nein«, sagte Scarlett. »Ich bekomme langsam müde Beine. Ich glaube, ich setze mich eine Weile auf den dicken Stein dort.«

Der dicke Stein stellte sich als Sockel einer umgestürzten und zerbrochenen Statue eines im klassizistischen Stil hindrapierten jungen Mädchens heraus. Scarlett konnte das fleckige Gesicht in einem Brombeerdickicht erkennen. Sie war nicht wirklich müde vom Laufen, sie war Rosemarys Erzählungen müde. Und ganz bestimmt hatte sie kein Verlangen danach, irgendwelche Alligatoren zu sehen. Die Sonne warm im Rücken, saß sie da und dachte über das nach, was sie gesehen hatte. Dunmore Landing nahm in ihrer Vorstellung allmählich Gestalt an. Es war nicht wie Tara gewesen. Das Leben hier war auf einer Stufe und in einem Stil geführt worden, von dem sie keine Ahnung gehabt hatte. Kein Wunder, daß die Charlestoner in dem Ruf standen, sich für das Salz der Erde zu halten. Sie hatten gelebt wie die Könige.

Trotz der Sonnenwärme überkroch sie ein Frösteln. Auch wenn Rhett den Rest seines Lebens Tag und Nacht dafür arbeitete, er würde aus diesem Ort nie wieder das machen können, was er einmal gewesen war, aber genau dazu schien er entschlossen zu sein. Er würde nicht viel Zeit für sie erübrigen können; und daß sie sich mit Zwiebeln und Yamswurzeln auskannte, würde ihr, wenn sie sein Leben teilen wollte, auch nicht viel nützen.

Rosemary kehrte enttäuscht zurück. Sie hatte nicht einen einzigen Alligator gesehen. Sie redete unablässig, während sie zum Haus zurückwanderten, bezeichnete Gärten, die nur noch ein einziges Gewirr von Unkräutern waren, mit ihren alten Namen, langweilte Scarlett mit komplexen Darstellungen der Reissorten, die einst auf Felder gepflanzt worden waren, wo jetzt nur noch Sumpfgras wuchs, und gab sich ihren Kindheitserinnerungen hin. »Wie ich es gehaßt habe, wenn es Sommer wurde!« sagte sie anklagend.

»Warum denn?« fragte Scarlett. Sie hatte den Sommer immer geliebt, weil dann jede Woche Gesellschaften stattfanden, ständig Gäste kamen und gingen und auf den Feldwegen, die sich durch die reifende Baumwolle zogen, unter viel Geschrei und Getöse Wettrennen abgehalten wurden.

Rosemarys Antwort befreite sie schlagartig von den düsteren Befürchtungen, die sie überkommen hatten. Im Lowcountry, so erfuhr Scarlett, war die Sommerzeit Stadtzeit. Aus den Sümpfen kam ein Fieber, das den Weißen schwer zu schaffen machte – die Malaria. Ihretwegen verließ alles von Mitte Mai bis nach dem ersten Frost im späten Oktober die Plantagen.

Dann würde Rhett also am Ende doch Zeit für sie haben. Außerdem dauerte die Ballsaison fast zwei Monate. Dann mußte er dasein, um seine Mutter und seine Schwester zu begleiten – und sie. Sie würde ihn mit Freuden fünf Monate im Jahr mit seinen Blumen herumspielen lassen, wenn sie ihn die übrigen sieben haben konnte. Sie selbst wollte die Namen der Kamelien lernen.

Was war denn das? Scarlett starrte den gewaltigen Gegenstand aus weißem Stein an. Er sah so ähnlich aus wie ein Engel, der auf einer großen Kiste stand.

»Ach, das ist unsere Familiengruft«, sagte Rosemary. »Eineinhalb Jahrhunderte Butlers, alle fein säuberlich aufgereiht. Wenn ich mal ins Gras beiße, werde ich auch da reingesteckt werden. Die Yankees haben zwar ziemliche Brocken aus den Engelsflügeln herausgeschossen, aber sie haben doch immerhin den Anstand besessen, den Toten ihren Frieden zu lassen. Ich habe gehört, daß sie bei anderen die Gräber aufgemacht haben, um nach Schmuck zu suchen.«

Als Kind eines irischen Einwanderers war Scarlett von der Dauerhaftigkeit dieses Grabmals schwer beeindruckt. So viele Generationen schon und all die künftigen Generationen . . . Amen. »Ich stamme aus einem Ort, der tiefreichende Wurzeln hat«, hatte Rhett gesagt. Jetzt verstand sie, was er damit gemeint hatte, und empfand zugleich Bedauern für das, was er verloren hatte, und Neid, weil sie selbst so etwas nie gehabt hatte.

»Komm schon, Scarlett. Du stehst ja wie angewurzelt da. Wir sind schon fast wieder am Haus. Du kannst doch nicht zu müde sein, um das letzte kleine Stückchen zu gehen.«

Scarlett fiel wieder ein, weshalb sie hauptsächlich eingewilligt hatte, den Spaziergang mit Rosemary zu unternehmen. »Ich bin nicht mehr müde!« widersprach sie. »Ich finde, wir sollten ein paar Fichtenzweige und anderes Grün sammeln, um das Haus ein wenig zu schmücken. Schließlich ist heute und morgen Feiertag.«

»Eine gute Idee. Das überdeckt den Gestank. Fichten- und Stechpalmenzweige gibt es jede Menge in dem Wald, wo früher die Ställe waren.«

Und Mistelzweige, setzte Scarlett insgeheim hinzu. Sie würde sich von dem nächtlichen Sylvesterritual nichts entgehen lassen.

»Sehr schön«, sagte Rhett, als er zum Haus hinaufkam, nachdem das Podium errichtet und rotes, weißes und blaues Fahnentuch darüber drapiert worden war. »Das sieht festlich aus, gerade richtig für eine kleine Feier.«

»Was denn für eine Feier?« fragte Scarlett.

»Ich habe die Pächterfamilien eingeladen. Dann fühlen sie sich wichtig, und wenn Gott will, sind die Männer morgen zu verkatert vom schlechten Whiskey, um Ärger zu machen, wenn die Schwarzen hier sind. Du, Rosemary und Pansy, ihr geht nach oben, ehe sie kommen. Es wird vermutlich etwas rauh zugehen.«

Scarlett beobachtete von ihrem Schlafzimmerfenster, wie die Leuchtraketen über den Himmel zischten. Das Feuerwerk zur Begrüßung des neuen Jahres dauerte von Mitternacht fast bis ein Uhr. Sie hätte alles darum gegeben, in der Stadt geblieben zu sein. Morgen würde sie den ganzen Tag hier festsitzen, während die Schwarzen feierten, und wenn sie Samstag wieder in die Stadt kamen, war es wahrscheinlich zu spät, um sich das Haar für den Ball zu waschen und zu trocknen.

Und Rhett hatte sie nicht einmal geküßt.

Während der darauffolgenden Tage fand Scarlett all die rauschhafte Beschwingtheit wieder, die in ihrer Erinnerung zur besten Zeit ihres Lebens gehört hatte. Sie war eine *Belle*, die die Männer bei den Empfängen umschwärmten, deren Tanzkarte voll war, kaum daß sie den Ballsaal betreten hatte, und die mit ihren alten koketten Spielchen genau die Bewunderung hervorrief, die sie noch von früher kannte. Es war, als wäre sie wieder sechzehn und brauchte an nichts anderes zu denken als an das letzte Fest und die Komplimente, die man ihr gemacht hatte, und an das nächste Fest und was sie dazu anziehen würde. Es dauerte jedoch nicht lange, und die Reize nutzen sich ab. Sie war eben nicht mehr sechzehn, und sie wollte eigentlich auch gar keinen Verehrerschwarm. Sie wollte Rhett, und sie war ihrem Ziel, ihn zurückzuerobern, immer noch nicht näher gekommen. Er hielt seinen Teil des Handels ein: Er war auf den Gesellschaften aufmerksam um sie bemüht und liebenswürdig zu ihr, wenn sie zusammen zu Hause waren – in Gegenwart anderer. Doch sie war sicher, er zählte die Tage, bis er sie los war. Augenblicksweise befiel sie Panik. Wenn sie nun verlor?

Die Panik schürte dann jedesmal ihren Zorn, und der nahm sich den jungen Tommy Cooper als Zielscheibe. Der Junge heftete sich ständig an Rhetts Fersen, und seiner Miene ließ sich eindeutig entnehmen, daß er in ihm seinen Helden gefunden hatte. Und Rhett ging darauf ein. Es machte sie rasend. Tommy hatte zu Weihnachten ein kleines Segelboot geschenkt bekommen, und Rhett brachte ihm nun den Umgang damit bei. Im Spielzimmer im ersten Stock lag ein hübsches Messingfernrohr, und dazu griff Scarlett eilig, wann immer es sich einrichten ließ, wenn Rhett nachmittags mit Tommy Cooper draußen auf dem Wasser war. Ihre Eifersucht fühlte sich an, als betastete sie mit der Zunge einen schmerzenden Zahn, doch Scarlett konnte der Versuchung, sich selbst weh zu tun, nicht widerstehen. Das ist nicht fair! Die lachen und vergnügen sich und jagen frei wie die Vögel übers Wasser dahin. Warum werde ich denn nicht mitgenommen zum Segeln? Es hat mir doch so gut gefallen damals, als wir von Dunmore Landing zurückgekehrt sind, und in dem winzigen Boot, das der Junge hat, würde es mir noch besser gefallen. Wie lebendig es ist, es bewegt sich so rasch, so leicht dahin ... so glücklich und unbeschwert!

Glücklicherweise war sie nur an wenigen Nachmittagen zu Hause und hatte Zeit, mit dem Fernglas zu spionieren. Denn wenn die abendlichen Empfänge und Bälle auch die Hauptereignisse der Saison waren, so waren doch auch noch andere Dinge zu erledigen. Die passionierten Whist-Runden fanden nach wie vor statt, Miss Eleanors Komitee hatte Sitzungen, bei denen es darum ging, wie sich Geld für die Anschaffung von Schulbüchern und für die Reparatur einer plötzlich aufgetretenen undichten Stelle im Dach auftreiben ließ, und immer wieder waren Besuche zu machen und zu empfangen. Scarlett wurde vor lauter Erschöpfung hohläugig und bleich.

Es hätte sich jedoch alles gelohnt, wenn nur Rhett eifersüchtig geworden wäre und nicht sie. Doch er schien die Bewunderung, die sie auf sich zog, gar nicht zu bemerken. Oder, schlimmer noch, sich nicht dafür zu interessieren.

Sie mußte ihn dazu bringen, daß es ihm etwas ausmachte! Scarlett beschloß, sich einen einzelnen Mann aus den Dutzenden ihrer Verehrer auszuwählen. Einen gutaussehenden... reichen... der jünger war als Rhett. Jemand, auf den er ganz einfach eifersüchtig werden mußte.

Herrje, sie sah ja aus wie ein Gespenst! Sie legte Rouge auf, wählte ein schweres Parfüm und rüstete sich mit ihrer unschuldigsten Miene für die Jagd.

Middleton Courtney war groß und blond, hatte blasse, schläfrige Augen, ungeheuer weiße Zähne und ein durchtrieben wirkendes, blitzendes Lächeln. Er war der Inbegriff dessen, was Scarlett für einen gewieften Schwerenöter hielt. Und was am besten war, auch er besaß eine Phosphatmine, und die war zwanzigmal so groß wie die von Rhett.

Als er sich über ihre Hand beugte, um sie zu begrüßen, schloß Scarlett die Finger über seinen. Er blickte von seiner Verbeugung auf und lächelte. »Darf ich zu hoffen wagen, daß Sie mir die Ehre Ihres nächsten Tanzes erweisen, Mrs. Butler?«

»Wenn Sie mich nicht darum gebeten hätten, Mr. Courtney, hätte es mir mein armes Herz gebrochen.«

Als die Polka zu Ende war, öffnete Scarlett ihren Fächer auf diese langsame Weise, die als »schmachtender Pfau« bekannt war. Sie fächelte sich damit aus nächster Nähe zu, um die reizvollen Strähnen über ihren grünen Augen spielen zu lassen. »Meine Güte«, sagte sie atemlos, »ich fürchte, wenn ich nicht ein wenig frische Luft bekomme, bin ich imstande, Ihnen auf der Stelle in die Arme zu sinken, Mr. Courtney. Sind Sie so liebenswürdig?« Sie nahm seinen dargebotenen Arm und stützte sich darauf, während er sie zu einer Bank unter einem der Fenster geleitete.

»Ach, bitte, Mr. Courtney, setzen Sie sich doch neben mich. Ich werde noch einen steifen Hals bekommen, wenn ich dauernd zu Ihnen aufsehen muß.«

Courtney nahm Platz. Ziemlich dicht neben ihr. »Es wäre mir zuwider, die Ursache für die Beschädigung eines so schönen Halses zu sein«, sagte er. Seine Augen wanderten langsam ihre Kehle bis zu ihrem weißen Brustansatz hinab. Er war in dem Spiel, das sie spielten, nicht minder geschickt als Scarlett. Sie hielt den Blick züchtig gesenkt, als wüßte sie nicht, was Courtney da tat. Dann blickte sie flüchtig durch die Wimpern auf und wieder in ihren Schoß.

»Ich hoffe, mein alberner Schwächeanfall hält Sie nicht davon ab, mit der Dame zu tanzen, die Ihrem Herzen am nächsten steht, Mr. Courtney.«

»Aber die Dame, von der Sie sprechen, ist meinem Herzen ja gerade in diesem Augenblick ganz besonders nah, Mrs. Butler.«

Scarlett blickte ihm direkt in die Augen und lächelte bezaubernd. »Nehmen Sie sich in acht, Mr. Courtney. Sie sind imstande, mir den Kopf zu verdrehen«, versprach sie.

»Ich werde es zumindest nicht unversucht lassen«, murmelte er dicht an ihrem Ohr. Sein Atem streifte warm ihren Nacken.

Alsbald war die öffentliche Romanze der beiden das meistbesprochene Thema der Saison. Wie oft sie auf dem jeweiligen Ball miteinander getanzt hatten... Wie Courtney Scarlett einmal das Punschglas aus der Hand genommen und seine Lippen dort an seinen Rand gelegt hatte, wo zuvor ihre gewesen waren... Was man bei ihrem schmeichlerischen Geschäker mitgehört hatte...

Middletons Frau Edith sah immer abgezehrter und blasser aus. Und niemand verstand Rhetts Ungerührtheit.

Warum unternahm er bloß nichts? wunderte sich die kleine Welt der Charlestoner Gesellschaft.

26. Kapitel

Die jährlichen Rennen waren eines der krönenden Ereignisse der Charlestoner Saison. Nur der Saint-Cecilia-Ball wurde als gesellschaftliches Ereignis noch höher eingestuft. Tatsächlich gab es auch viele Leute – in der Mehrzahl Junggesellen –, die die Rennen als das einzig wichtige Ereignis betrachteten. »Auf Tanzbeine kann man nicht wetten«, meuterten sie.

Vor dem Krieg hatte zur Saison eine ganze Rennwoche gehört, und damals veranstaltete die Saint Cecilia Society drei Bälle. Dann kamen die Jahre der Belagerung, und eine Brandgranate der Artillerie sengte eine Feuerschneise durch die Stadt, die das Gebäude auffraß, wo die Bälle immer stattgefunden hatten; und die langgestreckte, ovale Rennbahn, ihr Klubhaus und ihre Ställe wurden von der Konföderiertenarmee als Stützpunkt und als Lazarett für die Verwundeten benutzt.

Im Jahr 1865 ergab sich die Stadt. 1866 kaufte der ebenso unternehmerisch denkende wie ehrgeizige Wall-Street-Bankier August Belmont die riesigen behauenen steinernen Säulen des Eingangs zur alten Rennbahn und ließ sie nach Norden bringen, wo sie das Tor zur Belmont-Park-Rennbahn zieren sollten.

Der Saint-Cecilia-Ball fand schon zwei Jahre nach Kriegsende eine – wenn auch nur leihweise zur Verfügung gestellte – Bleibe, und die Charlestoner frohlockten bei der Aussicht, daß es wieder eine Ballsaison geben würde. Länger dauerte es, das verschmutzte und zerfurchte Land der Rennbahn zurückzubekommen und wieder in Ordnung zu bringen. Nichts war mehr wie früher: Es gab einen Ball und nicht drei, die Rennwoche war zum Renntag geworden, die Eingangssäulen ließen sich nicht ersetzen, und das Klubhaus war durch halbüberdachte Tribünen aus Holzbänken abgelöst worden. Doch an einem strahlenden Nachmittag gegen Ende Januar des Jahres 1875 war die ganze verbliebene Bevölkerung des alten Charleston festlich gestimmt, als zum zweitenmal seit Kriegsende ein Renntag stattfand. Die Trambahnen aller vier Linien wurden auf die Route Rutledge Avenue umgeleitet, die in der Nähe der Rennbahn endete, die Wagen waren mit grünem und weißem Fahnentuch behängt, den Klubfarben, und die Pferde, die sie zogen, trugen grüne und weiße Bänder durch Schweif und Mähne geflochten.

Rhett überreichte seinen drei Damen grün-weiße Sonnenschirme, als sie sich anschickten, das Haus zu verlassen, und steckte sich eine weiße Kamelie ins Knopfloch. Ein strahlendes Lächeln stand in seinem gebräunten Gesicht. »Die Yankees sind uns auf den Leim gegangen«, sagte er, »der hochgeschätzte Mr. Belmont hat persönlich zwei Pferde geschickt und Guggenheim eines. Die wissen ja auch nichts von den Zuchtstuten, die Miles Brewton in den Sümpfen versteckt hatte und deren Abkömmlinge zu einer feurigen Familie herangewachsen sind – ein bißchen zottig vom Sumpfleben und nicht unbedingt graziös, weil sie sich mit versprengten Kavalleriepferden gekreuzt haben –, doch Miles besitzt ein Wunder von einer Dreijährigen, die garantiert jede dicke Brieftasche erleichtern wird, ehe sich's einer überhaupt versieht.«

»Du meinst, es wird gewettet?« fragte Scarlett. Ihre Augen funkelten.

»Warum sollte man denn sonst Rennen abhalten?« Rhett lachte. Er steckte gefaltete Banknoten ins Ridikül seiner Mutter, in Rosemarys Tasche und in Scarletts Handschuh. »Setzt alles auf Sweet Sally und kauft euch von eurem Gewinn eine hübsche Kleinigkeit.«

Wie gut gelaunt er ist, dachte Scarlett. Er hat mir den Geldschein in den Handschuh gesteckt. Er hätte ihn mir ja auch einfach geben können, er hätte meine Hand nicht auf diese Weise berühren müssen – nein, nicht meine Hand, mein nacktes Handgelenk. Doch, das war praktisch eine Liebkosung! Er fängt an, Notiz von mir zu nehmen, weil er glaubt, ich interessiere mich für einen anderen. Richtig Notiz von mir zu nehmen, nicht nur einfach aus Höflichkeit aufmerksam zu sein. Es wirkt also!

Sie hatte sich schon Sorgen gemacht, ob sie nicht möglicherweise zu weit damit ging, Middleton fast schon jeden dritten Tanz zu reservieren. Die Leute hatten zu reden angefangen, das wußte sie. Na gut, sollten sie doch reden, wenn ein bißchen Klatsch ihr Rhett zurückbringen würde.

Als sie das Gelände der Rennbahn betraten, war Scarlett sprachlos. Sie hatte ja keine Ahnung gehabt, daß alles so groß war! Und daß es eine Kapelle geben würde! Und so viele Menschen. Sie sah sich entzückt um. Dann hielt sie Rhett am Ärmel fest. »Rhett ... Rhett ... da sind ja überall Yankee-Soldaten! Was bedeutet denn das? Wollen sie die Rennen verhindern?«

Rhett lächelte. »Meinst du denn, Yankees wetten nicht? Oder daß wir etwas dagegen hätten, ihnen etwas von ihrem Geld abzuknöpfen? Sie hatten ja weiß Gott nichts dagegen, uns unseres ganz wegzunehmen. Ich sehe den Colonel und seine Offiziere mit Vergnügen die schlichten Freuden der Besiegten teilen. Sie haben doch weitaus mehr Geld zu verlieren als unsereiner.«

»Wie kannst du denn so sicher sein, daß sie es verlieren werden?« Ihre Augen hatten sich verengt, als sie ihre Überlegungen anstellte. »Die Yankee-Pferde sind Vollblüter, und Sweet Sally ist nichts als ein Sumpfpony.«

Rhett verzog den Mund. »Stolz und Loyalität haben für dich nicht viel Gewicht, wo Geld im Spiel ist, stimmt's, Scarlett? Na, dann nur los, mein Herzblatt, setz dein Geld auf den Sieg von Belmonts Füllen. Ich habe dir das Geld geschenkt, du kannst damit machen, was du willst.« Er entfernte sich, nahm den Arm seiner Mutter und wies zur Tribüne hinauf. »Ich glaube, von weiter oben siehst du besser, Mama. Komm mit, Rosemary.«

Scarlett wollte ihm schon nachlaufen. »Ich wollte doch nicht ...«, sagte sie, doch sein breiter Rücken war wie eine Mauer. Sie zuckte wütend die Achseln und schaute dann suchend nach beiden Seiten. Wo mußte sie denn überhaupt hingehen, um zu wetten?

»Darf ich Ihnen behilflich sein, Ma'am?« sagte ein Mann dicht neben ihr.

»Wieso ... ja, vielleicht können Sie das.« Er sah wie ein Gentleman aus, und sein Akzent klang nach Georgia. Sie lächelte dankbar. »Ich bin so komplizierte Rennen nicht gewöhnt. Zu Hause bei uns hat einfach jemand geschrien: ›Ich wette fünf Dollar, daß ich euch bis zur Kreuzung geschlagen habe‹, und dann johlte alles zurück und fing auf Teufel komm raus zu reiten an.«

Der Mann nahm den Hut ab und hielt ihn mit beiden Händen vor seine Brust. Er sieht mich aber doch recht eigenartig an, dachte Scarlett und fühlte sich unbehaglich. Vielleicht hätte ich besser nichts gesagt.

»Entschuldigen Sie, Ma'am«, sagte er in ernstem Ton. »Es überrascht mich zwar nicht, daß Sie mich nicht wiedererkennen, doch ich glaube, ich kenne Sie. Sie sind Mrs. Hamilton, nicht wahr? Aus Atlanta. Sie haben mich dort im Lazarett gepflegt, als ich verwundet war. Mein Name ist Sam Forrest aus Moultrie, Georgia.«

Das Lazarett! Scarletts Nasenflügel weiteten sich, eine unwillkürliche Reaktion auf die Erinnerung an den Gestank von Blut und Eiter und die schmutzigen, verlausten Leiber.

Forrests Miene drückte tiefe Verlegenheit aus. »Ich ... ich bitte um

Verzeihung, Mrs. Hamilton«, stammelte er. »Ich hätte nicht behaupten dürfen, Sie zu kennen. Ich hatte nicht die Absicht, Sie zu kränken.«

Scarlett verbannte das Lazarett wieder in den Winkel ihres Gemüts, der der Vergangenheit vorbehalten war, und schloß die Tür davor. Sie legte Sam Forrest die Hand auf den Arm und lächelte ihm zu. »Aber wieso denn, Mr. Forrest, Sie haben mich keineswegs gekränkt. Ich war nur etwas aus dem Gleichgewicht, weil Sie mich mit Mrs. Hamilton angesprochen haben. Ich habe nämlich wieder geheiratet und bin nun schon viele Jahre Mrs. Butler. Mein Mann ist Charlestoner, deshalb bin ich hier. Und ich muß sagen, einen anständigen Menschen aus Georgia reden zu hören macht mich ganz krank vor Heimweh. Was führt Sie denn hierher?«

Pferde, erklärte Forrest. Nach vier Jahren bei der Kavallerie wußte er einfach alles über Pferde. Als der Krieg vorüber war, hatte er das Geld gespart, das er als Landarbeiter verdiente, und angefangen, Pferde zu kaufen. »Inzwischen habe ich eine feine Zucht und bilde Pferde aus. Ich habe die Perle meines Stalles hergebracht und lasse sie um das Preisgeld mitlaufen. Glauben Sie mir, Mrs. Hamil..., entschuldigen Sie, Mrs. Butler, das war ein glücklicher Tag, als ich gehört habe, daß die Charlestoner Rennbahn wiedereröffnet worden sei. Im ganzen Süden gibt es nichts Vergleichbares.«

Er hörte nicht mehr auf, von Pferden zu sprechen, und Scarlett tat so, als hörte sie ihm zu, während er sie zum Wettschalter und dann wieder zurück zur Tribüne geleitete. Sie verabschiedete sich von ihm mit dem Gefühl einer geglückten Flucht.

Die Tribüne war fast voll, doch Scarlett hatte keine Mühe, ihren Platz zu finden. Die grünweißgestreiften Sonnenschirme waren nicht zu übersehen. Scarlett winkte Rhett mit ihrem eigenen, ehe sie begann, die Stufen hinaufzusteigen. Eleanor Butler erwiderte ihren Gruß. Rosemary schaute weg.

Rhett setzte Scarlett zwischen Rosemary und seine Mutter. Sie hatte sich kaum niedergelassen, als sie spürte, wie Eleanor Butler erstarrte. Middleton Courtney und seine Gattin Edith nahmen in derselben Reihe nicht weit von ihnen Platz. Die Courtneys nickten und lächelten zum Gruß freundlich herüber. Die Butlers erwiderten den Gruß. Dann begann Middleton, seiner Frau Start- und Ziellinie zu zeigen. Gleichzeitig sagte Scarlett: »Sie glauben ja nicht, wen ich eben getroffen habe, Miss Eleanor, einen Soldaten, der auch in Atlanta war, als ich erst kurze Zeit dort lebte!« Sie spürte, wie Mrs. Butler sich entspannte.

Eine Welle der Erregung ging durch die Menge. Die Pferde wurden hereingebracht. Scarlett starrte mit offenem Mund und leuchtenden Augen zu ihnen hinunter. Sie war nicht im mindesten auf das weiche, grasbewachsene Oval und die leuchtenden seidenen Schachbrettmuster, Streifen und Romben der Stallfarben vorbereitet gewesen. Fröhlich, farbenfroh und festlich paradierten die Reiter an der Haupttribüne vorbei, während die Kapelle eine aufgekratzte Weise spielte. Scarlett lachte laut, ohne es zu merken. Es war ein Kinderlachen, ungehemmt und unbedacht, das nichts als die schiere, freudige Überraschung ausdrückte. »Oh, seht doch!« sagte sie. »Seht doch nur!« Sie war so hingerissen, daß sie nicht merkte, wie Rhett sie statt der Pferde beobachtete.

Nach dem dritten Rennen gab es eine Erfrischungspause. Ein mit grünweißen Wimpeln behängtes Zelt bot langen Tafeln mit Speisen Platz, und Kellner machten mit Tabletts voller Champagnergläser die Runde. Scarlett nahm eines von Emma Ansons Gläsern von einem von Sally Brewtons – mit Familienwappen versehenen – Tabletts und tat so, als erkenne sie Minnie Wentworths Butler nicht wieder, der sie bediente. Sie hatte gelernt, wie Charleston mit dem Mangel und selbst mit Verlusten fertig wurde. Alle teilten miteinander ihre Schätze und ihr Personal und taten dabei so, als gehöre alles dem Gastgeber oder der Gastgeberin der Veranstaltung. »Etwas derartig Albernes habe ich noch nie gehört«, hatte sie gesagt, als Mrs. Butler ihr anfangs diese Scharade erklärt hatte. Ausleihen und leihen, das vermochte sie einzusehen. Aber daß man dann so tun sollte, als gehörten die Initialen von Emma Anson auf Minnie Wentworths Servietten, war doch völlig unsinnig. Immerhin hatte sich Scarlett auf diese Täuschung eingestellt, wenn das der richtige Ausdruck dafür war. Es war einfach nur eine weitere Eigenheit Charlestons.

»Scarlett!« Sie wandte sich rasch nach der Stimme um, als sie ihren Namen hörte. Es war Rosemary. »Sie werden jeden Augenblick läuten. Kehren wir auf die Plätze zurück, ehe das Gedränge losgeht.«

Die Leute begannen, auf die Tribüne zurückzukehren. Scarlett betrachtete sie durch das Opernglas, das sie sich von Miss Eleanor ausgeliehen hatte. Dort waren ihre Tanten; dem Himmel sei Dank, daß sie ihnen im Erfrischungszelt nicht in die Arme gelaufen war. Und Sally Brewton mit Miles, ihrem Mann. Er sah fast ebenso aufgeregt aus wie sie. Ach herrje! Miss Julia Ashley war bei ihnen. Komisch, daß die auf Pferde wetten sollte.

Sie ließ das Glas hin und her wandern. Es war lustig, Leute zu beobachten, wenn die nicht wußten, daß man sie ansah. Hah! Der alte Josiah Anson nickte ja fast ein. Und das auch noch, während Emma mit ihm sprach. Die würde ihm was erzählen, wenn sie feststellte, daß er schlief. Iiiih! Ross! Wie schade, daß er wieder da war, aber Miss Eleanor freute sich darüber. Margaret wirkte nervös, doch das tat sie immer. Ah, da ist Anne. Meine Güte, die sieht ja aus wie Schneewittchen und die sieben Zwerge mit den ganzen Kindern, die sie mitgebracht hat. Das müssen die Waisenkinder sein. Ob sie mich wohl sieht? Sie schaut in meine Richtung. Nein, aber nicht hoch genug.

Sieh mal einer an, sie glüht ja richtig. Ob Edward Cooper ihr endlich einen Heiratsantrag gemacht hat? Muß wohl, sie blickt jedenfalls zu ihm auf, als könnte er auf dem Wasser wandeln. Sie schmilzt förmlich dahin.

Scarlett hob das Glas, um zu sehen, ob Edward ebensosehr auffiel wie Anne ... Schuhe, Hose, Jacke ...

Ihr Herz setzte einen Schlag aus. Das war Rhett. Er sprach wohl gerade mit Edward. Ihr Blick verweilte einen Augenblick bei ihm. Rhett sah so elegant aus. Sie verrückte das Glas, und Eleanor Butler kam in Sicht. Scarlett hielt erstarrt den Atem an. Es konnte nicht sein. Sie musterte die nähere Umgebung von Rhett und seiner Mutter. Da war sonst niemand. Langsam ließ sie das Glas wieder zu Anne wandern, dann abermals zu Rhett, dann wieder zu Anne. Es konnte keinen Zweifel geben. Scarlett fühlte sich elend. Dann packte sie flammender Zorn.

Diese elende, kleine Schlange! Hebt mich die ganze Zeit in den Himmel, und dabei ist sie heimlich glühend in meinen Mann verliebt! Ich könnte sie erwürgen!

Ihre Hände schwitzten, fast hätte sie das Opernglas fallen lassen, als sie es wieder zu Rhett wandern ließ. Sah er Anne an? Nein, er lachte mit Miss Eleanor ... Sie plauderten mit den Wentworths ... grüßten die Hugers ... die Halseys ... die Savages ... den alten Mr. Pinckney ... Scarlett hielt den Blick auf Rhett gerichtet, bis ihr alles vor den Augen verschwamm.

Er hat auch nicht ein einziges Mal in Annes Richtung geblickt. Sie verschlingt ihn mit Blicken, und er bemerkt es nicht einmal. Es besteht kein Grund zur Besorgnis. Da ist einfach nur ein albernes junges Ding in einen erwachsenen Mann verliebt.

Wie sollte Anne auch nicht in ihn verliebt sein? Warum sollten nicht sämtliche Frauen Charlestons in ihn verliebt sein? Er sieht so gut aus und ist so stark und so ...

Sie sah mit einem unverhohlenen Ausdruck der Sehnsucht zu ihm hinüber, das Opernglas im Schoß. Rhett beugte sich gerade Miss Eleanor zu und zog ihr die Stola über den Schultern zurecht. Die Sonne stand schon tief am Himmel, und ein kalter, böiger Wind hatte zu wehen begonnen. Rhett faßte den Ellbogen seiner Mutter, und sie begannen, die Stufen zu ihren Plätzen hinaufzusteigen, ein Bild der Eintracht zwischen Mutter und Sohn. Scarlett wartete ungeduldig darauf, daß sie oben anlangten.

Das kurze Dach über der Haupttribüne warf einen rechtwinkligen Schatten über die Sitzplätze. Rhett tauschte mit seiner Mutter den Platz, damit sie in den Genuß der letzten Sonnenwärme kam, und Scarlett hatte ihn endlich neben sich. Sie vergaß Anne auf der Stelle.

Als die Pferde zum vierten Rennen auf die Bahn kamen, standen die Zuschauer auf, erst zwei, dann immer mehr und schließlich alle. Die

Erwartungsfreude hielt sie nicht länger auf den Pätzen. Scarlett tanzte beinahe vor Aufregung.

»Gefällt es dir?« Rhett lächelte.

»Herrlich! Welches Pferd ist denn das von Miles Brewton, Rhett?«

»Ich habe den Verdacht, Miles hat ihm das Fell mit Schuhwichse eingerieben. Es ist die Nummer fünf, das pechschwarz glänzende – und unerkannte, wenn man so will. Nummer sechs ist das von Guggenheim, Belmont hat die versetzte Startposition ergattert, sein Schrittmacher ist die Nummer vier.«

Scarlett hätte gern gefragt, was »Schrittmacher« und »versetzte Startposition« bedeutete, doch es blieb keine Zeit mehr, der Start mußte jede Sekunde erfolgen.

Der Reiter auf der Nummer fünf kam dem Schuß der Startpistole zuvor, und auf der Tribüne erhob sich lautes Stöhnen. »Was ist passiert?« fragte Scarlett.

»Fehlstart, sie müssen erneut Aufstellung nehmen«, erklärte Rhett. Er deutete mit dem Kopf eine Richtung an. »Schau dir mal Sally an.«

Scarlett sah zu ihr hinüber. Sally Brewtons Gesicht ähnelte mehr denn je dem eines Äffchens. Es war vor Wut verzerrt, und sie fuchtelte mit der Faust in der Luft herum. Rhett lachte liebevoll. »Wenn ich der Jockey wäre, würde ich die Beine in die Hand nehmen und mich querfeldein davonmachen«, sagte er. »Sally sieht ganz so aus, als wollte sie ihn windelweich schlagen.«

»Ich kann ihr da nur zustimmen«, erklärte Scarlett, »und ich finde das auch überhaupt nicht lustig, Rhett Butler.«

Er lachte abermals. »Darf ich die Annahme wagen, daß du also nach allem dein Geld auf Sweet Sally gesetzt hast?«

»Selbstverständlich. Sally Brewton ist eine liebe Freundin von mir – und außerdem, falls ich es verlieren sollte, es war schließlich dein Geld, nicht meins.« Rhett schaute Scarlett überrascht an. Sie lächelte ihm schelmisch zu.

»Gut gemacht, Madam«, murmelte er.

Der Schuß war zu hören, und das Rennen hatte begonnen. Scarlett wurde gar nicht bewußt, wie sie schrie, auf und ab sprang und mit den Fäusten auf Rhetts Arm trommelte. Sie war selbst für die Rufe der Leute um sie herum taub. Als Sweet Sally mit einer halben Länge Vorsprung gewann, stieß sie einen Triumphschrei aus. »Wir haben gewonnen! Wir haben gewonnen! Ist das nicht wundervoll? Wir haben gewonnen!«

Rhett rieb sich den Bizeps. »Ich nehme an, ich bin lebenslänglich verkrüppelt, aber du hast recht. Es ist wundervoll, wahrlich ein Wunder. Die Sumpfratte siegt über den besten Stall Amerikas.«

Scarlett sah ihn stirnrunzelnd an. »Rhett! Willst du damit sagen, daß dich das überrascht hat? Nach allem, was du heute nachmittag gesagt hast? Du klangst doch so zuversichtlich.«

Er lächelte. »Ich verachte Pessimismus. Und außerdem wollte ich, daß alle auf ihre Kosten kämen.«

»Aber hast du denn nicht auch auf Sweet Sally gesetzt? Erzähl mir nicht, daß du auf die Yankees gesetzt hast!«

»Ich habe überhaupt nicht gewettet.« Sein Kinn hatte einen entschlossenen Zug. »Wenn die Gärten auf Dunmore Landing wieder in Ordnung gebracht und neu bepflanzt sind, nehme ich mir als nächstes die Pferdeställe vor. Ich habe schon ein paar von den Pokalen wiedergefunden, die Butler-Pferde gewonnen haben, als unsere Farben noch in der ganze Welt bekannt waren. Ich werde meine erste Wette setzen, wenn ich ein eigenes Pferd habe, auf das ich setzen kann.« Er wandte sich seiner Mutter zu. »Was willst du dir denn von deinem Gewinn kaufen, Mama?«

»Das weiß nur ich, und dich geht das nichts an«, antwortete sie mit einer mutwilligen Kopfbewegung.

Scarlett, Rhett und Rosemary lachten.

27. Kapitel

Scarlett bezog wenig seelischen Beistand aus der Messe am nächsten Tag. Sie fühlte sich mehr als kläglich. Sie hatte Rhett auf dem großen Fest, das der Jockey Club nach den Rennen gegeben hatte, kaum zu Gesicht bekommen.

Auf dem Rückweg von der Messe versuchte sie sich mit Hilfe einer Ausrede um das Frühstück bei ihren Tanten zu drücken, doch Pauline wollte davon nichts wissen. »Wir haben etwas äußerst Wichtiges mit dir zu besprechen«, sagte sie. Ihr Tonfall war unheilvoll. Scarlett wappnete sich innerlich für eine Predigt, daß sie zuviel mit Middleton Courtney tanzte.

Er wurde dann jedoch mit keinem Wort erwähnt. Eulalies kummervolle und Paulines gestrenge Miene bezogen sich auf etwas ganz anderes.

»Wir haben erfahren, daß du deinem Großvater Robillard seit Jahren nicht geschrieben hast, Scarlett.«

»Wieso sollte ich ihm denn schreiben? Der ist doch bloß ein unausstehlicher alter Mann, der, solange ich lebe, noch keinen Finger für mich gerührt hat.«

Eulalie und Pauline waren sprachlos vor Entsetzen. Gut so! dachte Scarlett. Sie funkelte sie über den Rand ihrer Tasse hinweg triumphierend an, während sie ihren Kaffee trank. Darauf fällt euch auch keine Antwort ein, wie? Er hat nie auch nur irgend etwas für mich getan und für euch genausowenig. Wer hat euch denn das Geld gegeben, um Leib und Seele zusammenzuhalten, als euer Haus beinahe von der Steuer verschlungen worden wäre? Doch nicht euer kostbarer Vater, das steht nun einmal fest.

Ich war es, und ich war auch diejenige, die dafür gesorgt hat, daß Onkel Carey anständig beerdigt werden konnte, und ist es nicht auch mein Geld, mit dem ihr euch kleidet und das Essen auf den Tisch bekommt – sofern Tante Pauline es über sich bringt, die Speisekammertür aufzumachen und etwas von dem Zeug herauszugeben, das sie dort hortet. Ihr könnt mich also ruhig anglotzen wie zwei Frösche, doch zu sagen wißt ihr überhaupt nichts!

Pauline fand jedoch eine Menge zu sagen, und ihr Echo Eulalie folgte ihr darin. Sie sprach von dem Respekt älteren Menschen gegenüber, der Treue gegenüber der Familie, über Pflicht und Anstand und von guter Kinderstube.

Scarlett setzte mit einem lauten Knall die Tasse auf die Untertasse. »Wag es ja nicht, mir noch einmal eine Predigt zu halten, Tante Pauline. Ich habe die Nase gründlich voll davon! Großvater Robillard ist mir so gleichgültig wie nur irgend etwas. Er war scheußlich zu Mutter, und er war scheußlich zu mir, und ich hasse ihn. Und es soll mir auch recht sein, wenn ich dafür in der Hölle schmoren muß!«

Es war wohltuend, aus der Haut zu fahren. Sie hatte es sich allzulange verkniffen. Es hatte zu viele Teegesellschaften, zu viele Visitenkarten, zu viele Besuche und zu viele Besucher gegeben. Allzu viele Male hatte sie sich schon auf die Zunge beißen müssen – ausgerechnet sie, die immer gesagt hatte, was sie dachte, ohne sich einen Deut um die Folgen zu scheren. Vor allem aber hatte es zu viele Stunden gegeben, in denen sie sich höflich das Schwadronieren der Charlestoner über die Ruhmestaten ihrer Väter, Großväter und Urgroßväter angehört hatte, endlose Male, durch die Jahrhunderte rückwärts bis ins tiefste Mittelalter. Und das Allerletzte, womit Pauline ihr jetzt kommen durfte, war der Respekt, den sie ihrer Familie schuldete.

Die Tanten duckten sich angesichts ihres Ausbruchs, und ihre verängstigten Gesichter erfüllten Scarlett mit dem berauschenden Gefühl der Macht. Sie hatte Schwäche schon immer verachtet, und in den Monaten, die sie in Charleston verbracht hatte, war sie machtlos gewesen, war sie die Schwache gewesen, und sie hatte begonnen, sich dafür zu verachten. Nun überschüttete sie ihre Tanten mit all dem Ekel, den sie ihrer eigenen feigen Gefallsucht gegenüber empfunden hatte.

»Ihr braucht gar nicht so dazusitzen und mich anzustarren, als hätte ich Hörner am Kopf und eine Mistgabel in der Hand! Ihr wißt genau, daß ich recht habe, ihr seid nur zu feige, um es selbst zu sagen. Großvater behandelt alle anderen wie Dreck. Ich wette hundert Dollar darauf, daß er all die süßholzraspelnden Briefe, die ihr ihm schreibt, nie beantwortet. Wahrscheinlich liest er sie noch nicht einmal. Ich habe sie selbst auch nie zu Ende gelesen. Mußte ich auch nicht, es stand ja doch immer dasselbe darin – Gejammer nach mehr Geld!«

Scarlett hielt sich die Hand vor den Mund. Sie war zu weit gegangen. Sie hatte eine der ungeschriebenen, unantastbaren Verhaltensregeln des Südens gebrochen: Sie hatte das Wort »Geld« ausgesprochen, sie hatte die, die von ihr abhingen, an die Wohltaten erinnert, die sie ihnen hatte zuteil werden lassen, und sie hatte einem bereits besiegten Gegner noch einen Fußtritt verpaßt. Als sie ihre weinenden Tanten vor sich sah, sprach tiefe Scham aus ihrem Blick.

Das ausgebesserte Porzellan und das geflickte Tischtuch richteten einen stummen Vorwurf an sie. Ich bin noch nicht einmal sehr großzügig gewesen, dachte sie. Ich hätte ihnen viel mehr schicken können, ohne daß es mir im mindesten gefehlt hätte.

»Verzeiht«, flüsterte sie, und dann fing sie selbst an zu weinen.

Es verstrich eine ganze Weile, bis Eulalie sich die Augen wischte und die Nase putzte. »Ich habe gehört, Rosemary hat einen neuen Verehrer«, sagte sie mit tränenerstickter Stimme. »Hast du ihn schon kennengelernt, Scarlett? Ist er ein interessanter Mensch?«

»Ist er aus guter Familie?« setzte Pauline hinzu.

Scarlett zuckte zusammen, aber kaum merklich. »Miss Eleanor kennt seine Familie«, sagte sie, »und sie behauptet, sie sei sehr nett. Rosemary will jedoch nichts von ihm wissen. Ihr wißt ja, wie sie ist.« Sie blickte mit echter Zuneigung und aufrichtigem Respekt in die müden Gesichter ihrer Tanten. Sie ihrerseits hatten sich an den Verhaltenskodex gehalten. Sie wußte, sie würden sich bis zu dem Tag daran halten, an dem sie sterben würden, und niemals auch nur auf das Geschehene anspielen. Kein Südstaatler würde einen anderen vorsätzlich in Verlegenheit bringen.

Sie straffte die Schultern und reckte das Kinn. »Er heißt Elliott Marshall«, sagte sie, »und er sieht so ulkig aus, so etwas habt ihr noch nicht gesehen – spindeldürr und todernst!« Sie zwang sich zu einem aufgekratzten Ton. »Er muß jedoch ungeheuer beherzt sein. Denn Rosemary könnte sich ihn mühelos schnappen und gehörig durchwalken, wenn sie ordentlich wütend wäre.« Sie beugte sich vor und riß die Augen auf. »Habt ihr schon gehört, daß er ein Yankee ist?«

Pauline und Eulalie trauten ihren Ohren nicht.

Scarlett nickte rasch, um der Enthüllung gebührenden Nachdruck zu verleihen. »Aus Boston«, sagte sie langsam in vielsagendem Ton. »Und ich nehme an, yankeehafter kann man überhaupt nicht sein. Ein großer Kunstdüngerhändler hat hier unten ein Büro eröffnet, und er ist sein Geschäftsführer ...«

Sie setzte sich auf ihrem Stuhl zurecht, als richte sie sich darauf ein, lange zu bleiben.

Als der Vormittag vorbei war, war sie erstaunt, wie spät es schon war, und eilte in die Diele, um sich ihren Umhang zu holen. »Ich hätte nicht so lange bleiben dürfen, ich habe Miss Eleanor versprochen, ich würde zum Mittagessen zurück sein.« Sie verdrehte die Augen. »Ich hoffe nur, Mr.

Marshall kommt nicht zu Besuch. Yankees haben so überhaupt kein Gefühl dafür, wann sie nicht willkommen sind.«

Scarlett küßte Pauline und Eulalie an der Haustür zum Abschied. »Danke«, sagte sie schlicht.

»Du kommst einfach gleich wieder her und ißt mit uns zu Mittag, falls dieser Yankee da ist«, kicherte Eulalie.

»Ja, das machst du«, sagte Pauline. »Und sieh doch mal zu, ob du nicht zu Vaters Geburtsfeier mit uns nach Savannah fahren kannst. Wir nehmen den Zug am Fünfzehnten, nach der Messe.«

»Danke, Tante Pauline, aber das kann ich unmöglich einrichten. Wir haben doch schon für sämtliche Tage und Abende der Saison Einladungen angenommen.«

»Aber, mein Liebes, die Saison wird doch dann vorbei sein. Der Saint-Cecilia-Ball ist am Freitag, dem Dreizehnten. Ich finde das Datum zwar äußerst unglücklich gewählt, aber sonst scheint sich niemand daran zu stören.«

Scarlett hörte Paulines Worte nur noch undeutlich. Wie konnte die Saison denn bloß so kurz sein? Sie hatte sich eingebildet, sie hätte noch unendlich viel Zeit, um Rhett zurückzuerobern.

»Wir werden sehen«, sagte sie hastig. »Jetzt muß ich aber gehen.«

Scarlett war überrascht, Rhetts Mutter allein zu Hause anzutreffen. »Julia Ashley hat Rosemary zum Mittagessen zu sich eingeladen«, erzählte ihr Eleanor. »Und Rhett hat sich des kleinen Cooper erbarmt. Er ist draußen beim Segeln.«

»Heute? Es ist doch so kalt.«

»Stimmt. Gerade hatte ich angefangen zu glauben, wir würden auch dieses Jahr wieder vom Winter völlig verschont bleiben. Ich habe es schon gestern beim Rennen gemerkt, der Wind hatte richtigen Biß. Ich glaube, ich habe mich ein bißchen verkühlt.« Mrs. Butler lächelte auf einmal verschwörerisch. »Was hältst du davon, wenn wir uns ein ruhiges Mittagessen am Spieltisch vor dem Feuer in der Bibliothek genehmigen? Manigo wird zwar in seiner Würde gekränkt sein, doch damit kann ich leben, wenn du auch dafür bist. Das wäre mal wieder so richtig gemütlich – nur wir beide.«

»Das täte ich furchtbar gern, Miss Eleanor, wirklich.« Sie wünschte es sich plötzlich mehr als alles andere. Es war so schön, als wir noch unsere ruhigen Abendessen hatten, dachte sie. Vor der Saison. Ehe Rosemary nach Hause gekommen ist. Und eine Stimme in ihrem Inneren setzte hinzu: ... und ehe Rhett von Dunmore Landing zurückgekehrt ist. Das stimmte, auch wenn es ihr widerstrebte, es einzugestehen. Das Leben war soviel leichter, wenn sie nicht unablässig auf seinen Schritt lauschen und seine Reaktionen beobachten mußte und zu erraten versuchte, was er wohl gerade dachte.

Die Wärme des Feuers war so entspannend, daß Scarlett sich bei einem Gähnen ertappte. »Entschuldigen Sie, Miss Eleanor«, sagte sie hastig, »daran ist nicht Ihre Gesellschaft schuld.«

»Mir geht es genauso«, sagte Mrs. Butler. »Ist das nicht angenehm?« Sie gähnte ebenfalls, sie ließen sich gegenseitig davon anstecken und gähnten, bis sie sich vor Lachen nicht mehr zu halten wußten. Scarlett hatte ganz vergessen, wieviel Spaß man mit Rhetts Mutter haben konnte.

»Ich habe Sie sehr gern, Miss Eleanor«, sagte sie, ohne nachzudenken.

Eleanor Butler nahm ihre Hand. »Ich bin darüber sehr froh, liebe Scarlett. Ich habe dich auch sehr gern.« Sie seufzte leise. »So gern, daß ich dir keinerlei Fragen stellen und auch keine unerbetenen Kommentare abgeben werde. Ich hoffe bloß, du weißt, was du tust.«

Scarlett zuckte innerlich zusammen. Die bloß angedeutete Kritik an ihrem Verhalten bewirkte, daß sie den Kopf in den Nacken warf. »Ich ›tue‹ doch überhaupt nichts!« Sie zog die Hand weg.

Eleanor ignorierte Scarletts Wut. »Wie geht es denn Eulalie und Pauline?« fragte sie leichthin. »Ich habe schon seit einer Ewigkeit nicht mehr mit ihnen geredet. Die Saison ist wirklich kräftezehrend.«

»Gut geht es ihnen. Herrschsüchtig wie immer sind die beiden. Sie versuchen, mich dazu zu bringen, zu Großvaters Geburtstag mit ihnen nach Savannah zu fahren.«

»Du meine Güte!« Mrs. Butler klang ungläubig. »Das soll doch wohl nicht heißen, daß er noch immer nicht tot ist?«

Scarlett fand zu ihrem Lachen zurück. »Das war auch mein erster Gedanke, aber Tante Pauline hätte mir bei lebendigem Leibe das Fell über die Ohren gezogen, wenn ich das gesagt hätte. Er muß doch schon ungefähr hundert sein.«

Eleanor runzelte nachdenklich die Brauen und murmelte leise vor sich hin, während sie ihre Rechenkunststücke vollführte. »Über neunzig ganz bestimmt«, sagte sie schließlich. »Ich weiß, er war Ende Dreißig, als er 1820 deine Großmutter heiratete. Ich hatte eine Tante – sie ist schon lange tot –, die nie darüber hinwegkam. Sie war verrückt nach ihm, und er hatte sich ziemlich um sie bemüht. Doch dann beschloß Solange – deine Großmutter –, Notiz von ihm zu nehmen, und die arme Tante Alice hatte keine Chance mehr. Ich war zwar damals erst zehn, doch das war alt genug, um zu bemerken, was da vor sich ging. Alice versuchte sich umzubringen, und die Hölle war los.«

Scarlett war jetzt hellwach. »Was hat sie denn gemacht?«

»Eine Flasche Schmerzmittel getrunken. Es stand auf Messers Schneide, ob sie es überleben würde oder nicht.«

»Wegen Großvater?«

»Er war ein unglaublich gutaussehender Mann. So stattlich, und er hatte diese herrliche aufrechte Haltung, wie Soldaten sie haben. Und einen französischen Akzent natürlich. Wenn er ›guten Morgen‹ sagte, hörte er sich wie ein Opernheld an. Die Frauen waren zu Dutzenden in ihn verliebt. Ich habe meinen Vater einmal sagen hören, das Dach der Hugenottenkirche sei ausschließlich Pierre Robillard zu verdanken. Er kam gelegentlich zum Gottesdienst herauf, weil er auf französisch abgehalten wurde. An den Wänden drängte sich dann eine fast durchweg weibliche Gemeinde, und der Kollektenteller floß geradezu über.« Eleanor lächelte. »Jetzt, wo wir davon sprechen, fällt mir wieder ein, meine Tante Alice hat am Ende einen Professor für französische Literatur in Harvard geheiratet. Die vielen Sprachübungen, die sie gemacht haben muß, haben sich also doch noch halbwegs ausgezahlt.«

Scarlett ließ diesmal nicht zu, daß Mrs. Butler vom Thema abschweifte. »Lassen Sie sich durch die nicht ablenken, erzählen Sie mir mehr über Großvater. Und Großmutter. Ich habe Sie schon einmal nach ihr gefragt, aber Sie sind einfach nicht darauf eingegangen.«

Eleanor schüttelte den Kopf. »Ich weiß nicht, wie ich deine Großmutter schildern soll. Sie war wie niemand sonst auf der Welt.«

»War sie sehr schön?«

»Ja ... und nein. Das ist das Problem, wenn man von ihr spricht – sie veränderte sich unablässig. Sie war so ... so französisch. Die Franzosen haben eine Redensart, die besagt, daß keine Frau wahrhaft schön sein kann, die nicht zugleich manchmal wahrhaft häßlich ist. Sie sind ein feinsinniges Volk und ein so lebenskluges, für einen Angelsachsen nur schwer zu durchschauen.«

Scarlett begriff nicht, was Miss Eleanor zu sagen versuchte. »Auf Tara gibt es ein Porträt von ihr, und darauf ist sie sehr schön«, sagte sie hartnäckig.

»Das war sie ja auch – für das Porträt. Sie konnte schön sein oder auch nicht, ganz nach Belieben. Sie konnte alles, was sie wollte. Sie konnte manchmal absolut still sein, so daß man ihre Anwesenheit beinahe vergaß. Dann wandte sie einem den Blick ihrer schräg stehenden dunklen Augen zu, und plötzlich fühlte man sich unwiderstehlich zu ihr hingezogen. Die Kinder waren scharenweise um sie herum. Die Tiere ebenfalls. Selbst die Frauen empfanden so. Die Männer verloren darüber den Verstand.

Dein Großvater war ein Offizier vom Scheitel bis zur Sohle und daran gewöhnt zu befehlen. Deine Großmutter brauchte jedoch nur zu lächeln, und er wurde ihr Sklave. Sie war erheblich älter als er, aber das spielte keine Rolle. Sie war Katholikin, und auch das war unwichtig. Sie bestand auf einem katholischen Haushalt und einer katholischen Erziehung für die Kinder, und er war mit allem einverstanden, obwohl er stockprotestantisch war. Er hätte die Kinder auch Druiden werden lassen, wenn das ihr Wunsch gewesen wäre. Sie bedeutete ihm alles auf der Welt.

Ich erinnere mich noch daran, wie sie eines Tages entschied, sie müsse von Rosa umgeben sein, weil sie langsam älter wurde. Er erklärte, kein Soldat würde in einem Haus leben, in dem sich auch nur ein rosa Lampenschirm befinde. Es sei zu weibisch. Sie erwiderte, es würde sie glücklich machen, ganz viel Rosa im Haus zu haben. Es endete damit, daß das Haus nicht nur innen neu gestrichen wurde, sondern auch von außen. Er tat alles, um sie glücklich zu machen.« Eleanor seufzte. »Es war alles herrlich verrückt und romantisch. Armer Pierre. Als sie starb, starb er gewissermaßen auch. Er ließ alles im Haus genau, wie sie es hinterlassen hatte. Es muß für deine Mutter und ihre Schwestern recht schwierig gewesen sein, fürchte ich.«

Auf dem Porträt trug Solange Robillard ein Kleid, das ihr so eng am Körper klebte, daß man den Eindruck haben mußte, sie trage nichts darunter. Das muß es sein, was die Männer bis zum Wahnsinn getrieben hat, Großvater eingeschlossen, dachte Scarlett.

»Du erinnerst mich an sie«, sagte Eleanor, und Scarlett war auf einmal wieder brennend interessiert.

»Inwiefern, Miss Eleanor?«

»Deine Augen sind genauso geschnitten wie ihre, mit diesem kleinen Drall nach oben in den Augenwinkeln. Und du hast auch die gleiche Lebenskraft, du strotzt ja geradezu davon. Beide macht ihr auf mich den Eindruck, als wärt ihr gewissermaßen lebendiger als die meisten anderen Menschen.«

Scarlett lächelte. Das gefiel ihr ungeheuer.

Eleanor Butler sah sie liebevoll an. »Ich gehe jetzt, glaube ich, mein Schläfchen machen«, sagte sie. Sie hatte das Gefühl, sich bei diesem Gespräch sehr ordentlich aus der Affäre gezogen zu haben. Sie hatte nichts Unwahres gesagt, und doch war es ihr gelungen, nicht allzuviel preiszugeben. Es lag ihr gewiß nicht daran, ihre Schwiegertochter darüber aufzuklären, daß ihre Großmutter etliche Liebhaber gehabt hatte und ihretwegen Dutzende von Duellen ausgetragen worden waren. Wer wollte wissen, auf welche Gedanken man Scarlett dadurch brachte.

Eleanor war zutiefst beunruhigt über die offensichtlichen Probleme zwischen ihrem Sohn und seiner Frau. Das war jedoch nichts, wonach sie Rhett hätte fragen können. Wenn er sie darüber ins Bild setzen wollte, würde er es tun. Und als sie auf die unerfreuliche Angelegenheit mit Courtney angespielt hatte, hatte Scarletts Reaktion deutlich gemacht, daß sie ihr ebenfalls ihre Empfindungen nicht anvertrauen wollte.

Mrs. Butler schloß die Augen und versuchte, Ruhe zu finden. Letzten Endes konnte sie überhaupt nichts tun, außer, das Beste zu hoffen. Rhett war ein erwachsener Mann, und Scarlett war eine erwachsene Frau, wenn sie sich ihrer Meinung nach auch aufführten wie undisziplinierte Kinder.

Auch Scarlett versuchte, Ruhe zu finden. Sie stand im Spielzimmer, das Fernrohr in der Hand. Sie hatte Tommy Coopers Segelboot nicht entdecken können, als sie danach Ausschau hielt. Rhett mußte mit ihm flußaufwärts gefahren sein statt in den Hafen.

Vielleicht sollte sie besser gar nicht nach ihnen Ausschau halten. Als sie beim Pferderennen durch das Glas geschaut hatte, hatte sie ihr vertrauensvolles Verhältnis zu Anne eingebüßt. Immer noch schmerzte sie der Gedanke daran. Zum erstenmal im Leben fühlte sie sich alt. Und sehr müde. Was spielte das alles letztlich für eine Rolle? Anne Hampton war hoffnungslos in den Mann einer anderen Frau verliebt. War sie das in Annes Alter nicht genauso gewesen? Verliebt in Ashley, hatte sie ihr Leben mit Rhett ruiniert, indem sie sich noch lange Zeit, nachdem sie erkannt hatte – und doch nicht wahrhaben wollte –, daß der Ashley, den sie liebte, nur ein Traum war, an diese hoffnungslose Liebe geklammert hatte. Würde Anne ihre Jugend womöglich auf dieselbe Weise vergeuden, indem sie von Rhett träumte? Wozu war die Liebe überhaupt gut, wenn sie immer nur alles kaputtmachte?

Scarlett fuhr sich mit den Handrücken über die Lippen. Was ist bloß los mit mir? Ich brüte hier vor mich hin wie eine alte Henne. Ich muß etwas unternehmen – spazierengehen, ganz gleich, was –, um dieses gräßliche Gefühl abzustreifen.

Manigo klopfte leise an die Tür. »Besuch ist für Sie da, Missus Rhett, wenn Sie da sind?«

Scarlett war so erfreut über Sally Brewtons Anblick, daß sie sie fast geküßt hätte. »Setzen Sie sich hierhin, Sally, der Platz ist der wärmste. Ist das nicht ein Schock, daß der Winter jetzt doch noch Einzug hält? Ich habe Manigo gesagt, er soll das Teetablett hereinbringen. Ganz ehrlich, mitanzusehen, wie Sweet Sally das Rennen gewann, war so ziemlich das Aufregendste, was ich im ganzen Leben gesehen habe.« Sie plapperte vor Erleichterung munter drauflos.

Sally amüsierte sie mit einer äußerst lebhaften Schilderung des Augenblicks, als Miles das Pferd geküßt hatte und den Jockey gleich mit. Dann brachte Manigo das Teetablett herein, stellte es auf den Tisch vor Scarlett und ging wieder hinaus.

»Miss Eleanor ruht sich ein bißchen aus, sonst würde ich ihr Bescheid sagen, daß Sie da sind«, sagte Scarlett. »Wenn sie wieder wach ist, dann ...«

»Werde ich bereits wieder gegangen sein«, unterbrach Sally sie. »Ich weiß, daß Eleanor einen Mittagsschlaf hält, Rhett beim Segeln ist und Rosemary bei Julia. Deshalb habe ich mir gerade diesen Zeitpunkt für meinen Besuch ausgesucht. Ich möchte Sie allein sprechen.«

Scarlett häufte teelöffelweise Teeblätter in die Kanne. Sie war verwundert. Ausgerechnet Sally Brewton, die nie etwas aus dem Gleichgewicht brachte, schien sich unbehaglich zu fühlen. Sie goß heißes Wasser auf die Blätter und setzte den Deckel auf die Kanne.

»Scarlett, ich werde jetzt das Unverzeihliche tun«, sagte Sally in forschem Ton, »ich werde mich nämlich in Ihr Leben einmischen. Und was noch viel schlimmer ist, ich werde Ihnen ungebeten einen Ratschlag erteilen. Lassen Sie sich nicht davon abhalten, ein Verhältnis mit Middleton Courtney anzufangen, wenn Sie das möchten, doch gehen Sie um Gottes willen diskret vor. Was Sie gegenwärtig tun, zeugt von einem entsetzlich schlechten Geschmack.«

Scarletts Augen weiteten sich entsetzt. Ein Verhältnis anfangen? Nur lose Frauen taten so etwas. Wie konnte Sally Brewton wagen, sie dermaßen zu beleidigen? Sie warf empört den Kopf zurück. »Ich bitte Sie, doch zur Kenntnis zu nehmen, Mrs. Brewton, daß ich genauso eine Dame bin wie Sie«, sagte sie steif.

»Dann handeln Sie auch danach. Treffen Sie sich irgendwann nachmittags mit Middleton, und vergnügen Sie sich, soviel Sie nur wollen, aber ersparen Sie Ihrem Mann, Middletons Frau und der ganzen Stadt, mitansehen zu müssen, wie Sie beide einander durch die Ballsäle hinterherhecheln wie der Hund der läufigen Hündin.«

Etwas Grauenhafteres als das, was Sally da gesagt hatte, konnte sich Scarlett überhaupt nicht vorstellen. Doch sie irrte sich. Es kam noch schlimmer.

»Ich sollte Sie allerdings warnend darauf aufmerksam machen, daß er im Bett nicht sehr gut ist. Im Ballsaal spielt er den Don Juan, doch sowie er Tanzschuhe und Frack auszieht, wird er zum Dorftrottel.«

Sally griff über das Teetablett hinweg nach der Kanne und schüttelte sie. »Wenn Sie den noch eine Weile ziehen lassen, können wir Tierhäute damit gerben. Möchten Sie, daß ich eingieße?« Sie äugte Scarlett aus nächster Nähe ins Gesicht.

»Mein Gott«, sagte sie langsam, »Sie sind wirklich so ahnungslos wie ein Neugeborenes, habe ich recht? Tut mir leid, Scarlett, ich habe es einfach nicht erkannt. Hier, jetzt nehmen Sie erst einmal eine Tasse Tee mit ganz viel Zucker.«

Scarlett verkroch sich in ihrem Sessel. Sie hätte gern geweint und sich die Ohren zugehalten. Sie hatte Sally bewundert, sie war stolz darauf gewesen, zu ihren Freunden zu gehören, und nun hatte Sally sich als ein wahres Stück Dreck erwiesen!

»Mein armes Kind«, sagte Sally, »wenn ich das gewußt hätte, hätte ich Sie sehr viel sanfter angefaßt. Aber wo es nun einmal passiert ist, können Sie es nur als Schnellkurs in Charlestoner Lebensregeln nehmen. Sie sind hier in Charleston, und Sie haben einen Charlestoner geheiratet, Scarlett. Sie können es sich nicht leisten, sich immer noch mit dieser hinterwäldlerischen Ahnungslosigkeit wie mit einem Schutzwall zu umgeben. Charleston ist eine alte Stadt mit einer alten Kultur. Als wesentlicher Bestandteil der Kultiviertheit aber gilt die Rücksichtnahme gegenüber den Empfindungen anderer Menschen. Sie können alles tun, was Sie möchten, vorausgesetzt, Sie tun es diskret. Die Unverzeihlichkeit einer Sünde besteht allein darin, daß man seine Freunde mit der Nase auf die eigenen kleinen Delikte stößt. Sie müssen anderen die Möglichkeit lassen, so zu tun, als wüßten sie nicht, was Sie da treiben.«

Scarlett traute ihren Ohren nicht. Das hier hatte überhaupt nichts damit zu tun, daß jemand so tat, als gehörten die Servietten jemand anderem als die Initialen, die in sie hineingestickt waren. Es war ... ekelhaft. Obwohl sie dreimal geheiratet hatte, während sie in einen anderen verliebt gewesen war, hatte sie niemals auch nur erwogen, einen ihrer Ehemänner körperlich zu betrügen. Sie mochte sich zwar nach Ashley verzehrt, sich seine Umarmungen vorgestellt haben, niemals aber hätte sie sich davongestohlen, um eine Stunde in seinem Bett zu verbringen.

Ich will nicht kultiviert sein, dachte sie verzweifelt. Sie würde in Charleston nie wieder einer Frau in die Augen sehen können, ohne sich zu fragen, ob sie und Rhett ein Verhältnis miteinander hatten oder gehabt hatten.

Warum war sie bloß in diese Stadt gekommen? Sie gehörte hier nicht her. Sie wollte nicht in eine solche Stadt gehören, von der Sally Brewton gerade sprach.

»Ich glaube, Sie gehen besser nach Hause«, sagte sie. »Ich fühle mich nicht gut.«

Sally nickte bekümmert. »Ich entschuldige mich dafür, daß ich Sie so aufgeregt habe, Scarlett. Vielleicht hilft es Ihnen ja, wenn ich Ihnen versichere, daß es in Charleston auch noch sehr viele andere unschuldige Wesen gibt – Sie sind nicht die einzige. Unverheiratete Mädchen und unverheiratet gebliebene Damen werden nie über diese Dinge aufgeklärt, von denen sie lieber nichts wissen wollen. Außerdem gibt es eine Menge treue Ehefrauen. Ich selbst preise mich glücklich, eine von ihnen zu sein. Miles hat bestimmt den einen oder anderen Seitensprung begangen, aber ich bin nie in Versuchung geraten. Vielleicht sind Sie ja auch von diesem Schlag, ich hoffe es doch, um Ihrer selbst willen. Verzeihen Sie mir meine Ungeschicklichkeit, Scarlett. Ich werde jetzt also gehen. Erholen Sie sich in aller Ruhe, und trinken Sie Ihren Tee ... Und lassen Sie von Middleton lieber die Finger.«

Sally zog sich mit raschen, geübten Bewegungen die Handschuhe an und wandte sich zur Tür.

»Warten Sie!« sagte Scarlett. »Bitte warten Sie, Sally. Ich muß es wissen. Mit wem? Mit wem hat Rhett ...?«

Sallys Affengesichtchen schnurrte vor Mitgefühl zusammen. »Wir wissen von niemandem«, sagte sie sanft. »Ich schwöre es Ihnen. Er war doch erst neunzehn, als er von Charleston weggegangen ist, und in dem Alter gehen die Jungen ins Bordell oder zu einem willigen armen, weißen Mädchen. Seit er zurückgekehrt ist, hat er jedoch ein außerordentliches Zartgefühl an den Tag gelegt, um sich der vielen Anträge zu erwehren, ohne irgend jemandes Gefühle zu verletzen.

Charleston ist kein Sündenpfuhl, meine Liebe. Die Menschen fühlen sich durchaus nicht verpflichtet, unablässig über die Stränge zu schlagen. Ich bin davon überzeugt, daß Rhett Ihnen treu ist.«

»Ich begleite Sie hinaus.«

Sowie Sally gegangen war, lief Scarlett die Treppe hinauf in ihr Schlafzimmer und schloß sich ein. Sie warf sich quer über das Bett und weinte hemmungslos.

Groteske Visionen suchten sie heim. Rhett erst mit der einen Frau... dann mit einer anderen... und wieder mit einer anderen, alles Damen, denen sie jeden Tag auf irgendeinem Fest oder Empfang begegnete.

Wie einfältig von ihr, sich einzubilden, daß er eifersüchtig auf sie werden könnte.

Als sie ihre Gedanken nicht länger ertrug, läutete sie nach Pansy und wusch und puderte sich das Gesicht. Sie konnte jetzt nicht lächelnd dasitzen und mit Miss Eleanor plaudern, wenn sie aufwachte. Sie mußte weg, wenigstens für eine Weile.

»Wir gehen aus«, erklärte sie Pansy. »Gib mir meinen langen Mantel.«

Scarlett ging meilenweit – rasch und stumm und ohne sich darum zu kümmern, ob Pansy mit ihr Schritt hielt. Während sie an Charlestons hohen, schönen alten Häusern vorüberging, sah sie in ihren bröckeligen pastellfarbenen Stuckfassaden nicht mehr das stolze Zeugnis ihres Überlebens, sie sah nur, daß es sie nicht scherte, was die Passanten von ihnen dachten, und daß sie der Straße einfach die Schulter zuwandten und ihre Aufmerksamkeit auf ihre verschwiegenen, von Mauern umgebenen Gärten gerichtet hielten.

Geheimnisse. Sie bewahren ihre Geheimnisse, dachte sie. Nach außen hin. Jeder tut bei allem immer so, als sähe er nichts.

28. Kapitel

Es war beinahe dunkel, als Scarlett nach Hause zurückkehrte, und das Haus wirkte schweigend und ablehnend. Durch die Vorhänge, die jeden Tag bei Sonnenuntergang zugezogen wurden, fiel so gut wie kein Licht nach draußen. Behutsam öffnete sie die Tür, um jedes Geräusch zu vermeiden. »Sag Manigo, ich hätte Kopfweh und wollte nichts essen«, sagte sie zu

Pansy, während sie noch im Vestibül waren. »Dann komm und schnür mich auf. Ich gehe sofort ins Bett.«

Manigo würde der Küche und der Familie Bescheid geben müssen. Sie fühlte sich nicht in der Lage, sich jetzt mit jemandem zu unterhalten. Sie schlich vorbei an den offenen Türen des einladend erleuchteten Salons und lautlos die Treppe hinauf. Rosemarys laute Stimme tat gerade Miss Julia Ashleys Meinung zu irgend etwas kund. Scarlett beschleunigte ihren Schritt.

Nachdem Pansy sie ausgekleidet hatte, löschte sie die Lampe, rollte sich unter der Decke zusammen und versuchte sich vor ihren eigenen Empfindungen zu verstecken. Sie war kreuzunglücklich. Wenn sie doch nur hätte schlafen, Sally Brewton vergessen, alles vergessen, allem entrinnen können. Sie war von einer tiefen Finsternis umgeben, die ihren Spott mit ihren tränenlosen, schlaflosen Augen trieb. Sie konnte nicht einmal weinen, sie hatte sämtliche Tränen bereits in dem Gefühlssturm nach Sallys höllischen Enthüllungen vergossen.

Der Türknauf knirschte leise, und Licht ergoß sich ins Zimmer, als die Tür sich öffnete. Scarlett wandte den Kopf nach ihr, erschrocken über die plötzliche Helligkeit.

Rhett stand in der Türfüllung, eine Lampe in der erhobenen Hand. Sie warf strenge Schatten auf die kräftig hervortretenden Partien seines windgeröteten Gesichts und seines vom Salzwasser steifen Haars. Er trug noch die Kleider, die er beim Segeln angehabt hatte, sie klebten ihm naß auf der Brust und an den muskulösen Armen und Beinen. Seine Miene war finster, kaum verhohlene Erregung sprach aus ihr, und er reckte sich riesig und bedrohlich empor.

Eine primitive Angst ließ Scarlett das Blut in den Adern stocken, und die Erregung beschleunigte ihren Atem. Das war es, wovon sie geträumt hatte – Rhett betrat ihr Schlafzimmer, weil die Leidenschaft den Sieg über seine kühle Selbstbeherrschung davongetragen hatte.

Er näherte sich mit einem langen Schritt dem Bett und warf die Tür mit einem Fußtritt hinter sich zu. »Du kannst dich nicht vor mir verstecken, Scarlett«, sagte er. »Steh auf.« Mit einer einzigen Bewegung fegte er den Tisch leer und stellte seine brennende Lampe mit einer solchen Wucht darauf ab, daß sie gefährlich hin und her schwankte. Er schlug die Bettdecke zurück, packte Scarlett bei den Armen und zerrte sie auf die Füße.

Ihr dunkles, verworrenes Haar fiel ihr über Hals und Schultern und bedeckte seine Hände. Die Spitze, die den offenen Halsausschnitt ihres Nachthemds säumte, zitterte von ihrem Herzschlag. Flecken der Erregung färbten ihre Wangen und betonten das Grün ihrer Augen, die unverwandt auf seine gerichtet waren. Es tat ihr weh, als Rhett sie gegen den geschnitzten Pfosten des Betts schleuderte. Er trat zurück.

»Du verdammte Närrin mußtest dich ja hier hereindrängen«, sagte er mit rauher Stimme. »Ich hätte dich in der Minute umbringen sollen, als du deinen Fuß auf den Boden Charlestons setztest.«

Scarlett hielt sich am Bettpfosten fest, um nicht zu fallen. Prickelnd spürte sie die Gefahr in ihren Adern. Was war bloß geschehen, daß er in einen derartigen Zustand hatte geraten können?

»Spiel mir nicht die verstörte Unschuld vor, Scarlett. Ich kenne dich zu gut. Ich werde dich schon nicht töten, ich werde dich nicht einmal schlagen, obwohl du es weiß Gott verdient hättest.«

Rhetts Mund verzog sich. »Wie einnehmend du aussiehst, meine Liebe. Wogender Busen und in unschuldigem Schreck geweitete Augen. Das Traurige daran ist nur, daß du nach deiner eigenen verqueren Definition vermutlich wirklich unschuldig bist. Es kommt dir gar nicht in den Sinn, daß du einer harmlosen Frau großes Leid dadurch zufügen könntest, daß du dein Netz über ihren hirnlosen Gatten wirfst.«

Scarletts Mundwinkel hoben sich zu einem Lächeln des Triumphes, das sie nicht zu unterdrücken vermochte. Er war wütend, weil sie Middleton Courtney erobert hatte! Sie hatte es geschafft – hatte ihm das Eingeständnis abgerungen, daß er eifersüchtig war. Jetzt würde er zugeben müssen, daß er sie liebte, sie würde ihn schon dazu bringen ...

»Ich pfeife darauf, daß du dich selbst unmöglich machst«, sagte Rhett statt dessen aber. »Im Grunde war es sogar recht amüsant, eine Frau in deinen Jahren dabei zu beobachten, wie sie sich selbst davon zu überzeugen versuchte, daß sie immer noch ein unwiderstehliches Mädchen im heiratsfähigen Alter ist. Du kannst nicht älter werden als sechzehn, stimmt's, Scarlett? Der Gipfel deiner Ambition ist es, auf ewig die Schönheit von Clayton County zu bleiben.« Und dann war es mit einemmal um Rhetts Fassung geschehen. »Aber heute hat das Ganze plötzlich aufgehört, komisch zu sein!« schrie er. Scarlett zuckte vor dem plötzlichen Ausbruch zurück. Rhett ballte die Fäuste und hatte sichtlich Mühe, seinen Zorn unter Kontrolle zu bekommen. »Als ich heute morgen aus der Kirche kam«, sagte er dann wieder ruhig, »nahm ein alter Freund, der gleichzeitig ein enger Verwandter ist, mich beiseite und bot sich an, mir als Sekundant zu dienen, wenn ich Middleton Courtney zum Duell herausfordern würde. Er hatte nicht die geringsten Zweifel, daß das meine Absicht sei. Unabhängig davon, wie die Sache sich in Wahrheit verhielte, dein guter Name müsse verteidigt werden. Um der Familie willen.«

Scarletts kleine weiße Zähne bissen in ihre Unterlippe. »Was hast du darauf geantwortet?«

»Genau das, was ich dir jetzt sage: Ein Duell wird nicht notwendig sein. Meine Frau kennt sich mit den gesellschaftlichen Gepflogenheiten nicht aus und hat sich, weil sie es nicht besser wußte, in einer Weise benommen, die zu Mißverständnissen Anlaß geben mußte. Ich werde sie darüber aufklären, was von ihr erwartet wird.«

Sein Arm bewegte sich so rasch wie eine zustoßende Schlange, und seine Hand schloß sich schmerzhaft um ihr Handgelenk. »Erste Lektion«, sagte er, zog sie mit einem plötzlichen Ruck an sich und drehte ihr dabei den Arm auf den Rücken. Sie war so eng an seine Brust gepreßt, daß sie sich nicht rühren konnte. Rhetts Gesicht war dicht über ihr, und sein Blick bohrte sich in ihren. »Es macht mir nichts aus, wenn die ganze Welt mich für einen gehörnten Ehemann hält, mein liebes, treuergebenes Weibchen, doch ich werde mich nicht zu einem Kampf mit Middleton Courtney zwingen lassen.« Rhetts Atem lag ihr warm und salzig in der Nase und auf den Lippen.

»Zweite Lektion«, sagte er. »Wenn ich den Esel töte, muß ich die Stadt verlassen, oder ich werde vom Militär aufgehängt, und das wäre mir äußerst lästig. Und ich habe schon gar nicht die Absicht, mich bereitwillig als Zielscheibe zur Verfügung zu stellen. Er könnte schließlich geradeaus schießen und mich verwunden, was nicht weniger lästig wäre.«

Scarlett schlug mit ihrer freien Hand nach ihm, doch er fing sie mühelos ab und drehte sie ihr ebenfalls auf den Rücken. Seine Arme waren wie ein Käfig, der sie fest umschloß. Sie spürte, wie die Nässe seines Hemds ihr durchs Nachthemd bis auf die Haut drang. »Dritte Lektion«, sagte Rhett. »Es wäre wirklich der Witz des Jahrhunderts, wenn ich – oder selbst so ein Schwachkopf wie Courtney – mein Leben dafür aufs Spiel setzen sollte, um deine unanständige kleine Seele vor der Entehrung zu bewahren. Deshalb – vierte Lektion: Bis zum Ende der Saison wirst du bei allen öffentlichen Auftritten meinen Weisungen folgen. Kein gramgebeugtes Umherschleichen, mein Herzblatt. Das ist nicht dein Stil und würde nur noch Öl ins Feuer des Geklatsches schütten. Du wirst deinen Lockenkopf hoch tragen und deine schonungslose Jagd auf die wehrlose Jugend fortsetzen. Aber du wirst deine Aufmerksamkeit gleichmäßiger auf die hingerissene männliche Bevölkerung verteilen. Es wird mir eine Freude sein, dir dabei mit meinem Rat zur Seite zu stehen, welche Herren du bevorzugen solltest. Genauer gesagt: Ich bestehe darauf, dich zu beraten.« Seine Hände ließen ihre Handgelenke los, schlossen sich um ihre Schultern und schoben sie von sich weg.

»Fünfte Lektion: Du wirst genau das tun, was ich dir sage.« Ohne die Hitze von Rhetts Körper fühlte sich das seidene Nachthemd auf Scarletts Brüsten und Bauch wie Eis an. Sie kreuzte die Arme vor der Brust, um sich zu wärmen, doch es nützte nichts. Ihr Inneres war ebenso eiskalt wie ihr Körper, und die Dinge, die er gesagt hatte, hallten deutlich in ihr nach. Sie war ihm gleichgültig ... Er hatte über sie gelacht ... Er kümmerte sich ausschließlich darum, ob ihm etwas »lästig« war oder nicht.

Wie konnte er es wagen? Wie konnte er es wagen, in aller Öffentlichkeit über sie zu lachen, sie vor seinesgleichen zu verunglimpfen und in ihrem eigenen Zimmer herumstoßen wie einen Sack Mehl? Der »Charlestoner

Gentleman« war ebenso eine Lüge wie die »Charlestoner Lady«. Hinterhältiger, verlogener, betrügerischer . . .

Scarlett hob die Fäuste gegen ihn, Rhett aber hielt sie immer noch bei den Schultern, und ihre Schläge erzielten keinerlei Wirkung.

Sie riß sich los. Rhett hob die Hände, um ihre Fäuste abzuwehren, und in seiner braunen Kehle gurgelte Gelächter.

Scarlett strich sich das zerzauste Haar aus dem Gesicht. »Spar dir deinen Atem, Rhett Butler. Ich werde keinen Rat von dir brauchen, weil ich nicht hiersein werde, um ihn außer acht lassen zu können. Ich hasse dein kostbares Charleston, und ich hasse die Menschen hier und dich ganz besonders. Ich reise morgen ab.« Sie stand ihm Auge in Auge gegenüber, die Hände in die Hüften gestützt, den Kopf hoch erhoben, das Kinn vorgereckt. Ihr Körper bebte sichtbar unter der enganliegenden Seide.

Rhett sah zur Seite. »Nein, Scarlett«, sagte er. Das Sprechen schien ihm schwerzufallen. »Du wirst nicht abreisen. Deine Flucht würde deine Verfehlung bloß bekräftigen, und ich würde Courtney tatsächlich töten müssen. Du hast mich erpreßt, dich bis zum Ende der Ballsaison hierbleiben zu lassen, Scarlett, und jetzt bleibst du auch.

Und du wirst tun, was ich will, und zwar so, als tätest du es gern. Oder, ich schwöre es bei Gott, ich breche dir jeden Knochen einzeln im Leibe.«

Er ging zur Tür. Die Hand auf dem Türknauf, blickte er sich noch einmal nach ihr um und lächelte höhnisch. »Und versuche ja nicht, mich hereinzulegen, mein Herzblatt. Ich werde dich keine Minute aus den Augen lassen.«

»Ich hasse dich!« schrie Scarlett ihm nach, während die Tür sich schloß. Als sie hörte, wie der Schlüssel im Schloß umgedreht wurde, griff sie nach der Uhr vom Kaminsims, warf sie dagegen und ließ ihr auch den Feuerhaken folgen.

Zu spät fielen ihr die Veranda und die angrenzenden Schlafzimmer ein. Als sie zu deren Türen rannte, waren sie bereits abgeschlossen. Rastlos lief sie in ihrem Zimmer auf und ab, bis sie völlig erschöpft war.

Schließlich sackte sie in einem Sessel zusammen und trommelte kraftlos auf seinen Lehnen herum. »Ich fahre«, verkündete sie laut, »und er wird mich mit keinem Mittel der Welt davon abhalten können.« Die massive, verschlossene Tür strafte sie Lügen.

Es war zwecklos, Rhett bekämpfen zu wollen, sie mußte ihn überlisten. Es mußte einen Weg geben, und sie würde ihn finden. Es war nicht nötig, daß sie sich mit ihrem ganzen Gepäck belastete, sie konnte mit nichts als den Kleidern am Leib abreisen. Das würde sie tun. Sie würde zu einer Tee- oder Whist-Gesellschaft gehen und einfach mittendrin aufbrechen, schnurstracks zur Pferdetram gehen und zum Bahnhof fahren. Ihr Geld reichte allemal, um sich eine Fahrkarte . . . wohin, ja, wohin?, zu kaufen.

Wie immer, wenn Scarlett schweren Kummer hatte, dachte sie an Tara. Dort schlummerte neue Kraft, dort herrschte Frieden . . .

... und Suellen. Wenn Tara doch bloß ihr gehörte, das ganze Tara. Sie kehrte zu den Tagträumen zurück, denen sie sich bei ihrem Besuch auf der Plantage von Julia Ashley hingegeben hatte. Wie hatte Carreen ihren Anteil nur einfach so wegwerfen können?

Scarletts Kopf fuhr empor wie der eines Waldtiers, das Wasser wittert. Was nützte dem Kloster in Charleston schon sein Anteil an Tara? Vielleicht bekamen sie ja ein Drittel vom Erlös der Baumwollernte, doch wieviel konnte das schon sein? Bestenfalls dreißig, vierzig Dollar jährlich. Bestimmt würden sie mit Freuden die Chance ergreifen, ihren Anteil an sie zu verkaufen.

Rhett wollte also, daß sie blieb? Ausgezeichnet! Sie würde bleiben, aber nur, wenn er ihr half, an Carreens Drittel von Tara zu kommen. Dann, mit zwei Dritteln in der Hand, würde sie Will und Suellen anbieten, sie auszuzahlen, und falls sie sich weigerten, würde sie die beiden hinauswerfen.

Einen Augenblick lang regte sich ihr Gewissen, doch Scarlett setzte sich darüber hinweg. Wen kümmerte das schon, wie sehr Will Tara liebte? Sie liebte es noch mehr. Und sie brauchte es. Es war der einzige Platz auf der Welt, an dem ihr lag, der einzige Ort, wo man sich je um sie gekümmert hatte. Will mußte das einsehen, er mußte verstehen, daß Tara ihre einzige Hoffnung war.

Sie rannte zum Klingelzug und riß daran. Pansy näherte sich ihrer Tür, fand sie verschlossen, drehte den Schlüssel um und öffnete sie.

»Sag Mr. Butler, ich möchte ihn in meinem Zimmer sprechen«, sagte Scarlett. »Und bring mir das Abendessen herauf. Ich bekomme allmählich Hunger.«

Sie zog sich ein trockenes Nachthemd und einen warmen Samtmorgenrock an, bürstete ihr Haar glatt und band es sich mit einem Samtband zurück. Der Blick ihrer rotgeränderten Augen begegnete dem ihres Spiegelbilds.

Sie hatte verloren. Sie würde Rhett nicht zurückbekommen.

Alles war ganz anders gedacht gewesen.

Zuviel war zu schnell passiert – ihre ganze Welt war binnen weniger Stunden eine völlig andere geworden. In ihrem Kopf drehte sich immer noch alles von dem Schock, den Sally Brewton ihr mit ihren Eröffnungen bereitet hatte. Scarlett hielt es nach allem, was sie gehört hatte, in Charleston nicht mehr aus. Es war, als versuchte man, ein Haus auf Treibsand zu errichten.

Scarlett preßte sich die Hände gegen die Stirn, wollte den Mahlstrom verworrener Gedanken zum Stillstand bringen. Sie begriff überhaupt nichts mehr, seit soviel auf einmal durch ihr Hirn wirbelte. Sie brauchte etwas, worauf sie sich konzentrieren konnte. Ihr ganzes Leben lang war sie stets dann erfolgreich gewesen, wenn sie ihre ganze Aufmerksamkeit auf ein einziges Ziel konzentriert hatte.

Tara . . . Tara sollte es sein. Wenn sie erst einmal endgültig die Hand auf Tara gelegt hätte, würde sie über alles übrige nachdenken.

»Hier ist Ihr Abendessen, Miss Scarlett.«

»Stell das Tablett auf den Tisch da, Pansy, und laß mich allein. Ich läute, wenn ich fertig bin.«

»Ja, Ma'am. Mr. Rhett, er kommt, wenn er gegessen hat, sagt er.«

»Laß mich allein.«

Abgesehen von der Müdigkeit in seinem Blick war Rhetts Miene unergründlich. »Du wolltest mich sprechen, Scarlett?«

»Ja, das möchte ich, und sei unbesorgt, ich bin nicht auf Streit aus. Ich möchte dir einen Handel vorschlagen.«

Sein Ausdruck veränderte sich nicht. Er sagte nichts.

Scarletts Ton war kühl und geschäftsmäßig, als sie fortfuhr. »Wir wissen beide, daß du mich zwingen kannst, in Charleston zu bleiben und sämtliche Bälle und Empfänge zu besuchen. Und wir wissen beide auch, daß du, wenn wir erst einmal auf einer Gesellschaft sind, jeglichen Einfluß auf das, was ich sage oder tue, verlierst. Ich biete dir also hiermit an, daß ich bleibe und mich tatsächlich auch so verhalte, wie du es möchtest, wenn du mir hilfst, etwas zu bekommen, das nichts mit dir oder Charleston zu tun hat.«

Rhett setzte sich, holte ein schlankes Zigarillo heraus, schnitt die Spitze ab und zündete es an. »Ich höre«, sagte er.

Sie erklärte ihren Plan und legte sich mit jedem Wort mehr ins Zeug. Gespannt wartete sie auf seine Antwort, als sie fertig war.

»Ich muß deine Dreistigkeit bewundern, Scarlett«, sagte Rhett. »Ich hatte nie Zweifel daran, daß du imstande sein würdest, General Sherman und seiner gesamten Armee zu trotzen, aber die römisch-katholische Kirche übers Ohr hauen zu wollen, das könnte unter Umständen doch ein allzu großer Brocken werden.«

Er lachte über sie, doch es war ein freundliches Lachen, nicht ganz ohne Respekt. Als befände auch er sich wieder ganz am Anfang ihrer Beziehung, als sie Freunde gewesen waren.

»Ich will niemanden übers Ohr hauen, Rhett, nur ein ehrliches Geschäft machen, weiter nichts.«

Rhett grinste. »Du? Ein ehrliches Geschäft? Du enttäuschst mich, Scarlett. Hast du plötzlich stumpfe Zähne?«

»Ich weiß gar nicht, warum du so schlecht von mir denkst. Schließlich weißt du genau, daß ich die Kirche niemals übervorteilen würde.« Scarletts unschuldige Empörung freute Rhett nur noch mehr.

»Das war mir bislang nicht bekannt«, sagte er. »Sag mir die Wahrheit: Ist diese Geschichte nicht der Grund dafür gewesen, daß du jeden Sonntag zur Messe getrabt bist und mit deinen Perlen geklappert hast? Hast du das nicht schon die ganze Zeit vorgehabt?«

»Nein, das habe ich nicht. Dabei verstehe ich selbst nicht, warum ich so lange dazu gebraucht habe, auf diesen Einfall zu kommen.« Scarlett hielt sich die Hand vor den Mund. Wie schaffte Rhett das bloß? Immer wieder gelang es ihm, sie zu überrumpeln, so daß sie mehr sagte, als sie beabsichtigt hatte. Sie senkte den Kopf und sah ihn finster an. »Also? Hilfst du mir nun oder nicht?«

»Ich bin zwar bereit, dir zu helfen, aber ich sehe nicht recht, wie ich das machen soll. Wenn die Mutter Oberin nun kategorisch ablehnt? Bleibst du dann trotzdem bis zum Ende der Saison?«

»Das habe ich doch gesagt, oder? Außerdem hat sie gar keinen Grund dazu. Schließlich werde ich ihr weit mehr bieten, als Will ihr jemals schicken kann. Und du kannst deinen Einfluß geltend machen. Du kennst doch alle Welt und hast immer noch erreicht, was du wolltest.«

Rhett lächelte. »Was für ein rührendes Vertrauen du doch zu mir hast, Scarlett. Ich kenne zwar jeden Schurken, jeden krummen Politiker und unehrlichen Geschäftsmann in tausend Meilen Umkreis, doch auf die anständigen Menschen dieser Welt habe ich nicht den geringsten Einfluß. Das Beste, was ich für dich tun kann, ist, dir einen kleinen Rat zu geben. Versuche gar nicht erst, die Dame für dumm zu verkaufen. Sag ihr die Wahrheit und greif sofort zu, egal, wieviel sie verlangt. Feilsche nicht.«

»Was für ein Schaf du doch bist, Rhett Butler! Nur ein Dummkopf zahlt den geforderten Preis. Im übrigen ist das Kloster nicht gerade bedürftig. Die haben doch das große Haus, die Klosterschwestern arbeiten ohne Lohn, und in der Kapelle gibt es goldene Kerzenhalter und das große goldene Kreuz auf dem Altar.«

»›Und redete ich auch mit Menschen- und mit Engelszungen...‹«, murmelte Rhett mit einem Lachen vor sich hin.

»Wovon redest du denn da?«

»Ich zitiere nur etwas...«

Er rang sich zwar eine ernsthafte Miene ab, aber seine dunklen Augen blickten belustigt. »Ich wünsche dir von Herzen Erfolg, Scarlett«, sagte er. »Meinen Segen hast du jedenfalls.« Als er ihr Zimmer verließ, war er gefaßt, und er gestattete sich erst draußen ein gelöstes Lachen. Scarlett würde ihr Versprechen halten, das tat sie immer. Mit ihrer Hilfe wollte er den Skandal schon ausbügeln, und in nur zwei Wochen war die Saison zu Ende und Scarlett nicht mehr da. Damit würde es mit den Spannungen ein Ende haben, die sie in das Leben gebracht hatte, das er sich in Charleston aufzubauen versuchte, und es würde ihm freistehen, nach Dunmore Landing zurückzukehren. Er hatte so viele Pläne für die Plantage. Von Scarletts Frontalangriff auf die Mutter Oberin von Carreens Kloster versprach er sich außerdem einiges an unterhaltsamer Ablenkung, bis er sein eigentliches Leben würde wiederaufnehmen können.

Ich setze auf die römisch-katholische Kirche, entschied Rhett für sich. Sie denkt in Zeitaltern, nicht in Wochen. Aber andererseits würde ich auch wieder nicht allzuviel setzen wollen. Wenn Scarlett sich erst mal was vorgenommen hat, hat man es mit einer schrecklichen Macht zu tun. Er lachte lange lautlos in sich hinein.

Wie Rhett erwartet hatte, gestaltete sich Scarletts Beziehung zur Mutter Oberin alles andere als einfach. »Sie hat weder ja noch nein gesagt, und sie hört nicht einmal hin, wenn ich ihr auseinandersetze, wie klug es wäre zu verkaufen!« klagte Scarlett nach ihrem ersten Besuch im Kloster. Und nach ihrem zweiten, dritten und fünften ebenso. Sie war verblüfft und enttäuscht. Rhett hörte mit freundlicher, geduldiger Aufmerksamkeit zu, während sie tobte, und verbiß sich das Lachen. Er wußte, er war der einzige Mensch, mit dem sie reden konnte.

Außerdem versorgte Scarlett ihn fast täglich mit neuen köstlichen Geschichten, während sie ihre Angriffe auf die heilige Mutter Kirche ausweitete. Sie ging jeden Morgen zur Messe, weil sie darauf baute, daß die Kunde von ihrer Frömmigkeit auch im Kloster landen würde. Sie besuchte Carreen so häufig, daß sie bald schon die Namen der Nonnen und etlicher Schülerinnen kannte. Nach einer Woche sanftmütig-unverbindlicher Antworten seitens der Mutter Oberin war Scarlett so verzweifelt, daß sie sogar ihre Tanten zu begleiten gedachte, wenn sie Freundinnen besuchten, die ebenfalls katholische alte Damen in eingeschränkten Verhältnissen waren.

»Ich glaube, die Perlen an meinem Rosenkranz sind bald nur noch halb so groß«, rief sie wütend aus. »Wie kann dieses gräßliche alte Weib nur so gemein sein?«

»Vielleicht glaubt sie ja, daß sie dadurch deine Seele retten kann«, schlug Rhett vor.

»Ach was! Meiner Seele geht es ausgezeichnet, vielen Dank! Alles, was passiert, ist, daß mir vom Weihrauch und von diesem ganzen Kirchenzeug schlecht wird. Ich sehe schon wie eine Vogelscheuche aus, weil ich nicht mehr genug Schlaf bekomme. Ich wäre wirklich froh, wenn nicht jeden einzelnen Abend ein Fest stattfinden würde.«

»Unfug. Diese Schatten unter den Augen verleihen dir etwas Durchgeistigtes. Sie müssen die Mutter Oberin doch ungeheuer beeindrucken.«

»Oh ... also Rhett, wie kannst du nur so etwas Abscheuliches sagen. Ich muß sofort Puder auflegen.«

In der Tat begann sich der Schlafmangel in Scarletts Gesicht abzuzeichnen. Und die vergebliche Anstrengung schien tatsächlich haarfeine vertikale Linien zwischen ihren Brauen zu ziehen. Ganz Alt-Charleston sprach schon über ihren religiösen Eifer. Scarlett war ein anderer Mensch geworden. Auf Empfängen und Bällen war sie höflich, aber zerstreut. Die schöne Versucherin hatte sich zurückgezogen. Sie nahm keine Einladungen zum

Whist-Spiel mehr an und hatte selbst ihre Besuche bei den Damen eingestellt, die bislang immer fest mit ihr hatten rechnen können. »Ich bin ja sehr dafür, daß einer Gott ehrt«, sagte Sally Brewton, »und ich verzichte wegen der Fastenzeit auch auf Dinge, die ich wirklich gern mag. Doch ich finde, Scarlett geht zu weit. Das ist übertrieben.«

Emma Anson war anderer Meinung. »Mich hat es dazu gebracht, meine Meinung über sie gründlich zu ändern. Du weißt, ich hab es immer für albern gehalten, sie so zu fördern, wie du es getan hast, Sally. Sie war doch ganz offenkundig eine unwissende, eitle kleine Aufsteigerin. Aber mittlerweile bin ich bereit, das alles zurückzunehmen. Menschen mit ernsthaften religiösen Empfindungen haben etwas Bewunderungswürdiges. Selbst Papisten.«

Der Mittwochmorgen der zweiten Woche von Scarletts Feldzug war dunkel, kalt und regnerisch. »Ich kann einfach nicht den ganzen Weg bis zum Kloster laufen, wenn es so schüttet«, stöhnte sie. »Ich ruiniere mir noch mein einziges Paar Stiefel.« Sehnsüchtig dachte sie an Rhett Butlers ehemaligen Kutscher Ezekiel. An den beiden regnerischen Abenden dieser Saison war er wie ein Zaubergeist aus der Flasche bei ihnen aufgetaucht. Dies ganze Charlestoner Getue ist verrückt und ekelhaft, doch ich würde mich gern damit abfinden, wenn ich nur heute in einer schönen, warmen, trockenen Kutsche fahren könnte. Ich kann aber nicht. Und ich muß dorthin, also werde ich zu Fuß hingehen.

»Die Mutter Oberin ist heute früh zu einem kirchlichen Treffen an der Ordensschule in Georgia gefahren«, sagte die Nonne, die die Klosterpforte öffnete. Niemand wußte genau, wie lange das Treffen in Georgia dauern würde. Vielleicht einen Tag oder mehrere, vielleicht auch eine Woche und länger.

Ich habe aber keine Woche und länger Zeit, rief Scarlett innerlich, ich kann es mir nicht einmal leisten, einen Tag zu vergeuden!

Sie stapfte durch den Regen nach Hause zurück. »Wirf diese verdammten Stiefel weg«, befahl sie Pansy. »Und hol mir etwas Trockenes zum Anziehen.«

Pansy war noch durchnäßter als sie. Mit einem übertrieben erbarmungswürdigen Hustenanfall hinkte sie davon, um Scarletts Wünsche zu erfüllen. Ich sollte dem Mädchen mal die Leviten lesen, befand Scarlett, doch war sie eher unglücklich als wütend.

Der Regen hörte am Nachmittag auf. Miss Eleanor und Rosemary beschlossen, zum Einkaufen in die King Street zu gehen. Scarlett hatte nicht einmal dazu Lust. Brütend saß sie in ihrem Zimmer, bis ihr die Decke auf den Kopf zu fallen drohte, dann ging sie in die Bibliothek hinunter. Vielleicht war Rhett ja dort und brachte ein bißchen Mitgefühl für sie auf. Mit niemandem sonst konnte sie über ihre Enttäuschung sprechen, weil keiner wußte, was sie da trieb.

»Wie geht es mit der Reformation der katholischen Kirche voran?« fragte Rhett und zog die Braue hoch.

Scarlett sprudelte eine wütende Schilderung hervor und berichtete, daß die Mutter Oberin sich ihr durch Flucht entzogen habe. Rhett schnalzte mitfühlend, während er sich eine Zigarre abschnitt und anzündete. »Ich gehe zum Rauchen auf die Veranda hinaus«, sagte er, als sie zu seiner Zufriedenheit brannte. »Komm mit und schnapp ein bißchen Luft. Das Unwetter hat uns den Sommer wiedergebracht, es ist sehr warm draußen.«

Nach dem Dämmerlicht drinnen biß ihr die Sonne in die Augen. Scarlett hob die Hand, während sie den Geruch des feuchten Grüns, den scharfen Salzgeruch des Hafens und den markant männlichen Duft des Zigarrenrauchs einatmete. Plötzlich fühlte sie Rhetts Anwesenheit wie eine Last. Das Gefühl war so stark, daß sie sich gleich mehrere Schritte von ihm entfernte, und als er zu sprechen anfing, hatte seine Stimme einen unwirklichen Klang.

»Ich glaube, die Schule der Barmherzigen Schwestern ist in Savannah. Du könntest doch nach dem Saint-Cecilia-Ball zum Geburtstag deines Großvaters fahren. Deine Tanten haben dir schließlich genug damit in den Ohren gelegen. So es tatsächlich eine wichtige kirchliche Veranstaltung ist, wird auch der Bischof dort sein; vielleicht hast du bei ihm ja mehr Erfolg.«

Scarlett dachte über Rhetts Vorschlag nach, doch sie konnte sich nicht konzentrieren. Nicht, wenn er so nah bei ihr stand. Seltsam, daß sie plötzlich so befangen war, wo sie doch eigentlich wieder gut miteinander auskamen. Er stand gegen eine der Säulen gelehnt und genoß seelenruhig seine Zigarre.

»Mal sehen«, sagte sie und eilte davon, um gleich darauf in Tränen auszubrechen.

Was ist um Himmels willen bloß mit mir los? fragte sie sich. Ich werde schon langsam zu einer dieser Heulsusen ohne jede Haltung, die ich doch immer verachtet habe. Was macht es denn aus, wenn ich ein bißchen länger dafür brauche, das zu bekommen, was ich haben will? Ich werde Tara schon kriegen . . . und Rhett ebenfalls, und wenn es hundert Jahre dauert.

29. Kapitel

»In meinem ganzen langen Leben habe ich mich noch nicht so geärgert«, sagte Eleanor Butler. Ihre Hände zitterten, als sie den Tee eingoß. Ein zerknülltes dünnes Blatt Papier lag auf dem Boden neben ihrem Fuß – ein Telegramm, das eingetroffen war, während sie und Rosemary zum Einkaufen unterwegs waren: Vetter Townsend Ellinton und seine Frau kamen zu Besuch von Philadelphia herunter.

»Zwei Tage Voranmeldung!« rief Eleanor. »Hält man das für möglich? Man könnte glauben, sie wüßten gar nicht, daß hier unten ein Krieg stattgefunden hat.«

»Sie ziehen sicher in eine Suite im Grand Hotel, Mama«, sagte Rhett beschwichtigend, »und wir nehmen sie dann mit auf den Ball. Es wird bestimmt nicht so schlimm.«

»Es wird schrecklich werden«, sagte Rosemary. »Ich sehe überhaupt nicht ein, weshalb wir uns den Kopf wegen irgendwelcher Yankees zerbrechen sollen.«

»Weil es unsere Verwandten sind«, sagte ihre Mutter streng. »Und du wirst ungeheuer nett zu ihnen sein. Außerdem ist dein Vetter Townsend ganz und gar kein Yankee. Er hat unter General Lee gekämpft.«

Rosemary runzelte die Stirn und schwieg.

Miss Eleanor begann zu lachen. »Ich muß aufhören, so zu lamentieren«, sagte sie. »Wahrscheinlich wird es sich lohnen, Townsend und Henry Wragg zusammen zu erleben. Townsend schielt nach innen und Henry nach außen. Was meint ihr, ob die beiden es wohl schaffen werden, einander die Hand zu schütteln?«

Die Ellintons waren gar nicht so übel, fand Scarlett, auch wenn man nicht wußte, wo man hinschauen sollte, wenn man mit Vetter Townsend sprach. Seine Frau Hannah war nicht so schön, wie Miss Eleanor es vorausgesagt hatte, was allerdings nur erfreulich war. Dennoch führten ihr perlenbesetztes rubinrotes Ballkleid und ihr Brillanthalsband dazu, daß Scarlett sich in ihrem glanzlos gewordenen weinroten Samt und mit ihren Kamelien scheußlich reizlos vorkam. Gott sei Dank war es der letzte Ball und damit das Ende der Saison.

Ich würde jeden einen Lügner nennen, der behauptete, ich könnte je genug vom Tanzen bekommen, aber tatsächlich bin ich überreichlich auf meine Kosten gekommen. Ach, wenn doch wegen Tara schon alles geregelt wäre! Sie hatte Rhetts Ratschlag befolgt und daran gedacht, nach Savannah zu fahren. Doch dann war ihr die Aussicht, tagaus, tagein mit ihren Tanten zusammensein zu müssen, unerträglich vorgekommen, und sie hatte beschlossen, die Rückkehr der Mutter Oberin nach Charleston abzuwarten. Rosemary wollte Julia Ashley besuchen fahren, so daß sie diesen Plagegeist die Zeit über los sein würde. Und in Gesellschaft Miss Eleanors fühlte sie sich immer wohl.

Rhett würde zurück nach Dunmore Landing fahren. Sie wollte darüber jetzt nicht nachdenken. Wenn sie das täte, würde sie nie und nimmer die Kraft haben, diesen Abend durchzustehen.

»Erzählen Sie mir doch von General Lee, Vetter Townsend«, sagte Scarlett strahlend. »Sieht er wirklich so gut aus, wie allgemein behauptet wird?«

Ezekiel hatte die Kutsche poliert und die Pferde gestriegelt, daß sie einer Herrscherfamilie angemessen gewesen wären. Er stand beim Trittstein und hielt den Schlag auf, bereit, Rhett helfend zur Seite zu stehen, falls seine Damen Unterstützung beim Einsteigen brauchten.

»Ich finde immer noch, daß die Ellintons mit uns fahren sollten.« Eleanor konnte sich nicht beruhigen.

»Wir würden uns hier drin halb totquetschen«, murrte Rosemary. Rhett forderte sie auf, still zu sein.

»Es besteht überhaupt kein Anlaß zur Besorgnis, Mama«, sagte er. »Sie sind unmittelbar vor uns, in der vornehmsten Kalesche, die für Hannahs Geld zu haben war. An der Meeting Street überholen wir sie, dann sind wir als erste da und können sie hineingeleiten. Es besteht wirklich überhaupt kein Grund zur Sorge.«

»Da hast du unrecht, Rhett, und das weißt du auch. Gewiß, es sind nette Menschen, und Townsend ist ein Verwandter, aber das ändert doch nichts an der Tatsache, daß Hannah ein in der Wolle gefärbter Yankee ist. Ich fürchte, sie werden sie zu Tode hätscheln.«

»Werden was?« fragte Scarlett.

Rhett erklärte es ihr. Die Charlestoner beherrschten ein besonders boshaftes und hintersinniges Spiel, das sie nach dem Krieg entwickelt hatten. Sie behandelten Außenseiter mit so viel Zuvorkommenheit und Rücksichtnahme, daß ihre Höflichkeit zur Waffe wurde. »Die Gäste haben am Ende das Gefühl, zum erstenmal im Leben Schuhe an den Füßen zu haben. Angeblich erholen sich nur wenige von dieser Erfahrung. Ich hoffe, wir erleben heute abend keine Demonstration dieser Kunst. Selbst die Chinesen haben keine vergleichbare Folter entwickelt, und die sind wirklich ein sehr erfindungsreiches Volk.«

»Rhett! Hör bitte auf«, bat seine Mutter.

Scarlett sagte nichts. Genau das haben sie auch mit mir gemacht, dachte sie erbittert. Nun, wie auch immer. Ich brauche Charleston nicht mehr lange zu ertragen.

An der Meeting Street nahm die Kutsche ihren Platz am Ende einer langen Reihe von Kutschen ein. Eine nach der anderen hielt, um die Fahrgäste aussteigen zu lassen, und bewegte sich dann langsam weiter. Wenn das so weitergeht, ist alles vorbei, bevor wir überhaupt dort sind, dachte Scarlett. Sie sah aus dem Fenster auf die Leute, die zu Fuß kamen, ihre Zofen im Kielwasser, die ihnen die Schuhbeutel trugen. Ich wäre auch gern zu Fuß gegangen. Besser, draußen an der Luft, als in diesem Kasten zusammengepfercht zu sein. Sie zuckte zusammen, als links von ihnen laut eine Pferdetrambahn bimmelte.

Wie kann denn jetzt noch eine Pferdetram fahren? wunderte sie sich. Die fuhren doch immer nur bis neun Uhr. Sie hörte die Turmuhr von Saint Michael zweimal schlagen. Es war halb zehn.

»Ist das nicht schön, die Pferdebahn voller Menschen in Ballkleidung?« sagte Eleanor. »Weißt du eigentlich schon, Scarlett, daß sie die Trambahn am Abend des Saint-Cecilia-Balls immer schon ganz früh ins Depot zurückkehren lassen, damit sie sie ordentlich aufputzen können, ehe sie ihre Sonderfahrten macht und die Leute zum Ball bringt?«

»Nein, das wußte ich nicht. Aber wie kommen die Leute denn wieder nach Hause?«

»Nun, sie lassen die Bahn um zwei, wenn der Ball zu Ende ist, einfach noch einmal ausrücken.«

»Und wenn nun jemand mit der Trambahn fahren will, der nicht zum Ball geht?«

»Das kann er natürlich nicht, und wer sollte schon auf die Idee kommen. Schließlich wissen doch alle, daß die Tram nach neun nicht mehr fährt.«

Rhett lachte. »Mama, du hörst dich an wie die Herzogin in ›Alice im Wunderland‹.«

Eleanor begann ebenfalls zu lachen. »Das kann sein«, prustete sie fröhlich los, und dann mußte sie noch mehr lachen.

Sie lachte auch noch, als die Kutsche endlich vorrückte, hielt und die Tür von außen aufgemacht wurde. Vor Scarlett öffnete sich eine Szene, die ihr den Atem verschlug. So sollten Bälle sein! Hohe schwarze Eisenmasten trugen ein riesiges Lampenpaar, das von einem halben Dutzend Glühstrümpfen strahlend hell erleuchtet wurde. Sie beschienen das vorgebaute Säulenportal und die hoch aufragenden weißen Säulen eines tempelähnlichen Gebäudes, das hinter einem hohen Eisenzaun abseits der Straße lag. Ein strahlendweißer Segeltuchbaldachin führte von dem abgewetzten weißen Marmortrittstein zu den Stufen des Säulenportals. Über den Weg und den Trittstein war ein weißes Segeltuchvordach gespannt worden.

»Stellt euch vor«, sagte Scarlett, als sie staunend hinausschaute, »man könnte in strömendem Regen aus der Kutsche auf den Ball gelangen und würde keinen einzigen Tropfen abbekommen.«

»Das ist der Sinn der Sache«, stimmte Rhett zu, »doch hat man es niemals ausprobiert. In der Nacht von Saint Cecilia regnet es nie. Gott würde es nicht wagen.«

»Rhett!« Eleanor Butler war aufrichtig entsetzt.

Scarlett lächelte Rhett zu; es gefiel ihr, daß er über etwas scherzen konnte, das er so ernst nahm wie diesen Ball. Er hatte ihr alles darüber erzählt, wie viele Jahre und Jahre er schon stattfand – alles in Charleston schien immer schon seit wenigstens hundert Jahren zu bestehen –, daß er ausschließlich von Männern organisiert wurde und nur Männer Mitglieder der Saint Cecilia Society werden konnten.

»Steig aus, Scarlett«, sagte Rhett, »du müßtest dich hier eigentlich wie zu Hause fühlen. Schließlich findet der Ball in der Hibernian Hall statt.

Drinnen siehst du eine Tafel, auf die in schönster Goldfarbe die Harfe Irlands gepinselt ist.«

»Sei nicht so ungezogen«, schalt ihn seine Mutter.

Scarlett stieg mit streitbar emporgerecktem Kinn, das dem ihres Vaters so sehr ähnelte, aus dem Wagen.

Was machten denn bloß die Yankee-Soldaten hier? Einen Augenblick lang schnürte eine Aufwallung von Furcht Scarlett die Kehle zu. Hatten sie vielleicht die Absicht, Ärger zu machen, weil sie von den Damen so übel übertölpelt worden waren? Dann sah sie die Menschenmenge hinter ihnen, sah die neugierigen Gesichter, die sich hin und her reckten, bemüht, einen Blick auf die aussteigenden Neuankömmlinge zu erhaschen. Ach so, die Yankees halten die Leute zurück, um Platz für uns zu schaffen! Genau wie Diener, Fackelträger und Lakaien. Geschieht ihnen ganz recht. Warum geben sie nicht einfach auf und räumen das Feld? Es kümmert sich doch sowieso kein Mensch mehr um sie.

Sie blickte über die Köpfe der Soldaten hinweg und lächelte strahlend in die gaffende Menge, ehe sie vom Trittstein hinunterstieg. Wenn sie doch bloß ein neues Kleid hätte tragen dürfen statt dieses ermatteten alten Dings. Nun gut, sie würde schon das Beste daraus zu machen wissen. Sie tat drei Schritte und warf dann die Schleppe, die über ihrem Arm lag, mit einer geübten Bewegung hinter sich. Der Stoff ergoß sich auf den weißen, vom Straßenstaub gereinigten Gehsteig und rauschte dann königlich hinter ihr her, als sie sich dem Hauptereignis der Saison näherte.

Sie blieb in der Eingangshalle stehen und wartete auf die anderen. Ihr Blick hob sich und folgte dem anmutigen Schwung der Treppe zum weitläufigen Treppenabsatz des Obergeschosses und dem funkelnden, von Kerzen strahlenden Kristallüster, der über dem hoch emporsteigenden, leeren Raum hing. Er sah aus wie das größte, strahlendste Schmuckstück der Welt.

»Da sind die Ellintons«, sagte Mrs. Butler. »Komm hier entlang, Hannah, wir lassen unsere Mäntel in der Damengarderobe.«

Hannah Ellinton blieb beim Eintreten wie vom Donner gerührt stehen und wich dann unwillkürlich zurück. Rosemary und Scarlett mußten rasch beiseite treten, um nicht in die in rubinroten Brokat gehüllte Gestalt vor ihnen hineinzulaufen.

Was war denn nur passiert? Scarlett machte einen langen Hals und sah in die Garderobe. Der Anblick, der sich ihr bot, war ihr mittlerweile so vertraut, daß sie kaum nachvollziehen konnte, weshalb Hannah so schokkiert war. Etliche Mädchen und Frauen saßen auf einer niedrigen Bank an der Wand. Sie hatten die Röcke bis über die Knie hochgezogen und die Füße in Wannen mit Seifenwasser stehen. Während sie miteinander schwatzten und lachten, wuschen, trockneten und puderten ihre Zofen ihnen die Füße, rollten ihnen dann die ausgebesserten Strümpfe hoch und zogen ihnen die

Tanzschuhe an – ein ganz normaler Vorgang für alle Frauen, die durch die staubigen Straßen zu Fuß auf einen Ball gingen. Was erwartete die Yankee-Frau denn wohl? Daß man hier in seinen Stiefeln tanzte? Sie tippte Mrs. Ellinton an. »Sie versperren die Tür«, sagte sie.

Hannah Ellinton entschuldigte sich und betrat den Raum. Eleanor wandte sich von dem Spiegel ab, vor dem sie gerade ihre Haarnadeln richtete. »Schön«, sagte sie, »ich dachte schon, ich hätte dich verloren.« Sie hatte Hannahs Reaktion nicht verfolgt. »Ich möchte dich mit Sheba bekannt machen. Sie wird dir heute nacht behilflich sein, wenn du etwas brauchst.« Mrs. Ellinton ließ sich widerstandslos in eine Ecke des Raums führen, wo die dickste Frau, die sie je gesehen hatte, in einem ausladenden, abgenutzten, mit verblichenem Goldbrokat bezogenen Schaukelstuhl saß. Ihre Haut war nur eine Schattierung dunkler als der Stoff. Sheba stemmte sich von ihrem Thron empor, um sich Mrs. Butlers Gast vorstellen zu lassen.

Und Mrs. Butlers Schwiegertochter, Scarlett, eilte hinzu, denn sie brannte darauf, die Frau kennenzulernen, von der sie schon soviel gehört hatte. Sheba war berühmt. Jeder wußte, daß sie die beste Schneiderin von ganz Charleston war, die ihre Ausbildung – noch als Sklavin der Rutledges – von der Modistin erhalten hatte, die Mrs. Rutledge eigens aus Paris hatte kommen lassen, damit sie sich um die Aussteuer ihrer Tochter kümmerte. Sheba nähte immer noch für Mrs. Rutledge, ihre Tochter und einige wenige Damen ihrer Wahl. Sie vermochte selbst aus Lumpen und Mehlsäcken Kreationen zu schaffen, die so elegant waren wie die in »Godey's Lady's Book«. Von einem Laienprediger »Queen of Sheba« getauft, war sie in ihrer Welt tatsächlich eine Königin wie einst die von Saba. Jedes Jahr beim Saint-Cecilia-Ball herrschte sie über die Damengarderobe und überwachte ihre eigenen beiden adrett uniformierten Zofen wie auch die der anderen Damen mit einer zupackenden Tüchtigkeit, die allen überhaupt nur erdenklichen Verlegenheiten, in die Frauen geraten mochten, gerecht wurde. Aufgerissene Säume, Schmutz und Flecken, verlorengegangene Knöpfe, gelöste Locken, Schwächeanfälle, verdorbene Mägen, ein geprellter Spann, gebrochene Herzen – Sheba und ihre diensteifrigen Mädchen wurden mit allem fertig. Jeder Ball hatte seinen Raum, der den Damen und ihren Zofen vorbehalten war, doch nur der Saint-Cecilia-Ball hatte die »Queen of Sheba«. Sie lehnte es höflich ab, ihre Zauberhand auch noch auf anderen als diesem allerfeinsten aller Bälle walten zu lassen.

Sie konnte es sich leisten, wählerisch zu sein. Rhett hatte Scarlett erzählt, was die meisten Leute zwar wußten, aber niemand laut aussprach. Sheba besaß das luxuriöseste und ertragreichste Bordell auf der berüchtigten »Mulatto Alley«, dem Abschnitt der Chalmers Street, nur zwei Blöcke vom Saint Cecilia entfernt, wo die Offiziere und Soldaten der Besatzungstruppen den größeren Teil ihres Solds für billigen Whiskey, gezinkte Rouletteräder und Frauen jeden Alters, jeder Schattierung und jeder Preisklasse ausgaben.

Scarlett betrachtete Hannah Ellintons fassungslose Miene. Ich wette, das ist wieder so eine Abolitionistin, die noch nie im Leben eine Schwarze aus der Nähe gesehen hat, dachte sie. Ich wüßte nur zu gern, was sie machen würde, wenn ihr jemand von Shebas zweitem Geschäftsbein erzählen würde. Rhett hat gesagt, Sheba hätte in einem Banktresor in England ein wahres Vermögen in Gold liegen. Ich bezweifle, daß die Ellintons da mithalten können.

30. Kapitel

Als Scarlett den Eingang des Ballsaals erreichte, war es an ihr, ruckartig stehenzubleiben, ohne darauf zu achten, daß ihr noch jemand folgte. Sie war von seiner Schönheit überwältigt, die magisch war, zu schön, um wirklich zu sein.

Der riesige Ballsaal wurde strahlend und doch weich von Kerzenschein erleuchtet. Von vier kristallenen Kaskaden, die sich von hoch oben hinabzuergießen schienen. Von doppelarmigen vergoldeten und kristallbehängten Wandleuchtern. Von hohen goldgerahmten Spiegeln, die die Flammen wieder und wieder reflektierten. Von nachtschwarzen hohen Fenstern, die als zusätzliche Spiegel fungierten. Von hohen, vielarmigen Silberkandelabern auf den langen Tafeln zu beiden Seiten der Eingangstür, auf denen die monumentalen Punschgefäße standen, die die goldenen Lichtstrahlen mit ihren bauchigen Wänden einfingen und brachen.

Scarlett lachte vor Entzücken und trat über die Schwelle.

»Gefällt es dir?« fragte Rhett sie viel später.

»Aber ja! Es ist wirklich der schönste Ball der Saison.« Sie meinte es aufrichtig, denn der Abend war in jeder Hinsicht ein Ballabend, wie er sein sollte – voller Musik, Lachen und allgemeiner Beschwingtheit. Sie war allerdings weniger erfreut gewesen, als man ihr ihre Ballkarte ausgehändigt hatte, auch wenn sie ihr zusammen mit einem in silberne Papierspitze gehüllten Gardenienbukett überreicht worden war. Die sogenannten Governors, die Leiter der Society, hatten offenbar auf sämtlichen Karten die Namen der Tänzer schon vorher eingetragen. Doch dann erkannte sie, daß die Aufteilung meisterhaft orchestriert war. Sie wurde mit Männern zusammengespannt, die sie schon kannte, mit Männern, denen sie noch nie begegnet war, alten Männern, jungen Männern, alteingesessenen Charlestonern, Gästen und Charlestonern, die an allen möglichen anderen Orten lebten, aber jedes Jahr zum Saint-Cecilia-Ball nach Hause kamen. So daß jeder Tanz die prickelnde Möglichkeit der Überraschung und mit Gewißheit eine Abwechslung bot. Und jede Peinlichkeit ausschloß. Middleton Courtneys Name war nicht auf ihrer Karte. So brauchte sie sich über nichts den Kopf zu zerbrechen als über das Vergnügen, in einer himmlischen Umgebung zu wunderschöner Musik zu tanzen.

Das galt für alle anderen auch. Scarlett kicherte, als sie ihre Tanten jeden einzelnen Tanz tanzen sah; selbst Eulalies gewöhnlich so kummervolles Gesicht leuchtete vor Vergnügen. Hier gab es keine Mauerblümchen. Und keine betretenen Gesichter. Die entsetzlich jungen Debütantinnen in ihren blütenfrischen weißen Kleidern wurden mit Männern verbunden, die sowohl gute Tänzer als auch geübte Plauderer waren. Sie sah Rhett mit wenigstens dreien, doch niemals mit Anne Hampton. Scarlett fragte sich einen kurzen Augenblick lang, wieviel die weisen alten Governors wohl wissen mochten. Es war ihr gleichgültig. Der Ball machte sie glücklich. Und sie mußte jedesmal lachen, wenn sie die Ellintons sah.

Hannah fühlte sich offensichtlich als Ballkönigin. Sie muß mit den größten Schmeichlern von Charleston tanzen, dachte Scarlett boshaft. Nein, beschloß sie, Townsend sieht ganz so aus, als amüsierte er sich noch besser als seine Frau. Da mußte jemand furchtbar Süßholz raspeln. Sie würden diese Nacht garantiert nie vergessen. Und das galt auch für Scarlett selbst. Der sechzehnte Tanz kam immer näher. Er war, wie ihr Josiah Anson beim Walzertanzen erläuterte, den Verliebten und den Verheirateten reserviert. Beim Saint-Cecilia-Ball, so erklärte er mit spöttischer Feierlichkeit, verliebten Ehemänner und Ehefrauen sich jedesmal aufs neue. Er war der Präsident der Society, also mußte er es ja wissen. Es war eine der Vorschriften des Saint-Cecilia-Balles. Sie würde mit Rhett tanzen.

Als Rhett sie dann an sich zog und fragte, ob ihr der Ball gefalle, bejahte sie die Frage aus vollem Herzen.

Um ein Uhr spielte das Orchester die letzten Takte der »schönen blauen Donau«, und der Ball war vorbei. »Aber ich will nicht, daß er vorbei ist«, sagte Scarlett, »er soll ewig dauern.«

»Gut so«, erwiderte Miles Brewton, einer der Governors, »genau das soll nach unserer Vorstellung die allgemeine Empfindung sein. Jetzt geht alles hinunter zum Essen. Die Society hält sich zugute, daß ihr Austernragout fast so gut ist wie ihr Punsch. Sie haben doch hoffentlich ein Glas von unserem berühmten Gebräu getrunken?«

»Allerdings habe ich das und dachte schon, mir würde gleich die Hirnschale davonfliegen.« Der Saint-Cecilia-Punsch bestand im wesentlichen aus hervorragendem Champagner, der mit ausgezeichnetem Brandy versetzt war.

»Wir alten Knaben finden, daß er uns Beine macht, wenn die ganze Nacht getanzt wird. Er geht uns in die Füße, nicht in die Köpfe.«

»Reden Sie nicht, Miles! Sally hat schon immer behauptet, Sie seien der beste Tänzer von Charleston, und ich habe gedacht, sie gibt nur an. Doch jetzt weiß ich, daß sie schlicht und einfach die Wahrheit gesagt hat.« Scarletts von Grübchenlächeln begleitete Schmeichelei war für sie etwas derart Mechanisches, daß sie nicht einmal darüber nachzudenken brauchte, was sie sagte. Was hielt nur Rhett so lange auf? Warum sprach er endlos mit Edward Cooper, statt sie zum Essen zu begleiten? Sally Brewton würde ihr nie verzeihen, daß sie Miles so lange mit Beschlag belegte.

Ach, Gott sei Dank, da kam Rhett.

»Ich würde niemals zulassen, daß du deine bezaubernde Frau zurückforderst, wenn du nicht soviel kräftiger gebaut wärst als ich, Rhett.« Miles beugte sich über Scarletts Hand. »Ein großes Privileg, Ma'am.«

»Ein großes Vergnügen, Sir«, antwortete sie mit einem Knicks.

»Herrje«, sagte Rhett gedehnt, »da kann ich ja gleich Sally bitten, mit mir durchzubrennen. Sie hat mich die letzten fünfzigmal zwar abblitzen lassen, aber vielleicht stehen meine Sterne inzwischen ja günstiger.«

Alle drei machten sich unter Gelächter auf die Suche nach Sally. Sie saß in einer Fensternische und hielt ihre Schuhe in der Hand. »Wer hat noch mal behauptet, der beste Beweis für einen gelungenen Ball sei, daß man sich die Sohlen durchtanzt?« fragte sie in kläglichem Ton. »Ich hab's getan, und jetzt habe ich Blasen an beiden Füßen.«

Miles hob sie hoch. »Ich trage dich nach unten, du beschwerliches Weib, doch dann bedeckst du dir die Füße wie ein anständiger Mensch und hoppelst zum Essen.«

»Scheusal!« sagte Sally. Scarlett bemerkte den Blick, den sie tauschten, und ihr Herz krampfte sich neidvoll zusammen.

»Was hattest du denn so ungeheuer Fesselndes mit Edward Cooper zu besprechen? Ich sterbe vor Hunger.« Sie sah Rhett an, und der Schmerz verschlimmerte sich noch. Ich will jetzt nicht daran denken. Ich will mir diesen gelungenen Abend nicht verderben.

»Er hat mir erzählt, daß Tommys Schulnoten infolge meines schlechten Einflusses immer schlechter werden. Zur Strafe verkauft er jetzt das kleine Boot, das der Junge so liebt.«

»Das ist grausam!« rief Scarlett.

»Der Junge wird es zurückbekommen. Ich habe es gekauft. Und jetzt laß uns zum Essen gehen, ehe die Austern weg sind. Einmal im Leben, Scarlett, wirst du mehr zu essen bekommen, als du beim besten Willen verdrücken kannst. Selbst Damen schlagen sich hier die Bäuche voll. Das hat Tradition. Die Saison ist zu Ende, und es ist beinahe Fastenzeit.«

Es war kurz nach zwei, als sich die Türen der Hibernian Hall öffneten. Die jungen schwarzen Fackelträger gähnten und nahmen ihre Positionen ein, um den Nachtschwärmern hinauszuleuchten. Kaum daß die Fackeln angezündet waren, belebte sich auch die dunkle, wartende Trambahn draußen auf ihrer Spur. Der Fahrer drehte die blaue Kugellampe auf ihrem Dach und die Laternen mit den hohen Glasstürzen an den Türen heller. Die Pferde stampften mit den Hufen auf und warfen die Köpfe. Ein Mann mit weißer Schürze fegte den markisenüberdachten Gehsteig von den Blättern frei, die sich darauf gesammelt hatten, ließ dann den langen eisernen Riegel beiseite gleiten und riß die Torflügel weit auf. Er entschwand gerade in dem Augenblick in den Schatten, als sich Stimmenlärm aus dem Gebäude zu ergießen begann. Drei Blocks die Straße hinunter warteten die Kutschen, daß die Reihe an ihnen war. »Wacht auf, sie kommen«, knurrte Ezekiel die schlafenden Jungen in der Lakaienuniform an. Sie schreckten empor, als sie seinen Zeigefinger spürten, grinsten dann und rappelten sich von ihrem Ruheplatz zu seinen Füßen hoch.

Die Menschen kamen durch die geöffneten Türen geströmt, plaudernd, lachend und blieben noch einen Augenblick vor dem Portal stehen, da sie nicht wahrhaben wollten, daß der Abend beendet war. Wie sie es jedes Jahr taten, so sagten sie auch diesmal wieder, dies sei der schönste Saint-Cecilia-Ball überhaupt gewesen, das beste Orchester, das beste Essen und der beste Punsch, kurz, der unterhaltsamste Abend, den sie je erlebt hätten.

Der Trambahnführer sprach mit seinen Pferden. »Ich schaff euch schon in euren Stall, Jungs, habt keine Angst.« Er zog an dem Griff neben seinem Kopf, und die blankpolierte Glocke neben der blauen Lampe ließ ihr aufforderndes Läuten hören.

»Gute Nacht, gute Nacht«, riefen gehorsame Fahrgäste den Menschen vor dem Säulenportal zu, und dann lief erst ein Paar, dann zwei, dann drei und schließlich eine ganze lachende Lawine den überdachten Weg entlang. Die Älteren lächelten und sprachen von der »Unermüdlichkeit der Jugend«. Sie bewegten sich in einem gemächlicheren, würdevolleren Schritt. In manchen Fällen vermochte die Würde jedoch eine gewisse Unsicherheit der Beine nicht zu verbergen.

Scarlett zupfte Rhett am Ärmel. »Laß uns doch auch mit der Tram fahren, Rhett. Die Luft ist so schön, und in der Kutsche wird es stickig sein.«

»Von der Haltestelle müssen wir aber noch ein ziemliches Stück laufen.«

»Das macht mir nichts aus. Ich würde gern ein bißchen zu Fuß gehen.«

Er atmete tief die frische Nachtluft ein. »Ich auch«, sagte er. »Ich gehe Mama Bescheid sagen. Steig du schon ein und halte mir einen Platz frei.«

Sie brauchten nicht weit zu fahren. Die Trambahn bog auf der Broad Street nach Osten ab, nur einen Block weit entfernt, und bewegte sich dann feierlich durch die stille Innenstadt bis zum Postamt am Ende der Straße. Es war eine fröhliche, lärmende Fortsetzung des Festes. Fast alle Fahrgäste des überfüllten Wagens fielen in das Lied mit ein, das drei Männer lachend angestimmt hatten, als die Tram um die Ecke ruckelte. »Ach, die Ruckelzukkelbahn, die kennt hundert Haltstatian'! Alle Naslang hält sie an, weil sie nicht mehr ruckeln kann ... Ach die Ruckelzuckelbahn ...«

In musikalischer Hinsicht ließ die Darbietung zwar einiges zu wünschen übrig, aber die Sänger wußten es entweder nicht, oder sie machten sich nichts draus. Scarlett und Rhett sangen so laut wie alle anderen. Als sie ausgestiegen waren, fielen sie auch weiter noch jedesmal in den Refrain mit ein. »Ach die Ruckelzuckelbahn fährt mit einem Affenzahn ...« Rhett und drei weitere Freiwillige halfen dem Fahrer, die Pferde auszuspannen, führten sie ans andere Ende des Wagens und schirrten sie für die Rückfahrt Broad Street über Meeting Street bis zur Endstation wieder an. Sie erwiderten das Gewinke und die »Gute Nacht!«-Rufe, als die Bahn sich entfernte und die Sänger wieder mitnahm.

»Meinst du, die kennen noch ein anderes Lied?« fragte Scarlett.

Rhett lachte. »Sie kennen nicht einmal dies eine und ich, ehrlich gesagt, auch nicht. Es schien aber wohl nicht so darauf anzukommen.«

Scarlett giggelte. Dann hielt sie sich die Hand vor den Mund. Ihr Giggeln wirkte jetzt, wo die »Ruckelzuckelbahn« immer leiser wurde, reichlich laut. Sie beobachtete, wie die erleuchtete Bahn kleiner wurde, dann anhielt, wieder anfuhr und schließlich um die Ecke verschwand. Es war sehr still und außerhalb des Lichtkegels, den die Straßenlaterne vor dem Postamt warf, auch sehr dunkel. Ein Windhauch spielte mit dem Fransenbesatz ihrer Stola. Die Luft war wie Balsam. »Es ist wirklich warm«, flüsterte sie Rhett zu.

Er murmelte eine wortlose Bestätigung, zog seine Taschenuhr heraus und hielt sie ins Lampenlicht. »Paß auf«, sagte er leise.

Scarlett lauschte. Alles war still. Sie hielt den Atem an, um besser zu hören.

»Jetzt!« sagte Rhett. Die Glocken von Saint Michael schlugen einmal, zweimal. Die Töne hingen lange in der warmen Luft. »Halb«, sagte Rhett beiläufig. Er steckte seine Taschenuhr wieder ein.

Beide hatten sie eine gehörige Menge Punsch getrunken und waren, wie man so sagte, leicht »überdreht« – alles um sie herum wirkte etwas übertrieben. Die Dunkelheit war schwärzer, die Luft wärmer, die Stille tiefer, die Erinnerung an den schönen Abend sogar noch erfreulicher, als der Ball selbst es gewesen war. Beide verspürten ein Wohlbehagen, das von einer inneren Wärme auszustrahlen schien. Scarlett gähnte zufrieden und steckte die Hand in Rhetts Armbeuge. Ohne ein Wort machten sie sich auf den Weg durch die Dunkelheit. Ihre Schritte hallten laut auf dem gepflasterten Trottoir und von den Häuserwänden wider. Scarlett sah sich nach allen Seiten um und warf einen Blick über die Schulter zurück auf das dunkel aufragende Postamt. Es ist so still, dachte sie, als wären wir die einzigen Menschen auf der ganzen Erdoberfläche.

Rhetts hochgewachsene Gestalt war ein Teil der Dunkelheit. Seine weiße

Hemdbrust wurde von seinem schwarzen Abendcape verdeckt. Scarletts Hand oberhalb seines Ellbogens umspannte seinen Arm fester. Er war fest und stark, der kraftvolle Arm eines kraftvollen Mannes. Sie rückte ein wenig näher an ihn heran und konnte die Wärme seines Körpers spüren.

»War das nicht ein herrliches Fest?« sagte sie zu laut. Ihre Stimme hallte wider und klang ihr fremd in den Ohren. »Ich dachte, ich müßte gleich losprusten über die gute alte, hochnäsige Hannah. Meine Güte, als sie einen ersten Eindruck davon bekam, wie die Südstaatler das einfache Volk behandeln, war sie dermaßen vor den Kopf geschlagen, daß ich schon dachte, sie würde auf der Stelle umkehren.«

Rhett lachte. »Arme Hannah«, sagte er. »Sie wird sich womöglich nie im Leben wieder so himmlisch attraktiv und geistreich vorkommen. Townsend ist bestimmt kein Dummkopf. Er hat mir erzählt, daß er gern in den Süden zurückkehren würde. Dieser Besuch wird wahrscheinlich dazu führen, daß Hannah sich damit einverstanden erklärt. In Philadelphia liegt im Moment knöcheltiefer Schnee.« Scarlett lächelte leise und voller Wohlbehagen in die balsamische Dunkelheit hinein. Als sie und Rhett den Lichtkegel der nächsten Straßenlaterne durchquerten, sah sie, daß auch er lächelte. Es war nicht notwendig, noch mehr zu sagen. Es genügte, daß sie sich wohl fühlten, lächelten und gemächlich nebeneinanderher gingen, ohne daß sie es eilig hatten, irgendwo anzukommen.

Ihr Weg führte sie am Hafenbecken vorbei. Das Trottoir grenzte an eine lange Reihe von Schiffsausrüstern, schmalen Häusern mit verrammelten Ladengeschäften auf Straßenhöhe und oben drüber den dunklen Fenstern der Wohnungen. Viele von ihnen waren geöffnet, um die fast sommerliche Wärme der Nacht hereinzulassen. Ein Hund bellte nur halbherzig, als er ihre Schritte hörte. Rhett befahl ihm mit gedämpfter Stimme, still zu sein. Der Hund jaulte noch einmal auf, dann hörte man ihn nicht mehr.

Sie gingen weiter und weiter an den in großem Abstand aufgestellten Straßenlaternen vorbei. Rhett paßte seine langen Schritte wie von selbst Scarletts kürzeren an, und das Geräusch der Absätze auf dem Pflaster wurde zu einem einzigen Klack, Klack, Klack, Klack – Zeugnis eines Augenblicks wohltuender Gemeinsamkeit.

Eine Straßenlaterne funktionierte nicht. Auf diesem Stück Weg, das dunkler war als die kürzeren Abschnitte zwischen zwei brennenden Laternen, fiel Scarlett zum erstenmal auf, wie nah der Himmel zu sein schien, sein Sternengefunkel war heller, als sie es je im Leben gesehen zu haben glaubte. Einer der Sterne war schier zum Greifen nah. »Rhett, sieh doch den Himmel«, sagte sie leise. »Die Sterne wirken so nah.« Er blieb stehen und legte ihr zum Zeichen, es ihm nachzutun, die Hand auf den Arm. »Das kommt vom Meer«, sagte er, und seine Stimme klang tief und warm. »Wir sind jetzt an den Speicherhäusern vorbei, und dahinten ist nur noch Wasser. Horch mal, dann hörst du es rauschen.« Sie standen ganz still.

Scarlett lauschte angestrengt. Das rhythmische Schlagen des Wassers gegen die unsichtbaren Streben der Deichmauer wurde hörbar. Es schien allmählich lauter zu werden, und sie war erstaunt, daß sie es nicht die ganze Zeit schon gehört hatte. Dann verschmolz ein anderes Geräusch mit der Kadenz des Gezeitenstroms. Es war Musik, eine dünne, hohe, langsame Tonfolge. Ihre Reinheit füllte ihr die Augen auf einmal mit Tränen.

»Hörst du das?« fragte sie ängstlich. Fing sie an, unter Einbildungen zu leiden?

»Ja. Das ist sicher ein heimwehkranker Matrose auf dem Schiff, das dort draußen vor Anker liegt. Das Lied heißt ›Über den weiten Missouri‹. Die Seeleute machen sich die flötenähnlichen Pfeifen selbst. Manche sind wirklich begabte Spieler. Er muß Wache haben. Siehst du die Laterne in der Takelage da drüben? Das ist das Schiff. Das Licht soll alle anderen Schiffe warnend darauf aufmerksam machen, daß es dort liegt, aber außerdem hat man immer noch einen Mann auf Wache. Auf Schifffahrtsstraßen wie diesem Fluß vielleicht sogar zwei. Es sind immer allerhand kleine Schiffe unterwegs, Leute, die den Fluß kennen und sich lieber nachts bewegen, wenn sie keiner sehen kann.«

»Und was soll das für einen Grund haben?«

»Das kann tausend Gründe haben, die alle entweder unehrenhaft oder edel sind, je nachdem, wer die Geschichte erzählt.« Rhett hörte sich an, als spräche er eher zu sich selbst als zu Scarlett.

Sie sah ihn an, doch es war zu dunkel, um sein Gesicht zu erkennen. Dann ließ sie den Blick wieder zu der Schiffslaterne gleiten, die sie mit einem Stern verwechselt hatte, und lauschte der Strömung und der sehnsüchtigen Musik des unbekannten Matrosen. Die Glocken von Saint Michael schlugen Dreiviertel.

Scarlett schmeckte Salz auf ihren Lippen. »Fehlt dir das Blockadebrechen, Rhett?«

Er lachte kurz auf. »Sagen wir lieber, ich wäre gern zehn Jahre jünger.« Er lachte erneut, ein wenig spöttisch, amüsierte sich hörbar über sich selbst. »Und darüber hinaus spiele ich noch immer gern mit Segelbooten und tue das unter dem Vorwand, nett zu unerfahrenen jungen Männern zu sein. Es macht mir Vergnügen, auf dem Wasser zu sein und die volle Kraft des Winds zu spüren. Es gibt nichts Vergleichbares, bei dem man sich auf ähnliche Weise wie ein Gott fühlt.« Er setzte sich wieder in Bewegung und zog Scarlett mit sich. Sie gingen jetzt ein wenig schneller, aber immer noch im Gleichschritt.

Scarlett schmeckte die Luft und dachte an die flügelähnlichen Segel der kleinen Boote, die durch den Hafen jagten, ja, beinahe flogen. »Ich möchte auch einmal hinaus«, sagte sie, »nichts wünsche ich mir so sehr, als selbst einmal zu segeln. Ach, Rhett, wollen wir nicht morgen hinausfahren? Es ist so warm wie im Sommer, du mußt doch nicht unbedingt morgen schon nach Dunmore Landing zurück. Sag ja, Rhett, bitte.«

Er dachte einen Augenblick nach. Sehr bald schon würde sie für immer aus seinem Leben verschwinden.

»Warum nicht? Es ist eine Schande, das schöne Wetter ungenutzt zu lassen«, sagte er.

Scarlett zog an seinem Arm. »Komm schnell nach Hause. Es ist schon spät, und wir sollten in aller Frühe lossegeln.«

Rhett hielt sie zurück. »Ich werde dich kaum zum Segeln mitnehmen können, wenn du dir vorher den Hals brichst, Scarlett. Paß auf, wohin du trittst. Wir haben doch nur noch ein paar Blöcke zu gehen.«

Sie paßte ihren Schritt wieder dem seinen an und lächelte insgeheim. Es war herrlich, sich auf ihr kleines Abenteuer freuen zu können.

Sie hatten das Haus fast erreicht, als Rhett plötzlich stehenblieb. »Warte einen Augenblick.« Er hatte lauschend den Kopf gehoben.

Scarlett fragte sich, was er wohl hören mochte. Ach, um Himmels willen, es war nur schon wieder die Turmuhr von Saint Michael. Das Läuten endete, und die tiefdröhnende Stundenglocke schlug dreimal. Fern, aber in der warmen Dunkelheit deutlich zu hören, rief die Stimme des Turmwächters über die schlafende Stadt.

»Drei . . . Uhr . . . schlaf nur!«

31. Kapitel

Rhett sah die Aufmachung, die Scarlett mit soviel Überlegung zusammengestellt hatte, und seine Braue glitt nach oben, während ein Mundwinkel sich nach unten zog.

»Ich wollte mir eben nicht noch einen Sonnenbrand holen«, sagte sie trotzig. Sie trug den breitrandigen Strohhut, den Mrs. Butler in der Nähe der Tür zum Garten aufbewahrte und aufsetzte, wenn sie hinausging, um Blumen zu schneiden. Sie hatte hellblauen Tüll um ihn herumgewunden und sich die Enden unter dem Kinn zu einer Schleife gebunden, die sie für sehr kleidsam hielt. In der Hand hielt sie ihren pagodenförmigen Lieblingssonnenschirm. Er war aus Seide, von einem frechgeblümten Blaßblau und verfügte über einen dunkelblauen Fransenbesatz aus Troddeln. Der Schirm sorgte dafür, daß ihr langweiliges, sittsames Ausgehkostüm aus braunem Köper nicht ganz so freudlos wirkte, fand sie.

Wieso meinte Rhett überhaupt, es sich leisten zu können, andere zu kritisieren? Er sah aus wie ein Landarbeiter in diesen ausgebeulten alten Reithosen und dem schlichten weißen Hemd, das nicht einmal einen Kragen hatte, von einer anständigen Krawatte und einem Rock ganz zu schweigen. Scarlett schob entschlossen das Kinn vor. »Du hast neun Uhr gesagt, Rhett, und das ist es jetzt. Gehen wir?«

Rhett machte eine schwungvolle Verbeugung, griff nach einem ramponierten Segeltuchbeutel und warf ihn sich über die Schulter. »Gehen wir«, sagte er. Der Klang seiner Stimme hatte etwas Verdächtiges. Er führt etwas im Schilde, dachte Scarlett, aber ich passe schon auf.

Sie hatte keine Ahnung gehabt, daß das Boot so klein war und daß es sich am Fuß einer langen Leiter befinden würde, die glitschig feucht aussah. Sie sah Rhett vorwurfsvoll an.

»Es ist fast Ebbe«, sagte er. »Deshalb mußten wir auch bis halb zehn hier sein. Wenn um zehn die Strömung wechselt, kommen wir nur noch schwer in den Hafen hinein. Natürlich hilft sie uns nachher, den Fluß wieder hinaufzukommen und anzulegen ... Falls du wirklich mitwillst.«

»Ganz bestimmt, danke der Nachfrage.« Scarlett legte ihre Hand mit dem weißen Handschuh auf das über die Kaimauer ragende Geländer der Treppe und drehte sich herum.

»Warte!« sagte Rhett. Sie blickte mit eisern entschlossener Miene zu ihm auf. »Ich bin nicht bereit zuzulassen, daß du dir den Hals brichst, nur um mir die Mühe zu sparen, dich für eine Stunde mit hinauszunehmen. Die Leiter ist sehr schlüpfrig. Ich steige voraus, um sicherzugehen, daß du in deinen albernen Ausgehstiefelchen nicht den Halt verlierst. Warte, bis ich soweit bin.« Er holte ein Paar Segeltuchschuhe mit Gummisohlen aus seinem Sack hervor. Scarlett schaute in stummem Trotz zu. Rhett ließ sich Zeit, zog seine Stiefel aus, die Schuhe an, steckte die Stiefel in den Beutel, zog die Schnur zu und machte einen vertrackt aussehenden Knoten hinein.

Auf einmal sah er sie mit einem Lächeln an, das ihr den Atem stocken ließ. »Bleib einfach dort stehen, Scarlett, ein kluger Mann weiß, wann er sich geschlagen geben muß. Ich verstaue erst dies Zeug und komme dich dann holen.« Blitzschnell lud er sich den Sack auf die Schulter und war schon halb die Leiter hinunter, ehe Scarlett überhaupt begriff, wovon er sprach.

»Du bist rauf und runter wie ein geölter Blitz«, sagte sie mit ehrlicher Bewunderung, als Rhett wieder neben ihr stand.

»Oder ein Affe«, korrigierte er sie. »Nun komm aber, meine Liebe, Wind und Tide warten nicht auf den Mann – und auch nicht auf eine Frau.«

Scarlett waren Leitern nicht unvertraut, und sie war schwindelfrei. Als Kind war sie auf die höchsten schwankenden Bäume gestiegen und auf den Heuboden der Scheune hinaufgeturnt, als wäre seine schmale Leiter eine breite Treppe. Dennoch war sie dankbar für Rhetts stützenden Arm, den er ihr auf den algenüberzogenen Leitersprossen um die Taille legte, und sehr froh, den relativ festen Boden des kleinen Boots zu erreichen.

Sie setzte sich still auf das Sitzbrett im Heck, während Rhett mit geübten

Griffen das Segel vorbereitete und die Leinen prüfte. Das weiße Segeltuch lag als Haufen über dem überdachten Bug und dem offenen Ruderhaus. »Fertig?« fragte er.

»Oh, ja!«

»Dann mal die Leinen los!« Er löste die Taue, die die kleine Schaluppe an die Kaimauer fesselten, und stieß sich mit einem Paddel von den muschelverkrusteten Steinen ab. Sofort erfaßte die Ebbe das Boot und zog es auf den Fluß hinaus. »Bleib dort sitzen und leg den Kopf auf die Knie«, befahl Rhett. Er setzte das Vorsegel, zurrte es fest, und der Stoff füllte sich, sanft luffend, mit Wind.

»So.« Rhett setzte sich neben Scarlett auf die Bank und hängte seinen Ellbogen über die Ruderpinne zwischen ihnen. Mit beiden Händen begann er, das Großsegel zu hissen. Ein gewaltiges Knarzen und Knattern war zu hören. Scarlett riskierte einen Seitenblick, ohne den Kopf zu heben. Rhett blickte mit zusammengekniffenen Augen in die Sonne und runzelte konzentriert die Stirn. Er sah jedoch glücklich aus, so glücklich, wie sie ihn letztlich noch nie gesehen hatte.

Das Segel wölbte sich mit einem Rauschen schlagartig vor, und Rhett lachte. »Braves Mädchen!« sagte er. Scarlett wußte, er sprach nicht mit ihr.

»Ist es dir recht, wenn wir wieder zurücksegeln?«

»Nein, Rhett! Auf keinen Fall.« Scarlett befand sich in einem Zustand rauschhafter Begeisterung und schien gar nicht zu merken, daß die Gischt ihre Kleidung durchweichte, daß ihr das Wasser über die Stiefel floß, ihre Handschuhe ebenso ruiniert waren wie Miss Eleanors Hut und sie ihren Sonnenschirm eingebüßt hatte. Sie dachte gar nichts, sie fühlte bloß. Die Schaluppe war nur gut fünf Meter lang, und die Bordkante lag manchmal bloß ein paar Fingerbreit über der Wasseroberfläche. Das Boot jagte über Wellen und Strömung dahin wie ein unternehmungslustiges junges Tier, erklomm Wellenkämme und schoß dann mit einem solchen Schwung in die Täler hinab, daß Scarlett ihren Magen irgendwo oben in der Kehle zu spüren meinte. Ein Fächer salziger Tropfen schlug ihr ins Gesicht und in den verzückt geöffneten Mund. Sie war Teil davon – sie war Wind und Wasser und Salz und Sonne.

Rhett schaute in ihr verzücktes Gesicht und lächelte über die alberne durchweichte Tüllschleife unter ihrem Kinn. »Zieh den Kopf ein«, befahl er und legte das Ruder um. Er kämpfte einen Augenblick lang gegen den Wind. Sie würden noch ein bißchen draußen bleiben. »Möchtest du das Ruder einmal halten?« bot er ihr an. »Ich bringe dir bei, wie man segelt.«

Scarlett schüttelte den Kopf. Sie hatte kein Verlangen, selbst Hand anzulegen, sie war zufrieden damit, einfach dabeizusein.

Rhett wußte, wie bemerkenswert es für Scarlett war, eine solche Gelegenheit auszulassen, und er begriff, wie stark sie auf das erhebende Gefühl der Freiheit reagierte, die das Segeln auf dem offenen Meer auslöste. In seiner Jugend hatte er das gleiche Entzücken verspürt, und auch heute ging es ihm manchmal noch so; diese Augenblicke waren es, die ihn immer wieder aufs Wasser hinaustrieben, auf der Suche nach mehr.

»Zieh den Kopf ein«, sagte er wieder und brachte das Boot auf neuen Kurs. Die plötzliche Steigerung der Geschwindigkeit ließ das Wasser schäumend fast bis ins Boot schlagen. Scarlett stieß einen Freudenschrei aus. Über ihr wurde er von einer Seemöwe aufgenommen, die sich gerade leuchtendweiß in den hohen, weiten, wolkenlos blauen Himmel emporschwang. Rhett sah ihr nach und lächelte. Die Sonne lag warm auf seinem Rücken, der Wind schneidend frisch und salzig auf seinem Gesicht. Es war ein Tag, an dem das Leben Spaß machte. Er stellte das Ruder fest und bewegte sich in kauernder Haltung auf den Segeltuchsack zu. Die Pullover, die er aus ihm herausholte, waren alt, ausgebeult und vom Salzwasser, das darauf getrocknet war, ganz steif. Sie waren aus dicker, so tiefdunkelblauer Wolle, daß sie fast schwarz wirkten. Rhett kroch im Krebsgang ins Heck zurück und setzte sich auf die Rumpfkante, die sich unter seinem Gewicht etwas senkte. Das lebhafte kleine Boot schnitt jetzt mit fast senkrechtem Kiel durch das Wasser.

»Zieh ihn an, Scarlett.« Er hielt ihr einen der Pullover hin.

»Den brauche ich nicht. Es ist heute doch wie im Sommer.«

»Die Luft ist zwar warm genug, aber das Wasser nicht. Es ist Februar, ob das Wetter nun sommerlich scheint oder nicht. Die Gischt wird dich auskühlen, ohne daß du es überhaupt merkst. Zieh den Pullover an.«

Scarlett zog zwar ein Gesicht, gab aber nach. »Dann wirst du meinen Hut halten müssen.«

»Ich halte ihn dir.« Rhett zog sich den zweiten, schmutzigeren Pullover über den Kopf. Dann half er Scarlett. Ihr Kopf tauchte auf, und der Wind fuhr ihr in das zerzauste Haar, befreite es von seinen verrutschten Kämmen und Haarnadeln und riß an seinen langen, dunklen, flatternden Strähnen. Sie kreischte und haschte hektisch mit den Händen danach.

»Jetzt schau, was du angerichtet hast!« rief sie. Der Wind peitschte ihr eine dicke Haarsträhne in den offenen Mund, und sie spuckte und prustete. Als sie sich davon befreit hatte, flog sie ihr wie alles übrige als wirre Hexenlocke um den Kopf. »Gib mir schnell meinen Hut, ehe ich ganz kahl bin«, sagte sie. »Herrje, bin ich zerzaust.«

Sie hatte nie im Leben so schön ausgesehen. Ihr Gesicht strahlte vor Freude, rosig überhaucht vom brausenden Wind, umlodert von der wilden, dunklen Haarwolke. Sie band sich den lächerlichen Hut energisch unter dem Kinn fest und stopfte sich das gezähmte, verworrene Haar hinten in den Pullover. »Du hast wohl nicht zufällig etwas zu essen in deinem Sack da?« fragte sie hoffnungsvoll.

»Nur die Seemannsration«, sagte Rhett. »Schiffszwieback und Rum.«

»Das hört sich köstlich an, auch wenn ich beides noch nie probiert habe.«

»Es ist erst kurz nach elf, Scarlett, wir sind zum Mittagessen längst zu Hause. Beherrsch dich gefälligst.«

»Können wir nicht den ganzen Tag draußen bleiben? Ich finde es so herrlich.«

»Noch eine Stunde. Ich habe heute nachmittag eine Verabredung mit meinen Anwälten.«

»Zum Kuckuck mit deinen Anwälten«, sagte Scarlett, aber so, daß er es nicht hören konnte. Sie weigerte sich, jetzt wütend zu werden und sich den Tag zu verderben. Sie blickte auf das sonnengesprenkelte Wasser hinaus und verfolgte die weißen, krausen Schaumbänder zu beiden Seiten des Bugs, dann warf sie die Arme zurück, drückte den Rücken durch und streckte sich wollüstig wie eine Katze. Die Ärmel ihres Pullovers waren so lang, daß sie über ihre Hände hinaushingen und im Wind flatterten.

»Vorsichtig, mein Herzblatt«, lachte Rhett, »du fliegst sonst noch weg.« Er löste die Ruderpinne und hielt mechanisch nach Schiffen Ausschau, die ihnen vielleicht in die Quere kommen konnten.

»Schau mal, Scarlett!« sagte er dann in dringlichem Ton. »Rasch! Da draußen, steuerbord – rechts von dir. Ich wette, so was hast du im Leben noch nicht gesehen.«

Scarletts Augen grasten das sumpfige Ufer ab. Dann schnellte – auf halbem Wege zwischen Boot und Ufer – eine schimmernd graue Gestalt für einen Augenblick aus dem Wasser, ehe sie wieder darin verschwand.

»Ein Hai!« rief sie. »Nein, zwei . . . drei Haie. Sie kommen direkt auf uns zu, Rhett. Wollen die uns fressen?«

»Mein liebes, zurückgebliebenes Mädchen, das sind Delphine und keine Haie. Sie steuern ins offene Meer hinaus. Halt dich fest und zieh den Kopf ein. Ich wende. Vielleicht können wir mit ihnen mithalten. Das ist das wundervollste Erlebnis der Welt, mitten in einer Schule von Delphinen zu segeln. Sie sind unglaublich verspielt.«

»Verspielt? Fische? Nun hältst du mich aber für allzu einfältig, Rhett!« Sie duckte sich unter dem herumschwingenden Segel.

»Das sind keine Fische. Schau sie dir einfach nur an. Du wirst schon sehen.«

Es waren sieben Delphine. Bis Rhett das Boot auf ihren Kurs gebracht hatte, waren die wendigen Tiere schon weit voraus. Rhett stand und beschirmte seine Augen mit der Hand. »Verdammt!« sagte er. Dann sprang unmittelbar vor ihnen ein Delphin aus dem Wasser, krümmte den Rücken und tauchte spritzend wieder ein.

Scarlett hämmerte mit ihrer Faust im Pulloverärmel gegen Rhetts Oberschenkel. »Hast du das gesehen?«

Er ließ sich auf seinen Platz fallen. »Das habe ich. Das bedeutete, daß wir uns ein bißchen sputen sollen. Die anderen warten wahrscheinlich auf uns.

Sieh mal!« Zwei Delphine waren vor ihnen aus dem Wasser aufgetaucht. Scarlett klatschte in die Hände, als sie ihre anmutigen Sprünge sah. Sie schob die Pulloverärmel hinauf und klatschte erneut, diesmal mit mehr Erfolg. Auf Armeslänge entfernt, tauchte der erste Delphin rechts von ihr an die Oberfläche, befreite sein Atemloch, indem er eine kräftige Fontäne emporblies, und ließ sich dann träge schaukelnd wieder ins Wasser hinab.

»O Rhett, ich habe noch nie etwas so Liebes gesehen. Er hat uns angelächelt!«

Rhett lächelte ebenfalls. »Ich denke auch jedesmal, sie lächeln, und dann lächle ich zurück. Ich liebe Delphine, ich habe sie immer schon geliebt.«

Was die Delphine jetzt mit Rhett und Scarlett anstellten, konnte nur eine Aufforderung zum Spielen sein. Sie schwammen neben ihnen her, unter dem Bug durch, sprangen hoch in die Luft, manchmal einzeln, dann wieder zu zweit oder zu dritt. Sie tauchten unter und tauchten auf, bliesen, kapriolten, sprangen, schauten aus Augen zu ihnen hin, die wie Menschenaugen waren, schienen die unbeholfenen Menschen, den Mann und die Frau, die an ihr Boot gefesselt waren, mit einem liebenswürdigen Lächeln zu beobachten.

»Da!« Rhett zeigte auf einen Delphin, der zum Sprung durch die Wasseroberfläche ansetzte, »dort!« schrie Scarlett, als ein anderer in die entgegengesetzte Richtung sprang. »Dort!« und »da!« und »dort!«, immer wenn ein Delphin die Wasseroberfläche durchbrach. Es war jedesmal wieder eine Überraschung, jedesmal geschah es an einer anderen Stelle als der, wohin Scarlett und Rhett gerade schauten.

»Sie tanzen«, behauptete Scarlett.

»Sie tollen umher«, meinte Rhett.

»Sie führen etwas vor«, einigten sie sich. Die Vorstellung war bezaubernd.

Das war auch der Grund für Rhetts Unachtsamkeit. Er sah den dunklen Wolkenfleck nicht, der sich hinter ihnen am Horizont ausbreitete. Das erste Warnzeichen war, daß der stetige frische Wind auf einmal nachließ. Das stramm geschwollene Segel erschlaffte, und die Delphine tauchten abrupt unter und verschwanden. Jetzt erst blickte er – allzu spät – zurück über die Schulter und erkannte das Unwetter, das über Wasser und Himmel gejagt kam.

»Setz dich runter in die Mitte des Bootes, Scarlett«, sagte er ruhig, »und halte dich fest. Wir kriegen gleich ein Unwetter. Hab keine Angst, ich bin schon durch weit Schlimmeres hindurchgesegelt.«

Sie sah sich um, und ihre Augen weiteten sich vor Schreck. Wie konnte es bloß vor ihnen so sonnig und blau und dort hinten so schwarz sein? Wortlos glitt sie hinab und fand einen Griff.

Er bereitete die Takelage vor. »Wir werden vor ihm hersegeln müssen«, sagte er, dann grinste er. »Du wirst zwar naß werden, aber dafür wird es ein

Heidenspaß.« In diesem Augenblick traf sie das Unwetter. Aus dem Tag wurde eine Nacht aus Wasser, als die Wolken den Himmel schwärzten und es wie aus Eimern auf sie niederschüttete. Scarlett öffnete den Mund zu einem Aufschrei, und gleich war er voller Wasser.

Mein Gott, ich ertrinke, dachte sie. Sie beugte sich vornüber und spuckte und hustete, bis Mund und Hals wieder frei waren. Sie versuchte, den Kopf zu heben, um zu sehen, was passierte, Rhett zu fragen, was das für ein schreckliches Getöse war. Aber ihr alberner, ramponierter Hut war ihr über das Gesicht gerutscht, und sie sah nicht das geringste. Ich muß das Ding loswerden, oder ich ersticke. Sie zerrte mit der freien Hand an der Tüllschleife unter ihrem Kinn. Ihre andere Hand klammerte sich verzweifelt an den Metallgriff, den sie gefunden hatte. Das Boot schwankte, gierte und ächzte, als wollte es gleich auseinanderbrechen. Sie konnte die Schaluppe abwärts rasen fühlen, tiefer und immer tiefer, sie muß fast auf dem Bug stehen, gleich wird sie ins Wasser hineinfahren, bis auf den Meeresgrund hinab. Ach, heilige Mutter Gottes, ich will nicht sterben!

Erzitternd beendete das Boot seine Talfahrt. Scarlett riß den Tüll unsanft über ihr Kinn und über ihr Gesicht hinweg und war von den erstickenden Falten des nassen Strohgeflechts befreit. Sie konnte sehen!

Sie sah erst aufs Wasser, dann hinauf, wieder aufs Wasser, hinauf... hinauf... hoch und höher und immer noch höher. Da stand eine Wand aus Wasser, höher als die Mastspitze, bereit, herabzustürzen und die zerbrechliche Nußschale zu zertrümmern. Scarlett wollte schreien, doch die Angst schnürte ihr die Kehle zu. Die Schaluppe bebte und ächzte, und mit einem übelkeiterregenden Drall schoß sie die Wand hinauf und hing dann bebend hoch oben, einen endlosen, entsetzlichen Augenblick lang.

Scarlett kniff die Augen zusammen, denn der Regen schlug ihr mit schrecklicher Gewalt ins Gesicht. Rundherum erhoben sich wütend herandrängende, weißgestreifte Wellenberge, auf deren Scheitel sich der Schaum kräuselte und von denen wehende Gischtbanner in das Getose des Windes und des Regens flatterten. »Rhett«, versuchte sie zu brüllen. O Gott, wo war Rhett nur? Sie warf den Kopf hin und her und versuchte durch den Regen hindurch etwas zu erkennen. Dann, gerade als das Boot mit furiosem Schwung auf der Talseite einer Welle hinabraste, entdeckte sie ihn.

Der Teufel sollte seine Seele holen! Da kniete er, kerzengerade aufgerichtet, Kopf und Kinn erhoben, und lachte beim Anblick von Wind, Regen und Wellen. Mit der sehnigen Linken hielt er das Ruder mit aller Kraft umklammert, die rechte Hand war ausgestreckt und hielt eine Leine, die er um Ellbogen, Unterarm und Handgelenk gewickelt hatte und die zu dem beängstigenden Gezerre des riesigen, windgefüllten Segels führte. Er liebt das! Den Kampf mit dem Wind, die Todesgefahr. Er liebt das.

Ich hasse ihn!

Scarlett blickte zur turmhohen Bedrohung der nächsten Welle empor, und einen von wilder Verzweiflung erfüllten Augenblick lang erwartete sie, daß sie vornüberkippen, sie umreißen und zerschmettern würde. Dann aber sagte sie sich, daß sie nichts zu befürchten hatten. Rhett wurde mit allem fertig, selbst mit dem Ozean. Sie hob den Kopf, wie er seinen emporreckte, und überließ sich der ungezügelten Erregung, die von der lebensbedrohlichen Lage ausging.

Scarlett wußte jedoch nichts von der chaotischen Macht des Windes. Als die kleine Schaluppe die haushohe Welle hinaufschoß, legte er sich plötzlich. Nur für wenige Sekunden zwar, einer Laune des Unwetters folgend, dort, wo es am heftigsten tobte, doch ihr Segel erschlaffte, und das Boot legte sich quer, folgte nur noch dem wilden Kurs der Strömung, während es sich weiter in halsbrecherischem Anstieg befand. Scarlett bemerkte zwar, daß Rhett seinen Arm rasch von der erschlafften Leine befreite, daß er irgend etwas mit der schwingenden Ruderpinne versuchte, sie hatte jedoch keine Ahnung, daß es um alles oder nichts ging, bis sich der Wellenkamm nahezu unterhalb des Kiels befand, Rhett »der Baum, der Baum!« brüllte und sich mit dem ganzen Körper über sie warf, so daß sie vor Schmerz aufschrie.

Sie hörte ein knatterndes, knarzendes Geräusch dicht über sich und spürte den schweren Mastbaum erst langsam, dann rascher, dann wie toll über sich hin und her schlagen. Alles geschah jetzt sehr rasch, wirkte dabei jedoch schrecklich, unnatürlich langsam, als wollte die ganze Welt zum Stillstand kommen. Verständnislos sah sie in Rhetts Gesicht, das so nah bei ihrem war, und dann war es weg, und er kniete wieder und tat irgend etwas, und sie wußte nicht, was, außer daß schwere Schlingen aus dickem Tau auf sie fielen.

Sie sah nicht, daß der Gegenwind das nasse Segeltuch des Großsegels erst wellte, dann schlagartig füllte und es so gewalttätig auf die gegenüberliegende Seite der steuerlos gewordenen Schaluppe schlug, daß ein berstendes Geräusch zu hören war, wie bei einem einschlagenden Blitz, und der dicke Mast brach und von der Wucht und dem Gewicht des Segels ins Meer gerissen wurde. Der Rumpf des Bootes bäumte sich auf, hob sich dann nach steuerbord und rollte, dem Zug der in sich verhedderten Takelage folgend, auf die Seite, bis es kieloben lag. Gekentert in der sturmgepeitschten See.

Nie hätte sie geglaubt, daß es eine derartige Kälte geben könnte. Kalter Regen stach auf sie ein, und noch kälteres Wasser umgab sie und zerrte an ihr. Ihr ganzer Körper mußte gefroren sein. Ihre Zähne klapperten unkontrollierbar und machten einen solchen Lärm in ihrem Kopf, daß sie nicht denken, sich nicht vorstellen konnte, was geschah, außer daß sie gelähmt sein mußte, weil sie sich nicht zu rühren vermochte. Und dabei bewegte sie sich, wurde mit solcher Gewalt herumgerissen, daß ihr übel zu werden drohte, in brausenden Aufwärtsbewegungen und schrecklichem, schrecklichem Niedersausen.

Ich sterbe! O Gott, laß mich nicht sterben! Ich will leben.

»Scarlett!« Der Klang ihres Namens war stärker als das Klappern ihrer Zähne.

»Scarlett!« Sie kannte diese Stimme, es war Rhetts Stimme. Und es war Rhetts Arm, der sich um sie legte und sie festhielt. Doch wo war er? Sie konnte durch das Wasser, das ihr unablässig ins Gesicht schlug und eisig in die Augen stach, nichts erkennen.

Sie öffnete den Mund, um zu antworten, doch er füllte sich sofort mit Wasser. Scarlett reckte den Kopf empor, so schräg sie konnte, und blies sich das Wasser von den Lippen weg. Wenn doch bloß ihre Zähne still sein wollten!

»Rhett«, versuchte sie zu sagen.

»Gott sei Dank.« Seine Stimme war ganz nah bei ihr. Hinter ihr. Sie begann zu begreifen, was vor sich ging.

»Rhett«, sagte sie wieder.

»Jetzt hör mir gut zu, Liebling, hör genauer zu, als du je im Leben zugehört hast. Wir haben nur eine einzige Chance, und die werden wir ergreifen. Das Boot ist gleich hier neben mir. Ich habe es beim Ruder. Wir müssen darunter gelangen und es zu unserem Schutz benutzen. Das heißt, wir müssen unter Wasser und unter dem Rumpf des Bootes wieder auftauchen. Verstehst du mich?«

Alles in ihr lehnte sich dagegen auf. Nein! Wenn sie untertauchte, würde sie ertrinken. Es zog bereits an ihr, riß an ihr. Wenn sie unterging, würde sie nie wieder auftauchen! Panik ergriff sie. Sie konnte nicht atmen. Sie wollte sich an Rhett klammern, und sie wollte schreien und schreien und schreien . . .

Hör auf damit. Die Worte waren deutlich zu hören. Und die Stimme war ihre eigene. Du mußt überleben, und das wirst du niemals schaffen, wenn du dich wie eine vor Angst fassungslose Idiotin aufführst.

»W-w-was s-s-soll ich d-d-enn t-t-tun?« Verdammtes Geklapper.

»Ich werde jetzt gleich zählen. Bei ›drei‹ holst du tief Luft und schließt die Augen. Ich habe dich sicher im Griff. Ich bringe uns da hinein. Dann bist du in Sicherheit. Bist du fertig?« Er wartete ihre Antwort nicht ab, sondern fing sofort an zu brüllen. »Eins . . . zwei . . .« Scarlett holte ruckartig Luft. Dann wurde sie hinabgezogen und noch weiter hinab, und Wasser drang ihr in Nase, Ohren, Augen und Bewußtsein. Ein Augenblick nur, dann war es vorüber. Sie schnappte dankbar nach Luft.

»Ich habe dir die Arme festgehalten, Scarlett, damit du dich nicht an mich klammern konntest und wir beide ertrunken wären.« Rhett verlagerte seinen Griff zu ihrer Taille. Ein herrliches Gefühl der Freiheit. Wenn nur ihre Hände nicht so kalt gewesen wären. Sie begann, sie aneinanderzureiben.

»So ist es richtig«, sagte Rhett. »Bring die Blutzirkulation in Gang. Aber jetzt halt dich erst einmal an dieser Klampe hier fest. Ich muß dich ein paar

Minuten verlassen. Keine Panik. Es dauert nicht lange. Ich tauche noch einmal hinauf und trenne die verhedderten Leinen und den Mast ab, ehe sie das Boot unter Wasser ziehen. Und tritt nicht um dich, wenn du etwas nach deinem Fuß greifen fühlst. Das werde ich sein. Deine Röcke und Unterkleider müssen ebenfalls weg. Halt dich einfach nur fest. Ich brauche nicht lange.«

Es schien eine Ewigkeit zu dauern.

Scarlett nutzte die Zeit, um sich mit ihrer Umgebung vertraut zu machen. Es ließ sich halbwegs aushalten – solange es ihr gelang, die Kälte zu ignorieren. Das gekenterte Boot bildete ein Dach über ihrem Kopf, so daß sie keinen Regen mehr abbekam. Aus irgendeinem Grund war auch das Wasser hier ruhiger. Sie konnte nichts sehen; im Innern des Bootsrumpfes herrschte völlige Finsternis, doch sie wußte, daß es so war. Obwohl sich das Boot mit der Dünung immer noch im selben schwindelerregenden Rhythmus hob und senkte, war die Wasseroberfläche, wo sie geschützt war, nahezu flach, und es gab auch keine kabbeligen kleinen Wellen, die ihr ins Gesicht brachen.

Sie spürte Rhett ihren linken Fuß berühren. Gut! Ich fühle also noch etwas. Scarlett holte zum erstenmal, seit das Unwetter losgebrochen war, tief Luft. Wie seltsam ihre Füße sich anfühlten. Sie hatte keine Ahnung gehabt, wie schwer und hinderlich Stiefel zu sein vermochten. Oh! Die Hand an ihrer Taille fühlte sich eigenartig an. Sie spürte die sägende Bewegung eines Messers. Dann glitt ihr plötzlich ein ungeheures Gewicht die Beine hinab, und ihre Schultern schnellten aus dem Wasser empor. Sie schrie überrascht auf. Der Schrei hallte unter dem hölzernen Rumpf wider. Er war so laut, daß sie vor Schreck fast ihren Haltegriff losgelassen hätte.

Dann tauchte Rhett prustend ganz dicht neben ihr auf. »Wie fühlst du dich?« fragte er. Er schien zu brüllen.

»Pssst«, sagte Scarlett. »Nicht so laut.«

»Wie fühlst du dich?« fragte er leiser.

»Halb erfroren, wenn du es wirklich wissen willst.«

»Das Wasser ist zwar kalt, aber so kalt nun auch wieder nicht. Wenn wir im Nordatlantik wären ...«

»Rhett Butler, wenn du mir jetzt eine von deinen Abenteuergeschichten aus dem Leben eines Blockadebrechers erzählen willst, dann ertränke ich dich!«

Sein Gelächter erfüllte die Luft um sie herum und schien sie zu erwärmen. Scarlett war jedoch immer noch wütend. »Wie du in einer Situation wie dieser lachen kannst, ist mir schleierhaft. Es ist alles andere als komisch, inmitten eines schrecklichen Unwetters in eiskaltem Wasser zu baumeln.«

»Wenn es ganz dick kommt, Scarlett, bleibt dir nichts anderes übrig, als irgendwas zum Lachen zu finden. Das hält dich bei Verstand ... und hindert deine Zähne daran, wild zu klappern.«

Sie war zu erschöpft, um zu sprechen. Er hatte ja recht. Das Geklapper hatte immer dann aufgehört, wenn sie aufgehört hatte, daran zu denken, daß sie gleich sterben würde.

»Ich trenne jetzt dein Korsett auf, Scarlett. Du kannst in diesem Käfig nicht frei genug atmen. Halt einfach nur still, damit ich dir nicht ins Fell schneide.« Die Bewegung seiner Hände unter ihrem Pullover, als er ihr Mieder und Hemd aufschnitt, hatten etwas peinlich Intimes. Es war Jahre her, daß er ihren Körper zuletzt berührt hatte. »Atme tief durch«, sagte Rhett, als er die aufgeschnittene Korsage unter ihrem Pullover wegzog. »Die Frauen lernen heutzutage schon gar nicht mehr, wie man richtig atmet. Jetzt pump dir die Lungen voll, so gut du kannst. Ich werde mit einem Stück Leine, das ich gekappt habe, etwas zurechtknüpfen, woran wir Halt finden. Wenn ich fertig bin, kannst du deine Hände und Arme massieren. Atme immer schön weiter. Das wird dir das Blut aufwärmen.«

Scarlett versuchte zwar zu tun, was Rhett ihr gesagt hatte, doch ihre Arme fühlten sich schrecklich schwer an, als sie sie hob. Es war viel einfacher, den Körper nur in dem geschirrähnlichen Halter, den Rhett aus der Leine gemacht hatte, ruhen und mit der Aufundabbewegung der Wellen schaukeln zu lassen. Sie war sehr müde... Warum mußte Rhett bloß soviel reden? Warum machte er nur soviel Gewese darum, daß sie ihre Arme reiben sollte?

»Scarlett!« Seine Stimme war ungeheuer laut. »Scarlett! Du kannst jetzt nicht schlafen. Du mußt dich weiter bewegen. Tritt mit den Füßen um dich. Tritt meinetwegen mich, aber beweg deine Beine.« Rhett begann, ihr kräftig erst die Schultern, dann die Oberarme zu massieren; er war so grob.

»Hör auf damit. Das tut weh«, sagte sie mit schwacher Stimme. Sie hörte sich an wie ein maunzendes Kätzchen. Scarlett schloß die Augen, und die Dunkelheit wurde noch dunkler. Ihr war längst nicht mehr so kalt, sie war nur sehr müde und schläfrig.

Ohne Vorwarnung schlug Rhett ihr so hart ins Gesicht, daß ihr Kopf zurückschnellte und mit einem Krachen, das im Hohlraum des Bootsrumpfes widerhallte, gegen das Holz der Bootswand schlug. Scarlett war vor Schreck und Wut wieder hellwach.

»Wie kannst du es wagen! Das zahle ich dir heim, wenn wir hier rauskommen, Rhett Butler, du wirst schon sehen!«

»So ist es besser«, sagte Rhett. Er massierte immer noch ihre Arme, obwohl Scarlett versuchte, sich ihm zu entziehen. »Red du nur weiter. Und gib mir deine Hände, damit ich sie reiben kann.«

»Ich denke gar nicht dran! Meine Hände bleiben bei mir, und ich wäre dir sehr dankbar, wenn du deine bei dir behieltest. Du reißt mir ja das Fleisch von den Knochen.«

»Besser abgerieben als abgefressen«, sagte Rhett barsch. »Hör mir jetzt zu. Wenn du dich der Kälte überläßt, wirst du sterben, Scarlett. Ich weiß, du willst schlafen, doch dann wachst du nicht mehr auf. Und, bei Gott, selbst wenn ich dich grün und blau schlagen müßte, ich werde nicht zulassen, daß du stirbst. Du bleibst wach, atmest und bewegst dich. Rede, rede ununterbrochen. Es ist mir völlig gleichgültig, was du sagst, laß mich dein zänkisches Gekeife hören, damit ich weiß, du lebst.«

Scarlett wurde sich der lähmenden Kälte erst wieder bewußt, als Rhett fortfuhr, Leben in ihre Glieder zu massieren. »Kommen wir hier wieder raus?« fragte sie ohne Aufregung. Sie versuchte, ihre Beine zu bewegen.

»Selbstverständlich.«

»Wie?«

»Die Strömung trägt uns ans Ufer: Die Flut kommt herein, und sie wird uns dahin zurücktragen, wo wir hergekommen sind.«

Scarlett nickte im Dunkeln. Sie erinnerte sich daran, wie ungeheuer wichtig es gewesen war, daß sie lossegelten, bevor die Flut zurückkam. Nichts in Rhetts Stimme ließ erahnen, daß die Wucht der Sturmböen jedes normale Strömungsverhalten unbedeutend werden ließ. Der Sturm konnte sie ebensogut in die Wasserwüste des Atlantischen Ozeans hinaustragen.

»Wie lange dauert es noch, bis wir da sind?« Scarletts Tonfall war aufmüpfig. Ihre Beine fühlten sich an wie riesige Baumstümpfe. Und Rhett rieb ihr die Schultern wund.

»Ich weiß es nicht«, antwortete er. »Du wirst all deinen Mut brauchen, Scarlett.«

Das klingt ja feierlich wie eine Predigt! Und das von Rhett, der doch immer über alles scherzt. Oh, mein Gott! Scarlett zwang ihre leblosen Beine dazu, sich zu bewegen, und vertrieb ihr Entsetzen mit eiserner Entschlossenheit. »Mut brauche ich nicht halb so dringend wie etwas zu essen«, sagte sie. »Warum zum Teufel hast du dir nicht noch deinen schmutzigen alten Beutel gegriffen, als wir gekentert sind?«

»Der war im Bug verstaut. Bei Gott, Scarlett, deine Gefräßigkeit wird womöglich noch unsere Rettung sein. Den hatte ich völlig vergessen. Bete, daß er noch da ist.«

Der Rum streckte lebensspendende, wärmende Tentakel durch ihre Schenkel, Waden und Füße, und Scarlett begann, sie erneut hin und her zu bewegen. Der Schmerz der wiederkehrenden Durchblutung war zwar sehr groß, doch sie war froh darüber. Das bedeutete immerhin, daß sie noch am Leben war, vom Scheitel bis zur Sohle. Wirklich, Rum ist besser als Brandy, dachte sie nach einem zweiten kräftigen Schluck. Der wärmt einen tatsächlich auf.

Schade nur, daß Rhett darauf bestand, ihn einzuteilen, doch sie wußte, daß er recht daran tat. Es wäre schrecklich, wenn sie auf die wärmende Flasche verzichten müßten, ehe sie wohlbehalten an Land waren. Mittlerweile war sie sogar imstande, zu Rhetts Loblied ihr Teil beizusteuern. »Jo, ho, ho und 'ne Buddel Rum!« sang sie mit ihm, als er das Seemannslied bis zur letzten Strophe hinausposaunte.

Danach fiel Scarlett »Krüglein, Krüglein, wie lieb ich dich« ein.

Ihre Stimmen hallten so laut im Bootsrumpf wider, daß sie sich im Glauben wiegen konnten, die Kälte, die in ihre Körper kroch, könnte ihnen nichts anhaben. Rhett legte den Arm um Scarlett und preßte sie an sich, um ihr etwas von seiner Körperwärme abzugeben. Und sie sangen sämtliche Lieder, die ihnen einfielen, während die Rumschlückchen immer rascher aufeinanderfolgten und dabei immer wirkungsloser wurden.

»Wie wär's mit ›Gelbe Rose von Texas‹?« schlug Rhett vor.

»Das haben wir doch schon zweimal gesungen. Sing lieber das Lied, das Pa so gern mochte, Rhett. Ich weiß noch, wie ihr beide in Atlanta die Straße hinuntergewankt seid und dabei gegrölt habt wie die verrosteten Gießkannen.«

»Ich würde eher sagen, wir haben gesungen wie die Englein im Himmel«, sagte Rhett und ahmte Gerald O'Haras irische Mundart nach. Er sang die erste Strophe von »Peggy in der kleinen Chaise« und mußte dann zugeben, daß er nicht weiterwußte. »Aber du mußt das doch in- und auswendig kennen, Scarlett. Sing es für mich.«

Sie versuchte es, doch sie brachte die Kraft nicht auf. »Ich hab's vergessen«, sagte sie, um ihre Schwäche zu verbergen. Sie war so müde. Wenn sie doch nur den Kopf in Rhetts Wärme hätte eintauchen und schlafen dürfen. Die Arme, die sie umfaßten, waren so herrlich beruhigend. Der Kopf sank ihr herab. Er war ihr zu schwer geworden, sie konnte ihn nicht länger tragen.

Rhett schüttelte sie. »Scarlett, hörst du mich? Scarlett! Ich spüre, daß die Strömung sich verändert hat. Ich schwör's dir, wir sind in Ufernähe. Los, Liebling, zeig mir noch mal, wieviel Mumm du hast. Halt den Kopf hoch, es ist fast vorbei.«

». . . so kalt . . .«

»Eine verdammte Drückebergerin bist du also, Scarlett O'Hara! Ich hätte dich damals in Atlanta ins Messer von Shermans Armee laufen lassen sollen. Du warst es nicht wert, gerettet zu werden.«

Die Worte sickerten nur langsam in ihr schwindendes Bewußtsein, doch das reichte aus. Ihre Augen öffneten sich, und ihr Kopf hob sich, um der nur dunkel erahnten Herausforderung zu begegnen.

»Hol tief Luft«, befahl Rhett. »Wir schwimmen an Land.« Er legte ihr seine große Hand über Nase und Mund und tauchte unter, ihren Körper, der sich schwach dagegen zur Wehr setzte, fest an sich gepreßt. Sie kamen außerhalb des Bootsrumpfes an die Oberfläche, in der Nähe einer Kette hoher, schaumgekrönter Brecher. »Fast geschafft, Liebling«, keuchte Rhett. Er schob Scarlett einen Arm unter den Nacken und hielt ihren schweren Kopf mit der Hand in die Höhe, während er gewandt durch einen Brecher schwamm und dessen Wucht dazu nutzte, sich ins Flache tragen zu lassen.

Ein dünner Regen wurde vom böigen Wind fast waagerecht übers Wasser gepeitscht. Rhett bettete Scarletts leblosen Körper an seine Brust und beugte sich schützend darüber, als er am weißschäumenden Saum des Wassers kniete. Ein Brecher erhob sich weit hinten in seinem Rücken, raste auf den Strand zu und begann sich zu überschlagen, dann krachte das schaumgestreifte graue Wasser herab, toste an Land, und die rollenden, aufgewühlten Fluten schlugen Rhett in den Rücken und donnerten über seinen schützenden Leib hinweg.

Als die Welle sich ausgetobt hatte und verebbte, erhob er sich unsicher und stolperte auf den Strand, Scarlett an sich klammernd. Seine nackten Füße und Beine waren an hundert Stellen von den Muschelsplittern zerschnitten, die der Brecher über ihn geschleudert hatte, aber er achtete nicht darauf. Er lief unbeholfen über den tiefen, schweren Sand auf einen Einschnitt in der unermeßlich langen Dünenkette zu und stieg ein kurzes Stück hinauf, bis er eine Art windgeschützter Senke fand. Dort legte er Scarletts Körper sanft in den Sand.

Die Stimme brach ihm, als er wieder und wieder Scarletts Namen rief, während er Leben in ihre unterkühlte Weiße zu bringen versuchte, indem er ihren ganzen Körper mit beiden Händen massierte. Das wirre, feuchtglänzende Haar hing ihr um Kopf und Schultern, fiel über die schwarzen Augenbrauen und Wimpern und legte schreckenerregende Striche über ihr farbloses, nasses Gesicht. Rhett versetzte ihr ebenso sanfte wie nachdrückliche Klapse auf die Wangen.

Als sie die Augen aufschlug, besaßen sie die Leuchtkraft von Smaragden. Rhett stieß einen urtümlichen Schrei des Triumphes aus.

Scarletts Finger krümmten sich in der trügerischen Festigkeit des regengehärteten Sandes. »Land«, sagte sie und begann unter abgehackten Schluchzern zu weinen.

Rhett schob ihr einen Arm unter die Schultern und hob sie in die schützende Nähe seines niedergekauerten Körpers. Mit der freien Hand berührte er ihr Haar, ihre Wangen, ihren Mund, ihr Kinn. »Mein Liebling, mein Leben. Ich dachte, ich hätte dich verloren. Ich dachte, ich hätte dich getötet. Ich dachte . . . Ach, Scarlett, du lebst. Weine nicht, meine Liebste, es ist alles vorbei. Du bist gerettet. Alles ist wieder gut. Alles . . . « Er küßte ihre Stirn, ihre Kehle, ihre Wangen. Scarletts bleiche Haut nahm wieder Farbe an, und sie wandte ihm den Kopf zu, um seine Küsse zu erwidern.

Und dann gab es keine Kälte mehr, keinen Regen, keine Schwäche – nur das Brennen von Rhetts Lippen auf ihren Lippen, auf ihrem Körper und die Hitze seiner Hände. Und die Kraft, die sie spürte, als sie seine Schultern umschlang. Und das Pochen ihres Herzens in ihrer Kehle, als seine Lippen sie wieder und wieder berührten, den starken Schlag seines Herzens unter ihren Handflächen, als sie mit den Fingern in das dichtgelockte Haar auf seiner Brust fuhr.

Ja! Ich habe mich richtig erinnert, es war kein Traum. Ja, da ist wieder der dunkle Strudel, der mich mit sich fortreißt, die Welt ausschließt und mich lebendig macht, so lebendig und frei, und mich mitten in die Sonne hinaufwirbeln läßt. »Ja!« rief sie wieder und wieder und erwiderte Rhetts Leidenschaft, erwiderte sein Verlangen. Bis in der strudelnden, kreiselnden Verzückung keine Worte oder Gedanken mehr waren, nur noch ein Verschmelzen jenseits des Bewußtseins, jenseits der Zeit, jenseits der Welt.

32. Kapitel

Er liebt mich! Wie konnte ich nur so dumm sein, an dem zu zweifeln, was ich doch wußte. Scarletts geschwollene Lippen wölbten sich zu einem Lächeln der Genugtuung, und sie öffnete langsam die Augen.

Rhett saß neben ihr. Er hatte die Arme um die Knie geschlungen, das Gesicht in deren Höhlung verborgen.

Scarlett reckte sich wollüstig. Jetzt erst spürte sie den scheuernden Sand auf ihrer Haut und nahm ihre Umgebung wahr. Herrje, es regnet ja in Strömen. Wir holen uns noch den Tod. Wir müssen uns irgendeinen Regenschutz suchen, bevor wir noch einmal miteinander schlafen. Ihre Grübchen zeichneten sich flüchtig ab, und sie unterdrückte ein Lachen. Oder vielleicht auch nicht, schließlich haben wir gerade eben auch nicht aufs Wetter geachtet.

Sie streckte die Hand aus und zeichnete Rhetts Rückrat mit den Fingernägeln nach.

Er schrak zusammen, als hätte sie ihn verbrannt, wandte sich mit einem Ruck zu ihr um und sprang auf die Füße. Sie konnte seine Miene nicht deuten.

»Ich wollte dich nicht wecken«, sagte er. »Versuch dich möglichst noch ein bißchen auszuruhen. Ich werde mich auf die Suche nach einem trockenen Platz machen, wo ich Feuer machen kann. Auf diesen Inseln hier findet man überall Hütten.«

»Ich komme mit.« Scarlett hatte Mühe aufzustehen. Rhetts Pullover lag über ihren Beinen, und ihren eigenen hatte sie auch immer noch an. Vollgesogen, wie sie waren, hatten sie ein ziemliches Gewicht.

»Nein. Du bleibst hier.« Er ging davon und stieg die steilen Dünen hinauf. Scarlett starrte ihm völlig verdutzt hinterher und traute ihren Augen nicht.

»Rhett! Du kannst mich hier doch nicht allein lassen. Das lasse ich mir nicht gefallen.«

Er stieg jedoch immer weiter, und sie sah nur noch seinen breiten Rücken, auf dem das nasse Hemd klebte.

Oben auf der Düne blieb er stehen. Sein Kopf wandte sich langsam hin und her. Dann strafften sich seine zusammengesunkenen Schultern. Er wandte sich um und glitt, so rasch er konnte, den steilen Abhang hinunter.

»Da ist eine Hütte. Ich weiß, wo wir sind. Steh auf.« Rhett streckte seine Hand aus, um Scarlett beim Aufstehen zu helfen. Begierig griff sie danach.

Die Häuschen, die sich manche Charlestoner auf den nahen Inseln errichtet hatten, dienten dazu, in den feuchtheißen Tagen des langen südlichen Sommers die kühleren Brisen einzufangen. In diese Häuschen, die kaum mehr als schmucklose Hütten mit tiefüberdachten Veranden und verwitterter Schindelverkleidung waren, konnte man sich aus der Stadt und ihrer Förmlichkeit flüchten. Sie standen auf kreosotgestrichenen Pfosten, die sie über den glutheißen Sand des Sommers emporhoben. Im kalten peitschenden Regen wirkte die Zuflucht, die Rhett entdeckt hatte, zu zerbrechlich, um sich gegen den böigen Wind zu behaupten. Er wußte jedoch, daß die Inselhäuser Generationen überlebten und Kamine in der Küche hatten, an denen gekocht wurde. Genau das richtige Obdach für Schiffbrüchige.

Er brach die Hüttentür mit einem einzigen Fußtritt auf. Scarlett folgte ihm ins Innere. Warum war er bloß so schweigsam? Er hatte noch kaum ein Wort gesagt, nicht einmal, als er sie auf den Armen durch das Dickicht getragen hatte, das am Fuß der Dünen wucherte. Ich möchte, daß er spricht, dachte Scarlett, ich möchte, daß seine Stimme sagt, wie sehr er mich liebt. Er hat mich weiß Gott lange genug darauf warten lassen.

In einem Schrank fand er eine Patchworkdecke. »Zieh das nasse Zeug da aus und wickel dich in die Decke«, sagte er. Er warf sie ihr in den Schoß. »In einer Minute habe ich das Feuer an.«

Scarlett warf ihre zerrissene Rüschenhose auf den durchnäßten Pullover und trocknete sich mit der Decke ab. Sie war weich, und Scarlett begann sich wohl zu fühlen. Sie wickelte die Decke um sich wie ein Schultertuch und setzte sich wieder auf den harten Küchenstuhl. Ihr Umhang reichte ihr bis auf die Füße. Endlich war sie wieder trocken, doch nun fing sie erneut an zu zittern.

Rhett kam mit trockenem Holz herein, das er in einem Kasten auf der Küchenveranda gefunden hatte. Binnen Minuten brannte ein kleines Feuer im großen Kamin. Im Nu leckte es am Wigwam der Scheite empor, und eine orangefarbene Flammenzunge entzündete ihn zu knisterndem Leben. Sie erleuchtete Rhetts grüblerisches Gesicht.

Scarlett humpelte durchs Zimmer, um sich am Feuer aufzuwärmen. »Warum ziehst du deine nassen Sachen nicht ebenfalls aus, Rhett? Ich gebe dir die Decke zum Abtrocknen. Es ist ein herrliches Gefühl.« Sie senkte den Blick, als schämte sie sich. Ihre dichten Wimpern flatterten auf den Wangen. Rhett wollte davon nichts wissen.

»Ich werde doch gleich wieder naß, wenn ich hinausgehe«, sagte er. »Wir sind nur ein paar Meilen von Fort Moultrie entfernt. Ich gehe Hilfe holen.« Rhett trat in die kleine Vorratskammer, die sich an die Küche anschloß.

»Ach, pfeif auf Fort Moultrie!« Scarlett wollte, daß er aufhörte, in der Vorratskammer herumzustöbern. Wie sollte sie mit ihm reden, wenn er in einem anderen Raum war?

Rhett tauchte mit einer Flasche Whiskey in der Hand wieder auf. »Gähnende Leere in den Regalen«, sagte er mit einem flüchtigen Lächeln, »doch das Lebensnotwendigste ist da.« Er öffnete den Wandschrank und holte zwei Tassen heraus. »Sauber genug«, sagte er. »Ich gieße uns einen Schluck ein.« Es setzte Tassen und Flasche auf den Tisch.

»Ich will nichts zu trinken. Ich will...«

»Ich brauche einen Schluck«, sagte er. Er goß sich die Tasse halb voll, trank sie in einem langen Schluck leer und schüttelte dann den Kopf. »Kein Wunder, daß sie den hiergelassen haben. Ist ein ziemlicher Fusel. Immerhin...« Er goß sich noch einmal nach.

Scarlett beobachtete ihn mit amüsierter Nachsicht. Armer Liebling, wie nervös er doch ist. Als sie sprach, troff ihre Stimme geradezu von liebevollem Verständnis. »Du brauchst doch nicht so verschämt zu sein, Rhett. Man könnte ja meinen, daß du mich kompromittiert hättest oder so etwas. Aber schließlich sind wir nichts als zwei Menschen, die miteinander verheiratet sind und sich lieben.«

Rhett starrte sie über den Rand der Tasse hinweg an und stellte den Whiskey dann behutsam auf dem Tisch ab. »Scarlett, was da draußen passiert ist, hatte mit Liebe nichts zu tun. Das war eine Art ›Überlebensfeier‹, weiter nichts. Das erlebt man im Krieg nach jeder Schlacht. Die Männer, die nicht gefallen sind, werfen sich auf die erste Frau, die sie zu Gesicht bekommen, um zu beweisen, daß sie noch am Leben sind. Sie benutzen den Körper der Frau. In diesem Fall hast du gleichfalls von meinem Gebrauch gemacht, weil auch du knapp dem Tod entronnen bist. Mit Liebe hatte das nichts zu tun.«

Die Barschheit seines Tons verschlug Scarlett die Sprache.

Doch dann fiel ihr die rauhe Stimme an ihrem Ohr wieder ein, die Worte »mein Liebling«, »mein Leben«, »ich liebe dich«, die er hundertmal wiederholt hatte. Was immer Rhett jetzt sagen mochte, er liebte sie. Sie wußte es in ihrem tiefsten Innern, dort, wo für Lügen kein Platz war. Er hat immer noch Angst, daß ich ihn nicht wirklich liebe! Darum will er nicht zugeben, wie sehr er mich liebt.

Sie begann, sich ihm zu nähern. »Du kannst sagen, was du willst, Rhett, doch an der Wahrheit ändert das nichts. Ich liebe dich, und du liebst mich, und wir haben eben miteinander geschlafen, um es uns zu beweisen.«

Rhett trank seinen Whiskey. Dann lachte er roh. »Ich wußte gar nicht, was für eine alberne kleine Romantikerin du bist, Scarlett. Du enttäuschst mich. Du hattest doch sonst immer ein bißchen Verstand in deinem sturen Köpfchen. Einen primitiven, in aller Eile vollzogenen Beischlaf darf man doch nicht mit Liebe verwechseln. Obwohl er weiß Gott oft genug vor den Altar führt.«

Scarlett näherte sich ihm immer mehr. »Du kannst dir Fransen an den Mund reden, das ändert nichts.« Sie hob die Hand und wischte sich die Tränen ab, die ihr über das Gesicht strömten. Sie war jetzt ganz dicht bei ihm. Sie konnte das Salz auf seiner Haut riechen, den Whiskey in seinem Atem. »Du liebst mich«, schluchzte sie, »du liebst mich, du liebst mich.« Die Decke fiel zu Boden, als sie die Arme nach Rhett ausstreckte. »Umarme mich und sag mir, daß du mich liebst, dann glaube ich dir.«

Rhett packte ihren Kopf mit beiden Händen und küßte sie mit schmerzhafter, herrischer Gewalt. Scarlett legte ihm die Arme um den Hals, als seine Hände sich ihre Kehle entlang zu ihren Schultern bewegten, und sie gab sich ihnen gänzlich hin.

Doch Rhetts Finger schlossen sich plötzlich um ihre Handgelenke, und er bog ihre Arme auseinander, weg von seinem Nacken, weg von ihm, und sein Mund suchte den ihren nicht länger, sein Körper entzog sich ihr.

»Warum?« schrie sie. »Du willst mich doch!«

Er stieß sie von sich, ließ ihre Handgelenke los und taumelte rückwärts in Richtung Tür. Das erste Mal überhaupt sah sie ihn in dieser Weise die Fassung verlieren. »Ja, bei Gott! Ich will dich, und ich verzehre mich nach dir. Du bist das Gift in meinem Blut, Scarlett, die Krankheit meines Gemüts. Ich habe Männer mit einem Hunger nach Opium gekannt, der war so wie mein Hunger nach dir. Ich weiß, was aus einem Süchtigen wird. Er wird zum Sklaven, dann geht er zugrunde. Fast wäre es auch mir so ergangen, doch ich bin dem entronnen. Und ich werde es nicht noch einmal riskieren. Ich werde mich nicht um deinetwillen zerstören.« Er polterte zur Tür und in den Regen hinaus.

Der Wind pfiff durch die offene Tür herein, und Scarlett spürte ihn eisig auf der nackten Haut. Hastig griff sie nach der Decke am Boden und wickelte sich in sie hinein. Sie stemmte sich gegen den Wind und trat in die sperrangelweit offenstehende Tür, konnte im Regen jedoch nichts erkennen. Sie brauchte ihre ganze Kraft, um die Tür zu schließen. Sie war sehr schwach.

Ihre Lippen waren noch warm von Rhetts Küssen. Im übrigen zitterte sie am ganzen Leib. Vor dem Feuer rollte sie sich in die Geborgenheit der Decke ein. Sie war müde, so unsäglich müde. Sie würde schlafen, bis Rhett zurückkam. Sie glitt in einen Schlaf, so tief, daß er einem Koma nahekam.

»Erschöpfung«, sagte der Militärarzt, den Rhett von Fort Moultrie mitgebracht hatte, »und Verkühlung. Es ist ein Wunder, daß Ihre Frau noch lebt, Mr. Butler. Hoffen wir, daß sie weiter Gebrauch von ihren Beinen wird machen können, die Blutzirkulation ist so gut wie zum Erliegen gekommen. Wickeln Sie sie in die Decken dort, und bringen wir sie ins Fort.« Rhett hüllte Scarletts schlaffen Körper ein und nahm sie auf die Arme.

»Überlassen Sie sie lieber dem Sergeant. Sie sind selbst nicht in bester Verfassung.«

Scarlett öffnete die Augen. Verschwommen nahm sie die blauen Uniformen um sie herum wahr, dann kippte ihr Blick wieder weg. Der Arzt schloß ihr die Lider mit Fingern, die geübt waren in der Medizin des Schlachtfelds. »Machen wir lieber schnell«, sagte er, »sie will sich davonstehlen.«

»Trink das, Herzchen.« Es war eine Frauenstimme, leise, aber gebieterisch, eine Stimme, die sie beinahe wiedererkannte. Scarlett öffnete gehorsam den Mund. »Braves Mädchen, noch ein Schlückchen. Nein, so 'n häßliches, verkniffenes Gesicht will ich nicht sehen. Wissen Sie denn nicht, daß so 'n Gesicht irgendwann nicht mehr weggeht? Und was machen Sie dann, hm? Ein hübsches kleines Mädchen, auf einmal ganz häßlich geworden. So is's besser. Und jetzt den Mund auf. Noch weiter. Nun trinken Sie die gute heiße Milch, ja, bitte schön, und die Medizin, und wenn wir die ganze Woche brauchen. Kommen Sie, kommen Sie, Lämmchen. Ich tu noch 'n bißchen Zucker reinrühren.«

Nein, das war nicht Mammys Stimme. So ähnlich, fast zum Verwechseln, doch nicht ihre. Ein paar magere Tränen liefen Scarlett aus den Winkeln der geschlossenen Augen. Einen Augenblick lang hatte sie gemeint, auf Tara zu sein, zu Hause, und Mammy würde sie pflegen. Sie zwang sich, die Augen zu öffnen, den Blick auf einen Punkt zu richten. Die schwarze Frau, die sich über sie beugte, lächelte. Ihr Lächeln war schön. Mitfühlend. Weise. Liebevoll. Geduldig. Und herrschsüchtig. Scarlett lächelte zurück.

»Na, nun sehen Sie mal, hab ich denen das nicht gleich gesagt? Was dies kleine Mädchen braucht, hab ich gesagt, ist ein heißer Ziegelstein im Bett und ein Senfumschlag auf der Brust und die alte Rebekah, die ihr die Kälte aus den Knochen reibt, und einen Milchcocktail und ein Gespräch mit Jesus zum guten Ende, damit die Kur auch hilft. Ich hab mit Jesus geredet, als ich gerubbelt hab, und nun macht er Sie wieder munter, wie ich gewußt hab, daß er das tut. Herr, sag ich zu ihm, das is' keine Schwerarbeit hier, nicht wie mit Lazarus, das is' nur 'n kleines Mädchen, dem es nicht sehr gutgeht. Wird Euch nicht mal 'ne Minute von Eurer unvergänglichen Zeit kosten, mal eben einen Blick auf sie zu werfen und sie wieder munter zu machen.

Das hat er auch gemacht, und dafür werd ich ihm gleich danken. Gleich, wenn Sie Ihre Milch zu Ende getrunken haben. Kommen Sie, Herzchen, ich hab noch zwei Löffel Zucker dazugetan. Rasch runter damit. Sie wollen doch wohl nicht, daß Jesus warten muß auf Rebekah, daß sie sich bedankt, hm? Das sehen sie nicht gern im Himmel oben.« Scarlett schluckte. War plötzlich gierig. Die gesüßte Milch schmeckte besser als alles, was sie in den letzten Wochen auf der Zunge gehabt hatte. Als sie ausgetrunken hatte, wischte sie sich den Mund ab. »Ich bin hungrig, Rebekah, könnte ich wohl etwas zu essen haben?«

Die dicke schwarze Frau nickte. »Nur ein Augenblickchen«, sagte sie. Dann schloß sie die Augen und legte die Hände zum Gebet aneinander. Ihre Lippen bewegten sich stumm, und sie wiegte sich hin und her, als sie in einem vertraulichen Gespräch mit ihrem Herrn ihren Dank sagte.

Als sie fertig war, zog sie Scarlett die Decke über die Schultern und deckte sie gut zu. Scarlett schlief. In der Milch war Laudanum gewesen.

Scarlett wälzte sich unruhig im Bett hin und her, während sie schlief. Als sie die Bettdecke fortstieß, deckte Rebekah sie wieder zu und strich ihr über die Stirn, bis die bekümmerten Falten wieder geglättet waren. Rebekah konnte Scarlett ihre Träume jedoch nicht ersparen.

Es waren unzusammenhängende chaotische Bruchstücke aus Scarletts Erinnerungen und Ängsten. Da war der Hunger, der niemals endende, verzweifelte Hunger der schlimmen Tage auf Tara. Und da waren die Yankees, die immer näher an Atlanta heranrückten und auf der Veranda vor ihrem Fenster lauerten und sie betasteten und flüsterten, ihre Beine müßten abgenommen werden, und die sich in einem See aus Blut auf Tara am Boden wälzten, während immer mehr Blut hervorsprudelte und sich ausbreitete und zu einem Sturzbach von Rot wurde, das sich zu einer haushohen Welle erhob, die höher und höher über einer kleinen schreienden Scarlett aufstieg. Und dann herrschte Kälte mit vereisten Bäumen und eingeschrumpften Blumen, und die Kälte bildete eine Schale um sie, so daß sie sich nicht bewegen konnte und nicht zu hören war, obwohl sie »Rhett, Rhett, Rhett, komm zurück!« schrie, während ihr die Eiszapfen von den Lippen fielen. Ihre Mutter zog ebenfalls durch ihren Traum, und Scarlett roch den Zitronenduft der Verbenen, doch Ellen sagte nie etwas. Gerald O'Hara sprang über einen Weidezaun, dann über noch einen, über noch einen und noch einen, bis in unendliche Ferne, und saß zurückgelehnt auf einem strahlendweißen Hengst mit einer Menschenstimme, die mit Gerald zusammen etwas wie »Scarlett in der Chaise« sang. Die Stimmen veränderten sich, wurden Frauenstimmen, wurden tonlos. Sie konnte nicht hören, was sie sagten.

Scarlett fuhr sich mit der Zunge über die trockenen Lippen und öffnete die Augen. Sieh mal an, das ist ja Melly. Ach, die Arme, wie besorgt sie aussieht. »Hab keine Angst«, sagte Scarlett rauh. »Es ist alles wieder gut. Er ist tot. Ich habe ihn erschossen.«

»Sie hat einen Alptraum«, sagte Rebekah.

»Die bösen Träume sind jetzt vorbei, Scarlett. Der Arzt hat gesagt, du wirst bald wieder auf den Beinen sein.« Aus Anne Hamptons dunklen Augen leuchtete die Ernsthaftigkeit.

Eleanor Butlers Gesicht tauchte über ihrer Schulter auf. »Wir sind gekommen, um dich nach Hause zu holen, Liebes«, sagte sie.

»Das ist doch lächerlich«, beschwerte sich Scarlett. »Ich kann sehr gut allein gehen.« Rebekah hielt ihre Schulter und schob den Rollstuhl langsam die Muschelkiesstraße entlang. »Ich komme mir dermaßen albern vor«, murrte Scarlett, doch sie ließ sich wieder zurücksinken. In ihrem Kopf pochte stechender Kopfschmerz. Das Unwetter hatte die Witterung zurückgebracht, die man im Februar eigentlich erwarten konnte. Die Luft war frisch und der Wind, der immer noch blies, schneidend. Wenigstens hat mir Miss Eleanor mein Pelzcape mitgebracht, dachte sie. Da muß es ja wirklich schlecht um mich gestanden haben, wenn ich den Pelz tragen darf, den sie so protzig findet.

»Wo ist denn Rhett? Warum holt er mich nicht nach Hause?«

»Ich habe ihn nicht noch einmal aus dem Haus gehen lassen«, sagte Mrs. Butler energisch. »Ich habe unseren Arzt gerufen und Manigo aufgetragen, Rhett sofort ins Bett zu stecken. Er war blau vor Kälte.«

Anne sprach leise, indem sie sich zu Scarletts Ohr hinabbeugte: »Miss Eleanor war so beunruhigt, als der Sturm ganz plötzlich aufzog. Wir sind vom Heim zum Hafenbecken, zum Liegeplatz des Bootes gerannt, und als man uns sagte, das Boot sei noch nicht zurückgekehrt, geriet sie außer sich. Ich bezweifle, daß sie sich den Nachmittag über auch nur ein einziges Mal hingesetzt hat, sie ist immerzu nur auf der Veranda auf und ab gerannt und hat in den Regen hinausgeschaut.«

Unter einem hübschen Dach, dachte Scarlett unwirsch. Ist ja schön und gut, daß Anne so besorgt um Miss Eleanor ist, aber schließlich war sie ja nicht diejenige, die sich totgefroren hat!

»Mein Sohn hat mir gesagt, du hättest mit deiner Pflege Wunderdinge an seiner Frau vollbracht«, sagte Miss Eleanor zu Rebekah. »Ich weiß gar nicht, wie wir dir je dafür danken sollen.«

»Habe nicht ich, Missus, war die Güte des Herrn. Ich habe mit Jesus gesprochen, wegen ihr, dem armen zitternden Ding. Ich hab gesagt, Herr, hab ich gesagt, das ist nicht Lazarus...«

Während Rebekah ihre Geschichte für Mrs. Butler wiederholte, beantwortete Anne Scarletts Frage nach Rhett. Er habe gewartet, bis der Arzt gesagt habe, Scarlett sei außer Lebensgefahr, und dann die Fähre nach Charleston genommen, um seine Mutter zu beruhigen, da er sich denken konnte, wie besorgt sie sein mußte. »Uns hat fast der Schlag getroffen, als wir einen Yankee durchs Gartentor kommen sahen«, sagte Anne lachend.

»Rhett hatte sich von dem Sergeant trockene Sachen geliehen.«

Scarlett weigerte sich, die Fähre im Rollstuhl zu verlassen. Sie bestand darauf, sehr gut aus eigener Kraft nach Hause gehen zu können, und das tat sie auch; sie schritt aus, als wäre nichts geschehen. Sie war jedoch müde, als sie ankamen, so müde, daß sie sich Annes Hilfe beim Treppensteigen gefallen ließ. Und nachdem sie mit der heißen Bohnensuppe und den Maispfannkuchen fertig war, sank sie wieder in tiefen Schlaf.

Diesmal blieb der Alptraum aus. Sie lag im vertrauten, weichen Luxus mit Leintüchern und Federbett, und sie wußte, Rhett war nur ein paar Schritte weit entfernt. Sie schlief vierzehn Stunden lang, bis sie wieder bei Kräften war.

Sie erblickte die Blumen, sowie sie die Augen aufschlug. Treibhausrosen. Gegen die Vase war ein Umschlag gelehnt. Scarlett griff gierig danach.

Rhetts kühne schwungvolle Handschrift stach schwarz gegen das cremefarbene Papier ab. Scarlett berührte es liebevoll, ehe sie zu lesen begann.

»Es gibt nichts, was ich über das gestern Geschehene zu sagen vermöchte, außer daß ich zutiefst beschämt und betrübt darüber bin, daß ich soviel Leid und eine so gefahrvolle Lage verschuldet habe.«

Scarlett genoß jedes Wort und konnte kaum still liegen.

»Dein Mut und Deine Tapferkeit waren wahrlich heldenhaft, und ich werde Dir stets Bewunderung und Respekt entgegenbringen.

Ich bedaure außerordentlich alles, was geschehen ist, nachdem wir der größten Gefahr entronnen waren. Ich habe Dinge zu Dir gesagt, die kein Mann je einer Frau sagen sollte, und mein Verhalten war verwerflich.

Ich kann jedoch nicht ableugnen, daß alles, was ich gesagt habe, der Wahrheit entsprach. Ich darf und werde Dich niemals wiedersehen.

Unserer Absprache gemäß hast Du das Recht, bis April im Haus meiner Mutter in Charleston zu bleiben. Ich hoffe jedoch, ehrlich gesagt, daß Du vorziehst, das nicht zu tun, weil ich weder das Stadthaus noch Dunmore Landing wieder aufsuchen werde, ehe ich die Mitteilung erhalte, daß Du nach Atlanta zurückgekehrt bist. Du kannst mich nicht finden, Scarlett. Versuche es nicht.

Die finanzielle Abfindung, die ich Dir versprochen habe, wird unverzüglich zu Händen Henry Hamiltons an Dich überwiesen werden.

Ich bitte Dich, meine aufrichtige Bitte um Verzeihung für alles zu akzeptieren, was unser gemeinsames Leben betrifft. Es hätte nicht so kommen dürfen, wie es gekommen ist. Ich wünsche Dir eine glücklichere Zukunft, Rhett.«

Scarlett starrte auf den Brief, zuerst zu entsetzt, um verletzt zu sein. Dann zu zornig.

Schließlich hielt sie ihn in beiden Händen und zerriß das schwere Papier langsam in Fetzen. Sie sprach laut vor sich hin, während sie die engstehenden, dunklen Worte zerstörte. »Nicht mit mir, Rhett Butler. Du bist mir schon einmal davongelaufen, in Atlanta, nachdem du mit mir geschlafen hattest. Und ich schlich liebeskrank umher und wartete darauf, daß du zurückkommen würdest. Aber diesmal bin ich um vieles schlauer als damals. Ich weiß, ich gehe dir doch nicht aus dem Kopf, sosehr du dich auch abmühst. Du kannst nicht ohne mich leben. Kein Mann kann so mit einer Frau schlafen, wie Du es getan hast, und sie dann niemals wiedersehen. Du wirst zurückkehren, wie du es letztlich immer getan hast, doch diesmal wirst du nicht erleben, daß ich auf dich warte. Du wirst zu mir kommen müssen. Wo immer ich sein werde.«

Sie hörte den Stundenschlag von Saint Michael ... sechs ... sieben ... acht ... neun ... zehn. An jedem anderen Sonntag war sie um zehn zur Messe gegangen. Heute nicht. Sie hatte wichtigere Dinge zu tun.

Sie schlüpfte aus dem Bett und rannte zur Klingelschnur. Pansy soll sich nur ja beeilen. Ich will rechtzeitig mit allem Gepäck auf dem Bahnhof sein, um den Zug nach Augusta zu erreichen. Ich werde nach Hause fahren, um sicher zu sein, daß Onkel Henry mein Geld bekommen hat, und dann werde ich sofort mit der Arbeit auf Tara beginnen.

... aber noch habe ich Tara ja gar nicht.

»Morgen, Miss Scarlett. Das ist aber mächtig schön, Sie so munter zu sehen, nach dem, was passiert ist ...«

»Hör mit dem Geplapper auf und hol meine Koffer.« Scarlett schwieg einen Augenblick. »Ich fahre nach Savannah. Mein Großvater hat Geburtstag.«

Sie würde ihre Tanten auf dem Bahnsteig treffen. Der Zug nach Savannah fuhr um zehn vor zwölf. Und morgen würde sie die Mutter Oberin aufsuchen und sie dazu bringen, daß sie beim Bischof vorsprechen konnte. Es hatte keinen Sinn, daß sie nach Atlanta zurückkehrte, ohne die Überschreibung des zweiten Drittels von Tara in der Hand zu haben.

»Das greuliche alte Kleid will ich nicht«, sagte sie zu Pansy. »Hol die raus, die ich getragen habe, als ich hier angekommen bin. Ich werde anziehen, was mir gefällt. Ich bin es leid, es dauernd anderen recht machen zu müssen.«

»Ich habe mich schon gefragt, was hier eigentlich los ist«, sagte Rosemary. Neugierig musterte sie Scarletts elegante Aufmachung. »Willst du denn auch irgendwohin? Mama meinte, du würdest vermutlich den ganzen Tag schlafen.«

»Wo ist Miss Eleanor denn? Ich möchte mich von ihr verabschieden.«

»Sie ist schon zur Kirche gegangen. Warum schreibst du ihr nicht einfach ein paar Zeilen? Oder ich kann ihr auch etwas ausrichten.«

Scarlett sah auf die Uhr. Sie hatte nicht mehr viel Zeit. Die Droschke wartete bereits draußen. Sie stürzte in die Bibliothek und griff nach Papier und Feder. Was sollte sie bloß schreiben?

»Ihre Kutsche wartet, Missus Rhett«, sagte Manigo.

Scarlett kritzelte ein paar Sätze, aus denen hervorging, daß sie zum Geburtstag ihres Großvaters fuhr und daß es ihr leid tat, Miss Eleanor vor ihrer Abreise nicht noch einmal sehen zu können. »Rhett wird alles andere erklären«, setzte sie noch hinzu. »Ich habe Sie sehr gern.«

»Miss Scarlett«, rief Pansy nervös. Scarlett faltete das Briefchen zusammen und versiegelte es.

»Gib das bitte deiner Mutter«, sagte sie zu Rosemary. »Ich muß mich beeilen. Auf Wiedersehen.«

»Auf Wiedersehen, Scarlett«, sagte Rhetts Schwester. Sie stand in der offenen Tür und beobachtete, wie Scarlett und ihre Zofe samt ihrem Gepäck die Straße hinabfuhren. Rhett hatte seinen Aufbruch nicht so gut organisiert, als er am Abend zuvor spät das Haus verlassen hatte. Sie hatte ihn gebeten, nicht zu fahren, da er so krank aussah. Doch er hatte sie geküßt und war zu Fuß in die Dunkelheit aufgebrochen. Es war nicht schwer zu erahnen, daß Scarlett ihn aus irgendeinem Grund vertrieben hatte.

Mit langsamen, zielbewußten Bewegungen zündete Rosemary ein Streichholz an und verbrannte Scarletts Briefchen.

»Reisende soll man nicht aufhalten«, sagte sie laut.

3. Buch

EIN NEUES LEBEN

33. Kapitel

Scarlett klatschte vor Entzücken in die Hände, als der Einspänner vor der Fassade von Großvater Robillards Haus anhielt. Es war rosa, genau wie Miss Eleanor gesagt hatte. Wenn ich mir vorstelle, daß ich das nicht bemerkt habe, als ich das erste Mal zu Besuch war!

Sie eilte den rechten Flügel der Freitreppe mit dem doppelten schmiedeeisernen Geländer hinauf und durch die offene Tür. Sollten ihre Tanten und Pansy sich doch um das Gepäck kümmern, sie starb vor Neugier, wie das Haus von innen aussah.

Ja, es war überall rosa – rosa, weiß und golden. Die Wände waren rosa und die Bezüge der Stühle und die Draperien. Holzrahmen und Säulen hingegen strahlten weiß und waren mit schimmerndem Gold abgesetzt. Alles sah tadellos aus, nicht so abgeblättert und schäbig wie der Anstrich und die Stoffe in den meisten Häusern von Charleston und Atlanta. Was wäre das für ein herrlicher Platz für den Fall, daß Rhett ihr nachgefahren kam! Dann würde er sehen, daß ihre Familie kein bißchen weniger bedeutend und beeindruckend war als seine.

Und reich außerdem. Ihr Blick wanderte rasch umher, und schon schätzte sie durch die offenstehende Salontür den Wert der mit peinlicher Sorgfalt instand gehaltenen Möbel ab. Wahrhaftig, mit dem, was es allein gekostet haben mußte, die Ecken der Stuckdecke mit Blattgold auszulegen, würde sie jede Wand von Tara, innen wie außen, wieder wie neu erscheinen lassen können.

Der alte Knauser. Großvater hat mich nach dem Krieg nicht mit einem einzigen Penny unterstützt, und für die Tanten rührt er auch keinen Finger. Scarlett richtete sich auf eine Auseinandersetzung ein. Ihre Tanten hatten zwar eine höllische Angst vor ihrem Vater, sie aber nicht. Ihre beängstigende Einsamkeit in Atlanta hatte sie in Charleston schüchtern sein lassen, ängstlich darum besorgt, auf jedermann einen guten Eindruck zu machen. Jetzt, da sie ihr Leben wieder in die eigenen Hände genommen hatte, spürte sie, wie sie vor Kraft vibrierte. Nichts und niemand konnte ihr etwas anhaben. Rhett liebte sie, und sie war die Königin der Welt.

Gelassen nahm sie Hut und Pelzcape ab und ließ sie auf die Marmorplatte einer Konsole in der Diele fallen. Dann begann sie, ihre apfelgrünen Glacéhandschuhe abzustreifen. Sie spürte, wie ihre Tanten sie anstarrten. Die beiden hatten bereits unterwegs einiges zu starren gehabt. Doch Scarlett war es ein Vergnügen gewesen, ihr Reisekostüm in grünbraunem Schottenkaro anziehen zu können statt der trostlosen Kleider, die sie in Charleston getragen hatte. Sie lockerte die dunkelgrüne Taftschleife ein wenig, die ihre Augen so strahlend erscheinen ließ. Als ihre Handschuhe den Weg von Hut und Cape genommen hatten, zeigte sie darauf. »Pansy, bring die Sachen hinauf und verstau sie im hübschesten Schlafzimmer, das du entdecken kannst. Und hör auf, dich so in die Ecke zu drücken, es wird dich schon niemand beißen.«

»Scarlett, du kannst doch nicht ...«

»Du mußt doch zumindest abwarten ...« Die Tanten rangen die Hände.

»Wenn Großvater so unfreundlich ist, daß er nicht einmal herauskommt, um uns zu begrüßen, dann müssen wir uns eben selbst bemühen. Meine Güte, Tante Eulalie! Du bist doch hier aufgewachsen, du und Tante Pauline, fühlt ihr euch denn hier überhaupt nicht mehr zu Hause?«

Scarletts Worte und ihr ganzes Betragen ließen zwar an Kühnheit nichts zu wünschen übrig, aber als aus dem hinteren Teil des Hauses eine Baßstimme »Jerome!« dröhnte, fühlte sie doch, wie sie feuchte Hände bekam. Ihr Großvater, so fiel ihr plötzlich wieder ein, hatte einen derart durchbohrenden Blick, daß man am liebsten in den Boden versunken wäre, um ihn nicht länger aushalten zu müssen.

Der imposante schwarze Hausdiener, der sie empfangen hatte, bedeutete Scarlett und ihren Tanten, daß sie durch die offene Tür am anderen Ende der Diele gehen sollten. Scarlett ließ Eulalie und Pauline den Vortritt. Großvaters Schlafzimmer war ein Raum mit einer ungeheuer hohen Decke, der früher einmal als geräumiges Empfangszimmer gedient hatte. Er war mit sämtlichen Sofas, Stühlen und Tischen vollgestopft, die schon im Empfangszimmer gestanden hatten, und dazu kam jetzt noch ein Himmelbett, auf dessen Pfosten vergoldete Adler hockten. In einer Zimmerecke hing eine französische Flagge, und dort stand auch eine kopflose Schneiderpuppe, die die ordenbehängte, mit goldenen Epauletten bestückte Uniform trug, die Pierre Robillard als junger Mann getragen hatte, als er Offizier in der Armee Napoleons gewesen war. Der alte Pierre Robillard hingegen befand sich im Bett, aufrecht gegen einen Berg Kissen gelehnt, und sah seine Besucher zornfunkelnd an.

Oje, er ist ja fast zu einem Nichts zusammengeschrumpft. Dabei war er so ein kräftiger, alter Mann, aber in dem großen Bett verschwindet er geradezu, ist nur noch Haut und Knochen. »Hallo, Großvater«, sagte Scarlett. »Ich bin zu deinem Geburtstag gekommen. Ich bin Scarlett, Ellens Tochter.«

»Ich leide nicht unter Gedächtnisschwund«, sagte der alte Mann. Seine kräftige Stimme strafte den zerbrechlichen Körper Lügen. »Aber du hast offenbar einiges vergessen. In diesem Haus sprechen junge Leute erst dann, wenn das Wort an sie gerichtet wird.«

Scarlett biß sich auf die Lippe und schluckte die Antwort hinunter. Erstens bin ich kein Kind mehr, und zweitens solltest du froh sein, daß dich überhaupt jemand besuchen kommt. Kein Wunder, daß Mutter froh war, als Pa sie von zu Hause weggeholt hat!

»Et vous, mes filles. Qu'est-ce que vous voulez cette fois?« knurrte Pierre Robillard seine Töchter an.

Eulalie und Pauline eilten an sein Bett und sprachen beide gleichzeitig.

Du meine Güte! Die sprechen ja französisch! Was habe ich hier um Himmels willen bloß verloren? Scarlett sank auf ein mit Goldbrokat bezogenes Sofa und hätte einiges darum gegeben, an einem, ganz gleich, welchem, anderen Ort zu sein. Hoffen wir, daß Rhett mich bald holen kommt, in diesem Haus werde ich sonst noch verrückt.

Es wurde draußen langsam dunkel, und die schummrigen Ecken des Zimmers wirkten geheimnisvoll. Der kopflose Soldat schien sich jeden Moment bewegen zu wollen. Scarlett spürte, wie es ihr eiskalt den Rücken hinunterlief. Nun sei nicht albern, mahnte sie sich. Dennoch war sie froh, als Jerome und eine stämmig wirkende Frau mit einer Lampe hereinkamen. Während die Dienerin die Vorhänge zuzog, zündete Jerome die Gaslampen an den Wänden an. Er bat Scarlett höflich, sich doch zu erheben, so daß er an die Lampe hinter dem Sofa herankäme. Als sie aufstand, bemerkte sie, daß der Blick ihres Großvaters auf ihr ruhte, und sie wandte sich ab. Unversehens fand sie sich einem großen Gemälde mit vergoldetem Rahmen gegenüber. Jerome zündete erst eine, dann eine zweite Lampe an, und das Gemälde erwachte zum Leben.

Es war das Porträt ihrer Großmutter. Scarlett erkannte sie sofort von dem Gemälde auf Tara wieder. Nur war dieses hier ganz anders, und Solange Robillards Haar war nicht wie auf dem anderen Porträt zur Hochfrisur aufgetürmt. Statt dessen fiel es als warme Wolke über ihre Schultern und bis zum Ellbogen über ihre nackten Arme hinab, gebändigt nur durch ein Netz aus schimmernden Perlen. Die arrogante schmale Nase war zwar dieselbe, aber die Lippen zeigten den Ansatz eines wirklichen Lächelns, und die schrägen, dunklen Augen blickten aus den Winkeln mit jener lachenden magnetischen Intimität auf Scarlett herab, die noch jeden, der Großmutter Robillard gekannt hatte, herausgefordert und angelockt hatte. Sie war auf diesem Gemälde zwar jünger, gleichwohl aber eine Frau, kein Mädchen mehr. Die provozierenden runden Brüste, die auf dem Gemälde auf Tara halb entblößt waren, wurden hier von einem dünnen weißen Seidenkleid bedeckt. Bedeckt zwar, aber durch die schleierartige Seide waren sie dennoch sichtbar, ein Schimmer von weißem Fleisch und rosigen Brustwarzen. Scarlett spürte, wie sie errötete. Also wirklich, Grandma Robillard sieht ganz und gar nicht wie eine Dame aus, fand sie und mißbilligte es geradezu mechanisch, wie man es sie gelehrt hatte. Unwillkürlich erinnerte sie sich, wie sie in Rhetts Armen gelegen hatte, und an ihren zügellosen Hunger nach seinen Händen. Ihre Großmutter mußte denselben Hunger gekannt haben, dieselbe Ekstase, es war ihren Augen und ihrem Lächeln anzusehen. Also kann es doch nicht falsch gewesen sein, was ich empfunden habe. Oder doch? War da ein Zug von Schamlosigkeit in ihrem Blut, den ihr die Frau, die ihr von dem Gemälde herunter zulächelte, vermacht hatte? Scarlett starrte das Porträt über ihr fasziniert an.

»Scarlett«, flüsterte Pauline ihr ins Ohr. »Père möchte, daß wir jetzt gehen. Sag leise gute Nacht und komm dann mit.«

Das Abendessen war knauserig bemessen. Scarletts Meinung nach nicht einmal ausreichend, um einen der buntgefiederten Phantasievögel auf den Schüsseln zu sättigen, in denen es serviert wurde. »Das kommt daher, daß die Köchin Pères Geburtstagsessen vorbereitet«, erklärte Pauline ihr im Flüsterton.

»Schon vier Tage im voraus?« fragte Scarlett laut. »Was macht sie denn? Schaut zu, wie aus Küken Hühner werden?« Herrje, murrte sie vor sich hin, wenn das so weiterging, würde sie ja bis Donnerstag genauso klapperdürr wie Großvater Robillard sein. Als das ganze Haus schlief, tastete sie sich lautlos in die Küche im Souterrain hinab und verzehrte in der Speisekammer eine anständige Portion Maisbrot mit Buttermilch. Sollten doch zur Abwechslung die Dienstboten einmal hungrig sein, dachte sie und freute sich, weil ihr Verdacht sich als zutreffend erwiesen hatte. Père Robillard mochte der Anhänglichkeit seiner Töchter auch dann noch gewiß sein, wenn sie halbleere Mägen hatten, doch seine Dienstboten würden nicht bei ihm bleiben, wenn sie nicht reichlich zu essen bekämen.

Am nächsten Morgen befahl sie Jerome, ihr Eier mit Speck und Kekse zu bringen. »In der Küche habe ich jede Menge davon gesehen.« Und sie bekam das Gewünschte. Das versöhnte sie halbwegs mit ihrer Duckmäuserei am Abend zuvor. Es ist doch sonst nicht meine Art, dermaßen zu kuschen, dachte sie. Nur weil Tante Pauline und Tante Eulalie zitterten wie Espenlaub, brauche ich mir von dem alten Mann noch lange keine Angst machen zu lassen. Das soll nicht noch einmal vorkommen.

Dennoch war sie durchaus zufrieden, daß sie es mit den Dienstboten zu tun hatte und nicht mit ihrem Großvater. Sie sah, daß Jerome gekränkt war, und das war ihr eine rechte Freude. Sie hatte sich schon lange mit niemandem mehr gemessen, und es war ihr ein Vergnügen, sich als die Stärkere zu erweisen. »Die anderen Damen bekommen ebenfalls Schinkenspeck und Eier«, teilte sie Jerome mit. »Und das hier ist nicht genug Butter für meine Kekse.«

Jerome stelzte davon, um die übrigen Dienstboten zu unterrichten. Scarletts Ansprüche waren ein Affront gegen sie alle. Nicht, weil damit mehr Arbeit verbunden war; tatsächlich verlangte sie nur das, was die Dienstboten selbst immer zum Frühstück aßen. Nein, was Jerome und den anderen lästig war, waren ihre Jugend und ihre Tatkraft. Sie störten vernehmlich die ehrfurchtsvoll gedämpfte Atmosphäre des Hauses. Die Dienstboten konnten nur hoffen, daß sie bald wieder abreiste, ohne vorher allzuviel Unruhe zu stiften.

Nach dem Frühstück führten Eulalie und Pauline sie in jedes einzelne Zimmer im Erdgeschoß und erzählten eifrig von den Festen und Empfängen, die sie in ihrer Jugend miterlebt hatten, wobei sie einander unablässig verbesserten und wegen Jahrzehnte zurückliegender Einzelheiten in Streit gerieten. Scarlett blieb lange vor dem Porträt dreier kleiner Mädchen stehen und versuchte, in dem pausbäckigen Gesicht einer Fünfjährigen die ausgeglichenen Züge ihrer Mutter wiederzuerkennen. Angesichts des dichten Charlestoner Gewebes vielfach untereinander verschwägerter Generationen hatte sich Scarlett isoliert gefühlt. Es war wohltuend, sich in dem Haus aufzuhalten, in dem ihre Mutter geboren und großgezogen worden war, in einer Stadt, in der sie selbst Teil eines solchen Gewebes war.

»Ihr müßt doch unzählige Cousins in Savannah haben«, sagte sie zu ihren Tanten. »Kann ich die nicht kennenlernen? Schließlich ist es auch meine Familie.«

Pauline und Eulalie blickten verwirrt. Cousins? Da gab es zwar die Prudhommes, die Familie ihrer Mutter. Doch von denen lebte nur ein sehr alter Herr in Savannah, der Witwer einer der Schwestern ihrer Mutter. Der Rest der Familie war vor vielen Jahren nach New Orleans gezogen. »In New Orleans spricht alles französisch«, erklärte Pauline. Und was die Robillards anging, so waren sie und Eulalie die einzigen hier. »Père hatte Unmengen von Cousins in Frankreich, auch Brüder – zwei waren es. Doch er ist als einziger nach Amerika gegangen.«

Eulalie schaltete sich ein. »Aber wir haben viele, viele Freunde in Savannah, Scarlett. Die kannst du selbstverständlich kennenlernen. Meine Schwester und ich werden heute einige Besuche machen und unsere Karten abgeben, falls Père uns zu Hause nicht braucht.«

»Ich möchte aber um drei wieder hiersein«, sagte Scarlett rasch. Für den Fall, daß Rhett bereits heute ankam, wollte sie bereit sein, und sie wollte sich in bester Verfassung zeigen. Sie würde unendlich viel Zeit zum Baden und Ankleiden brauchen, ehe der Zug von Charleston eintraf.

Doch Rhett kam nicht, und als Scarlett die sorgfältig ausgewählte Bank in dem tadellos gepflegten französischen Garten hinter dem Haus verließ, war ihr eiskalt. Sie hatte den Tanten ihre Bitte, sie doch am selben Abend zu der *Soirée musicale* zu begleiten, zu der sie eingeladen worden waren, abgeschlagen. Wenn das auch wieder so etwas sein würde wie die öden Erinnerungen der alten Damen, denen sie heute morgen einen Besuch abgestattet hatten, dann würde sie sich zu Tode langweilen. Doch der übelwollende Blick ihres Großvaters, als er seine Familie vor dem Abendessen zehn Minuten zu sich ließ, bewirkte, daß sie sich anders besann. Alles war besser, als mit Großvater Robillard allein zu Hause zu sein.

Die Telfair-Schwestern, Mary und Margaret, waren anerkanntermaßen die Kulturwächterinnen von Savannah, und ihr musikalischer Abend hatte nichts mit den Abenden gemein, die Scarlett bislang erlebt hatte. Gewöhnlich gab es auf derlei Veranstaltungen nur singende Damen, die ihr »Talent« unter Beweis stellten und von anderen Damen auf dem Klavier begleitet wurden. Es war obligatorisch, daß Damen ein wenig sangen, ein wenig Klavier spielten, ein wenig zeichneten oder aquarellierten und ausgefallene Handarbeiten machten. Im Haus der Telfairs am Saint James' Square waren die Maßstäbe jedoch weitaus anspruchsvoller. In der Mitte des hübschen Doppelsalons standen Reihen vergoldeter Stühle, und am gerundeten Ende des einen Raums versprachen ein Klavier, eine Harfe und sechs Stühle mit Notenständern davor ein paar ernsthafte Darbietungen. Scarlett prägte sich alle Einzelheiten des Arrangements genau ein. Der Doppelsalon im Butlerschen Hause würde sich mühelos auf die gleiche Weise herrichten lassen, und damit würde sie sich von allen anderen abheben. Sie würde sich im Handumdrehen den Ruf erwerben, eine elegante Gastgeberin zu sein. Sie würde auch nicht alt und knitterig sein wie die Telfair-Schwestern. Oder so fade wie die jüngeren Frauen, die zu sehen waren. Woher kam es nur, daß die Leute überall im Süden meinten, sie müßten, um unter Beweis zu stellen, daß sie ehrbar waren, ärmliche, geflickte Kleider tragen?

Das Streichquartett langweilte sie, und sie dachte schon, die Harfnerin würde nie zum Ende kommen. Die Sänger gefielen ihr hingegen, obwohl sie noch nie etwas von der »Oper« gehört hatte; endlich sangen einmal ein Mann und eine Frau statt, wie sonst, zwei Frauen. Und nach ein paar Liedern in fremden Sprachen trugen sie auch andere vor, die Scarlett kannte. Die Stimme des Mannes war herrlich romantisch, als er *»Beautiful Dreamer«* intonierte, und Scarlett war zutiefst bewegt, als er *»Come Back to Erin, Mavourneen, Mavourneen«* sang. Sie mußte zugeben, daß es sich doch wesentlich besser anhörte als Gerald O'Hara, wenn er bezecht war.

Was Pa wohl von dem allen halten würde? Fast hätte Scarlett laut gekichert. Wahrscheinlich würde er mitsingen und sich obendrein aus seiner Taschenflasche noch einen Schuß in den Punsch tun. Und dann würde er um »Peggy in der kleinen Chaise« bitten. Genau wie sie Rhett gebeten hatte, es zu singen . . .

Der Raum, die Menschen darin und die Musik verschwanden, und sie hörte Rhetts Stimme im Bauch der gekenterten Schaluppe dröhnen, spürte wieder seine Arme, die sie wärmend an seinen Körper drückten. Er kann ohne mich nicht leben. Diesmal wird er mich holen kommen. Jetzt bin ich am Zug.

Scarlett merkte gar nicht, daß sie während des anrührenden Vortrags von »Wo Silberfäden ...« vor sich hinlächelte.

Am nächsten Tag sandte sie Onkel Henry ein Telegramm, worin sie ihm ihre Anschrift in Savannah mitteilte. Sie zögerte und fügte dann noch eine Frage hinzu: Hatte Rhett ihr irgendwelches Geld überwiesen?

Was war denn nun, wenn Rhett wieder irgendein Spielchen spielte und aufhörte, das Geld für den Unterhalt des Hauses in der Peachtree Street zu zahlen? Nein, das tat er bestimmt nicht. Im Gegenteil. In seinem Brief stand doch, er würde ihr die halbe Million schicken.

Was in dem Brief stand, konnte nicht wahr sein. Mit all den kränkenden Dingen hatte er sie nur ins Bockshorn jagen wollen. Wie Opium, hatte er behauptet. Er konnte nicht ohne sie leben. Er würde ihr nachgereist kommen. Es würde ihm schwerer fallen, seinen Stolz zu überwinden, als irgend jemandem sonst, aber er würde kommen. Er mußte. Er konnte nicht ohne sie leben. Schon gar nicht nach dem, was am Strand geschehen war ...

Scarlett fühlte, wie ihr Körper von einem wärmenden Gefühl der Schwäche durchdrungen wurde, und sie hatte Mühe, sich zur Besinnung zu zwingen. Sie bezahlte das Telegramm und hörte aufmerksam zu, als der Mann hinter dem Schalter ihr erklärte, wie man zum Kloster der Barmherzigen Schwestern kam. Dann machte sie sich mit solcher Eile auf den Weg, daß Pansy fast rennen mußte, um mit ihr Schritt halten zu können. Während sie auf Rhetts Ankunft wartete, würde sie gerade noch Zeit haben, um Carreens Mutter Oberin aufzuspüren, die ihr eine Audienz beim Bischof verschaffen sollte, wie Rhett vorgeschlagen hatte.

Das Kloster der Barmherzigen Schwestern von Savannah war ein großes weißes Gebäude, über dessen hohen geschlossenen Türen sich jeweils ein Kreuz befand. Der gesamte Komplex war von einem hohen Eisenzaun mit gleichfalls geschlossenen und von Kreuzen gekrönten Toren umgeben. Scarletts rascher Schritt verlangsamte sich erst, dann blieb sie stehen. Das unterschied sich doch sehr von dem schmucken Backsteinbau in Charleston.

»Gehen Sie da rein, Miss Scarlett?« Pansys Stimme bebte leicht. »Ich warte lieber draußen. Ich bin Baptistin.«

»Nun sei aber nicht albern!« Pansys Ängstlichkeit verlieh Scarlett den nötigen Schneid. »Das ist doch keine Kirche, das ist nur ein Heim für nette Damen wie Miss Carreen.« Das Tor gab ihrer Berührung nach und öffnete sich.

Ja, sagte die ältere Nonne, die auf Scarletts Läuten die Tür öffnete, ja, die Mutter Oberin aus Charleston sei da. Nein, sie könne sie nicht sofort fragen, ob Mrs. Butler sie sprechen könnte. Es sei gerade eine Sitzung im Gange. Nein, sie wisse nicht, wie lange die dauern werde, und auch nicht, ob die Mutter Oberin mit Mrs. Butler sprechen könne, wenn die Sitzung vorbei sei. Vielleicht wolle Mrs. Butler ja die Klassenzimmer sehen, das Kloster sei sehr stolz auf seine Schule. Vielleicht ließe sich auch eine Besichtigung des Domneubaus einrichten. Danach könne man dann der Mutter Oberin eventuell eine Nachricht zukommen lassen – falls die Sitzung beendet sei.

Scarlett rang sich ein Lächeln ab. Das Letzte auf Erden, wozu ich Lust habe, ist, eine Kinderschar zu bewundern, dachte sie wütend. Oder eine Kirche zu besichtigen. Sie wollte gerade schon sagen, daß sie einfach später noch einmal wiederkäme, als die Worte der Nonne sie auf einen Einfall brachten. Sie bauten also einen neuen Dom . . . Das kostete Geld. Vielleicht würde man ihr Angebot, Tara zurückzukaufen, hier ja tatsächlich mit einem geneigteren Auge betrachten als in Charleston, genau wie Rhett es vermutet hatte. Schließlich gehörte Tara zu Georgia und unterstand somit wahrscheinlich auch der Kontrolle des Bischofs von Georgia. Mal angenommen, sie böte an, als Carreens Mitgift ein Buntglasfenster für den neuen Dom zu bezahlen? Das würde zwar wesentlich mehr kosten, als Carreens Anteil an Tara wert war, und sie wollte ihnen schon klarmachen, daß sie das Fenster im Austausch bekämen und nicht noch zusätzlich. Der Bischof würde sich der Vernunft ihres Vorschlags jedoch nicht verschließen können und der Mutter Oberin schon klarmachen, wie sie sich in der Sache zu verhalten hatte.

Scarletts Lächeln wurde breiter und herzlicher. »Es wäre mir eine Ehre, den Dom zu besichtigen, Schwester, wenn Sie sicher sind, daß es nicht zuviel Mühe macht.«

Pansy sperrte Mund und Nase auf, als sie zu den hoch aufragenden Zwillingstürmen des stattlichen Dombaus im gotischen Stil emporblickte. Die Arbeiter auf dem Gerüst, das die nahezu fertiggestellten Türme umgab, wirkten klein und flink, wie bekleidete Eichhörnchen hoch oben in einem Baum. Scarlett hatte jedoch keine Augen für das Schauspiel über ihrem Kopf. Ihr Puls beschleunigte sich angesichts des lebhaften Treibens am Boden, des Gehämmers und des Sägelärms – und insbesondere der harzige Duft des frischgeschnittenen Bauholzes ließ ihr Herz höher schlagen. Ach, wie sehr fehlten ihr doch die Sägemühlen und das Holzgeschäft. Es juckte sie in den Fingern vor Verlangen, die Hände über das glatte Holz laufen zu lassen, beschäftigt zu sein, etwas zu tun zu haben, etwas zu verändern, Dinge in Bewegung zu setzen, statt aus feinen Teetassen mit farblosen, feinen alten Damen Tee zu trinken.

Scarlett bekam von den Wunderdingen, die der junge Priester wortreich schilderte, den man ihr zur Begleitung mitgegeben hatte, kaum etwas mit. Sie bemerkte nicht einmal die bewundernden Blicke der Männer, die ihre Arbeit für einen Augenblick ruhen ließen, um dem Priester und seiner Begleiterin den Weg frei zu machen. Sie war viel zu sehr mit ihren eigenen Gedanken beschäftigt, um zuzuhören oder irgend etwas zu bemerken. Aus was für prachtvollen, gerade gewachsenen Bäumen man diese Balken wohl geschnitten hatte? Es war das beste Fichtenkernholz, das sie je gesehen hatte. Sie hätte gern gewußt, wo sich die Sägemühle befand, welche Art von Sägen man dort benutzte und mit welcher Art von Energie man arbeitete. Ach, warum war sie bloß kein Mann! Dann hätte sie danach fragen und die Sägemühle anschauen können statt diese Kirche. Scarlett scharrte mit den Füßen in einem Hügel frischer Hobelspäne und sog den belebenden scharfen Duft ein.

»Ich muß zum Mittagessen in die Schule zurück«, sagte der Priester entschuldigend.

»Selbstverständlich, Vater, ich wollte selbst gerade gehen.« Das stimmte zwar nicht, aber was hätte sie sonst sagen können? Scarlett verließ mit ihm den Dom und trat auf das Trottoir hinaus.

»Entschuldigen Sie bitte, Vater.« Die Stimme gehörte einem riesigen, rotgesichtigen Mann, dessen rotes Hemd über und über mit Zementstaub bedeckt war. Der Priester sah neben ihm unbedeutend und bleich aus.

»Könnten Sie vielleicht einen kleinen Segen über der fertigen Arbeit sprechen, Vater? Der Türsturz zur Kapelle des Heiligen Herzens ist vor noch nicht einer Stunde eingepaßt worden.«

Na so was, der hört sich ja genau an wie Pa, wenn er am alleririschsten war. Scarlett senkte den Kopf, wie es die Arbeiter taten, während der Priester der Bitte Folge leistete. Die Augen brannten ihr vom stechenden Geruch des frischgeschnittenen Fichtenholzes und den Tränen, die ihr bei der Erinnerung an ihren Vater ganz plötzlich gekommen waren und die sie jetzt wegblinzelte.

Ich gehe Pas Brüder besuchen, beschloß sie. Und wenn sie auch schon ungefähr hundert Jahre alt sein müssen, Pa hätte gewollt, daß ich zumindest kurz einmal bei ihnen hereinschaue.

Sie kehrte mit dem Priester zum Kloster zurück und bekam einmal mehr eine freundliche Weigerung der älteren Nonne zu hören, als sie darum bat, die Mutter Oberin sprechen zu dürfen.

Scarlett wahrte zwar die Beherrschung, aber ihre Augen leuchteten verdächtig. »Sagen Sie ihr doch, ich käme heute nachmittag wieder«, sagte sie.

Als das hohe Eisentor hinter ihnen zuschwang, hörte Scarlett in einiger Entfernung die Glocken läuten. »Verflixt!« sagte sie. Sie würde zu spät zum Mittagessen kommen.

Scarlett roch Brathuhn, sobald sie die Tür des großen, rosafarbenen Hauses öffnete. »Nimm die Sachen hier«, sagte sie zu Pansy und entledigte sich in Rekordgeschwindigkeit ihres Capes, ihres Hutes und ihrer Handschuhe. Sie war sehr hungrig.

Eulalie sah sie aus riesigen, kummervollen Augen an, als sie das Eßzimmer betrat. »Père möchte dich sprechen, Scarlett.«

»Hat das nicht Zeit bis nach dem Essen? Ich sterbe vor Hunger.«

»›Sobald sie das Haus betritt‹, hat er gesagt.«

Scarlett griff sich ein dampfend heißes Brötchen aus dem Brotkorb und biß wütend hinein, während sie auf dem Absatz kehrtmachte. Sie aß es auf, während sie zum Zimmer ihres Großvaters marschierte.

Der alte Mann sah sie über sein Tablett hinweg, das auf seinem Schoß in dem großen Bett stand, mit finsterer Miene an. Auf seinem Teller, so stellte Scarlett fest, befanden sich nur zerstampfte Kartoffeln und ein Häufchen wäßrig wirkender Mohrrübenstücke.

Meine Güte! Kein Wunder, daß er so grimmig aussieht. An den Kartoffeln ist ja noch nicht einmal etwas Butter. Selbst wenn er keinen Zahn mehr im Mund hat, könnte man ihn doch ein bißchen besser ernähren.

»Ich dulde keine Mißachtung des Zeitplans in meinem Haus«, sagte der alte Mann.

»Es tut mir leid, Großvater.«

»Disziplin ist das, was den Armeen des Kaisers zu ihrer Größe verholfen hat: Ohne Disziplin herrscht nichts als Chaos.«

Seine Stimme war tief, kräftig, furchteinflößend. Scarlett sah jedoch die spitzen, alten Knochen unter dem schweren Leinennachthemd, und sie empfand keine Furcht.

»Ich habe doch gesagt, daß es mir leid tut. Kann ich jetzt gehen? Ich bin nämlich hungrig.«

»Nun werde nicht unverschämt, junge Dame.«

»Was ist denn daran unverschämt, daß einer hungrig ist, Großvater? Nur weil du dein Mittagessen nicht magst, soll wohl auch sonst keiner etwas bekommen?«

Pierre Robillard stieß wütend gegen sein Tablett. »Ein Papp!« knurrte er. »Schweinefraß!«

Scarlett strebte zur Tür.

»Ich habe dich noch nicht entlassen, Miss.«

Sie spürte, wie ihr Magen knurrte. Die Brötchen waren bestimmt längst kalt und das Huhn womöglich schon weg, bei dem Appetit, den Tante Eulalie hatte.

»Heiliger Strohsack, Großvater, ich bin doch nicht einer von deinen Soldaten! Ich habe auch keine Angst vor dir wie meine Tanten. Was hast du denn vor mit mir? Willst du mich wegen Fahnenflucht erschießen lassen? Wenn du dich zu Tode fasten willst, ist das deine Sache. Ich bin hungrig, und ich werde jetzt essen, was vom Mittagessen noch übrig ist.« Sie war schon halb aus der Tür, als sie ein seltsam ersticktes Geräusch hörte und sich umwandte. Du lieber Gott, er wird doch nicht meinetwegen einen Schlag bekommen? Laß mich nicht schuld sein an seinem Tod.

Pierre Robillard lachte.

Scarlett stemmte die Hände in die Hüften und funkelte ihn zornig an. Er hatte sie fast zu Tode erschreckt.

Mit einer langfingrigen, knochigen Hand scheuchte er sie hinaus. »Iß«, sagte er, »iß nur.« Dann fing er wieder an zu lachen.

»Was war denn?« fragte Pauline.

»Ich habe gar kein Gebrüll gehört, Scarlett«, sagte Eulalie.

Die beiden saßen am Tisch und warteten auf die Nachspeise. Das Essen war abgetragen. »Nichts war«, sagte Scarlett zähneknirschend. Sie griff nach dem Silberglöckchen und schwenkte es wütend. Als die stämmige Dienerin mit zwei Tellerchen Pudding erschien, stelzte Scarlett auf sie los. Sie legte der Frau die Hände auf die Schultern und drehte sie wieder um. »So, und nun marschier los. Und ich meine marschieren und nicht zockeln. Geh in die Küche und hol mir mein Mittagessen. Heiß und viel und schnell. Es interessiert mich nicht, wer von euch darauf scharf ist, ihr werdet euch mit dem Rücken und den Flügeln begnügen müssen. Ich will eine Keule und eine Brust, reichlich Bratensoße auf die Kartoffeln und ein Schälchen Butter, und die Brötchen bitte heiß. Beweg dich!«

Sie ging zu ihrem Stuhl und setzte sich, bereit, sofort einen Streit vom Zaun zu brechen, wenn eine von ihren Tanten auch nur ein Wort sagte. Es herrschte Schweigen.

Pauline hielt sich zurück, bis Scarlett halb aufgegessen hatte. Dann fragte sie höflich: »Was hat Père denn gesagt?«

Scarlett wischte sich den Mund ab. »Er hat lediglich versucht, mich herumzukommandieren, wie er es mit dir und Tante Lalie immer macht, also hab ich ihm die Meinung gesagt. Da mußte er lachen.«

Die beiden Schwestern tauschten entsetzte Blicke. Scarlett lächelte und löffelte sich noch mehr Sauce auf die Kartoffeln. Was ihre Tanten doch für Gänse waren. Wußten sie denn nicht, daß man sich gegen Tyrannen, wie ihr Vater einer war, zur Wehr setzten mußte, weil sie einen sonst einfach unterbutterten?

Scarlett wäre nie auf den Gedanken gekommen, daß sie sich nur deswegen zur Wehr zu setzen vermochte, weil sie selbst ein tyrannisches Wesen besaß, und daß ihr Großvater gelacht hatte, weil er sah, wie ähnlich sie einander waren.

Als der Nachtisch serviert wurde, waren die Puddingschälchen irgendwie größer geworden. Eulalie lächelte ihrer Nichte dankbar zu. »Meine Schwester und ich, wir haben schon gesagt, wie sehr wir es genießen, daß du bei uns in unserem alten Zuhause bist, Scarlett. Findest du nicht, daß Savannah ein hübsches Städtchen ist? Hast du den Springbrunnen auf dem Chippewa Square gesehen? Und das Theater? Es ist fast so alt wie das von Charleston. Ich weiß noch, wie Pauline und ich immer vom Fenster unseres Klassenzimmers aus das Kommen und Gehen der Schauspieler beobachtet haben. Erinnerst du dich, Schwester?«

Pauline erinnerte sich. Sie erinnerte sich außerdem, daß Scarlett ihnen noch gar nicht gesagt hatte, wo sie am Vormittag gewesen war. Als Scarlett berichtete, sie habe den Dom besichtigt, legte Pauline den Finger an die Lippen. Père, so sagte sie, sei leider ein radikaler Gegner des Römischen Katholizismus. Es habe etwas mit der französischen Geschichte zu tun, was genau, wisse sie nicht, doch er sei ungeheuer schlecht auf die Kirche zu sprechen. Deswegen führen sie und Eulalie auch immer erst sonntags nach der Messe nach Savannah und kehrten am Samstag darauf wieder nach Charleston zurück. Dieses Jahr gebe es da allerdings eine Schwierigkeit: Weil Ostern so früh liege, falle der Aschermittwoch in Großvaters Geburtstagswoche. Selbstverständlich müßten sie an der Messe teilnehmen, und sie würden das Haus in aller Frühe sicher auch ohne größere Probleme verlassen können. Doch wie sollten sie verhindern, daß ihr Vater die Aschenstriche auf ihrer Stirn entdeckte, wenn sie nach Hause kamen?

»Wascht euch doch das Gesicht!« sagte Scarlett ungeduldig und verriet dadurch sowohl ihre Unwissenheit als auch, daß es mit ihrer Rückkehr in den Schoß der Kirche nicht weit her war. Sie ließ die Serviette auf den Tisch fallen. »Ich muß jetzt los«, sagte sie munter. »Ich . . . ich gehe meine Onkel und Tanten von der O'Hara-Seite besuchen.« Niemand sollte wissen, daß sie den Anteil des Klosters an Tara zurückzukaufen versuchte. Schon gar nicht ihre Tanten; die schwatzten zuviel. Ja, womöglich würden sie es sogar Suellen schreiben. Sie lächelte liebenswürdig. »Wann gehen wir morgen früh zur Messe?« Sie wollte es der Mutter Oberin gegenüber unbedingt erwähnen. Dabei ging es niemanden etwas an, daß sie gar nicht mehr wußte, was es eigentlich mit dem Aschermittwoch auf sich hatte.

Wie ärgerlich aber auch, daß sie ihren Rosenkranz in Charleston gelassen hatte. Ach, halb so schlimm, sie würde sich im Laden ihrer O'Hara-Onkel einen neuen kaufen. Wenn sie sich richtig erinnerte, gab es dort einfach alles – von der Nachthaube bis zur Pflugschar.

»Miss Scarlett, wann fahren wir denn nach Hause nach Atlanta? Ich bin nicht gern bei den Leuten in der Küche von Ihrem Grandpa. So alt sind die alle. Und meine Schuhe sind schon ganz dünn von dieser vielen Lauferei. Wann fahren wir nach Hause, wo es all die schönen Kutschen gibt?«

»Hör bloß mit dem ewigen Gequengel auf, Pansy. Wann und wohin wir fahren, bestimme ich.« Scarletts Antwort war jedoch nicht wirklich energisch; sie versuchte sich gerade zu erinnern, wie es im Laden ihrer Onkel aussah, und es gelang ihr nicht. Ich stecke mich hier schon an der Vergeßlichkeit der ganzen Alten an. In der Hinsicht hat Pansy recht. Ich kenne keinen Menschen in Savannah, der nicht alt wäre. Großvater, Tante Eulalie, Tante Pauline und all ihre Freundinnen. Und Pas Brüder sind die ältesten von allen. Ich sage guten Tag, lasse mir einen abscheulichen trockenen Altmännerkuß auf die Wange geben, kaufe meinen Rosenkranz und gehe wieder. Es besteht kein Grund, gleich die ganze Familie zu besuchen. Wenn denen an mir läge, hätten sie sich bestimmt bemüht, den Kontakt die vielen Jahre über nicht ganz abreißen zu lassen. Ich glaube, ich könnte tot und begraben sein, und mein Mann und meine Kinder würden nicht eine Beileidskarte von ihnen bekommen. Eine reichlich schnöde Art, eine Blutsverwandte so zu behandeln, muß ich schon sagen. Vielleicht sollte ich es doch lieber völlig vergessen, überhaupt jemanden von denen zu besuchen. Sie verdienen es nicht, nachdem sie mich dermaßen vernachlässigt haben, dachte Scarlett und ließ dabei völlig unberücksichtigt, daß sie sämtliche Briefe aus Savannah so lange unbeantwortet gelassen hatte, bis schließlich keine mehr gekommen waren.

Scarlett war mittlerweile bereit, die Brüder ihres Vaters und ihre Frauen auf alle Zeiten in die hintersten Falten ihres Gedächtnisses zu verbannen. Sie war ausschließlich an zwei Dingen interessiert: Tara in die Hand zu bekommen und sich Rhetts zu versichern. Auch wenn das im Grunde zwei nicht ganz zusammenpassende Ziele waren, sie würde schon einen Weg finden, beides miteinander zu vereinen. Was allerdings erforderte, daß sie sich völlig darauf konzentrierte. Ich werde jetzt nicht anfangen, auf der Suche nach dem verstaubten alten Laden meine Zeit zu vertrödeln, beschloß Scarlett. Ich muß an die Mutter Oberin und den Bischof herankommen. Hätte ich doch bloß nicht den Rosenkranz in Charleston gelassen! Sie ließ den Blick rasch über die Schaufenster von Savannahs Einkaufsstraße, der Broughton Street, schweifen. Hier war doch bestimmt ein Juwelier in der Nähe.

Jetzt erst sah sie, daß unmittelbar gegenüber von ihr in kühngeschwungenen, vergoldeten Lettern über fünf blitzende Schaufenster hinweg »O'Hara« geschrieben stand. Donnerwetter, die haben es aber weit gebracht, seit ich zum letztenmal hier war, dachte Scarlett. Das sieht ganz und gar nicht verstaubt aus. »Los, komm«, sagte sie zu Pansy und stürzte sich in das Verkehrsgewühl aus Fuhrwerken, Einspännern und Schubkarren, das die lebhafte Straße erfüllte.

Das Geschäft der O'Haras roch nach frischer Farbe und nicht nach jahrealtem Staub. Ein grünes Tarlatan-Spruchband, das im Ladeninnern vor dem Tresen hing, gab in goldenen Lettern den Grund dafür bekannt. »Große Eröffnung«. Scarlett blickte sich neiderfüllt um. Das Geschäft war mehr als zweimal so groß wie ihr Laden in Atlanta, und sie sah gleich, daß das Warenangebot frischer und vielfältiger war. Säuberlich etikettierte Schachteln und Tuchballen füllten Regale, die bis zur Decke reichten. Fässer mit Schrotmehl und Mehl reihten sich am Boden aneinander, nicht weit von einem dickbauchigen Ofen in der Mitte des Geschäfts entfernt. Auf dem Tresen standen verlockend riesige Bonbongläser aufgereiht. Ihre Onkel kamen zweifellos voran. Das Geschäft, das sie aus dem Jahre 1861 in Erinnerung hatte, war nicht im zentralen, begehrten Teil der Broughton Street gelegen und weit dunkler und vollgestopfter gewesen als ihr Laden in Atlanta. Es würde interessant sein zu erfahren, was ihre Onkel diese schmucke Verbesserung gekostet hatte. Zudem konnte es nichts schaden, ein paar der Einfälle im Hinblick auf ihr eigenes Geschäft zu prüfen.

Sie trat rasch auf den Tresen zu. »Ich hätte gern Mr. O'Hara gesprochen«, sagte sie zu dem großen Mann mit der Schürze, der gerade Lampenöl in das Glaskännchen eines Kunden abfüllte.

»Wenn Sie sich bitte einen Augenblick gedulden wollen, Ma'am«, sagte er, ohne aufzublicken. Seine Stimme hatte eine Spur von einem irischen Akzent.

Das leuchtet ein, dachte Scarlett. Daß Iren in einem Laden arbeiten, der Iren gehört. Sie betrachtete die Etiketten auf den Schachteln in den Regalen vor sich, während der Mann das Ölkännchen in braunes Papier wickelte und Geld herausgab. Hm, das sollte sie auch machen, die Handschuhe nach der Größe sortieren und nicht nach der Farbe. Die Farben überblickte man rasch, wenn man die Schachtel öffnete, doch es war eine rechte Plage, in einer Schachtel, in der alle Handschuhe schwarz waren, die richtige Größe zu finden. Warum war sie darauf nicht selbst längst gekommen?

Der Mann hinter dem Tresen mußte seine Worte wiederholen, ehe Scarlett begriff. »Ich bin Mr. O'Hara«, sagte er noch einmal. »Womit kann ich Ihnen dienen?«

Also nein, dann war das am Ende doch nicht der Laden ihrer Onkel! Die mußten noch dort sein, wo sie immer gewesen waren. Scarlett erklärte hastig, sie habe sich wohl geirrt. Sie suche nach einem älteren Mr. O'Hara, einem Mr. Andrew oder Mr. James. »Können Sie mir sagen, wo ich deren Laden finde?«

»Aber das hier ist er ja. Ich bin der Neffe.«

»Ach ... ach du liebe Güte. Dann mußt du mein Cousin sein – ich bin Katie Scarlett, die Tochter von Gerald. Aus Atlanta.« Scarlett streckte ihm beide Hände entgegen. Ein Cousin! Ein großer, kräftiger Cousin, der nicht einmal alt war! Sie fühlte sich, als hätte man ihr gerade ein Überraschungsgeschenk gemacht.

»Und ich heiße Jamie, das ist mein Name«, sagte ihr Cousin lachend, als er ihre Hände ergriff. »Jamie O'Hara. Zu Diensten, Scarlett O'Hara. Und was ist das für eine Überraschung für einen abgearbeiteten Geschäftsmann, das steht mal fest. Hübsch wie ein Sonnenaufgang und aus heiterem Himmel herabgefallen wie ein Stern. Nun sag mir aber, wie kommst du denn gerade zur großen Eröffnung des neuen Ladens hierher? Komm, ich hole dir einen Stuhl.«

Scarlett dachte nicht mehr an den Rosenkranz, den sie hatte kaufen wollen. Sie vergaß auch die Mutter Oberin. Und Pansy, die sich auf einen Hocker in der Ecke setzte, den Kopf auf einen ordentlichen Stapel Pferdedecken legte und sofort einschlief.

Jamie O'Hara murmelte halblaut etwas in sich hinein, als er mit einem Stuhl für Scarlett aus dem Hinterzimmer zurückkam. Vier Kunden warteten darauf, bedient zu werden. In der nächsten halben Stunde kamen immer noch weitere, so daß er keine Gelegenheit hatte, auch nur ein Wort mit Scarlett zu wechseln. Er schaute sie von Zeit zu Zeit bedauernd an, aber sie lächelte nur und schüttelte beruhigend den Kopf. Er brauchte sich nicht zu entschuldigen. Es gefiel ihr, einfach so dazusitzen, in einem warmen, gutgehenden Geschäft mit einem frischentdeckten Vetter, dessen Tüchtigkeit und geschickten Umgang mit den Kunden zu beobachten die reine Freude war.

Endlich ergab sich eine kurze Pause, als nur noch eine Mutter und ihre drei Töchter da waren, die vier Schachteln mit Spitzen durchsahen. »Ich rede jetzt mal wie ein Wasserfall, wo ich gerade etwas Luft habe«, sagte Jamie. »Onkel James wird sich gewiß sehr freuen, dich wiederzusehen, Katie Scarlett. Er ist zwar ein alter Herr, aber immer noch rege. Er ist jeden Tag bis zur Mittagszeit im Geschäft. Du weißt es vielleicht nicht, aber seine Frau ist gestorben. Gott sei ihrer Seele gnädig und Onkel Andrews Frau ebenfalls. Onkel Andrew hat es das Herz gebrochen, und binnen eines Monats ist er ihr gefolgt. Mögen sie alle in Frieden ruhen. Onkel James lebt mit mir, meiner Frau und meinen Kindern zusammen in einem Haus. Es ist nicht weit von hier. Würdest du heute zum Tee kommen und sie alle kennenlernen wollen? Mein Sohn Daniel wird bald von seinen Botengängen zurück sein, und dann nehme ich dich mit. Wir feiern heute den Geburtstag meiner Tochter Patricia. Die ganze Familie wird dasein.«

Scarlett sagte, gern wolle sie das tun. Dann nahm sie ihren Hut und ihr Cape ab und trat zu den Damen mit den Spitzen. Es gab noch jemanden mit dem Namen O'Hara, der wußte, wie man ein Geschäft führte. Außerdem war sie viel zu aufgeregt, um still zu sitzen. Eine Geburtstagsfeier für die Tochter ihres Cousins! Mal sehen, die muß meine Nichte zweiten Grades sein. Obwohl Scarlett ohne das übliche, viele Generationen umspannende Netz der Familien im Süden aufgewachsen war, war sie doch immer noch eine Südstaatlerin und konnte das genaue Verwandtschaftsverhältnis von Cousins und Cousinen bis zu denen zehnten Grades angeben und sich dementsprechend auch durch die Generationen bewegen. Sie hatte, während sie Jamie bei der Arbeit beobachtete, Tagträumen nachgehangen, denn er war die lebende Bestätigung all dessen, was ihr Vater Gerald ihr erzählt hatte. Er hatte das dunkle, lockige Haar der O'Haras und ihre blauen Augen. Und den breiten Mund und die kurze Nase in dem runden, blühenden Gesicht. Vor allem aber war er ein kräftiger Mann, hochgewachsen, mit breiter Brust und kräftigen, derben Beinen wie Baumstämmen, die jedem Sturm zu widerstehen vermochten. Er war eine eindrucksvolle Gestalt. »Dein Pa war der Wicht des Wurfs«, hatte Gerald gesagt, ohne sich dessen zu schämen, aber mit gewaltigem Stolz, was seine Brüder betraf. »Acht Kinder hat meine Mutter bekommen, und alles Jungs, und ich war der letzte und der einzige, der nicht groß war wie ein Haus.« Scarlett fragte sich, welcher von den Brüdern wohl Jamies Vater gewesen war. Später. Sie würde es beim Tee herausfinden. Nein, nicht beim Tee, auf der Geburtstagsfeier! Für ihre erste Nichte zweiten Grades.

35. Kapitel

Scarlett musterte ihren Cousin mit verstohlener Neugier. Im Tageslicht der Straße zeigten sich deutlich Falten und Tränensäcke in seinem Gesicht, die ihr im Laden nicht aufgefallen waren. Jamie war ein Mann mittleren Alters, der zu Übergewicht und schlaffer Haltung neigte. Sie hatte sich, wohl weil er ihr Cousin war, eingebildet, er müßte in ihrem Alter sein. Als sein Sohn den Laden betreten hatte, war sie entsetzt gewesen, mit einem erwachsenen Mann bekannt gemacht zu werden und nicht mit einem Jungen, der Päckchen austrug. Und obendrein mit einem Mann, der feuerrotes Haar hatte. Sie brauchte eine ganze Weile, um sich daran zu gewöhnen.

So verhielt es sich auch mit Jamies Anblick bei Tageslicht. Er ... er war kein Gentleman. Scarlett hätte nicht genau sagen können, wie sie das wissen wollte, doch es war sonnenklar. Irgend etwas stimmte mit seiner Kleidung nicht; sein Anzug war dunkelblau, aber nicht dunkel genug, und er war ihm an Brust und Schultern zu eng, überall sonst aber zu weit. Rhetts Kleidung war, wie sie wußte, das Ergebnis allerbesten Schneiderhandwerks und, was seinen eigenen Beitrag betraf, höchster Ansprüche und seines Hangs zum Perfektionismus. Zwar konnte niemand von Jamie erwarten, daß er sich kleidete wie Rhett – sie hatte nie einen Mann gekannt, der das tat. Doch immerhin, irgend etwas hätte er doch tun können – was immer das war, das Männer auf diesem Gebiet taten –, um nicht so ... so gewöhnlich auszusehen. Gerald O'Hara hatte immer wie ein Gentleman ausgesehen, wie abgetragen oder zerknittert sein Rock auch gewesen sein mochte. Es kam Scarlett nicht in den Sinn, daß die stille Autorität ihrer Mutter und deren Einfluß die Verwandlung ihres Vaters zum Gentleman bewirkt hatten. Scarlett wußte nur, daß die Freude über die Entdeckung dieses Cousins ihr bereits fast vergangen war. Nun gut, ich brauche schließlich nur eine Tasse Tee zu trinken und ein Stück Kuchen zu essen, und dann kann ich wieder gehen. Sie lächelte Jamie strahlend an. »Die Aufregung darüber, daß ich deine Familie kennenlernen werde, hat ganz offenbar dazu geführt, daß ich meine Sinne nicht mehr beisammenhabe. Ich hätte deiner Tochter ein Geburtstagsgeschenk kaufen sollen.«

»Bringe ich ihr etwa nicht das schönste Geschenk mit, indem ich mit dir am Arm ins Haus spaziert komme, Katie Scarlett?«

Er hat dieses Zwinkern im Auge, genau wie Pa, stellte Scarlett fest. Und Pas neckenden irischen Tonfall. Wenn er bloß keinen Derbyhut aufhätte. Kein Mensch trug Derbyhüte.

»Wir kommen gleich am Haus deines Großvaters vorbei«, sagte Jamie, und Scarlett wurde von Entsetzen gepackt. Wenn ihre Tanten sie nun sahen – mal angenommen, sie würde sie einander vorstellen müssen? Die beiden waren immer schon der Meinung gewesen, daß Mutter unter Stand geheiratet hatte, und Jamie war der allerbeste Beweis dafür, daß sie recht damit hatten. Was sagte er jetzt gerade? Sie mußte aufpassen.

»... laß deine Zofe dort. Sie würde sich bei uns fehl am Platz vorkommen. Wir haben keine Dienstboten.«

Keine Dienstboten? Herr im Himmel! Alle haben doch Dienstboten, alle! Wo hausten sie denn dann? In einer Mietwohnung? Scarlett schob entschlossen das Kinn vor. Onkel James ist Pas leiblicher Bruder und Jamie der Sohn eines weiteren Bruders. Ich werde Pas Andenken nicht dadurch entehren, daß ich zu feige bin, eine Tasse Tee mit ihnen zu trinken, selbst wenn dort Ratten über den Fußboden laufen. »Pansy«, sagte sie, »wenn wir zu Hause vorbeikommen, gehst du schon rein. Ich bin bald zurück, sagst du ihnen ... Du begleitest mich doch nach Haus, Jamie, nicht wahr?« Sie war zwar beherzt genug, sich selbst mit einer Ratte abzufinden, die ihr über die Füße lief, nicht aber bereit, sich ein für allemal ihren guten Ruf zu ruinieren, indem sie allein auf der Straße herumlief. Damen taten das einfach nicht.

Zu Scarletts Erleichterung gingen sie die Straße hinter dem Haus ihres Großvaters entlang, nicht über den Platz davor, wo ihre Tanten gern unter den Bäumen promenierten und ihren »Gesundheitsspaziergang« machten. Pansy ging bereitwillig durch das Gartentor und gähnte bei der Aussicht, sich gleich wieder schlafen legen zu können. Scarlett bemühte sich, nicht besorgt auszusehen. Sie hatte gehört, wie Jerome sich den Tanten gegenüber über den Niedergang der Nachbarschaft beklagt hatte. Nur ein paar Blocks weiter nach Osten waren die vornehmen alten Häuser zu baufälligen Seemannsheimen für die Matrosen verkommen, die mit den Schiffen in Savannahs betriebsamen Hafen kamen. Und zu Unterkünften für die Schübe von Einwanderern, die ebenfalls über den Hafen in die Stadt gelangten. Dem snobistischen, eleganten alten Schwarzen zufolge in der Mehrzahl ungewaschene Iren.

James geleitete sie jedoch weiter geradeaus, insgeheim seufzte sie vor Erleichterung. Dann bog er, sehr bald schon, in eine stattliche, gepflegte Allee mit dem Namen South Broad ein und verkündete vor einem hohen, wuchtigen Backsteinhaus: »Da sind wir.«

»Wie hübsch!« sagte Scarlett. Ihr fiel ein Stein vom Herzen.

Es war so ziemlich das letzte, das sie für eine ganze Weile sagen sollte. Statt die hohe Treppe zu der großen Tür hinaufzusteigen, öffnete Jamie eine kleinere Tür auf einer Ebene mit der Straße und schob sie in die Küche und damit in ein überwältigendes Gewimmel von Menschen, die alle rothaarig waren und sie lautstark willkommen hießen, als Jamie über das allgemeine Begrüßungsgeschrei hinweg rief: »Das hier ist Scarlett, die schöne Tochter meines Onkels Gerald O'Hara, die den ganzen weiten Weg von Atlanta gemacht hat, um Onkel James zu besuchen.«

Wie viele sind denn das bloß? dachte Scarlett, als sie auf sie zugestürzt kamen. Jamies Gelächter, als das kleinste Mädchen und ein kleiner Junge seine Knie umklammerten, machte es unmöglich zu verstehen, was er sagte.

Dann streckte ihr eine große, kräftige Frau, deren Haar noch leuchtender war als das aller anderen, eine rauhe Hand entgegen. »Herzlich willkommen bei uns«, sagte sie freundlich. »Ich bin Jamies Frau Maureen. Achte bitte gar nicht auf diese Wilden, setz dich ans Feuer und trink eine Tasse Tee.« Sie umspannte Scarletts Arm mit festem Griff und zog sie in den Raum hinein. »Ruhig, ihr Heiden, laßt euren Vater erst mal verschnaufen, ja? Und dann wascht euch das Gesicht und kommt einer nach dem anderen Scarlett begrüßen.« Sie zupfte Scarlett das Pelzcape von den Schultern. »Leg das an einen sicheren Platz, Mary Kate, sonst denkt das Baby noch, das ist ein Kätzchen, das man am Schwanz ziehen kann, so weich ist es.« Das größere Mädchen deutete einen Knicks in Scarletts Richtung an und streckte eifrig die Hände nach dem Pelz aus. Ihre blauen Augen waren riesengroß vor Bewunderung. Scarlett lächelte ihr zu. Und auch Maureen, obwohl Jamies Frau sie gerade in einen Windsorstuhl stupste, als dächte sie, Scarlett sei eins ihrer Kinder, das man herumkommandieren müsse.

Und schon hielt Scarlett die größte Tasse in der Hand, die sie je gesehen hatte, während sie die andere einem bildschönen kleinen Mädchen zur Begrüßung reichte, das ihrer Mutter zuflüsterte: »Sie sieht aus wie eine Prinzessin.« Zu Scarlett sagte sie: »Ich bin Helen.«

»Du solltest mal den Pelz anfassen, Helen«, sagte Mary Kate bedeutungsvoll.

»Ist Helen hier der Gast, daß du dich an sie wendest?« sagte Maureen. »Welche Schande für eine Mutter, ein so mißratenes Kind zu haben.« Aus ihrer Stimme sprachen jedoch warme Zuneigung und kaum verhohlene Belustigung

Mary Kates Wangen verfärbten sich vor Verlegenheit. Sie knickste wieder und streckte die Hand aus. »Tante Scarlett, entschuldige bitte. Ich habe ganz vergessen, wie man sich benimmt, weil ich deine Vornehmheit bewundert habe. Ich bin Mary Kate, und ich bin sehr stolz darauf, die Nichte einer so großen Dame zu sein.«

Scarlett wollte sagen, daß sie sich nicht zu entschuldigen brauche, doch bekam sie dazu keine Gelegenheit. Jamie hatte den Hut abgenommen, den Rock ausgezogen und die Weste aufgeknöpft. Unter dem rechten Arm hielt er ein Kind, ein strampelndes, quietschendes, pummeliges rothaariges Bündel, dem die Kampflust aus den Augen blitzte. »Und dieser kleine Teufel ist Sean, John genannt wie ein anständiger amerikanischer Junge, weil er hier in Savannah geboren ist. Wir sagen allerdings Jacky zu ihm. Sag deiner Tante guten Tag, wenn du einen Mund hast.«

»Tag!« schrie der kleine Junge und kreischte dann vor Erregung, weil sein Vater ihn auf den Kopf gestellt hatte.

»Was ist denn hier los?« Bis auf Jackys Gekicher legte der Lärm sich schlagartig, als die dünne, streitsüchtige Stimme durch das Stimmengewirr schnitt. Scarlett sah zur Küchentür hinüber und erblickte einen großen, alten Mann, der ihr Onkel James sein mußte. Neben ihm stand ein hübsches Mädchen mit dunklem, lockigem Haar, das besorgt und schüchtern aussah.

»Jacky hat Onkel James aus dem Nachmittagsschlaf geweckt«, sagte sie. »Hat er sich weh getan, daß er so schreit und Jamie schon so früh nach Hause gekommen ist?«

»Nichts da«, sagte Maureen. Sie hob die Stimme. »Du hast Besuch, Onkel James. Extra gekommen, um dich zu sehen. Jamie hat Daniel den Laden überlassen, damit er sie herbringen konnte. Komm ans Feuer, der Tee ist fertig. Und begrüß Scarlett.«

Scarlett stand auf und lächelte. »Tag, Onkel James, kennst du mich noch?«

Der alte Mann starrte sie an. »Das letzte Mal, als ich dich gesehen habe, trugst du gerade Trauer, weil dein Mann gestorben war. Hast du denn einen neuen gefunden?«

Scarlett versuchte fieberhaft, sich zu erinnern. Großer Gott, Onkel James hatte recht. Wade war gerade auf die Welt gekommen, und sie war nach Savannah gefahren. Damals hatte sie wegen Charles Hamilton Schwarz getragen. »Ja, habe ich«, sagte sie. Und was würdest du wohl sagen, wenn ich dir verriete, daß ich seitdem sogar schon zwei neue Ehemänner gefunden habe, du neugieriger Alter?

»Gut«, erklärte ihr Onkel. »Es gibt in diesem Haus sowieso schon zu viele unverheiratete Frauen.«

Das Mädchen schrie leise auf, wandte sich dann um und lief aus dem Zimmer.

»Onkel James, du solltest sie nicht so quälen«, sagte Jamie streng.

Der alte Mann trat ans Feuer und rieb sich die Hände. »Und sie sollte nicht ständig in Tränen ausbrechen«, sagte er. »Die O'Haras weinen nicht, wenn sie Probleme haben. Maureen, ich trinke jetzt meinen Tee und werde mich mit Geralds Mädchen unterhalten.« Er setzte sich in den Sessel neben Scarlett. »Erzähl mir von dem Begräbnis. Hast du deinen Vater ordentlich und vornehm beerdigt? Mein Bruder hier hat die vornehmste Beerdigung bekommen, die die Stadt seit vielen Jahren erlebt hat.«

Scarlett sah die klägliche Schar der Trauergäste am Grab ihres Vaters auf Tara wieder vor sich. Es waren so wenige gewesen. So viele, die daran hätten teilnehmen sollen, waren bereits tot gewesen, gestorben vor ihrer Zeit.

Scarletts grüne Augen blickten, ohne mit der Wimper zu zucken, in die verblichenen blauen Augen des alten Mannes. »Er hatte einen Leichenwagen mit Seitenfenstern und vier schwarzen Pferden mit schwarzen Federbüschen auf den Köpfen, eine Blumendecke auf dem Sarg und noch mehr Blumen auf dem Dach des Wagens, und etwa zweihundert Trauergäste sind dem Leichenwagen in ihren Einspännern gefolgt. Er liegt in einer Marmorgruft, nicht in einem Grab, und der Grabstein hat obendrauf eine sieben Fuß hohe Skulptur, einen Engel.« Ihre Stimme war abweisend und kalt. Nun weißt du Bescheid, Alter, dachte sie, und laß Pa in Frieden ruhen.

James rieb sich die papiertrockenen Hände. »Gott hab ihn selig«, sagte er zufrieden. »Ich hab ja immer schon gesagt, Gerald hatte am meisten Stil von uns allen. Habe ich das nicht gesagt, Jamie? Der Wicht des Wurfs und der Hitzigste von allen, wenn ihm einer dumm kam. Er war ein feiner kleiner Mann, der Gerald. Weißt du, wie er zu seiner Plantage gekommen ist? Indem er mit meinem Geld Poker gespielt hat, so war das. Und kein Penny vom Profit für mich.« James' herzliches, amüsiertes Lachen war kräftig und lebendig, das Lachen eines jungen Mannes.

»Erzähl doch mal, wie es dazu kam, daß er Irland verlassen hat, Onkel James«, sagte Maureen, während sie dem alten Mann die Tasse nachfüllte. »Vielleicht hat Scarlett die Geschichte ja nie gehört.«

Zum Kuckuck noch mal! Sollen wir vielleicht die ganze Nacht aufbleiben? Scarlett rutschte ungehalten in ihrem Sessel hin und her. »Ich habe sie wohl hundertmal gehört«, sagte sie. Gerald O'Hara hatte sich gern damit gebrüstet, daß er aus Irland geflohen war, nachdem man ein Kopfgeld auf ihn ausgesetzt hatte, weil er den Pachteintreiber eines englischen Großgrundbesitzers mit einem einzigen Fausthieb getötet hatte. Jeder in Clayton County hatte das hundertmal gehört, und niemand glaubte daran. Gerald wurde zwar laut, wenn er in Wut geriet, aber alle Welt wußte doch, wie sanftmütig er unter der Oberfläche war.

Maureen lächelte. »Ein starker Mann, trotz seines kleinen Wuchses, habe ich immer gehört. Ein Vater, auf den eine Frau stolz sein kann.«

Scarlett spürte, wie es ihr die Kehle zuschnürte.

»Genau das war er«, sagte James. »Wann kriegen wir denn nun den Geburtstagskuchen, Maureen? Und wo ist Patricia?«

Scarlett sah sich unter all den Gesichtern mit dem feuerroten Schopf um. Nein, sie war sich sicher, den Namen Patricia hatte sie noch nicht gehört. Vielleicht war es ja das dunkelhaarige Mädchen, das hinausgelaufen war.

»Sie bereitet ihre Feier selbst vor, Onkel James«, sagte Maureen. »Du weißt doch, wie eigenwillig sie ist. Wir gehen nach nebenan, sowie Stephen kommt und Bescheid sagt, daß sie soweit ist.«

Stephen? Patricia? Nebenan?

Maureen sah Scarletts fragende Miene. »Hat Jamie dir das nicht erzählt, Scarlett? Es gibt hier mittlerweile drei O'Hara-Haushalte. Du hast gerade erst angefangen, deine Verwandten kennenzulernen.«

Ich werde sie nie auseinanderhalten können, dachte Scarlett verzweifelt. Wenn sie doch wenigstens nicht dauernd den Platz wechseln würden!

Doch darauf bestand keinerlei Aussicht. Patricia hielt ihre Geburtstagsfeier in den zusammenhängenden Zimmern im ersten Stock des Hauses ab. Die Schiebetüren waren geöffnet, so weit es ging, und so war ein großer Salon entstanden. Die Kinder – und es waren etliche – spielten alle möglichen Spiele, zu denen Gerenne, Sich-Verstecken und plötzliches Hervorschießen hinter Stühlen und Vorhängen gehörten. Die Erwachsenen stürzten immer wieder einmal hinter einem Kind her, das allzu lebhaft wurde, oder eilten herbei, um eines der kleinsten aufzuheben, das hingefallen war und getröstet werden mußte. Dabei schien es keine Rolle zu spielen, wessen Kind es jeweils war. Sämtliche Erwachsenen kümmerten sich um sämtliche Kinder.

Scarlett war froh über Maureens rotes Haar. Zumindest ihre Kinder – diejenigen, die Scarlett nebenan kennengelernt hatte, dazu Patricia und Daniel, den Sohn aus dem Laden, und noch einen weiteren erwachsenen Sohn, dessen Name ihr entfallen war – konnte sie somit von den anderen unterscheiden. Im übrigen herrschte in ihrem Kopf ein hoffnungsloses Durcheinander.

Das galt auch für die Erwachsenen. Scarlett wußte, daß einer von den Männern Gerald hieß, doch welcher war das? Alle waren sie groß, mit dunklem Haar, blauen Augen und einem liebenswürdigen Lächeln.

»Ist das nicht verwirrend?« sagte eine Stimme neben ihr. Es war Maureens. »Mach dir nichts draus, Scarlett, nach und nach wirst du dich schon durchfinden.«

Scarlett lächelte und nickte zwar höflich, doch sie hatte gar nicht die Absicht, sich »durchzufinden«. Sie wollte Jamie sobald wie möglich bitten, sie nach Hause zu begleiten. Es war ihr zu laut mit den ganzen Bälgern, die im Zimmer herumrannten. Das stille rosa Haus erschien ihr wie eine Zuflucht. Wenigstens hatte sie dort ihre Tanten, um sich zu unterhalten. Hier konnte sie mit keiner Menschenseele ein Wort reden. Sie waren alle viel zu beschäftigt damit, den Kindern hinterherzurennen oder Patricia zu umarmen und zu küssen. Sie nach ihrem Baby zu fragen! Du meine Güte! Als wüßten sie nicht, daß man anständigerweise so tat, als bemerke man es nicht, wenn eine Frau schwanger war. Sie kam sich wie eine Fremde vor. Ausgeschlossen. Unwichtig. Genau wie in Atlanta. Genau wie in Charleston. Und das hier waren ihre eigenen Verwandten! Das machte es noch hundertmal schlimmer.

»Wir wollen jetzt die Geburtstagstorte anschneiden«, sagte Maureen. Sie hakte sich bei Scarlett unter. »Dann machen wir ein bißchen Musik.«

Scarlett preßte die Lippen zusammen. Meine Güte, ich habe doch schon einen musikalischen Abend in Savannah abgesessen. Können die Menschen denn nicht einmal etwas anderes machen? Sie ging mit Maureen zu einem roten Plüschsofa und setzte sich steif auf die Kante.

Ein Messer schlug klingend gegen ein Glas und erbat allgemeine Aufmerksamkeit. In der Menge breitete sich fast so etwas wie Stille aus. »Ich danke euch, wenn's auch nicht lange vorhalten wird«, sagte Jamie. Drohend schwenkte er das Messer, als gelacht wurde. »Wir sind heute alle hier, um Patricias Geburtstag zu feiern, auch wenn er erst nächste Woche stattfinden wird. Heute ist Fastnachtsdienstag, ein besserer Tag zum Feiern als mitten in der Fastenzeit.« Er drohte wieder, weil erneut gelacht wurde. »Und dann haben wir noch einen weiteren Grund zum Feiern. Eine schöne, lang vermißte O'Hara hat sich wieder angefunden. Ich hebe für alle O'Haras das Glas auf Cousine Scarlett und heiße sie in unseren Herzen und unseren Häusern willkommen.« Jamie warf den Kopf zurück und stürzte den braunen Inhalt seines Glases hinunter. »Zeit, mit dem Feiern zu beginnen«, sagte er, »und mit dem Fiedeln!«

Aus dem Flur war Gekicher zu hören und gleich darauf Gezische, das die Ruhe wiederherstellte. Patricia kam herüber und setzt sich neben Scarlett. Dann begann in einer Ecke eine Fiedel zu spielen. Jamies schöne Tochter Helen kam mit einer Platte dampfender Fleischpastetchen herein. Sie beugte sich vor, um sie Patricia und Scarlett zu zeigen, trug sie dann vorsichtig zu dem riesigen runden Tisch in der Zimmermitte und setzte sie auf seiner roten Samtdecke ab. Nach Helen kam Mary Kate herein, dann das hübsche Mädchen, das Onkel James begleitet hatte, dann die jüngste der O'Hara-Ehefrauen. Sie alle warteten mit Platten auf, die sie erst zu Scarlett und Patricia trugen, um sie anschließend ebenfalls auf dem Tisch abzustellen. Ein Roastbeef, ein nelkengespickter Schinken, ein prächtiger, praller Truthahn. Dann erschien Helen wieder mit einer riesigen Schüssel dampfender Kartoffeln, nun schneller gefolgt von den anderen, die Sahnemohrrüben, Röstzwiebeln und Süßkartoffelschnee hereinbrachten. Wieder und wieder erschien die Prozession, bis der Tisch vollgestellt war mit Gerichten und Leckereien jeder erdenklichen Art. Daniel – der Daniel aus dem Laden, wie Scarlett sah – spielte ein schwellendes Arpeggio, und Maureen kam mit einem Turm von einem Kuchen herein, der verschwenderisch mit riesigen Zuckergußrosen in lebhaftem Rosa verziert war.

»Bäckerkuchen!« kreischte Timothy.

Jamie folgte seiner Frau auf den Fersen. Er hielt beide Arme über den Kopf emporgereckt. In jeder Hand trug er drei Flaschen Whiskey. Die Fiedel begann eine ausgelassene, flotte Melodie zu spielen, und alles lachte und klatschte mit. Selbst Scarlett. Die Prozession war ein unwiderstehliches Schauspiel.

»Los, Brian«, sagte Jamie. »Du und Billy. Die Königinnen mitsamt ihrem Thron vor den Kamin.« Ehe Scarlett überhaupt begriff, worum es ging, wurde das Sofa angehoben, und sie klammerte sich an Patricia, während sie erst hin und her geschaukelt und dann in die Nähe der glühenden Kohlen neben dem Kamin verfrachtet wurden.

»Onkel James«, befahl Jamie, und der alte Mann wurde lachend in seinem Lehnstuhl auf die andere Seite des Kamins geschafft.

Das Mädchen, das mit James zusammengewesen war, begann, die Kinder wie die Hühner in den anderen Salon hinüberzuscheuchen, wo Mary Kate vor dem zweiten Kamin eine Tischdecke auf den Boden legte, auf die sie sich setzen konnten.

In überraschend kurzer Zeit war Stille, wo eben noch das Chaos geherrscht hatte. Und während sie aßen und plauderten, versuchte Scarlett sich durch die Erwachsenen »durchzufinden«.

Jamies beide Söhne ähnelten einander ungeheuer, und sie konnte kaum glauben, daß Daniel mit seinen dreiundzwanzig Jahren drei Jahre älter als Brian war. Als sie Brian das lächelnd zu verstehen gab, errötete er, wie es nur ein Rothaariger konnte. Der einzige andere junge Mann begann ihn deshalb unbarmherzig zu hänseln, doch ließ er es bleiben, als das rosawangige Mädchen neben ihm ihre Hand auf seinen Arm legte und sagte: »Hör doch auf, Gerald.«

Das war also Gerald. Wie würde es Pa gefreut haben, den großen, gutaussehenden Burschen kennenzulernen, der nach ihm benannt war. Er nannte das Mädchen Polly, und die Liebe strahlte den beiden dermaßen aus den Augen, daß sie nur jung verheiratet sein konnten. Und so, wie Patricia mit den anderen umspringt, dem, den Jamie Billy genannt hat, können auch diese beiden nur ein Ehepaar sein, befand Scarlett.

Ihr blieb jedoch kaum Zeit, auf die Namen der anderen zu achten. Denn alle, so schien es, wollten unbedingt mit ihr reden. Und alles, was sie äußerte, war Anlaß zu Ausrufen der Überraschung und Bewunderung und zur Wiederholung. Daniel und Jamie etwa erzählte sie alles über ihren

Laden, Polly und Patricia über ihre Schneiderin, Onkel James darüber, wie die Yankees Tara angezündet hatten. Hauptsächlich aber sprach sie über ihr Holzgeschäft, wie sie es von einer kleinen Mühle zu zwei Mühlen und Holzlagern gebracht hatte und wie sie nun am Rand von Atlanta ein ganzes Dorf aus neuen Häusern errichten ließ. Von allen Seiten kam lautstarke Zustimmung. Plötzlich war alles ganz anders. Endlich hatte Scarlett Menschen gefunden, für die das Thema Geld nicht tabu war. Sie waren so wie sie. Sie hatte ihres bereits verdient, und sie beteuerten ihr, sie sei großartig. Sie konnte überhaupt nicht begreifen, warum sie dieses herrliche Fest verlassen und in die tödliche Stille im Haus ihres Großvaters hatte zurückkehren wollen.

»Spendierst du uns denn jetzt ein bißchen Musik, Daniel, wo du so ziemlich den gesamten Geburtstagskuchen deiner Schwester verdrückt hast?« fragte Maureen, als Jamie eine Whiskeyflasche entkorkte, und auf einmal war alles außer Onkel James auf den Beinen und machte sich auf eine Weise im Zimmer zu schaffen, die auf oft praktizierte Routine schließen ließ. Daniel begann, eine rasche, schrille Weise auf der Fiedel zu spielen, und die Männer brüllten ihre Einwände, während die Frauen rasch den Tisch abräumten und die Möbel an die Wände rückten, so daß Scarlett und ihr Onkel zunächst wie auf einer Insel sitzenblieben. Jamie reichte James ein Glas Whiskey und wartete, zu ihm niedergebeugt, auf die Meinung des alten Mannes.

»Halbwegs trinkbar«, lautete das Urteil.

Jamie lachte. »Das hoffe ich doch, mein Alter, denn wir haben nur diese Sorte.«

Scarlett versuchte, Jamies Blick einzufangen, und rief schließlich seinen Namen, um ihn auf sich aufmerksam zu machen. Sie mußte jetzt gehen. Alle schoben ihre Stühle im Halbkreis vor das Feuer, und die kleineren Kinder setzten sich zu Füßen der Erwachsenen auf den Boden. Offensichtlich setzten sie sich für die musikalischen Darbietungen in Positur, und sowie es erst einmal losgegangen war, würde es schrecklich unhöflich von ihr sein, aufzustehen und zu gehen.

Jamie stieg über einen kleinen Jungen hinweg, um zu Scarlett zu gelangen. »Hier, nimm«, sagte er. Zu ihrem Entsetzen reichte er ihr ein Glas, das mit mehreren Fingerbreit Whiskey gefüllt war. Für wen hielt er sie denn eigentlich? Eine Dame trank doch keinen Whiskey. Sie trank nie etwas Stärkeres als Tee, außer Champagner oder Punsch auf einem Fest oder vielleicht einem sehr kleinen Gläschen Sherry. Er konnte doch unmöglich von dem Brandy wissen, den sie eine Zeitlang regelmäßig getrunken hatte. Also wirklich, er wollte sie wohl beleidigen? Nein, das würde er nicht tun, es mußte sich um einen Scherz handeln. Sie rang sich ein vergnügtes Lachen ab. »Ich muß jetzt gehen, Jamie. Es war wunderschön bei euch, aber es wird langsam spät . . .«

»Du willst doch wohl nicht gerade dann gehen, wenn das Fest richtig anfängt, Scarlett?« Jamie wandte sich seinem Sohn zu. »Daniel, du vertreibst deine gerade erst entdeckte Cousine mit deinem Gequäke. Spiel uns ein Lied, Junge, keine Katzenmusik.«

Scarlett versuchte zu sprechen, aber ihre Worte gingen im allgemeinen Geschrei unter – »Spiel was Anständiges, Daniel!« – »Spiel uns eine Ballade!« – »Wir wollen einen Reel hören, Junge, spiel einen Reel!«

Jamie grinste. »Ich höre so schlecht«, überschrie er das Gelärme. »Ich bin stocktaub, wenn ich höre, daß jemand gehen will.«

Scarlett spürte, wie die Wut in ihr hochzukochen begann. Als Jamie ihr abermals den Whiskey hinhielt, stand sie jähzornig auf. Dann, aber noch ehe sie ihm das Glas aus der Hand schlagen konnte, erkannte sie das Lied, das Jamie zu spielen begonnen hatte. Es war »Peggy in der kleinen Chaise«.

Pas Lieblingslied. Sie sah in Jamies rötliches, irisches Gesicht und erkannte darin ihren Vater wieder. Ach, wenn er doch nur hiersein könnte, wie würde ihm das gefallen. Scarlett setzte sich wieder hin. Sie lehnte das dargebotene Glas mit einem Kopfschütteln ab und lächelte Jamie hilflos zu. Sie war den Tränen nahe.

Die Musik duldete jedoch keine Traurigkeit. Der fröhliche Rhythmus war einfach ansteckend, und schon sang alles mit und klatschte in die Hände. Scarletts Fuß begann im Schutz ihrer Röcke unwillkürlich, den Takt mitzuklopfen.

»Nun komm schon, Billy«, sagte Daniel, das heißt, er sang es eigentlich auf die Melodie. »Spiel mit mir.«

Billy klappte den Deckel einer Bank in der Fensternische hoch und holte eine Konzertina hervor. Die zusammengefalteten Lederbälge öffneten sich mit einem Zischen. Dann trat er hinter Scarlett, langte über ihren Kopf hinweg zum Kaminsims und griff nach etwas Blankem. »Jetzt laßt uns mal richtig Musik machen. Stephen . . .« Er warf dem dunkelhaarigen, schweigsamen Mann ein schmales, glänzendes Metallrohr zu. »Du auch, Brian.« Ein weiterer silberner Pfeil sauste durch die Luft. »Und das ist für dich, liebe Schwiegermutter . . .« Er ließ etwas in Maureens Schoß fallen.

Ein kleiner Junge klatschte wild. »Die ›Knochen‹! Cousine Maureen spielt die ›Knochen‹!«

Scarlett starrte vor sich hin. Daniel hatte zu spielen aufgehört, und mit dem Verstummen der Musik war sie wieder traurig geworden. Es drängte sie jedoch nicht mehr zu gehen. Dieses Fest hatte mit dem Musikabend der Telfairs überhaupt nichts gemeinsam. Hier herrschten Ungezwungenheit, Herzlichkeit und Lachen. Die Salons, die anfangs so schmuck hergerichtet gewesen waren, befanden sich nun, da die Möbel verrückt und die Stühle dichtgedrängt einen Halbkreis bildeten, in kunterbuntem Durcheinander. Maureen hob die Hand mit einem klackenden Laut, und Scarlett sah, daß die »Knochen« eigentlich dicke, glatte Holzstäbe waren.

Jamie goß immer noch Whiskey ein und reichte ihn herum. Was? Die Frauen tranken ja ebenfalls! Nicht verstohlen, nicht verschämt. Die kommen genauso auf ihre Kosten wie die Männer, dachte Scarlett. Ich will auch ein Glas trinken. Ich will die O'Haras feiern. Fast hätte sie Jamie gerufen, doch dann besann sie sich. Ich werde gleich zu Großvater nach Hause zurückkehren. Da kann ich nicht trinken. Bestimmt würde es jemand meinem Atem anmerken. Ist aber nicht schlimm. Ich fühle mich auch so schon innerlich erwärmt und gut genug. Ich brauche keinen Alkohol.

Daniel strich mit dem Bogen über die Saiten. »Ach, Mädel, schenk uns ein«, kündete er das nächste Lied an. Alles lachte, Scarlett eingeschlossen, obwohl sie nicht wußte, warum. Augenblicklich war der große Raum von den Klängen eines irischen Reel erfüllt. Billys Konzertina schluchzte eindrucksvoll, Brian blies die Melodie auf seiner Blechpfeife, Stephen untermalte sie durch kunstvoll hüpfende, kontrapunktische Töne, die sich in die Melodie hineinverflochten, Jamie schlug den Takt mit dem Fuß, die Kinder klatschten, Scarlett klatschte, alle klatschten. Außer Maureen. Sie ließ die Hand mit den »Knochen« emporschnellen, und das abgehackte Klacken ergab einen beständigen Rhythmus, der alles zusammenhielt. Schneller, forderten die Knochen, und alle gehorchten. Die Pfeifentöne wurden höher, die Fiedel kratzte lauter, und die Konzertina schnaufte, um Schritt zu halten. Ein halbes Dutzend Kinder stand auf, sprang und hopste über den nackten Fußboden in der Zimmermitte. Scarlett bekam vom Klatschen ganz heiße Hände, und ihre Füße regten sich, als wollte sie mit den Kindern umherspringen. Als das Lied zu Ende war, ließ sie sich erschöpft gegen die Sofalehne zurücksinken.

»Komm schon, Matt, zeig den Babys, wie man tanzt«, schrie Maureen mit einem lockenden Klappern der »Knochen«. Ein älterer Mann in Scarletts Nähe stand auf.

»Himmel hilf, wartet doch mal einen Augenblick«, bat Billy. »Ich muß mich erst ein bißchen erholen. Sing uns ein Lied vor, Katie.« Er quetschte ein paar Töne aus der Konzertina heraus.

Scarlett wollte schon protestieren. Sie konnte nicht singen, hier jedenfalls nicht. Sie kannte auch überhaupt kein irisches Lied außer »Peggy« und dem anderen Lieblingslied ihres Vaters, »Wie grün war mein Gras«.

Doch dann merkte sie, daß Billy gar nicht sie meinte. Eine unansehnliche, dunkelhaarige Frau mit großen Zähnen gab Jamie gerade ihr Glas und war bereits aufgestanden. *»There was a wild Colonial boy«*, sang sie mit reiner, lieblicher hoher Stimme. Noch ehe die erste Zeile zu Ende war, begleiteten Daniel, Brian und Billy sie. *»Jack Duggan was his name«*, sang Katie. *»He was born and raised in Ireland«*, und Stephens Pfeife fiel, eine Oktave höher, in seltsam klagendem, herzzerreißendem Ton mit ein.

»... in a house called Castlemaine ...« Alle begannen mitzusingen, außer Scarlett. Doch es machte ihr nichts aus, daß sie den Text nicht kannte.

Sie war ein Teil der Musik. Alles um sie herum war Musik. Und als das traurige, tapfere Lied vorbei war, sah sie, daß die Augen aller anderen genauso von Tränen schimmerten wie ihre.

Als nächstes kam wieder ein fröhliches Lied, das Jamie anstimmte, dann eins, das Scarlett gleichzeitig zum Lachen brachte und erröten ließ, als sie den Doppelsinn der Worte verstand.

»Jetzt ich«, sagte Gerald. »Ich singe meiner Polly jetzt *›Londonderry‹*.«

»Ach, Gerald!« Polly verbarg das errötende Gesicht in den Händen. Brian spielte die ersten paar Takte. Dann fing Gerald zu singen an, und Scarlett verschlug es den Atem. Sie hatte zwar vom irischen Tenor gehört, doch hatte sie keine Vorstellung davon gehabt, was das wirklich war. Und diese engelhafte Stimme gehörte Pas Namensvetter. Geralds liebendes junges Herz sprach für alle sichtbar aus seinen Zügen und hörbar aus den hohen, reinen Tönen, die aus seiner vibrierenden, kräftigen Kehle drangen. Scarletts eigene Kehle schnürte sich zu, so wunderschön klang das, und schmerzhaft spürte sie die Sehnsucht nach einer ebensolchen, so neuen und freimütigen Liebe. Rhett! Ihr Herz schrie nach ihm, obwohl ihr Verstand ihr sagte, daß eine solch schlichte Geradlinigkeit sich mit seiner unergründlichen Vielschichtigkeit unmöglich vertragen würde.

Als das Lied zu Ende war, warf Polly Gerald die Arme um den Hals und verbarg ihr Gesicht an seiner Schulter. Maureen hob die »Knochen« hoch. »Jetzt kommt ein Reel«, verkündete sie entschlossen. »Mich juckt es schon die ganze Zeit in den Füßen.« Daniel lachte und begann zu spielen.

Scarlett hatte den Virginia Reel wohl hundertmal und öfter getanzt, doch nie hatte sie Menschen auch nur annähernd so tanzen sehen, wie es auf Patricias Geburtstagsfeier der Fall war. Matt O'Hara begann damit. Mit seinen durchgedrückten Schultern und den steif an den Körper gepreßten Armen wirkte er wie ein Soldat, als er aus dem Halbkreis der Stühle heraustrat. Dann begannen seine Füße so rasch aufzustampfen, sich zu heben, zu zucken und sich hin und her zu bewegen, daß sie Scarlett vor den Augen zu verschwimmen drohten. Der Fußboden wurde unter seinen Absätzen zu einer dröhnenden Trommel, wurde unter dem verzwickten Vor und Zurück der Schritte zu spiegelblankem Eis. Er muß der beste Tänzer der Welt sein, dachte Scarlett. Und nun tanzte auch Katie aus dem Kreis heraus und schloß sich ihm an, die Röcke mit beiden Händen gerafft, so daß sich ihre Füße ungehindert seinen Schritten anpassen konnten. Mary Kate war die nächste, dann folgte Jamie seiner Tochter. Und die schöne Helen mit einem Cousin, einem kleinen Jungen, der nicht älter als acht sein konnte. Ich glaube es nicht, dachte Scarlett. Sie sind verzaubert, einer wie der andere. Und die Musik ist auch verzaubert. Ihre Füße regten sich, schneller, als sie es je getan hatten, als sie versuchten, das nachzuahmen, was sie da sah, als sie versuchten, die erregende Musik auf ihre Weise auszudrücken. Ich muß lernen, so zu tanzen. Unbedingt. Es ist ... es ist, als wirbelte man geradewegs auf die Sonne zu.

Ein schlafendes Kind unter dem Sofa erwachte vom Getrampel der tanzenden Füße und fing an zu weinen. Wie durch Ansteckung griff das Weinen auch auf die anderen Kleinen über. Das Tanzen und die Musik hörten auf.

»Macht im anderen Salon ein Lager aus Decken für sie zurecht und wechselt ihnen die Windeln«, sagte Maureen gleichmütig. »Dann machen wir die Zwischentür bis auf einen Spalt zu, und sie werden im Nu weiterschlafen. Jamie, die Frau mit den ›Knochen‹ hat einen schrecklichen Durst. Mary Kate, reich deinem Pa mein Glas.«

Patricia bat Billy, ihren dreijährigen Sohn zu tragen. »Ich nehme Betty«, sagte sie und langte unter das Sofa. »Pssst, pssst.« Sie wiegte das weinende Kind an ihrer Brust. »Helen, Schatz, mach die Vorhänge hinten im Zimmer zu. Sonst wird es nachher zu hell, wenn der Mond scheint.«

Scarlett war noch wie in Trance vom Zauber der Musik. Sie blickte ziellos zu den Fenstern hinüber und kehrte mit einem Schlag in die Wirklichkeit zurück. Es wurde dunkel. Aus der Tasse Tee, deretwegen sie hergekommen war, war ein stundenlanger Aufenthalt geworden. »Oje, Maureen, ich komme zu spät zum Abendessen«, stöhnte sie. »Ich muß sofort nach Hause. Mein Großvater wird schön wütend sein.«

»Laß ihn doch, den alten Knötter. Bleib zum Fest. Es fängt doch gerade erst an.«

»Das würde ich zu gern«, sagte Scarlett in fieberhafter Eile. »Es ist das schönste Fest, auf dem ich im ganzen Leben gewesen bin. Aber ich habe versprochen, daß ich abends zurückkomme.«

»Na schön, das ist was anderes. Versprochen ist versprochen. Kommst du denn mal wieder?«

»Mit dem größten Vergnügen. Wenn ihr mich einladet ...?«

Maureen lachte gemütlich. »Hat man so was schon gehört?« sagte sie, an die Allgemeinheit gewandt. »Einladungen sind hier nicht üblich. Wir sind alle eine Familie, und du gehörst dazu. Komm, wann immer du möchtest. Meine Küchentür hat keinen Riegel, und im Kamin ist immer ein Feuer. Jamie kann außerdem selbst recht gut mit der Fiedel umgehen ... Jamie! Scarlett muß jetzt gehen. Nimm deinen Rock, mein Alter, und reich ihr deinen Arm.«

Als sie eben um die Ecke biegen wollten, hörte Scarlett die Musik wieder einsetzen. Sie war durch die Backsteinmauern des Hauses und weil die Fenster gegen die Kälte der Winternacht geschlossen waren, nur schwach zu hören. Dennoch erkannte sie, was die O'Haras gerade sangen. Es war »Wie grün war mein Gras«.

Ach, wenn ich doch nur nicht gehen müßte.

Ihre Füße machten kleine Tanzschritte, und Jamie lachte und paßte sich ihnen an. »Nächstes Mal bringe ich dir den Reel bei«, versprach er.

36. Kapitel

Es fiel Scarlett nicht schwer, die schmallippige Mißbilligung ihrer Tanten geflissentlich zu übersehen. Es regte sie nicht einmal auf, daß ihr Großvater sie wieder zu sich zitierte. Sie dachte an Maureen O'Haras unbekümmerte Geste, mit der sie ihn abgetan hatte. Alter Knötter, dachte sie und kicherte insgeheim. Das verlieh ihr die nötige Unverfrorenheit und den Elan, sich über sein Bett zu neigen und seine Wange zu küssen, nachdem er sie entlassen hatte. »Gute Nacht, Großvater«, sagte sie höflich.

»Alter Knötter«, flüsterte sie, als sie wieder in der Diele stand, wo sie keiner hörte. Sie lachte, als sie sich zu ihren Tanten an den Tisch setzte. Das Abendessen wurde ihnen auf der Stelle serviert. Die Servierschüssel war mit einem blanken Deckel versehen, der das Essen heiß halten sollte. Scarlett war überzeugt, daß er gerade erst poliert worden war. Dieser Haushalt konnte wirklich bestens funktionieren, wenn nur jemand da war, der das Personal auf Trab brachte. Großvater läßt sich von denen auf der Nase herumtanzen. Der alte Knötter.

»Was freut dich denn so, Scarlett?« Paulines Ton war eisig.

»Nichts, Tante Pauline.« Scarlett sah die Riesenportion, als Jerome in aller Förmlichkeit den silbernen Deckel gelüftet hatte. Sie lachte laut auf. Ein einziges Mal im Leben war sie nicht hungrig, nach dem Festschmaus bei den O'Haras. Und nun stand eine Essensmenge auf dem Tisch, von der ein halbes Dutzend Leute hätte satt werden können. Sie mußte denen in der Küche einen Heidenrespekt beigebracht haben.

Am folgenden Morgen in der Aschermittwochsmesse nahm Scarlett ihren Platz in der von ihren Tanten ausgesuchten Kirchenbank ein. Sie befand sich an vornehm unauffälliger Stelle: Man betrat sie vom Seitenschiff aus und blieb ziemlich weit im Hintergrund. Die Beine hatten ihr gerade vom Knien auf dem kalten Boden weh zu tun begonnen, als sie die O'Haras die Kirche betreten sah. Sie marschierten – selbstverständlich, dachte Scarlett – schnurstracks durchs Hauptschiff bis fast nach ganz vorn, wo sie dann zwei vollständige Bänke belegten. Was für eine riesige Sippe sie doch sind, und so voller Leben. Und so farbig. Die Köpfe von Jamies Söhnen sehen im Licht der Buntglasfenster wie warme Feuerchen aus, und nicht einmal ihre Hüte können das leuchtende Haar von Maureen und den Mädchen verbergen. Scarlett war so sehr in Bewunderung und ihre Erinnerungen an das Geburtstagsfest versunken, daß ihr fast die Ankunft der Nonnen aus dem Kloster entging. Und das, nachdem sie ihre Tanten zum Aufbruch gedrängt hatte, um nur rechtzeitig in der Kirche zu sein. Sie wollte sichergehen, daß die Mutter Oberin aus Charleston immer noch in Savannah und damit in ihrer Reichweite war.

Ja, dort war sie. Scarlett ignorierte Eulalies fieberhaftes Geflüster, als sie sie aufforderte, sich wieder umzudrehen und das Gesicht dem Altar zuzuwenden. Sie musterte die ruhig-heitere Miene der Nonne, als sie vorüberging. Heute würde die Mutter Oberin sie empfangen. Scarlett war entschlossen. Sie verbrachte die Messe mit ihren Tagträumen über das Fest, das sie geben wollte, wenn sie Tara erst in alter Schönheit wiederhergestellt hätte. Da würde es Musik und Tanz geben genau wie am letzten Abend, und es würde tagelang immer weitergehen.

»Scarlett!« zischte Eulalie. »Hör doch auf mit dem Gesumme!«

Scarlett lächelte auf ihr Gebetbuch hinab. Sie hatte gar nicht gemerkt, daß sie summte. Sie mußte zugeben, daß »Peggy in der kleinen Chaise« nicht gerade ein Kirchenlied war.

»Das darf doch nicht wahr sein!« Der Blick ihrer blaßgrünen Augen unter der aschegeschwärzten Stirn war fassungslos und gekränkt zugleich, und ihre Finger schlossen sich wie Krallen um den Rosenkranz, den sie sich von Eulalie geliehen hatte.

Die ältliche Nonne wiederholte ihre Mitteilung mit geduldiger Unbewegtheit: »Die Mutter Oberin wird den ganzen Tag in Klausur sein, betend und fastend.« Dann bekam sie Mitleid mit Scarlett und setzte erklärend hinzu: »Heute ist doch Aschermittwoch.«

Ich weiß selbst, daß Aschermittwoch ist, hätte Scarlett fast geschrien. Sie biß sich aber gerade noch rechtzeitig auf die Zunge. »Bitte richten Sie ihr doch aus, ich sei sehr enttäuscht und käme morgen wieder her.«

Sobald sie das Robillardsche Haus erreicht hatte, wusch sie sich das Gesicht.

Eulalie und Pauline waren sichtbar schockiert, als sie herunterkam und sich im Salon zu ihnen gesellte, doch keine von beiden sagte ein Wort. Schweigen war die einzige Waffe, die sie sich einzusetzen getrauten, wenn Scarlett schlecht aufgelegt war. Als sie jedoch verkündete, sie wolle jetzt das Frühstück bestellen, machte Pauline den Mund auf. »Das wird dir noch vor dem Abend leid tun, Scarlett.«

»Ich wüßte nicht, warum«, antwortete Scarlett und reckte entschlossen das Kinn vor.

Es sank hinab, als Pauline sie ins Bild setzte. Scarletts Wiederbegegnung mit der Religion war noch so jung, daß sie der Meinung war, die Fastenzeit bestehe lediglich darin, daß man am Freitag Fisch statt Fleisch aß. Sie mochte Fisch und hatte an dieser Regel daher auch nie etwas auszusetzen gehabt. Was Pauline ihr da erzählte, war jedoch ganz und gar unannehmbar.

Während der vierzig Fastentage sollte es nur eine Mahlzeit am Tag geben und zu dieser Mahlzeit kein Fleisch. Die einzige Ausnahme bildete der Sonntag. Da gab es zwar immer noch kein Fleisch, aber es waren drei Mahlzeiten erlaubt.

»Das darf doch nicht wahr sein!« rief Scarlett zum zweitenmal innerhalb einer Stunde. »Wir haben das zu Hause nie so gehalten.«

»Da wart ihr ja auch noch Kinder«, sagte Pauline. »Aber ich bin überzeugt davon, daß deine Mutter gefastet hat, wie es sich gehört. Ich begreife zwar nicht, warum sie euch, als ihr größer wurdet, nicht auch dazu angehalten hat, aber damals wart ihr draußen auf dem Lande schließlich von jeder priesterlichen Anleitung abgeschnitten, und dann galt es auch noch den Einfluß Mr. O'Haras auszugleichen ...« Ihre Stimme erstarb.

Scarletts Augen leuchteten kampflustig auf. »Was meinst du denn damit? Mit diesem Einfluß Mr. O'Haras, wenn ich das erfahren dürfte?«

Pauline senkte den Blick. »Jeder weiß doch, daß die Iren sich im Umgang mit den Gesetzen der Kirche gewisse Freiheiten herausnehmen. Man kann sie noch nicht einmal dafür tadeln, wo sie ein so armes, ungebildetes Volk sind.« Sie bekreuzigte sich fromm.

Scarlett stampfte mit dem Fuß auf. »Ich stehe hier nicht kleinlaut herum und lasse mir diese französische Dünkelhaftigkeit gefallen. Mein Vater war nie etwas anderes als ein tüchtiger Mann, und sein ›Einfluß‹ bestand in Güte und Großzügigkeit, etwas, das euch völlig unvertraut ist. Außerdem bitte ich euch, zur Kenntnis zu nehmen, daß ich gestern den ganzen Nachmittag mit seinen Verwandten verbracht habe, und das sind feine Menschen, jeder einzelne von ihnen. Ich möchte hundertmal lieber von ihnen beeinflußt werden als von eurer blutleeren religiösen Wortklauberei.«

Eulalie brach in Tränen aus. Scarlett blickte sie finster an. Jetzt wird sie vermutlich wieder stundenlang schnüffeln. Soll sie doch.

Auch Pauline schluchzte laut auf. Scarlett wandte sich um und starrte sie überrascht an. Pauline weinte nie.

Scarlett blickte hilflos auf die beiden gesenkten grauen Köpfe und die hochgezogenen Schultern. Pauline sah dabei obendrein so dünn und zerbrechlich aus.

Meine Güte! Sie trat neben Pauline und berührte den knochigen Rücken ihrer Tante. »Tut mir leid, Tantchen. Ich hab's nicht so gemeint.«

Als der Frieden wiederhergestellt war, regte Eulalie an, Scarlett solle sich doch Pauline und ihr zu einem Spaziergang um den Platz anschließen. »Meine Schwester und ich finden immer, daß so ein Gesundheitsspaziergang sehr wohltuend ist«, erklärte sie strahlend. Dann bebten ihre Lippen mitleiderregend. »Er lenkt einen obendrein vom Essen ab.«

Scarlett war sofort einverstanden, sie mußte aus dem Haus. Sie war sich ganz sicher, den Duft von gebratenem Speck aus der Küche zu riechen. Gemeinsam spazierten sie um den grünen Platz vor dem Haus, dann das kurze Stück zum nächsten Platz, um ihn herum, dann zum nächsten Platz und zum übernächsten und überübernächsten. Als sie wieder nach Hause kamen, schleppte Scarlett die Füße fast ebensosehr nach wie Eulalie, und sie war davon überzeugt, daß sie jeden der etwa zwanzig Plätze Savannahs umrundet hatten, die den Anspruch der Stadt begründeten, von so einzigartigem Reiz zu sein. Sie war nicht minder überzeugt davon, daß sie halbverhungert und vor Langeweile dem Wahnsinn nahe war. Wenigstens war es Zeit zum Mittagessen ... Es gab Fisch, und sie konnte sich nicht erinnern, jemals einen derart köstlich schmeckenden Fisch gegessen zu haben.

Welche Erleichterung! dachte Scarlett, als Eulalie und Pauline zu ihrem Mittagsschläfchen hinaufgingen. Ein Weilchen mochten ihre Erinnerungen an das Savannah ihrer Jugend ja hingehen, aber auf die Dauer lösten sie Mordgelüste in einem aus. Sie streifte ruhelos durch das große Haus, nahm Porzellan und Silber von irgendwelchen Tischen und stellte die Dinge zurück an ihren Platz, ohne sie wirklich betrachtet zu haben.

Warum mußte die Mutter Oberin sich nur dermaßen zieren? Warum konnte sie nicht endlich mit ihr sprechen? Warum um Himmels willen mußte eine Frau den ganzen Tag in Klausur verbringen, ob nun Aschermittwoch war oder nicht? Die Mutter Oberin war doch wahrscheinlich sowieso ein so guter Mensch, wie es überhaupt nur möglich war. Warum nur hatte sie es nötig, einen ganzen Tag lang mit Beten und Fasten zu verbringen?

Fasten! Scarlett eilte in den Salon zurück und sah auf die Standuhr. Es konnte doch nicht erst vier Uhr sein! Früher noch ... Es war gerade siebzehn Minuten vor vier. Und es würde bis morgen abend überhaupt nichts mehr zu essen geben. Nein, das war ausgeschlossen. Das leuchtete ihr einfach nicht ein.

Scarlett ging zur Klingelschnur und läutete viermal. »Zieh deinen Mantel an«, befahl sie Pansy, als das Mädchen im Laufschritt herbeigeeilt kam. »Wir gehen aus.«

»Miss Scarlett, warum sollen wir denn auf einmal zum Bäcker gehen? Die Köchin sagt, Bäckerzeug kann man nicht essen. Sie backt alles selbst.«

»Es ist mir gleichgültig, was die Köchin sagt. Und wenn du auch nur einer Menschenseele erzählst, daß wir dort waren, zieh ich dir bei lebendigem Leib das Fell über die Ohren.«

Scarlett aß zwei Stückchen Gebäck und einen Salzkuchen noch in der Bäckerei. Zwei Tüten mit Brötchen und Gebäck trug sie, unter ihrem Cape versteckt, nach Hause und in ihr Zimmer hinauf.

Ein Telegramm war fein säuberlich in die Mitte ihres Schreibtisches gestellt worden. Scarlett ließ ihre Tüten zu Boden fallen und stürzte sich darauf.

Von Henry Hamilton. Verdammt! Sie hatte gedacht, es wäre von Rhett und er bäte sie, nach Hause zurückzukehren, oder teilte darin mit, daß er unterwegs sei, um sie zu holen. Sie zerknüllte das lappige Papier wütend in der Faust.

Dann glättete sie es wieder. Besser, zu wissen, was für Neuigkeiten Onkel Henry hatte. Als sie die Mitteilung las, begann Scarlett zu lächeln: »Habe Telegramm erhalten stop Außerdem großen Betrag von Deinem Gatten stop Was soll denn die alberne Frage stop Rhett hat mich gebeten, ihm mitzuteilen, wo Du Dich aufhältst stop Brief ist ebenfalls unterwegs stop Henry Hamilton stop«

Rhett suchte also nach ihr. Genau, wie sie es sich gedacht hatte. Ha! Wie gut sie doch daran getan hatte, nach Savannah zu fahren. Hoffentlich war Onkel Henry so gescheit gewesen, Rhett umgehend telegrafisch und nicht brieflich Bescheid zu geben. Womöglich las er das Telegramm ja in dieser Minute, genau wie sie ihres las.

Scarlett summte einen Walzer und tanzte im Zimmer herum, das Telegramm an die Brust gedrückt. Womöglich war er bereits unterwegs zu ihr. Der Zug aus Charleston kam etwa um diese Stunde an. Sie lief zum Spiegel, um sich das Haar glattzustreichen und sich in die Wangen zu kneifen, damit sie ein wenig Farbe bekamen. Ob sie ein anderes Kleid anziehen sollte? Nein, Rhett würde es merken, und dann würde er denken, sie täte nichts anderes, als auf ihn zu warten. Sie rieb sich Toilettenwasser an Hals und Schläfen. So. Sie war bereit. Ihre Augen, bemerkte sie, glühten wie die einer lauernden Katze. Sie durfte nicht vergessen, die Wimpern darüber zu senken. Sie trug sich einen Hocker ans Fenster und setzte sich dorthin, wo der Vorhang sie verbergen würde, sie aber immer noch hinaussehen konnte.

Eine Stunde später war Rhett immer noch nicht gekommen. Scarletts kleine weiße Zähne zerrissen ein Brötchen aus der Bäckertüte. Was für eine Zumutung, diese Fastengeschichte! Wenn man sich das vorstellte – da mußte man sich in seinem Zimmer verstecken und Brötchen essen, ohne auch nur ein bißchen Butter drauf. Sie war äußerst schlecht gelaunt, als sie nach unten ging.

Und da kam gerade auch noch Jerome mit dem Abendbrottablett ihres Großvaters! Das allein reichte fast schon aus, um, wie der alte Mann, zum Hugenotten oder Presbyterianer zu werden.

Scarlett hielt Jerome in der Diele an. »Dies Essen sieht ja scheußlich aus«, sagte sie. »Trag das wieder weg und tu ein paar ordentliche Butterstückchen auf den Kartoffelbrei. Leg außerdem eine dicke Scheibe Schinken mit auf den Teller. Ich weiß, daß ihr welchen unten habt, ich hab ihn in der Vorratskammer hängen sehen. Und tu noch ein Kännchen mit Sahne dazu, für den Pudding da. Und ein Schälchen mit Erdbeermarmelade.«

»Mr. Robillard kann keinen Schinken kauen. Und sein Doktor sagt, er soll nichts Süßes essen; und auch keine Sahne und keine Butter.«

»Der Doktor wird aber auch nicht wollen, daß er verhungert. Und nun tu, was ich dir gesagt habe.«

Zornig betrachtete Scarlett Jeromes steifen Rücken, bis er die Treppe hinunter verschwunden war. »Niemand sollte Hunger leiden müssen«, sagte sie. »Niemals.« Ihre Stimmung veränderte sich schlagartig, und sie mußte lachen. »Nicht einmal ein alter Knötter.«

37. Kapitel

Gestärkt durch die Brötchen, sang eine gutgelaunte Scarlett leise vor sich hin, als sie am Donnerstag nach unten ging. Sie traf ihre Tanten dabei an, wie sie mit fieberhafter Nervosität das Geburtstagsessen ihres Großvaters vorbereiteten. Während Eulalie mit dunkelgrünen Magnolienzweigen kämpfte, die Anrichte und Kamin schmücken sollten, bemühte Pauline sich, aus Stößen von Tischdecken und Servietten aus schwerem Leinen diejenigen herauszusuchen, die ihr Vater ihrer Erinnerung nach bevorzugte.

»Als ob es darauf ankäme!« sagte Scarlett ungeduldig. Viel Lärm um nichts! Großvater würde das Eßzimmer von seinem Bett aus ja gar nicht zu Gesicht bekommen. »Such doch einfach die heraus, an denen man das Geflickte am wenigsten sieht.«

Eulalie ließ einen Armvoll raschelnder Zweige fallen. »Ich habe dich gar nicht hereinkommen hören, Scarlett. Guten Morgen.«

Pauline nickte frostig. Sie hatte Scarlett ihre Beleidigungen zwar vergeben, wie eine gute Christin es tun sollte, doch würde sie sie aller Voraussicht nach nie vergessen. »Mères Leinenzeug ist nicht geflickt, Scarlett«, sagte sie. »Alles ist in allerbestem Zustand.«

Scarlett schaute auf die Stapel, die den langen Tisch bedeckten, und mußte an die verschlissenen, gestopften Tischtücher denken, die ihre Tanten in Charleston hatten. Ginge es nach ihr, hätten die beiden das ganze Zeug eingepackt und mit nach Charleston genommen, wenn sie am Samstag zurückfuhren. Großvater würde es nicht vermissen, und die Tanten konnten es gebrauchen. Nie im Leben will ich jemals solche Angst vor jemandem haben wie die beiden vor diesem alten Tyrannen. Doch wenn ich ausspreche, was ich davon halte, fängt Tante Eulalie wieder an zu schnüffeln, und Tante Pauline belehrt mich eine Stunde lang über den Umgang mit älteren Menschen. »Ich gehe ein Geschenk für ihn kaufen«, sagte sie. »Möchtet ihr, daß ich euch etwas mitbringe?«

Und daß ihr es ja nicht wagt, mich begleiten zu wollen. Ich muß zum Kloster und die Mutter Oberin sprechen. Sie kann doch wohl unmöglich immer noch in Klausur sein. Wenn es sein muß, stelle ich mich ans Tor und fange sie ab, wenn sie herauskommt. Ich bin es weiß Gott leid, mich immer wieder wegschicken zu lassen.

Sie hätten viel zuviel zu tun, um einkaufen zu gehen, sagten die Tanten, und zeigten sich erstaunt darüber, daß Scarlett noch kein Geschenk für ihren Großvater ausgesucht und eingepackt hatte. Scarlett entfernte sich, ehe sie sich ausführlicher über das Außmaß der Aufgaben, die noch auf sie warteten, und die Grenzenlosigkeit ihres Erstaunens verbreiten konnten. »Alte Knötterinnen«, sagte sie leise. Sie war sich keineswegs sicher, daß sie Maureens Ausdruck richtig verstanden hatte, doch sein bloßer Klang bereitete ihr ein diebisches Vergnügen.

Die Bäume auf dem Platz sahen irgendwie dichter, das Gras grüner aus als am Tag zuvor. Die Sonne war auch wärmer. Scarlett verspürte diese Aufwallung von Optimismus, die immer schon die ersten Anzeichen des Frühlings begleitet hatte. Heute würde ein guter Tag werden, davon war sie überzeugt – trotz Großvaters Geburtstagsfest. »Leg einen Schritt zu, Pansy«, sagte sie automatisch, »watschel nicht hinter mir her wie eine Schildkröte«, und voller Tatendrang machte sie sich auf dem gestampften Sand- und Muschelkalk des Trottoirs auf den Weg.

Der Lärm von Hämmern und Männerstimmen drang von der Baustelle des Doms durch die stille, sonnenhelle Luft deutlich an ihr Ohr. Scarlett wünschte sich einen Augenblick lang, der Priester würde sie erneut zu einem Rundgang über die Baustelle mitnehmen. Doch deshalb war sie schließlich nicht hier. Sie steuerte die Klosterpforte an. Auf ihr Klingeln hin öffnete die gewohnte ältere Nonne. Scarlett wappnete sich für einen zähen Kampf. Aber die Nonne sagte nur: »Die Mutter Oberin erwartet Sie. Wenn Sie mir bitte folgen wollen ...«

Scarlett war wie benommen, als sie das Kloster zehn Minuten später wieder verließ. War das einfach gewesen! Die Mutter Oberin hatte sich sofort damit einverstanden erklärt, mit dem Bischof zu sprechen. Sie wollte ihr schon bald Bescheid geben. Nein, wann das genau sein werde, könne sie ihr nicht sagen, aber bestimmt schon sehr bald. Sie selbst werde in der nächsten Woche nach Charleston zurückkehren.

Scarlett war euphorisch. Ihr Lächeln und ihre Augen strahlten so sehr, daß der Inhaber des Lädchens auf der Abercorn Street fast vergaß, sie die mit einer Schleife geschmückte Schachtel Schokoladenbonbons bezahlen zu lassen, die sie als Geburtstagsgeschenk für ihren Großvater ausgesucht hatte.

Ihre glänzende Laune ließ sie auch die abschließenden Vorbereitungen für das Geburtstagsessen mühelos überstehen, die ihr über dem Kopf zusammenschlugen, sowie sie wieder im Haus der Robillards angelangt war. Um was es sich dabei handeln würde, begann ihr leise zu dämmern, als sie erfuhr, daß ihr Großvater zu dem sechsgängigen Festessen, das nur aus von ihm besonders geschätzten Gerichten bestand, tatsächlich am Tisch sitzen würde. Ihre gute Laune erhielt allerdings einen Dämpfer, als ihre Tanten ihr eröffneten, viele der Köstlichkeiten, die man servieren werde, dürfe sie keinesfalls essen.

»Fleisch ist während der Fastenzeit verboten«, sagte Pauline streng. »Achte darauf, daß kein Fleischsaft an den Reis oder die Gemüse kommt, die du ißt.«

»Sieh dich vor, Scarlett. Laß Père das nicht merken«, setzte Eulalie im Flüsterton hinzu. »Er hält nichts von der Fastenzeit.« Ihre Augen waren feucht vor Kummer.

Sie grämt sich, weil sie nicht ordentlich zulangen kann, dachte Scarlett schadenfroh. Soll sie – ich kann es ihr nicht verübeln. Die Düfte aus der Küche ließen ihr das Wasser im Mund zusammenlaufen.

»Wir bekommen aber Suppe. Und Fisch«, sagte Eulalie auf einmal gutgelaunt. »Und Kuchen, wunder-, wunderschönen Kuchen. Es wird ein wirklicher Festschmaus werden, Scarlett.«

»Vergiß nicht, Schwester«, sagte Pauline, »Völlerei ist eine Todsünde.«

Scarlett verließ sie. Sie merkte, wie das bevorstehende Ereignis an ihren Nerven zu zerren begann. Es ist doch nur ein Mittagessen, mahnte sie sich, beruhige dich gefälligst. Selbst wenn Großvater mit uns am Tisch sitzt, kann es so arg nicht werden. Was soll der alte Mann schließlich schon ausrichten können?

Er konnte sich beispielsweise weigern, so mußte Scarlett gleich zu Anfang erfahren, eine andere Sprache als Französisch zu dulden. Ihr »Herzlichen Glückwunsch, Großvater« wurde überhört, als hätte sie den Mund gar nicht aufgemacht. Die Begrüßungen ihrer Tanten wurden mit einem frostigen Nicken zur Kenntnis genommen, und dann nahm er in dem riesigen, thronähnlichen Lehnstuhl am Kopf der Tafel Platz.

Pierre Auguste Robillard war kein gebrechlicher, alter Mann im Nachthemd mehr. Tadellos bekleidet mit einem altmodischen Bratenrock und gestärkter Hemdbrust, wirkte sein dürrer Körper breiter, und seine kerzengerade Offiziershaltung war selbst dann noch beeindruckend, wenn er saß. Sein weißes Haar war wie die schüttere Mähne eines alten Löwen, seine Augen blickten wie die eines Habichts unter den dichten weißen Brauen hervor, und seine große knochige Nase sah wie der Schnabel eines Raubvogels aus. Scarletts Gewißheit, daß es ein guter Tag werden würde, begann sich zu verflüchtigen. Sie entfaltete die gestärkte Leinenserviette auf ihren Knien und wappnete sich für alles, das da kommen würde.

Jerome trat mit einer großen Silberterrine auf einem Silbertablett herein, das etwa die Größe einer kleineren Tischplatte hatte. Scarlett bekam große Augen. Solches Tafelsilber hatte sie noch nie im Leben gesehen. Es war rundherum reich verziert. Ein ganzer Wald strebte vom Fuß der Terrine empor, und die Zweige und Blätter wölbten sich nach oben, um den Rand einzufassen. Innerhalb des Waldes gab es Vögel und andere Tiere – Bären, Rehe, Wildschweine, Hasen, Fasane und in den Zweigen der Bäume sogar Eulen und Eichhörnchen. Der Deckel der Terrine war wie ein Baumstumpf geformt, der von dichten Ranken überwachsen war, an denen jeweils winzige Trauben von vollkommener Reife hingen. Jerome stellte die Terrine vor seinen Herrn und hob den Deckel mit weißbehandschuhter Hand. Dampf stieg auf, der das Silber umhüllte und sich als köstlicher Duft von Krabbensuppe im Raum ausbreitete.

Pauline und Eulalie beugten sich besorgt lächelnd vor.

Jerome nahm einen Suppenteller von der Anrichte und hielt ihn neben die Terrine. Pierre Robbillard hob eine silberne Kelle und füllte ihn schweigend. Dann wartete er mit halb geschlossenen Augen, während Jerome den Teller zu Pauline trug und vor ihr niedersetzte.

Das Zeremoniell wurde zunächst für Eulalie, dann für Scarlett wiederholt. Es juckte sie in den Fingern, nach dem Löffel zu greifen. Doch sie behielt die Hände im Schoß, während ihr Großvater sich bediente und die Suppe probierte. Durch ein beredtes Achselzucken drückte er seine Unzufriedenheit aus und ließ den Löffel auf seinen Teller sinken.

Eulalies Kehle entrang sich ein halberstickter Schluchzer.

Du altes Ungeheuer! dachte Scarlett. Sie fing an, ihre Suppe zu essen. Sie war von samtiger Üppigkeit. Sie versuchte, den Blick Eulalies einzufangen, um ihr zu verstehen zu geben, daß sie ihre Suppe genoß, doch Eulalie hielt den Blick gesenkt. Paulines Löffel ruhte in der Suppe wie der ihres Vaters. Scarlett verging jegliches Mitleid mit ihren Tanten. Wenn sie sich derart leicht in Angst und Schrecken versetzen ließen, hatten sie es verdient, hungrig zu bleiben. Sie würde sich jedenfalls durch den alten Mann nicht um ihr Mittagessen bringen lassen!

Pauline fragte ihren Vater etwas, doch weil sie französisch sprach, hatte Scarlett keine Ahnung, was ihre Tante gesagt hatte. Die Antwort ihres Großvaters geriet allerdings so kurz, und das Gesicht Paulines wurde so weiß, daß er nur etwas äußerst Kränkendes gesagt haben konnte. Scarlett begann, wütend zu werden. Er wird noch alles verderben, und zwar absichtlich. Ach, wenn ich doch Französisch könnte. Ich würde nicht einfach hier sitzen und mir seine Garstigkeit gefallen lassen. Sie schwieg, während Jerome die Suppenteller und die silbernen Platzteller abtrug und flache Teller, Fischmesser und Gabeln auflegte. Es schien eine Ewigkeit zu dauern.

Der garnierte Süßwasserhering, der dann kam, war allerdings das Warten wert. Scarlett sah ihren Großvater an. Er würde es wohl kaum wagen, so zu tun, als schmeckte er ihm nicht. Er aß zwei kleine Häppchen davon. Das Geräusch von Messern und Gabeln war schrecklich laut, als sie die Teller berührten. Erst gab Pauline auf, dann auch Eulalie, ohne den Fisch auch nur zur Hälfte gegessen zu haben. Scarlett blickte ihren Großvater zwar bei jeder Gabel, die sie zum Mund führte, trotzig an, aber selbst sie begann allmählich, den Appetit zu verlieren. Das Mißvergnügen des alten Mannes verdarb einem wirklich die Laune.

Das nächste Gericht weckte ihren Appetit dann wieder. Die geschmorten Täubchen sahen so zart aus wie Biskuitgebäck, und ihr Saft lief üppig braun über Kartoffelpüree und weiße Rübchen, aus denen den winzigen Vögeln ein Nest bereitet worden war. Pierre Robillard tauchte die Zinken seiner Gabel in den Fleischsaft und berührte sie dann mit der Zunge. Das war alles.

Scarlett hatte das Gefühl, gleich explodieren zu müssen. Nur die inständig flehenden Blicke ihrer Tanten hinderten sie daran. Wie konnte sich jemand nur so widerwärtig aufführen wie ihr Großvater? Es war einfach gänzlich ausgeschlossen, daß er dieses Essen nicht mochte, und es konnte ihm auch keine Mühe bereiten, es zu kauen, selbst wenn er schlechte Zähne hatte. Oder, genaugenommen, gar keine. Scarlett wußte, daß er eigentlich für schmackhaftes Essen etwas übrig hatte. Nachdem sie für Butter und Sauce auf dem »Papp« gesorgt hatte, den er gewöhnlich serviert bekam, war sein Teller so blitzblank wieder in die Küche zurückgekehrt, als wenn ihn ein Hund abgeleckt hätte. Nein, es mußte einen anderen Grund dafür geben, daß er nicht aß. Und den konnte sie seinem Blick entnehmen. Er leuchtete auf, wenn er seine jämmerlich enttäuschten Töchter ansah. Er hatte mehr davon, sie leiden zu sehen, als davon, sein Geburtstagsessen zu genießen.

Welch ein Unterschied zwischen diesem Geburtstagsmahl und dem ihrer Nichte Patricia! Scarlett betrachtete den klapperdürren Leib ihres Großvaters, der wie ein Ladestock am Kopf des Tisches saß, und sein selbstgefälliges, ungerührtes Gesicht. Sie verachtete ihn dafür, wie er seine beiden Töchter quälte. Mehr noch verachtete sie allerdings die Tanten dafür, daß sie sich seine Quälereien gefallen ließen. Sie haben nicht die Spur von Rückgrat, dachte sie. Wie können sie bloß so dasitzen und sich das alles gefallen lassen? Während sie stumm an diesem Tisch saß, in diesem anmutigen, rosafarbenen Zimmer, das Teil dieses schmucken, rosafarbenen Hauses war, nagte insgeheim der Haß gegen sie alle an ihr. Sie selbst eingeschlossen. Ich bin genauso schlimm wie sie. Warum kann ich um Himmels willen nicht den Mund aufmachen und ihm sagen, wie schrecklich er sich benimmt? Ich brauche kein Französisch mit ihm zu reden, er versteht genausogut Englisch wie ich. Ich bin eine erwachsene Frau und kein Kind, das den Mund nicht aufmachen darf, solange man es nicht dazu auffordert. Was ist bloß mit mir los? Das ist doch schlichtweg albern.

Doch sie blieb weiter stumm, saß aufrecht, ohne daß ihr Rücken die Lehne berührte, und hielt die linke Hand die ganze Zeit über im Schoß. Geradeso, als wäre sie ein Kind, das in Gesellschaft der Großen sein bestes Benehmen zeigt. Niemand sah ihre Mutter, niemand stellte sich vor, daß sie unter ihnen war, doch Ellen Robillard O'Hara saß dort, in dem Haus, in dem sie aufgewachsen war, an dem Tisch, an dem sie so oft gesessen hatte, wie Scarlett jetzt dort saß, die linke Hand auf der gestärkten Leinenserviette auf ihrem Schoß. Und aus Liebe zu ihr und weil sie ihren Beifall brauchte, war Scarlett außerstande, der Tyrannei Pierre Robillards die Stirn zu bieten.

Sie saß eine Ewigkeit lang, so kam es ihr vor, und beobachtete Jeromes gemessenen, aufwendigen Dienst. Die Teller wurden wieder und wieder durch neue ersetzt, ebenso Messer und Gabeln. Scarlett hatte das Gefühl, das Festmahl würde niemals enden. Pierre Robillard probierte die mit größter Sorgfalt ausgewählten und zubereiteten Gerichte, die ihm dargeboten wurden, und verschmähte sie ohne Ausnahme. Als Jerome schließlich den Geburtstagskuchen hereinbrachte, waren die Anspannung und das Unglück von Scarletts Tanten mit Händen zu greifen, und Scarlett selbst war kaum mehr imstande, auf ihrem Stuhl sitzen zu bleiben, so dringend war ihr Bedürfnis zu flüchten.

Der Kuchen war von schimmernder, steifgeschlagener Baisermasse überzogen, die verschwenderisch mit Silberperlen bestreut war. Eine filigrane, silberne Knospenvase obenauf enthielt zarte Farnwedel und winzige Seidenflaggen – die französische, die der Armee Kaiser Napoleons und die des Regiments, bei dem Pierre Robillard gedient hatte. Der alte Mann grunzte, vielleicht vor Vergnügen, als die Torte vor ihm niedergesetzt wurde. Er richtete den Blick seiner halbgeschlossenen Augen auf Scarlett. »Schneid sie an«, sagte er auf englisch.

Er hofft, daß ich die Flaggen herunterfallen lasse, doch die Freude werde ich ihm nicht machen. Als sie von Jerome das Tortenmesser mit der Rechten entgegennahm, hob sie mit der Linken rasch die schimmernde Knospenvase vom Kuchen herunter und stellte sie auf den Tisch. Sie sah ihrem Großvater direkt ins Gesicht und lächelte ihr süßestes Lächeln.

Seine Lippen zuckten.

»Und hat er etwa davon gegessen?« fragte Scarlett in dramatischem Ton. »Hat er nicht! Das alte Scheusal hat es geschafft, nicht mehr als zwei Krümel mit der Gabelspitze aufzupicken – nachdem er den herrlichen Baiserschaum wie Schimmel oder sonst etwas Gräßliches abgekratzt hatte – und sie sich in den Mund zu stecken, als täte er einem damit den größten Gefallen der Welt. Dann erklärte er, er sei zu müde, um seine Geschenke auszupacken, und ist wieder in sein Zimmer zurückgekehrt. Ich hätte ihm zu gern seinen sehnigen Hals umgedreht!«

Maureen O'Hara schaukelte entzückt lachend in ihrem Stuhl hin und her.

»Ich weiß nicht, was daran so komisch sein soll«, sagte Scarlett. »Er war gehässig und ungehobelt.« Sie war von Jamies Frau enttäuscht, hatte Mitgefühl erwartet, nicht aber, daß die andere sich über die Geschichte amüsierte.

»Aber natürlich weißt du das, Scarlett. Komisch ist, daß er so ein alter Schurke ist. Da zerbrechen sich deine armen alten Tanten nun Tag und Nacht den Kopf darüber, wie sie ihm eine Freude machen können, und er selbst sitzt wie ein zahnloses kleines Baby in seinem Nachthemd im Bett und heckt seinerseits etwas aus, das er ihnen antun kann. Der alte Schuft. Ich habe schon immer eine kleine Schwäche für derartige Teufeleien gehabt. Ich sehe ihn richtig vor mir, wie er schnüffelnd dem Mittagessen entgegensieht und seine Pläne schmiedet.

Und du kannst sicher sein, daß er diesen Diener, den er hat, all die herrlichen Gerichte jetzt heimlich zu sich ins Zimmer schaffen läßt, damit er sich in aller Ruhe hinter verschlossener Tür den Bauch vollschlagen kann. Der alte Schuft. Über soviel Abgefeimtheit könnte ich mich ausschütten vor Lachen.« Maureens Gelächter war so ansteckend, daß Scarlett schließlich mit einstimmte. Sie hatte gut daran getan, nach dem katastrophalen Mittagessen an Maureens stets unverschlossene Küchentür zu klopfen.

»Dann laß uns selbst auch ein Stück Kuchen essen«, sagte Maureen wohlgemut. »Du hast ja nun schon Übung, Scarlett, schneid ihn doch für uns auf. Er steht unter dem Handtuch auf der Anrichte. Und schneid gleich ein paar Scheiben mehr ab, denn die Kleinen kommen bald schon von der Schule nach Hause. Ich mache uns ein bißchen frischen Tee.«

Scarlett hatte sich gerade mit ihrem Teller und ihrer Tasse in der Nähe des Feuers niedergelassen, als die Tür krachend aufflog und fünf kleine O'Haras in die Stille einfielen. Sie erkannte Maureens rothaarige Töchter Mary Kate und Helen wieder. Der kleine Junge war, wie sie gleich erfahren sollte, Michael O'Hara, die beiden kleineren Mädchen seine Schwestern Clare und Peg. Sie alle hatten dunkles, lockiges Haar, das dringend gekämmt werden mußte, blaue Augen mit dunklen Wimpern und schmutzige Händchen, die sie, so forderte Maureen, umgehend waschen sollten.

»Aber wir brauchen doch keine sauberen Hände«, widersprach Michael, »wir gehen doch in den Kuhstall und spielen mit den Schweinen.«

»Schweine wohnen im Schweinestall«, sagte die winzige Peg mit wichtiger Miene. »Das stimmt doch, Maureen?«

Scarlett war höchst erstaunt. In ihrer Welt nannten die Kinder Erwachsene niemals beim Vornamen. Maureen schien daran jedoch nichts Ungewöhnliches zu finden. »Sie wohnen im Schweinestall, wenn sie niemand herausläßt«, sagte sie mit einem Zwinkern. »Ihr hattet doch wohl nicht zufällig die Absicht, die Schweinchen zum Spielen aus dem Stall herauszulassen, hm?«

Michael und seine Schwestern lachten, als wenn sie im Leben noch nichts Komischeres gehört hätten. Dann rannten sie durch die Küche zum Hinterausgang, der auf den großen, allen drei Häusern gemeinsamen Hof führte.

Scarletts Blick erfaßte die glühende Kohle im Kamin, das schimmernde Kupfer des Teekessels an seinem Schwenkarm und die über dem Kaminsims hängenden Tiegel. Komisch, seit die schlimmen Zeiten auf Tara vorbei waren, hatte sie nie wieder einen Fuß in eine Küche setzen mögen. Hier war es etwas anderes, hier fühlte man sich wohl, diese Küche war nicht nur ein Raum, in dem das Essen zubereitet und abgewaschen wurde. Sie wäre gern noch geblieben. Die starre Schönheit des Salons im Hause ihres Großvaters ließ sie innerlich erschaudern, wenn sie bloß daran dachte.

Sie gehörte jedoch in einen Salon, nicht in eine Küche. Sie war eine Dame, an Dienstboten und Luxus gewöhnt. Hastig trank sie ihre Tasse aus und stellte sie auf die Untertasse zurück. »Du hast mir das Leben gerettet, Maureen. Ich wäre verrückt geworden, wäre ich noch länger bei meinen Tanten geblieben. Doch jetzt muß ich wirklich wieder zurück.«

»Wie schade. Und du hast noch nicht einmal deinen Kuchen gegessen. Ich habe mir sagen lassen, daß es sich lohnt, meine Kuchen zu probieren.«

Helen und Mary Kate drängten sich mit leeren Tellern in den Händen an den Stuhl ihrer Mutter. »Nehmt euch ein Stück, aber nicht alles. Die Kleinen kommen bestimmt bald wieder rein.«

Scarlett begann sich die Handschuhe anzuziehen. »Ich muß gehen«, wiederholte sie.

»Was sein muß, muß sein. Ich hoffe, du kannst am Samstag, wenn getanzt wird, etwas länger bleiben, Scarlett? Jamie hat mir erzählt, daß er dir den Reel beibringen will. Vielleicht ist ja auch Colum bis dahin wieder da.«

»Oh, Maureen! Habt ihr denn am Samstag schon wieder ein Fest?«

»Fest kann man nicht sagen. Doch wenn die Arbeit der Woche getan ist und die Männer mit ihren Lohntüten nach Hause kommen, gibt's immer Musik und Tanz. Du kommst doch?«

Scarlett schüttelte den Kopf. »Ich kann nicht. Ich würde schrecklich gern kommen, aber da werde ich wohl nicht mehr in Savannah sein.« Ihre Tanten erwarteten von ihr, daß sie am Samstag mit dem Frühzug mit ihnen nach Charleston zurückkehrte. Sie hatte das allerdings nicht vor, ihre Meinung hatte sich nicht geändert. Wenn Rhett doch nur endlich käme! Aber vielleicht war er ja in diesem Augenblick bereits im Hause ihres Großvaters. Sie hätte nicht aus dem Haus gehen dürfen.

Sie sprang auf. »Ich muß mich beeilen. Danke, Maureen. Ich schaue noch einmal herein, ehe ich abfahre.«

Vielleicht würde sie Rhett ja mitbringen, damit er die O'Haras kennenlernen konnte. Er würde gut zu ihnen passen, noch ein großer dunkelhaariger Mann zu all den großen dunkelhaarigen O'Haras. Doch womöglich würde er sich auch auf seine aufreizend elegante Art gegen die Wand lümmeln und über sie alle lachen. Er hatte immer schon über ihre irische Seite gelacht und sich über sie lustig gemacht, wenn sie etwas wiederholte, das ihr Pa ihr hundertmal erzählt hatte. Die O'Haras seien jahrhundertelang bedeutende und einflußreiche Großgrundbesitzer gewesen. Bis zur Schlacht am Boyne.

Ich weiß nicht, was er daran so komisch findet. So ziemlich alle, die wir kennen, haben ihr Land an die Yankees verloren, da leuchtet es doch ein, daß auch Pas Familie ihres an wen auch immer verloren hat – die Engländer, glaube ich. Ich werde Jamie und Maureen danach fragen, falls ich dazu noch Gelegenheit habe. Falls Rhett mich nicht schon vorher abholt.

38. Kapitel

Henry Hamiltons angekündigter Brief traf am frühen Vormittag im Robillardschen Hause ein. Scarlett griff danach wie eine Ertrinkende nach dem Rettungsring. Sie hatte das Gestreite ihrer Tanten darüber, wer von den beiden schuld an der Reaktion ihres Vaters auf sein Geburtstagsmenü war, gründlich satt.

»Es geht um meinen Grundbesitz in Atlanta«, sagte Scarlett. »Bitte entschuldigt mich. Ich nehme den Brief mit aufs Zimmer hinauf.« Sie wartete ihre Zustimmung gar nicht erst ab.

Scarlett verschloß ihre Zimmertür. Sie wollte sich jedes Wort ungestört auf der Zunge zergehen lassen.

»Was hast Du denn diesmal wieder angerichtet?« begann der Brief, der ohne Anrede auskam. Die Handschrift des alten Anwalts war so unruhig, daß sie nur schwer zu lesen war. Scarlett schnitt ein Gesicht und hielt das Papier näher an die Lampe.

»Was hast Du denn diesmal wieder angerichtet? Am Montag erhielt ich Besuch von einem aufgeblasenen alten Tropf, dem ich im allgemeinen möglichst aus dem Weg gehe. Er überreichte mir einen erstaunlichen Wechsel von seiner Bank, der auf Deinen Namen ausgestellt war. Die Summe belief sich auf eine halbe Million Dollar, und sie war von Rhett angewiesen worden.

Am Dienstag wurde ich dann von einem weiteren alten Tropf, diesmal ein Anwalt, heimgesucht, der mich fragte, wo Du seist. Sein Klient – Dein Mann – wolle das wissen. Ich habe ihm natürlich nicht gesagt, daß Du in Savannah bist ...«

Scarlett stöhnte auf. Was fiel Onkel Henry bloß ein, daß er andere Leute als alte Tropfe bezeichnete, wo er doch selbst einer war? Kein Wunder also, daß Rhett sie nicht holen gekommen war. Sie spähte wieder auf Onkel Henrys krakelige Schriftzüge.

»... weil Dein Telegramm erst eintraf, als er schon weg war, und ich zu dem Zeitpunkt, als er mich aufsuchte, gar nicht wußte, wo Du warst. Ich habe es ihm auch jetzt noch nicht mitgeteilt, weil ich nicht weiß, was er im Schilde führt, und meine Nase mir untrüglich sagt, daß ich damit nichts zu tun haben will.

Dieser Anwalt bei Gericht hatte zwei Fragen von Rhett: Die erste betraf Deinen Aufenthaltsort, die zweite, ob Du Dich scheiden lassen wolltest?

Also, Scarlett, ich weiß nicht, was Du gegen Rhett in der Hand hast, daß Du solche Summen von ihm erhältst, und ich will es auch nicht wissen. Was er getan hat, um Dir Veranlassung zu einer Scheidung zu geben, geht mich ebenfalls nichts an. Ich habe mir nie die Hände mit einem Scheidungsfall schmutzig gemacht, und ich werde auch jetzt nicht damit anfangen. Du würdest im übrigen nur Deine Zeit und Dein Geld verschwenden. In South Carolina gibt es keine Scheidung, und Rhett hat dort jetzt offiziell seinen Wohnsitz.

Falls Du auf dieser Narretei bestehen solltest, werde ich Dir den Namen eines Anwalts in Atlanta nennen, der äußerst ehrenwert ist, auch wenn er, soweit ich weiß, zwei Scheidungsfälle bearbeitet hat. Ich mache Dich jedoch warnend darauf aufmerksam, daß Du ihm oder sonst jemandem in diesem Fall Deine gesamten juristischen Angelegenheiten übergeben müßtest. Ich würde für Dich nicht länger tätig werden. Falls Du Dich tatsächlich mit dem Gedanken tragen solltest, Dich von Rhett scheiden zu lassen, um Ashley Wilkes heiraten zu können, so muß ich Dir sagen, daß Du gut daran tätest, Dir das noch einmal zu überlegen. Ashley kommt geschäftlich wesentlich besser zurecht, als wir das alle erwarten konnten. Miss India und meine alberne Schwester sorgen dafür, daß er und der Junge ein behagliches Heim haben. Wenn Du Dich in sein Leben drängst, wirst Du alles kaputtmachen. Laß den armen Mann in Ruhe, Scarlett.«

Das kann man weiß Gott sagen, daß ich Ashley besser in Ruhe ließe. Ich wüßte nur zu gern, wie gut er dastünde und wie gut es ihm ginge, wenn ich das wirklich täte. Von Onkel Henry hätte ich das zuletzt erwartet, daß er mir etwas vorzetert wie eine spröde alte Jungfer und sich sofort alles mögliche Gemeine zusammenreimt. Er weiß doch ganz genau Bescheid über die Häuser am Stadtrand. Scarlett war zutiefst verletzt. Onkel Henry war für sie noch am ehesten ein Vaterersatz gewesen – oder ein Freund, da sie in Atlanta sonst keinen hatte – , und seine Beschuldigungen trafen sie ins Mark. Rasch überflog sie die letzten Zeilen und kritzelte dann eine Antwort, die Pansy zum Telegrafenamt bringen sollte.

»Savannah-Anschrift kein Geheimnis stop Scheidung nicht erwünscht stop Geld in Gold stop«

Wenn sich Onkel Henry nicht wie eine zeternde alte Henne aufgeführt hätte, hätte sie ihn mit der Aufgabe betraut, Gold zu kaufen und es in ihr Schließfach zu legen. Doch jemand, der nicht genug Verstand besaß, um Rhett ihre Anschrift zu geben, der besaß vielleicht auch in anderen Dingen keinen. Scarlett nagte am Knöchel ihres linken Daumens, denn sie machte sich Sorgen um ihr Geld. Vielleicht fuhr sie doch besser nach Atlanta und sprach mit Henry, mit ihrer Bank und Joe Colleton. Vielleicht sollte sie ja auch draußen am Stadtrand noch mehr Land kaufen und noch ein paar mehr Häuser hinstellen. Billiger würde es nie wieder werden als jetzt, da die Geschäfte infolge der Börsenpanik nach wie vor flau waren.

Nein! Sie mußte die Dinge in der richtigen Reihenfolge tun. Rhett versuchte, sie zu finden. Sie lächelte vor sich hin, und die Finger ihrer rechten Hand strichen über die gerötete Haut ihres Daumens. Er täuscht mich nicht mit seinem Scheidungsgerede. Oder dadurch, daß er das Geld überweist, als erfülle er unsere Abmachung. Was zählt – das einzige, was zählt –, ist, daß er wissen will, wo ich bin. Er wird nicht mehr lange auf sich warten lassen, sowie Onkel Henry es ihm erst einmal mitgeteilt hat.

»Sei nicht albern, Scarlett«, sagt Pauline schroff, »selbstverständlich fährst du morgen mit nach Hause. Wir fahren immer am Samstag nach Charleston zurück.«

»Das heißt aber noch lange nicht, daß ich das ebenfalls tun muß. Ich hab es euch doch gesagt, ich habe beschlossen, noch eine Weile in Savannah zu bleiben.« Sie würde sich von Pauline nicht aus der Ruhe bringen lassen, niemand konnte sie aus der Ruhe bringen, seit sie wußte, daß Rhett sie suchte. Sie wollte ihn hier in diesem eleganten rosafarbenen und goldenen Zimmer empfangen, und sie würde ihn dazu bringen, daß er sie bat, zu ihm zurückzukehren. Nachdem er die nötige Demut an den Tag gelegt hätte, würde sie einwilligen, und dann würde er sie in die Arme nehmen und küssen . . .

»Scarlett! Hättest du vielleicht die Güte, mir zu antworten, wenn ich dich etwas frage! Wo willst du denn bleiben?«

»Wieso? Hier natürlich.« Scarlett war noch gar nicht auf die Idee gekommen, sie könnte nicht, solange sie Lust hatte, im Haus ihres Großvaters bleiben. Die traditionelle Gastfreundschaft des Südens erlaubte nichts anderes, und es kam überhaupt nicht in Frage, daß ein Gast aufgefordert wurde, wieder abzureisen, ehe er oder sie das von sich aus beschlossen hatte.

»Père liebt keine Überraschungen«, erklärte Eulalie traurig.

»Ich glaube, ich bin auch ohne deine Hilfe imstande, Scarlett mit den Gepflogenheiten dieses Hauses vertraut zu machen, Schwester.«

»Selbstverständlich, Schwester, ich habe doch auch gar nichts anderes behauptet.«

»Ich gehe einfach zu Großvater und frage ihn«, sagte Scarlett und stand auf. »Möchtet ihr mich begleiten?«

Jetzt flattern sie vor Aufregung, dachte sie, sind völlig aus dem Häuschen vor Schreck, weil Großvater ja böse werden könnte, wenn man ihn ohne ausdrückliche Aufforderung besucht. Ja, zum Kuckuck noch mal! Was für eine Gemeinheit kann er ihnen denn noch antun, die er ihnen nicht bereits angetan hat! Sie durchquerte die Diele, gefolgt von ihren beiden angstvoll flüsternden Tanten, und klopfte an die Tür des alten Mannes.

»*Entrez, Jerome.*«

»Großvater, ich bin's, Scarlett. Kann ich dich sprechen?« Einen Augenblick herrschte Schweigen. Dann rief Pierre Robillards tiefe, kräftige Stimme: »Komm herein.« Scarlett warf den Kopf zurück und lächelte ihren Tanten triumphierend zu, ehe sie die Tür aufmachte.

Der Mut sank ihr allerdings ein bißchen, als sie in das strenge Habichtgesicht des alten Mannes blickte. Doch nun konnte sie nicht mehr zurück. Sie trat auf den dicken Teppich und verharrte dann mit zuversichtlicher Miene in der Zimmermitte. »Ich wollte dir bloß mitteilen, Großvater, daß ich nach Tante Eulalies und Tante Paulines Abreise noch ein bißchen hierbleiben werde.«

»Warum?«

Scarlett war sprachlos. Sie würde ihm ihre Beweggründe nicht verraten. Sie dachte gar nicht daran. »Weil ich gern möchte«, sagte sie.

»Warum?« fragte der alte Mann wieder.

Ihre entschlossenen grünen Augen begegneten seinen argwöhnischen blaßblauen. »Ich habe meine Gründe«, sagte sie. »Hast du etwas dagegen?«

»Und wenn es so wäre?«

Daran wollte sie gar nicht erst denken. Sie konnte nicht, würde nicht nach Charleston zurückkehren. Das käme einer Kapitulation gleich. Sie mußte in Savannah bleiben.

»Wenn du mich hier nicht haben willst, gehe ich zu den O'Haras. Sie haben mich bereits eingeladen.«

Pierre Robillards Mund verzog sich zu einem Hohnlächeln. »Du hast offensichtlich nichts dagegen, zusammen mit dem Hausschwein im Salon zu nächtigen.«

Scarlett schoß das Blut in die Wangen. Es war ihr nichts Neues, daß ihr Großvater die Heirat seiner Tochter mißbilligt hatte. Er hatte Gerald O'Hara nie in sein Haus aufgenommen. Sie hätte ihren Vater, ihre Cousins und all die übrigen O'Haras gern gegen sein Vorurteil den Iren gegenüber verteidigt. Wenn sie bloß nicht den furchtbaren Verdacht gehabt hätte, daß die Kinder die Ferkel tatsächlich zum Spielen mit ins Haus brachten.

»Mach dir nichts draus«, sagte ihr Großvater. »Bleib, wenn du möchtest. Für mich ist das ohne jeden Belang.« Er schloß die Augen und entzog ihr seinen Blick und seine Aufmerksamkeit. Die Audienz war beendet.

Nur mit Mühe brachte Scarlett die Selbstbeherrschung auf, nicht die Tür zuzuknallen, als sie das Zimmer verließ. Was für ein gräßlicher Alter! Immerhin, sie hatte bekommen, was sie wollte. Sie lächelte ihren Tanten zu. »Alles in Ordnung«, sagte sie.

Den Rest des Vormittags und den Nachmittag über begleitete Scarlett Pauline und Eulalie fröhlich auf ihrem Rundgang zu den Häusern sämtlicher Freunde und Bekannten in Savannah, wo sie ihre Karten abgaben. »P. P. C.« hatten sie in die linke untere Ecke geschrieben – *»pour prendre congé«*, zur Verabschiedung. In Atlanta hatte diese Gepflogenheit nie Fuß gefaßt, wohl aber nahe der Küste, in den älteren Städten Georgias und South Carolinas, wo sie als unerläßliches Ritual galt. Scarlett hielt es für eine ungeheure Zeitverschwendung, den Leuten Bescheid zu geben, wenn man abreiste. Insbesondere, wo ihre Tanten sich nur einige wenige Tage zuvor die Füße damit wund gelaufen hatten, daß sie in denselben Häusern Karten hinterlassen hatten, um mitzuteilen, daß sie eingetroffen waren. Sie war überzeugt davon, daß die meisten von denen sich nicht die Mühe gemacht hatten, Karten im Robillardschen Hause abzugeben. Und mit Bestimmtheit hatte es keine Besucher gegeben.

Am Samstag bestand sie dann darauf, mit Eulalie und Pauline zur Bahnstation zu gehen, und sie sorgte dafür, daß Pansy ihnen die Koffer dort verstaute, wo sie sie haben wollten, genau in ihrem Blickwinkel, so daß sie nicht gestohlen werden konnten. Sie küßte ihre papierenen, runzligen Wangen, kehrte auf den von Menschen wimmelnden Bahnsteig zurück und winkte ihnen zum Abschied, als der Zug aus dem Bahnhof puffte.

»Wir halten beim Bäcker in der Broughton Street, ehe wir nach Hause zurückkehren«, teilte sie dem Kutscher der Mietdroschke mit. Es war noch lange hin bis zum Mittagessen.

Sie schickte Pansy mit dem Auftrag in die Küche, ihr eine Kanne Kaffee zu bestellen, und legte dann Hut und Handschuhe ab. Wie hübsch still das Haus jetzt war, wo die Tanten weg waren. Doch da auf dem Dielentischchen war eindeutig ein Staubfilm. Sie würde ein paar Worte mit Jerome reden müssen. Mit den anderen Dienstboten ebenfalls, wenn es nötig wäre. Sie wollte nicht, daß es hier schäbig aussah, wenn Rhett eintraf.

Als hätte er ihre Gedanken gelesen, tauchte Jerome hinter ihr auf. Scarlett fuhr zusammen. Warum um Himmels willen konnte der Mensch nicht hörbar auftreten?

»Eine Nachricht ist für Sie gekommen, Miss Scarlett.« Er hielt ihr ein Silbertablett mit einem Telegramm hin.

Rhett! Scarlett griff mit allzu begierigen, allzu ungeschickten Fingern nach dem dünnen Papier. »Danke, Jerome. Kümmere dich bitte um meinen Kaffee.« Der Butler war bei weitem zu neugierig für ihren Geschmack. Sie wollte nicht, daß er ihr über die Schulter blickte, wenn sie las.

Sowie er gegangen war, riß sie die Nachricht auf. »Verdammt!« sagte sie. Das Telegramm war von Onkel Henry.

Der gewöhnlich doch so gewiefte alte Anwalt mußte zutiefst beunruhigt sein, denn für ein Telegramm machte er viel zu viele Worte.

»Ich will und werde nicht das geringste mit der Investition oder sonstigen Verwendung des Geldes zu tun haben, das Dein Mann Dir angewiesen hat stop Es liegt auf Deinem Bankkonto stop Ich habe Dir meinen Widerwillen gegen die Umstände dieser Transaktion bereits zu verstehen gegeben stop Erwarte keinerlei Hilfe von mir stop«

Scarlett sank auf einen Stuhl, während sie das las. Ihre Knie waren wachsweich, und ihre Herz raste. Der alte Trottel! Eine halbe Million Dollar – das war wahrscheinlich mehr Geld, als die Bank seit der Vorkriegszeit zu sehen bekommen hatte. Was sollte denn die Bankbeamten daran hindern, es sich einfach in die Tasche zu stecken und den Laden zuzumachen? Es schlossen doch immer noch unentwegt Banken, das stand ja ständig in der Zeitung. Sie würde umgehend nach Atlanta fahren, das Geld in Gold eintauschen und es in ihr Schließfach legen müssen. Das würde jedoch Tage dauern. Selbst wenn heute noch ein Zug ginge, würde sie vor Montag nicht auf die Bank kommen. Reichlich Zeit, um das Geld verschwinden zu lassen.

Eine halbe Million Dollar. Mehr als zweimal soviel, wie sie hätte, wenn sie ihren gesamten Besitz verkaufen würde. Mehr, als ihr Laden und ihr Saloon und die neuen Häuser in dreißig Jahren einbringen würden. Sie mußte es schützen, doch wie? Oh, sie hätte Onkel Henry umbringen können!

Als Pansy stolz mit dem schweren Silbertablett und dem schimmernden Kaffeeservice nach oben kam, fand sie eine bleiche Scarlett vor, die, ihrem Blick nach zu schließen, völlig außer sich war. »Stell das Ding dahin und zieh dir den Mantel an«, sagt Scarlett. »Wir gehen aus.«

Sie hatte die Selbstbeherrschung wiedergefunden, und sogar ihre Wangen hatten wieder ein wenig Farbe angenommen, als sie in den Laden der O'Haras eilte.

Vetter oder nicht, sie wollte nicht, daß Jamie allzuviel Einblick in ihre geschäftlichen Angelegenheiten gewann. Also klang ihre Stimme reizend mädchenhaft, als sie ihn bat, ihr eine Bank zu empfehlen. »Es war soviel los, daß ich gar nicht aufgepaßt habe, wieviel Geld ich ausgegeben habe, und jetzt möchte ich noch ein bißchen länger bleiben und mir deshalb ein paar Dollar von meiner Bank zu Hause überweisen lassen. Hier in Savannah kenne ich jedoch keine Menschenseele. Und da habe ich mir gedacht, du könntest vielleicht ein gutes Wort für mich einlegen, wo du doch so ein erfolgreicher Geschäftsmann bist und so.«

Jamie grinste. »Es wird mir eine Ehre sein, dich zum Direktor der Bank zu begleiten, und ich lege meine Hand für ihn ins Feuer, weil Onkel James über fünfzig Jahre Geschäfte mit ihm gemacht hat. Aber besser fährst du noch, Scarlett, wenn du ihm erzählst, daß du die Enkelin vom alten Robillard bist. Es heißt ja, er wäre ein sehr reizbarer alter Herr. War er nicht der schlaue Fuchs, der sein ganzes Messing nach Frankreich geschickt hat, als Georgia den Beschluß faßte, South Carolinas Beispiel zu folgen und die Union zu verlassen?«

Aber das hieß ja, daß ihr Großvater die Sache des Südens verraten hatte! Kein Wunder also, daß er noch sein ganzes schweres Silber und ein unbeschädigtes Haus besaß. Warum war er bloß nicht gelyncht worden? Und wie konnte Jamie darüber nur lachen? Scarlett fiel wieder ein, daß auch Maureen über ihren Großvater gelacht hatte, als sie von Rechts wegen hätte schockiert sein sollen. Es war alles so schwer zu durchschauen. Sie wußte nicht, was sie davon halten sollte. Aber wie dem auch sein mochte, sie hatte jetzt keine Zeit nachzudenken, denn sie mußte zur Bank gehen und Vorkehrungen wegen ihres Geldes treffen.

»Daniel, du kümmerst dich doch um den Laden, während ich mit Cousine Scarlett unterwegs bin?« Jamie stand neben ihr und bot ihr seinen Arm. Scarlett legte ihm die Hand in die Armbeuge und winkte Daniel zum Abschied zu. Sie hoffte, daß die Bank nicht weit weg war. Es war fast Mittag.

»Maureen wird entzückt sein, wenn sie hört, daß du ein bißchen länger bei uns bleiben willst«, sagte Jamie, als sie, Pansy im Schlepptau, die Broughton Street entlanggingen. »Wirst du denn dann heute abend zu uns rüberkommen, Scarlett? Ich könnte dich auf dem Nachhauseweg abholen.«

»Furchtbar gern, Jamie«, sagte sie. Sie würde verrückt werden in dem großen Haus, in dem sie mit niemandem ein Wort wechseln konnte außer mit ihrem Großvater, und mit dem auch höchstens nur zehn Minuten lang. Falls Rhett vorher kam, konnte sie Pansy immer noch mit einer Nachricht zum Laden schicken und sagen, daß sie es sich anders überlegt hatte.

Wie sich herausstellen sollte, stand sie bereits in der Diele und wartete ungeduldig auf Jamie, als er eintraf. Ihr Großvater war ganz besonders ekelhaft geworden, als sie ihm mitgeteilt hatte, daß sie den Abend außer Haus verbringen werde. »Das ist hier kein Hotel, wo du kommen und gehen kannst, wie es dir gefällt, Miss. Du wirst deinen Zeitplan gefälligst dem meines Hauses anpassen, und das bedeutet, du liegst um neun Uhr im Bett.«

»Selbstverständlich, Großvater«, hatte sie kleinlaut gesagt. Sie war überzeugt, daß sie bis dahin längst wieder zu Hause war. Und außerdem war ihr Respekt für ihn um einiges gewachsen, seit sie mit dem Bankdirektor gesprochen hatte. Ihr Großvater mußte viel, viel reicher sein, als sie es sich vorgestellt hatte. Als Jamie sie als Pierre Robillards Enkeltochter vorgestellt hatte, hatte der Mann sich vor lauter Bücklingen und Kratzfüßen förmlich überschlagen. Scarlett lächelte beim Gedanken daran. Als ich ihm dann, nachdem Jamie gegangen war, eröffnet habe, ich wolle eine halbe Million aus Atlanta transferieren und in einem Schließfach deponieren lassen, hab ich gedacht, er würde gleich ohnmächtig werden. Es ist mir ganz gleich, was die Leute sagen, viel Geld zu haben ist doch das beste, was einem überhaupt passieren kann.

»Ich kann nicht lange bleiben«, teilte sie Jamie bei seinem Eintreffen mit. »Ich hoffe, das ist nicht schlimm. Du hast doch nichts dagegen, mich um halb neun nach Hause zu begleiten?«

»Es wird mir zu jedem Zeitpunkt eine Ehre sein, dich wohin auch immer zu begleiten.«

Scarlett konnte nun wirklich nicht ahnen, daß sie fast bis zum Morgengrauen nicht nach Hause kommen würde.

39. Kapitel

Der Abend fing ziemlich ruhig an. Ja, so ruhig, daß Scarlett enttäuscht war. Sie hatte sich Musik und Tanz und ein bißchen Festlichkeit versprochen, doch Jamie geleitete sie in die ihr nun schon vertraute Küche des Hauses. Maureen begrüßte sie, indem sie sie, eine Teetasse in der Hand, auf beide Wangen küßte, und kehrte dann zu ihren Essensvorbereitungen zurück. Scarlett setzte sich neben Onkel James, der vor sich hindöste. Jamie zog die Jacke aus, knöpfte seine Weste auf, steckte sich eine Pfeife an und nahm dann im Schaukelstuhl Platz, um in Ruhe zu rauchen. Mary Kate und Helen deckten im Eßzimmer nebenan den Tisch und schwatzten über das Besteckgeklapper hinweg miteinander. Es war eine anheimelnde Szene, aber nicht sonderlich aufregend. Trotzdem, dachte Scarlett, wenigstens wird es ein Abendessen geben. Tante Pauline und Tante Eulalie mit ihren falschen Vorstellungen von diesem ganzen Fastenunsinn! Kein Mensch würde absichtlich wochenlang von nur einer Mahlzeit täglich leben wollen.

Nach ein paar Minuten kam das scheue Mädchen mit der herrlichen schwarzen Haarwolke aus der Diele herein und hatte Jacky an der Hand. »Ah, da bist du ja, Kathleen«, sagte Jamie. Scarlett prägte sich den Namen ein. Er paßte zu dem Mädchen, das sanft und kindlich war. »Bring den kleinen Mann zu seinem Pa.« Jacky entzog ihr seine Hand und rannte zu seinem Vater, und um die Stille war es geschehen. Scarlett zuckte bei den Freudenschreien des Kleinen zusammen. Onkel James fuhr mit einem Schnauben aus seinem Schlummer hoch. Die Tür zur Straße tat sich auf, und Daniel kam mit seinem jüngeren Bruder Brian herein. »Sieh mal, Ma, wen ich gefunden habe, als er gerade draußen an der Tür schnüffelte«, sagte Daniel.

»Ach, du hast also beschlossen, uns die Gnade deiner Anwesenheit zu erweisen, Brian«, sagte Maureen. »Dann will ich mal die Zeitungen benachrichtigen, damit sie's auf der ersten Seite bringen können.«

Brian packte seine Mutter bei der Taille und umarmte sie herzhaft. »Du wirst doch wohl einen Menschen nicht raussetzen und verhungern lassen wollen?«

Maureen tat zwar so, als sei sie wütend, lächelte dabei jedoch. Brian küßte das üppige rote Haar, das auf dem Kopf zu Locken aufgetürmt war, und ließ sie los.

»Nun sieh dir an, was du mit meinem Haar angestellt hast, du Wilder«, klagte Maureen. »Und obendrein blamierst du mich auch noch, weil du Scarlett nicht begrüßt. Und du genauso, Daniel.«

Brian beugte sich aus seiner enormen Höhe nieder und grinste Scarlett an. »Du wirst mir doch verzeihen?« sagte er. »Du warst so klein und von so vornehmer Schweigsamkeit, daß ich dich völlig übersehen habe, Tante Scarlett.« Sein dichtes Haar leuchtete hell im Feuerschein, und seine blauen Augen waren ansteckend fröhlich. »Würdest du dich wohl bei meiner Mutter dafür verwenden, daß sie mich ein paar Abfälle von ihrem Tisch haben läßt?«

»Nun mach schon, du Wilder, geh und wasch dir den Staub von den Händen.«

Daniel übernahm die Stelle seines Bruders, während Brian den Spülstein ansteuerte. »Wir freuen uns alle, dich bei uns zu haben, Tante Scarlett.«

Scarlett lächelte. Trotz des Gelärmes von Jacky, der auf Jamies Knien auf und ab hüpfte, war sie froh, daß sie da war. Die großen rotköpfigen Burschen hatten etwas so ungeheuer Lebendiges. Das Haus ihres Großvaters mit seiner kalten Perfektion kam ihr dagegen vor wie eine Gruft.

Während sie am großen Eßzimmertisch aßen, erfuhr Scarlett, was es mit Maureens gespieltem Ärger über ihren Sohn auf sich hatte. Brian war vor ein paar Wochen aus dem Zimmer, das er sich mit Daniel geteilt hatte, ausgezogen, und Maureen hatte sich bislang erst halb mit diesem plötzlichen Drang nach Unabhängigkeit abgefunden. Brian wohnte zwar nur ein paar Schritte entfernt, nämlich im Haus seiner Schwester Patricia, aber er war eben doch weg. Es verschaffte Maureen eine ungeheure Genugtuung, daß Brian ihre Küche immer noch der ausgefalleneren ihrer Tochter vorzog. »Tja, was kannst du schon erwarten, wenn Patricia nun mal nicht möchte, daß der Fischgeruch sich in ihren feinen Spitzenvorhängen festsetzt?« Und dabei häufte sie ihrem Sohn vier gebratene, butterglänzende Fischfilets auf den Teller.

»Während der Fastenzeit ist es gewiß eine echte Prüfung, eine solche Dame sein zu wollen.«

»Hüte deine Zunge, Weib«, sagte Jamie, »es ist immerhin deine eigene Tochter, über die du dich da äußerst.«

»Und wer hätte dazu eher das Recht als ihre eigene Mutter?«

Der alte James ließ sich vernehmen. »Da hat Maureen recht. Ich erinnere mich noch gut an die spitze Zunge meiner eigenen Mutter . . .« Er rief sich liebevoll eine ganze Reihe Jugenderinnerungen ins Gedächtnis. Scarlett spitzte die Ohren für den Fall, daß auch ihr Vater erwähnt würde. »Und nun zu Gerald«, sagte der alte James, und Scarlett beugte sich vor. »Gerald war immer schon ihr Augapfel gewesen, wo er doch der Kleine war und so weiter. Der kam immer mit der geringsten Strafe davon.« Scarlett lächelte. Das sah Pa ähnlich, daß er der Liebling der Mutter gewesen war. Wer hatte seinem weichen Herzen schon widerstehen können, das hinter all dem großspurigen Gehabe steckte? Ach, wie sehr sie sich wünschte, daß er jetzt hier bei seiner Familie hätte sein können.

»Gehen wir nach dem Abendessen zu Matthew, oder kommen die anderen her?« fragte der alte James.

»Wir gehen zu Matt«, antwortete Jamie. Matt war der, der auf Patricias Geburtstagsfeier mit dem Tanzen angefangen hatte, erinnerte Scarlett sich. Sie begann mit dem Fuß zu klopfen.

Maureen lächelte ihr zu. »Ich glaube, hier ist jemand reif für den Reel«, sagte sie. Sie nahm den Löffel von ihrem Teller, griff über Daniel hinweg nach seinem, dann legte sie die Löffel Rücken an Rücken und begann mit ihnen gegen ihren Handteller, gegen ihr Handgelenk, ihren Unterarm und Daniels Stirn zu klopfen. Der Rhythmus, den sie schlug, war der der »Knochen«, nur leichter, und die bloße Absurdität, daß jemand mit zwei nicht zusammenpassenden Eßlöffeln Musik machte, löste in Scarlett ein entzücktes, spontanes Lachen aus. Ohne darüber nachzudenken, begann sie, im Takt der Löffel mit den offenen Händen auf den Tisch zu schlagen.

»Es ist Zeit, daß wir gehen.« Jamie lachte. »Ich hole meine Fiedel.«

»Wir nehmen die Stühle mit«, sagte Mary Kate.

»Matt und Katie haben nur zwei«, erklärte Daniel Scarlett. »Sie sind die letzten in Savannah eingetroffenen O'Haras.«

Es spielte überhaupt keine Rolle, daß die beiden ineinanderübergehenden Räume bei Matt und Katie O'Hara noch nahezu unmöbliert waren. Sie hatten Kamine, die für Wärme sorgten, gasbeleuchtete Deckenlampen spendeten Licht, und der weitläufige, gebohnerte Holzfußboden bot sich zum Tanzen geradezu an. Die Stunden, die Scarlett an diesem Samstag in jenen kahlen Räumen verbrachte, gehörten zu den glücklichsten ihres Lebens.

Im Kreis der Familie teilten die O'Haras Liebe und Glück ebenso freigebig und bedenkenlos, wie sie die Luft zum Atmen teilten. Scarlett spürte, wie sich etwas in ihr zu regen begann, das ihrem Gedächtnis seit allzulanger Zeit entfallen war. Sie wurde eine wirkliche O'Hara, unverstellt und spontan und imstande, sich unbeschwert ihres Lebens zu freuen. Sie vermochte das Raffinierte und Berechnende abzustreifen, das sie als Waffe zu gebrauchen gelernt hatte – vor allem in den Eroberungskämpfen, wie sie zum Leben einer *Belle*, einer Schönen in der Gesellschaft der Südstaaten, nun einmal gehörten.

Sie hatte es nicht nötig, zu bezaubern oder zu erobern, sie war willkommen, wie sie war, jemand, der zur Familie gehörte. Zum erstenmal im Leben war sie bereit, das Zentrum der Aufmerksamkeit anderen zu überlassen. Die anderen faszinierten sie, hauptsächlich, weil sie ihre neuentdeckte Familie waren, dann aber auch, weil sie noch nie solche Menschen kennengelernt hatte.

Oder jedenfalls fast nie. Scarlett sah Maureen an, die, Brian und Daniel hinter sich, Musik machte. Helen und Mary Kate klatschten den Rhythmus mit, den sie mit den »Knochen« machte, und einen Augenblick lang war es, als wären ihre lebhaften Rotköpfe die wieder zum Leben erweckten jungen Tarletons. Die Zwillinge, groß und gut aussehend, die Mädchen, die vor jugendlicher Ungeduld vibrierten, weil sie es gar nicht erwarten konnten, sich in die nächsten Abenteuer zu stürzen, die das Leben für sie bereithielt. Scarlett hatte die Tarleton-Mädchen schon immer um ihren ungezwungenen Umgang mit ihrer Mutter beneidet. Nun entdeckte sie dieselbe Ungezwungenheit zwischen Maureen und ihren Kindern wieder. Und sie wußte, daß auch sie mit Maureen lachen durfte, aufgefordert war, zu necken und sich necken zu lassen, an der Zuneigung teilzuhaben, die Jamies Frau freigebig an alle Menschen ihrer Umgebung verschenkte.

In jenem Augenblick geriet die an Anbetung grenzende Verehrung, die Scarlett für ihre Mutter empfand, ein wenig ins Wanken, bekam einen winzigen Riß, und sie begann sich von dem Schuldgefühl zu befreien, unter dem sie von jeher gelitten hatte, weil sie den Anforderungen ihrer Mutter nicht gerecht zu werden vermochte. Vielleicht war es ja ganz in Ordnung, wenn sie keine vollkommene Dame war . . . Diese Vorstellung war jetzt zu reichhaltig, zu komplex. Sie würde später darüber nachdenken. Sie wollte jetzt überhaupt über nichts nachdenken. Nicht über gestern und nicht über morgen. Das einzige, was zählte, waren dieser Augenblick und das Gefühl, das er enthielt, die Musik und das Singen, das Klatschen und Tanzen.

Nach den formellen Ritualen der Charlestoner Bälle waren diese spontanen, hausgemachten Vergnügen wie ein Rausch. Scarlett atmete die Atmosphäre mit ihrer Fröhlichkeit und ihrem Lachen in vollen Zügen ein, und ihr wurde ganz schwindlig davon.

Matts Tochter Peggy zeigte ihr die einfachsten Schritte des Reel, und es hatte in gewissem Sinne seine Richtigkeit, daß sie sie von einem siebenjährigen Kind lernte. Genau wie es seine Richtigkeit hatte, daß die anderen, Erwachsene wie Kinder gleichermaßen, sie lauthals anfeuerten und neckten, denn es galt ihr und Peggy gleichermaßen. Sie tanzte, bis ihr die Knie weich wurden, und dann brach sie lachend zu Füßen des alten James zusammen, und er tätschelte ihr den Kopf, als wäre sie ein Hündchen, und darüber mußte sie noch mehr lachen, bis sie, nach Atem ringend, ausrief: »Ach, ist das ein Spaß!«

Scarlett hatte im Leben nur sehr wenig Spaß gehabt, und sie wünschte sich, diese unverdorbene, unkomplizierte Freude würde ewig währen. Sie schaute ihre großen, zufriedenen Verwandten an, und sie war stolz auf ihre Kraft und ihre Energie, ihre Begabung für die Musik und den Lebensgenuß. »Wir sind ein feiner Haufen, wir O'Haras. An uns kommt keiner heran.« Scarlett hörte die Stimme ihres Vaters, wie er sich brüstete und die Worte sagte, die er so oft zu ihr gesagt hatte, und endlich begriff sie, was er damit meinte.

»Ach, Jamie, was war das für ein herrlicher Abend«, sagte sie, als er sie nach Hause brachte. Scarlett war so müde, daß sie fast vor sich hinstolperte, schwatzte dabei jedoch wie eine Elster, viel zu beschwingt, um sich auf die friedliche Stille der schlafenden Stadt einstellen zu können.

Jamie lachte. Seine kräftigen Hände packten sie bei der Taille und wirbelten sie in schwindelerregender Weise im Kreis herum. »An uns kommt keiner heran«, sagte er, als er sie niedersetzte.

»Miss Scarlett... Miss Scarlett!« Pansy weckte sie um sieben mit einer Nachricht ihres Großvaters. »Er will Sie auf der Stelle sprechen.«

Der alte Soldat war formell gekleidet und frisch rasiert. Aus seiner herrscherlichen Position im prächtigen Lehnstuhl am Kopf des Eßtisches musterte er mißbilligend Scarletts hastig frisiertes Haar und ihr Hauskleid.

»Mein Frühstück ist nicht zufriedenstellend«, verkündete er.

Scarlett starrte ihn mit offenem Mund an. Was hatte sie denn mit seinem Frühstück zu tun? Meinte er vielleicht, sie hätte es zubereitet? Vielleicht hatte er ja den Verstand verloren. Wie Pa. Nein, nicht wie Pa. Pa hatte mehr Schicksalsschläge erlitten, als er zu verkraften vermochte, und sich deshalb in eine Zeit und eine Welt zurückgezogen, wo all die schrecklichen Dinge nicht vorkamen. Er war wie ein verwirrtes Kind gewesen. Großvater hingegen hat nichts Verwirrtes oder Kindliches. Er weiß genau, wo und wer er ist und was er tut. Was will er also damit sagen, daß er mich nach ein paar Stunden Schlaf aufwecken läßt, um sich bei mir über sein Frühstück zu beschweren?

Sie gab sich bewußt ruhig, als sie sprach. »Was ist an deinem Frühstück denn auszusetzen, Großvater?«

»Es schmeckt fade, und es ist kalt.«

»Warum läßt du es dann nicht in die Küche zurückgehen? Sag, was du willst, und dringe darauf, daß es heiß ist, wenn es kommt.«

»Du machst das. Die Küche ist Frauensache.«

Scarlett stemmte die Arme in die Hüfte. Der Blick, mit dem sie ihren Großvater ansah, war genauso unbeugsam wie seiner.

»Du willst mir doch wohl nicht erzählen, daß du mich aus dem Bett geholt hast, damit ich deiner Köchin etwas mitteile? Bestell dir ein neues Frühstück oder laß es sein – das ist mir völlig egal. Ich gehe wieder ins Bett.« Scarlett machte ruckartig kehrt.

»Dein Bett gehört mir, junge Frau, und du besetzt es dank meiner großzügig gewährten Erlaubnis. Ich erwarte, daß du meine Anordnungen befolgst, solange du unter meinem Dach weilst.«

Mittlerweile kochte sie vor Wut, und an Schlaf war überhaupt nicht mehr zu denken. Ich packe auf der Stelle meinen Koffer, dachte sie. Das brauche ich mir nicht bieten zu lassen.

Der verführerische Duft von frischgebrühtem Kaffee hinderte sie jedoch daran, sofort den Mund aufzumachen. Erst würde sie Kaffee trinken, dann dem alten Mann die Meinung sagen ... Und außerdem war es besser, wenn sie noch einen Augenblick nachdachte. Sie war noch nicht soweit, daß sie Savannah verlassen konnte. Rhett mußte inzwischen erfahren haben, daß sie hier war. Und jeden Augenblick konnte sie von der Mutter Oberin Nachricht wegen Tara erhalten.

Scarlett ging zum Klingelzug neben der Tür. Dann setzte sie sich rechts von ihrem Großvater an den Tisch. Als Jerome hereinkam, herrschte sie ihn an. »Gib mir als erstes eine Tasse Kaffee. Dann nimm diesen Teller hier weg. Was ist das denn, Großvater, Maisbrei? Was immer es sein mag, Jerome, sag der Köchin, sie soll es selbst essen. Aber erst, nachdem sie Rührei mit Speck und Schinken, Grütze und Kekse für uns zubereitet hat. Mit viel Butter. Und ich möchte auf der Stelle ein Kännchen Sahne für meinen Kaffee haben.«

Jerome schaute den alten Mann an und beschwor ihn stumm, Scarlett zur Ordnung zu rufen. Pierre Robillard sah jedoch starr vor sich hin und mied den Blick des Butlers.

»Steh nicht da wie ein Standbild«, fuhr Scarlett ihn an. »Tu, was man dir sagt.« Sie war hungrig.

Ihr Großvater ebenfalls. Wenn die Mahlzeit auch ebenso schweigsam verlief wie sein Geburtstagsessen, so aß er diesmal jedoch alles, was ihm vorgesetzt wurde. Scarlett beobachtete ihn argwöhnisch aus den Augenwinkeln. Was der alte Fuchs wohl im Schilde führte? Sie konnte sich nicht vorstellen, daß hinter diesem ganzen Theater nichts stecken sollte. Ihrer Erfahrung nach war es denkbar einfach, von den Dienstboten zu bekommen, was man wollte. Man brauchte sie nur anzuschreien. Und Großvater versteht sich doch nun weiß Gott darauf, anderen Menschen Angst zu machen. Man muß ja nur Tante Pauline und Tante Eulalie anschauen.

Oder mich selbst, genau besehen. Schließlich bin ich sofort aus dem Bett gesprungen, als er nach mir geschickt hat. Das werde ich nicht noch einmal tun.

Der alte Mann ließ die Serviette neben seinen leeren Teller fallen. »Ich erwarte von dir, daß du künftig bei den Mahlzeiten anständig angezogen bist«, sagte er zu Scarlett. »Wir werden das Haus pünktlich in einer Stunde und sieben Minuten verlassen, um zur Kirche zu gehen. Die Zeit dürfte ausreichen, damit du dich zurechtmachen kannst.«

Scarlett hatte, nun, da ihre Tanten nicht mehr da waren und sie zur Mutter Oberin durchgedrungen war, überhaupt nicht die Absicht gehabt, zur Kirche zu gehen. Im übrigen mußte sie der Anmaßung ihres Großvaters Paroli bieten. Ihren Tanten zufolge war er ein leidenschaftlicher Gegner der katholischen Kirche.

»Ich wußte ja gar nicht, daß du zur Messe gehst, Großvater«, sagte sie in zuckersüßem Ton.

Die buschigen weißen Brauen ihres Großvaters zogen sich finster zusammen. »Ich hoffe, du hängst nicht wie deine Tanten diesem papistischen Schwachsinn an.«

»Ich bin eine Katholikin, falls du das damit sagen willst. Und ich werde mit meinen Verwandten, den O'Haras, zur Messe gehen. Die mich, nebenbei gesagt, eingeladen haben, jederzeit zu ihnen zu ziehen, wenn ich das möchte und solange ich möchte.« Scarlett stand auf und marschierte triumphierend aus dem Zimmer. Sie war schon halb die Treppe hinauf, als ihr einfiel, daß sie vor der Messe nicht hätte essen dürfen. Halb so schlimm. Sie brauchte die Kommunion ja nicht zu nehmen, wenn sie nicht wollte. Und Großvater hatte sie es jedenfalls gegeben. Als sie ihr Zimmer erreichte, machte sie ein paar Schritte des Reel, den sie am Abend zuvor gelernt hatte. Sie glaubte allerdings keinen Augenblick lang, ihr Großvater könnte sie beim Wort nehmen, nachdem sie ihm so vorgeschwindelt hatte, sie könne auch bei ihren Verwandten wohnen. Sosehr sie es liebte, der Musik und des Tanzes wegen zu den O'Haras zu gehen, es gab dort viel zu viele Kinder, als daß an einen solchen Aufenthalt zu denken gewesen wäre. Außerdem hatten sie überhaupt keine Dienstboten, und sie konnte sich nicht anziehen, ohne daß Pansy sie schnürte und ihr das Haar zurechtmachte.

Ich wüßte ja gern, was er eigentlich vorhat, dachte sie wieder. Dann zuckte sie die Achseln. Sie würde es schon bald genug herausfinden. Es war auch nicht wirklich wichtig. Ehe er damit herausrückte, hatte Rhett sie wahrscheinlich sowieso schon abgeholt.

40. Kapitel

Eine Stunde und vier Minuten, nachdem Scarlett in ihr Zimmer hinaufgegangen war, verließ Pierre Auguste Robillard, Soldat Napoleons, den bildschönen Schrein seines Hauses, um zur Kirche zu gehen. Er trug einen schweren Überrock und einen wollenen Schal, und sein dünnes weißes Haar wurde von einem hohen Hut aus Zobel bedeckt, einst Eigentum eines russischen Offiziers, der bei Borodino gefallen war. Trotz der strahlenden Sonne und der frühlingshaften Luft war dem alten Mann kalt. Dennoch ging er kerzengerade und mit steifem Schritt und benutzte den Malakkarohrstock, den er mit sich führte, nur selten. Er nickte den Leuten auf der Straße, die ihn grüßten, mit korrekter Knappheit zu. Er war in Savannah sehr bekannt.

In der Kirche der Unabhängigen Presbyterianer am Chippewa Square nahm er seinen Platz in der fünften Bank von vorn ein, den Platz, auf dem er seit den Einweihungsfeierlichkeiten vor sechzig Jahren immer saß. James Monroe, der damalige Präsident der Vereinigten Staaten, war bei der Einweihung ebenfalls zugegen gewesen und hatte darum gebeten, dem Mann vorgestellt zu werden, der von Austerlitz bis Waterloo an Napoleons Seite gekämpft hatte. Pierre Robillard hatte sich dem älteren Herrn gegenüber wohlwollend gezeigt, wenn auch ein Präsident für einen Mann, der Seite an Seite mit einem Kaiser gekämpft hatte, nichts Beeindruckendes besaß.

Als der Gottesdienst zu Ende war, wechselte er mit etlichen Männern, die seiner Geste folgten und sich auf den Stufen vor der Kirche eilends zu ihm gesellten, einige Worte. Er stellte ein paar Fragen und hörte eine große Zahl von Antworten an. Dann ging er, sein strenges Gesicht lächelte beinahe, nach Hause, um ein Nickerchen zu machen, bis ihm das Mittagessen serviert werden würde. Der wöchentliche Ausflug zur Kirche wurde immer ermüdender.

Er fiel in den leichten Schlummer sehr alter Menschen und erwachte, noch ehe Jerome mit seinem Tablett hereingekommen war. Während er auf ihn wartete, dachte er über Scarlett nach.

Er war nicht im geringsten neugierig gewesen, was ihr Leben oder ihr Wesen betraf. Er hatte seit vielen Jahren keinen Gedanken an sie verschwendet, und als sie mit seinen Töchtern im Haus erschienen war, hatte ihn das weder angenehm noch unangenehm berührt. Sie hatte seine Aufmerksamkeit erst auf sich gezogen, als Jerome sich über sie beschwerte. Sie bringe die ganze Küche durcheinander mit ihren Ansprüchen, behauptete Jerome. Und sie werde noch den Tod Monsieur Robillards verschulden, wenn sie weiterhin darauf bestünde, daß seine Mahlzeiten mit Butter, Bratensauce und Süßigkeiten angereichert würden.

Der Himmel hatte sie dem alten Mann geschickt. Er hatte nichts mehr, worauf er sich freuen konnte, nur noch die Aussicht auf weitere Monate oder gar Jahre der immer gleichen Routine von Schlaf, Mahlzeiten und allwöchentlichem Kirchgang. Doch es war nicht die grundsätzliche Ereignislosigkeit seines Daseins, die ihn störte; er hatte immer das Bild seiner geliebten Frau vor Augen und die Gewißheit, daß er, wenn es an der Zeit war, im Tode wieder mit ihr vereint würde. Er verbrachte die Tage und Nächte damit, von ihr zu träumen, wenn er schlief, und sich an sie zu erinnern, wenn er wach war. Das genügte ihm. Beinahe. Was ihm fehlte, war anständiges Essen, und in den letzten Jahren war es immer fader geworden, kalt, wenn es nicht angebrannt war, und von einer unsäglichen Eintönigkeit. Er wollte, daß Scarlett das änderte. Der Haushalt brauchte eine gute weibliche Hand.

Ihr Argwohn hinsichtlich der Motive des alten Mannes war unbegründet. Pierre Robillard hatte ihr herrschsüchtiges Temperament sofort erkannt, und er wollte lediglich, daß sie es zu seinen Gunsten geltend machte. Die Dienstboten wußten, er war zu alt und zu müde, um ihnen seinen Willen wirklich noch aufzuzwingen. Scarlett hingegen war jung und stark. Er suchte weder ihre Gesellschaft noch ihre Liebe. Er wollte, daß sie ihm das Haus auf die Weise führte, wie er selbst es früher getan hatte – das heißt in Übereinstimmung mit seinen Maßstäben und nach seinem Willen. Er mußte einen Weg finden, um das zu erreichen, und deshalb dachte er über sie nach.

»Sag meiner Enkelin, sie möchte zu mir kommen«, sagte er, als Jerome hereinkam.

»Sie ist noch nicht zu Hause«, sagte der alte Butler lächelnd. Es freute ihn, daß der alte Mann böse werden würde. Jerome haßte Scarlett.

Scarlett war mit den O'Haras auf dem Großen Markt. Nach der Auseinandersetzung mit ihrem Großvater hatte sie sich angezogen, Pansy weggeschickt und war durch den Garten hinausgeeilt, um das kurze Stück Weg zu Jamies Haus ohne Begleitung zurückzulegen. »Ich wollte auf dem Weg zur Messe gern Gesellschaft haben«, erklärte sie Maureen ihren Besuch, doch der eigentliche Grund war, daß sie mit Menschen zusammensein wollte, die nett zueinander waren.

Nach der Messe gingen die Männer in die eine Richtung und die Frauen und Kinder in die andere. »Sie lassen sich die Haare schneiden und halten einen Schwatz beim Barbier im Pulaski-Hotel«, erklärte Maureen. »Und genehmigen sich höchstwahrscheinlich ein, zwei Glas im Saloon. Das ist besser als die Zeitung, wenn man auf dem laufenden sein möchte. Komm, wir beschaffen uns unsere eigenen Neuigkeiten auf dem Markt, während ich ein paar Austern für eine schöne Pastete kaufe.«

Der Große Markt von Savannah diente demselben Zweck und war genauso von quirligem Leben erfüllt wie der Markt in Charleston. Bis jetzt war Scarlett gar nicht klar gewesen, wie sehr ihr der vertraute Trubel des Feilschens und Kaufens und der lebhafte Austausch mit den Freundinnen gefehlt hatten. Seit Beginn der Ballsaison war sie im Grunde nicht mehr dazu gekommen.

Sie bedauerte jetzt jedoch, Pansy nicht mitgenommen zu haben; sie hätte sich einen Korb voll von den exotischen Früchten kaufen können, die durch Savannahs betriebsamen Hafen hereinkamen, wenn sie ihre Zofe zum

Tragen dabeigehabt hätte. Mary Kate und Helen übernahmen diese Aufgabe für die O'Hara-Frauen. Scarlett ließ sich ein paar Orangen von ihnen tragen. Und sie bestand darauf, den Kaffee und die Karamelrollen zu bezahlen, die sie sich an einem der Stände genehmigten.

Sie lehnte allerdings ab, als Maureen sie einlud, zum Mittagessen mit ihnen nach Hause zu kommen. Sie hatte dem Koch ihres Großvaters nicht gesagt, daß sie nicht nach Hause käme, und sie wollte ein bißchen Schlaf nachholen. Es fehlte noch, daß sie aussah wie ein wandelnder Leichnam, falls Rhett mit dem Nachmittagszug kam.

Sie gab Maureen vor der Tür der Robillards einen Kuß und winkte den anderen zum Abschied zu. Sie hinkten fast einen ganzen Block hinterher, da sie sich den unsicheren Kinderbeinchen und Patricias durch die Schwangerschaft verlangsamtem Schritt anpassen mußten. Helen kam mit einer dicken Tüte angerannt. »Vergiß deine Orangen nicht, Tante Scarlett.«

»Ich übernehme das, Miss Scarlett.« Es war Jerome.

»Oh . . . schön. Hier. Du sollst doch nicht so leise sein, Jerome, du hast mich erschreckt. Ich habe die Tür gar nicht aufgehen hören.«

»Ich habe nach Ihnen Ausschau gehalten. Mr. Robillard will Sie sprechen.« Jerome blickte mit unverhohlener Verachtung auf das Gewimmel der O'Haras.

Scarlett preßte die Lippen zusammen. Dieser Butler war einfach zu unverschämt. Sie würde etwas dagegen unternehmen müssen. Sie rauschte ins Zimmer ihres Großvaters, eine wütende Beschwerde auf der Zunge.

Pierre Robillard ließ sie jedoch gar nicht erst zu Wort kommen. »Du siehst zerzaust aus«, sagte er eisig. »Und du hast gegen die Hausordnung verstoßen. Während du dich mit diesen irischen Bauern abgegeben hast, ist die Tischzeit verstrichen.«

Scarlett schnappte begierig nach dem Köder. »Ich wäre dir dankbar, wenn du in etwas höflicherem Ton von meinen Verwandten sprechen würdest.«

Die halbgeschlossenen Lider des alten Mannes verbargen das Funkeln seiner Augen. »Wie nennst du denn einen Mann, der einen Laden hat?«

»Falls du von Jamie O'Hara sprechen solltest, ich nenne ihn einen hart arbeitenden, erfolgreichen Geschäftsmann, und ich respektiere ihn für das, was er erreicht hat.«

Ihr Großvater warf erneut einen Haken aus. »Und seine geschmacklose Frau bewunderst du zweifellos ebenso.«

»In der Tat! Sie ist eine warmherzige und großzügige Frau.«

»Ich bin davon überzeugt, daß ihr Gewerbe sich diesen Anstrich zu geben versucht. Ich sage dir ja gewiß nichts Neues damit, daß sie ein Schankmädchen in einem irischen Wirtshaus gewesen ist.«

Scarlett schnappte nach Luft wie ein Fisch auf dem Trockenen. Das konnte nicht wahr sein! Unerfreuliche Bilder drängten sich ihr auf: Maureen, die sich das Whiskeyglas nachfüllen ließ . . . Die mit den »Knochen«

den Takt schlug und mit Genuß Strophe um Strophe derbe Lieder sang ... Die sich das zerzauste Haar aus dem roten Gesicht bürstete, ohne sich die Mühe zu machen, es wieder festzustecken ... Die die Röcke bis zum Knie hob, um den Reel zu tanzen ...

Gewöhnlich. Maureen war gewöhnlich.

Sie waren alle irgendwie gewöhnlich.

Scarlett hätte am liebsten geweint. Sie war so glücklich gewesen bei den O'Haras, sie wollte sie nicht verlieren. Doch ... in diesem Haus, wo ihre Mutter aufgewachsen war, war die Kluft zu den O'Haras unübersehbar. Kein Wunder, daß Großvater sich meiner schämt. Mutter würde der Schlag treffen, wenn sie mich mit einer solchen Rotte wie der, mit der ich gerade nach Hause gekommen bin, auf der Straße sehen könnte. Eine Schwangere, die ihren Bauch in der Öffentlichkeit noch nicht einmal mit einem Schultertuch bedeckt, und ein Rudel Kinder, die wie die Wilden durch die Gegend rennen – und nicht einmal eine Zofe dabei, die den Einkauf trägt. Ich muß ja genauso verlottert gewirkt haben wie die anderen. Und Mutter hat sich doch so sehr bemüht, ein Dame aus mir zu machen. Es hätte sie umgebracht, wenn sie hätte erleben müssen, daß ihre Tochter sich mit einer Frau anfreundet, die in einem Wirtshaus gearbeitet hat.

Scarlett sah besorgt zu dem alten Mann hinüber. Ob er wußte, daß sie in Atlanta ein Haus besaß, das sie an einen Schankwirt verpachtet hatte?

Pierre Robillards Augen waren jedoch geschlossen. Er schien ganz plötzlich in den Schlummer hohen Alters gefallen zu sein. Scarlett verließ auf Zehenspitzen das Zimmer. Als sie die Tür hinter sich schloß, lächelte der alte Soldat, dann schlief er ein.

Jerome brachte ihr die Post auf einem silbernen Tablett. Er trug weiße Handschuhe. Scarlett nahm die Umschläge und hatte nur ein knappes Nicken für ihn. Es ging nicht an, daß sie ihm ihre Dankbarkeit zeigte, nicht, wenn sie Wert darauf legte, daß Jerome sich anständig aufführte. Am Abend zuvor, nachdem sie eine Ewigkeit im Salon auf Rhett gewartet hatte, der dann wieder einmal nicht gekommen war, hatte sie den Dienstboten eine Standpauke gehalten, die sie so schnell nicht vergessen würden. Jerome insbesondere. Es war ein Geschenk des Himmels gewesen, daß er sich so impertinent aufgeführt hatte, denn sie hatte jemanden gebraucht, an dem sie ihre Wut und ihre Enttäuschung auslassen konnte.

Onkel Henry Hamilton war wütend darüber, daß sie das Geld auf die Bank in Savannah transferiert hatte. Geschah ihm ganz recht. Scarlett zerknüllte seinen kurzen Brief und ließ ihn zu Boden fallen.

Der dicke Umschlag war von Tante Pauline. Ihre ausufernden Klagen konnten warten, denn daß es Klagen sein würden, stand fest. Sie öffnete als nächstes den steifen quadratischen Umschlag. Sie kannte die Handschrift darauf nicht.

Es war eine Einladung. Der Name war ihr nicht vertraut, und sie mußte lange nachdenken, bis sie sich erinnerte. Natürlich, Hodgson war der eheliche Name einer jener alten Damen, der Telfair-Schwestern. Die Einladung galt der Einweihungsfeier für die Hodgson Hall, der sich ein Empfang anschließen sollte. »Die neue Heimstätte der Historischen Gesellschaft von Georgia.« Das konnte nur noch öder sein als die schreckliche *Soirée musicale*.

Scarlett verzog das Gesicht und legte die Einladung beiseite. Sie mußte Briefpapier auftreiben und absagen. Die Tanten liebten es, sich zu Tode zu langweilen, sie nicht.

Die Tanten. Sie konnte es ebensogut auch gleich hinter sich bringen. Sie riß Paulines Brief auf.

»... zutiefst beschämt wegen Deines empörenden Verhaltens. Wenn wir gewußt hätten, daß Du mit uns nach Savannah fahren würdest, ohne Eleanor Butler auch nur mit einem Wort Bescheid zu geben, wir hätten darauf bestanden, daß Du den Zug verläßt und umkehrst.«

Was zum Teufel wollte Tante Pauline damit bloß sagen? Ist es denn möglich, daß Miss Eleanor das Briefchen nicht erwähnt hat, das ich ihr hinterlassen habe? Oder daß sie es nicht bekommen hat? Nein, das war ausgeschlossen. Tante Pauline machte nur wieder Theater.

Scarlett überflog die nächsten Zeilen, in denen Pauline Scarlett für die Torheit rügte, daß sie sich sofort nach dem grauenhaften Erlebnis mit dem gekenterten Boot auf diese Reise begeben habe, und wie »unnatürlich« sie sich verhalten habe, indem sie ihren Tanten den Unfall verschwiegen hatte.

Warum konnte Pauline ihr nicht verraten, was sie wissen wollte? Da stand kein Wort über Rhett. Sie überflog endlose Seiten, die mit ihrer spitzigen Handschrift bedeckt waren, und konnte seinen Namen nirgends entdecken. Heiliger Strohsack! Ihre Tante hatte mehr Ausdauer als ein Wanderprediger. Da – endlich!

»... die liebe Eleanor ist verständlicherweise besorgt, weil Rhett nicht davon abzubringen war, wegen einer geschäftlichen Besprechung, die seine Kunstdüngerlieferungen betreffen, die weite Reise nach Boston zu machen. Er hätte sich dem rauhen Klima im Norden unmittelbar nach seinem langen Aufenthalt im kalten Wasser, als das Boot gekentert war, nicht aussetzen sollen...«

Scarlett ließ die Blätter in ihren Schoß fallen. Natürlich! Gott sei Dank! Deshalb war Rhett ihr also noch nicht nachgefahren. Warum hat Onkel Henry mir bloß nicht geschrieben, daß Rhett in Boston ist? Dann hätte ich mich nicht mit der Erwartung verrückt machen müssen, er könnte jede Minute in der Tür stehen. Sagt Tante Pauline nichts darüber, wann er zurückkommt?

Scarlett durchwühlte die ungeordneten Seiten. Wo war sie stehengeblieben? Sie fand die Stelle und las den Brief gespannt zu Ende. Doch was sie wissen wollte, stand nicht drin. Und was mache ich jetzt? Rhett kann doch wochenlang weg sein. Aber vielleicht ist er in diesem Augenblick auch schon auf der Heimfahrt.

Scarlett nahm die Einladung von Mrs. Hodgson wieder zur Hand. Immerhin war das eine Gelegenheit, unter Leute zu kommen. Sie würde einen Schreikrampf bekommen, wenn sie tagaus, tagein in diesem Haus bleiben müßte.

Wenn sie nur ab und zu zu Jamie hätte hinüberlaufen können, nur auf eine Tasse Tee. Doch nein, das war angesichts der Tatsachen ausgeschlossen.

Und doch war es unmöglich, nicht an die O'Haras zu denken. Am nächsten Morgen ging sie mit einer verdrießlichen Köchin auf den Großen Markt, um zu überwachen, was sie kaufte und wieviel sie dafür bezahlte. Da sie sonst keine Beschäftigung hatte, war Scarlett entschlossen – auch ohne daß er sie bisher ausdrücklich darum gebeten hatte –, den Haushalt ihres Großvaters in Schuß zu bringen. Als sie einen Kaffee trank, hörte sie eine leise, zögernde Stimme ihren Namen sagen. Es war die hübsche, schüchterne junge Kathleen. »Ich kenne mich mit den vielen amerikanischen Fischen nicht aus«, sagte sie. »Kannst du mir helfen, die besten Krabben rauszusuchen?« Scarlett war ratlos, bis das Mädchen auf die Garnelen zeigte.

»Der Himmel muß dich geschickt haben, Scarlett«, sagte Kathleen, als alles erledigt war. »Ohne dich hätte ich's bestimmt nicht geschafft. Maureen will nur das Allerbeste. Wir erwarten nämlich Colum zurück.«

Colum? Muß ich den kennen? Maureen oder jemand sonst hat den Namen schon einmal erwähnt. »Warum ist Colum denn so wichtig?«

Kathleens Augen weiteten sich vor Erstaunen darüber, daß sie solch eine Frage stellen konnte. »Warum? Ja, also . . . weil er eben Colum ist, weiter nichts. Er ist . . .« Sie fand die passenden Worte nicht. »Er hat mich hergebracht, weißt du das? Er ist mein Bruder, wie Stephen.«

Stephen. Der Dunkle, Ruhige. Scarlett war noch nicht klargewesen, daß er Kathleens Bruder war. Vielleicht ist er ja deshalb so ruhig. Vielleicht sind sie in der Familie alle scheue Mäuschen. »Welcher von Onkel James' Brüdern ist denn euer Vater?« fragte sie Kathleen.

»Aber mein Vater ist doch tot, Gott hab ihn selig.«

War das Mädchen vielleicht etwas beschränkt? »Wie hieß er denn, Kathleen?«

»Ach, du willst seinen Namen wissen! Patrick hieß er, Patrick O'Hara. Patricia heißt nach ihm, weil sie doch Jamies Erstgeborene ist und Patrick der Name seines Vaters war.«

Scarlett runzelte angestrengt die Stirn. Dann war Jamie also ebenfalls Kathleens Bruder und sie ihre Cousine. Nichts da mit scheuer Familie. »Hast du denn noch mehr Brüder?« fragte sie.

»Oh, ja«, antwortete Kathleen mit glücklichem Lächeln, »Brüder und auch Schwestern. Insgesamt sind wir vierzehn. Die noch leben, meine ich.« Und sie bekreuzigte sich.

Scarlett entfernte sich von dem Mädchen. Herr im Himmel, die Köchin hat höchstwahrscheinlich zugehört, und damit wird es auch an Großvaters Ohr gelangen. Ich höre ihn schon, wie er sagt, die Katholiken vermehrten sich wie die Karnickel.

Doch tatsächlich erwähnte Pierre Robillard Scarletts Verwandte mit keinem Wort. Abends hielt Scarlett Jerome auf, um Großvaters Essen in Augenschein zu nehmen, musterte das Silber, um sicher zu sein, daß es blank und ohne Fingerabdrücke war. Als sie den Teelöffel wieder hinlegte, berührte er klingend den Suppenlöffel. Ob Maureen mir wohl beibringen könnte, wie man mit den Löffeln Musik macht? Gegen derartige Gedankenblitze war sie nicht gewappnet.

In jener Nacht träumte sie von ihrem Vater. Sie wachte morgens zwar mit einem Lächeln auf den Lippen auf, doch ihre Wangen waren steif von getrockneten Tränen.

Auf dem Großen Markt hörte sie Maureen O'Haras lautes, herzhaftes Lachen gerade noch rechtzeitig, um hinter eine der dicken Backsteinsäulen zu huschen und ungesehen zu bleiben. Sie aber konnte Maureen sehen und Patricia, die gewaltig war wie ein Haus, und hinter ihnen eine ganze Traube Kinder. »Dein Vater ist der einzige von uns, der nicht außer sich ist vor Freude, weil dein Onkel zurückkommt«, hörte sie Maureen sagen. »Er bekommt ja auch jeden Abend die besonders gute Extraportion, die ich für den Fall auf den Tisch bringe, daß Colum plötzlich in der Tür steht.«

Ich hätte selbst gern mal wieder was besonders Gutes, dachte Scarlett aufmüpfig. Mir steht das Essen, das weich genug für Großvater ist, allmählich bis zum Hals. Sie wandte sich der Köchin zu. »Kauf außerdem ein Huhn«, befahl sie, »und brat mir ein paar Stücke zum Mittagessen.«

Ihre schlechte Laune verflüchtigte sich jedoch schon lange vor dem Mittagessen. Als sie nach Hause zurückkehrte, fand sie nämlich eine Nachricht der Mutter Oberin vor. Der Bischof wolle sich Scarletts Antrag, den Rückkauf von Carreens Mitgift betreffend, durch den Kopf gehen lassen.

Tara. Ich bekomme Tara! Sie war so sehr damit beschäftigt, Pläne für Taras Wiedererstehung zu machen, daß sie überhaupt nicht merkte, wie die Zeit verging, und ebensowenig registrierte sie, was sie beim Mittagessen auf dem Teller hatte.

Sie sah es so deutlich vor ihrem inneren Auge. Das Haus, strahlend weiß auf der Hügelkuppe, der gemähte Rasen, grün und durchwachsen von Klee, das Weideland, schimmerndes, hohes, fettes Gras, das vor der Brise herwogte, sich wie ein Teppich den Hügel hinab entrollte und dann schließlich im geheimnisvoll düsteren Grün der Fichten verlor, die den Fluß säumten und ihn den Blicken entzogen. Der Frühling mit den zarten Wolken der

Hartriegelblüten und dem berauschenden Duft der Glyzinien; die Sommer, die blütenweiß gestärkten Vorhänge, die aus den geöffneten Fenstern wehten, die schwere Süße des Geißblatts, die durch sie hindurch in die Zimmer drang, die alle wieder von der träumerischen, blankschimmernden, stillen Vollkommenheit wären wie einst. Ja, die Sommer waren die schönste Zeit. Die langen, trägen Sommer Georgias, wenn das Zwielicht Stunden anhielt und die Glühwürmchen in der nur langsam niedersinkenden Dunkelheit ihre Signale aussendeten. Dann die Sterne, satt und nah am samtigen Himmel, oder ein Mond, so rund und weiß, weiß wie das schlafende Haus, das er auf dem dunklen, sanft ansteigenden Hügel beleuchtete.

Sommer . . . Sommer, die Zeit auf Tara, die sie am meisten liebte, das war die Zeit, in der Rhett wegen des Sumpffiebers nicht nach Dunmore Landing konnte. Oktober bis Juni würden sie in Charleston verbringen, wobei die Saison die Monotonie der endlosen, langweiligen Teegesellschaften durchbräche und die Aussicht auf den Sommer auf Tara die Monotonie der Saison. Sie würde sie ertragen können, ganz bestimmt. Solange da nur der lange Sommer auf Tara war.

Ach, wenn der Bischof sich doch nur beeilen würde!

41. Kapitel

Pierre Robillard begleitete Scarlett zur Einweihungsfeier in der Hodgson Hall. In seinem altmodischen Gesellschaftsanzug, den seidenen Kniehosen und dem samtenen Schwalbenschwanz, mit der winzigen Rosette der Ehrenlegion im Knopfloch und der breiten roten Schärpe quer über der Brust war er eine imposante Gestalt. Scarlett hatte noch nie jemanden gesehen, der so vornehm und aristokratisch aussah wie ihr Großvater.

Er wiederum konnte stolz sein auf sie, dachte sie. Ihre Perlen und Brillanten waren von allerfeinster Qualität, und ihr Kleid war großartig, eine schimmernde Säule aus Goldbrokatseide, die mit Goldspitze abgesetzt, und eine Goldbrokatschleppe, die volle vier Fuß lang war. Sie hatte nie Gelegenheit gehabt, es zu tragen, weil sie sich in Charleston so trist hatte kleiden müssen. Was für ein Glück nun doch noch, daß sie sich die vielen Kleider hatte machen lassen, ehe sie nach Charleston gefahren war! Ja, darunter war ein halbes Dutzend, das sie kaum je einmal angehabt hatte. Auch ohne den Besatz, den der gehässige Rhett sie abzunehmen gezwungen hatte, waren sie immer noch wesentlich hübscher als alles, was sie in Savannah an irgendeiner Frau gesehen hatte. Scarlett trug den Kopf sehr hoch, als Jerome ihr in die Mietkutsche half und sich ihrem Großvater gegenüber setzte.

Die Fahrt zum südlichen Stadtrand verlief schweigsam. Pierre Robillards weißbekröntes Haupt nickte im Halbschlaf. Es fuhr ruckhaft auf, als Scarlett ausrief: »Oh, sieh nur!« Draußen vor dem mit einem schmiedeeisernen Zaun umgebenen Gebäude drängten sich wahre Menschenmengen, um das Eintreffen der gesellschaftlichen Elite Savannahs zu beobachten. Genau wie beim Saint-Cecilia-Ball. Scarlett legte hochmütig den Kopf zurück, als ein livrierter Türsteher ihr aus der Kutsche aufs Trottoir half. Sie konnte das bewundernde Gemurmel der Menge hören. Während ihr Großvater langsam hinabstieg und neben sie trat, hielt sie den Kopf so, daß ihre Ohrringe im Lampenlicht blitzen konnten, warf dann die Schleppe hinter sich, damit sie sich am Boden ausbreiten konnte, und schickte sich an, die mit einem roten Teppich versehenen Eingangsstufen des Gebäudes hinaufzusteigen.

»Ooooh!« hörte sie die Menge rufen, »Aaaah!«, »Wunderschön!« und »Wer ist denn das?« Und als sie ihre weißbehandschuhte Hand ausstreckte, um sie auf den Arm ihres Großvaters zu legen, hörte sie eine vertraute Stimme klar und deutlich rufen: »Katie Scarlett, mein Schatz, du bist so strahlend schön wie die Königin von Saba!« Sie warf in panischem Schrekken einen raschen Blick nach links, wandte ihn, noch rascher, von Jamie und seiner Brut wieder ab, als kenne sie sie nicht, und stieg dann in Übereinstimmung mit dem langsamen, hoheitsvollen Schritt ihres Großvaters die Treppe empor. Das Bild ließ sie jedoch nicht mehr los. Jamie hatte den linken Arm um die Schultern seiner lachenden, unordentlich frisierten Frau mit ihrem leuchtendroten Haar gelegt, den Derbyhut lässig auf den lockigen Hinterkopf zurückgeschoben. Ein anderer Mann hatte rechts neben ihm im Licht der Straßenlaterne gestanden. Er reichte Jamie nur bis zur Schulter, und seine mit einem Überrock bekleidete Gestalt war stämmig und untersetzt, ein dunkler Klotz. Sein blühendes rundes Gesicht strahlte, seine Augen blitzten blau, und sein unbedeckter Kopf war von einem Heiligenschein aus silbernen Locken umgeben. Er war Gerald O'Hara, Scarletts Pa, wie er leibte und lebte.

Hodgson Hall war im Innern so schmuck und streng, wie es ihrem gelehrten Zweck angemessen war. Die Wände waren mit poliertem Holz getäfelt, und sein warmer Farbton rahmte die Sammlung der alten Landkarten und Skizzen der Historischen Gesellschaft ein. Die riesigen Messingleuchter paßten zu den Gaslampen mit den weißen Glaskugeln, die von der hohen Decke herabhingen. Sie warfen jedoch ein unfreundlich helles, bleichendes Licht auf die blassen, von Falten durchzogenen aristokratischen Gesichter unter ihnen. Scarlett suchte instinktiv nach einem Platz, wo etwas gedämpfteres Licht herrschte. Alt. Sie sahen alle so alt aus.

Sie spürte Panik in sich aufsteigen, als alterte nun plötzlich auch sie im Handumdrehen, als wäre das Altwerden eine ansteckende Krankheit. Ihr dreißigster Geburtstag war während der Zeit in Charleston unbemerkt vorübergegangen, doch in diesem Augenblick wurde sie sich dieser Tatsache schneidend bewußt. Jeder wußte doch, daß eine Frau, wenn sie erst einmal dreißig war, ebensogut tot sein konnte. Dreißig war ein solches Alter – sie hätte es nicht für möglich gehalten, daß sie selbst einmal dorthin gelangen würde. Es durfte nicht wahr sein.

»Scarlett«, sagte ihr Großvater. Er hielt ihren Arm oberhalb des Ellbogens umfaßt und schob sie auf die wartende Schlange der Ehrengäste zu, die sich zur Empfangstour aufgereiht hatten. Seine Finger waren kalt wie der Tod, sie spürte sie eisig durch das dünne Leder des Handschuhs, der ihren Arm fast bis zur Schulter bedeckte.

Vor ihr begrüßten die angejahrten Vertreter der Historischen Gesellschaft die angejahrten Gäste, einen nach dem anderen. Ich kann es nicht! dachte Scarlett panisch. Ich kann all diese kalten Totenhände nicht schütteln und lächeln und sagen, wie sehr ich mich freue, daß ich kommen durfte. Ich muß von hier weg.

Sie sank an die steife Schulter ihres Großvaters. »Ich fühle mich nicht wohl«, sagte sie. »Großvater, mir ist plötzlich nicht wohl.«

»Es ist dir jetzt nicht erlaubt, dich nicht wohl zu fühlen«, sagte er. »Steh gerade und tu, was man von dir erwartet. Du kannst nach der Einweihungszeremonie gehen, vorher nicht.«

Scarlett straffte sich und trat vor. Was für ein Ungeheuer ihr Großvater doch war! Kein Wunder, daß ihre Mutter ihn kaum je erwähnt hatte, es ließ sich nichts Gutes über ihn sagen. »Guten Abend, Mrs. Hodgson«, sagte sie. »Ich freue mich sehr, daß ich kommen durfte.«

Pierre Robillard rückte wesentlich langsamer vor als Scarlett, die die nicht enden wollende Reihe bereits hinter sich gebracht hatte, als er sich, etwa auf halbem Wege, noch steif über die Hand einer Dame beugte. Sie drängte sich durch eine Gruppe von Leuten und eilte zur Tür.

Draußen sog sie verzweifelt die kühle Abendluft ein. Dann rannte sie los. Ihre Schleppe glitzerte im Lampenlicht auf den Treppenstufen, auf dem roten Galateppich, und machte sich hinter ihr lang, als wollte sie gleich abheben und durch die Luft schweben. »Die Robillard-Kutsche. Rasch!« bat sie den Türsteher flehentlich. Er entsprach der Dringlichkeit ihres Tons, indem er zur Ecke zu rennen begann. Sie lief ihm hinterher, ohne auf ihre Schleppe zu achten, die über die rauhen Pflastersteine schleifte. Sie mußte weg, ehe wer auch immer sie aufhalten konnte.

Im Innern der Kutsche war sie in Sicherheit, aber auch völlig außer Atem. »Fahren Sie mich zur South Broad«, wies sie den Kutscher an, als sie wieder sprechen konnte. »Ich zeige Ihnen das Haus.« Mutter hatte diese Menschen verlassen, sie hatte Pa geheiratet. Sie kann mir keinen Vorwurf machen, wenn auch ich davonlaufe.

Sie hörte die Musik und das Gelächter durch die Tür von Maureens Küche hindurch. Mit beiden Fäusten trommelte sie dagegen, bis Jamie aufmachen kam.

»Es ist Scarlett!« sagte er freudig überrascht. »Komm rein, Scarlett, und laß dich mit Colum bekannt machen. Er ist endlich da, der Beste von allen O'Haras, ausgenommen nur du selbst.«

Jetzt, wo sie ihn aus der Nähe sah, bemerkte Scarlett, daß Colum Jahre jünger als Jamie war und ihrem Vater doch nicht so sehr ähnelte, sah man einmal von seinem runden Gesicht und seiner Statur ab, die unter den wesentlich größeren Cousins und Neffen besonders auffiel. Colums blaue Augen waren dunkler, ernsthafter, und sein rundes Kinn besaß eine Festigkeit, die Scarlett im Gesicht ihres Vaters nur dann bemerkt hatte, wenn er geritten war und seinem Pferd einen Sprung abverlangt hatte, der höher war, als die Vernunft es erlaubte.

Colum lächelte, als Jamie sie miteinander bekannt machte, und seine Augen drohten fast in einem Netz von Lachfältchen zu verschwinden. Dabei gab ihr warmes Leuchten Scarlett das Gefühl, sie kennenzulernen sei für ihn das beglückendste Ereignis seines ganzen Lebens. »Und sind wir nicht die glücklichste Familie auf dem ganzen Erdboden, daß wir ein solches Geschöpf zu uns zählen dürfen?« fragte er. »Fehlt bloß noch ein Diadem, um deinen Goldglanz zu vervollkommnen, Scarlett-Schatz. Wenn die Feenkönigin dich sehen könnte, würde sie sich nicht die sternenfunkelnden Flügel vor Neid zerfetzen? Laß die kleinen Mädchen sie anschauen, Maureen, dann haben sie etwas, wonach sie streben können – danach, zu solch atemberaubender Schönheit heranzuwachsen wie ihre Tante.«

Scarletts Grübchen zeigten sich, denn das gefiel ihr ungeheuer. »Ich glaube, ich höre gerade das berühmte irische Lügengarn«, sagte sie.

»Aber keineswegs. Ich wünschte nur, ich besäße die dichterische Ader, um sagen zu können, was mich bewegt.«

James schlug seinem Bruder auf die Schulter. »So schlecht ziehst du dich gar nicht aus der Affäre, du Schurke. Tritt beiseite und laß Scarlett Platz nehmen. Ich hole ihr ein Glas ... Colum hat uns von der Reise ein Fäßchen mit echtem Ale mitgebracht, Scarlett-Schatz. Das mußt du probieren.« Jamie nannte sie genauso wie Colum, und es klang fast wie ein einziges Wort: Scarlett-Schatz.

»Ach, nein, danke«, sagte sie mechanisch, doch überlegte sie es sich gleich anders. »Warum eigentlich nicht? Ich habe noch nie Ale probiert.« Champagner trank sie doch auch immer, ohne sich etwas dabei zu denken. Das dunkle, schäumende Gebräu war bitter, und sie verzog das Gesicht.

Colum nahm ihr den Krug wieder aus der Hand. »Ihre Vollkommenheit wächst mit jeder Minute«, sagte er, »und geht sogar so weit, daß sie selbst ihren erfrischenden Trunk denen überläßt, die durstiger sind als sie.« Seine Augen lächelten über den Rand des Bierkruges hinweg, als er trank.

Scarlett erwiderte sein Lächeln. Es war unmöglich, es nicht zu tun. Im Verlauf des Abends merkte sie, daß alle Colum immer wieder zulächelten, als spiegelten sie seine Freude. Es war nicht zu übersehen, wie ungeheuer wohlgemut er war. Er saß auf einem Stuhl mit gerader Lehne, den er rückwärts gegen die Wand neben dem Kamin gekippt hatte, und wedelte mit den Händen, um Jamie beim Fiedeln und Maureen bei ihrem Rat-tat-tat mit den »Knochen« anzuspornen und gleichzeitig zu dirigieren. Er hatte die Stiefel abgestreift, und seine bestrumpften Füße tanzten nach Kräften auf den Querstreben des Stuhls. Er war das Bild eines Mannes, der sich wohl fühlte; selbst den Kragen hatte er abgelegt, und sein Hemd stand am Hals offen, so daß das Lachen ungehindert in der Kehle vibrieren konnte.

»Erzähl uns doch von deinen Reisen, Colum«, drängte immer wieder einmal jemand, aber Colum vertröstete ihn jedesmal. Er brauche Musik, sagte er, und ein Glas, um sein Herz und seine staubige Kehle zu erfrischen. Morgen sei noch Zeit genug zum Erzählen.

Auch Scarletts Herz fand Erfrischung in der Musik. Sie konnte jedoch nicht lange bleiben. Sie mußte zu Hause und im Bett sein, ehe ihr Großvater zurückkehrte. Hoffentlich hält der Kutscher sein Versprechen und verrät ihm nicht, daß er mich hergebracht hat. Obwohl Großvater sicher darauf pfeift, daß ich aus diesem Mausoleum herausmußte, um mich ein bißchen zu amüsieren.

Sie schaffte es mit Mühe und Not. Jamie war kaum außer Sicht, als die Kutsche vorfuhr. Sie rannte, die Schuhe in der Hand und die Schleppe unter dem Arm zusammengerafft, die Treppe hinauf und preßte dabei die Lippen zusammen, um nicht loszukichern. Es machte Spaß zu schwänzen, wenn alles glattging.

Es ging jedoch nicht alles glatt. Ihr Großvater sollte zwar nie erfahren, was sie getan hatte, doch Scarlett selbst wußte es, und dieses Wissen rührte Empfindungen in ihr auf, die ihr ganzes Leben lang in ihrem Inneren im Streit gelegen hatten. Scarletts eigentliches Wesen war ebensosehr ein Erbe ihre Vaters wie ihr Name. Sie war aufbrausend, willensstark und besaß dieselbe unverfälschte, freimütige Vitalität und den Schneid, der ihn die gefährliche Reise über den Atlantik hatte antreten lassen und auf den Gipfel seiner Träume geführt hatte – Herr über eine große Plantage und Ehemann einer großen Dame zu sein.

Von der Seite ihrer Mutter hatte sie den zarten Knochenbau und die milchweiße Haut, Ergebnis einer jahrhundertelangen vornehmen Erziehung und Familiengeschichte. Ellen Robillard hatte ihrer Tochter darüber hinaus die aristokratischen Verhaltensregeln eingeimpft.

Nun prallten ihre natürlichen Neigungen und ihre anerzogenen Verhaltensweisen offen aufeinander. Die O'Haras zogen sie magnetisch an. Ihre kraftvolle, herzhafte Art und ihre Lebenslust sprachen die tiefsten und besten Schichten ihres Wesens an. Sie hatte jedoch nicht die Freiheit, sich darauf einzulassen. Alles, was die Mutter, die sie verehrte, sie gelehrt hatte, schloß diese Art von Freiheit aus.

Dieser Zwiespalt zerriß sie, und doch vermochte sie nicht wirklich zu begreifen, was sie so unglücklich machte. Sie streifte ruhelos durch die stillen Zimmer im Haus ihres Großvaters, blind für ihre strenge Schönheit, und dachte an die Musik und den Tanz bei den O'Haras, verzehrte sich im Wunsch dabeizusein und dachte gleichzeitig, wie man es sie gelehrt hatte, daß ein derart lärmendes Vergnügen vulgär sei und auf die Unterschicht beschränkt bleiben müsse.

Scarlett machte es eigentlich nicht wirklich etwas aus, daß ihr Großvater auf ihre Verwandten herabsah. Er war ein selbstsüchtiger alter Mann, befand sie zu Recht, der auf alle und jeden herabsah, seine eigenen Töchter eingeschlossen. Die sanfte Einwirkung ihrer Mutter hingegen hatte sie für das Leben geprägt. Ellen wäre stolz auf sie gewesen, wenn sie sie in Charleston hätte erleben können. Trotz Rhetts höhnischer Voraussage war sie dort als Dame anerkannt und akzeptiert worden. Und es hatte ihr gefallen. Oder etwa nicht? Doch, ganz gewiß. Es war also das, was sie sich wünschte, was sie sein sollte. Warum fiel es ihr dann aber so schwer, nicht immerfort neiderfüllt an ihre irischen Verwandten zu denken?

Ich will darüber jetzt nicht nachdenken, beschloß sie. Ich werde es später tun. Statt dessen will ich an Tara denken. Und sie zog sich in ihre idyllischen Vorstellungen eines Tara zurück, wie es gewesen war und wie sie es neu erstehen lassen wollte.

Dann traf eine Nachricht vom Sekretär des Bischofs ein, die sie wie ein Schlag ins Gesicht traf und ihre Idylle explodieren ließ. Er würde ihrem Gesuch nicht stattgeben. Scarlett dachte keine Sekunde nach. Sie preßte die Nachricht an die Brust und rannte, kopflos und hutlos und ohne Begleitung, zur unverschlossenen Tür von Jamie O'Haras Haus. Sie würden verstehen, wie ihr zumute war, die O'Haras schon. Pa hatte es immer wieder gesagt: »Für einen Menschen, der auch nur einen Tropfen irisches Blut in den Adern hat, ist das Land, auf dem er lebt, wie seine Mutter. Es ist das einzige, das Bestand hat, wofür es sich zu arbeiten und zu kämpfen lohnt ...«

Gerald O'Haras Stimme im Ohr, stieß sie die Tür auf und erblickte vor sich den untersetzten stämmigen Körper und den silbernen Kopf von Colum O'Hara, der sie so sehr an ihren Vater denken ließ. Es schien ihr nur folgerichtig, daß sie gerade auf ihn treffen mußte, wie es gewiß war, daß er ihre Empfindungen verstehen würde.

Colum stand in der Türfüllung und sah ins Eßzimmer. Als die Tür zur Straße krachend aufflog und Scarlett in die Küche gestürzt kam, drehte er sich um.

Er trug einen dunklen Anzug. Scarlett starrte ihn durch die Betäubung ihres Schmerzes hindurch an. Sie starrte auf den weißen Streifen an seiner Kehle, der ein Priesterkragen war. Ein Priester! Niemand hatte ihr erzählt, daß Colum Priester war. Gott sei Dank. Einem Priester konnte man alles erzählen, selbst noch die tiefsten Herzensgeheimnisse.

»Hilf mir«, rief sie weinend. »Ich brauche einen Menschen, der mir hilft.«

»So ist also der Stand der Dinge«, schloß Colum. »Und was kann man dagegen unternehmen? Das müssen wir herausfinden.« Sämtliche Erwachsenen aus den drei O'Hara-Haushalten saßen um den Tisch herum. Mary Kates und Helens Stimmen waren durch die geschlossene Küchentür zu hören. Sie gaben gerade den Kindern zu essen. Scarlett saß neben Colum, das Gesicht noch verschwollen und fleckig vom heftigen Weinen.

»Du willst damit sagen, Colum, daß in Amerika eine Farm nicht im Ganzen an das älteste Kind fällt?« fragte Matt.

»Sieht so aus, Matthew.«

»Also dann war Onkel Gerald schön dumm, daß er kein Testament gemacht hat.«

Scarlett reckte sich bereits empor, um ihn wütend zurechtzuweisen. Ehe sie jedoch sprechen konnte, schaltete Colum sich ein. »Der arme Gerald ist leider nicht sehr alt geworden, er hatte keine Zeit, sich Gedanken über seinen Tod und die Zeit danach zu machen, Gott hab ihn selig.«

»Gott hab ihn selig«, echoten die anderen und bekreuzigten sich. Scarlett sah ohne große Hoffnung in ihre ernsten Gesichter. Was können sie schon ausrichten? dachte sie. Sie sind schließlich nichts als irische Einwanderer.

Doch bald schon sollte sie merken, daß sie sich irrte. Je länger die Besprechung dauerte, desto hoffnungsvoller wurde Scarlett. Denn diese irischen Einwanderer konnten tatsächlich eine ganze Menge ausrichten.

Patricias Mann Bill Carmody war Vorarbeiter sämtlicher Maurer auf der Baustelle des Doms. Er war dem Bischof bereits recht häufig begegnet. »Zu meinem Leidwesen«, klagte er. »Der Mann unterbricht uns dreimal täglich bei der Arbeit, um uns mitzuteilen, daß wir nicht schnell genug vorankommen.« Es bestand insofern echte Zeitnot, erklärte Bill, als ein Kardinal aus Rom im Herbst eine Amerikarundreise machen und zur Einweihung des Doms nach Savannah kommen wollte. Wenn er rechtzeitig fertig wäre und es sich mit seinem Reiseplan vereinbaren ließe.

Jamie nickte. »Ein ehrgeiziger Mann, unser Bischof Gross, das muß man schon sagen. Hat nichts dagegen, die Aufmerksamkeit der Kurie auf sich zu lenken.«

Er sah Gerald an. Dasselbe taten Billy, Matt, Brian, Daniel und der alte James. Und die Frauen – Maureen, Patricia und Katie. Scarlett tat es ihnen gleich, wenn sie auch nicht wußte, welchen Grund das hatte.

Gerald nahm die Hand seiner jungen Frau. »Brauchst keine Angst zu haben, Polly, mein Liebchen«, sagte er. »Du bist jetzt eine O'Hara wie alle anderen auch. Sag uns, welchen von uns du auswählen würdest, damit er mit deinem Pa redet.«

»Tom MacMahon hat den Auftrag für den gesamten Dombau«, murmelte Maureen Scarlett zu. »Eine Andeutung von Tom, daß die Arbeit sich verlangsamen könnte, und Bischof Gross würde ihm sonstwas versprechen. Zweifellos hat er eine Heidenangst vor MacMahon. Die ganze Welt hat das.«

Scarlett ließ sich vernehmen. »Laßt das Colum machen.« Für sie stand zweifelsfrei fest, daß er für alles, was getan werden mußte, der beste Mann sein würde. Seiner Körpergröße und seines Lächelns ungeachtet, besaß Colum Willensstärke und Durchsetzungskraft.

Sämtliche O'Haras erhoben ihre Stimmen zu einem Chor der Zustimmung. Colum war der richtige Mann, um zu tun, was getan werden mußte.

Er lächelte erst der ganzen Tischrunde, dann Scarlett zu. »Sehen wir also, was wir tun können. Ist das nicht etwas Großartiges, so eine Familie, Scarlett O'Hara? Besonders eine, die obendrein so hilfreiche Angeheiratete hat. Du bekommst dein Tara schon, wart's nur ab.«

»Jaja, Tara ...« Onkel James lachte, bis er einen Hustenanfall bekam. »Dieser Gerald«, sagte er, als er wieder sprechen konnte. »Für das Männlein, das er war, hatte er immer eine ungeheuer hohe Meinung von sich!«

Scarlett erstarrte. Niemand würde sich über ihren Pa lustig machen, nicht einmal dessen Bruder.

Colum sagte sehr leise zu ihr: »Still, er meint es nicht böse. Ich erkläre es dir später.«

Und das tat er, als er sie zum Haus ihres Großvaters begleitete.

»Tara ist für uns Iren ein Zauberwort, Scarlett, und ein Zauberort. Es war der Mittelpunkt ganz Irlands, der Sitz der Hochkönige. Ehe es noch ein Rom oder ein Athen gab, in ganz früher Zeit, als die Welt noch jung und hoffnungsvoll war, regierten in Irland bedeutende Könige, die so gerecht und ebenso schön waren wie die Sonne. Sie erließen Gesetze von großer Weisheit und bescherten den Dichtern Obdach und Wohlstand. Und sie waren tapfere Recken, die Unrecht mit furchtgebietendem Zorn bestraften und die Feinde der Wahrheit, der Schönheit und von Irlands unbeflecktem Herzen mit blutbeflecktem Schwert bekämpften. Hunderte und aber Hunderte von Jahren herrschten sie über ihre liebliche Grüne Insel, und das Ganze war von Musik erfüllt. Fünf Straßen führten aus der Gegend des Landes nach Tara, und jedes dritte Jahr kam das ganze Volk, um im Bankettsaal zu tafeln und die Dichter singen zu hören. Das ist nicht einfach nur eine Sage, sondern eine Wahrheit von großer Bedeutung, die Geschichtsschreibung aller anderen Länder berichtet davon, und die traurige Kunde vom Ende findet sich in den großen Büchern der Klöster: ›Im Jahre des Herrn fünfhundertvierundfünfzig fand das letzte Festmahl von Tara statt.‹«

Colums Stimme wurde mit den letzten Worten immer leiser, und Scarlett spürte, wie ihr die Augen brannten. Sie war gebannt von seiner Geschichte und seiner Stimme.

Sie gingen eine Weile schweigend weiter. Dann sagte Colum: »Es war ein edler Traum deines Vaters, ein neues Tara in dieser neuen Welt Amerika errichten zu wollen. Er muß tatsächlich ein feiner Mensch gewesen sein.«

»Ja, das war er, Colum. Ich habe ihn sehr geliebt.«

»Wenn ich das nächste Mal nach Tara fahre, werde ich an ihn und seine Tochter denken.«

»Wenn du nächstes Mal dorthin fährst? Du willst damit sagen, daß es noch da ist? Es ist ein wirklicher Ort?«

»So wirklich wie die Straße unter unseren Füßen. Es ist ein sanfter grüner Hügel, der etwas Magisches hat, und von seiner Kuppe kannst du über weite Entfernungen hinweg dieselbe schöne Welt sehen, die damals die Hochkönige sahen. Es ist nicht weit von dem Dorf entfernt, in dem ich wohne und wo dein Vater und meiner geboren wurden, in der Grafschaft Meath.«

Scarlett war einfach sprachlos. Dann mußte Pa doch auch dorthin gegangen sein, mußte auch er gestanden haben, wo einst die Könige residiert hatten! Sie sah ihn vor sich, wie er mit vorgereckter Brust einherstolzierte, wenn er mit sich zufrieden war. Sie lachte leise bei dieser Erinnerung.

Als sie das Haus der Robillards erreichten, blieb sie widerstrebend stehen. Sie hätte noch Stunden so weitergehen und Colums melodischer Stimme lauschen können. »Ich weiß gar nicht, wie ich dir für alles danken soll«, sagte sie. »Ich fühle mich jetzt tausendmal besser. Ich bin felsenfest davon überzeugt, daß ihr den Bischof dazu bewegen werdet, seine Meinung zu ändern.«

Colum lächelte. »Eins nach dem anderen, Cousine. Erst der grimmige MacMahon. Doch welchen Namen soll ich ihm denn nennen, Scarlett? Ich sehe da den Ring an deinem Finger. Für den Bischof bist du doch keine O'Hara.«

»Nein, natürlich nicht. Mein ehelicher Name ist Butler.«

Colums Lächeln schwand schlagartig, kehrte dann jedoch wieder. »Das ist ein einflußreicher Name.«

»In South Carolina schon, allerdings ist mir nicht aufgefallen, daß er mir hier von großem Nutzen war. Mein Mann ist aus Charleston, sein Name ist Rhett Butler.«

»Es überrascht mich, daß er dir nicht hilft, wenn du in Schwierigkeiten steckst.«

Scarlett lächelte strahlend. »Das würde er schon tun, wenn er könnte, aber er mußte geschäftlich in den Norden. Er ist ein sehr erfolgreicher Geschäftsmann.«

»Verstehe. Nun, ich freue mich jedenfalls, wenn ich dir an seiner Stelle weiterhelfen kann, soweit es in meinen Kräften steht.«

Sie hatte das Bedürfnis, ihn zu umarmen, so, wie sie ihren Vater immer umarmt hatte, wenn er ihr einen Wunsch erfüllte. Doch ihr schwante, daß man Priester nicht einfach so umarmen konnte, selbst wenn es Cousins waren. So sagte sie denn einfach nur gute Nacht und ging ins Haus.

Colum entfernte sich und pfiff »Wie grün war mein Gras«.

»Wo warst du denn?« wollte Pierre Robillard wissen. »Mein Abendessen war völlig unzureichend.«

»Ich war bei meinem Vetter Jamie. Ich lasse dir ein neues bringen.«

»Du warst wieder bei diesen Leuten?« Der alte Mann bebte vor Entrüstung.

Scarletts Zorn stand dem seinen in nichts nach. »Jawohl, das war ich, und ich habe die Absicht, sie auch weiterhin zu sehen. Ich habe sie sehr gern.« Sie stelzte aus dem Zimmer. Doch immerhin sorgte sie dafür, daß ihr Großvater ein neues Abendessen bekam, ehe sie auf ihr Zimmer hinaufging.

»Was ist denn mit Ihnen, Miss Scarlett?« fragte Pansy. »Möchten Sie, daß ich Ihnen auch ein Tablett mit Essen raufbringe?«

»Nein, komm jetzt nur mit nach oben und hilf mir aus den Kleidern. Ich will nichts essen.«

Komisch, ich habe überhaupt keinen Hunger, und dabei habe ich doch nur eine Tasse Tee getrunken. Ich will nichts weiter als ein bißchen schlafen. Die Nachricht vom Bischof hat mich doch ziemlich mitgenommen. Ich glaube, ich könnte eine ganze Woche schlafen, ich habe mich im ganzen Leben noch nicht so erschöpft gefühlt.

Im Kopf fühlte sie sich leicht, körperlich aber bleischwer. Sie sank in das weiche Bett und im Nu in einen tiefen, erquickenden Schlaf.

Ihr ganzes Leben lang hatte Scarlett ihre Krisen allein gemeistert. Manchmal hatte sie nicht zugeben wollen, daß sie Hilfe brauchte, häufiger jedoch war niemand dagewesen, an den sie sich hätte wenden können. Diesmal war es anders, und ihr Körper erkannte den Unterschied schneller als ihr Geist. Da gab es Menschen, die ihr helfen wollten. Ihre Familie nahm ihr bereitwillig die Bürde von den Schultern. Sie war nicht länger allein. Sie konnte sich getrost entspannen.

Pierre Robillard schlief in jener Nacht nur wenig. Scarletts Trotz beunruhigte ihn. Genauso hatte ihre Mutter ihm getrotzt, vor so vielen Jahren, und er hatte sie für immer verloren. Es hatte ihm damals das Herz gebrochen, Ellen war sein Lieblingskind gewesen, die Tochter, die ihrer Mutter am ähnlichsten war. Er liebte Scarlett zwar nicht. Alle Liebe, die er zu geben gehabt hatte, war mit seiner Frau beerdigt worden. Doch er würde Scarlett auch nicht kampflos ziehen lassen. Er wollte es während seiner letzten Tage behaglich haben, und sie sollte dafür sorgen. Er saß aufrecht im Bett, seine Lampe verlosch endlich, weil sie keinen Brennstoff mehr hatte, und er plante seine Strategie wie ein General, der einer Überzahl gegenübersteht.

Nach einer unruhigen Stunde Schlaf kurz vor Tagesanbruch wachte er auf, und sein Beschluß war gefaßt. Als Jerome das Frühstück hereinbrachte, unterzeichnete der alte Mann einen Brief, den er gerade geschrieben hatte. Er faltete ihn zusammen und versiegelte ihn, ehe er auf seinen Knien Platz machte für das Frühstückstablett.

»Überbringe ihn«, sagte er, indem er seinem Butler den Brief übergab. »Und warte auf Antwort.«

Scarlett öffnete die Tür einen Spalt und streckte den Kopf ins Zimmer. »Du hast mich rufen lassen, Großvater?

»Komm herein, Scarlett.«

Überrascht stellte sie fest, daß noch jemand im Zimmer war. Ihr Großvater hatte nie Besuch. Der Mann verbeugte sich, und sie nickte ihm zu.

»Das ist mein Anwalt, Mr. Jones. Läute nach Jerome, Scarlett. Er wird Sie in den Salon geleiten, Jones. Warten Sie dort, bis ich Sie rufen lasse.«

Scarlett hatte kaum den Klingelzug berührt, als Jerome auch schon die Tür öffnete.

»Zieh den Stuhl näher heran, Scarlett. Ich habe dir eine Menge zu sagen, und ich möchte meine Stimme nicht überanstrengen.«

Scarlett stand vor einem Rätsel. Es fehlte nicht viel, und der alte Mann hätte »bitte« gesagt. Er hörte sich auch irgendwie schwach an. Himmel, er wird sich doch hoffentlich nicht anschicken zu sterben, ausgerechnet jetzt. Ich möchte mich nicht bei seiner Beerdigung um Eulalie und Pauline kümmern müssen. Sie schob sich einen Stuhl ans Kopfende des Betts. Pierre Robillard musterte sie aus halbgeschlossenen Augen.

»Scarlett«, sagte er leise, als sie sich gesetzt hatte. »Ich bin fast vierundneunzig Jahre alt. Ich bin zwar für mein Alter bei guter Gesundheit, doch ist es rein rechnerisch nicht wahrscheinlich, daß ich noch sehr viel länger leben werde. Ich bitte dich als meine Enkelin, für die Zeit, die ich noch habe, bei mir zu bleiben.«

Scarlett wollte schon etwas sagen, aber der Mann hob die dürre Hand und gebot ihr Einhalt. »Ich bin noch nicht fertig«, sagte er. »Ich appelliere nicht an deinen Familiensinn, auch wenn ich weiß, daß du dich viele Jahre dafür zuständig gefühlt hast, für deine Tanten zu sorgen.

Ich bin bereit, dir ein faires Angebot zu machen, ja selbst ein großzügiges. Wenn du hierbleibst, mir das Haus führst, für meine Bequemlichkeit sorgst und meinen Wünschen nachkommst, wirst du meinen gesamten Besitz erben, wenn ich sterbe. Er ist nicht unbeträchtlich.«

Scarlett war wie vom Donner gerührt. Er bot ihr ein Vermögen an! Sie dachte an die Unterwürfigkeit des Bankdirektors und fragte sich, auf wieviel sich das Vermögen ihres Großvaters wohl belaufen mochte.

Pierre Robillard mißverstand Scarletts Zögern. Während ihr Gehirn fieberhaft arbeitete, meinte er, die Dankbarkeit habe ihr die Sprache verschlagen. Genugtuung glomm in seinen bleichen Augen. »Ich weiß nicht«, sagte er, »und ich will auch gar nicht wissen, welche Umstände dich dazu verleitet haben, die Auflösung deiner Ehe zu erwägen.« Sein Körper und seine Stimme schienen gekräftigt, seit er meinte, die Oberhand gewonnen zu haben. »Du wirst die Idee einer Scheidung jedoch aufgeben müssen ...«

»Du hast meine Post gelesen!«

»Alles, was sich unter diesem Dach zuträgt, ist von Rechts wegen meine Angelegenheit.« Auch wenn ihm oder seinem Spion offensichtlich vor lauter Aufregung über die Scheidungsideen entgangen sein mußte, daß Scarlett über eine halbe Million verfügte – zumindest schien dieser Teil ihrer Korrespondenz nicht bis zum alten Robillard durchgedrungen.

Scarlett war dermaßen wütend, daß sie keine Worte fand. Ihr Großvater sprach weiter. Präzise. Kalt. Seine Worte kamen wie eisige Nadelstiche.

»Ich verachte überstürztes, törichtes Handeln, und du hast töricht und überstürzt gehandelt, indem du deinen Gatten verlassen hast, ohne zuvor über deine Lage nachzudenken. Wenn du die Intelligenz besessen hättest, einen Anwalt zu konsultieren, wie ich es getan habe, hättest du erfahren, daß das Gesetz in South Carolina unter keinen Umständen eine Scheidung vorsieht. Es ist in dieser Hinsicht einzigartig in den Vereinigten Staaten. Du bist zwar nach Georgia geflohen, das stimmt, doch dein Gatte ist dem Gesetz nach Bürger von South Carolina. Es kann also keine Scheidung geben.«

Scarletts Gedanken verweilten immer noch bei der empörenden Tatsache, daß fremde Menschen in ihrer Privatpost herumgeschnüffelt hatten. Das muß dieser Schleicher Jerome gewesen sein, dachte sie. Er hat in meinen Sachen herumgestöbert, meinen Schreibtisch durchsucht. Und mein eigener Blutsverwandter, mein Großvater, hat ihn dazu veranlaßt. Sie stand auf und beugte sich vor, die Fäuste neben Pierre Robillards knochiger Hand auf das Bett gestemmt.

»Wie kannst du es wagen, diesen Menschen in mein Zimmer zu schikken?« schrie sie ihn an, und sie trommelte mit den Fäusten auf die dicken Schichten der Bettdecke.

Die Hand ihres Großvaters schnellte empor wie eine zustoßende Schlange. Er packte sie mit dem beinharten Griff seiner langen Finger bei den Handgelenken. »Du wirst in meinem Haus deine Stimme nicht erheben, junge Frau. Ich verabscheue Lärm. Und du wirst dich in geziemender Weise betragen, wie meine Enkeltochter es tun sollte. Ich bin keiner von deinen irischen Hungerleider-Verwandten.«

Scarlett war entsetzt, wieviel Kraft er noch hatte, und ein Anflug von Furcht kam in ihr auf. War das noch der schwächliche alte Mann, der ihr beinah leid getan hatte? Seine Finger waren wie eiserne Zwingen.

Sie riß sich aus seinem Griff los und wich dann zurück, bis der Stuhl sie aufhielt. »Kein Wunder, daß meine Mutter dieses Haus verlassen hat und nie mehr zurückgekehrt ist«, sagte sie. Sie haßte sich für das angstvolle Beben in ihrer Stimme.

»Verschone mich mit deinen rührseligen Geschichten, Mädchen. Sie ermüden mich. Deine Mutter hat dieses Haus verlassen, weil sie halsstarrig war und zu jung, um etwas auf vernünftige Argumente zu geben. Sie hatte eine enttäuschende Liebesgeschichte hinter sich und den ersten Mann genommen, der sie um ihre Hand gebeten hat. Sie hat es zwar zeitlebens bereut, doch was geschehen war, war geschehen. Du bist kein junges Mädchen mehr, wie sie es war, du bist alt genug, um deinen Verstand zu gebrauchen. Der Vertrag ist aufgesetzt. Hol Jones herein. Wir unterzeichnen ihn und tun dann, als ob dein ungehöriger Ausbruch niemals stattgefunden hätte.«

Scarlett wandte ihm den Rücken zu. Ich glaube ihm nicht. Ich will dieses Gerede nicht hören. Sie hob den Stuhl hoch und trug ihn an seinen alten Platz zurück. Mit großer Sorgfalt setzte sie ihn so nieder, daß seine Füße genau auf den Abdrücken standen, die sie über die Jahre hinweg im Teppich hinterlassen hatten. Ihr Großvater tat ihr nicht mehr leid, ja, sie war nicht einmal mehr wütend auf ihn. Als sie sich ihm wieder zuwandte, war es, als hätte sie ihn noch nie gesehen. Er war ein Fremder. Ein tyrannischer, hinterhältiger, lästiger alter Mann, den sie nicht kannte und auf dessen Bekanntschaft sie auch keinen Wert legte.

»So viel Geld kann überhaupt nicht gedruckt werden, um mich hier festzuhalten«, sagte sie, und sie sprach nun mehr zu sich selbst als zu ihm. »Geld kann das Leben in einer Gruft auch nicht erträglich machen.« Sie sah Pierre Robillard mit totenblassem Gesicht aus lodernd grünen Augen an. »Du allein gehörst hierher – du bist schon tot, wenn du es auch nicht zugeben willst. Ich verlasse noch heute morgen das Haus.« Sie ging zur Tür und riß sie auf.

»Dachte ich's mir doch, daß du lauschst, Jerome. Geh nur ruhig hinein.«

43. Kapitel

»Nun sei nicht so eine Heulsuse, Pansy, was soll dir denn passieren? Der Zug fährt durch bis Atlanta. Du mußt doch nur sitzenbleiben, bis er dort ist. Ich habe dir etwas Geld in einem Taschentuch festgesteckt und das Taschentuch in der Manteltasche. Der Schaffner hat deine Fahrkarte schon, und er hat versprochen, auf dich aufzupassen. Heiliger Strohsack! Du hast doch die ganze Zeit gequengelt, daß du nach Hause willst, also hör auf, dich so anzustellen.«

»Aber, Miss Scarlett, ich hab doch noch nie allein in einem Zug gesessen.«

»Was für ein Unsinn – du bist doch gar nicht allein. Der Zug ist voller Menschen. Du guckst einfach aus dem Fenster und ißt den ganzen Proviantkorb leer, den Mrs. O'Hara dir zurechtgemacht hat, und dann bist du im Handumdrehen zu Hause. Ich habe telegrafiert, damit sie dich abholen kommen.«

»Aber, Miss Scarlett, was soll ich denn machen, wenn ich Sie nicht habe? Ich bin doch eine Zofe. Wann kommen Sie denn nach Hause?«

»Wenn ich komme, bin ich da. Das hängt ganz davon ab. Nun steig schon in den Waggon ein, der Zug fährt gleich ab.«

Es hängt ganz von Rhett ab, dachte Scarlett, und Rhett täte gut daran, sich ein bißchen zu beeilen. Ich weiß doch gar nicht, ob ich bei meinen Verwandten zurechtkomme oder nicht. Sie wandte sich um und lächelte Jamies Frau zu. »Ich weiß gar nicht, wie ich euch je dafür danken soll, daß ihr mich aufgenommen habt, Maureen. Ich finde es einfach herrlich, aber es hat doch viele Umstände gemacht.« Sie sprach mit ihrer hellen, mädchenhaften, zutraulichen Stimme.

Maureen nahm Scarletts Arm und führte sie weg vom Zug und von Pansys einsamem Gesicht am schmutzigen Abteilfenster. »Alles ist in bester Ordnung, Scarlett«, sagte sie. »Daniel ist hoch erfreut, daß er dir sein Zimmer überlassen darf, weil er so in Patricias Haus zu Brian ziehen kann. Das hat er schon die ganze Zeit gewollt, aber er hat es sich nicht zu sagen getraut. Und Kathleen ist eitel Wonne, daß sie dir helfen kann. Du kommst schon ohne deine Pansy aus. Kathleen betet den Boden unter deinen Füßen an. Es ist das erste Mal, daß das dumme Ding glücklich ist, seit es hergekommen ist. Du gehörst zu uns und nicht unter die Fuchtel dieses alten Knötters. Allein schon die Frechheit, daß er sich einbildet, du könntest die Haushälterin für ihn spielen. Bei uns bist du, weil wir dich liebhaben.«

Scarlett fühlte sich besser. Es war unmöglich, Maureens Warmherzigkeit zu widerstehen. Dennoch hoffte sie, es würde nicht allzulange dauern. Diese vielen Kinder!

Wie ein Füllen, das jeden Augenblick scheuen kann, dachte Maureen. Unter dem leichten Druck ihrer Hand spürte sie die Anspannung in Scarletts Arm. Was sie braucht, befand Maureen, ist, sich mal richtig alles von der Seele zu reden und vermutlich auch auf die gute alte Art auszuheulen. Das ist doch nicht natürlich, daß eine Frau nie etwas von sich erzählt, und Scarlett hat ihren Mann überhaupt noch nicht erwähnt. Da fragt man sich doch ... Aber Maureen hielt sich damit nicht lange auf. Sie hatte als Mädchen, als sie im Wirtshaus ihres Vaters die Gläser spülte, beobachtet, daß man den Leuten nur Zeit lassen mußte, früher oder später kam doch jeder und redete sich seinen Kummer von der Seele. Sie konnte sich nicht vorstellen, daß das bei Scarlett anders sein sollte.

Die drei Häuser der O'Haras waren hohe Reihenhäuser, deren Fenster nach hinten und vorn hinausgingen. Im Innern waren sie gleich geschnitten. Jedes Stockwerk hatte zwei Zimmer, Küche und Eßzimmer befanden sich im Erdgeschoß, die ineinander übergehenden Salons im ersten und je zwei Schlafzimmer im zweiten und dritten Stock. Eine schmale Diele mit einer hübschen Treppe zog sich durch das ganze Haus, und hinten gab es je einen geräumigen Hof und eine Remise.

Scarletts Schlafzimmer befand sich im dritten Stock von Jamies Haus. Es standen zwei Einzelbetten darin – Daniel und Brian hatten es sich schließlich geteilt, bis Brian zu Patricia gezogen war –, und es war sehr schlicht eingerichtet, wie es zu zwei jungen Männern paßte. Außer den Betten gab es an Möbeln nur noch einen Schrank und einen Schreibtisch mit einem Stuhl. Auf den Betten lagen leuchtendbunte Patchworkdecken und auf dem gebohnerten Boden ein großer rotweißer Flickenteppich. Maureen hatte einen Spiegel über dem Schreibtisch aufgehängt und auf den Schreibtisch selbst eine Spitzendecke gelegt, so daß Scarlett einen Toilettentisch hatte. Kathleen stellte sich mit ihrem Haar überraschend geschickt an und war jederzeit zur Hand. Sie schlief zusammen mit Mary Kate und Helen im zweiten Schlafzimmer auf Scarletts Stockwerk.

Das einzige kleine Kind in Jamies Haus war der vierjährige Jacky, und der hielt sich gewöhnlich in einem der anderen beiden Häuser auf, wo er mit Cousins spielte, die ungefähr im gleichen Alter waren.

Während des Tages, wenn die Männer arbeiteten und die größeren Kinder in der Schule waren, war die Häuserzeile eine Frauenwelt. Scarlett war darauf gefaßt, daß ihr das bald zuwider sein würde. Nichts in Scarletts Leben hatte sie auf die O'Hara-Frauen vorbereitet.

Sie hatten keine Geheimnisse voreinander und erlegten sich im Umgang miteinander keinerlei Zurückhaltung auf. Sie sprachen aus, was ihnen gerade in den Sinn kam, vertrauten einander auch intime Dinge an, die Scarlett erröten ließen, zankten sich, wenn sie gegenteiliger Meinung waren, und umarmten einander weinend, wenn sie sich wieder versöhnten. Sie behandelten die Häuser so, als wären sie ein einziges, gingen in der Küche der anderen ein und aus, trafen sich dort zu jeder Tageszeit auf eine Tasse Tee, teilten sich die Pflichten des Einkaufens, Backens und der Tierhaltung im Hof und in den Remisen, die in Schuppen verwandelt worden waren.

Vor allem aber hatten sie ihren Spaß miteinander, wenn sie schwatzten und lachten und sich harmlose, verwickelte Verschwörungen gegen ihre Männer ausdachten. Sie bezogen Scarlett vom ersten Augenblick mit ein, weil sie davon ausgingen, daß sie eine von ihnen war. Innerhalb weniger Tage schon hatte sie selbst dieses Gefühl. Jeden Tag ging sie mit Maureen oder Katie auf den Großen Markt, um möglichst gut und preiswert einzukaufen, sie kicherte mit der jungen Polly und Kathleen über alle möglichen

Kniffe mit Brennschere und Haarbändern, und sie sah mit der einrichtungswütigen Patricia stapelweise Muster von Polsterstoffen durch, nachdem Maureen und Katie angesichts ihrer Mäkeligkeit längst die Segel gestrichen hatten. Sie trank ungezählte Tassen Tee und lauschte Berichten über Triumphe und Nöte, und wenn sie ihre eigenen Geheimnisse auch für sich behielt, so drang doch keine in sie oder hielt mit den eigenen freimütigen Geständnissen hinterm Berg. »Ich wußte gar nicht, daß die Leute so viele interessante Dinge erleben«, sagte Scarlett aufrichtig überrascht zu Maureen.

Die Abende verliefen nach einem anderen Muster. Die Männer arbeiteten schwer und waren müde, wenn sie nach Hause kamen. Sie wollten eine anständige Mahlzeit, eine Pfeife und ein Glas. Und das bekamen sie auch stets. Danach entwickelte sich das übrige von ganz allein. Oft landete die gesamte Familie in Matts Haus, weil oben seine fünf kleinen Kinder schliefen. Maureen und Jamie konnten Jacky und Helen Mary Kates Obhut überlassen, und Patricia konnte ihr Zweijähriges und ihr Dreijähriges mitbringen, ohne sie aufzuwecken. Es dauerte nicht lange, und die Musik fing an. Wenn später Colum dann noch dazukam, gab er gewöhnlich den Ton an.

Als Scarlett zum erstenmal die »Bodhran« sah, dachte sie, es wäre ein übergroßes Tamburin. Der von einem Metallrahmen eingefaßte Kreis aus gespannter Tierhaut hatte einen Durchmesser von mehr als zwei Fuß, doch er war flach wie ein Tamburin. Gerald hielt ihn auch so in der Hand. Dann setzte er sich, stützte das Instrument auf sein Knie und schlug mit einem hölzernen Stab dagegen, den er in der Mitte hielt und hin und her kippen ließ, so daß erst das eine, dann das andere Ende gegen die gespannte Haut schlug. Jetzt sah Scarlett, daß es eigentlich eine Trommel war.

Keine sonderlich aufregende Trommel, fand sie. Bis Colum kam und sie nahm. Seine linke Hand spreizte sich auf der Unterseite der strammen Haut, als liebkoste sie sie, und sein rechtes Handgelenk war auf einmal so flüssig wie Wasser. Sein Arm bewegte sich von oben nach unten und zur Mitte der Trommel, während seine rechte Hand eine seltsame, wie streichelnde Bewegung vollführte und den Stab mit einem gleichmäßigen, ins Blut gehenden Rhythmus gegen die Trommel schlug. Der Ton und die Lautstärke wechselten, aber der hypnotisierende, fordernde Schlag veränderte sich nie, während erst die Fiedel, dann die Pfeife und schließlich die Konzertina mit einfielen. Maureen hielt die »Knochen« reglos in der Hand, zu sehr von der Musik gefangengenommen, um sich ihrer zu erinnern.

Scarlett überließ sich dem Trommelschlag. Er brachte sie zum Lachen, er brachte sie zum Weinen, er brachte sie zum Tanzen, wie sie es sich im Traum nicht hätte vorstellen können. Erst als Colum sein Instrument neben sich auf den Boden legte und mit den Worten »Ich hab mir Durst angetrommelt« etwas zu trinken verlangte, merkte sie, daß alle anderen genauso hingerissen waren wie sie. Sie schaute die kleine, stupsnasige Gestalt mit einem Schauder ehrfürchtigen Staunens an. Dieser Mann war nicht wie andere Männer.

»Scarlett-Schatz, du kennst dich mit Austern besser aus als ich«, sagte Maureen, als sie den Großen Markt betraten. »Suchst du uns die besten aus? Ich möchte Colum zum Tee heute etwas besonders Gutes machen.«

»Zum Tee? Sind Austern da nicht etwas üppig?«

»Und darum geht es mir ja gerade. Er spricht heute abend auf einer Versammlung, und da braucht er etwas Kräftiges.«

»Was denn für eine Versammlung, Maureen? Gehen wir da alle hin?«

»Das ist bei den ›Jasper Greens‹, der irischen Freiwilligentruppe in Amerika, also sind da keine Frauen dabei. Wir wären da nicht gern gesehen.«

»Und was macht Colum dort?«

»Ach, erst erinnert er sie daran, daß sie Iren sind, ganz gleich, wie lange sie schon in Amerika leben, dann bringt er sie dazu, daß sie vor Sehnsucht und vor Liebe zu ihrem alten Land in Tränen ausbrechen, und anschließend läßt er sie ihre Taschen zugunsten der Armen in Irland ausleeren. Er ist ein starker Redner, behauptet Jamie.«

»Das kann ich mir vorstellen. Colum besitzt irgendwelche magischen Kräfte.«

»Dann find uns auch mal ein paar Austern mit magischen Kräften.«

Scarlett lachte. »Perlen werden keine drin sein«, sagte sie und machte Maureens irischen Akzent nach, »aber sie werden eine phantastische Sauce ergeben.«

Colum blickte in den dampfenden, feuchtschimmernden Napf hinab, und seine Brauen hoben sich. »Maureen, das ist aber eine handfeste Teemahlzeit, die du da auf den Tisch bringst.«

»Die Austern sahen heute auf dem Markt besonders fett aus«, sagte sie mit einem Grinsen.

»Drucken sie hier in den Vereinigten Staaten keine Kalender?«

»Still, Colum, iß, ehe es kalt wird.«

»Es ist Fastenzeit, Maureen, und du kennst doch die Fastenregeln. Eine Mahlzeit täglich, und die haben wir schon heute mittag gehabt.«

Also hatten ihre Tanten doch recht gehabt! Scarlett legte schnell den Löffel auf den Tisch. Sie sah Maureen mitfühlend an. Das gute Essen umsonst gekocht. Sie würde eine fürchterliche Buße leisten müssen und fühlte sich bestimmt schrecklich schuldig. Warum mußte Colum nur Priester sein!

Erstaunt sah sie Maureen lächeln und mit ihrem Löffel nach einer Auster fischen. »Ich mache mir keine Sorgen wegen der Hölle, Colum«, sagte sie. »Ich bin im Besitz des O'Haraschen Dispens, und du bist ebenfalls ein O'Hara, also iß deine Austern, laß sie dir schmecken.«

Scarlett war ratlos. »Was ist denn der O'Harasche Dispens?« fragte sie Maureen.

Colum antwortete ihr, doch ohne Maureens Launigkeit. »Etwa dreißig Jahre ist es jetzt her«, sagte er, »da wurde Irland von einer Hungersnot heimgesucht. Zwei Jahre nacheinander verhungerten die Menschen. Es gab keine Nahrung, also aßen sie Gras, und dann gab es nicht einmal mehr das. Es war schrecklich, ungeheuer schrecklich. So viele starben, und es gab kein Mittel, um ihnen zu helfen. Die, die überlebten, wurden von den Priestern mancher Gemeinden auf alle Zeiten vom Fasten befreit. Außer daß sie an Fastentagen kein Fleisch essen dürfen.« Er starrrte in die dicke Flüssigkeit mit den Fettaugen in seinem Napf nieder.

Maureen fing Scarletts Blick ein. Sie legte den Finger an die Lippen, um ihr zu bedeuten, daß sie schweigen sollte, und machte dann eine Geste mit dem Löffel, um sie zum Essen zu nötigen.

Nach einer ganzen Weile griff auch Colum nach seinem Löffel. Er blickte nicht auf, während er die leckeren Austern aß, und sein Dank fiel sehr knapp aus. Dann ging er in Patricias Haus hinüber, wo er mit Stephen ein Zimmer teilte.

Scarlett sah Maureen neugierig an. »Warst du denn während der Hungersnot dort?« fragte sie vorsichtig.

Maureen nickte. »Ich war dort. Mein Vater besaß ein Wirtshaus, so daß es uns nicht so schlecht ging wie vielen anderen. Die Leute finden irgendwie immer Geld zum Trinken, und wir konnten Brot und Milch kaufen. Es waren die armen Bauern, die es am härtesten traf. Ach, es war furchtbar.« Sie kreuzte die Arme vor der Brust und erschauderte. Tränen standen ihr in den Augen, und die Stimme brach ihr, als sie sprechen wollte. »Sie hatten nur Kartoffeln, stell dir das mal vor. Das Getreide, das sie anbauten, die Kühe, die sie hielten, und die Milch und die Butter, die sie von ihnen bekamen, mußten verkauft werden, damit sie die Pacht für ihre Höfe bezahlen konnten. Für sich selbst hatten sie eventuell ein bißchen Butter und die Magermilch und vielleicht ein paar Hühner, so daß es manchmal zum Sonntag ein Ei gab. Doch meist hatten sie nur Kartoffeln zu essen, nichts als Kartoffeln. Dann verfaulten auch die Kartoffeln in der Erde, und sie hatten gar nichts mehr.« Sie schwieg, schaukelte hin und her und hielt die Arme um ihren Oberkörper geschlungen. Ihr Mund zitterte. Er wurde zu einem bebenden Kreis, und dann ließ sie einen rauhen, qualvollen Schrei hören, als die Erinnerung sie überwältigte.

Scarlett sprang auf und schlang die Arme um Maureens zuckende Schultern. Maureen weinte an Scarletts Brust. »Du kannst dir ja nicht vorstellen, wie das ist, wenn man nichts zu essen hat.«

Scarlett blickte in die glühenden Kohlen im Kamin. »Ich weiß, wie das ist«, sagte sie. Sie hielt Maureen an sich gedrückt und erzählte, wie sie aus dem brennenden Atlanta nach Tara heimgekehrt war. Scarletts Augen waren tränenlos, und ihre Stimme blieb fest, als sie über die Verzweiflung der endlosen Monate nagenden Hungers sprach, in denen sie nahe am Verhungern gewesen waren. Als sie jedoch erzählte, wie sie ihre Mutter tot vorgefunden hatte, als sie Tara erreichte, und ihren armen Vater, der den Verstand verloren hatte, brach Scarlett zusammen.

Da hielt Maureen sie im Arm, und Scarlett konnte nicht aufhören zu weinen.

44. Kapitel

Es war, als wäre der Hartriegel über Nacht aufgeblüht: Als Scarlett und Maureen eines Morgens auf den Markt gingen, hingen plötzlich ganze Blütenwolken über dem grasbewachsenen Mittelstreifen der Straße vor ihrem Haus.

»Ach, ist das nicht ein herrlicher Anblick?« seufzte Maureen schwärmerisch. »Wenn das Morgenlicht durch die zarten Blütenblätter scheint, wirken sie fast rosa, und gegen Mittag sind sie dann schwanenweiß. Wie wunderbar! Diese Stadt bietet eine Blütenpracht, die eine Freude für alle ist.« Sie holte tief Luft. »Wir werden im Park ein Picknick veranstalten, Scarlett, um das Frühlingsgrün in der Luft zu schmecken. Komm, wir haben noch eine Menge einzukaufen. Heute nachmittag backe ich, und nach der Messe morgen früh gehen wir in den Park und verbringen den Tag dort.«

War schon wieder Samstag? Scarletts Gedanken überschlugen sich. Sie rechnete nach, erinnerte sich. Ja, sie war jetzt schon fast einen ganzen Monat in Savannah! Sie spürte eine Beklemmung ums Herz. Warum war Rhett nicht gekommen? Wo war er? So lange konnten ihn die Geschäfte in Boston doch nicht aufgehalten haben.

»... Boston«, sagte Maureen, und Scarlett blieb abrupt stehen, packte Maureen am Arm und sah sie mißtrauisch an. Wie konnte Maureen wissen, daß Rhett in Boston war? Wie konnte sie überhaupt etwas über ihn wissen? Von mir hat sie kein Wort erfahren.

»Ist was passiert, Scarlett-Schatz? Hast du dir den Fuß vertreten?«

»Was hast du da eben über Boston gesagt?«

»Ich sagte, es ist schade, daß Stephen uns beim Picknick keine Gesellschaft leisten kann. Er fährt heute nach Boston. Blühende Bäume wird er dort keine sehen, schätze ich, aber wenigstens hat er Gelegenheit, bei Thomas und seiner Familie vorbeizuschauen, und kann dann nach seiner Rückkehr von ihnen berichten. Das wird dem alten James gefallen. Man muß sich das nur vorstellen, all die Brüder leben kreuz und quer über ganz Amerika verstreut, wundervoll, nicht wahr...?«

Still ging Scarlett neben Maureen her. Sie schämte sich. Wie kann ich nur so scheußlich von ihr denken? Maureen ist meine Freundin, die beste Freundin, die ich je hatte. Sie käme nie auf den Gedanken, mir nachzuspionieren und sich in meine Privatangelegenheiten einzumischen. Ich war nur so erschrocken, daß ich schon so lange hier bin, ohne es wirklich zu merken. Wahrscheinlich war ich deshalb so nervös und habe Maureen so angefahren. Weil schon soviel Zeit vergangen und Rhett immer noch nicht gekommen ist. Und auch Onkel Henry hat nichts mehr von sich hören lassen. Vielleicht sollte ich selbst . . . ?

Maureen machte verschiedene Proviantvorschläge für das Picknick am kommenden Tag. Scarlett sagte zu allem einfach ja und amen, während die Gedanken in ihrem Kopf wie Vögel in einem Käfig immer wieder aufflatterten und gegen die Gitterstäbe ihres Gefängnisses prallten. War es ein Fehler gewesen, daß sie nicht mit ihren Tanten nach Charleston zurückgekehrt war? Hätte sie Charleston von vornherein gar nicht verlassen sollen?

Es macht mich wahnsinnig. Wenn ich noch weiter daran denke, fange ich an zu schreien!

Doch ihre Gedanken stellten immer wieder dieselben Fragen.

Vielleicht sollte ich mit Maureen darüber reden. Maureen ist eine so gute Trösterin, und sie weiß über so viele Dinge so gut Bescheid. Sie würde sicher Verständnis für mich haben. Vielleicht kann sie mir ja helfen.

Nein! Ich rede lieber mit Colum. Morgen beim Picknick haben wir Zeit genug. Ich will mit dir reden, werde ich zu ihm sagen und ihn dann bitten, einen kleinen Spaziergang mit mir zu machen. Colum wird wissen, wie ich mich verhalten soll. Auf seine Art ist Colum Rhett sehr ähnlich. Er ist irgendwie perfekt wie Rhett, und alle anderen wirken im Vergleich mit ihm unbedeutend, genau wie alle plötzlich zu kleinen Jungen werden, wenn Rhett den Raum betritt. Colum setzt sich durch und lacht dann darüber – genau wie Rhett.

Scarlett mußte selbst lachen, als sie daran dachte, wie Colum sich über Pollys Vater geäußert hatte: »Nun ja, er ist schon ein großer, wuchtiger Mann, der mächtige MacMahon. Arme wie Vorschlaghämmer hat er, sie sprengen ja fast die Nähte seiner teuren Jacke, die Mrs. MacMahon zweifellos passend zu ihrem Salon gekauft hat – warum sonst sollte sie so plüschartig sein? Ein gottesfürchtiger Mann ist er obendrein, mit der gebührenden Verehrung für den Glanz, der sich auf seine Seele legt, weil er hier in Savannah Gottes eigenes Haus errichtet. Ich hab ihn dafür auf meine bescheidene Art sehr gelobt. ›Mein Wort!‹ hab ich gesagt. ›Nach meiner festen Überzeugung sind Sie ein so frommer Mann, daß Sie nicht einen Penny mehr als vierzig Prozent Profit von der Gemeinde fordern.‹ Funkelten da nicht seine Augen, schwollen da nicht seine Muskeln an wie die eines Ochsen, hörte man da nicht lauter kleine platzende Geräusche entlang der Seidennähte seiner Jacke? ›Sicher ist, Baumeister‹, fuhr ich fort, ›daß jeder andere angesichts des Umstands, daß der Bischof kein Ire ist, fünfzig Prozent verlangt hätte!‹ Ja, und da zeigt mir der gute Mann, was in ihm steckt. ›Gross!‹ brüllt er so laut, daß ich fürchte, die Fenster fliegen auf die Straße. ›Was für ein Name ist denn das für einen Katholiken?‹ Und dann erzählt er mir Geschichten über die angebliche Lasterhaftigkeit des Bischofs, die mein Talar mir zu glauben verbietet. Ich höre mir bei ein, zwei Glas seinen Kummer an und berichte ihm daraufhin von den Sorgen meiner armen, kleinen Cousine. Es war das einzige, was ich tun konnte, wollte ich verhindern, daß er eigenhändig den Kirchturm niederriß. Der gerechte Zorn hatte ihn gepackt, den guten Mann. Ich glaube zwar nicht, daß er die Männer zum Streik aufruft, aber ganz sicher bin ich mir nicht. Er wird, wie er mir sagte, dem Bischof schon deutlich machen, wie er um Scarletts Seelenheil besorgt ist, und zwar in einer Form, die der aufgeregte kleine Mann nicht mißverstehen kann, und außerdem so oft, wie es nötig ist, um ihn von der Größe des Problems zu überzeugen.«

»Eins würde ich gern wissen«, sagte Maureen. »Warum lächelst du die Kohlköpfe so an?«

Scarlett schenkte das Lächeln der Freundin. »Weil ich mich so darüber freue, daß Frühling ist und daß wir morgen ein Picknick machen«, antwortete sie. Und weil ich Tara bekommen werde, dachte sie insgeheim.

Scarlett kannte den Forsyth Park noch nicht. Zwar lag Hodgson Hall gleich gegenüber, doch als sie zur Einweihung gefahren waren, war es bereits dunkel gewesen. Sie war also in keiner Weise vorbereitet. Beim Anblick der beiden Sphinxe, die den Eingang flankierten, stockte ihr schier der Atem. Die Kinder warfen den beiden Ungeheuern, auf die sie leider nicht klettern durften, sehnsuchtsvolle Blicke zu und stürmten dann, so schnell sie ihre Beine trugen, über den mittleren Pfad davon. Dabei mußten sie einen kleinen Bogen um Scarlett machen, die mitten auf dem Weg stehengeblieben war und wie gebannt nach vorn schaute.

Bis zu dem großen Brunnen war es noch ein gutes Stück, ungefähr die Länge von zwei Häuserzeilen, doch war er so groß, daß man ihn viel näher glaubte. Von überall her erhoben sich Wasserbögen und Fontänen und fielen wie vom Himmel regnende Diamanten wieder ins Bassin zurück. Scarlett war fasziniert, ihr Lebtag hatte sie so etwas Grandioses nicht gesehen.

»Geh ruhig weiter«, sagte Jamie, »je näher man kommt, desto schöner wird's.«

Und so war es. Der strahlende Sonnenschein zauberte Regenbögen zwischen die tanzenden Fontänen, und mit jedem neuen Schritt, den Scarlett tat, blitzten sie neu auf, verschwanden und erschienen wieder. Die weißgetünchten Baumstämme rechts und links des Weges schimmerten im scheckigen Schatten ihrer Blätter und führten geradewegs auf die gleißenden, glitzernden Wasserspiele zu. Als Scarlett den schmiedeeisernen Zaun erreichte, der das Bassin umfaßte, mußte sie den Kopf weit in den Nacken legen, um hoch oben auf dem dritten Becken die Nymphe erkennen zu können. Die überlebensgroße Statue hielt im hochgereckten Arm einen Stab, der einen Wasserstrahl hoch, hoch in den strahlend blauen Himmel schickte.

»Ich mag die Schlangenmenschen besonders«, bemerkte Maureen. »Sie sehen immer aus, als hätten sie furchtbar viel Spaß miteinander.« Scarlett sah in die Richtung, in die ihre Freundin deutete. Die eine Hand jeweils in die Hüfte gestützt, mit der anderen ein Horn an die Lippen haltend, knieten die bronzenen Meeresungeheuer auf ihren schuppigen, elegant geringelten Schwänzen im riesigen Bassin.

Unter einer Eiche, die Maureen ausgesucht hatte, breiteten die Männer die Decken aus, und die Frauen stellten ihre Körbe ab. Mary Kate und Kathleen legten Patricias kleine Tochter und Katies Jüngsten zum Krabbeln ins Gras. Die älteren Kinder rannten und sprangen nach Spielregeln, die sie selbst erfunden hatten, hin und her.

»Ich ruhe meine Füße ein wenig aus«, sagte Patricia und setzte sich mit Billys Hilfe direkt an den Stamm der Eiche, so daß sie sich mit dem Rücken anlehnen konnte. »Nun laß mich schon!« sagte sie unwirsch. »Du brauchst mir nicht den ganzen Tag den Ellbogen zu halten.« Er gab ihr einen Kuß auf die Wange, streifte sich die Konzertina ab, die an einem Gurt über seiner Schulter hing, und legte das Instrument neben sie.

»Ich spiel euch nachher was Schönes«, versprach er und schlenderte auf eine Gruppe junger Männer zu, die in einiger Entfernung Baseball spielten. »Na los, Matt, geh mit und wirf dich ins Gefecht«, forderte Katie ihren Ehemann auf.

»Ja, ab mit euch!« stimmte auch Maureen ein und machte mit den Händen eine Bewegung, als wollte sie die Männer fortscheuchen. Jamie und seine großen Söhne rannten los, Colum und Gerald schlossen sich Matt und Billy an und gingen ebenfalls hinüber.

»Wenn sie zurückkommen, sind sie ganz ausgehungert«, sagte Maureen und fuhr mit zufriedener Stimme fort: »Gut, daß wir Proviant für eine ganze Armee eingepackt haben.«

Was für Berge von Lebensmitteln! dachte Scarlett im ersten Augenblick, doch dann sah sie, daß das alles wahrscheinlich in nicht einmal einer Stunde aufgegessen sein würde. So war das eben bei den O'Haras! Mit aufrichtiger Zuneigung beobachtete sie die Frauen der Familie und wußte, daß sie die Männer nicht minder gern betrachten würde, wenn sie nachher zurückkehrten, die Jacken über dem Arm, die Hüte in der Hand, die Kragen offen und mit aufgekrempelten Ärmeln. Sie hatte ihren Standesdünkel abgelegt, ohne daß sie hätte sagen können, wann genau das geschehen war. Vergessen war jenes unbehagliche Gefühl, das sie beschlichen hatte, als sie erfuhr, daß ihre Cousins und Cousinen auf dem großen irischen Gut in der Nähe ihres Heimatdorfs nur Angestellte gewesen waren. Matt hatte dort als Zimmermann gearbeitet, und Gerald war sein Handlanger gewesen, hatte irgendwo auf dem Dutzende von Gebäuden umfassenden Gut und an den kilometerlangen Weidezäunen Reparaturarbeiten verrichtet. Katie war Milchmädchen, Patricia Stubenmädchen gewesen. Jetzt war das alles vollkommen gleichgültig. Scarlett war froh, eine O'Hara zu sein.

Sie kniete neben Maureen nieder und half ihr. »Ich hoffe, die Männer trödeln nicht zu sehr herum«, sagte sie. »Die frische Luft ist ausgesprochen appetitanregend.«

Als nur noch zwei Stück Kuchen, ein Stück Brot und etwas Käse übrig waren, setzte Maureen über einer Spiritusflamme Teewasser auf. Billy Carmody nahm seine Konzertina zur Hand und zwinkerte Patricia zu. »Nun, was darf's denn sein, Patsy? Schließlich habe ich dir ja ein Liedchen versprochen.«

»Pssst, Billy, noch nicht!« sagte Katie. »Die Kleinen sind gerade am Einschlafen.« Fünf kleine Körper lagen im tiefen Schatten der Bäume auf einer Decke. Billy pfiff eine leise Melodie vor sich hin und griff den Ton fast unhörbar mit der Konzertina auf. Patricia lächelte ihm zu, strich Timothy das Haar aus der Stirn und sang das Schlaflied, das zu Billys Melodie gehörte.

»Auf den Flügeln des Windes übers tosende Meer
kommen die Englein zu deinem Schutze daher,
kommen, dich zu behüten, mein schlafendes Kind.
Hör doch, wie er bläst von der See her der Wind ...
Es segeln die Fischer ins Blaue hinein,
sie folgen des Herings hellsilbernem Schein.
Silbern der Hering und silbern die See,
für dich und für mich viel Silber ich seh.
Hör doch, wie er bläst von der See her der Wind ...
Ja, neige dein Köpfchen und lausche dem Wind.«

Einen Augenblick lang herrschte Schweigen. Dann öffnete der kleine Timothy die Augen und sagte schläfrig: »Noch mal, bitte!«

»Oh, ja, bitte, Miss, singen Sie es noch einmal!«

Alle blickten sie verdutzt auf. Neben ihnen stand ein merkwürdiger junger Mann. Vor der geflickten Jacke hielt er in rauhen, schmutzigen Händen eine zerlumpte Mütze. Man hätte ihn auf etwa zwölf Jahre geschätzt, wären da auf seinem Kinn nicht ein paar dunkle Bartstoppeln gewesen.

»Bitte die Ladys und Gentlemen höflichst um Entschuldigung«, sagte er, und man merkte ihm an, daß er es ehrlich meinte. »Ich weiß, daß es sehr ungehörig ist, so in Ihre Gesellschaft hineinzuplatzen. Aber meine Mama hat mir und meinen Geschwistern dieses Lied immer vorgesungen, deshalb ist es mir so zu Herzen gegangen, als ich es eben hörte.«

»Setz dich zu uns, junger Mann«, sagte Maureen. »Wir haben noch ein bißchen Kuchen, das niemand mehr mag, und im Korb hier liegt noch etwas Brot und Käse. Wie heißt du, und wo kommst du her?«

Der Junge kniete neben ihr nieder. »Danny Murray heiß ich, meine Dame.« Er zupfte an der schwarzen Haarsträhne, die ihm in die Stirn hing, wischte seine Hand am Ärmel ab und streckte sie nach dem Brot aus, das Maureen aus dem Korb geholt hatte. »Connemara ist meine Heimat, wenn ich drüben bin«, sagte er und biß herzhaft in das Brot. Billy begann wieder zu spielen.

»Auf den Flügeln des Windes...«, sang Katie. Der hungrige Bursche schluckte seinen Bissen herunter und sang mit.

»... und lausche dem Wind«, endeten sie, nachdem sie das Lied dreimal gesungen hatten. Danny Murrays dunkle Augen glänzten wie schwarze Juwelen.

»So iß doch, Danny Murray«, sagte Maureen mit belegter Stimme. »Du mußt nachher gut bei Kräften sein. Ich gieße uns gleich eine Tasse Tee auf, und dann wollen wir noch ein paar Lieder von dir hören. Du hast eine Engelsstimme, ein wahres Himmelsgeschenk.« Sie hatte recht. Der Tenor des Jungen war so rein wie Geralds.

Während die O'Haras damit beschäftigt waren, das Teegeschirr zu verteilen, konnte der hungrige Bursche unbeobachtet essen.

»Ich habe kürzlich ein neues Lied gelernt«, sagte er schließlich, als Maureen gerade die Tassen füllte. »Ich glaube, es könnte Ihnen gefallen. Ich arbeite auf einem Schiff, das von Philadelphia hergekommen ist. Soll ich Ihnen das Lied vorsingen?«

»Wie heißt es, Danny?« fragte Billy. »Vielleicht kenne ich es.«

»›Ich bring dich heim.‹«

Billy schüttelte den Kopf. »Ich würde mich freuen, wenn du es mir beibringen könntest.«

Danny Murray grinste. »Die Freude ist ganz meinerseits.« Er warf sich die Haarsträhne aus dem Gesicht und holte tief Luft. Dann öffnete er die Lippen, und das Lied floß aus seinem Mund wie ein schimmernder Silberfaden.

»Ich bring dich heim, Kathleen,
wohl übers Meer, so wild und weit,
wo stets dein Herz geblieben ist, dorthin,
wo ich dich einst gefreit.

Von deinen Wangen fiel der Rose Rot,
ich sah's verblassen bis zum stillen Tod.
Und deine Stimme ist von Trauer schwer.
Längst scheint dein Auge tränenleer.
Ich bring dich heim, Kathleen,
wo dir dein Herze lacht, dorthin.
Wenn alles sprießt und frisch das Grün,
bring ich dich heim, Kathleen ...«

Scarlett stimmte in den allgemeinen Applaus ein. Es war ein herrliches Lied.

»Das war so schön, daß ich glatt vergessen habe, es mir zu merken«, sagte Billy kleinlaut. »Sing es noch einmal, Danny.«

»Nein!« Unvermittelt sprang Kathleen O'Hara auf. Tränen liefen ihr über das Gesicht. »Ich kann mir das nicht noch einmal anhören, ich kann es einfach nicht!« Sie wischte sich mit den Handflächen über die Wangen. »Verzeiht mir«, schluchzte sie. »Aber ich muß jetzt gehen.« Vorsichtig stieg sie über die schlafenden Kinder hinweg und lief davon.

»Es tut mir leid«, sagte der Junge.

»Unfug, Bursche, dafür kannst du nichts«, erwiderte Colum. »Du hast uns eine echte Freude bereitet. Das arme Mädchen hat Heimweh nach Irland, und wie es der Zufall will, heißt sie ausgerechnet Kathleen. Aber sag: Kennst du das Lied ›*The Curragh of Kildare*‹? Das ist eine besondere Spezialität von Billy – ja, dem da mit der Quetschkommode. Es wäre eine tolle Sache, wenn du es mit ihm singen könntest. Dann würde er wie ein richtiger Musiker klingen.«

Sie musizierten, bis die Sonne hinter den Bäumen verschwand und eine kühle Abendbrise aufzog. Dann gingen sie nach Hause. Danny Murray konnte Jamies Einladung zum Abendesssen nicht annehmen, er mußte bei Einbruch der Dunkelheit wieder an Bord sein.

»Jamie, ich glaube, ich sollte Kathleen mitnehmen, wenn ich wieder abreise«, sagte Colum. »Sie war jetzt lange genug hier, um ihr Heimweh zu überwinden, aber im tiefsten Herzen leidet sie noch immer darunter.«

Um ein Haar hätte Scarlett das heiße Wasser über ihre Hand anstatt in die Teekanne geschüttet. »Wo reist du denn hin, Colum?«

»Wieder zurück nach Irland, mein Schatz. Ich bin ja nur zu Besuch hier.«

»Aber der Bischof hat seine Meinung zu Tara noch nicht geändert, und außerdem gibt es da noch etwas anderes, worüber ich mit dir sprechen will.«

»Ich reise ja noch nicht gleich ab, liebe Scarlett. Uns bleibt genug Zeit. Was würdest du sagen, mit dem Herzen einer Frau: Soll Kathleen mit mir kommen?«

»Ich weiß es nicht. Frag am besten Maureen. Seit wir zurückgekommen sind, ist sie oben bei ihr.« Was Kathleen vorhatte, interessierte Scarlett wenig. Colum war der Mann, auf den es ankam. Wie konnte er einfach seine Sachen packen und sich davonmachen, wo sie ihn doch so dringend brauchte? Sie machte sich Vorwürfe: Warum nur bin ich einfach sitzen geblieben und habe mit diesem verdreckten Burschen Lieder gesungen? Ich hätte mich an mein Vorhaben halten und Colum unter vier Augen sprechen sollen.

Zum Abendessen gab es Kartoffelsuppe und Brot mit Käse. Scarlett brachte nur ein paar Bissen herunter. Ihr war zum Heulen zumute.

»Puh!« stöhnte Maureen, als die Küche wieder sauber war. »Heute abend bringe ich meine alten Knochen bald ins Bett. Dieses stundenlange Herumsitzen auf dem Erdboden hat mich stocksteif gemacht. Ihr auch, Mary Kate und Helen. Morgen ist wieder Schule.«

Scarlett fühlte sich ebenfalls steif. Sie stand vor dem Herd und reckte sich. »Gute Nacht«, sagte sie.

»Bleib noch ein Weilchen«, bat Colum sie. »Ich will mein Pfeifchen nicht allein zu Ende rauchen. Jamie gähnt auch schon so, ich bin sicher, er läßt mich gleich im Stich.«

Scarlett zog sich einen Stuhl heran und setzte sich Colum gegenüber. Jamie tätschelte ihr auf dem Weg zur Treppe den Kopf.

Colum zog an seiner Pfeife. Der Tabakrauch hatte einen süßlichen und doch herben Geruch. »Ein glimmendes Herdfeuer ist eine gute Gesprächskulisse«, sagte er nach einer längeren Pause. »Was hast du auf dem Herzen, Scarlett? Worüber denkst du nach?«

Sie seufzte tief. »Ich weiß nicht, wie ich mich gegenüber Rhett verhalten soll, Colum. Ich fürchte, ich habe alles kaputtgemacht.« Sie wollte ihm ihr Herz ausschütten. Das gedämpfte Licht und die gemütliche Wärme in der Küche boten dafür den idealen Rahmen. Überdies hatte Scarlett, da Colum Priester war, das unklare Gefühl, daß alles, was sie ihm mitteilte, dem Rest der Familie verborgen bleiben würde, als handele es sich um ein Sündenbekenntnis in einem engen, kleinen, rundum geschlossenen Beichtstuhl.

Sie fing ganz von vorne an, mit der Wahrheit über ihre Ehe. »Ich habe ihn nicht geliebt, oder zumindest war ich mir dessen nicht bewußt. Ich glaubte, in einen anderen verliebt zu sein. Und als ich dann endlich merkte, daß es doch Rhett war, den ich liebte, da wollte er mich nicht mehr. Jedenfalls hat er mir das gesagt. Aber ich glaube nicht, daß es stimmt, Colum, es kann einfach nicht sein.«

»Hat er dich verlassen?«

»Ja. Aber dann habe ich ihn verlassen. Und deshalb bin ich jetzt so unsicher. Es war vielleicht ein Fehler.«

»Also, damit ich es richtig verstehe ...« Mit unendlicher Geduld entwirrte Colum Scarletts komplizierte Geschichte. Erst lange nach Mitternacht klopfte er seine längst erkaltete Pfeife aus und steckte sie in die Tasche.

»Du hast dich vollkommen richtig verhalten, meine Liebe«, sagte er. »Weil wir unsere Kragen verkehrtherum tragen, gibt es Leute, die meinen, Priester seien keine Männer. Diese Leute irren sich. Ich kann deinen Mann verstehen. Ich habe sogar großes Mitgefühl, was sein Problem betrifft. Es ist ein tiefergehendes, schmerzhafteres Problem als deines, Scarlett. Er kämpft mit sich selbst, und für einen starken Mann ist das eine harte Schlacht. Er wird dich eines Tages suchen, und du wirst ihm dann sehr entgegenkommen müssen, weil der Kampf ihn verwundet hat.«

»Aber wann wird er kommen, Colum?«

»Das kann ich dir nicht sagen. Eines aber weiß ich ganz sicher: Er muß dich von sich aus suchen, das kannst du ihm nicht abnehmen. Er muß den Kampf gegen sich selbst allein durchstehen, bis er einsieht, daß er dich braucht, und sich dazu auch bekennt.«

»Bist du sicher, daß er kommen wird?«

»Ja, ganz sicher. Aber jetzt muß ich ins Bett. Geh du auch schlafen.«

Scarlett kuschelte sich in ihr Kissen und sträubte sich gegen die Müdigkeit, die ihr die Lider beschwerte. Sie wollte diesen Augenblick auskosten, die Befriedigung, die Colums Gewißheit ihr vermittelt hatte. Rhett würde eines Tages kommen, wenn auch wahrscheinlich nicht so bald, wie sie es sich gewünscht hatte. Aber sie konnte warten.

45. Kapitel

Scarlett war nicht gerade begeistert, als Kathleen sie am nächsten Morgen weckte. Nach dem langen Gespräch mit Colum hätte sie gern ausgeschlafen.

»Ich bringe dir Tee«, sagte Kathleen leise. »Und Maureen läßt fragen, ob du heute mit ihr auf den Markt gehen willst.«

Scarlett wandte sich ab und schloß wieder die Augen. »Nein, ich glaube, ich schlafe lieber noch ein wenig.« Sie spürte, daß Kathleen unschlüssig vor ihrem Bett stand. Warum verschwindet sie nicht endlich und läßt mich schlafen? »Was gibt es denn sonst noch, Kathleen?«

»Entschuldige, Scarlett, aber ich dachte, daß du dich vielleicht anziehen möchtest. Wenn du nicht mitgehst, möchte Maureen, daß ich sie begleite, und ich weiß nicht, wann wir wieder zurückkommen.«

»Mary Kate kann mir helfen«, murmelte Scarlett in ihr Kissen.

»Oh, nein, sie ist schon lange in der Schule. Es ist ja doch gleich neun.«

Scarlett zwang sich dazu, die Augen aufzuschlagen. Ihr war, als könnte sie ewig schlafen, wenn man sie nur ließe . . . »Gut«, seufzte sie, »hol mir meine Sachen. Ich ziehe das rotblaukarierte Kleid an.«

»Oh, ja, das steht dir so gut«, erwiderte Kathleen glücklich. Scarlett konnte aussuchen, was sie wollte, Kathleens Kommentar war immer der gleiche. Sie hielt Scarlett für die schönste und eleganteste Frau der Welt.

Scarlett trank ihren Tee, während Kathleen ihr das Haar im Nacken zu einer dicken Acht flocht. Ich sehe aus wie der Zorn Gottes, dachte sie. Unter ihren Augen zeigten sich leichte Schatten. Vielleicht sollte ich lieber das rosa Kleid anziehen, es paßt besser zu meiner Haut. Aber dann muß Kathleen mich noch einmal schnüren, das rosa Kleid hat eine schmalere Taille. Ihr Gefummel macht mich sowieso ganz verrückt.

»Schön«, sagte sie, als die letzte Haarnadel an Ort und Stelle war. »Jetzt kannst du gehen.«

»Möchtest du vielleicht noch eine Tasse Tee?«

»Nein. Geh nur.« Am liebsten hätte ich Kaffee, dachte Scarlett, vielleicht sollte ich doch auf den Markt gehen . . . Nein, ich bin zu müde für die Lauferei, immer auf und ab und vor jedem Stand stehenbleiben und schauen. Sie puderte sich die Haut unter den Augen und zog vor dem Spiegel eine Grimasse. Dann ging sie die Treppe hinunter, um sich etwas Eßbares zum Frühstück zu suchen.

»Ach, du meine Güte!« rief sie, als sie in der Küche den Zeitung lesenden Colum erblickte. Sie hatte nicht damit gerechnet, daß noch jemand im Haus war.

»Ich wollte dich um einen Gefallen bitten«, sagte er. Er brauche weiblichen Rat bei der Auswahl von Mitbringseln für die irische Verwandtschaft. »Bei den Jungen und ihren Vätern habe ich keine Probleme, aber bei den Mädchen tue ich mich furchtbar schwer. Also habe ich mir gedacht, Scarlett wird schon wissen, was im Moment in Amerika der letzte Schrei ist.«

Seine Miene verriet, daß er vollkommen ratlos war. Scarlett mußte lachen. »Ich helfe dir gerne, Colum, aber nicht umsonst. Mein Rat kostet dich eine Tasse Kaffee und ein Stück Gebäck, zahlbar in der Bäckerei an der Broughton Street.« Alle Müdigkeit war plötzlich von ihr abgefallen.

»Ich weiß wirklich nicht, warum du mich gebeten hast, dich zu begleiten, Colum. Nichts von dem, was ich dir vorgeschlagen habe, gefällt dir.« Ärgerlich betrachtete Scarlett die Glacéhandschuhe, die Spitzentaschentücher und gemusterten Seidenstrümpfe, die perlenverzierten Handtaschen, kolorierten Fächer, die Seiden-, Samt- und Satinbahnen, die sich auf dem Ladentisch türmten. Der Verkäufer im feinsten Textilgeschäft Savannahs hatte seine beste Ware vor ihnen ausgebreitet, und Colum hatte unentwegt den Kopf geschüttelt und nein gesagt.

»Ich entschuldige mich für die Ungelegenheiten, die ich Ihnen bereitet habe«, sagte er zu den steif lächelnden Angestellten und bot Scarlett den Arm. »Auch dich bitte ich um Verzeihung, Scarlett. Ich fürchte, ich habe nicht deutlich genug ausgedrückt, worum es mir eigentlich geht. Komm, zuerst werde ich jetzt meine Schuld abtragen, und danach versuchen wir es noch einmal. Eine Tasse Kaffee wird auch mir guttun.«

Mit einer Tasse Kaffee kommst du mir nicht davon, wenn ich dir diese sinnlose Wühlerei verzeihen soll, dachte Scarlett. Demonstrativ übersah Scarlett den dargebotenen Arm und verließ den Laden.

Ihre Laune besserte sich, als Colum ihr vorschlug, den Kaffee im Pulaski House zu trinken. Das große Hotel gehörte zu den besten am Platz, und Scarlett kannte es noch nicht. Sie setzten sich auf ein mit Quasten verziertes kleines Samtsofa in einem der reich dekorierten, mit Marmorsäulen versehenen Empfangsräume, und Scarlett sah sich zufrieden um. »Es ist schön hier«, sagte sie glücklich, als ein Kellner mit weißen Handschuhen ein beladenes Silbertablett auf die marmorne Tischplatte vor ihnen stellte.

»In dieser marmornen Pracht und unter all den Topfpalmen scheinst du dich mit deiner luxuriösen Eleganz ja richtig zu Hause zu fühlen«, erwiderte Colum lächelnd. »Deshalb kreuzen sich unsere Wege nur, und wir reisen nicht zusammen.« In Irland, so erklärte er, führten die Menschen ein sehr viel einfacheres Leben, einfacher vielleicht, als Scarlett es sich auch nur vorstellen könne. Sie lebten auf Höfen auf dem flachen Land, weitab von allen Städten. In den Dörfern gebe es nicht viel mehr als die Kirche, den Schmied und ein Wirtshaus, vor dem die Kutsche zu halten pflege. Einziger Laden sei ein Raum in einer Ecke des Wirtshauses; dort könne man einen Brief aufgeben sowie Tabak und ein paar Lebensmittel kaufen. Bandwaren, Nadelheftchen und kleinere Werkzeuge würden von fahrenden Händlern verkauft. Zerstreuung und Unterhaltung fänden die Menschen vor allem dadurch, daß sie sich häufig gegenseitig besuchten.

»Aber das ist ja genauso wie das Leben auf den Plantagen«, rief Scarlett aus. »Von Tara nach Jonesboro sind es fünf Meilen, und dort findest du auch nicht viel mehr als eine Bahnstation und einen winzigkleinen Laden.«

»Ach nein, Scarlett. Auf den Plantagen stehen große Gutshäuser, keine einfachen, weißgetünchten Bauernkaten.«

»Du hast ja keine Ahnung, wovon du redest, Colum O'Hara! Tom Wilkes' Twelve Oaks war das einzige große Gutshaus in Clayton County. Die meisten Leute haben Häuser, die anfangs nur aus einer Küche und ein paar Zimmern bestanden. Erst später hat man dann, je nach Bedarf, weitere Räume angefügt.«

Lächelnd gestand Colum seine Niederlage ein. Sei es, wie es sei, meinte er, lauter städtischen Schnickschnack könne er seiner Familie jedenfalls nicht mitbringen. Die Mädchen könnten mit Baumwolle mehr anfangen als mit Satin, und einen kolorierten Fächer wüßten sie wohl überhaupt nicht zu gebrauchen.

Scarlett stellte ihre Tasse so energisch auf die Untertasse, daß es klirrte. »Kaliko!« sagte sie. »Ich wette, das wird ihnen gefallen. Kaliko gibt es in den verschiedensten Mustern, und es lassen sich hübsche Kleider daraus schneidern. Unsere Alltagsgarderobe zu Hause bestand überwiegend aus Kaliko-Kleidern.«

»Und Stiefel«, sagte Colum, zog ein dickes Bündel Papiere aus der Tasche und entfaltete es. »Die Namen und die Größen habe ich mir notiert.«

Scarlett lachte über die umfangreiche Liste. Sämtliche Einwohner der Grafschaft Meath, Männer, Frauen und Kinder, müssen ihren Namen auf Colums Liste gesetzt haben, dachte sie.

Es war wie Tante Eulalies »Wo du schon einkaufen gehst, könntest du mir da nicht dies und das mitbringen?«. Irgendwie vergaß sie dann immer, für das Mitgebrachte zu bezahlen. Scarlett hätte jede Wette abgeschlossen, daß Colums irische Freunde ebenso vergeßlich waren.

»Erzähl mir von Irland«, sagte sie. Es war noch eine Menge Kaffee in der Kanne.

»Hm, ja, es ist eine selten schöne Insel«, sagte Colum leise. Mit melodischer Stimme begann er zu erzählen, und eine tiefe Liebe sprach aus seinen Worten. Er berichtete von grünen Hügeln, auf denen Burgen thronten, von rauschenden, blumengesäumten Bächen voller Fische, von Spaziergängen zwischen duftenden Wallhecken an nebelverhangenen Regentagen. Überall höre man Musik, sagte er, und der Himmel sei weiter und höher als jeder andere Himmel und die Sonne so freundlich und warm wie ein mütterlicher Kuß ...

»Du klingst fast genauso heimwehkrank wie Kathleen.«

Colum lachte vor sich hin. »Ich werde bestimmt nicht weinen, wenn das Schiff in See sticht, da hast du schon recht. Niemand bewundert Amerika mehr als ich, und ich freue mich auf jeden Besuch. Aber wenn das Schiff ablegt, das mich in die Heimat bringt, vergieße ich keine Träne.«

»Aber vielleicht ich. Ich weiß nicht, was ich ohne Kathleen tun werde.«

»Dann laß sie nicht allein. Fahr mit uns und lern das Land deiner Vorfahren kennen.«

»Das kann ich nicht.«

»Es wäre sicher ein großes Abenteuer für dich. Irland ist zu jeder Jahreszeit reizvoll, aber die Zärtlichkeit des Landes im Frühling würde dir das Herz brechen.«

»Danke, Colum, auf ein gebrochenes Herz kann ich verzichten. Was ich brauche, ist eine Zofe.«

»Ich schicke dir Brigid, sie träumt schon lange von Amerika. Wahrscheinlich wäre es von vornherein besser gewesen, wenn sie und nicht

Kathleen hergekommen wäre. Das Problem war nur, daß Kathleen für eine Weile verschwinden sollte.«

Das roch nach Klatsch. Scarlett spitzte die Ohren. »Was hat euch veranlaßt, ein so liebes Mädchen fortzuschicken?«

Colum lächelte. »Frauen und ihre Fragen!« sagte er. »Ihr seid doch überall gleich, diesseits und jenseits des Atlantiks. Wir waren nicht einverstanden mit dem Mann, der um sie werben wollte. Er war Soldat und obendrein ein Heide.«

»Ein Protestant also. Hat sie ihn geliebt?«

»Er hat ihr mit seiner Uniform den Kopf verdreht, das war alles.«

»Arme Kathleen. Ich hoffe, er wartet auf sie, wenn sie zurückkommt.«

»Gott sei Dank ist sein Regiment nach England zurückverlegt worden. Er wird sie nicht mehr belästigen.«

Colums Miene war hart wie Granit. Scarlett hielt ihre Zunge im Zaum.

»Was machen wir jetzt mit deiner Liste?« fragte sie, nachdem sie die Hoffnung aufgegeben hatte, er werde von sich aus weiterreden. »Am besten setzen wir unseren Einkaufsbummel fort. Ist dir klar, daß Jamie in seinem Laden wirklich alles, was du willst, auf Lager hat? Warum gehen wir nicht einfach zu ihm?«

»Ich möchte ihn nicht in Schwierigkeiten bringen. Er würde sich verpflichtet fühlen, mir einen Preis zu machen, bei dem er sich selbst schaden würde.«

»Ehrlich, Colum, was geschäftliche Dinge angeht, hast du ein Spatzenhirn! Selbst wenn Jamie jetzt draufzahlt, steht er bei seinen Lieferanten besser da und bekommt bei der nächsten Bestellung einen höheren Rabatt.« Colums Verblüffung brachte sie zum Lachen. »Ich bin ja selbst Ladenbesitzerin, ich weiß schon, was ich sage. Warte, ich erkläre es dir...«

Auf dem Weg zu Jamies Laden redete sie wie ein Buch. Colum hörte ihr fasziniert und sichtlich beeindruckt zu. Immer wieder stellte er Zwischenfragen.

»Colum!« strahlte Jamie, als sie das Geschäft betraten. »Gerade dachten wir, wie schön es wäre, wenn du jetzt hier wärst. Onkel James! Colum ist da!« Der alte Mann kam aus dem Lagerraum, beide Arme voller Flaggentuch.

»Du bist die Antwort auf ein Gebet, Mann«, sagte er. »Welche Farbe nehmen wir? Er ließ die Stoffbahnen über den Ladentisch gleiten. Sie waren samt und sonders grün, wenngleich in vier verschiedenen Schattierungen.

»Das hier ist die schönste«, sagte Scarlett.

Jamie und ihr Onkel baten Colum um eine Entscheidung.

Scarlett war verärgert. Sie hatte ihnen bereits gesagt, was ihr am besten gefiel. Was verstand schon ein Mann davon, selbst wenn er Colum hieß?

»Wo soll es hin?« fragte er.

»Vors Fenster, innen wie außen«, antwortete Jamie.

»Dann sehen wir sie uns am Fenster an, wie sie sich im Licht machen«, sagte Colum. Er ist mit einem Ernst bei der Sache, als bestimme er die Druckfarben für Banknoten, dachte Scarlett, noch immer erbost. Wozu bloß dieses Theater?

Jamie bemerkte ihr Schmollen. »Wir brauchen den Stoff zur Dekoration am Saint Paddy's Day, liebe Scarlett. Colum muß uns sagen, welches Grün dem Grün des irischen Klees, des *shamrock*, am nächsten kommt. Onkel James und ich haben es ja ewig nicht mehr gesehen.«

Seitdem sie bei den O'Haras wohnte, vom ersten Tag an, sprach man in der Familie vom Fest des heiligen Patrick. »Wann ist es denn soweit?« fragte Scarlett mehr aus Höflichkeit als aus Interesse.

Die drei Männer starrten sie mit offenem Mund an.

»Das weißt du nicht?« fragte der alte James ungläubig.

»Wenn ich es wüßte, würde ich euch wohl nicht fragen, oder?«

»Morgen ist Saint-Patricks-Tag«, sagte Jamie, »morgen. Und ich sag dir, gute Scarlett, das wird der schönste Tag deines Lebens werden.«

Wie für alle Iren in der Welt war der siebzehnte März auch für die Iren in Savannah seit jeher ein Feiertag. Es war der Festtag des irischen Schutzpatrons, und der Begriff »Festtag« verstand sich sowohl im weltlichen wie im kirchlichen Sinn. Obwohl er in die Fastenzeit fiel, fastete am Saint-Patricks-Tag kein Mensch. Vielmehr wurde gegessen und getrunken, musiziert und getanzt. Katholische Schulen und katholische Geschäfte waren geschlossen. Geöffnet hatten nur die Wirtshäuser, die an diesem Tag mit einem Rekordumsatz rechnen konnten und selten enttäuscht wurden.

Schon in der Pionierzeit hatte es in Savannah Iren gegeben – die Jasper Greens hatten bereits in der amerikanischen Revolution mitgekämpft –, und der Tag des heiligen Patrick war für sie stets ein wichtiger Feiertag gewesen; und im tristen Jahrzehnt der Depression nach der Niederlage der Südstaaten hatte sich ihnen die gesamte Stadt angeschlossen. Am siebzehnten März beging Savannah sein Frühlingsfest, und einen Tag lang waren alle Menschen Iren.

Auf jedem Platz fanden sich lustig geschmückte Stände, an denen man Speisen, Limonade, Wein, Kaffee und Bier kaufen konnte. Jongleure und Männer, die dressierte Hunde vorführten, sammelten an den Straßenecken Zuschauerscharen um sich. Auf den Stufen des Rathauses und anderer stolzer Gebäude der Stadt, an denen der Verputz abbröckelte, spielten Fiedler. An blühenden Zweigen flatterten grüne Bänder, unternehmungslustige Männer, Frauen und Kinder trugen *shamrocks* aus Papier oder Seide in Schachteln von Platz zu Platz und verkauften sie. In der Broughton Street waren die Schaufenster mit grünem Flaggentuch dekoriert, und die zwischen den Laternenpfosten aufgespannten Girlanden aus frischen grünen Kletterpflanzen bildeten einen Baldachin über der Paradestrecke.

»Eine Parade?!« rief Scarlett aus, als man ihr davon erzählte. Sie strich mit den Fingern über die grünen Rosetten aus Seidenband, die Kathleen ihr ins Haar gesteckt hatte. »Sind wir jetzt fertig? Sehe ich einigermaßen aus? Müssen wir nicht gehen?«

Ja, es war Zeit. Nach der Frühmesse sollte den ganzen Tag über bis spät in die Nacht hinein gefeiert werden. »Jamie hat mir erzählt, daß es ein Feuerwerk gibt«, sagte Kathleen. »Es wird den Himmel über dem Park mit Sternen sprenkeln, bis man von all dem Geglitzer und Gefunkel ganz schwindelig ist.« Ihr Gesicht und ihre Augen leuchteten vor Aufregung.

Scarletts grüne Augen wirkten auf einmal berechnend. »Ich wette, daheim in eurem Dorf in Irland habt ihr keine Paraden und Feuerwerke. Es wird dir noch leid tun, wenn du Savannah verläßt.«

Das Mädchen schenkte ihr ein strahlendes Lächeln. »Ich werde mein Lebtag daran denken und in jedem Haus und an jedem Kamin davon erzählen. Wenn ich erst wieder daheim bin, wird es wundervoll sein, daß ich Amerika kennengelernt habe. Wenn ich erst wieder daheim bin...«

Scarlett gab es auf. Das dumme Ding ließ sich einfach nicht von seinem Standpunkt abbringen.

Die Broughton Street wurde links und rechts von Menschen gesäumt, und alle trugen Grün. Beim Anblick einer Familie mußte Scarlett laut auflachen: Mit den saubergeschrubbten Kindern, auf deren Hüten grüne Schleifen, Tücher und Federn steckten, sahen die heute aus wie die O'Haras – nur daß es Schwarze waren. »Hab ich dir nicht gesagt, daß heute alle Iren sind?« sagte Jamie und grinste.

Maureen stieß ihr den Ellbogen in die Seite. »Selbst die größten Langeweiler tragen heute Grün«, sagte sie und wies mit einer Kopfbewegung auf ein in der Nähe stehendes Paar. Scarlett reckte den Hals, um besser sehen zu können. Oje! Es waren der pedantische Rechtsanwalt ihres Großvaters und ein Knabe, bei dem es sich vermutlich um seinen Sohn handelte. Neugierig blickte sie die Straße hinauf und hinunter, musterte die vielen lächelnden Mienen und suchte nach anderen vertrauten Gesichtern. In einer Damengruppe entdeckte sie Mary Telfair; alle Frauen trugen Hüte mit grünen Bändern. Und da war auch Jerome! Wo um Himmels willen hatte er bloß diese grüne Jacke aufgetrieben? Großvater ist gewiß nicht hier, bitte, lieber Gott, laß das nicht zu. Der ist imstande und stellt uns den Sonnenschein ab... Nein, Jerome befand sich in Begleitung einer Schwarzen, die eine grüne Schärpe trug. Man stelle sich vor, der alte pflaumengesichtige Jerome mit einer Freundin! Die ist ja mindestens zwanzig Jahre jünger als er.

Ein Straßenhändler verteilte Limonade und Kokoskuchen an die O'Haras, wobei er zuerst die ungeduldigen Kinder bedachte. Als Scarlett an die Reihe kam, bedankte sie sich mit einem Lächeln und biß gleich ein Stück ab. Ich esse auf der Straße! Keine feine Dame würde das je tun, und stünde sie kurz vor dem Hungertod. Das ist für dich, Großvater! dachte sie und hatte Spaß an ihrer eigenen Bosheit. Frisch, feucht und süß schmeckte das Kokosmark. Scarlett genoß es mit Wonne, wenngleich sich die spannende Erregung über den Sittenverstoß rasch wieder legte, als sie sah, daß auch Mrs. Telfair zwischen Daumen und Zeigefinger ihrer mit einem Glacéhandschuh bekleideten Rechten etwas hielt, an dem sie knabberte.

»Ich meine immer noch, das Beste war der grüne Cowboy.« Mary Kate ließ nicht locker. »Der hat herrliche Sachen mit dem Lasso gemacht, und er sah so gut aus.«

»Das sagst du bloß, weil er uns angelächelt hat«, erwiderte Helen verächtlich. Die Zehnjährige war noch zu jung, um für die romantischen Träume der Fünfzehnjährigen Verständnis zu haben. »Das Beste war der Wagen mit den tanzenden Leprechauns.«

»Das waren keine Leprechauns, du Dummchen. Es gibt keine Schusterkobolde in Amerika.«

»Du bist wirklich kindisch, Helen. Das waren doch alles verkleidete Jungen. Hast du nicht gesehen, daß die Ohren nur nachgemacht waren? Eines war nämlich heruntergefallen.«

Maureen intervenierte, bevor der Streit ausufern konnte. »Es war eine großartige Parade, rundum. Und jetzt kommt, Mädchen, und nehmt Jacky bei der Hand.«

Fremde am Tag zuvor und Fremde am Tag danach – am Saint-Patricks-Tag gaben die Menschen einander die Hand, tanzten und sangen gemeinsam Lieder. Gemeinsam teilten sie sich die Sonne und die Luft, die Musik und die Straßen.

»Wunderbar«, sagte Scarlett und biß in einen Hühnerschlegel, den sie an einem Stand erworben hatte. »Wunderbar«, sagte sie, als sie am Chatham Square die mit grüner Kreide auf die gepflasterten Fußwege gemalten Kleeblätter sah. Und »wunderbar!« war ihr Kommentar auch angesichts des mächtigen Granitadlers auf dem Pulaski-Monument, der ein grünes Band um den Hals trug.

»Was für ein wunderbarer, wunderbarer, wunderbarer Tag!« rief sie, drehte sich mehrmals im Kreise und sank erschöpft auf eine gerade freigewordene Bank neben Colum. »Schau her, Colum, ich habe ein Loch in der Stiefelsohle! Dort, wo ich herkomme, heißt es, die besten Feste seien diejenigen, auf denen man seine Schuhe durchtanzt. Und dabei habe ich heute sogar Stiefel an! Das muß das beste Fest sein, das es je gegeben hat.«

»Es ist ein großer Tag, das steht fest. Und der Abend mit dem Feuerwerk und dergleichen mehr kommt ja erst noch! Wenn du dich vorher nicht ein wenig ausruhst, bist du am Ende aufgetragen wie deine Schuhsohlen, Scarlett, mein Schatz. Es ist jetzt gleich vier. Laß uns für ein Weilchen nach Hause gehen.«

»Nein, das will ich nicht. Ich will noch tanzen, gegrilltes Schweinefleisch essen, eine grüne Eiscreme schlecken und von diesem scheußlichen grünen Bier kosten, das Matt und Jamie vorhin getrunken haben.«

»Das kannst du alles heute abend. Dir ist doch sicher nicht entgangen, daß Matt und Jamie vor über einer Stunde die Segel gestrichen haben, oder?«

»Schwächlinge!« rief Scarlett. »Aber du hast nicht aufgegeben. Du bist der beste O'Hara, Colum. Jamie meint das auch, und er hat recht.«

Ihre Wangen waren gerötet, ihre Augen funkelten. Colum lächelte. »Ausgenommen du selbst«, sagte er. »Scarlett, ich werde dir jetzt den Stiefel ausziehen, ja, den mit dem Loch. Halt ihn mal hoch.« Er schnürte den eleganten Damenstiefel aus schwarzem Handschuhleder auf, streifte ihn ihr vom Fuß und schüttelte ihn aus. Dann nahm er eine weggeworfene Eiscremetüte zur Hand und faltete das dicke Papier so zusammen, daß es in den Stiefel paßte. »Damit müßtest du eigentlich bis nach Hause kommen. Ich nehme an, daß du noch mehr Stiefel dabeihast.«

»Natürlich habe ich das. Oh, ja, das fühlt sich schon viel besser an. Ich danke dir, Colum. Du weißt einfach immer, was zu tun ist.«

»Im Moment weiß ich nur eines: Wir gehen nach Hause, trinken eine Tasse Tee und ruhen uns ein wenig aus.«

Sogar sich selbst gestand Scarlett nur höchst ungern ein, daß sie tatsächlich müde war. Langsam ging sie an Colums Seite die Drayton Street entlang und lächelte den Menschen zu, die sich, ihrerseits lächelnd, an ihnen vorbeidrängten. »Warum ist der heilige Patrick ausgerechnet Irlands Schutzheiliger?« fragte sie. »Oder ist er vielleicht auch noch für ein anderes Land zuständig?«

Colum blinzelte; ihre Unwissenheit verblüffte ihn. »Alle Heiligen«, sagte er, »sind für jeden Menschen an jedem Ort auf der Welt ›zuständig‹. Der heilige Patrick ist für uns Iren deshalb so besonders wichtig, weil er uns in einer Zeit, da uns die Druiden noch das Blaue vom Himmel herunterlogen, das Christentum gebracht hat. Außerdem vertrieb er die Schlangen aus Irland, er wollte es zu einem Garten Eden ohne die Schlange machen.«

Scarlett lachte. »Das hast du doch gerade erst erfunden.«

»Nein, bestimmt nicht. In ganz Irland findest du weit und breit keine Schlange.«

»Wunderbar! Ich hasse Schlangen.«

»Du solltest wirklich mitkommen, wenn ich nach Hause fahre, Scarlett. Das gute alte Irland würde dir gefallen. Die Schiffsreise nach Galway dauert bloß zwei Wochen und einen Tag.«

»Das ist aber schnell!«

»Ganz recht. Die Winde blasen in Richtung Irland und tragen die heimwehkranken Reisenden schnell wie eine Wolke nach Hause. Es ist ein großartiger Anblick, wenn alle Segel gesetzt sind und das große Schiff scheinbar über den Ozean tanzt. Weiße Möwen begleiten es weit hinaus, bis das Land kaum noch zu sehen ist. Dann stoßen sie klagende Schreie aus, weil sie nicht weiter mitfliegen können, und kehren zurück. Den Begleitschutz übernehmen von nun an die Delphine, und manchmal gesellt sich auch ein großer Wal hinzu und bläst vor lauter Erstaunen über den schönen, mit Segeln gekrönten Kameraden hohe Wasserfontänen in die Luft. Die Fahrt mit einem großen Segelschiff ist etwas Wunderschönes. Man fühlt sich so frei, daß man glaubt, man könnte fliegen.«

»Ich weiß«, sagte Scarlett. »Genauso ist es. Man fühlt sich so frei.«

46. Kapitel

Kathleen fand das grüne Moirékleid, das Scarlett zu den Festlichkeiten im Forsyth Park anzog, wahnsinnig aufregend. Allerdings war sie entsetzt darüber, daß Scarlett darauf bestand, anstelle der passenden Stiefeletten ihre dünnen grünen Slipper aus Marokkoleder anzuziehen. »Der Sand und die Steine sind doch viel zu rauh, Scarlett. Da sind die Sohlen ganz schnell durchgelaufen!«

»Na, hoffentlich! Einmal in meinem Leben möchte ich es schaffen, auf einem Fest zwei Paar Schuhe durchzutanzen! Und nun bürste mir bitte das Haar, Kathleen, und binde es nur mit dem grünen Samtband zusammen. Ich möchte, daß es beim Tanzen locker und frei durch die Luft fliegt!« Sie hatte zwanzig Minuten geschlafen, und so, wie sie sich fühlte, konnte sie bis zum Morgengrauen durchtanzen.

Der Tanz fand auf dem weiten, mit Granitsteinen gepflasterten Platz um den Springbrunnen herum statt. Das Wasser funkelte wie Juwelen, man hörte sein flüsterndes Plätschern unter den fröhlichen, treibenden Rhythmen und der erhebenden Schönheit der Balladen. Scarlett tanzte einen Reel mit David. Ihre kleinen Füße in den modischen Slippern folgten der komplizierten Schrittfolge irrlichternden grünen Flämmchen gleich. »Du bist einfach wunderbar, Scarlett, mein Schatz«, rief er, legte seine Hände um ihre Taille und schwang die junge Frau hoch über seinen Kopf. Dann wirbelte er sie im Kreis herum, während seine Füße unablässig dem unerbittlichen Rhythmus folgten. Scarlett streckte die Arme aus und hob ihr Gesicht dem Mond entgegen, noch immer wirbelnd, wirbelnd im Silbernebel der Fontäne.

»Genauso fühle ich mich heute abend«, sagte sie, als die erste Feuerwerksrakete in den Nachthimmel stieg und in einem Funkenregen zerbarst, neben dem der Mond fahl erschien.

Am Mittwoch morgen humpelte Scarlett. Ihre Füße waren wund und geschwollen. »Mach kein Theater«, sagte sie, als Kathleen bei ihrem Anblick ein großes Lamento anstimmen wollte. »Ich habe mich großartig amüsiert.« Nachdem ihr Mieder geschnürt war, schickte sie Kathleen nach unten. Bevor sie mit anderen sprach, wollte sie die Erinnerungen an die Freuden des Saint-Patricks-Tages für sich selbst in aller Ruhe auskosten. Das Frühstück konnte ruhig etwas warten, zum Markt würde sie heute ohnehin nicht gehen. Scarlett beschloß, auf die Strümpfe zu verzichten. Sie wollte den Tag im Haus verbringen, und dafür genügten die Hausschuhe.

Wie viele Stufen es vom dritten Stock bis hinunter in die Küche waren! Scarlett hatte nie darauf geachtet, heute jedoch rief jede einzelne Stufe, auf der sie den Fuß nicht ganz vorsichtig aufsetzte, einen stechenden Schmerz hervor. Und wenn schon! Ein so vergnüglicher Tanzabend war durchaus ein oder zwei Tage Erholung zu Hause wert. Ich sollte Katie womöglich bitten, die Kuh heute in den Stall zu sperren. Scarlett fürchtete sich vor Kühen, schon seit eh und je. Wenn die Kuh eingesperrt ist, kann ich wenigstens im Hof sitzen, dachte sie. Die Frühlingsluft strömte frisch und süß durch die geöffneten Fenster herein und verstärkte in ihr den Wunsch, im Freien sitzen zu können.

Na also, ich hab ja schon mehr als die Hälfte. Geht es nicht doch ein wenig schneller? Ich habe Hunger.

Vorsichtig setzte Scarlett den rechten Fuß auf die oberste Stufe der letzten Treppenflucht. Der Duft von gebratenem Fisch stieg ihr in die Nase. Verdammt, dachte sie, es ist immer noch Fastenzeit. Eigentlich bräuchte ich jetzt eine saftige, dicke Scheibe Speck.

In diesem Moment zog sich ihr Magen plötzlich und ohne jede Vorwarnung krampfartig zusammen, und alles, was sich darin befand, kam ihr hoch. Von Panik ergriffen, drehte sie sich um und stürzte zum Fenster. Ihre Hände krallten sich in die geöffneten Vorhänge. Sie mußte sich übergeben. Das Erbrochene ergoß sich über die dicken grünen Blätter des jungen Magnolienbaums im Hof. Wieder und wieder stülpte sich ihr Magen um, bis Scarlett völlig geschwächt war. Das Gesicht tränenfeucht und glänzend vor Schweiß, sank sie auf dem Boden des Treppenhauses zusammen, ein einziges Häufchen Elend.

Mit dem Handrücken wischte sie sich die Lippen ab, doch der säuerlich-bittere Geschmack im Mund ließ sich dadurch nicht vertreiben. Ich brauche einen Schluck Wasser, dachte sie, worauf ihr Magen sich erneut zusammenzog. Wieder überfiel sie ein würgender Brechreiz.

Scarlett preßte die Hände auf die Magengrube und begann zu weinen. Ich muß gestern abend auf dem Fest etwas Verdorbenes gegessen haben. Kein Wunder bei der Hitze. Ich werde gleich sterben, hier an Ort und Stelle, wie ein räudiger Hund. Mit kurzen, heftigen Atemzügen schnappte sie nach Luft. Wenn man doch bloß dieses Mieder etwas lockern könnte! Es zwängt meinen schmerzenden Magen ein und schnürt mir die Luft ab ... Das starre Fischbeinkorsett kam ihr vor wie ein grausamer, eiserner Käfig.

So elend hatte sie sich in ihrem ganzen Leben noch nicht gefühlt.

Von unten her drangen die Stimmen der einzelnen Familienmitglieder an ihr Ohr. Maureen fragte, wo Scarlett nur bleibe, und Kathleen erwiderte, sie komme sicher gleich herunter. Dann schlug eine Tür zu, und Scarlett hörte Colum. Auch er erkundigte sich nach ihr. Scarlett biß die Zähne zusammen. Ich muß jetzt aufstehen, ich muß nach unten. Ich will nicht, daß sie mich hier so finden, in diesem Zustand, wimmernd wie ein Baby, nur weil ich zu übermütig gefeiert habe. Mit dem Blusenzipfel wischte sie sich die Tränen fort und rappelte sich auf.

»Da ist sie ja«, sagte Colum, als Scarlett die Küche betrat, und stürzte gleich auf sie zu. »Arme, kleine Scarlett. Du siehst aus, als hätte man dich gezwungen, barfuß durch einen Scherbenhaufen zu laufen. Komm, laß dir helfen.« Ehe sie auch nur ein Wort der Erwiderung hervorbringen konnte, hatte er sie auch schon auf die Arme genommen. Er trug sie zu dem Stuhl, den Maureen eiligst vor den Herd gezogen hatte.

Alle bemühten sich um sie, keiner dachte mehr an das Frühstück. Sekunden später saß sie und hatte die schmerzenden Füße auf ein weiches Kissen gebettet. Irgend jemand hatte ihr eine Tasse Tee gereicht. Scarlett zwinkerte heftig, um die Tränen niederzukämpfen, Tränen der Erschöpfung und des Glücks. Es war so schön, umsorgt zu sein, zu spüren, daß man geliebt wurde. Es ging ihr schon tausendmal besser. Vorsichtig nippte sie an ihrem Tee. Er tat ihr gut.

Sie leerte noch eine zweite und eine dritte Tasse und aß dazu eine Scheibe Toast, vermied aber jeden Blick auf den gebratenen Fisch und die Kartoffeln. In der allgemeinen Betriebsamkeit schien das niemandem aufzufallen: Die Kinder mußten dazu angehalten werden, ihre Schulbücher und Pausenbrote einzupacken und dann – husch, husch! – das Haus verlassen, damit sie nicht zu spät zur Schule kamen.

Kaum war die Tür hinter ihnen ins Schloß gefallen, küßte Jamie Maureen auf die Lippen, Scarlett auf den Scheitel und Kathleen auf die Wange. »Ich muß ins Geschäft«, sagte er. »Die Fahne muß eingeholt und das Kopfschmerzmittel deutlich sichtbar auf dem Ladentisch ausgelegt werden, damit es den armen Leidenden sofort ins Auge springt. Feiern ist ja ganz schön, aber der Tag danach kann fürchterlich sein.«

Scarlett senkte den Kopf, um ihr errötendes Gesicht zu verbergen.

»Du bleibst, wo du bist, Scarlett«, befahl Maureen. »Kathleen und ich bringen die Küche auch allein in Ordnung. Anschließend gehen wir auf den Markt, während du dich hier ein wenig erholst. Colum O'Hara, du bleibst ebenfalls hier, ich will nicht, daß du mir mit deinen Siebenmeilenstiefeln in die Quere kommst. Außerdem will ich dich im Auge behalten, ich sehe dich selten genug. Stünde nicht Katie Scarletts Geburtstag bevor, so würde ich dich bitten, deine Abreise nach Irland noch ein wenig zu verschieben.«

»Katie Scarlett?« fragte Scarlett.

Maureen ließ den triefenden Lappen fallen, den sie in der Hand gehalten hatte. »Ja, hat dir das denn niemand gesagt?« rief sie aus. »Deine Großmutter, der du deinen Namen verdankst, wird nächsten Monat hundert Jahre alt.«

». . . und ist noch genauso bissig wie als kleines Mädchen«, kicherte Colum. »Auf sie können alle O'Haras stolz sein.«

»Ich werde rechtzeitig zum Geburtstagsfest wieder zu Hause sein«, sagte Kathleen freudestrahlend.

»Ach, ich wünschte, ich könnte dich begleiten«, seufzte Scarlett. »Pa hat uns soviel von ihr erzählt.«

»Aber das kannst du doch, liebste Scarlett. Stell dir nur vor, welche Freude das für die alte Dame wäre.«

Kathleen und Maureen hockten sich neben Scarlett und redeten so aufgeregt auf sie ein, daß ihr der Kopf nur so schwirrte. Ja, sie sollte unbedingt mitkommen. Warum eigentlich nicht? dachte Scarlett bei sich.

Wenn Rhett kam, würde sie nach Charleston zurückkehren müssen. Warum sollte sie die Rückkehr nicht noch ein wenig verschieben? Sie haßte Charleston, die eintönigen Kleider, die ewigen Anstandsbesuche und Komitees, die Mauern der Höflichkeit, die sie ausschlossen, und die Mauern der verfallenden Häuser und verkommenen Gärten, die sie einschlossen. Auch die Sprache der Menschen in Charleston war ihr verhaßt – die flachen, gedehnten Vokale, das private Kauderwelsch der Vettern, Cousinen und anderen Verwandten, die Wörter und Sätze aus dem Französischen und Lateinischen und Gott allein wußte, was noch für Sprachen. Alle redeten sie unablässig von Orten, an denen sie, Scarlett, nie gewesen war, von Menschen, die sie nicht kannte, von Büchern, die sie nie gelesen hatte. Die ganze Gesellschaft war ihr verhaßt, die Ballkarten, die Empfänge, die unausgesprochenen Regeln, die sie nicht kannte und doch einhalten sollte. Sie haßte die allgemein geduldete Unmoral und die Heuchelei, mit der man sie für Sünden verurteilte, die sie nie begangen hatte.

Ich will keine farblosen Kleider tragen und dauernd »ja, Ma'am« hier und »ja, Ma'am« dort zu irgendwelchen alten Schachteln sagen müssen, deren Großvater mütterlicherseits ein berühmter Sohn Charlestons gewesen ist. Ich habe nicht die geringste Lust, jeden Sonntagmorgen meinen Tanten zuhören zu müssen, wie sie einander mit spitzen Bemerkungen piesacken. Ich will es einfach nicht glauben, daß der Ball der heiligen Cecilia das Wichtigste im Leben ist. Saint Patrick gefällt mir sowieso weit besser.

Scarlett lachte auf. »Ja, ich komme mit!« rief sie, und auf einmal ging es ihr wieder großartig. Sogar ihr Magen hatte sich beruhigt. Sie stand auf, fiel Maureen um den Hals und spürte selbst die Schmerzen in ihren Füßen nicht mehr.

Charleston kann warten und Rhett ebenfalls. Der Himmel weiß, wie oft ich auf ihn gewartet habe! Was sprach dagegen, die irische Verwandtschaft des O'Hara-Clans zu besuchen? Zwei Wochen und ein Tag, länger dauerte die Überfahrt auf einem großen Segelschiff nicht – und schon war man im anderen Tara. Da kann ich eine Weile eine glückliche Irin sein, bevor ich mich wieder den Charlestoner Regeln unterwerfen muß.

Ihre zarten, wunden Füße tippelten vorsichtig den Rhythmus eines Reel.

Keine zwei Tage später war Scarlett schon wieder imstande, auf der Feier anläßlich der Rückkehr Stephens aus Boston stundenlang das Tanzbein zu schwingen. Danach verging die Zeit wie im Fluge, und schon bald war der Tag gekommen, da sie gemeinsam mit Colum und Kathleen die offene Kutsche bestieg, die sie zu den Kaianlagen im Hafen von Savannah brachte.

Die Reisevorbereitungen waren einfach gewesen. Amerikanische Staatsbürger konnten die Britischen Inseln ohne Paß besuchen. Selbst ein Kreditbrief war im Grunde unnötig, doch bestand Colum darauf, daß sie sich von ihrer Bank einen ausstellen ließ, »für alle Fälle«, sagte er, ohne zu erläutern, was er damit meinte. Scarlett war es ohnehin egal. Das bevorstehende Abenteuer hatte sie schon ganz in seinen Bann gezogen.

Kathleen war unruhig. »Bist du sicher, daß wir das Boot noch erwischen, Colum?« fragte sie. »Du hast uns bereits mit Verspätung abgeholt. Jamie und die anderen sind schon vor einer Stunde losgegangen.«

»Keine Angst, ich bin mir ganz sicher«, versuchte Colum sie zu beschwichtigen. Er zwinkerte Scarlett zu. »An der Verspätung war ich übrigens nicht schuld. Big Tom MacMahon wollte sein Versprechen wegen des Bischofs mit ein, zwei Gläschen bekräftigen. Ich konnte den Mann doch nicht vor den Kopf stoßen.«

»Wenn wir das Boot verpassen, falle ich auf der Stelle tot um«, jammerte Kathleen.

»Immer mit der Ruhe, mein Täubchen. Ohne uns sticht der Kapitän nicht in See. Seamus O'Brien ist ein uralter Freund von mir. Mit dir wird er allerdings nur Freundschaft schließen, wenn du die *Brian Boru* nicht länger als Boot bezeichnest. Es ist ein Schiff, und zwar ein ganz besonders schönes. Davon wirst du dich gleich selbst überzeugen können.«

In diesem Augenblick vollführte die Kutsche eine scharfe Wendung durch einen Torbogen, und dann ging es holterdiepolter eine dunkle, rutschige, mit grobem Kopfsteinpflaster bedeckte Rampe hinunter. Kathleen kreischte auf. Colum lachte, und Scarlett fand das alles so verrückt, daß ihr schier die Luft wegblieb.

Dann hatten sie den Fluß erreicht. Das hektische Kommen und Gehen, die Vielfalt der Farben und das allgemeine Durcheinander waren noch aufregender als die halsbrecherische Fahrt. Schiffe jeglicher Größe und Bauart lagen an den ins Wasser hinausragenden, hölzernen Landungsstegen vertäut – weit mehr Schiffe, als Scarlett in Charleston je gesehen hatte. Unentwegt rumpelten auf der ebenfalls mit Kopfsteinpflaster befestigten breiten Mole von schweren Pferden gezogene, hochbeladene Wagen auf Holz- oder Eisenrädern vorbei. Männerrufe flogen hin und her, und mit ohrenbetäubendem Getöse kollerten Fässer über Holzrutschen auf Decksplanken. Ein Dampfschiff ließ einen grellen Pfiff ertönen, von einem anderen schallte eine klangvolle Glocke. Barfüßige Schauerleute schleppten über eine Laufplanke Baumwollballen an Bord eines Schiffes. Bunte Fahnen und Wimpel flatterten im Wind. Möwen fegten vorbei und stießen schrille Schreie aus.

Der Kutscher stand auf und ließ die Peitsche knallen. Das Gefährt machte einen Satz vorwärts und ließ eine Gruppe glotzender Passanten zur Seite stieben. Scarletts Lachen verlor sich im böigen Wind. Sie umkurvten eine geschlossene Phalanx von Fässern, die auf ihre Verschiffung warteten, überholten ratternd ein langsames Lastengespann und blieben mit einem Ruck stehen.

»Ich hoffe, Sie erwarten keine Extrabezahlung für die weißen Haare, die mir auf dieser Fahrt gewachsen sind«, sagte Colum zu dem Kutscher, bevor er hinaussprang und Kathleen die Hand reichte, um ihr beim Aussteigen behilflich zu sein.

»Hast du auch meine Schatulle nicht vergessen, Colum?« fragte sie.

»Der ganze Kram wird rechtzeitig hiersein, Liebling. So, und nun geh zu deiner Familie und gib allen ein Abschiedsküßchen.« Er deutete auf Maureen. »Das rote Haar leuchtet wie ein Signalfeuer, du kannst es nicht verfehlen.«

Als Kathleen davonstürmte, wandte er sich mit ruhiger Stimme an Scarlett. »Und du, mein Schatz, hältst dich von jetzt an bezüglich deines Namens an das, was ich dir gesagt habe. Vergiß es nicht.«

Scarlett lächelte. Die harmlose kleine Verschwörung gefiel ihr. »Nein, ich werde es nicht vergessen.«

»Während der Reise und drüben in Irland bist du Scarlett O'Hara und sonst niemand«, hatte er ihr augenzwinkernd gesagt. »Das hat nichts mit dir und deinem Mann zu tun, liebste Scarlett, aber Butler ist ein mächtiger, berühmter Name in Irland, mit einem entsetzlichen Ruf.«

Scarlett hatte nichts dagegen einzuwenden. Nur allzu gerne war sie eine O'Hara – und zwar so lange wie möglich.

Colum hatte nicht zuviel versprochen: Die *Brian Boru* war in der Tat ein schönes, gediegenes Schiff. Ihr Rumpf erstrahlte in glänzendem Weiß und war zum Bug hin mit vergoldetem Schnitzwerk verziert. Vergoldet waren auch die smaragdgrüne Abdeckung des gigantischen Schaufelrads und die über zwei Fuß hohen Buchstaben des Namenszugs, der in einem Rahmen aus vergoldeten Pfeilen stand. Am Fahnenmast flatterte der Union Jack, während am vorderen Mast kühn eine mit einer goldenen Harfe geschmückte Flagge aus grüner Seide wehte. Die *Brian Boru* war ein luxuriöses Passagierschiff, ausgestattet für die teuren Ansprüche wohlhabender Amerikaner, die aus sentimentalen Gründen nach Irland reisten: Sie wollten dort die Dörfer besuchen, aus denen einst ihre Großeltern nach Amerika gekommen waren, oder aber, so sie selbst noch auf der anderen Seite des Atlantiks geboren worden waren, in der Heimat kundtun, zu welchem Reichtum sie es mittlerweile gebracht hatten. Die Aufenthaltsräume und Kabinen waren übergroß und luxuriös ausgestattet, die Mannschaft darauf gedrillt, auch die launischsten Wünsche zu erfüllen. Da die Passagiere für Freunde und Verwandte zahlreiche Geschenke und auf der Rückreise kaum weniger große Mengen an Reiseandenken mit sich zu führen pflegten, war der Stauraum, verglichen mit dem anderer Passagierschiffe, überproportional groß. Die Gepäckträger behandelten alle Koffer und Kisten, als wären sie voller Glas, was nicht selten auch zutraf. Für wohlhabende irischstämmige Amerikanerinnen der dritten Generation war es durchaus nichts Ungewöhnliches, sämtliche Zimmer in ihren neuen Häusern mit Waterford-Kristallüstern zu erleuchten.

Über dem Schaufelrad befand sich eine breite, mit einer robusten Reling versehene Plattform. Dort standen Scarlett, Colum und Kathleen zwischen einem halben Dutzend anderer unternehmungslustiger Passagiere, um den Verwandten ein letztes Lebewohl zuzuwinken. Da die *Brian Boru* auf die auslaufende Tide angewiesen war, hatte man am Kai hastig voneinander Abschied nehmen müssen. Aufgeregt warf Scarlett den versammelten O'Haras Kußhändchen zu. Die Kinder waren an diesem Vormittag nicht zur Schule gegangen, und Jamie hatte sogar für eine gute Stunde den Laden geschlossen, um sich und Daniel die Teilnahme an der großen Verabschiedung zu ermöglichen.

Ein kleines Stück hinter den anderen und ein wenig abseits stand der stille Stephen. Er hob nur einmal die Hand; es war eine Botschaft für Colum, die besagte, daß Scarletts Schrankkoffer auf dem Weg zum Schiff geöffnet und neu gepackt worden waren. Zwischen dicken Lagen aus Seidenpapier, Unterröcken, Röcken und Kleidern ruhten nun die dichtverpackten, gut eingefetteten Gewehre sowie die Munition, die er in Boston besorgt hatte.

Wie ihre Väter, Großväter und die früheren Generationen der Familie waren Stephen, Jamie, Matt, Colum und Onkel James militante Gegner der englischen Herrschaft über Irland. Seit mehr als zweihundert Jahren hatten die O'Haras unter Einsatz ihres Lebens in zahllosen Aktionen versucht, den Feind zu besiegen oder sogar zu töten. Fast alle diese Aktivitäten waren fehlgeschlagen. Erst in den letzten zehn Jahren war der Widerstand allmählich gewachsen. Die Fenier, eine ebenso disziplinierte wie gefährliche

Truppe, die von Amerika aus finanziert wurde, waren inzwischen in ganz Irland bekannt. Den irischen Bauern galten sie als Helden, den englischen Landbesitzern als verwünschtes Pack. Das Militär sah in ihnen Revolutionäre, auf deren Treiben es nur eine Antwort gab: den Tod.

Colum O'Hara war der erfolgreichste Spendeneintreiber und einer der führenden Köpfe des Geheimbundes der Fenier.

4. Buch

DER TURM

47. Kapitel

Von dampfgetriebenen Schleppern gezogen, glitt die *Brian Boru* schwerfällig durch den Strom, vorbei an den Ufern des Savannah River. Als der Atlantik erreicht war, entbot das tieftönende Nebelhorn den abziehenden Schleppern einen letzten Gruß. Die großen Segel wurden gesetzt. Unter dem Beifall der Passagiere pflügte der Schiffsbug durch die graugrünen Wellen der Flußmündung, und die gewaltigen Schaufelräder begannen sich zu drehen. Scarlett und Kathleen standen gemeinsam an der Reling und sahen zu, wie die flache Küstenlinie rasch in unbestimmtem Grün verschwamm und kurz darauf bereits nicht mehr zu sehen war.

Worauf habe ich mich da bloß eingelassen? dachte Scarlett und umklammerte in einem plötzlichen Anflug von Panik die Reling. Dann richtete sie ihren Blick nach vorn, auf die grenzenlose Weite des vom Sonnenlicht überfluteten Ozeans, und ihr Herzschlag beschleunigte sich – die Spannung des Abenteuers hatte wieder von ihr Besitz ergriffen.

»Oh!« rief Kathleen und stöhnte auf. »Ooooh!«

»Was ist los, Kathleen?«

»Oje. Ich hatte ganz vergessen, daß ich seekrank werde!« Die junge Frau rang nach Luft.

Scarlett mußte sich das Lachen verkneifen. Sie legte den Arm um ihre Cousine und brachte sie zu ihrer Kabine. Am Abend blieb Kathleens Stuhl am Tisch des Kapitäns leer. Scarlett und Colum hingegen sprachen dem üppigen Mahl, das aufgetragen wurde, mit gesundem Appetit zu. Hinterher brachte Scarlett der unglücklichen Cousine ein Schüsselchen Suppe und fütterte sie Löffel um Löffel.

»In ein, zwei Tagen bin ich wieder auf dem Damm«, versprach Kathleen mit schwacher Stimme. »Du wirst dich nicht die ganze Fahrt über um mich kümmern müssen.«

»Sei still und iß noch ein bißchen Suppe«, erwiderte Scarlett. Gott sei Dank habe ich keinen so empfindlichen Magen, dachte sie. An Saint Patrick muß ich irgendwie etwas Falsches gegessen haben, aber das ist überstanden, sonst hätte mir das Abendessen bestimmt nicht so gut geschmeckt.

Als sich am Horizont die ersten roten Streifen der Morgendämmerung abzeichneten, fuhr Scarlett ruckartig aus dem Schlaf hoch. So hektisch wie unbeholfen stürzte sie in das kleine Badezimmer, das sich unmittelbar an ihre Kabine anschloß. Dort brach sie in die Knie und übergab sich in die blumengeschmückte Porzellanschüssel der mit Mahagoniholz verkleideten Toilette.

Sie konnte einfach nicht seekrank sein, sie doch nicht, die begeisterte Seglerin! Damals, als sie bei Charleston in den Sturm geraten waren, als das winzige Segelboot einen Wellenberg nach dem anderen erklommen hatte und auf der anderen Seite wieder in die Tiefe gejagt war – nicht einmal da war ihr übel geworden. Verglichen damit, lag die *Brian Boru* wie ein Fels im Wasser. Sie konnte nicht begreifen, was mit ihr los war . . .

. . . langsam, langsam hob sie den Kopf, der ihr vor Schwäche vornübergesunken war. Mund und Augen öffneten sich, als ihr die Wahrheit dämmerte. Eine wilde Erregung schüttelte sie, durchzuckte sie heiß und gab ihr neue Kraft. Dann entfuhr ihr ein tiefes, kehliges Lachen.

Ich bin schwanger! Schwanger! Das ist es! So war es noch jedesmal.

Sie lehnte sich zurück gegen die Kabinenwand und hob die Arme mit einer weit ausholenden Gebärde. O ja, mir geht es großartig. Wie es meinem Magen geht, ist mir gleich, mir geht es ausgezeichnet. Jetzt gehört Rhett mir, mir allein. Ich kann es gar nicht abwarten, ihm die frohe Botschaft mitzuteilen!

Tränen des Glücks liefen ihr über die Wangen, und ihre Hände legten sich unwillkürlich auf ihren Leib, um das werdende Leben darin zu schützen. Oh, wie sehr sie sich dieses Kind wünschte – Rhetts Baby, ihr gemeinsames Baby! Es wird ein kräftiges Kind, dachte sie und war sich ihrer Sache ganz sicher. Sie spürte seine winzige Kraft schon jetzt. Ein kühnes, furchtloses kleines Wesen, wie Bonnie.

Eine Flut von Erinnerungen brach über sie herein. Bonnies kleines Köpfchen, kaum größer als das eines Kätzchens, hatte zuerst noch in ihrer Hand Platz gefunden. In Rhetts großen Händen hatte Bonnie wie eine Puppe ausgesehen. Wie sehr er sie geliebt hatte! Sein breiter Rücken beugte sich über die Wiege, mit tiefer Stimme gab er alberne Kleinkindergeräusche von sich . . . Nie zuvor in der Welt war ein Mann so hingerissen gewesen von einem Baby. Wie sehr er sich freuen wird, wenn ich es ihm erzähle, dachte Scarlett, sah seine dunklen Augen vor Begeisterung aufblitzen und das strahlende Lächeln in seinem Piratengesicht.

Allein der Gedanke daran ließ auch sie lächeln. Ich bin ja so glücklich, dachte sie, und so ist es auch richtig, wenn man ein Baby bekommt. Melly hat das jedenfalls immer gesagt.

»Oh, mein Gott«, wisperte sie. Melly ist gestorben, als sie ein Kind gebären wollte, und in meinem Bauch ist laut Dr. Meade seit der Fehlgeburt ebenfalls alles durcheinander. Deshalb habe ich auch erst so spät gemerkt, daß ich schwanger bin. Mir ist ja nicht einmal aufgefallen, daß ich meine Monatsregel nicht mehr hatte – wo sie ohnehin seit langem so unzuverlässig war. Was ist, wenn ich die Geburt nicht überlebe? Oh, Gott, bitte, bitte, laß mich nicht sterben, wenn ich endlich am Ziel meiner Wünsche bin! Sie bekreuzigte sich wieder und wieder, verwirrt, wie sie war, flehend, um Vergebung bittend, voller Aberglaube.

Dann schüttelte sie zornig den Kopf. Was trieb sie da eigentlich? Ich bin kräftig und gesund, ganz im Gegensatz zu Melly damals. Und Mama hat immer gesagt, sie schäme sich geradezu, daß ihr das Kinderkriegen nicht schwerer falle als einer Straßenkatze. Scarlett war sich auf einmal sicher, daß sie und das Baby alles gut überstehen würden. Sie freute sich auf ihr zukünftiges Leben an Rhetts Seite. Wie sehr er sie und das Kind lieben würde! Wir werden die glücklichste, liebevollste Familie der ganzen Welt sein. Und erst Miss Eleanor – die hatte sie ja völlig vergessen! Da rede einer was von Kinderliebe! Miss Eleanor springen vor Stolz die Blusenknöpfe ab! Ich sehe sie schon vor mir, wie sie es den Leuten auf dem Markt erzählt – allen, ohne Ausnahme, selbst dem alten Straßenkehrer mit dem gebeugten Rücken. Dieses Baby wird das Stadtgespräch von Charleston sein, noch ehe es seinen ersten Atemzug getan hat.

Charleston ... Dort gehöre ich jetzt eigentlich hin, nicht nach Irland. Ich möchte zu Rhett, es ihm unbedingt sagen.

Vielleicht kann die *Brian Boru* einen kurzen Zwischenhalt in Charleston einlegen? Der Kapitän ist doch mit Colum befreundet; vielleicht könnte der ihn überreden ... Scarletts Augen funkelten. Sie erhob sich, wusch sich das Gesicht und spülte sich den säuerlichen Geschmack aus dem Mund. Aber es war noch zu früh, um mit Colum zu sprechen. Also setzte sie sich wieder ins Bett, lehnte sich in die Kissen zurück und schmiedete Zukunftspläne.

Als Kathleen aufstand, war Scarlett wieder eingeschlafen, um die Lippen ein zufriedenes Lächeln. Kein Grund zur Eile, hatte sie schließlich entschieden. Nein, das Gespräch mit dem Kapitän erübrigt sich. Ich will erst meine Großmutter und die irische Verwandtschaft kennenlernen, will auch das Abenteuer der Ozeanüberquerung nicht missen. Rhett hat mich in Savannah lange genug warten lassen, da wird er auf die frohe Botschaft noch eine Weile warten können. Bis das Baby auf die Welt kommt, vergehen ja noch Monate. Bevor ich nach Charleston zurückkehre, will ich noch ein wenig Spaß haben, das ist mein gutes Recht. Wenn ich erst wieder zurück bin, lande ich sowieso in einem goldenen Käfig. Damen in anderen Umständen dürfen dort doch keinen Finger krumm machen.

Nein, zuerst sehe ich mir Irland an. Eine solche Gelegenheit bekomme ich nicht wieder. Überdies gefiel ihr das Leben auf der *Brian Boru*. Und bei den anderen Babys war die morgendliche Übelkeit nach längstens einer Woche überstanden gewesen. Mir geht es wie Kathleen. In ein, zwei Tagen bin ich wieder auf dem Damm.

Die Atlantiküberquerung mit der *Brian Boru* war wie ein nicht enden wollender Samstagabend bei den O'Haras in Savannah. Anfangs fand Scarlett großen Gefallen daran.

Nachdem in Boston und New York noch zahlreiche Passagiere zugestiegen waren, war das Schiff voll belegt. Man sah den Leuten gar nicht an, daß sie Yankees waren. Sie fühlten sich als Iren und waren stolz darauf. Von der gleichen bestechenden Vitalität wie die O'Haras, nahmen sie alles in Anspruch, was das Schiff zu bieten hatte. Jeden Tag gab es etwas anderes: Dame-Wettbewerbe, heiß umkämpfte Shuffleboard-Turniere an Deck und aufregende Glücksspiele, etwa wenn darum gewettet wurde, wie viele Meilen das Schiff am folgenden Tag zurücklegen würde. Abends spielte eine Kapelle, man sang oder summte mit und tanzte unermüdlich irische Reels und Wiener Walzer.

Doch das Amüsement war auch nach den Tänzen noch nicht vorüber. Im Kartensalon der Damen war Scarlett als Whist-Partnerin sehr gefragt. Sie hatte noch nie so hohe Einsätze erlebt, außer für den rationierten Kaffee in Charleston. Jeder Griff nach einer neuen Karte war aufregend, genau wie ihre Gewinne. Die Passagiere der *Brian Boru* waren der lebende Beweis dafür, daß Amerika das Land der unbegrenzten Möglichkeiten war, und niemandem schien es etwas auszumachen, den neuerworbenen Reichtum mit vollen Händen auszugeben.

Man trug also die Spendierhosen, und Colum gehörte zu jenen, die besonders davon profitierten. Wenn die Damen Karten spielten, zogen sich die Männer im allgemeinen in die Schiffsbar zurück. Dort, bei Whiskey und Zigarren, verstand sich Colum darauf, Tränen des Mitleids und des Stolzes in gemeinhin verschlagene, trockene Augen zu zaubern. Er berichtete, wie sehr Irland unter der englischen Herrschaft und Unterdrückung zu leiden habe, sprach vom Schicksal der irischen Märtyrer, die für die Freiheit ihres Landes gefallen waren, und konnte im Gegenzug üppige Spenden für die Bruderschaft der Fenier in Empfang nehmen.

Eine Überfahrt auf der *Brian Boru* war für Colum immer ein einträgliches Geschäft, weshalb er diese Reise mindestens zweimal jährlich unternahm. Dabei machten ihn der übertriebene Luxus der Kabinen und die unmäßige Völlerei jedesmal ganz krank, wenn er an die Armut und Not derer dachte, die in der Heimat nur mühselig ihr Leben fristeten.

Gegen Ende der ersten Woche beschlichen auch Scarlett gewisse Vorbehalte gegen die Mitreisenden. Männer wie Frauen wechselten viermal täglich die Kleider, um allenthalben den Umfang und Wert ihrer Garderobe unter Beweis zu stellen. Nie zuvor in ihrem Leben hatte Scarlett so viele Juwelen gesehen. Ein Glück, daß ich meinen Schmuck in Savannah im Banksafe gelassen habe, redete sie sich ein, mit den Schätzen, die hier jeden Abend zur Schau getragen werden, könnte ich nie konkurrieren. Sie, die gewohnt war, von allem und jedem mehr zu besitzen als andere – ein größeres Haus, mehr Diener, mehr Luxus, mehr Geld –, fühlte sich plötzlich zurückgesetzt. Daß andere Menschen noch über erheblich mehr verfügten, als sie selber je besessen hatte, ging ihr entschieden gegen die gute Laune. In Savannah hatten Kathleen, Mary Kate und Helen aus ihrem Neid auf Scarlett nie ein Hehl gemacht, und alle O'Haras hatten ihrem Bedürfnis nach Bewunderung Tribut gezollt. Hier auf dem Schiff beneidete sie niemand, ja selbst dic Bewunderung hielt sich in Grenzen. Scarlett mochte die Leute nicht. Wenn alle Iren so waren wie die Passagiere auf diesem Schiff, dann war der Gedanke an ein ganzes Land voll von ihnen schlichtweg unerträglich. Wenn ich auch nur noch ein einziges Mal das *»Wearing o'the Green«* höre, fange ich an zu schreien, dachte sie.

Colum tröstete sie. »Du kommst einfach mit diesen neureichen Amerikanern nicht zurecht, meine Liebe«, sagte er. »Du bist eben eine Lady.« Damit hatte er genau den Punkt getroffen.

Ja, sie würde eine Lady sein müssen, wenn dieser Urlaub vorüber war. Ein letztes Mal noch konnte sie ihre Freiheit genießen, danach hieß es unwiderruflich, zurück nach Charleston, zurück in die eintönigen Kleider, zurück in die Enge der dortigen Gesellschaft. Bis an ihr Lebensende.

Immerhin würde sie sich von nun an nicht mehr so ausgeschlossen fühlen, wenn Miss Eleanor und all die anderen Stützen der Charlestoner Gesellschaft von ihren Europareisen aus der Vorkriegszeit schwärmten. Sie würde auch nicht sagen, daß es ihr nicht gefallen habe; von Damen wurden derlei Kommentare nicht erwartet. Scarlett mußte unwillkürlich seufzen.

»Ach, Scarlett-Schatz, so schlimm ist es doch nun auch wieder nicht«, sagte Colum. »Denk lieber an die guten Seiten: Schließlich leerst du ihnen am Kartentisch doch ganz gewaltig die dicken Börsen!«

Scarlett lachte. Wie recht er hatte! Sie verdiente geradezu ein Vermögen, an manchen Abenden bis zu dreißig Dollar. Rhett wird lachen, wenn er das erfährt. Auf den Mississippidampfern hat er ja selbst eine Zeitlang gespielt. Wenn ich's recht überlege, ist es gar nicht so schlecht, daß wir noch eine Woche unterwegs sind. Wenn ich so weitermache, brauche ich keinen Penny von Rhetts Geld.

Eine verzwickte Mischung aus Geiz und Großzügigkeit bestimmte Scarletts Verhältnis zu Geld. So viele Jahre lang war es ihr Maßstab für Sicherheit gewesen, daß sie auf jeden Penny ihres schwerverdienten Vermögens geachtet und jedem, der irgendwelche realen oder eingebildeten Geldforderungen an sie stellte, tiefes Mißtrauen entgegengebracht hatte. Auf der anderen Seite hatte sie die finanzielle Verantwortung für die Unterstützung ihrer Tanten und der Familie Melanies ohne Wenn und Aber akzeptiert, auch, als sie selbst nicht gewußt hatte, woher sie das Geld für den eigenen Lebensunterhalt nehmen sollte. Und auch im Falle eines unvorhergesehenen Mißgeschicks hatte sie niemandem ihre Unterstützung entzogen, ob sie nun selbst den Gürtel enger schnallen mußte oder nicht.

Über solche Dinge hatte Scarlett eigentlich nie weiter nachgedacht. Es war nun einmal so, wie es war.

Ähnlich widersprüchlich war ihre Einstellung zu Rhetts Geld. Als seine Ehefrau ging sie damit alles andere als sparsam um: Haus und Haushalt in der Peachtree Street kamen sehr teuer, desgleichen ihre Garderobe und all der anderen Sonderausgaben. Doch mit der halben Million, die Rhett ihr gegeben hatte, verhielt sie sich völlig anders. Diese Summe war unantastbar. Scarlett wollte sie ihm bis auf den letzten Penny zurückzahlen, sobald sie wieder zusammenlebten wie Mann und Frau. Rhett hatte ihr das Geld für die Trennung angeboten, doch da Scarlett die Trennung nicht hinzunehmen bereit war, konnte sie auch seine »Prämie« nicht akzeptieren.

Daß sie dem Banksafe das Geld für ihre Reise entnommen hatte, empfand sie als Belastung. Alles war einfach viel zu schnell gegangen. Ihr war gar keine Zeit mehr geblieben, auf ihr eigenes, in Atlanta deponiertes Vermögen zurückzugreifen. Allerdings hatte sie einen Schuldschein zu dem in Savannah verbliebenen Gold ins Fach gelegt und sich entschlossen, auf der Reise sowenig wie irgend möglich auszugeben. Das Geld hielt ihren Rücken gerade und ihre Taille schmal, denn sie hatte die Stahlstreifen aus ihrem Korsett durch die Goldmünzen ersetzt. Die Aussicht, durch Spielgewinne beim Whist das Reisegeld selbst zu verdienen, war sehr verlockend. Mit etwas Glück konnte sie im Verlauf der nächsten Woche noch weitere hundertfünfzig Dollar einnehmen.

Trotzdem würde sie froh sein, wenn die Fahrt zu Ende war. Selbst wenn der Wind alle Segel bauschte, war ihr die *Brian Boru* zu groß, als daß sie ihr die Erregung hätte vermitteln können, die sie befallen hatte, als sie in Charleston vor dem Sturm gesegelt waren. Und trotz aller schwelgerischen Versprechungen Colums hatte sie bislang noch keinen einzigen Delphin gesehen.

»Dort, Scarlett! Sieh doch nur!« Colums gewöhnlich ruhige, melodische Stimme war schrill vor Aufregung. Er packte Scarlett am Arm und zog sie zur Reling. »Unsere Eskorte ist eingetroffen. Bald werden wir Land sehen.«

Hoch über ihren Köpfen umkreisten die ersten Möwen die *Brian Boru*. Scarlett fiel Colum spontan um den Hals und kurz darauf, als er ihr die schlanken, silbrigen Leiber im Wasser unweit des Schiffes zeigte, gleich ein zweites Mal. Es gab sie also auch hier, die Delphine!

Es dauerte dann zwar doch noch eine ganze Weile, schließlich aber lief die *Brian Boru* unter Dampf in den Hafen ein. Scarlett stand zwischen Kathleen und Colum. Sie trug ihren Lieblingshut und mußte ihn festhalten, denn es wehte ein starker, böiger Wind. Staunend wanderten ihre Blicke über die Insel an Steuerbord. Hoch ragten die zerklüfteten Küstenfelsen aus dem Wasser, doch schienen auch sie nicht imstande, den Brechern zu widerstehen, die, unablässig Gischtflocken spuckend, gegen sie anrannten. Scarlett war die sanft gewellte Hügellandschaft von Clayton County gewöhnt. Noch nie hatte sie etwas so Exotisches wie diese wilden Klippen gesehen.

»Die Küste ist doch sicher gänzlich unbewohnt, oder?« fragte sie Colum.

»In Irland bleibt kein Fleckchen Erde ungenutzt«, erwiderte er. »Aber wer Inishmore seine Heimat nennt, muß schon aus hartem Holz geschnitzt sein.«

»Inishmore...« Scarlett wiederholte diesen schönen, fremdartigen Namen. Er klang wie Musik. Und so ganz anders als die Namen der Orte, die ihr vertraut waren.

Sie schwieg. Auch Colum und Kathleen sprachen kein Wort. Ihre Blicke verloren sich im blauschimmernden Wasser der Bucht von Galway. Ein jeder hing seinen Gedanken nach.

Colum sah die irische Küste vor sich, und das Herz schwoll ihm vor Liebe zu seinem Land und vor Schmerz um die Leiden, die es zu ertragen hatte. Einmal mehr gelobte er sich, die Unterdrücker seiner Heimat zu vernichten und Irland den Iren zurückzugeben. Tag für Tag erneuerte er seinen Schwur mehrere Male. Wegen der in Scarletts Koffern verborgenen Waffen machte er sich keine Sorgen. Die Zöllner in Galway konzentrierten sich hauptsächlich auf Frachtgut. Es ging ihnen vor allem darum, die von der britischen Regierung geforderten Importzölle einzutreiben. Auf die *Brian Boru* sahen sie nur verächtlich herab, das hatte Colum schon oft genug erlebt. Erfolgreiche Auswanderer bestätigten sie in ihrem Überlegenheitsgefühl gegenüber beiden: den Iren und den Amerikanern. Dennoch pries Colum sich glücklich, daß es ihm gelungen war, Scarlett zur Mitreise zu überreden. Ihre Unterröcke waren ein weit besseres Waffenversteck als die amerikanischen Stiefel und Kalikos, die er in den Staaten gleich zu Dutzenden gekauft hatte. Vielleicht war Scarlett ja sogar bereit, ein wenig Geld springen zu lassen, wenn sie erst einmal der Armut ihres Volkes gewahr wurde. Allerdings machte er sich da keine zu großen Hoffnungen. Colum war Realist, und er hatte Scarlett von Anfang an richtig eingeschätzt. Doch ihre gedankenlose Ichbezogenheit beeinträchtigte die Wertschätzung, die er ihr entgegenbrachte, nicht im geringsten. Er war Priester und wußte, daß menschliche Schwächen läßliche Sünden waren, vorausgesetzt, die in Frage stehenden Menschen waren keine Engländer. Tatsächlich hatte er Scarlett sogar in sein Herz geschlossen – wie alle O'Hara-Kinder –, auch wenn er sie jetzt für seine Zwecke benutzte.

Kathleen umklammerte die Reling. Ich würde über Bord springen und ans Ufer schwimmen, wenn wir hier nicht ohnehin an Land gingen, dachte sie bei sich. Wie bin ich froh und glücklich, wieder in Irland zu sein! Ich wäre gewiß schneller als das Schiff... Ich bin wieder in der Heimat! In der Heimat!

Scarlett atmete hastig und geräuschvoll ein. Auf der kleinen, flachen Insel stand ein Schloß. Ein Schloß! Es konnte nichts anderes sein, da waren doch solche zahnartigen Dinger oben auf dem Gebäude. Eine halbzerfallene Ruine, sicher, doch was machte das schon? Ein richtiges, echtes Schloß wie aus einem Märchenbuch. Sie war ungeheuer gespannt auf dieses Irland.

Als Colum sie die Laufplanke hinuntergeleitete, wurde ihr klar, daß sie eine völlig andere Welt betrat. Wie in Savannah herrschte auf den Kaianlagen geschäftige, lärmende Betriebsamkeit. Man mußte sich vorsehen, um nicht mit einem der vielen Lastkarren oder den Schauerleuten zusammenzustoßen, die eifrig mit dem Be- und Entladen von Kisten und Ballen beschäftigt waren. Doch die Arbeiter waren ausnahmslos weißer Hautfarbe, und die Gesprächsfetzen, die Scarlett mitbekam, waren ihr gänzlich unverständlich.

»Das ist Gälisch, die alte Sprache der Iren«, erklärte ihr Colum. »Aber du brauchst dich nicht daran zu stören, Scarlett, mein Schatz. Gälisch wird heutzutage fast nur noch an der Westküste Irlands gesprochen. Alle sprechen englisch, da wirst du keinerlei Schwierigkeiten haben.«

Als wolle er ihn der Lüge zeihen, sprach ihn in diesem Augenblick ein Mann ein, dessen Akzent so stark war, daß Scarlett eine Weile brauchte, bis sie begriff, daß er sich tatsächlich der englischen Sprache bediente.

Sie sagte es Colum, und der lachte. »Ja, es klingt wirklich etwas komisch«, bestätigte er. »Aber es ist allemal Englisch – so, wie es die Engländer sprechen, wohlgemerkt. Es sitzt so weit oben in ihren Nasen, daß man meinen könnte, sie müßten daran ersticken. Das war ein Sergeant der Armee Ihrer Majestät.«

Scarlett kicherte. »Und ich hab ihn für einen Knopfverkäufer gehalten.« Die kurze, engsitzende, mit militärischen Ehrenzeichen versehene Uniformjacke des Sergeanten trug auf der Vorderseite zwischen paarweise angeordneten, blitzblank polierten Messingknöpfen mehr als ein Dutzend Streifen aus dickem Goldbrokat. Auf Scarlett wirkte er wie ein Operettenoffizier.

Sie hakte sich bei Colum unter. »Ich bin schrecklich froh, daß ich mitkommen durfte.« Es war ihr Ernst. Alles war so andersartig und neu. Kein Wunder, daß das Reisen so beliebt war.

»Unser Gepäck wird direkt ins Hotel gebracht«, sagte Colum, als er zu der Bank zurückkehrte, auf der Scarlett und Kathleen auf ihn warteten. »Es ist alles bestens organisiert. Morgen machen wir uns dann auf den Weg nach Mullingar und nach Hause.«

»Ich würde am liebsten jetzt gleich weiterfahren«, erwiderte Scarlett erwartungsvoll. »Es ist ja noch früh am Tag, gerade erst Mittag.«

»Aber der Zug fährt morgens um acht, liebe Scarlett. Das Hotel ist übrigens hervorragend, und es hat eine ausgezeichnete Küche.«

»Ich erinnere mich«, warf Kathleen ein. »Und diesmal werde ich mich an den phantastischen Süßspeisen gütlich tun!« Sie strahlte vor Zufriedenheit. Mit der jungen Frau, die Scarlett aus Savannah kannte, schien sie kaum noch etwas gemein zu haben. »Auf der Hinfahrt war ich so bedrückt, daß ich keinen Bissen hinuntergebracht habe! Oh, Scarlett, du ahnst ja gar nicht, was es für mich bedeutet, wieder irischen Boden unter den Füßen zu spüren. Ich könnte auf die Knie sinken und die Erde küssen!«

»Nun kommt, ihr zwei«, sagte Colum. »Wir müssen uns um eine Kutsche bemühen. Heute ist Samstag und Markttag dazu, da wird es gar nicht so einfach sein.«

»Markttag?« wiederholte Scarlett.

Kathleen klatschte in die Hände. »Markttag in einer großen Stadt wie Galway! Oh, Colum, da wird uns ja einiges geboten!«

So war es in der Tat. Die vielen aufregenden, fremden Eindrücke überstiegen selbst Scarletts Vorstellungsvermögen. Auf dem gesamten großen, grasbewachsenen Platz vor dem Railway-Hotel herrschten buntes Leben und Treiben. Als der Kutscher sie vor den Treppen des Hotels absetzte, bat Scarlett Colum, doch gleich auf den Platz hinauszugehen, die Zimmer konnten warten und das Mittagessen auch. Kathleen schloß sich Scarletts Bitte an. »Zu essen bekommen wir reichlich an den Ständen, Colum. Und ich will unbedingt noch Strümpfe kaufen, als Mitbringsel für die Mädchen daheim. In Amerika gibt es solche nicht, sonst hätte ich sie längst besorgt. Brigid verzehrt sich schier nach ihnen, das weiß ich genau.«

Colum grinste. »Und Kathleen O'Hara verzehrt sich wohl selbst auch ein wenig danach, wie? Nun gut, ich kümmere mich allein um die Zimmer. Paß gut auf Scarlett auf, damit sie uns nicht verlorengeht. Habt ihr denn überhaupt Geld?«

»Eine Handvoll, Colum. Jamie hat es mir gegeben.«

»Aber das ist amerikanisches Geld, Kathleen. Damit kannst du hier nichts kaufen.«

Erschrocken packte Scarlett ihn am Arm. Was soll das heißen? dachte sie. Ist mein Geld hier drüben etwa nichts wert?

»Keine Bange, Scarlett, es ist nur nicht das gleiche Geld wie in Amerika. Du wirst sehen, das englische Geld ist viel interessanter. Ich erledige den Umtausch. Wieviel wollt ihr denn einwechseln?«

»Das Geld, das ich beim Whist gewonnen habe. Lauter *greenbacks*!« Wut und Verachtung lagen in ihrer Stimme, als sie das Wort aussprach. Alle Welt wußte, daß die grünen Dollarnoten nicht die aufgedruckte Summe wert waren. Ich hätte Silber- oder Goldmünzen von den Verlierern verlangen sollen. Sie öffnete ihre Handtasche und entnahm ihr die zusammengefalteten Ein-, Fünf- und Zehndollarnoten. »Da sind sie. Wechsle sie ein, wenn's geht.« Sie reichte Colum das Geld.

Er hob die Brauen. »Soviel? Was für ein Glück, daß ich dich nie um eine Partie Whist gebeten habe. Das müssen ja an die zweihundert Dollar sein.«

»Es sind zweihundertsiebenundvierzig.«

»Schau dir das an, Kathleen-Schatz. Soviel Geld auf einmal siehst du nie wieder! Willst du's mal in die Hand nehmen?«

»O nein, das traue ich mich nicht!« Kathleen wich zurück, die Hände hinter dem Rücken verborgen. Mit großen Augen starrte sie Scarlett an.

Scarlett fühlte sich unbehaglich. Glaubst du denn, ich bin so grün wie die Dollarscheine? So viel Geld waren zweihundert Dollar schließlich auch wieder nicht. Allein ihre Pelze hatten soviel gekostet. Jamie mußte in seinem Laden doch mindestens zweihundert Dollar im Monat verdienen – was stellte sich Kathleen deshalb so an?

»Hier.« Colum streckte ihnen die Hand entgegen. »Hier habt ihr ein paar Shilling. Damit könnt ihr euch, solange ich mich um die Bankangelegenheiten kümmere, schon dies und das besorgen. Wir treffen uns dann an dem Stand da drüben auf ein Häppchen.« Er deutete auf eine flatternde gelbe Fahne in der Mitte des geschäftigen Platzes.

Scarlett, die seiner ausgestreckten Hand mit den Augen folgte, bekam einen Schreck. Zwischen Hotelportal und Marktplatz trottete eine gewaltige Kuhherde die Straße entlang. Wie sollten sie nur auf den Platz kommen?

»Da hast du meine Dollars, Colum«, sagte Kathleen. »Und du, Scarlett, gib mir die Hand. Da kommen wir schon durch.«

Das schüchterne Mädchen, das Scarlett aus Savannah kannte, war wie ausgewechselt. Kathleen war zu Hause. Ihre Wangen und Augen glühten, und ihr Lächeln strahlte so hell wie der Sonnenschein über ihren Köpfen.

Scarlett versuchte zu widersprechen, doch Kathleen ging nicht darauf ein. Energisch bahnte sie sich einen Weg durch die Kühe und zog Scarlett hinter sich her. Sekunden später hatten sie das Grün des Platzes erreicht. Es war so schnell gegangen, daß Scarlett überhaupt keine Zeit geblieben war, um zu schreien – sei es aus Angst vor den Kühen oder aus Zorn über Kathleens Resolutheit. Und kaum stand sie auf dem Marktplatz, waren Furcht und Ärger auch schon vergessen. In Charleston und Savannah war sie stets gern auf den Markt gegangen, weil ihr das rege Hin und Her, die bunten Farben und das vielfältige Warenangebot gefielen. Doch weder Charleston noch Savannah konnten mit dem Markt in Galway mithalten.

Wohin sie auch schaute, überall gab es etwas zu sehen. Männer und Frauen feilschten, kauften, verkauften, stritten, lachten, unterhielten sich, priesen Waren an und mäkelten an ihnen herum. Es ging um Schafe, Lämmer, Hühner, Hähne, Eier, Kühe, Schweine, Butter, Sahne, Ziegen und Esel. »Wie süß!« sagte Scarlett beim Anblick eines Lämmchens auf dünnen Beinchen . . . Und schon fiel ihr Blick auf Körbe voller quiekender rosa Ferkel, auf wollhaarige Zwergesel mit langen, rosagesäumten Ohren . . . Und wieder und wieder bestaunte sie die farbenfrohe Kleidung der Mädchen und jungen Frauen. Beim ersten Mädchen hatte sie noch gedacht, es habe sich kostümiert, doch dann erkannte sie rasch, daß fast alle

Frauen das gleiche trugen. Kein Wunder, daß Kathleen von den Strümpfen geschwärmt hatte! Allenthalben sah sie Fesseln und Waden mit lebhaft blau-gelb, rot-weiß, gelb-rot oder weiß-blau gestreiften Strümpfen. Die Mädchen in Galway trugen keine Stiefel, sondern weit ausgeschnittene schwarze Lederschuhe mit flachem Absatz, und der Saum ihrer Röcke endete eine gute Spanne oberhalb der Knöchel. Ja, und was waren das für Röcke! Weit ausladend und ebenso lebhaft bunt wie die Strümpfe: rot, blau, grün und gelb. Wie auch die Hemdblusen mit ihren langen, durchgeknöpften Ärmeln, wenngleich sie etwas gedämpfter getönt waren. Über der Brust trugen die Frauen sorgfältig gefältelte Schultertücher aus weißem Leinen.

»Ich möchte auch solche Strümpfe, Kathleen! Und so einen Rock. Und eine Hemdbluse mit einem solchen Tuch. Ich muß sie unbedingt haben! Sie sind so schön!«

Kathleen lächelte vergnügt. »Die irische Mode gefällt dir, Scarlett, wie? Ach, wie mich das freut! Ihr Amerikanerinnen seid immer so elegant gekleidet ... Ich fürchtete schon, du würdest über unsere Kleider lachen.«

»Am liebsten würde ich mich Tag für Tag so anziehen. Tragt ihr so etwas auch bei euch zu Hause? Oh, du Glückliche, kein Wunder, daß du zurückwolltest.«

»Das sind die feinen Ausgehkleider, die man am Markttag trägt oder wenn man die Aufmerksamkeit der jungen Burschen auf sich ziehen will. Ich werde dir auch die Alltagskleider zeigen. Doch nun komm!« Kathleen nahm Scarlett erneut beim Handgelenk und führte sie durch die Menschenmenge, so, wie sie sie zuvor durch die Kühe geleitet hatte. Die Markttische – über Böcke gelegte Bretter – standen ungefähr in der Mitte des Platzes und waren über und über mit Dingen bedeckt, die jedes Frauenherz höher schlagen ließen. Scarlett wußte nicht, wo sie zuerst hinschauen sollte. Sie wollte alles kaufen, alles auf einmal. All diese Strümpfe ... und diese wunderschönen, weichen Schals ... und diese Spitzen erst! Meine Schneiderin in Atlanta würde für so wunderbare, schwere Spitzen glatt ihre Seele verkaufen. Und da die Röcke! Wie großartig mir dieses Rot stehen würde, ja, und das Blau dort. Doch, Augenblick, da drüben auf dem nächsten Tisch, das andere Blau, ein wenig dunkler, das gefällt mir auch ... Welches stände mir wohl am besten? Oh, und dort, die hellroten ... Ihr schwirrte der Kopf, so aufregend war die Qual der Wahl. Sie mußte die Stoffe einfach befühlen, die Wolle war gar so weich, so dick und flauschig, so lebendig und voller Wärme und Farbe, wenn sie mit ihren dünnen Handschuhen darüberstrich. Kurz entschlossen streifte sie einen der Handschuhe ab, damit sie das Wollgewebe direkt zwischen den Fingern fühlen konnte. Einen solchen Stoff hatte sie noch nie zuvor berührt.

»Und ich warte und warte drüben vor dem Stand«, sagte Colum, »und das Wasser läuft mir im Mund zusammen.« Er legte Scarlett die Hand auf den Arm. »Mach dir nichts draus, Scarlett, du kannst ja später noch einmal herkommen.« Er zog den Hut und grüßte die schwarzgekleidete Frau hinter dem Stand. »Möge die Sonne ewig strahlen über Ihrer feinen Handarbeit«, sagte er. »Ich darf Sie um Entschuldigung bitten für meine amerikanische Cousine hier. Sie hat vor lauter Bewunderung die Sprache verloren. Ich werde ihr etwas zu essen besorgen, und so es der heiligen Brigid gefällt, wird sie bei ihrer Rückkehr imstande sein, mit Ihnen zu reden.« Die Frau grinste Colum an, riskierte noch einen Seitenblick auf Scarlett und sagte, während Colum Scarlett weiterzog: »Ich danke Euch, Vater.«

»Kathleen sagte, du seist ganz außer dir«, bemerkte er mit einem glucksenden Lachen. »Das arme Mädchen hat wohl ein dutzendmal an deinem Ärmel gezerrt, aber du hast dich den Teufel um sie geschert, sie nicht einmal eines Blickes gewürdigt.«

»Ja, ich hatte sie vollkommen vergessen«, gab Scarlett zu. »Ich habe noch nie in meinem Leben so viele wunderschöne Dinge auf einmal gesehen. Ich habe mir vorgestellt, mir ein Kleid für ein Fest zu kaufen, aber ich weiß nicht, ob ich überhaupt so lange warten kann. Sag ehrlich, Colum: Darf ich mich hier in Irland kleiden wie die Irinnen? Ist das schicklich?«

»Alles andere wäre meiner Meinung nach weniger schicklich, liebe Scarlett.«

»Oh, das ist wunderbar! Was für herrliche Ferien, Colum! Ich bin so froh, daß ich mitgekommen bin.«

»Das beruht ganz auf Gegenseitigkeit, Cousine.«

Mit dem englischen Geld kam Scarlett überhaupt nicht zurecht. Das »Pfund« bestand aus Papier und wog weniger als eine Unze. Der »Penny« war riesengroß, so groß wie ein Silberdollar, und die Münze, die »Twopence« genannt wurde – also zwei Pennys –, war kleiner als das Einpenny-Stück. Dazu gab es noch Halfpenny-Münzen und sogenannte »Shillings« . . . Es war einfach zu verwirrend. Doch im Grunde war es auch gar nicht so wichtig, schließlich bekam sie die Dinge dank ihrer Whist-Gewinne ja gewissermaßen umsonst. Das einzige, worauf es ankam, war, daß die Röcke zwei von diesen Shillings kosteten und ein Paar Schuhe genau die Hälfte. Die Strümpfe berechneten sich lediglich in Pennys. Scarlett reichte Kathleen den Geldbeutel mit dem Zugband und sagte: »Gib mir rechtzeitig Bescheid, bevor es knapp wird«, und begann mit ihren Einkäufen.

Auf dem Rückweg zum Hotel waren sie alle drei schwer beladen. Scarlett hatte sich Röcke in allen Farbschattierungen und Gewichtsklassen zugelegt (die dünneren wurden, wie Kathleen ihr erklärt hatte, auch als Unterröcke getragen). Hinzu kamen Dutzende von Strümpfen – für sich selbst, für Kathleen, für Brigid und sämtliche anderen Cousinen, die sie in Kürze kennenlernen sollte – sowie ellenweise Stoffe und Spitzen, schmalere und breitere und zu Kragen wie zu Brusttüchern und raffinierten kleinen Hauben verarbeitete. Ein langes blaues Cape mit Kapuze war dabei, ein rotes außerdem, denn Scarlett hatte sich nicht für eines der beiden entscheiden können, und ein schwarzes, weil Kathleen gesagte hatte, die meisten Menschen trügen an normalen Werktagen Schwarz. Aus demselben Grund war auch noch ein schwarzer Rock hinzugekommen, unter dem sich bunte Unterröcke tragen ließen. Schultertücher, Hemdblusen und eben Unterröcke, allesamt aus einem Leinen, wie Scarlett es noch nie gesehen hatte – und sechs Dutzend Taschentücher ... stapelweise Schals ... Scarlett hatte zum Schluß selbst nicht mehr mitgezählt.

»Ich bin fix und fertig«, stöhnte sie und ließ sich auf das Plüschsofa im Wohnzimmer ihrer Hotelsuite fallen. Kathleen warf ihr den Geldbeutel auf den Schoß; er war noch immer mehr als halbvoll. »Es ist wirklich schlimm«, sagte Scarlett, »aber ich bin drauf und dran, mich in Irland zu verlieben.«

48. Kapitel

Scarlett war außer sich vor Freude über ihre neuen bunten »Kostüme«. Vergeblich versuchte sie Kathleen zu beschwatzen, sich gemeinsam mit ihr herauszuputzen und später noch einmal auf den Platz hinauszugehen. Höflich, aber unnachgiebig wies das Mädchen ihr Ansinnen zurück. »Nach englischem Brauch wird das Abendessen hier im Hotel erst spät serviert. Außerdem müssen wir morgen schon recht früh aus den Federn. Du wirst noch viele Märkte besuchen können. In Trim, der Stadt nahe bei dem Dorf, in dem wir wohnen, findet jede Woche einer statt.«

»Aber nicht so einer wie in Galway, jedenfalls nach all dem, was du mir erzählt hast«, bemerkte Scarlett mißtrauisch. Kathleen gab zu, daß Trim erheblich kleiner war als Galway, wollte aber trotzdem nicht mehr zurück auf den Platz. Schließlich fand sich Scarlett murrend mit ihrer Entscheidung ab und ließ Kathleen in Ruhe.

Der Speisesaal des Railway-Hotels war weithin für seine ausgezeichneten Speisen und die hervorragende Bedienung bekannt. Zwei livrierte Kellner geleiteten Kathleen und Scarlett zu einem großen Tisch neben einem hohen, mit schweren Vorhängen geschützten Fenster und nahmen anschließend hinter den Stühlen Aufstellung, um ihnen aufzuwarten. Colum mußte sich mit dem befrackten Ober begnügen, der für ihren Tisch zuständig war. Die O'Haras bestellten ein Gericht mit sechs Gängen. Scarlett sprach gerade mit Genuß einem in delikater Sauce aufgetragenen Filetstück des berühmten Galway-Lachses zu, als plötzlich vom Marktplatz draußen Musik hereinkam. Sie zog die mit schweren Troddeln versehenen Vorhänge und die Seidengardinen dahinter beiseite. »Ich hab's doch gewußt!« rief sie. »Ich wußte es doch, wir hätten wieder hinausgehen sollen. Draußen auf dem Platz wird getanzt. Los, laßt uns gleich hinlaufen.«

»Scarlett, meine Teuerste, wir haben gerade erst mit dem Abendessen begonnen«, erwiderte Colum.

»Papperlapapp! Wir haben uns auf diesem Schiff nahezu krankgegessen! Noch so ein endloses Abendessen ist ungefähr das letzte, was mir jetzt fehlt. Ich will meine neuen Kleider anziehen und tanzen.«

Wovon sie sich durch nichts abbringen ließ.

»Ich verstehe dich nicht, Colum«, sagte Kathleen. Sie saßen auf einer Bank unweit der Tanzfläche und achteten darauf, daß Scarlett nicht in Schwierigkeiten geriet. Scarlett trug einen blauen Rock über roten und gelben Unterröcken und tanzte Reel, als wäre sie damit aufgewachsen.

»Was verstehst du nicht?«

»Warum übernachten wir wie die Könige in diesem feinen Hotel? Und wenn wir es schon tun: Warum können wir dann unser luxuriöses Mahl nicht in Ruhe zu Ende essen? Wir bekommen so etwas nicht noch einmal geboten, das weiß ich genau. Hättest du nicht ganz einfach zu Scarlett sagen können: ›Nein, wir gehen nicht!‹ – so wie ich vorher?«

Colum ergriff ihre Hand. »Worum es geht, ist folgendes, kleine Schwester: Scarlett ist auf das wahre Irland mitsamt seinen O'Haras noch nicht ausreichend vorbereitet. Ich hoffe, es ihr so ein wenig leichter machen zu können. Es ist besser, wenn sie im Tragen der Tracht ein lustiges Abenteuer sieht, besser jedenfalls, als Tränen zu vergießen, weil ihre schicken Seidenschleppen in den Schmutz geraten. Hier beim Reel lernt sie ein paar Iren kennen und sieht, daß es ganz nette Kerle sind – trotz ihrer derben Kleidung und ihrer schmutzigen Hände. Es ist ein großes Ereignis, obwohl ich, ehrlich gesagt, lieber im Bett liegen und schlafen würde.«

»Aber morgen früh fahren wir doch heim, oder?« In Kathleens Frage lag bebendes Heimweh.

Colum drückte ihr die Hand. »Ja, wir fahren morgen heim, ich verspreche es dir. Allerdings werden wir erster Klasse reisen, und du solltest dich nicht darüber mokieren. Ich werde Scarlett übrigens bei Molly und Robert einquartieren und wünsche, daß du kein Wort darüber verlierst.«

Kathleen spuckte aus. »Soviel für Molly und ihren Robert. Aber solange es Scarlett ist, die bei ihnen wohnt, und nicht ich, solange halte ich meinetwegen den Mund.«

Colum runzelte die Stirn. Scarletts Tanzpartner versuchte sie zu umarmen. Colum konnte nicht wissen, daß Scarlett schon seit ihrem fünfzehnten Lebensjahr genau wußte, wie man die Aufmerksamkeit der Männer auf sich zog – und sich ihrer Annäherung erwehrte. Rasch erhob er sich und ging auf die Tanzenden zu. Doch noch ehe er die beiden erreichte, hatte Scarlett sich von ihrem Verehrer befreit. »Was ist denn in dich gefahren, daß du nun endlich doch noch mit mir tanzen willst?« fragte sie Colum.

Er ergriff ihre ausgestreckten Hände. »Ich bin gekommen, um dich zu holen. Es ist längst Zeit zum Schlafen.«

Scarlett seufzte. Unter dem rosa Lampion, der über ihrem Kopf hing, sah ihr erhitztes Gesicht tiefrot aus. Überall in den breitkronigen Bäumen auf dem Platz hingen bunte Laternen. Die Fiedeln spielten, und die Menge lachte und johlte. Was Colum genau gesagt hatte, war Scarlett entgangen, doch über das, was er meinte, konnte es keinen Zweifel geben.

Sie wußte, daß er recht hatte, doch sie wollte nicht aufhören zu tanzen. Allein der Gedanke war ihr verhaßt. Ein betörendes Freiheitsgefühl hatte sich ihrer bemächtigt: Nie zuvor, nicht einmal am Saint-Patricks-Tag, hatte sie Vergleichbares erlebt. Fürs Stillsitzen war ihr irisches Kleid nicht gedacht, und Kathleen hatte sie nur locker geschnürt, gerade so, daß ihr das Korsett nicht bis in die Kniekehlen hinunterrutschte. Sie hätte ewig so weitertanzen können, ohne je außer Atem zu geraten. Ihr war, als seien ihr keinerlei Beschränkungen mehr auferlegt.

Trotz des rosafarbenen Lampionlichts sah Colum müde aus. Scarlett lächelte und nickte. Es wird gewiß nicht mein letzter irischer Tanz sein, dachte sie. Ich bleibe ja noch eine Weile hier, gut zwei Wochen, bis Großmutter, die echte Katie Scarlett, ihren hundertsten Geburtstag gefeiert hat. Und um nichts in der Welt werde ich mir diese Feier entgehen lassen!

Diese Züge sind viel schöner als unsere zu Hause, dachte Scarlett, als sie all die offenen Türen zu den einzelnen Abteilen sah. Wie angenehm, einen kleinen Raum zu haben, anstatt sein Abteil mit einem Haufen Fremder teilen zu müssen. Und auch kein ständiges Gerenne auf dem Gang auf und ab, nicht das ewige Herein und Heraus und keine Leute, die einem auf den Schoß fallen. Zufrieden lächelte sie Colum und Kathleen an: »Ich mag eure irischen Eisenbahnen! Ich mag überhaupt alles hier!« Sie konnte es kaum erwarten, daß der Zug losfuhr, so gespannt war sie auf die irische Landschaft. Gewiß sah es hier ganz anders aus als in Amerika.

Die Grüne Insel enttäuschte ihre Erwartungen nicht. »Du meine Güte, Colum«, sagte sie nach einer guten Stunde, »dieses Land ist ja geradezu übersät mit Burgen! Fast auf jedem Hügel steht eine, und im Flachland ist es kaum anders. Aber warum verfallen sie alle? Warum leben dort keine Menschen mehr?«

»Diese Burgen sind größtenteils uralt, Scarlett, vierhundert Jahre und mehr. Die Menschen haben sich inzwischen an etwas gemütlichere Lebensformen gewöhnt.«

Scarlett nickte. Die Antwort überzeugte sie. Allein die Vorstellung, in diesen Türmen dauernd die Treppen hinauf- und hinunterlaufen zu müssen. Trotzdem waren die alten Gemäuer furchtbar romantisch. Sie preßte die Nase gegen das Abteilfenster. »Oh, wie schade! Meine Burgentour ist vorüber. Es fängt an zu regnen.«

»Es hört gleich wieder auf«, versprach Colum. Er behielt recht. Noch ehe sie die nächste Station erreichten, klarte es wieder auf.

»Ballinasloe.« Scarlett las den Namen laut. »Eure Städte haben so schöne Namen! Wie heißt noch der Ort, in dem die O'Haras leben?«

»Adamstown«, antwortete Colum und lachte über Scarletts verwunderte Miene. »Nein, das klingt wirklich nicht sehr irisch. Wenn ich könnte, würde ich den Namen für dich sofort ändern – und nicht nur für dich, für uns alle! Aber der Eigentümer ist Engländer, und er hätte bestimmt etwas dagegen.«

»Die ganze Stadt gehört einem einzigen Menschen?«

»Es ist keine Stadt. Daß sie so heißt, ist nichts weiter als englische Angeberei. Es ist ja nicht einmal ein richtiges Dorf, nur ein paar Häuser, die nach dem Sohn ihres englischen Erbauers genannt wurden. Das Gut Adamstown war ein kleines Geschenk für Adam. Vom Sohn wurde es an den Enkel vererbt, und so ging es fort bis auf den heutigen Tag. Der gegenwärtige Eigner weiß kaum, wie es aussieht. Er lebt vorwiegend in London und überläßt die Regelung der Geschäfte seinem Agenten.«

In Colums Worten schwang eine gewisse Bitterkeit mit. Scarlett beschloß, keine weiteren Fragen zu stellen, und begnügte sich wieder mit den Burgen.

Gerade als der Zug vor Erreichen der nächsten Station seine Geschwindigkeit verlangsamte, fiel ihr eine besonders große und guterhaltene Burganlage ins Auge. »Die ist doch bestimmt noch bewohnt, oder?« fragte sie Colum. »Wohnt dort ein Ritter? Oder ein Fürst?«

»Weit gefehlt«, erwiderte Colum und erklärte ihr, daß es sich um die Kaserne eines Regiments der britischen Armee handelte.

Herrje, da bin ich wohl übel ins Fettnäpfchen getreten, dachte Scarlett. Kathleens Wangen glühten. »Ich besorge uns ein wenig Tee«, sagte Colum, als der Zug zum Stehen kam, zog das Abteilfenster herunter und lehnte sich nach draußen. Kathleen starrte stumm auf den Boden. Scarlett hatte sich ebenfalls erhoben und stand neben Colum am Fenster. Es tat gut, die Knie einmal zu strecken.

»Setz dich!« sagte Colum mit fester Stimme zu ihr. Scarlett tat, wie ihr geheißen, konnte jedoch auch noch aus ihrer sitzenden Position heraus die schick uniformierten Soldaten sehen, die in kleinen Gruppen auf dem Bahnsteig standen. Ebenso entging ihr nicht, daß Colum immer wieder den Kopf schüttelte, wenn ihm die Frage gestellt wurde, ob in seinem Abteil noch Plätze frei wären. Er ist ganz schön abgebrüht, dachte sie. Da seine Schultern den Blick ins Innere des Abteils versperrten, waren die drei freien Plätze von außen nicht erkennbar. Das muß ich mir für die nächste Zugreise merken, dachte Scarlett. Für den Fall, daß Colum nicht mit von der Partie sein sollte.

Als sich der Zug wieder in Bewegung setzte, verteilte Colum Tassen mit

Tee und öffnete ein unförmiges Bündel aus zusammengefaltetem Stoff. »Eine irische Spezialität«, sagte er, nun wieder lächelnd. Das Bündel aus grobem Leinen enthielt mehrere große Scheiben einer Art Weizenbrot mit köstlicher Fruchtfüllung. Scarlett verspeiste erst ihren eigenen und danach auch noch Kathleens Anteil. Dann fragte sie Colum, ob er ihr auf dem nächsten Bahnhof mehr davon besorgen könne.

»Hältst du es noch eine halbe Stunde aus?« fragte er zurück. »Dann müssen wir ohnehin aussteigen und können etwas Anständiges essen.« Scarlett stimmte frohen Herzens zu. Der irische Zug und die vielen Burgen, die am Fenster vorüberzogen, hatten den Reiz des Neuen verloren. Sie freute sich inzwischen auf das Ende der Reise.

Auf dem Schild am Bahnhof stand »Mullingar«, nicht »Adamstown«. Die Arme, dachte Colum, habe ich ihr das nicht gesagt? Der Zug brachte sie nur in die Nähe ihres Heimatorts. Nach dem Essen kamen noch zwanzig Meilen auf der Straße. Sie würden aber noch vor Anbruch der Dunkelheit zu Hause sein.

Zwanzig Meilen! Nun, das war so weit wie von Atlanta nach Jonesboro. Das dauert ja noch ewig, dachte Scarlett, und das, nachdem wir schon sechs Stunden Zugfahrt hinter uns haben! Sie mußte sich sehr bemühen, ein freundliches Gesicht zu bewahren, als Colum ihr seinen Freund Jim Daly vorstellte. Dabei sah dieser Daly nicht einmal gut aus. Dafür aber sein Wagen. Die hohen Räder waren knallrot gestrichen, und auf den in schimmerndem Blau gehaltenen Flanken prangte in kühner Goldschrift der Namenszug »J. Daly«. Wovon immer er auch leben mag, dachte Scarlett, auf jeden Fall ist er erfolgreich.

Jim Daly war Brauer und Gastwirt. Obwohl ihr selbst ein Saloon gehörte, war Scarlett doch nie in ihm gewesen. Ein prickelndes Gefühl der Verrufenheit überkam sie, als sie die große Gaststube betraten. Neugierig spähte sie über die lange, blitzblank polierte Theke aus Eichenholz. Für Einzelheiten blieb ihr jedoch keine Zeit, denn Daly öffnete rasch eine weitere Tür und begleitete sie in einen Flur. Die O'Haras waren in die Privatwohnung oberhalb der Gasträume zum Essen eingeladen.

Es schmeckte ausgezeichnet, doch hätte das, was auf den Tisch kam, ohne weiteres auch in Savannah serviert werden können: Lammkeule mit Minzsoße und Kartoffelbrei ergaben kein besonders exotisches Gericht, sondern waren Scarlett durchaus vertraut. Und auch das Tischgespräch drehte sich ausschließlich um die O'Haras in Savannah, ihre Gesundheit, ihr Tun und Lassen. Wie sich herausstellte, war die Mutter Jim Dalys eine weitere Cousine aus dem O'Hara-Clan. Nichts deutete darauf hin, daß man sich in Irland befand und darüber hinaus auch noch direkt über einer Wirtsstube. Für Scarlett und ihre Ansichten zeigten die Dalys im übrigen kein besonderes Interesse, sie waren viel zu sehr mit ihren Gesprächen untereinander beschäftigt.

Nach dem Essen wurde es besser. Jim Daly reichte Scarlett den Arm und bestand darauf, ihr die Sehenswürdigkeiten von Mullingar zu zeigen. Colum und Kathleen folgten ihnen. Allzuviel hat der Ort nicht zu bieten, dachte Scarlett. Ein ziemlich langweiliges Nest mit einer einzigen Hauptstraße und fünfmal soviel Gaststätten wie Läden. Aber es ist recht angenehm, sich die Beine zu vertreten. Der Stadtplatz war nicht halb so groß wie der in Galway und lag in vollkommener Ödnis da. Eine junge Frau mit einem schwarzen Schal über Kopf und Brust kam mit ausgestreckter, bittender Hand auf sie zu. »Gott segne Euch, mein Herr, meine Dame . . .«, sagte sie in klagendem Ton. Jim drückte ihr ein paar Münzen in die Hand, worauf sie einen Knicks machte und die Segenswünsche wiederholte. Scarlett war entsetzt: Die Frau bettelte mit einer solchen Unverfrorenheit! Ich hätte ihr gewiß nichts gegeben, dachte sie. Die sieht doch kerngesund aus! Wieso geht sie nicht arbeiten und sorgt selbst für ihren Lebensunterhalt?

Unvermittelt erklang schallendes Gelächter, und Scarlett drehte sich um, um herauszufinden, was die Ursache dafür war. Von einer Seitenstraße her hatte ein kleiner Trupp Soldaten den Platz betreten. Einer der Uniformierten machte sich über die Bettlerin lustig, indem er ihr eine kleine Münze anbot, sie aber so hoch hielt, daß die Frau sie nicht erreichen konnte. So ein Rohling! dachte Scarlett. Aber damit muß sie rechnen, wenn sie sich zum Gespött der Leute macht und hier in aller Öffentlichkeit bettelt. Und auch noch vor Soldaten. Es war doch klar, wie sie reagieren würden . . . Obwohl, das mußte sie zugeben, die Soldaten kaum als solche zu erkennen waren. In diesen albernen bunten Uniformen sehen sie eher aus wie zu groß geratene Spielzeugsoldaten. Ihr Soldatentum beschränkte sich offenbar auf die Teilnahme an Feiertagsparaden. Gott sei Dank, daß es in Irland keine richtigen Soldaten gab, so, wie die Yankees welche waren. Keine Schlangen und keine Yankees . . .

Der Soldat warf die Münze in eine Pfütze, an deren Rändern sich schmutziger Schaum gesammelt hatte, und brach zusammen mit seinen Kumpanen erneut in unflätiges Gelächter aus. Scarlett sah, wie Kathleen Colum mit beiden Händen am Arm packte. Der jedoch riß sich los und ging mit raschen Schritten auf die Soldaten und die Bettlerin zu. Was hat er vor? O Gott, er wird ihnen doch nicht etwa eine Moralpredigt darüber halten wollen, wie sich ein guter Christ zu benehmen hat? Colum krempelte die Ärmel hoch. Scarlett hielt den Atem an. Wie sehr er doch Pa ähnelt! Bricht er jetzt tatsächlich eine Schlägerei vom Zaun? Da kniete Colum auf dem Kopfsteinpflaster nieder und fischte die Münze aus der stinkenden Pfütze. Mit einem langsamen, erleichterten Zischen ließ Scarlett ihren Atem entweichen. Sie zweifelte nicht eine Sekunde daran, daß Colum mit jedem einzelnen dieser verweichlichten Knaben kurzen Prozeß gemacht hätte – nur waren es fünf, und diese Überzahl konnte sogar einem O'Hara gefährlich werden. Aber wieso machte er überhaupt soviel Aufhebens um eine Bettlerin?

Colum hatte sich wieder erhoben und wandte den Soldaten nun den Rücken zu. Die unerwartete Wendung, die ihr gedankenloser Scherz genommen hatte, war ihnen sichtlich unangenehm. Als Colum die Frau am Arm nahm und sie wegführte, drehten sie sich um und entfernten sich in entgegengesetzter Richtung.

So, das war's denn wohl, dachte Scarlett und war froh, daß es so glimpflich abgelaufen war. Schaden genommen hatten bloß die Knie von Colums Reithosen. Als Priester werden sicher allerhand Kummer und Leid an ihn herangetragen. Komisch, daß ich so selten daran denke. Hätte Kathleen mich nicht im Morgengrauen aus dem Bett geworfen, hätte ich glatt vergessen, daß wir vor der Abfahrt des Zuges noch in die Messe mußten.

Die Bilanz des kleinen Bummels ließ sich schnell ziehen: Auf dem »Royal Canal«, dem königlichen Kanal, zeigten sich keine Schiffe, und Scarlett interessierte sich nicht im geringsten für eine Bootsfahrt nach Dublin, wie Jim Daly sie ihr mit großer Begeisterung empfahl. Was kümmerte sie schon Dublin? Sie wollte endlich nach Adamstown!

Ihr Wunsch ging schon bald in Erfüllung. Als sie zurückkehrten, wartete vor Jim Dalys Gasthaus bereits eine schmuddelige kleine Kutsche. Ein hemdsärmeliger Mann mit einer Schürze war gerade dabei, ihren Schrankkoffer auf dem Dach zu befestigen. Das restliche Gepäck war bereits auf der Rückseite festgezurrt. Daß Scarletts Schrankkoffer jetzt viel leichter war als noch am Bahnhof, wo Jim Daly und Colum ihn in Dalys Kutsche gewuchtet hatten, wurde von niemandem erwähnt. Kaum war das Gepäck sicher vertäut, verschwand der hemdsärmelige Mann in der Wirtsstube, und als er wieder herauskam, trug er den mit einer Kapuze versehenen Mantel eines Kutschers sowie einen Zylinderhut. »Mein Name ist Jim«, sagte er kurz angebunden. »Fahren wir!« Scarlett stieg ein, und Kathleen setzte sich neben sie, während Colum es sich ihnen gegenüber bequem machte. »Möge Gott euch auf eurer Reise begleiten«, riefen die Dalys. Scarlett und Kathleen winkten zum Abschied mit ihren Taschentüchern zum Fenster hinaus. Colum knöpfte seinen Mantel auf und nahm seinen Hut ab.

»Ich will niemandem hier etwas vorschreiben, aber was mich betrifft, so werde ich versuchen, ein kleines Nickerchen zu machen«, sagte er. »Ich hoffe, die Damen stören sich nicht an meinen Füßen.« Er schlüpfte aus den Stiefeln und streckte seine Füße auf den Sitz zwischen Scarlett und Kathleen.

Die beiden tauschten einen Blick und bückten sich dann ebenfalls, um ihrerseits ihre Stiefel aufzuschnüren. Minuten später hatten auch sie ihren Hut abgenommen und den Kopf in die Wagenecke zurückgelehnt. Ihre ausgestreckten Beine flankierten Colum. Wenn ich jetzt noch mein Kostüm aus Galway anhätte, wäre ich rundum zufrieden, dachte Scarlett. Und obwohl eine goldgefüllte Korsettstange sie in die Rippen stach, egal, wie sie sich drehte und wendete, schlief sie rasch ein.

Regen schlug gegen das Fenster und weckte sie vorübergehend auf, doch das weiche, plätschernde Geräusch sang sie alsbald wieder in den Schlaf. Als sie das nächste Mal wach wurde, schien die Sonne. »Sind wir jetzt da?« fragte sie verschlafen.

»Nein, es dauert noch eine Weile«, erwiderte Colum. Scarlett sah hinaus und klatschte vor Begeisterung in die Hände. »So seht doch! All diese Blumen! Ich kann ja hinauslangen und sie pflücken. Komm, Colum, mach das Fenster auf. Ich möchte einen Strauß.«

»Wir öffnen das Fenster beim nächsten Halt. Die Räder wirbeln zuviel Staub auf.«

»Aber ich möchte ein paar von diesen Blumen pflücken!«

»Das ist doch nur eine einfache Hecke. Der ganze Heimweg ist damit gesäumt.«

»Hier drüben auch, siehst du?« sagte Kathleen. Sie hatte recht. Das Scarlett unbekannte Rankengewächs mit seinen lebhaft rosa gefärbten Blüten zog auch auf der anderen Seite vorbei, kaum eine Armeslänge von Kathleen entfernt. Wie schön es war, zwischen blühenden Mauern entlangzufahren! Als Colum die Augen wieder zufielen, ließ sie langsam das Fenster herunter.

49. Kapitel

»Wir sind gleich in Ratharney«, sagte Colum, »und ein paar Meilen dahinter erreichen wir die Grafschaft Meath.«

Kathleen seufzte glücklich, und Scarletts Augen funkelten. Die Grafschaft Meath! Wenn Pa darüber gesprochen hatte, hatte es immer geklungen, als rede er vom Paradies. Ich glaube, ich weiß jetzt, warum. Durchs offene Fenster drang der süße Duft des Nachmittags, in den sich der kräftige, rustikale Geruch des sonnenwarmen Grases von den unsichtbaren Wiesen jenseits der dichten Wallhecken, das feine Parfüm der rosa Blüten und eine scharfe, würzige Komponente mischten, die den Hecken selbst entströmte. Ach, wäre er nur bei mir, mein Glück wäre vollkommen. So muß ich mich eben für ihn mitfreuen. Scarlett atmete tief durch und merkte, daß ein Hauch von Wasserfrische in der Luft hing. »Ich glaube, es wird bald wieder regnen«, sagte sie.

»Es wird nicht lange dauern«, versprach Colum, »und wenn der Regen vorbei ist, wird alles nur noch süßer duften.«

Sie durchquerten Ratharney so schnell, daß Scarlett kaum etwas von dem Ort mitbekam. Die Wallhecken wurden urplötzlich von festem Mauerwerk abgelöst. Eine Kutsche kam ihnen entgegen. Scarlett sah, daß auch ihr Fenster geöffnet war. Ein Gesicht erschien und starrte sie an. Die Augen des Fremden, die wie aus dem Nichts gekommen waren, versetzten ihr einen gehörigen Schrecken. Sie hatte sich noch kaum davon erholt, da ratterten sie auch schon an der letzten Häuserzeile vorbei, und erneut säumten Hecken die Straße. Der Kutscher war auf der Fahrt durch den Ort nicht mit dem Tempo heruntergegangen.

Kurze Zeit später geschah es dann doch. Die Straße schlängelte sich auf einmal durch zahlreiche scharfe Kurven. Scarlett steckte den Kopf zum Seitenfenster hinaus und bemühte sich um einen Blick nach vorn. »Sind wir jetzt in der Grafschaft Meath, Colum?«

»Sehr bald.«

Sie kamen an einem winzigen Häuschen vorbei. Da sich die Kutsche mittlerweile kaum schneller als im Schrittempo voranbewegte, bekam Scarlett einen recht guten Eindruck. Lächelnd winkte sie dem rothaarigen kleinen Mädchen zu, das in der Tür stand. Das Kind erwiderte das Lächeln. Die vorderen Milchzähne fehlten, und die Zahnlücke verlieh dem Lächeln einen besonderen Charme. Scarlett fand alles an dem kleinen Steinhaus entzückend. Die leuchtendweißen Wände wurden von mehreren kleinen, quadratischen, mit rotgestrichenen Rahmen versehenen Fenstern durchbrochen. Die Tür war ebenfalls rot und zudem zweigeteilt: Die obere Hälfte stand nach innen offen. Der Kopf des Kindes ragte kaum über die untere Hälfte hinaus. Hinter dem Mädchen sah Scarlett ein lebhaft brennendes Feuer, das einen düsteren Raum erhellte. Am besten aber gefiel ihr das Dach: Es war mit Stroh gedeckt und dort, wo es auf die Mauern traf, aufgebogen. Ein Bild wie aus einem Märchenbuch! Immer noch lächelnd, wandte sich Scarlett an Colum: »Wenn das Mädchen blond gewesen wäre, hätte ich jederzeit mit den drei Bären gerechnet.«

Colums Miene verriet ihr, daß er keine Ahnung hatte, wovon sie sprach. »›Goldilocks‹, du Dummer!« Er schüttelte den Kopf. »Meine Güte, Colum, das ist ein Märchen. Kennt ihr denn in Irland keine Märchen?«

Kathleen fing an zu lachen.

Colum grinste. »Meine liebe Scarlett«, sagte er. »Von euren Märchen und euren Bären weiß ich nichts. Aber wenn du Geister oder Feen suchst, dann bist du hier sicher am richtigen Ort. In Irland wimmelt es nur so von Feen und Kobolden.«

»Mach keine Witze, Colum.«

»Ich meine es absolut ernst. Und du tust gut daran, dich über sie zu informieren. Wenn nicht, kannst du in arge Schwierigkeiten geraten. Paß auf: Die meisten von ihnen sind nichts weiter als kleine Plagegeister. Dann gibt es solche wie den Schuhmacherkobold, den jedermann gern einmal treffen möchte ...«

Die Kutsche war unvermittelt stehengeblieben. Colum sah nach draußen. Als er den Kopf wieder hereinzog, lächelte er nicht mehr. Er beugte sich über Scarlett und riß an dem Lederband, mit dem das Fenster geöffnet und geschlossen wurde. Die Glasscheibe fuhr hoch. »Bleibt ganz ruhig sitzen und sagt kein Wort«, raunte er den Frauen zu.

»Sorg dafür, daß sie sich still verhält, Kathleen!« In Windeseile schlüpfte er in die Stiefel und schnürte sie zu.

»Was ist los?« fragte Scarlett.

»Pssst!« erwiderte Kathleen.

Colum öffnete die Tür, packte seinen Hut, sprang auf die Straße und schlug die Tür hinter sich zu. Sein Gesicht war aschfahl.

»Kathleen?«

»Pssst! Es ist wichtig, Scarlett. Sei jetzt still.«

Auf einmal ertönte ein dumpfer, nachhallender Schlag, der die Lederwände der Kutsche erbeben ließ. Obwohl die Fenster geschlossen waren, konnten Scarlett und Kathleen irgendwo vor ihnen die lauten, abgehackten Worte eines Mannes hören: »He, du, Kutscher! Mach, daß du weiterkommst. Das ist hier keine Unterhaltungsveranstaltung für Gaffer wie dich! Und du, Pfaffe, hüpfst schleunigst wieder in deine Kabine und verduftest.« Kathleen griff nach Scarletts Hand und hielt sie fest.

Ruckartig setzte sich die Kutsche in Bewegung und schob sich langsam und mit quietschender Federung auf den äußersten rechten Rand der schmalen Straße. Die harten, dornenbewehrten Zweige der Hecken zerrten an der dicken Lederbespannung. Kathleen rückte von dem Kratzgeräusch ab und näher an Scarlett heran. Ein weiterer Schlag ertönte, und die beiden Frauen fuhren zusammen. Scarlett umklammerte Kathleens Hand. Was war da nur los?

Im Schneckentempo ging es voran. Wieder rückte ein kleines Cottage ins Blickfeld. Es sah genauso putzig aus wie das vorige, das Scarlett an Märchen hatte denken lassen. In der sperrangelweit geöffneten Tür stand jedoch ein Soldat in schwarzer, mit goldenen Litzen besetzter Uniform. Er stellte gerade zwei kleine, dreibeinige Hocker auf einen vor der Tür stehenden Tisch. Links von der Tür saß ein ebenfalls uniformierter Offizier auf einem nervösen braunen Pferd, während auf der rechten Seite Colum mit ruhigen Worten auf eine kleine, weinende Frau einredete. Ihr schwarzer Schal war ihr vom Kopf gerutscht, das rote Haar fiel ihr ungeordnet über Wangen und Schultern. In den Armen hielt sie einen Säugling. Scarlett sah die blauen Augen und den rostbraunen Flaum auf dem kleinen, runden Köpfchen. Ein kleines Mädchen, das wie eine Zwillingsschwester des lächelnden Kindes hinter der Halbtür aussah, vergrub sein Gesicht in Mutters Schürze und schluchzte. Beide, Mutter wie Tochter, waren barfuß. Mitten auf der Straße, neben einem Gerüst aus Baumstämmen, das wie ein riesiger Dreifuß aussah, lungerte eine Horde Soldaten herum. Ein vierter Baumstamm baumelte an dicken Seilen, die an der Spitze des Gestells befestigt waren.

»Los, weiter, Paddy!« brüllte der Offizier. Knarrend und quietschend schob sich die Kutsche an der Hecke entlang. Scarlett spürte, daß Kathleen zitterte. Irgend etwas ganz Furchtbares geschah hier. Die arme Frau ... Sie sieht aus, als wolle sie gleich in Ohnmacht fallen ... Oder sie bekommt einen Anfall. Hoffentlich kann Colum ihr helfen.

Die Frau fiel auf die Knie. Mein Gott, sie verliert die Besinnung, sie läßt das Baby fallen! Scarlett tastete nach dem Türgriff. Kathleen packte sie am Arm. »Kathleen, laß mich ...«

»So beherrsch dich doch, um Gottes willen! Bleib ruhig!« Die verzweifelte Dringlichkeit in Kathleens Stimme hielt Scarlett zurück.

Was in aller Welt? Scarlett wollte ihren Augen nicht trauen. Die weinende Mutter umklammerte Colums Hand und bedeckte sie mit Küssen. Über ihrem Kopf schlug der Priester ein Kreuz. Dann half er ihr auf und berührte den Kopf des Babys und des kleinen Mädchens. Schließlich legte er der Mutter die Hände auf die Schultern und drehte sie um, so daß sie das Haus nicht mehr sehen konnte. Die Kutsche bewegte sich nach wie vor langsam vorwärts. Dann ertönte hinter ihnen wieder jenes dumpfe, schwere Schlagen. Der Kutscher steuerte sein Gefährt zurück in die Straßenmitte. »He, Kutscher, halt an!« rief Scarlett, ehe Kathleen sie daran hindern konnte. »Wir können Colum doch nicht hierlassen!«

»Nicht, Scarlett!« flehte Kathleen. »Laß das, bitte!« Scarlett hörte nicht auf sie. Noch ehe die Kutsche zum Stehen gekommen war, hatte sie den Verschlag aufgerissen. Rasch kletterte sie hinaus und lief, ohne sich im geringsten um den durch den Dreck schleifenden Saum ihres modischen Rocks zu kümmern, zurück zum Ort des Geschehens.

Der Lärm und das Bild, das sich ihr bot, ließen sie innehalten. Ein Schrei des Schreckens und des Aufbegehrens entfuhr ihr. Der an dem Gestell hin und her schwingende Baumstamm krachte gegen die Hauswand, und diesmal gab die Vorderfront nach und stürzte ein. Die Fenster zerbarsten in einem Sprühregen aus hellen, spiegelblanken Scherben. Die roten Fensterrahmen fielen in den Staub, den die niederstürzenden weißen Steine aufgewirbelt hatten. Die zweiteilige rote Tür klappte zusammen. Begleitet wurde die Schreckensszene von einem mahlenden, knirschenden Geräusch. Es klang wie das Kreischen eines Wesens aus Fleisch und Blut.

Einen Augenblick lang herrschte Stille, die jedoch alsbald von einem Knistern abgelöst wurde, das rasch zu einem Grollen anschwoll. Dichter Rauch quoll auf und erfüllte die Luft mit beißendem Brandgeruch. Scarlett sah, daß drei Soldaten brennende Fackeln in den Händen hielten. Sie sah die Flammen, die sich gierig durch das Strohdach fraßen. Sie dachte an die Armee General Shermans, an die rauchgeschwärzten Mauern und Kamine von Twelve Oaks und auf Dunmore Landing und stöhnte vor Angst und Bestürzung auf. Wo war Colum? Oh, lieber Gott, was ist mit ihm geschehen?

Da trat mit schnellen Schritten eine Gestalt im dunklen Anzug aus der düsteren Rauchwolke, die über die Straße waberte. »Los!« brüllte Colum Scarlett an. »Zurück zur Kutsche!«

Sie war vor Entsetzen wie gelähmt und nicht imstande, sich zu rühren. Doch da war er schon an ihrer Seite und packte sie beim Arm. »Komm jetzt mit, Scarlett, Liebes, halt uns nicht länger auf«, sagte er ebenso bestimmt wie beherrscht. »Wir müssen nach Hause.«

So schnell, wie es den Pferden auf der gewundenen Straße nur möglich war, schoß die Kutsche davon. Scarlett wurde zwischen Kathleen und dem geschlossenen Fenster hin und her geworfen, nahm es jedoch kaum wahr. Das schreckliche, unerklärliche Erlebnis wirkte nach. Sie zitterte am ganzen Leib. Erst als der Kutscher die Fahrt wieder verlangsamte und mit gemäßigter Geschwindigkeit weiterfuhr, beruhigte sich auch ihr Herzschlag. Endlich konnte sie wieder frei durchatmen.

»Was war da los? Was hatte das zu bedeuten?« fragte sie. Ihre Stimme kam ihr eigenartig fremd vor.

»Die arme Frau wurde vertrieben«, antwortete Kathleen streng. »Colum hat sie getröstet. Du hättest dich da nicht einmischen dürfen, Scarlett. Du hättest uns alle in größte Schwierigkeiten bringen können.«

»Beruhige dich, Kathleen«, sagte Colum. »Du darfst Scarlett keine Vorwürfe machen. Sie kommt gerade aus Amerika. Sie kennt die Verhältnisse hier nicht.«

Scarlett wollte protestieren. Sie hatte Schlimmeres erlebt, viel Schlimmeres. Doch sie beherrschte sich. Sie mußte die Hintergründe erfahren, alles andere schien ihr unwichtig. »Warum wurde sie vertrieben?« fragte sie.

»Die Leute konnten die Pacht nicht mehr bezahlen«, erklärte Colum. »Die Sache ist dadurch noch verschlimmert worden, daß ihr Mann sich dem Militär widersetzt hat, als die Geldeintreiber zum erstenmal da waren. Er hat einen Soldaten geschlagen. Sie haben ihn daraufhin festgenommen und ins Gefängnis gesteckt. Die Frau ist daher mit sich, den beiden Kindern und der Angst um ihren Mann allein.«

»Was für eine Geschichte! Sie sah furchtbar hilflos aus. Was wird sie jetzt tun, Colum?«

»Ein Stückchen weiter zurück an der Straße lebt ihre Schwester. Ich habe ihr gesagt, sie soll zu ihr gehen.«

Scarlett entspannte sich ein wenig. Es war ein Jammer. Die arme Frau war ganz außer sich gewesen. Aber sie wußte wenigstens, wohin sie gehen konnte. Wahrscheinlich lebte die Schwester in dem Märchen-Haus, und bis dahin war es nicht weit. Aber davon abgesehen: Die Leute waren schließlich zur Pachtzahlung verpflichtet. Wenn der Pächter meines Saloons nicht pünktlich zahlt, suche ich mir auch einen anderen, dachte sie. Und was diesen Ehemann betraf: Einen Soldaten darf man eben nicht schlagen, das ist unverzeihlich. Er hätte doch wissen müssen, daß er dafür ins Gefängnis kommt. Er hätte auf seine Frau Rücksicht nehmen sollen, anstatt sich auf eine solche Dummheit einzulassen.

»Aber warum haben sie das Haus zerstört?«

»Um die Pächter an der Rückkehr zu hindern.«

Scarlett sagte das erste, was ihr in den Sinn kam: »Wie dumm! Der Besitzer hätte das Haus doch an jemand anders verpachten können.«

Colum sah müde aus. »Er will es aber überhaupt nicht verpachten. Zu dem Haus gehört ein kleines Stück Land, und der Besitzer ›organisiert‹ seinen Besitz, wie man hierzulande sagt. Das heißt, er will sein gesamtes Land als Weidefläche zur Rindermast nutzen. Daher erhöht er die Pachtsumme so stark, daß die Leute sie nicht mehr zahlen können. An der herkömmlichen Bewirtschaftung ist er nicht interessiert. Der Ehemann der Frau wußte, was auf ihn zukam, sie alle wissen es. Es bleibt ihnen eine Gnadenfrist von ein paar Monaten. Dann haben sie nichts mehr zu verkaufen und können die Pacht nicht mehr zahlen. Während der Wartezeit staut sich die Wut in den Männern auf, und manch einer versucht dann, den Streit mit den Fäusten zu entscheiden... Die Frauen zermürbt die Verzweiflung. Sie müssen mit ansehen, wie ihre Männer dem sicheren Untergang entgegengehen. Das arme Geschöpf mit dem Baby an der Brust hat versucht, das Haus ihres Mannes mit ihrem eigenen schwachen Körper zu schützen, indem sie sich zwischen die Hausmauer und den Rammbock warf. Das Haus war sein ein und alles, sein ganzer Stolz als Mensch und Mann.«

Scarlett wußte nicht, was sie darauf erwidern sollte. Geschehnisse wie diese paßten nicht in ihre Vorstellungswelt. Es war eine Gemeinheit ohnegleichen. Die Yankees waren noch schlimmer gewesen – aber damals herrschte Krieg. Die reine Zerstörungswut, und das nur, damit ein paar Kühe mehr Gras zu fressen bekamen! Die arme Frau. Es hätte ebenso Maureen mit dem kleinen Jacky im Arm sein können. »Bist du sicher, daß sie zu ihrer Schwester gehen wird?«

»Sie war einverstanden, und sie gehört nicht zu den Menschen, die einen Priester belügen.«

»Dann ist also für sie gesorgt, oder?«

Colum lächelte. »Mach dir keine Sorgen, Scarlett. Für sie ist gesorgt.«

»Bis auch der Hof ihrer Schwester ›organisiert‹ wird.« Kathleens Stimme klang rauh. Regen schlug gegen die Fenster, kurz darauf goß es in Strömen. Durch einen Spalt, den die Dornen unweit von Kathleens Kopf in die Bespannung gerissen hatten, drang Wasser ins Innere der Kutsche. »Kannst du mir bitte dein großes Taschentuch geben, Colum, damit ich dieses Guckloch hier stopfen kann?« sagte Kathleen und lachte. »Und würdest du bitte ein priesterliches Gebet zum Himmel schicken, damit die Sonne wieder scheint?«

Wie brachte sie es fertig, trotz dieses riesigen Lecks und nach all dem, was sie soeben erlebt hatten, so guter Laune zu sein? Und – es war nicht zu fassen – Colum stimmte doch tatsächlich in ihr Gelächter ein.

Die Kutsche rollte jetzt wieder schneller, erheblich schneller. Der Kutscher mußte wahnsinnig sein. Bei einem derartigen Wolkenbruch konnte er doch kaum die Hand vor Augen sehen, und das auf einer so schmalen und kurvenreichen Straße! Das gibt ja noch zehntausend andere Lecks in der Bespannung!

»Spürst du die Ungeduld, die Jim Dalys große Pferde überkommt, Scarlett? Sie meinen, sie seien auf der Rennbahn. Allerdings gibt es Rennbahnen wie diese hier meines Wissens nur in der Grafschaft Meath. Ein untrügliches Zeichen, daß wir uns der Heimat nähern. Aber jetzt erzähle ich dir lieber etwas von den Gnomen. Sonst triffst du noch einen und weißt nicht, mit wem du es zu tun hast.«

Plötzlich fielen Sonnenstrahlen durch die regenfeuchten Fenster und verwandelten die Wassertropfen in kleine Regenbogensplitter. Dieses ständige Hin und Her zwischen strömendem Regen, Sonnenschein und wieder Regen kommt mir irgendwie unnatürlich vor, dachte Scarlett. Sie wandte den Blick von den Regenbogenfragmenten ab und richtete ihn auf Colum.

»Du hast auf der Parade in Savannah ja schon Nachbildungen von ihnen gesehen«, begann Colum. »Ich sage dir nur eines; ihr könnt froh sein, daß es in Amerika keine Kobolde gibt. Ihr Zorn wäre nämlich ganz furchtbar gewesen. Sie hätten ihre gesamte Gefolgschaft aus dem Reich der Geister und Feen aufgeboten, um sich für diese Verunglimpfung zu rächen. In Irland gilt folgende Grundregel: Wenn man den Kobolden den gebührenden Respekt zollt, lassen sie einen in Ruhe – vorausgesetzt natürlich, auch sie werden in Ruhe gelassen. Sie suchen sich ein angenehmes Plätzchen und lassen sich dort nieder, um ihrem Gewerbe als Flickschuster nachzugehen, allerdings nie in Gruppen, denn der Kobold ist ein Einzelgänger. Hier haust einer, dort ein anderer und so weiter. Wenn du dir nur genug Geschichten anhörst, dann gelangst du bald zu der Überzeugung, daß an jedem Bach und auf jedem Stein in diesem Land ein Kobold wohnt. Seine Anwesenheit erkennst du an dem Poch-poch-poch des Hammers, der auf die Sohle oder Hacke eines Schuhs niederfährt. Bist du vorsichtig und schleichst dich ganz still und leise wie eine Raupe an ihn heran, kannst du ihn überrumpeln. Manche Leute sagen, daß man ihn am Arm oder am Knöchel festhalten muß. Weiter verbreitet ist jedoch die Ansicht, daß es, will man ihn fangen, genügt, ihn mit dem Blick zu fixieren. Er wird dann jammern und um Freilassung betteln. Doch darauf darfst du dich nicht einlassen. Er wird dir das Blaue vom Himmel herunter versprechen, aber man weiß, daß er ein notorischer Lügner ist. Also schenke seinen Versprechungen keinen Glauben. Danach wird er dir irgendein großes Unheil androhen, aber er kann dir nichts anhaben, du brauchst die Großtuerei also nicht ernst zu nehmen.

Zum Schluß wird er sich seine Freiheit mit dem Schatz erkaufen müssen, den er irgendwo in der Nähe an einem sicheren Ort versteckt hat.

Ja, es handelt sich in der Tat um einen echten Schatz: einen Topf voll Gold, der für das ungeübte Auge vielleicht gar nicht so großartig aussieht, in Wirklichkeit jedoch mit großer, trügerischer Koboldraffinesse hergestellt wurde. Es ist ein Topf ohne Boden. Du kannst ihm bis ans Ende deiner Tage Gold entnehmen, und er wird nie leer sein.

Die einzige Gegenleistung, die der Kobold von dir verlangt, ist seine Freilassung. Die Gemeinschaft mit anderen ist ihm zuwider, Ruhe und Ungestörtheit gehen ihm über alles. Doch er ist von Natur aus höchst verschlagen. Fast immer gelingt es ihm, seine Häscher abzulenken und ihnen somit ein Schnippchen zu schlagen. Sobald du deinen Griff lockerst oder deinen Blick von ihm abwendest, ist er verschwunden, und abgesehen davon, daß du anschließend eine spannende Geschichte zu erzählen hast, springt bei der Begegnung nichts für dich heraus.«

»Es dürfte nicht allzu schwierig sein, jemanden festzuhalten oder unverwandt anzustarren, wenn man dafür einen Schatz bekommt«, bemerkte Scarlett. »Irgendwie erscheint mir diese Geschichte nicht ganz schlüssig.«

Colum lachte. »Unsere praktische, geschäftstüchtige Scarlett! Gerade Leute wie dich führen die kleinen Gnome mit besonderer Vorliebe hinters Licht! Bei euch können sie tun und lassen, was sie wollen, weil ihr nie und nimmer mit ihnen rechnet. Wenn du auf einem Spaziergang durch Wald und Flur irgendwo ein Pochen oder Hämmern hörst, wirst du kaum stehenbleiben und dir die Mühe machen, dich genau umzuschauen.«

»Doch, vorausgesetzt, ich würde an diesen Unfug glauben.«

»Na bitte! Du glaubst es eben nicht und bleibst daher auch nicht stehen.«

»Papperlapapp, Colum! Ich durchschaue dich genau. Du gibst mir dafür die Schuld, daß ich etwas nicht fange, was es sowieso nicht gibt.« Sie wurde langsam ärgerlich. Wort- und Gedankenspiele waren für sie ein schlüpfriges Terrain ohne Sinn und Zweck.

Sie merkte nicht, daß es Colum lediglich darum ging, sie von der Vertreibung der Pächtersfrau abzulenken.

»Hast du Scarlett eigentlich schon von Molly erzählt, Colum?« fragte Kathleen. »Sie hat einen Anspruch darauf, von uns vorgewarnt zu werden, meine ich.«

Scarlett vergaß die Kobolde. Auf Klatsch und Tratsch verstand sie sich, er machte ihr sogar Spaß. »Wer ist Molly?«

»Eine Schwester von Kathleen und mir«, sagte Colum. »Sie ist die erste O'Hara, die du in Adamstown kennenlernen wirst.«

»Molly ist nur eine Halbschwester«, korrigierte Kathleen, »und diese eine Hälfte ist schon mehr als genug, wenn du mich fragst.«

»Laßt hören«, sagte Scarlett aufmunternd.

Kathleens Bericht dauerte fast bis zum Ende der Fahrt. Scarlett indes nahm die Zeit und die Meilen, die vorüberzogen, gar nicht mehr wahr, so sehr fesselten sie die Neuigkeiten aus der Familiengeschichte.

Auch Colum und Kathleen waren, wie sie erfuhr, nur zur Hälfte Geschwister. Ihr Vater Patrick, ein älterer Bruder Gerald O'Haras, war dreimal verheiratet gewesen. Zu den Kindern aus erster Ehe gehörten Jamie, der nach Savannah ausgewandert war, und Molly, nach Colums Auskunft eine große Schönheit.

»Vielleicht, als sie jung war«, ergänzte Kathleen.

Nach dem Tod seiner ersten Frau heiratete Patrick Colums Mutter, und nachdem auch diese gestorben war, in dritter Ehe die Mutter Kathleens und Stephens.

Des Schweigsamen, dachte Scarlett bei sich.

Insgesamt gab es zehn Vettern und Cousinen aus dem O'Hara-Clan, die in Adamstown darauf warteten, Scarletts Bekanntschaft zu machen. Einige von ihnen hatten bereits Kinder oder sogar schon Enkelkinder. Der Todestag Patricks – Gott schenke seiner Seele Frieden – jährte sich am kommenden elften November zum fünfzehntenmal.

Im übrigen gab es auch noch einen Onkel Daniel mit seinen Kindern und Enkeln. Matt und Gerald lebten in Savannah, die anderen sechs waren in Irland geblieben.

»Da werde ich mich nie zurechtfinden«, sagte Scarlett bedrückt. Sie hatte selbst in Savannah schon Schwierigkeiten, den gesamten O'Hara-Nachwuchs auseinanderzuhalten.

»Colum macht dir den Anfang leicht«, sagte Kathleen. »In Mollys Haus gibt es außer ihr selbst niemanden aus der Familie, und ihr würde es sicher nichts ausmachen, ihren Namen zu verleugnen.«

Immer wieder unterbrochen von Kathleens scharfzüngigen Kommentaren, erklärte Colum, was es mit Molly auf sich hatte. Sie war mit einem Mann namens Robert Donahue verheiratet, in wirtschaftlicher Hinsicht eine »gute Partie«. Donahue betrieb einen großen, gutgehenden Hof, der einige hundert Morgen Land umfaßte, er war ein »starker Farmer«, wie die Iren sagten. Molly hatte anfangs als Köchin bei den Donahues gearbeitet. Nach dem Tod seiner ersten Frau – und einer angemessenen Trauerzeit – hatte Robert Donahue Molly geheiratet, die somit zur Stiefmutter seiner vier Kinder wurde. Aus der Ehe gingen fünf weitere Kinder hervor. Der Älteste, wiewohl fast drei Monate vor der Zeit geboren, war ein besonders kräftiger und gesunder Bursche gewesen. Die Kinder waren inzwischen längst erwachsen und hatten eigene Familien gegründet.

Mit ihrer O'Hara-Verwandtschaft habe Molly nicht viel im Sinn, sagte Colum mit neutraler Stimme, während Kathleen verächtlich schnaubte. Ihr Unwille mochte damit zusammenhängen, daß Mollys Ehemann ihr Hausherr war. Robert Donahue führte nicht nur sein eigenes Gut, sondern verpachtete darüber hinaus auch noch Land an andere, darunter auch einen kleinen Hof an die O'Haras.

Colum zählte nun sämtliche Kinder und Enkel Roberts auf, doch Scarlett hatte inzwischen vor der überwältigenden Flut von neuen Namen und Lebensjahren kapituliert und warf sie alle unter dem Sammelbegriff »Nachkommenschaft« in einen Topf. Erst als Colum auf ihre eigene Großmutter zu sprechen kam, hörte sie wieder aufmerksam zu.

»Die alte Katie Scarlett lebt noch immer in dem Cottage, das ihr Ehemann 1789, im Jahre ihrer Hochzeit, für sie erbaut hat. Sie läßt sich von nichts und niemandem dazu bewegen, das Haus zu verlassen. Unser Vater schloß seine erste Ehe im Jahre 1815. Seine Frau zog zu ihm in das ohnehin schon überfüllte Haus. Als dann die Kinder kamen, errichtete er gleich nebenan ein großes Gebäude, in dem genug Platz für die Heranwachsenden war, wo aber vor allem auch ein warmes Bett in der Nähe des Kamins stand. Es war für seine Mutter vorgesehen, die dort ihre alten Tage verbringen sollte. Die Alte aber hat nie etwas davon wissen wollen. Also lebt sie, zusammen mit Sean, nach wie vor in dem alten Cottage. Die Mädchen, wie Kathleen zum Beispiel, kümmern sich um die beiden.«

»Wenn es sich nicht vermeiden läßt«, fügte Kathleen hinzu. »Großmutter braucht unsere Hilfe eigentlich gar nicht, außer daß wir gelegentlich einmal ausfegen oder Staub wischen. Sean dagegen bringt immer Dreck mit hinein, es ist, als legte er es geradezu darauf an. Und dauernd macht er irgend etwas kaputt! Der Mann ist imstande, ein neues Hemd aufzutragen, ehe auch nur die Knöpfe angenäht sind. Sean ist Mollys Bruder, also nur ein Halbbruder von uns. Nicht gerade ein Vorbild von einem Mann, genausowenig wie Timothy, obwohl er über zwanzig Jahre älter ist.«

Scarlett schwirrte der Kopf. Wer war denn nur wieder Timothy? Sie wagte nicht zu fragen, fürchtete sie doch, gleich ein weiteres Dutzend Namen an den Kopf geworfen zu bekommen.

Es war allerdings auch gar keine Zeit mehr. Colum öffnete das Fenster und rief dem Kutscher zu: »Halt bitte an, Jim. Ich komme raus zu dir auf den Bock. Wir müssen gleich von der Hauptstraße abbiegen. Ich zeige dir den Weg.«

Kathleen erwischte ihn noch am Ärmel. »Colum, mein Bester, laß mich mit dir aussteigen und allein nach Hause gehen. Ich kann nicht länger warten. Scarlett hat sicher nichts dagegen, allein mit euch zu Molly zu fahren, oder, Scarlett?« Hoffnungsfroh lächelte sie Scarlett an, so daß ihr gar nichts anderes übrigblieb, als zuzustimmen. Im übrigen hatte sie sowieso gegen ein paar Minuten allein in der Kutsche nichts einzuwenden.

Sie wollte das Haus jener – wenn auch noch so verwelkten – Familienschönheit der O'Haras nicht unvorbereitet betreten, nicht ohne also zuvor in ihr Taschentuch zu spucken und sich den Straßenstaub vom Gesicht und von den Stiefeln zu wischen. Und nicht ohne sich mit ein paar Tropfen Eau de Cologne aus dem Silberfläschchen in ihrer Handtasche zu betupfen. Ein ganz klein wenig Rouge war womöglich ebenfalls angebracht.

50. Kapitel

Der Weg zu Mollys Haus führte mitten durch einen kleinen Apfelhain. Vor dem dunkelblauen, tiefhängenden Himmel färbte das Zwielicht die zarten Blüten malvenfarben. Das Haus hatte einen quadratischen Grundriß, der durch die streng rechtwinklig angelegten Primelrabatten noch akzentuiert wurde. Alles war sehr sauber und ordentlich.

Für das Interieur galt das gleiche. Auf der steifen Roßhaar-Polstergarnitur in der guten Stube lagen Sofaschoner, auf den Tischen jeweils ein gestärkter, spitzengesäumter weißer Tischläufer. Aschelos brannte das Kohlefeuer im blankpolierten Messing des Kamins.

Auch Molly selbst erwies sich als makellose Erscheinung, sowohl in ihrem Auftreten als auch in ihrer Kleidung. Ihr burgunderrotes Kleid war mit Dutzenden von silbern schimmernden Knöpfen verziert, ihr dunkles, glänzendes Haar unter einer zierlichen Haube aus weißer Hohlsaumarbeit mit Spitzenbesatz zu einer sorgfältigen Rolle gedreht. Molly bot Colum erst die rechte, dann die linke Wange zum Kuß und begrüßte Scarlett, als sie ihr vorgestellt wurde, mit einem »tausendfachen Willkommen«.

Und dabei hat sie von meinem Kommen gar nichts gewußt. Scarlett war beeindruckt. Molly war unbestreitbar eine Schönheit, sie hatte die reinste Samthaut, die Scarlett je gesehen hatte, und ihre strahlendblauen Augen waren schattenlos und ohne Tränensäcke. Kaum ein Krähenfüßchen war zu sehen, keine Falte, die der Erwähnung wert gewesen wäre, abgesehen von jener zwischen Nase und Mund. Die sieht man aber gelegentlich sogar schon bei jungen Mädchen, gestand Scarlett sich ein und beendete damit ihre rasche Ersteinschätzung. Colum mußte sich irren – Molly war gewiß noch keine fünfzig. »Ich bin so glücklich, deine Bekanntschaft machen zu dürfen, Molly«, platzte es aus Scarlett heraus. »Mir fehlen schlichtweg die Worte, um dir zu sagen, wie dankbar ich bin, daß du mich in deinem wundervollen Haus unterbringen willst.« So etwas Besonderes war das Haus allerdings nun auch wieder nicht. Sauber wie frische Farbe, gewiß, aber das Wohnzimmer war gerade einmal so groß wie das kleinste Schlafzimmer im Haus an der Peachtree Street.

»Oje, Colum! Wie konntest du einfach verschwinden und mich dort allein lassen«, klagte Scarlett am nächsten Tag. »Dieser gräßliche Robert ist ja der langweiligste Mann der Welt! Um Himmels willen, er redet über nichts als seine Kühe und darüber, wieviel Milch jede einzelne von ihnen gibt. Noch ehe das Abendessen vorüber war, hatte ich das Gefühl, ich müsse gleich zu muhen anfangen. Im übrigen haben sie mir an die achtundfünfzigmal klargemacht, daß das Abendessen bei ihnen ›Dinner‹ heißt und nicht ›Supper‹. Was in aller Welt soll denn diese Wortklauberei?«

»In Irland nehmen Engländer abends ein ›Dinner‹ zu sich, Iren dagegen ein ›Supper‹.«

»Aber sie sind doch gar keine Engländer.«

»Sie streben eben nach Höherem. Robert hat einmal mit dem Verwalter des Earl einen Whiskey getrunken.«

»Colum! Du machst Witze!«

»Ich lache, gute Scarlett, aber ich mache keine Witze. Zerbrich du dir nicht den Kopf darüber. War dein Bett bequem? Alles andere ist nicht so wichtig.«

»Ich glaube schon. Aber so müde, wie ich war, hätte ich auch auf Maiskolben geschlafen. Das Gehen tut mir richtig gut, muß ich sagen, die Reise gestern war doch recht lang. Ist es noch weit bis zu Großmutters Haus?«

»Höchstens eine Viertelmeile. Wir bleiben auf diesem *boreen*.«

»*Boreen* – schön, diese eigenartigen Wörter bei euch. Bei uns sagen wir *track* zu einem kleinen schmalen Pfad wie diesem. Und er wäre sicher nicht so von Hecken eingefaßt. Ich glaube, ich probiere es in Tara auch einmal mit Hecken anstelle der Zäune. Wie lange dauert es, bis sie so dicht sind?«

»Das hängt davon ab, wie du sie pflanzt. Was für Sträucher wachsen denn in Clayton County? Oder gibt es dort vielleicht einen Baum, den ihr schon ganz unten stutzen könnt?«

Dafür, daß er Priester ist, kennt Colum sich ja überraschend gut aus, dachte Scarlett, während er ansetzte, ihr die Kunst der Wallheckenpflanzung zu erklären und an Ort und Stelle zu erläutern. Mit den Längenmaßen war er dagegen weniger gut vertraut. Der schmale, gewundene Pfad zog sich hin, er war viel länger als eine Viertelmeile.

Unvermittelt erreichten sie eine Lichtung. Vor ihnen lag ein Cottage mit einem Schilfdach. Schmuck und frisch funkelten die weißen Wände und die blau gerahmten Fenster. Eine dicke Rauchsäule stieg aus dem niedrigen Schornstein und zeichnete eine blasse Linie in den sonnenlichtdurchwirkten, blauen Himmel, und auf dem blauen Sims eines offenstehenden Fensters schlief eine scheckige Katze.

»Herrlich ist es hier, Colum! Aber sag mir doch, wie schaffen es die Leute, die Hauswände so weiß zu halten? Ist das etwa nur der Regen?« Scarlett erinnerte sich, daß in der vergangenen Nacht mindestens drei heftige Schauer niedergegangen waren – und diese allein in der Zeit, bevor sie eingeschlafen war. Wahrscheinlich waren es noch einige mehr gewesen, der stark aufgeweichte Pfad legte diesen Schluß jedenfalls nahe.

»Das feuchte Klima hilft ein wenig«, sagte Colum lächelnd. Er war froh, daß Scarlett sich nicht darüber beklagte, wie sehr der Spaziergang dem Saum ihres Kleides und ihren Stiefeln zugesetzt hatte. »Dein Besuch kommt gerade zur rechten Zeit. Zweimal im Jahr, jeweils zum Weihnachts- und zum Osterfest, weißeln und streichen wir unsere Häuser, innen wie außen. Doch nun komm. Wir wollen sehen, ob Großmutter nicht gerade ein Schläfchen hält.«

»Ich bin richtig aufgeregt«, bekannte Scarlett, ohne zu sagen, warum. Tatsache war, daß sie sich vor dem Aussehen der fast Hundertjährigen fürchtete. Angenommen, es dreht mir beim Anblick der eigenen Großmutter den Magen um? Wie soll ich mich dann verhalten?

»Wir bleiben nicht lange«, sagte Colum, als habe er ihre Gedanken gelesen. »Kathleen erwartet uns zum Tee.« Er ging um das Haus herum, bis er die Vorderfront erreichte. Scarlett folgte ihm. Die obere Hälfte der blauen Tür stand offen, doch im Inneren konnte man nur Schatten erkennen. Auffallend war ein merkwürdiger, erdartig säuerlicher Geruch. Sie rümpfte die Nase. War das der Geruch des hohen Alters?

»Du riechst das Torffeuer, Scarlett, nicht wahr? Das ist der Duft des echten, warmen Herzens von Irland. Mollys Kohlefeuer ist nur ein weiterer englischer Einfluß. Der brennende Torf bedeutet für uns Heimat. Maureen hat mir erzählt, daß sie des Nachts manchmal davon träumt und dann voller Sehnsucht aufwacht. Beim nächsten Besuch in Savannah möchte ich ihr ein paar Torfbriketts mitbringen.«

Neugierig sog Scarlett den Geruch ein. Er erinnerte sie ein wenig an normalen Rauch, war aber doch anders. Sie folgte Colum durch die niedrige Tür ins Innere des Hauses und blinzelte, um ihre Augen an die Düsternis zu gewöhnen.

»Bist du endlich da, Colum O'Hara? Warum, möchte ich wissen, bringst du mir Molly, wo Bridie mir doch die Tochter von Gerald, meinem eigenen Sohn, angekündigt hat?« Die Stimme klang dünn und streitlustig, aber weder gebrochen noch schwach. Erleichterung und eine Art großes Staunen erfüllten Scarlett. Dies also ist Pas Mutter, von der er uns so oft erzählt hat.

Sie schob sich an Colum vorbei und kniete neben der Greisin nieder, die in einem Ohrensessel vor dem Kamin saß. »Ich bin Geralds Tochter, Großmutter. Er hat mich nach dir benannt, Katie Scarlett.«

Die ältere Katie Scarlett war klein und braun. Fast ein Jahrhundert in freier Luft, Regen und Sonne hatten ihre Haut dunkel werden lassen. Ihr Gesicht war rund und schrumpelig wie ein Apfel, den man zu lange hat liegenlassen. Die blaßblauen Augen hingegen waren klar, der Blick durchdringend. Über Schultern und Brust trug die alte Frau einen tiefblauen Wollschal, dessen fransige Enden auf ihrem Schoß ruhten. Ihr dünnes weißes Haar wurde von einer gestrickten roten Haube bedeckt.

»Laß dich ansehen, Mädchen«, sagte sie und hob mit ledrigen Fingern Scarletts Kinn. »Bei allen Heiligen, er hat die Wahrheit gesagt! Deine

Augen sind so grün wie die einer Katze!« Hastig bekreuzigte sie sich. »Ich würde zu gern wissen, woher du sie hast. Ich dachte immer, Gerald müsse betrunken gewesen sein, als er mir das schrieb. Sag mal, Katie Scarlett, war deine liebe Mutter eine Hexe?«

Scarlett lachte auf. »Sie war eher eine Heilige, Großmutter.«

»Was du nicht sagst! Und mit meinem Gerald verheiratet? Das ist das Merkwürdigste an der Sache. Aber vielleicht wurde sie ja gerade durch die Ehe mit ihm zur Heiligen, dieweil ihr solch ein Leiden auferlegt wurde. So sag mir doch: Ist er bis an sein Lebensende – Gott hab' ihn selig – so streitsüchtig geblieben?«

»Ich fürchte, ja, Großmutter.« Die Finger schoben sie fort.

»Du fürchtest, ja? Ich bin heilfroh darüber. Ich habe darum gebetet, daß Amerika ihn nicht ruiniert. Colum, du stiftest bitte in meinem Namen eine Kerze, ja?«

»Jawohl.«

Die alten Augen musterten Scarlett von neuem. »Du hast es nicht böse gemeint, Katie Scarlett. Ich verzeihe dir.« Unvermittelt begann die alte Frau zu lächeln. Zuerst mit ihren Augen, dann verbreiterten sich auch die schmalen, gespitzten Lippen zu einem Lächeln von herzerweichender Zärtlichkeit. Der blütenrosafarbene Gaumen war gänzlich zahnlos. »Ich bestelle noch eine Kerze dafür, daß mir die Gnade gewährt wurde, dich mit eigenen Augen zu sehen, bevor ich in die Grube fahre.«

Scarletts Augen füllten sich mit Tränen. »Ich danke dir, Großmutter.«

»Nicht doch, nicht doch«, sagte die alte Katie Scarlett und wandte sich an Colum. »Bring sie jetzt fort. Ich muß ein wenig ruhen.« Sie schloß die Augen, und ihr Kinn senkte sich auf den warmen Schal, der ihre Brust bedeckte.

Colum berührte Scarletts Schulter: »Gehen wir.«

Die rote Eingangstür des Nachbarhauses stand offen. Kathleen kam herausgelaufen, und die Hennen im Hof stoben aufgeregt gackernd in alle Himmelsrichtungen davon. Freudig begrüßte Kathleen ihre Gäste. »Willkommen zu Hause, Scarlett! In der Kanne dampft schon der Tee und ein frischer Laib Rosinenbrot wartet auf dich.«

Einmal mehr wunderte sich Scarlett über die Veränderung, die mit Kathleen vorgegangen war. Ihre Kleidung kam ihr immer noch wie ein Kostüm vor: Kathleen trug einen knöchellangen braunen Rock, der, da er auf einer Seite hochgezogen und unter den oberen Rand einer einfachen Schürze gesteckt war, den Blick auf die in lebhaftem Blau und Gelb gehaltenen Unterröcke freigab. Ich habe kein Kleid, das mir so gut steht, dachte Scarlett. Warum aber läßt sie Füße und Beine unbedeckt? Trüge sie jetzt noch gestreifte Stümpfe, so würde sie geradezu vollkommen aussehen.

Sie hatte daran gedacht, Kathleen zu bitten, für die Dauer ihres Aufenthalts mit zu Molly überzusiedeln. Sicher, Kathleen machte kein Hehl aus ihrer Abneigung gegen die Halbschwester, aber zehn Tage lang sollte sie es eigentlich bei ihr aushalten können. Scarlett hätte ihre Hilfe dringend brauchen können. Molly hatte zwar ein Zimmermädchen, das auch die Aufgaben einer Kammerzofe verrichtete, doch als Frisierdame war das Mädchen hoffnungslos überfordert. Aber von dieser Kathleen, so glücklich und selbstsicher, wie sie sich in ihren eigenen vier Wänden gab, war nicht anzunehmen, daß sie mit Begeisterung auf einen solchen Vorschlag eingehen würde. Sinnlos, es auch nur anzusprechen. Es läßt sich nicht vermeiden, ich werde mit einem ungeschickt gesteckten Chignon auskommen oder ein Haarnetz tragen müssen. Sie unterdrückte einen Seufzer und betrat das Haus.

Es war alles so klein. Größer zwar als Großmutters Cottage, aber immer noch viel zu klein für eine Familie. Wo sie nur alle schliefen? Die Eingangstür führte direkt in die Küche, einen Raum, der vielleicht doppelt so groß war wie sein Pendant bei Großmutter, aber doch nur etwa halb so groß wie Scarletts Schlafzimmer in Atlanta. Der bemerkenswerteste Teil der Einrichtung war der große, gemauerte Kamin in der Mitte der vom Eingang aus gesehen rechten Wand. Eine gefährlich steile Treppe führte zu einer Maueröffnung oben links neben dem Kamin, eine Tür zur Rechten in ein anderes Zimmer.

»Setz dich an den Kamin«, drängte Kathleen. Unmittelbar auf dem Steinboden der Feuerstelle brannte ein niedriges Torffeuer. Der Boden der Feuerstelle ging direkt in den Küchenboden über, der aus den gleichen behauenen Steinen bestand. Sein blasser Glanz deutete darauf hin, daß er frisch geschrubbt war, und in den scharfen Geruch des brennenden Torfs mischte sich ein Hauch Schmierseifenaroma.

Bei allen Heiligen, dachte Scarlett, meine Familie ist im Grunde sehr arm. Wie ist es nur möglich, daß sich Kathleen vor Heimweh fast die Augen ausgeweint hat? Sie rang sich ein Lächeln ab und nahm auf dem Windsor-Stuhl Platz, den Kathleen vor den Kamin geschoben hatte.

In den folgenden Stunden begriff Scarlett, warum Kathleen die Geräumigkeit und den relativen Luxus in Savannah nur als unzureichenden Ersatz für ihr Leben in dem kleinen weißgetünchten Cottage in der Grafschaft Meath betrachtet hatte. Die O'Haras in Savannah hatten sich eine Art Insel der Glückseligkeit geschaffen, die weitgehend von ihnen selbst besiedelt war. Auf ihr führten sie ein Leben wie in Irland – und hier fand sich das Original.

Eine unaufhörliche Folge von Köpfen und Stimmen erschien in der oberen Hälfte der Tür. »Gottes Segen mit euch!« lautete der oftmals wiederholte Gruß, der mit der Einladung »Kommt herein und setzt euch zu uns ans Feuer!« beantwortet wurde, worauf die so Angesprochenen eintraten. Alte und junge Frauen und Männer, Kinder beiderlei Geschlechts und jeder Altersstufe kamen und gingen – allein, zu zweit oder zu dritt. Scarlett wurde in melodischem irischem Tonfall ein ums andere Mal willkommen geheißen, und auch Kathleen begrüßte man anläßlich ihrer Heimkehr. Dies alles geschah mit einer Wärme und Herzlichkeit, die fast mit Händen zu greifen waren, und unterschied sich von der Welt der förmlichen Höflichkeitsbesuche in Savannah wie der Tag von der Nacht. Die Menschen erklärten ihr den jeweiligen Grad ihrer Verwandtschaft. Männer und Frauen erzählten Geschichten über ihren Vater, Erinnerungen von älteren Familienmitgliedern, Ereignisse, die einst von den Eltern und Großeltern erzählt worden waren und nun von den Enkeln weitergegeben wurden. In vielen Gesichtern konnte Scarlett Gerald O'Hara wiedererkennen, in vielen Stimmen hörte sie seine Stimme. Es ist, als wäre Pa selber hier, dachte sie. Ich kann mir vorstellen, wie er als junger Mann gewesen sein muß, als er noch in der Heimat lebte.

Auch der Dorfklatsch kam zu seinem Recht, schließlich mußte Kathleen auf den neuesten Stand gebracht werden. Viele Dinge wiederholten sich, je nachdem, wer gerade am Erzählen war. Nach einer Weile hatte Scarlett den Eindruck, als seien ihr der Schmied, der Pfarrer, der Wirt und die Frau, deren Henne nahezu täglich ein Ei mit zwei Dottern legte, längst persönlich bekannt. Als Pfarrer Danahers kahler Schädel in der Tür erschien, kam ihr sein Besuch bereits wie eine Selbstverständlichkeit vor, und als er das Zimmer betrat, schaute sie sofort, wie alle anderen auch, ob seine Soutane schon geflickt war, denn er hatte sich an der scharfen Kante des Kirchhoftors ein Loch hineingerissen.

Es ist, wie es früher in Clayton County war, dachte Scarlett. Jeder kennt jeden, jeder weiß, was der andere treibt. Nur beschränkt sich alles auf einen viel kleineren Raum und ist irgendwie gemütlicher. Ohne daß es ihr bewußt wurde, spürte Scarlett mit all ihren Sinnen, daß die kleine Welt, in die sie hier geraten war, eine freundlichere war als alle anderen, die sie bisher kennengelernt hatte. Sie begriff lediglich, daß sie sich in diesem Kreis sehr, sehr wohl fühlte.

Das sind die schönsten Ferien, die man sich ausdenken kann. Ich habe Rhett schon jetzt soviel zu erzählen! Vielleicht kommen wir eines Tages ja gemeinsam her; es macht ihm ja auch sonst nichts aus, kurzentschlossen nach Paris oder London zu reisen. Natürlich könnten wir nicht so leben wie hier, es ist einfach zu ... zu bäuerlich. Aber es ist so anheimelnd, so nett und lustig. Morgen, wenn ich sie alle besuche, ziehe ich eines der Kleider an, die ich in Galway gekauft habe – und zwar ohne Korsett! Soll ich den gelben Unterrock mit dem blauen Rock nehmen, oder würde der rote ...?

In der Ferne läutete eine Glocke, und die junge Frau im roten Rock, die gerade dabei war, Kathleen die ersten Zähne ihres Babys zu zeigen, sprang unvermittelt von ihrem niedrigen dreibeinigen Hocker auf. »Es läutet schon zum Angelus-Gebet! Ich lasse meinen Kevin heimkommen, ohne daß das Essen auf dem Feuer steht! Wer hätte das gedacht?«

»Nimm dir nur vom Fleischeintopf mit, Mary Helen, wir haben ohnehin zuviel. Thomas hat mich bei meiner Rückkehr gleich mit vier fetten Kaninchen begrüßt, die er mit der Schlinge gefangen hat.« Es dauerte keine Minute, und Mary Helen war auf dem Heimweg. Den Säugling trug sie auf der Hüfte, und im Arm hielt sie eine tuchbedeckte Schüssel.

»Hilfst du mir bitte, den Tisch zurechtzurücken, Colum?« bat Kathleen. »Die Männer werden gleich zum Essen kommen. Wo Bridie steckt, weiß ich allerdings nicht.«

Einer nach dem anderen kehrten die Männer des Hauses von der Feldarbeit heim. Scarlett lernte ihren Onkel Daniel kennen, einen hochgewachsenen, kräftigen, kantigen Mann in den Achtzigern, den Bruder ihres Vaters. Mit ihm vom Feld kamen vier seiner sechs Söhne, im Alter etwa zwischen zwanzig und Mitte Vierzig; die beiden anderen waren Matt und Gerald in Savannah. Es ist wahrscheinlich genauso wie damals, als Pa und seine älteren Brüder jung waren, dachte Scarlett. Unter den baumlangen O'Haras wirkte Colum ungewöhnlich klein. Selbst als sie alle am Tisch saßen, fiel der Unterschied auf.

Als Kathleen gerade mit der Kelle die weißblauen Schüsseln füllte, stürmte die vermißte Bridie zur Tür herein. Sie war völlig durchnäßt. Das Hemd klebte ihr an den Armen, und die Haare hingen ihr tropfnaß über die Schultern. Scarlett warf durch die offene Tür einen Blick nach draußen. Die Sonne schien.

»Bist du in einen Brunnen gefallen, Bridie?« fragte Timothy, der jüngste der Brüder. Er war froh, daß er nicht mehr im Mittelpunkt stand; die anderen hatten sich über seine Schwäche für ein namentlich nicht erwähntes Mädchen lustig gemacht, das sie immer nur als »Goldschopf« bezeichneten.

»Ich hab im Fluß gebadet«, erwiderte Bridie, setzte sich zu Tisch und begann zu essen, ungerührt von dem durch ihre Antwort hervorgerufenen Aufruhr. Selbst Colum, von dem nur selten ein kritisches Wort zu hören war, hob die Stimme und schlug mit der Faust auf den Tisch.

»Sieh mich an und nicht das Kaninchen, Brigid O'Hara! Ist dir nicht bekannt, daß der Boyne jedes Jahr pro Meile seiner Gesamtlänge ein Menschenleben fordert?«

Der Boyne. »Ist es derselbe Boyne wie der von der berühmten Schlacht am Boyne, Colum?« fragte Scarlett. Alle verstummten. »Pa hat mir bestimmt hundertmal davon erzählt. Er sagte, die O'Haras hätten infolge dieser Schlacht ihre gesamten Ländereien verloren.« Löffel und Schüsseln nahmen ihr Geklapper wieder auf.

»So ist es«, sagte Colum. »Aber der Fluß fließt nach wie vor im gleichen Bett. Er bildet die Grenze dieses Landes. Ich werde ihn dir zeigen, wenn du willst; allerdings nur dann, wenn du mir versprichst, ihn nicht als Badewanne zu benutzen. Brigid, du solltest es eigentlich besser wissen! Was ist nur in dich gefahren?«

»Kathleen hat mir erzählt, daß Scarlett uns besuchen kommt, und Eileen sagte, eine Kammerzofe müsse sich täglich waschen, bevor sie das Haar einer Dame oder deren Kleider berührt. Also hab ich es getan.« Zum erstenmal sah sie Scarlett in die Augen. »Ich möchte dir zu Gefallen sein, damit du mich mit nach Amerika nimmst.« In ihren blauen Augen lag ein feierlicher Glanz, und die Art, wie sie ihr weiches, rundes Kinn vorstreckte, verriet Entschlossenheit. Ihr Anblick gefiel Scarlett. Bridie, soviel stand fest, würde keine Heimwehtränen vergießen. Aber als Zofe kann sie mir nur bis zu meiner Rückkehr dienen. Keine Frau im Süden hat eine weiße Kammerzofe. Scarlett suchte nach den richtigen Worten, um das Mädchen darauf vorzubereiten.

Colum kam ihr zuvor. »Wir hatten bereits beschlossen, dich mit nach Savannah zu nehmen, Bridie. Du hättest dein Leben also gar nicht aufs Spiel zu setzen brauchen.«

»Hurra!« rief Bridie, um im nächsten Augenblick tief zu erröten. »In deinen Diensten werde ich nicht so unbeherrscht sein«, sagte sie in ernstem Ton zu Scarlett und fuhr, an Colum gewandt, fort: »Ich war ja bloß an der Furt, Colum, da reicht einem das Wasser gerade bis an die Knie. Ich bin doch nicht verrückt geworden.«

»Nun, wir werden schon herausfinden, wie verrückt du bist«, gab Colum zurück. Er lächelte bereits wieder. »Scarletts Aufgabe wird es sein, dir beizubringen, was eine Dame von einer Kammerzofe erwartet. Sie wird dich jedoch erst von der Stunde unserer Abreise an unterrichten. Ihr werdet auf dem Schiff zwei Wochen und einen Tag das Quartier teilen – da hast du Gelegenheit genug, alles zu lernen, was du brauchst. Bis dahin nutze die Zeit bei Kathleen und im Haus zu deinem Besten und tue deine Pflicht.«

Bridie seufzte schwer. »Es ist eine furchtbare Last, die Jüngste zu sein.«

Alle erhoben lauthals Protest, bis auf Daniel, der während des gesamten Essens kein Wort sprach. Erst als die Mahlzeit vorüber war, schob er seinen Stuhl zurück, erhob sich und sagte: »Gräben zieht man am besten, solange es so trocken ist. Eßt also auf und geht wieder an die Arbeit.« Er verneigte sich feierlich vor Scarlett. »Katie Scarlett O'Hara die Jüngere! Du beehrst mein Haus mit deiner Anwesenheit. Ich heiße dich willkommen. Dein Vater war hier sehr geschätzt, und daß er nicht mehr hier war, lag mir in jenen über fünfzig Jahren stets wie ein schwerer Stein auf der Brust.«

Scarlett war zu überrascht, um etwas darauf zu erwidern. Als ihr endlich eine passende Antwort einfiel, war Daniel längst wieder unterwegs zu seinen Feldern und hinter der Scheune außer Sicht.

Colum schob seinen Stuhl vor die Feuerstelle. »Du kannst es nicht wissen, Scarlett, aber du hast diesem Haus bereits deinen Stempel aufgedrückt. Eben hat Daniel O'Hara zum erstenmal über etwas anderes gesprochen als über seinen Hof. Paß also gut auf, sonst werden die Witwen und alten Jungfern der Umgebung versuchen, dich mit einem Fluch zu belegen. Daniel ist Witwer, mußt du wissen. Eine neue Frau käme ihm gewiß nicht ungelegen.«

»Colum! Er ist ein alter Mann!«

»Ist nicht seine Mutter mit hundert Jahren fidel und munter? Er hat noch eine Reihe guter Jahre vor sich. Du tust gut daran, ihm bei Gelegenheit klarzumachen, daß du zu Hause einen Ehemann hast.«

»Vielleicht sollte ich eher meinem Ehemann klarmachen, daß er nicht der einzige Mann auf der Welt ist, und ihm sagen, daß er in Irland einen Nebenbuhler hat...« Die Vorstellung ließ sie lächeln: Rhett eifersüchtig auf einen alten irischen Bauern machen! Ja, warum eigentlich nicht? Ich werde es einfach irgendwann beiläufig erwähnen – natürlich ohne ihm zu sagen, daß dieser Mann mein Onkel und überdies hochbetagt ist. Ach, wird das schön, wenn ich Rhett erst einmal dort habe, wo ich ihn haben will. Ein unerwartetes Sehnen durchfuhr sie wie ein körperlicher Schmerz. Nein, ich will ihn nicht ärgern. Ich will nur bei ihm sein, ihn lieben und das Kind zur Welt bringen, das wir beide gemeinsam lieben werden.

»In einem Punkt hat Colum recht«, sagte Kathleen. »Daniel hat dir den Segen des Hausvaters erteilt. Wenn du es bei Molly nicht mehr aushältst, kannst du ohne weiteres zu uns kommen.«

Scarlett sah ihre Chance. »Wo bringst du denn die Leute alle unter?« fragte sie unverblümt. Sie brannte vor Neugier.

»Der Dachboden ist in zwei kleine Kammern aufgeteilt. Auf der einen Seite schlafen die Jungs, auf der anderen Seite Bridie und ich. Das Bett neben dem Kamin hat Onkel Daniel übernommen, nachdem Großmutter es nicht wollte. Ich zeige es dir.« Kathleen zog die Rückseite eines jenseits der Treppe an der Wand stehenden Sofas vor. Es entfaltete sich und kippte nach vorn, wobei eine dicke, mit einer rotgewürfelten Wolldecke bedeckte Matratze zum Vorschein kam. »Er hat immer gesagt, er schläft hier, um Großmutter zu zeigen, was für ein schönes Lager ihr entgangen ist. Meiner Meinung nach hat er sich aber ganz einfach nach Tante Theresas Tod im Zimmer zu einsam gefühlt.«

»Im Zimmer?«

»Ja, dort...« Kathleen wies auf die Tür. »Wir haben es als Wohnzimmer eingerichtet, schließlich haben wir keinen Platz zu verschwenden. Das Bett ist noch da. Wenn du willst, kannst du da jederzeit übernachten.«

Scarlett konnte sich nicht vorstellen, daß sie jemals auf dieses Angebot eingehen würde. Sieben Menschen in einem so kleinen Haus, das waren nach ihrer Meinung mindestens vier oder fünf zuviel. Noch dazu solche Riesen! Kein Wunder, daß Pa als der Kümmerling des Wurfs gegolten hatte – und sich zeitlebens benahm, als sei er drei Meter groß.

Bevor sie mit Colum wieder zu Molly zurückkehrte, schauten die beiden ein zweites Mal bei der Großmutter vorbei. Die alte Katie Scarlett saß in ihrem Sessel vor dem Kamin und schlief.

»Ist sie wohlauf, was meinst du?« flüsterte Scarlett.

Colum nickte bloß. Erst als sie das Haus wieder verlassen hatten, sagte er etwas. »Die Schüssel mit ihrem Essen stand auf dem Tisch und war fast leer. Sie hat wahrscheinlich Sean versorgt und dann selbst etwas zu sich genommen. Nach dem Essen hält sie immer ein kleines Nickerchen.«

Über den hohen Hecken entlang des Wegs lag der Duft von blühendem Weißdorn, und der Gesang der Vögel, die kaum einen Meter über Scarletts Kopf auf den Zweigen saßen, erfüllte die Luft. Trotz des aufgeweichten Bodens war es einfach herrlich, hier entlangzugehen.

»Führt ein solcher Weg auch zum Boyne, Colum? Du wolltest mich doch zum Fluß bringen.«

»Ja, das werde ich. Morgen vormittag, wenn es dir recht ist. Ich habe Molly versprochen, dich heute pünktlich nach Hause zu bringen. Sie gibt dir zu Ehren eine Teegesellschaft.«

Eine Teegesellschaft! Für mich! Es war wirklich eine tolle Idee, die irische Verwandtschaft zu besuchen, bevor wir uns in Charleston niederlassen.

51. Kapitel

Was es zu essen und zu trinken gab, war sehr gut, aber damit hat es sich auch schon, dachte Scarlett. Sie reichte jedem der sich empfehlenden Gäste zum Abschied die Hand und schenkte ihnen ein strahlendes Lächeln. Herrje, was haben diese Frauen kraftlose, schlaffe Hände! Und alle reden sie, als sei ihnen etwas im Hals steckengeblieben. Mein Lebtag habe ich keine so unbeholfene Gesellschaft gesehen.

Die übertriebene Wohlanständigkeit des Möchtegern-Kleinadels aus der Provinz, die vor allem dadurch gekennzeichnet war, daß jeder den anderen zu übertrumpfen trachtete, war in der Tat ein Milieu, das Scarlett bislang noch nicht kennengelernt hatte. Unter den Plantagenbesitzern in Clayton County herrschte eine erdverbundene Geradlinigkeit. Es war eine echte Aristokratie, die selbst den in Charleston und »Mellys Freundeskreis« in Atlanta herrschenden Standesdünkel verachtete. Das Abspreizen des kleinen Fingers beim Zum-Munde-Führen der Teetasse und die gezierten Mäusehäppchen, mit denen Molly und ihre Gäste dem Gebäck und den Sandwiches zu Leibe gerückt waren, kamen Scarlett genauso lächerlich vor, wie sie waren. Sie hingegen hatte sich mit ausgezeichnetem Appetit über das ausgezeichnete Essen hergemacht und die dezenten Aufforderungen, sich über die Vulgarität von Menschen zu mokieren, die sich die Hände mit landwirtschaftlicher Tätigkeit schmutzig machten, geflissentlich überhört. »Was macht denn Robert, Molly? Trägt er die ganze Zeit Glacéhandschuhe?« fragte sie und stellte mit Befriedigung fest, daß Mollys perfektes Gesicht beim Runzeln der Stirn doch Falten zeigte.

Ich schätze, sie wird Colum Vorhaltungen machen, daß er mich hergebracht hat, dachte sie. Aber das ist mir gleichgültig. Es geschieht ihr nur recht. Warum verleugnet sie auch im Gespräch, daß ich eine O'Hara bin und sie desgleichen? Und woher hat sie nur die Idee, daß eine Plantage das gleiche ist wie ein – wie sagte sie doch gleich? –, wie ein englisches Landgut? Ich glaube, auch ich muß mit Colum ein paar Worte unter vier Augen sprechen. Wie sie mich angesehen haben, als ich ihnen sagte, daß alle unsere Diener und Feldarbeiter Schwarze sind – einfach herrlich! Ich glaube, sie haben noch nie etwas von dunkelhäutigen Menschen gehört, geschweige denn, je welche gesehen. Das ist wirklich ein seltsames Fleckchen Erde hier!

»Was für eine schöne Gesellschaft, Molly«, sagte Scarlett zu ihrer Gastgeberin. »Ich muß dir gestehen, daß ich gegessen habe, bis ich nicht mehr papp sagen konnte! Ich glaube, ich ziehe mich ein Weilchen nach oben in mein Zimmer zurück und ruhe mich etwas aus.«

»Du tust selbstverständlich, was dir beliebt, Scarlett. Ich hatte zwar den Stallknecht gebeten, den Zweisitzer einzuspannen, weil ich dir eine kleine Ausfahrt vorschlagen wollte, aber wenn du lieber schlafen willst ...«

»O nein, natürlich komme ich sehr gern mit! Können wir vielleicht zum Fluß hinunterfahren? Was meinst du?« Zwar hatte sie eigentlich vorgehabt, sich eine Weile von Mollys Gegenwart zu befreien, doch andererseits bot sich hier eine Gelegenheit, die sie sich nicht entgehen lassen durfte. Tatsache war, daß sie lieber mit der Kutsche zum Boyne fuhr, als zu Fuß dorthin zu gehen. Colum hatte zwar gesagt, es sei nicht weit, doch sie war, was seine Entfernungsangaben betraf, inzwischen ziemlich mißtrauisch.

Wie sich herausstellte, war ihre Skepsis durchaus berechtigt. Angetan mit gelben Handschuhen, die zu den gelbgestrichenen Speichen der hohen Räder paßten, steuerte Molly die Kutsche zunächst einmal auf die Hauptstraße und fuhr dann mitten durchs Dorf. Neugierig betrachtete Scarlett die trostlosen Gebäude am Straßenrand.

Schließlich rollte der Zweisitzer durch die größten Tore, die Scarlett je gesehen hatte, gewaltige, schmiedeeiserne Gebilde, die mit goldenen Speerspitzen gekrönt und zur Linken wie zur Rechten mit goldfarbenen Tafeln geschmückt waren, auf denen ein kunstvoll gefertigtes Muster prangte.

»Das gräfliche Wappen«, sagte Molly zärtlich. »Wir fahren zum Herrenhaus, und vom Park aus sehen wir dann den Fluß. Es ist schon in Ordnung, der Graf ist nicht anwesend, und Mr. Alderson hat Robert den Zutritt gestattet.«

»Wer ist denn das?«

»Der Verwalter der gräflichen Ländereien. Er ist für das gesamte Gut zuständig. Robert kennt ihn persönlich.«

Scarlett gab sich alle Mühe, beeindruckt auszusehen. Es war ganz klar, daß diese Eröffnung ihr den Atem verschlagen sollte, obwohl sie nicht genau wußte, warum. Was konnte an einem Verwalter schon Besonderes sein? Der war doch bloß eine angestellte Hilfskraft.

Nach einer langen Fahrt über eine breite, schnurgerade Schotterstraße wurde ihre Frage beantwortet. Sie kamen an ausgedehnten, kurzgeschorenen Rasenflächen vorbei, die Scarlett vorübergehend an die großzügigen Terrassen von Dunmore Landing erinnerten. Der Gedanke verflog jedoch augenblicklich, als das Herrenhaus ins Blickfeld rückte.

Es war ein imposanter Anblick. Nicht ein einzelnes Gebäude erhob sich vor ihnen, wie es schien, sondern ein ganzer Komplex von zinnenbewehrten Dächern, Türmen und Mauern, eher ein kleiner Ort als ein einfaches Haus, und so ganz anders als alle Häuser und Cottages, die Scarlett in ihrem Leben bisher gesehen hatte. Mit einemmal begriff sie, warum Molly so ehrfurchtsvoll von dem Verwalter gesprochen hatte. Ein solches Gut zu führen und in Ordnung zu halten erforderte gewiß mehr Personal und Arbeit als die größte Plantage, die sie kannte. Sie reckte ihren Hals, um die steinernen Mauern und die marmorgefaßten Maßwerk-Fenster besser betrachten zu können. Die Villa, die Rhett für sie hatte errichten lassen, war das größte und, nach Scarletts Überzeugung, eindrucksvollste Wohnhaus in Atlanta. Plazierte man es jedoch neben diesen Gebäudekomplex, so würde es so unbedeutend wirken, daß man es kaum wahrnähme. Ich würde zu gerne wissen, wie es innen aussieht, dachte Scarlett.

Molly war allein schon über die unverfrorene Frage entsetzt. »Wir haben nur die Erlaubnis, im Garten spazierenzugehen«, sagte sie. »Ich binde das Pony dort am Pfosten an. Dann gehen wir zu Fuß weiter.« Sie deutete auf ein Tor, das mit einem Spitzbogen versehen war. Die schmiedeeiserne Gittertür stand offen. Scarlett sprang von der Kutsche.

Durch den Torbogen gelangten sie auf eine kiesbedeckte Terrasse. Zum erstenmal sah Scarlett Kies, der zu einem bestimmten Muster geharkt worden war. Sie scheute sich fast, ihn zu betreten, da ihre Schritte die bogenförmigen, präzise ausgeharkten Linien zu zerstören drohten. Beklommen spähte sie in den Garten, der am gegenüberliegenden Ende der Terrasse begann. Ja, auch die Pfade waren mit Kies bestreut, auch sie geharkt, wenngleich Gott sei Dank nicht in einem bestimmten Muster. Fußspuren waren keine zu erkennen. Ich frage mich, wie sie das machen, dachte sie. Der Mann mit der Harke muß doch Füße haben! Sie holte tief Luft, betrat mutig die Terrasse und ging hinüber zu den Marmortreppen, die in den Garten hinunterführten. Das Knirschen ihrer Stiefel auf dem Kies klang in ihren Ohren laut wie Gewehrfeuer. Sie bereute es, sich auf diesen Ausflug eingelassen zu haben.

Ja, und wo blieb überhaupt Molly? Vorsichtig drehte Scarlett sich um. Molly folgte ihr, wobei sie sorgfältig darauf achtete, daß sie nur in die von Scarlett vorgegebenen Fußstapfen trat. Scarlett ging es gleich merklich besser, als sie merkte, daß ihre Cousine trotz aller Allüren noch ängstlicher war als sie. Sie hob den Blick und betrachtete das Haus. Von dieser Stelle sah es wesentlich menschlicher aus. Gläserne Verandatüren verbanden die Terrasse mit den Innenräumen. Sie waren geschlossen und mit Vorhängen versehen, dabei aber nicht zu groß zum Hinaus- und Hineingehen wie die Türen auf der Vorderseite des Hauses. Es war also durchaus vorstellbar, daß hier Menschen lebten und nicht nur Riesen.

»Wo geht es zum Fluß?« rief sie ihrer Cousine zu. Von einem leerstehenden Haus ließ sie sich nicht einschüchtern.

Aber Scarlett wollte auch nicht zu lange hier herumtrödeln. Sie lehnte Mollys Vorschlag ab, sich erst einmal den Garten ausgiebig anzusehen. »Ich möchte nur den Fluß sehen. Mit Gärten kann man mich jagen, mein Mann macht ihretwegen viel zuviel Aufhebens.« Sie nahmen den mittleren Weg, der sie zu den Bäumen auf der anderen Seite führte. Unterwegs konnte Molly ihre Neugier kaum verbergen, zu gern hätte sie Näheres über Scarletts Ehe erfahren. Aber Scarlett ging auf ihre vorsichtigen Anspielungen nicht ein.

Und dann waren sie plötzlich am Ziel. Durch eine scheinbar natürliche Lücke zwischen zwei Baumgruppen sahen sie den Fluß. Braun und golden floß er dahin. Nie hatte Scarlett solch ein Wasser gesehen. Wie geschmolzenes Gold lag das Sonnenlicht über seiner Oberfläche und drehte sich in kleinen, brandybraunen Wasserwirbeln. »Wie schön er ist«, sagte Scarlett mit weicher Stimme. Mit solcher Schönheit hatte sie nicht gerechnet.

Nach Pas Erzählungen hätte der Boyne ein schnellfließender, wilder Strom sein müssen, das Wasser rot von lauter vergossenem Blut. In Wirklichkeit schien er sich kaum zu bewegen. Das also ist er, der Boyne. Seit ich denken kann, habe ich immer wieder von ihm gehört, und nun stehe ich an seinem Ufer. Sie fühlte sich von einer ihr unbekannten, nicht zu benennenden Gefühlsaufwallung ergriffen und suchte nach einer Definition, bemühte sich um Verständnis. Es war wichtig... Was war es nur?

»Das ist der ›Ausblick‹«, sagte Molly in ihrer verkrampften, gezierten Art. »Alle besseren Landgüter haben von ihren Gärten einen Ausblick.«

Scarlett wäre am liebsten mit den Fäusten auf sie losgegangen. Ihre Ahnung war fort. Wahrscheinlich werde ich jetzt nie herausfinden, was mich eben so gefangengenommen hat. Sie folgte Mollys ausgestrecktem Arm und erblickte auf dem gegenüberliegenden Flußufer einen Turm. Er sah aus wie viele andere, die sie auf der Herfahrt vom Zug aus gesehen hatte, war aus Steinen errichtet und teilweise eingestürzt. Am Grund war er mit Moos überwuchert, und an seinen Flanken rankten sich Schlingpflanzen empor. Der Turm war erheblich höher, als man aus der Entfernung hätte annehmen mögen, er mochte an die zehn Meter breit und doppelt so hoch sein. Sie mußte Molly recht geben: Es war ein romantischer Ausblick.

»Gehen wir«, sagte sie nach einem letzten Blick auf den Fluß. Sie fühlte sich plötzlich sehr müde.

»Ich glaube, Colum, ich werde meine geliebte Cousine Molly noch umbringen. Du hättest diesen entsetzlichen Robert gestern beim Abendessen hören müssen! Was für ein großartiges Privileg es doch sei, daß wir auf diesen elenden Gartenwegen des Grafen lustwandeln dürften! Ich glaube, er hat das mindestens siebenhundertmal wiederholt, und jedesmal plapperte Molly anschließend zehn Minuten lang darüber, wie ungeheuer sie das alles beeindrucke. Als sie mich dann heute morgen in den Kleidern aus Galway sah, wäre sie beinahe in Ohnmacht gefallen. Ich kann dir sagen, das war keine piepsige Damenstimme mehr. Sie warf mir vor, ihre gesellschaftliche Stellung zu ruinieren und Robert zu blamieren. Robert! Der sollte doch jedesmal vor Scham erröten, wenn er sein dummfeistes Gesicht im Spiegel sieht! Wie kann sich Molly erdreisten, mir vorzuwerfen, ich könnte ihn blamieren?«

Colum tätschelte Scarletts Hand. »Ich kann mir durchaus bessere Gastgeberinnen für dich vorstellen, Scarlett. Aber Molly hat auch ihre guten Seiten. Sie hat uns heute zum Beispiel ihren Zweisitzer geliehen, so daß wir einen schönen Ausflug unternehmen können, ohne im geringsten von ihr behelligt zu werden. Sieh doch die Schlehenblüten in den Hecken! Und auch die Wildkirschen draußen im Hof stehen in voller Blüte. Einen so schönen Tag darf man sich nicht durch Groll und Mißgunst verderben lassen. Mit deinen gestreiften Strümpfen und mit dem roten Unterrock siehst du heute aus wie eine entzückende junge Irin!«

Scarlett streckte die Füße aus und lachte. Colum hat recht, dachte sie. Warum soll ich mir durch Molly den Tag verderben lassen?

Sie fuhren nach Trim, einer uralten Stadt mit ruhmreicher Geschichte, von der Colum genau wußte, daß sie Scarlett nicht im geringsten interessierte. Also erzählte er ihr vom Markt, der in Trim, ebenso wie in Galway, jeweils samstags stattfand, wenngleich er zugegebenermaßen längst nicht so groß war. Immerhin trat in Trim des öfteren ein Wahrsager auf, was in Galway nur sehr selten geschah. Für Twopence sagte er einem eine gloriose Zukunft voraus, während auf alle, die nur einen Halfpenny für ihn übrig hatten, schwere Prüfungen warteten.

Scarlett lachte. Colum gelang es immer wieder, sie zum Lachen zu bringen. Heimlich berührte sie den Geldbeutel, der zwischen ihren Brüsten hing, bedeckt von ihrem Hemd und ihrem blauen Mantel aus Galway.

Niemand würde je auf die Idee kommen, daß sie anstelle eines Korsetts zweihundert Golddollar mit sich trug. Die Freiheit war beinahe unschicklich. Es war das erstemal seit ihrem elften Lebensjahr, daß sie ohne Mieder ausging.

Colum zeigte ihr die berühmte Burg von Trim, und Scarlett gab vor, sich tatsächlich für die Ruine zu interessieren. Anschließend zeigte er ihr den Laden, in dem Jamie von seinem achtzehnten Lebensjahr bis zu seiner Übersiedlung nach Savannah im Alter von zweiundvierzig gearbeitet hatte. Diesmal war Scarletts Interesse ungespielt. Sie sprachen mit dem Besitzer, und der schloß natürlich gleich sein Geschäft, begleitete sie hinauf in den ersten Stock und stellte sie seiner Frau vor, die gewiß vor Kummer gestorben wäre, hätte sie die neuesten Nachrichten aus Savannah nicht unmittelbar aus Colums Mund gehört und die Besucherin persönlich kennengelernt, deren Schönheit und deren amerikanischer Charme hier draußen auf dem Land längst Tagesgespräch waren.

Dann mußte selbstredend den Nachbarn mitgeteilt werden, was für ein besonderer Tag es war und was für Gäste da gekommen waren. Binnen kurzem war der kleine Raum über dem Laden so voll, daß Scarlett meinte, die Mauern müßten sich nach außen wölben.

Als sie Jamies ehemaligen Arbeitgeber endlich wieder verließen, sagte Colum: »Die Mahoneys würden es als Affront auffassen, sollten sie erfahren, daß wir in Trim waren und sie nicht besucht haben.« Wer? Nun, Maureens Familie, die Eigentümer des größten Gasthauses in Trim, und ob Scarlett denn schon einmal Porterbier getrunken habe? Die Gaststube war noch voller als das Wohnzimmer der Mahoneys, und mit jeder Minute kamen neue Leute hinzu. Bald fanden sich auch ein paar Fiedler ein, und es wurden Speisen aufgetragen. Die Stunden vergingen wie im Fluge. Als sie sich auf den kurzen Rückweg nach Adamstown machten, hatte bereits die lange Phase des abendlichen Zwielichts begonnen. Der erste Regenschauer des Tages – der lange Sonnenschein sei ein seltenes Phänomen, meinte Colum – verstärkte den Duft, der von den blühenden Hecken ausging. Scarlett zog sich die Kapuze ihres Mantels über den Kopf. Die ganze Heimfahrt über sangen sie.

»Ich halte kurz am Pub und sehe nach, ob ich Post habe«, sagte Colum. Er machte die Zügel des Ponys am Dorfbrunnen fest. Sofort erschienen in allen offenstehenden Türen der Häuser ringsum neugierige Gesichter.

»Scarlett!« schrie Mary Helen. »Der zweite Zahn ist durch! Komm doch auf eine Tasse Tee herein und sieh's dir an!«

»Nein, Mary Helen«, gab Clare O'Gorman, geborene O'Hara, zurück. »Du kannst ja, wenn du willst, zu uns kommen. Bring dein Baby, deinen Mann und alle anderen ruhig mit. Schließlich ist Scarlett auch meine Cousine. Mein Jim brennt darauf, sie kennenzulernen!«

»Und auch meine Cousine, Clare«, rief Peggy Monaghan. »Und ich habe einen Rosinenkuchen bereitstehen. Ich kenne nämlich ihre Vorliebe dafür!«

Scarlett wußte nicht mehr ein noch aus. »Colum!« rief sie.

Nichts leichter als das, war sein Kommentar. Sie müßten eben von einem zum anderen gehen, angefangen bei dem, zu dem es am kürzesten war. Unterwegs würden sich die Freunde ihnen anschließen. Sei dann das ganze Dorf in einem der Häuser versammelt, könne man sich dort ja ein Weilchen aufhalten.

»Freilich nicht allzulange! Denk daran, daß du dich für Mollys Abendbrottisch noch zurechtmachen mußt. Sie hat ihre Schwächen wie wir alle, aber deshalb sollte man sie in ihren eigenen vier Wänden nicht unbedingt vor den Kopf stoßen. Sie hat so viel Mühe darauf verwandt, sich von diesen Unterröcken zu befreien, daß man ihr deren Anblick im eigenen Eßzimmer kaum noch zumuten kann.«

Scarlett legte die Hand auf Colums Arm. »Sag, kann ich nicht zu Daniel ziehen?« fragte sie. »Bei Molly halte ich es nicht mehr aus ... Worüber lachst du, Colum?«

»Ich habe mir die ganze Zeit überlegt, mit welcher Ausrede ich Molly den Zweisitzer für einen weiteren Tag abschwatzen könnte. Jetzt weiß ich, wie ich sie sogar überzeuge, ihn uns bis zu deiner Abreise zur Verfügung zu stellen. Geh du nur und bewundere den neuen Zahn des Babys, ich werde unterdessen mit Molly ein Gespräch unter vier Augen führen. Bitte, nimm es mir nicht übel, Scarlett, aber sie verspricht mir sicher alles, wenn ich ihr meinerseits verspreche, dich anderswo unterzubringen. Deine Bemerkung über Roberts elegante Glacéhandschuhe beim Kühehüten wird sie dir nie verzeihen. In jeder Küche zwischen hier und Mullingar erzählt man sich die Geschichte inzwischen und amüsiert sich darüber.«

Gegen Abend zog Scarlett in das Zimmer über der Küche. Selbst Onkel Daniel lächelte, als Colum ihm die Geschichte von Roberts Handschuhen erzählte – eine bemerkenswerte Tatsache, die anschließend selbst zum Teil der Geschichte wurde und ihren Nacherzählungswert noch steigerte.

Scarlett paßte sich erstaunlich schnell den einfachen Lebensverhältnissen in Daniels Zweizimmerhäuschen an. Sie hatte ein eigenes Zimmer, ein bequemes Bett und konnte, da Kathleen unaufdringlich das Putzen und Kochen erledigte, ihre Ferien nun ungestört genießen. Was sie denn auch nach Kräften tat.

52. Kapitel

In der darauffolgenden Woche war Scarlett beschäftigter und in mancher Beziehung auch glücklicher als je zuvor in ihrem Leben. Was ihre körperliche Verfassung betraf, so konnte sie sich nicht erinnern, sich jemals so gesund und kräftig gefühlt haben. Befreit von den Zwängen des der Mode entsprechend eng geschnürten Mieders und ohne den Metallkäfig des Korsetts und seiner Verstrebungen, war sie erheblich beweglicher und konnte zum erstenmal seit vielen Jahren den ganzen Tag über frei durchatmen. Zudem gehörte sie zu jenen Frauen, deren Vitalität während der Schwangerschaft zunimmt, gleichsam um den Bedürfnissen des in ihrem Körper heranwachsenden neuen Lebens entgegenzukommen. Sie schlief tief und erwachte beim ersten Hahnenschrei mit einem rasenden Frühstückshunger und einer brennenden Neugier auf den bevorstehenden Tag.

Und in der Tat verging kein Tag ohne die Annehmlichkeiten des Familienlebens und den Reiz neuer Erfahrungen. Colum war jederzeit gern bereit, mit ihr, wie er es nannte, »Abenteuerfahrten« in Mollys Einspänner zu unternehmen, vorausgesetzt, es gelang ihm, Scarlett von ihren neuen Freunden loszureißen. Die ersten schauten schon unmittelbar nach dem Frühstück bei Daniel zur Tür herein, sei es, daß sie nur auf eine Stippvisite vorbeikamen, sei es, daß sie Scarlett zu sich einladen wollten oder daß sie etwas zu erzählen hatten, was Scarlett vielleicht noch nicht wußte. Es kam auch vor, daß jemand einen Brief aus Amerika erhalten hatte, in dem ein paar Worte oder Sätze der näheren Erklärung bedurften. Scarlett galt natürlich als Amerika-Expertin und wurde wieder und wieder gebeten, von dort zu berichten. Andererseits galt sie auch als Irin, obwohl sie – die Arme! – das Land gar nicht kannte. Es gab ja so vieles, was man ihr erzählen, zeigen und beibringen konnte.

Die irischen Frauen waren von einer entwaffnend unkomplizierten Natürlichkeit. Fast schien es, als stammten sie aus einer anderen Welt, einer Welt, die so fremd war wie das Reich der Feen und Kobolde, von deren magischem Tun und Treiben sie überzeugt waren. Kathleen stellte für den Fall, daß die »kleinen Wesen« in der Nacht vorbeikämen, Abend für Abend eine Untertasse voll Milch und einen Teller mit Brotkrumen auf die Türschwelle. Scarlett mußte laut lachen, als sie sie zum erstenmal dabei beobachtete. Am nächsten Morgen waren Untertasse und Teller leer, und Scarlett meinte, an den Leckereien habe sich wohl eine der Katzen aus der Scheune gütlich getan. Doch Kathleen ließ sich durch ihre Skepsis in keiner Weise beirren. Die abendliche Gnomenfütterung sollte für Scarlett zu einer der nettesten Erinnerungen an das Leben bei den O'Haras werden.

Auch die Begegnungen mit der Großmutter wurden ihr lieb und teuer. Sie ist zäh wie Schuhleder, dachte sie voller Stolz und bildete sich ein, die Stunden der Verzweiflung in ihrem Leben nur dank des in ihren Adern fließenden Bluts der alten Dame überstanden zu haben. Immer wieder lief sie hinüber in das kleine Haus. Wenn die alte Katie Scarlett wach und zum Reden aufgelegt war, setzte sich die junge auf einen Hocker neben sie und bat sie um Erinnerungen aus Pas Jugendzeit.

Schließlich fügte Scarlett sich dann Colums Drängen und kletterte in den Einspänner. Die tägliche Abenteuerfahrt begann. Geschützt und warm durch ihre Wollröcke, den Umhang und die Kapuze, scherte sie sich schon nach wenigen Tagen nicht mehr um den böigen Westwind und die kurzen Schauer, die regelmäßig über das Land hinwegfegten.

Es war während eines solchen Regenschauers, daß Colum sie zum »echten Tara« fuhr. Scarletts Umhang bauschte sich im Wind, als sie über ausgewaschene Steinstufen die flache Anhöhe erklommen, auf der einst die irischen Hochkönige regiert und musiziert, geliebt und gehaßt, gefeiert und gekämpft hatten und letztlich besiegt worden waren.

Da gibt es ja nicht einmal mehr eine Burgruine. Scarlett sah sich um. Außer einer grasenden Schafherde war nichts zu sehen; das Fell der Tiere war grau im grauen Licht des grauen Himmels. Zu ihrer eigenen Überraschung überkam sie ein Schauder. Eine Gans lief über mein Grab ... So hieß es, als wir Kinder waren. Der Gedanke ließ sie lächeln.

»Gefällt es dir?« fragte Colum.

»Hm ... ja, doch, es ist sehr hübsch hier.«

»Nicht lügen, Scarlett-Schatz. Auf Tara sucht man nicht nach ›hübschen‹ Dingen. Komm mit.« Er streckte die Hand aus, und Scarlett legte ihre in seine.

Langsam schritten sie durch das üppige Gras, bis sie eine merkwürdig unebene Stelle erreichten, wo der Boden mit lauter grasbewachsenen Bukkeln übersät war. Colum führte sie über einige dieser Unebenheiten hinweg und blieb dann stehen.

»Hier an dieser Stelle, wo wir jetzt stehen, stand einst auch der heilige Patrick. Er war damals ein einfacher Mensch und Missionar, wahrscheinlich nicht größer als ich. Heilig wurde er erst später, und in der Vorstellung der Menschen wuchs er heran zu einem unbesiegbaren Giganten, dessen Waffe das heilige Wort Gottes war. Ich glaube, man tut gut daran, sich zunächst des Menschen Patrick zu erinnern. Er muß sich gefürchtet haben, wie er da allein in Sandalen und grobgewirktem Umhang vor dem mächtigen König und dessen Magiern stand. Er hatte ihnen nur seinen Glauben entgegenzusetzen, die Botschaft der Wahrheit und das innere Bedürfnis, sie auch zu verbreiten. Es muß ein kalter Wind geweht haben, doch sein Sendungsbewußtsein war wie eine verzehrende Flamme. Er hatte das Gesetz des Königs bereits gebrochen, als er in einer Nacht, in der nach dem Gesetz kein Feuer brennen durfte, ein großes Freudenfeuer entfacht hatte. Er hatte das Risiko auf sich genommen, obwohl er genau wußte, daß dieser Frevel mit dem Tode bestraft werden konnte. Aber es ging ihm darum, die

Aufmerksamkeit des Königs auf sich zu lenken und allenthalben die Größe der Botschaft unter Beweis zu stellen, die er zu verkünden hatte. Er fürchtete nicht den Tod, sondern nur, daß er Gott enttäuschen könnte. Was indes nicht geschah. König Laoghaire auf seinem alten, juwelengeschmückten Thron erteilte dem kühnen Missionar die Befugnis, ungehindert zu predigen. Und so wurde Irland zum christlichen Glauben bekehrt.«

Irgend etwas in Colums ruhiger Stimme veranlaßte Scarlett, aufmerksam zuzuhören. Sie wollte verstehen, was er sagte und was es über die Worte hinaus bedeutete. Nie hatte sie sich die Heiligen als Menschen vorgestellt, als Wesen, die Angst haben konnten. Im Grunde hatte sie noch nie über die Heiligen nachgedacht; sie waren für sie nichts weiter als die Namen bestimmter Feiertage gewesen. Doch als sie nun Colums untersetzte Gestalt vor sich sah, sein unauffälliges Gesicht und die graumelierten, windzerzausten Haare, da fiel es ihr nicht schwer, sich Gesicht und Gestalt eines anderen einfachen Mannes von genauso entschlossener Haltung vorzustellen. Er hatte keine Angst vor dem Tod – wie war so etwas denn überhaupt möglich? Was für ein Gefühl mußte das sein? Unvermittelt verspürte sie einen sehr menschlichen Anflug von Neid auf den heiligen Patrick, ja auf alle Heiligen und sogar irgendwie auf Colum. Ich verstehe es nicht und werde es wohl auch nie verstehen. Die Einsicht kam langsam und war wie eine schwere Last. Sie hatte eine große, schmerzliche, beunruhigende Wahrheit erfahren. Es gibt Dinge, die so tiefgründig, so kompliziert und so widersprüchlich sind, daß sie sich einer Erklärung oder dem normalen gesunden Menschenverstand entziehen. Scarlett fühlte sich auf einmal allein und schutzlos dem Wind ausgeliefert.

Colum ging weiter und führte sie. Nach ein paar Dutzend Schritten blieb er wieder stehen und fragte: »Siehst du die flachen Erhebungen dort? Sie sehen aus wie aufgereiht.«

Scarlett nickte.

»Du bräuchtest jetzt Musik und ein Glas Whiskey, um den Wind abzuwehren und die Augen zu öffnen. Nur habe ich weder das eine noch das andere für dich dabei. Daher solltest du vielleicht die Augen schließen, um besser sehen zu können. Das hier ist alles, was von der großen Empfangshalle mit den tausend Kerzen übriggeblieben ist. Die O'Haras waren hier, die Scarletts und alle anderen, die du inzwischen kennengelernt hast – Monaghan, Mahoney, MacMahon, O'Gorman, O'Brien, Danaher, Carmody und wieder andere, die du noch kennenlernen wirst. All die Helden waren hier. Es gab gut und reichlich zu essen und zu trinken. Und die Musik spielte dir gleichsam das Herz aus dem Leibe. Tausend Gäste hatten in der Halle Platz, tausend Kerzen erleuchteten sie. Kannst du sie sehen, Scarlett? Die Kerzenflammen, deren Licht verdoppelt, verdreifacht, verhundertfacht wird, da es sich in goldenen Armreifen und goldenen Bechern spiegelt und sich im tiefen Rot, Grün und Blau der großen, goldgefaßten Juwelen bricht, mit denen die karminroten Umhänge über den Schultern festgehalten werden? Die Gäste haben einen gewaltigen Appetit mitgebracht. Gebratenes Wildbret, Schwein und Gans schimmern in ihrem Fett, und nicht geringer sind der Durst auf Met und Whiskey und die Gier nach Musik. Und dann hämmern sie mit den Fäusten auf die Tische, daß das goldene Geschirr scheppernd und klappernd zu tanzen beginnt. Siehst du deinen Pa? Und Jamie? Und den jungen Brian, diesen Halunken, der immer wieder Seitenblicke auf die Frauen riskiert? Was für ein Gelage! Kannst du es sehen, Scarlett?«

Sie stimmte in Colums Lachen mit ein. Ja, Pa würde »Peggy in der kleinen Chaise« grölen und rufen: »Schenkt mir noch einmal nach, denn das Singen dörrt einem Mann die Kehle aus.« Oh, wie er es genossen hätte! »Es sind auch Pferde da«, sagte sie. »Pa mußte immer und jederzeit ein Pferd zur Verfügung haben.«

»Pferde, so stark und schön wie große Wellen, die auf die Küste zueilen.«

»Und es mußte immer wer dabeisein, der später die Geduld aufbrachte, ihn ins Bett zu bringen.«

Colum lachte wieder. Er nahm sie in die Arme, drückte sie an sich und gab sie wieder frei. »Ich wußte doch, daß du die ruhmreiche Zeit nachempfinden kannst.« Stolz lag in seinen Worten – Stolz auf sie. Scarlett schenkte ihm ein Lächeln, und ihre Augen funkelten wie lebende Smaragde.

Der Wind blies ihr die Kapuze vom Kopf, doch obwohl er nun dem Wetter preisgegeben war, spürte sie Wärme: Der Regenschauer war vorüber. Sie sah in einen blanken, blauen Himmel mit blendendweißen Wolken, die wie Tänzerinnen vor dem böigen Wind dahinstoben. Sie waren so nah, so warm . . . Sie schützten den irischen Himmel.

Dann senkte sie den Blick und hatte das Land wieder vor Augen: Grün über grün breitete es sich vor ihr aus – die frischen Wiesen und Felder, das zarte Grün der jungen Blätter und die Hecken, die ebenfalls voller Leben waren. Weit konnte sie sehen . . . bis hin zur Krümmung der Erde am dunstverschleierten Horizont. Da regte sich tief in ihr ein uraltes Gefühl aus heidnischer Zeit, die kaum zu bezähmende Wildheit, die in ihr geruht hatte und nun mit einemmal ihr Blut in Wallung brachte. Ja, das war es, was es bedeutete, ein König zu sein – die Höhe über der Welt, die Nähe zu Sonne und Himmel. Sie breitete die Arme aus, um hier auf diesem Hügel das Leben zu umfangen, während ihr die Welt zu Füßen lag.

»Tara«, sagte Colum.

»Mich überkam plötzlich ein ganz merkwürdiges Gefühl, Colum. Mir war, als sei ich nicht mehr ich selbst.« Scarlett trat auf eine gelbe Speiche der Kutsche und stieg auf ihren Sitz.

»Das sind die Jahrhunderte, Scarlett. All das Leben, das sich dort zugetragen hat, all die Freude und all das Leid, die Festgelage und Schlachten – sie sind in der Luft und im umliegenden Land noch gegenwärtig. Es ist die Zeit, es sind die unzähligen Jahre, die gewichtslos auf der Erde lasten. Du kannst es weder sehen noch riechen, hören oder mit den Händen greifen, aber du fühlst es, es berührt deine Haut, es spricht ohne einen Laut. Es sind die Zeit und das Mysterium.«

Trotz der wärmenden Sonne wickelte sich Scarlett fester in ihren Umhang. »Es war so wie kürzlich unten am Fluß. Auch dort hat mich dieses seltsame Gefühl überfallen. Fast hätte ich das richtige Wort dafür gefunden, aber dann war es auf einmal fort.« Sie erzählte ihm von dem Spaziergang im gräflichen Garten, vom Fluß und dem Turm, den sie am anderen Ufer gesehen hatte.

»›Alle besseren Landgüter haben von ihren Gärten einen Ausblick ...‹« Colums Stimme zitterte plötzlich vor Wut. »Das hat Molly doch gesagt, oder?«

Scarlett versuchte, noch tiefer in ihren Umhang hineinzukriechen. Was war denn so falsch an dem, was sie gesagt hatte? Nie zuvor hatte sie Colum so erlebt; er war ein Fremder, nicht der Colum, den sie kannte.

Er wandte sich ihr zu und lächelte sie an, und Scarlett sah, daß sie sich getäuscht hatte. »Wie wär's, wenn du mich nun in einer meiner menschlichen Schwächen unterstützen würdest, Scarlett-Schatz? Auf der Rennbahn in Trim werden heute die Pferde vorgestellt. Ich würde sie mir gern ansehen und mir überlegen, auf welches von ihnen ich am Sonntag ein kleines Sümmchen setzen kann.«

Scarlett war gern dazu bereit.

Trim lag fast zehn Meilen entfernt – nicht weit, dachte Scarlett. Doch die Straße war sehr kurvenreich, schwenkte mal hierhin, mal dorthin ab, bis sie nach zahllosen Biegungen endlich wieder in die gewünschte Richtung führte. Als Colum den Vorschlag machte, man solle irgendwo in einem Dorf eine Teepause machen und eine Kleinigkeit zu sich nehmen, stimmte Scarlett mit Begeisterung zu. Wieder in der Kutsche, gelangten sie nach kurzer Zeit an eine Kreuzung und auf eine breitere und geradere Straße. Colum gab dem Pony die Peitsche, damit es eine schnellere Gangart einschlug. Ein paar Minuten später, am Eingang eines größeren Dorfes, ließ er die Peitsche noch einmal knallen, härter noch als zuvor, und das Gespann rumpelte so rasch durch die Ansiedlung, daß die Kutsche auf ihren hohen Rädern arg ins Schwanken geriet.

»Wieso wirkte der Ort so ausgestorben, Colum?« fragte Scarlett, als sie wieder in gemächlicherem Tempo dahinrollten.

»Niemand will mehr in Ballyhara leben. Der Ort hat eine böse Geschichte.«

»Was für eine Verschwendung! Das Dorf sah doch recht hübsch aus.«

»Warst du jemals bei einem Pferderennen, Scarlett?«

»Bei einem richtigen nur ein einziges Mal. In Charleston. Aber zu Hause gab es immer irgendwelche improvisierten Rennen. Pa war der Schlimmste. Er hielt es einfach nicht aus, sich bei einem Ausritt ruhig mit seinem Begleiter zu unterhalten. Er machte aus jeder Straßenmeile eine Rennbahn.«

»Warum auch nicht?«

Scarlett lachte. Manchmal war Colum Pa sehr ähnlich. »Ganz Trim ist anscheinend auf den Beinen«, sagte sie, als sie die Menschenmenge sah, die die Rennbahn säumte. Sie erblickte viele vertraute Gesichter. »Und Adamstown wohl auch, schätze ich.« Die O'Hara-Söhne winkten ihr zu und lachten dabei. Sie würde nicht in ihrer Haut stecken wollen, falls Onkel Daniel ihnen auf die Schliche kam. Die Gräben waren noch längst nicht fertig.

Das Oval der Rennstrecke war drei Meilen lang. Die Arbeiter installierten gerade den letzten Sprung, denn es ging um ein Hindernisrennen. Colum band das Pony in einiger Entfernung von der Rennbahn an einen Baum. Gemeinsam bahnten er und Scarlett sich ihren Weg durch die Menge.

Die Leute waren in Festtagslaune, und jeder kannte Colum. Und alle wollten sie ohne Ausnahme Scarlett sehen – »die kleine Lady, die sich danach erkundigt hat, warum Robert Donahue bei der Arbeit auf der Farm Handschuhe trägt«.

»Ich komme mir vor wie die Ballkönigin«, flüsterte sie Colum zu.

»Ehre, wem Ehre gebührt«, erwiderte er und führte sie – mit zahlreichen Unterbrechungen – an eine Stelle, wo die Pferde von ihren Reitern oder Trainern im Kreis vorgeführt wurden.

»Oh, Colum, das sind ja großartige Tiere. Was haben solche Pferde nur bei einem kleinen, mickrigen Provinzrennen zu suchen?«

Es handele sich weder um ein kleines noch um ein »mickriges« Rennen, klärte Colum sie auf. Das Preisgeld betrage fünfzig Pfund für den Sieger, und das sei mehr, als viele kleine Ladenbesitzer oder Farmer in einem ganzen Jahr verdienten. Überdies seien die Hindernisse ein echter Test. Wer in Trim gewinne, könne sich auch bei den berühmteren Rennen in Punchestown, Galway oder gar Dublin behaupten. »Oder jedes Rennen in Amerika mit zehn Längen Vorsprung gewinnen«, fügte Colum grinsend hinzu. »Irische Pferde sind die besten der Welt, das ist allgemein bekannt und unbestritten.«

»So wie der irische Whiskey, wie?« gab Gerald O'Haras Tochter zurück. Seit sie denken konnte, waren ihr beide Behauptungen bestens vertraut. Die Hürden kamen ihr unüberwindlich vor, vielleicht hatte Colum ja sogar recht. Es versprach, eine interessante Veranstaltung zu werden. Und vorher fand in Trim ja auch noch der Markt statt. Ein schönerer Urlaub ließ sich wirklich kaum vorstellen.

In all dem Gerede, Gelächter und Geschrei auf dem Platz machte sich auf einmal ein unterschwelliges Raunen bemerkbar. »Ein Kampf! Ein Kampf!« Colum kletterte auf ein Geländer, um einen besseren Überblick zu haben. Kurz darauf verzog er sein Gesicht zu einem breiten Grinsen und schlug sich mit der zur Faust geballten Rechten in die offene linke Hand.

»Na, Colum, wagst du eine kleine Wette?« fragte der Mann, der neben ihnen am Geländer stand.

»Und ob! Fünf Shilling auf die O'Haras!«

Scarlett warf Colum fast um, als sie ihn unvermittelt am Knöchel packte. »Was geht denn da vor?«

Die Menge entfernte sich von dem Oval und strömte dem Unruheherd zu. Colum sprang wieder auf den Boden, nahm Scarlett beim Handgelenk und lief los.

Drei oder vier Dutzend Männer aller Altersstufen kreischten und grunzten in einem einzigen Chaos aus Fäusten, Stiefeln und Ellbogen. Die Menge bildete einen weiten, unregelmäßigen Kreis um sie herum und feuerte die Kämpfer an. Auf der einen Seite lag ein Haufen Mäntel und Umhänge auf dem Boden. Sie waren, wie an den nach außen gekehrten Ärmeln gut zu erkennen war, in großer Hast abgestreift worden, ein Zeichen dafür, daß der Kampf ganz plötzlich ausgebrochen sein mußte. Die Hemden der Raufbolde färbten sich zusehends rot, sei es vom Blut der Männer selbst oder von dem ihrer Opfer. Es gab kein System, keinerlei Kampfordnung. Man schlug einfach auf den jeweils nächsten ein und hielt dann nach einem neuen Opfer Ausschau. Wer zu Boden ging, wurde von den Umstehenden unsanft hochgerissen und zurück ins Getümmel gestoßen.

Männer, die so mit den Fäusten aufeinander losgingen, hatte Scarlett noch nie gesehen. Die dumpfen Schläge und das aus Lippen und Nasen sprudelnde Blut entsetzten sie. Die vier Söhne Daniels waren an der Schlägerei beteiligt. Scarlett bat Colum, ihnen Einhalt zu gebieten.

»Und meine fünf Shilling verlieren? Sei nicht albern, Weib!«

»Du bist schrecklich, Colum O'Hara, ganz schrecklich!«

Sie wiederholte ihre Worte später gegenüber Colum, den Söhnen Daniels sowie in Anwesenheit von Michael und Joseph, zwei Brüdern Colums, die ihr bis dahin noch gar nicht bekannt gewesen waren. Sie saßen bei Daniel zu Hause in der Küche. Kathleen und Brigid säuberten ruhig die Wunden, ohne sich um das Gestöhne und die Vorwürfe zu kümmern, sie seien nicht vorsichtig genug. Colum verteilte Gläser und schenkte Whiskey ein.

Ich finde das überhaupt nicht komisch, sagte sich Scarlett, ganz egal, was sie behaupten. Sie konnte einfach nicht glauben, daß Schlägereien dieser

Art für die O'Haras und ihre Freunde zu Jahrmärkten und öffentlichen Veranstaltungen einfach dazugehörten, ja, ein Teil des Vergnügens und der »guten Stimmung« waren. Und die Mädchen waren eher noch schlimmer, so, wie sie den armen Timothy quälten, weil er »nur« ein blaues Auge davongetragen hatte.

53. Kapitel

Zu ihrer Überraschung erschien Colum am nächsten Morgen schon vor dem Frühstück. Er saß hoch zu Roß und führte ein zweites Pferd am Zügel mit sich. »Du sagtest doch, daß du gerne reitest«, erinnerte er sie. »Ich habe uns zwei Pferde ausgeliehen. Sie müssen allerdings zum Mittagsläuten wieder abgeliefert werden. Pack schnell ein paar Reste vom Essen gestern abend ein und komm mit, ehe das Haus wieder voller Besucher ist!«

»Das Pferd hat keinen Sattel, Colum.«

»Pssst! Kannst du nun reiten oder nicht? Los, hol das Brot, Scarlett. Bridie hilft dir dann beim Aufsitzen.«

Seit ihrer Kindheit hatte sie nicht mehr ohne Sattel auf einem Pferderükken gesessen, und das Gefühl, mit dem Tier zu einem einzigen Wesen verwachsen zu sein, war ihr längst nicht mehr vertraut. Jetzt kehrte es so unvermittelt zurück, als wäre sie nie anders geritten. Schon nach kurzer Zeit brauchte sie kaum noch die Zügel, ein Schenkeldruck genügte, und das Pferd wußte, was es zu tun hatte.

»Wo reiten wir denn hin?« Sie befanden sich auf einem Weg, den sie noch nicht kannte.

»Zum Boyne. Ich muß dir etwas zeigen.«

Zum Fluß. Scarletts Puls beschleunigte sich. Da gab es etwas, das sie gleichermaßen lockte und abstieß.

Es fing an zu regnen. Sie war froh, daß Bridie sie dazu überredet hatte, einen Schal mitzunehmen. Sie wickelte ihn sich um den Kopf und ritt wortlos hinter Colum her. Sie hörte, wie der Regen auf die Blätter der Hecke fiel, und vernahm das Getrappel der Pferdehufe. Alles war so friedlich. Es überraschte sie nicht mehr, daß der Regen völlig unvermittelt aufhörte. Nun konnten sich die Vögel wieder aus ihren Schlupfwinkeln in den Hecken herauswagen.

Der Weg endete am Fluß. Die Böschung war so flach, daß das Wasser sie ständig überspülte. »Hier ist die Furt, wo Bridie zu baden pflegt«, sagte Colum. »Wie wär's?«

Scarlett schüttelte sich heftig. »Nein, so mutig bin ich nun auch wieder nicht. Das Wasser muß eiskalt sein.«

»Du wirst es gleich herausfinden. Aber nur durch ein paar Spritzer. Wir reiten hinüber. Halt die Zügel fest.« Sein Pferd schritt vorsichtig ins Wasser. Scarlett zog ihre Röcke hoch, klemmte sie sich unter die Schenkel und folgte ihm.

Am anderen Ufer saß Colum ab. »Steig herunter, jetzt gibt es Frühstück«, sagte er. »Ich binde die Pferde an einen der Bäume drüben.« Die Bäume wuchsen unmittelbar am Ufer, die Schatten der Blätter sprenkelten Colums Gesicht. Scarlett ließ sich zu Boden gleiten und reichte ihm die Zügel. Sie fand ein sonniges Fleckchen und setzte sich nieder, den Rücken an einen Baumstamm gelehnt. Kleine gelbe Blumen mit herzförmigen Blättern überzogen die Uferböschung wie ein Teppich. Scarlett schloß die Augen und lauschte der ruhigen Stimme des Flusses, dem Gezischel und Geflüster der Blätter über ihr und dem Gesang der Vögel. Als Colum sich neben sie setzte, machte sie langsam die Augen wieder auf. Er brach den halben Laib Sodabrot in zwei Stücke und gab ihr das größere.

»Ich muß dir eine Geschichte erzählen«, sagte er. »Das Land, auf dem wir hier sitzen, heißt Ballyhara. Wie der verlassene Ort, durch den wir gefahren sind. Vor knapp zweihundert Jahren war es die Heimat deiner Familie, unserer Familie. Es ist altes O'Hara-Land.«

Verwundert richtete Scarlett sich auf und sah sich um.

»Bleib ruhig, Katie Scarlett, und laß dir das gute Brot schmecken. Es ist eine lange Geschichte.« Colums Lächeln veranlaßte sie, die Fragen, die ihr auf den Lippen lagen, vorerst nicht zu stellen. »Vor etwas mehr als zweitausend Jahren ließen sich die ersten O'Haras hier nieder und nahmen das Land in Besitz. Vor tausend Jahren dann – du siehst, wir kommen immer näher – entdeckten die Wikinger den grünen Reichtum Irlands und versuchten, ihn zu erobern. Überall an den Flüssen hielten Iren wie die O'Haras Ausschau nach den drachenköpfigen Langbooten der Invasoren und errichteten starke Befestigungen gegen die Feinde.« Colum riß sich ein Stück Brot ab und steckte es sich in den Mund. Scarlett wartete ungeduldig. So viele Jahre! Ein solcher Zeitraum überstieg ihr Vorstellungsvermögen. Was geschah dann?

»Die Wikinger wurden vertrieben«, sagte Colum, »und in den nun folgenden mehr als zweihundert Jahren pflügten die O'Haras ihr Land und mästeten ihre Rinder wie zuvor. Daneben errichteten sie eine wehrhafte Burg, in der genug Platz für sie und ihre Diener war. Die Iren haben nämlich ein gutes Gedächtnis, und so, wie einst die Wikinger versucht hatten, das Land zu erobern, so mochte es auch in Zukunft wieder Invasoren geben. Und so war es auch. Diesmal waren es keine Wikinger, sondern Engländer, die vormals Franzosen gewesen waren. Mehr als die Hälfte Irlands ging an sie verloren, doch die O'Haras harrten hinter ihren starken Mauern aus und bestellten auch noch weitere fünfhundert Jahre ihr Land – bis eben zu jener Schlacht am Boyne, deren traurige Geschichte du kennst. Nach zweitausend Jahren in Besitz und Pflege der O'Haras wurde das Land englisch. Die überlebenden O'Haras, die Witwen und Kleinkinder, wurden durch die Furt getrieben. Eines dieser Kinder pachtete dann später auf der anderen Seite des Flusses Land von den Engländern und baute einen Hof auf. Sein Enkel heiratete unsere Großmutter, Katie Scarlett. Vom Grund und Boden seines Vaters aus blickte er über die braunen Fluten des Boyne und mußte mit ansehen, wie die Burg der O'Haras geschleift und an ihrer Statt ein englisches Herrenhaus errichtet wurde. Der Name jedoch blieb. Ballyhara.«

Und Pa sah das Haus und wußte, daß es auf O'Hara-Land stand. Scarlett weinte um ihren Vater, verstand die Wut und den Kummer, den sie in seinem Gesicht gesehen und in seiner Stimme gehört hatte, wenn er voll Zorn von der Schlacht am Boyne erzählte.

Colum ging zum Fluß und trank ein wenig Wasser aus der hohlen Hand. Dann spülte er sich die Hände ab, schöpfte erneut Wasser und brachte es Scarlett. Nachdem sie getrunken hatte, wischte er ihr mit sanften, feuchten Fingern die Tränen von den Wangen.

»Ich wollte dir das alles eigentlich gar nicht erzählen, Katie Scarlett ...«

Ärgerlich unterbrach sie ihn: »Ich habe ein Recht darauf, es zu wissen.«

»Ja, das glaube ich auch.«

»Also erzähle mir jetzt, wie es weiterging. Ich weiß, daß die Geschichte noch nicht zu Ende ist. Man sieht es deinem Gesicht an.«

Colum war blaß, er wirkte wie ein Mensch, der unter schweren, fast unerträglichen Schmerzen leidet. »Ja, die Geschichte geht noch weiter. Das englische Ballyhara wurde für einen jungen Lord errichtet. Er soll hellblond gewesen sein, heißt es, und schön wie Apoll. Allerdings hielt er sich wohl auch selbst für einen Gott, und er war entschlossen, in Ballyhara den schönsten Gutshof Irlands zu errichten. Sein Dorf – alles gehörte ihm bis hin zur letzten Dachschindel – sollte größer und imposanter sein als alle anderen Ortschaften, ja, größer noch als Dublin selbst. Und so geschah es dann auch, wiewohl der Vergleich mit Dublin doch ein wenig hinkte – abgesehen von der Hauptstraße, die tatsächlich breiter war als die breiteste Straße Dublins. Die Ställe des Gutshofs waren wie Kathedralen, die Fenster blitzten wie Diamanten, die Gärten erstreckten sich wie weiche Teppiche bis hinunter an den Fluß. Auf den Rasenflächen schlugen Pfauen ihr buntes Rad, und die schönsten Frauen beehrten seine Empfänge im Glanz ihrer Juwelen mit ihrer Anwesenheit. Er war der Herr von Ballyhara.

Sein Glück wurde lediglich durch den Umstand getrübt, daß er nur ein einziges Kind hatte, einen Sohn. Allerdings wurde er alt genug, um, bevor er zur Hölle fuhr, noch die Geburt seines Enkels zu erleben, der ebenfalls ein Einzelkind blieb. Aber auch er war blond und schön und wurde Herr von Ballyhara samt Dorf und kirchenhohen Stallungen. Sein Sohn wurde sein Nachfolger.

Ich kann mich gut an den jungen Herrn von Ballyhara erinnern. Ich war damals noch ein Kind und ganz begeistert von seiner feinen Art. Er ritt einen mächtigen Rotschimmel, und wenn er mit seinen adeligen Jagdkumpanen auf der Fuchsjagd unser Getreide zertrampelte, warf er uns Kindern immer kleine Münzen zu. Kerzengerade und schlank saß er im Sattel, trug einen rosa Mantel, weiße Jagdhosen und hohe, glänzende Reitstiefel. Ich konnte nie verstehen, warum unser Vater uns die Münzen wegnahm, sie zerbrach und den Herrn von Ballyhara dafür verfluchte.«

Colum erhob sich und begann, unruhig am Flußufer auf und ab zu gehen. Als er weitersprach, klang seine Stimme gepreßt, es war ihm anzumerken, daß er sie nur noch mit Mühe unter Kontrolle hielt.

»Dann kam die große Hungersnot und mit ihr der Tod. ›Ich kann es nicht ertragen, meine Pächter so leiden zu sehen‹, sagte der Herr von Ballyhara. ›Ich werde zwei starke Schiffe kaufen und ihnen die freie und sichere Überfahrt nach Amerika gewähren, wo es für alle mehr als genug zu essen gibt. Es ist mir gleich, ob meine Kühe schreien, weil niemand mehr da ist, der sie melkt, und ich nehme es auch hin, daß meine Felder von Brennesseln überwuchert werden, weil sie niemand mehr beackert. Mir liegt das Schicksal der Menschen von Ballyhara mehr am Herzen als die Rinder oder das Korn.‹ Die Bauern und Dörfler küßten ihm aus Dankbarkeit die Hand, und viele von ihnen bereiteten sich auf die Auswanderung vor. Aber nicht alle brachten es über sich, die Heimat zu verlassen. ›Wir bleiben, obwohl wir hungern müssen‹, sagten sie zu dem jungen Herrn, worauf dieser überall in der Region verbreiten ließ, daß der nun freigewordene Platz auf dem Schiff jederzeit und kostenlos an andere Männer und Frauen abgetreten werden würde; man brauche sich bloß zu melden.

Mein Vater verfluchte ihn erneut. Er tobte, als Matthew und Brian, seine Brüder, das Geschenk des Engländers annahmen, doch die beiden waren fest zur Auswanderung entschlossen. Sie ertranken mit allen übrigen Passagieren, als die verrotteten Kähne bei der ersten schweren See untergingen. Von da an führten die Schiffe im Volksmund die bittere Bezeichnung ›schwimmende Särge‹.

Ein Mann aus Ballyhara legte sich daraufhin im Stall auf die Lauer und scherte sich nicht im geringsten darum, daß er groß und schön wie eine Kirche war. Und als der junge Lord kam, um seinen mächtigen Rotschimmel zu besteigen, da packte er ihn sich und hängte den blonden Herrn von Ballyhara im Turm am Ufer des Boyne auf, von dem aus die O'Haras einst nach den Drachenschiffen Ausschau gehalten hatten.«

Scarlett schlug die Hand vor den Mund. Colum war so blaß, und er sprach mit einer Stimme, die nicht mehr die seine war. Der Turm! Es mußte derselbe sein! Sie preßte die Hand auf die Lippen. Ich darf jetzt nichts sagen.

»Niemand weiß bis heute, wer der Mann im Stall war«, fuhr Colum fort. »Die einen nennen diesen, die anderen jenen Namen. Als die englischen Soldaten kamen, verriet ihn von den in Ballyhara verbliebenen Männern jedenfalls keiner. Aus Rache für den Tod des jungen Herrn wurden sie daraufhin von den Engländern alle gehängt.« Colums Gesicht im sonnengesprenkelten Schatten des Baumes war schneeweiß. Seiner Kehle entfuhr ein unartikulierter, unmenschlicher Schrei.

Mit wildem Blick und zerquälter Miene wandte er sich Scarlett zu, die unwillkürlich zurückfuhr. »Ein ›Ausblick‹!« schrie er, und es klang wie ein Kanonenschuß. Er sank auf der von Blumen gelben Uferböschung in die Knie und beugte sich vor, um sein Gesicht zu verbergen. Er zitterte am ganzen Körper.

Scarlett streckte die Hände nach ihm aus, doch fielen sie ihr gleich darauf wieder kraftlos in den Schoß. Sie wußte nicht, was sie tun sollte.

»Vergib mir, Scarlett«, sagte der Colum, den sie kannte, jetzt und hob den Kopf. »Meine Schwester Molly ist der Abschaum der westlichen Welt, wenn sie so etwas sagt. Sie besaß schon immer eine besondere Begabung dafür, mich in Rage zu versetzen.« Er lächelte, und sein Lächeln wirkte fast überzeugend. »Wir haben genug Zeit, um noch einmal nach Ballyhara zu reiten, falls es dich interessiert. Es ist seit fast dreißig Jahren unbewohnt. Alle Leute machen einen großen Bogen um das Dorf.«

Er reichte ihr die Hand. Das Lächeln in seinem aschgrauen Gesicht war echt.

Colums Pferd brach einen Pfad durch Brombeerranken und dichtes Gestrüpp. Schon bald konnte Scarlett vor ihnen die riesigen Steinmauern des Turms erkennen. Colum hob die Hand, um sie zu warnen, und hielt an. Dann formte er mit den Händen einen Schalltrichter um seinen Mund und rief: *»Seachain! Seachain!«* Das Gemäuer ließ die fremdartigen Silben zurückschallen.

Er wandte den Kopf um; seine Augen wirkten fröhlich, und die Wangen zeigten wieder Farbe. »Das ist Gälisch, Scarlett, die alte Sprache der Iren. Irgendwo hier in der Gegend haust in einer Hütte eine *cailleach*, eine weise Frau. Manche Leute meinen, sie sei eine Hexe und so alt wie Tara. Schenkt man anderen Glauben, so ist sie das Eheweib von Paddy Flynn aus Trim, das ihrem Mann vor mittlerweile zwanzig Jahren davongelaufen ist. Mit meinem Rufen will ich sie warnen, sie soll wissen, daß wir ihr Gebiet durchqueren. Sie hat es wahrscheinlich nicht gern, wenn man sie überrascht. Ich will damit nicht sagen, daß ich an Hexen glaube, aber ein gewisser Respekt hat noch nie geschadet.«

Sie ritten hinaus auf die Lichtung, die den Turm umgab. Aus der Nähe konnte Scarlett sehen, daß die Steine ohne Mörtel aufeinandergefügt waren, und doch war nicht ein einziger auch nur ein kleines Stück verrutscht. Was hatte Colum gesagt? Tausend Jahre war er alt, der Turm? Oder zweitausend? Egal. Sie hatte jetzt keine Angst mehr vor ihm, wie vorher, als Colum in so unheimlicher Weise von ihm gesprochen hatte. Der Turm war nur ein Gebäude, mit dem sorgfältigsten Mauerwerk überdies, das sie je gesehen hatte. Er ist überhaupt nicht gruselig, dachte sie, ganz im

Gegenteil, er sieht direkt einladend aus. Sie ritt dicht an die Mauer heran und ließ ihre Finger über die Fugen gleiten.

»Du bist sehr mutig, meine liebe Scarlett. Ich habe dich gewarnt. Es gibt Leute, die sagen, der Gehenkte spuke noch im Turm herum.«

»Unfug! Es gibt keine Gespenster. Und wenn es welche gäbe, ginge das Pferd nicht so nahe an den Turm heran. Tiere haben ein Gespür für solche Dinge, das weiß doch jeder.«

Colum lächelte.

Scarlett legte die Hand auf den Stein. Im Laufe von ganzen Zeitaltern hatte das Wetter ihn geglättet. Scarlett spürte in ihm die Wärme der Sonne und die Kälte von Regen und Wind. Eine ungewohnte Ruhe erfüllte auf einmal ihr Herz. »Man fühlt, daß er sehr alt ist«, sagte sie, wohl wissend, daß ihre Worte dem Anlaß nicht gerecht wurden. Aber darauf kam es jetzt auch gar nicht an.

»Er hat überlebt«, sagte Colum. »Wie ein mächtiger Baum, der tief in der Erde verwurzelt ist.«

»Tief verwurzelt ist...« Wo hatte sie diese Worte nur schon gehört? Natürlich, Rhett sagte das über die Charlestoner. Scarlett lächelte und strich über das uralte Mauerwerk. Dir kann ich jetzt was erzählen über tiefe Wurzeln. Warte nur, wenn du das nächste Mal damit angibst, wie alt Charleston ist...

Das Gutshaus von Ballyhara war aus behauenen Granitsteinen errichtet. Jeder Block bildete ein vollendetes Rechteck. Das Mauerwerk erweckte den Eindruck von Stärke und Dauerhaftigkeit, die zerbrochenen Fenster und das verwitterte Holz bildeten einen schreienden Kontrast zur unberührten Zeitlosigkeit der Steine. Es war ein großes Haus mit Seitenflügeln, die allein schon größer waren als die meisten Scarlett bekannten Einzelhäuser. Gebaut für die Ewigkeit, sagte sie zu sich selbst. Im Grunde war es ein Jammer, daß niemand mehr hier wohnte. »Hatte der Herr von Ballyhara keine Kinder?« fragte sie Colum.

»Nein.« Die Antwort kam eindeutig von Herzen. »Er hatte, glaube ich, eine Frau, die zu ihrer Familie zurückgekehrt ist. Oder sie kam in ein Heim. Manche sagen, sie sei wahnsinnig geworden.«

Scarlett spürte, daß sie gut daran tat, das Haus in Colums Gegenwart nicht allzusehr zu bewundern. »Komm, sehen wir uns das Dorf an«, sagte sie.

Tatsächlich war es eine kleine Stadt, zu groß für ein Dorf. Im ganzen Ort gab es keine unzerbrochene Fensterscheibe und keine intakte Tür mehr. Er war verlassen und der Mißachtung anheimgefallen. Scarlett bekam eine Gänsehaut. Das sind die Früchte des Hasses. »Wie kommen wir am schnellsten nach Hause?« fragte sie Colum.

54. Kapitel

»Morgen feiert die alte Dame Geburtstag«, sagte Colum, als er sich vor Daniels Haus von Scarlett verabschiedete. »Bis dahin wird sich wohl jeder Mann, der bis drei zählen kann, empfehlen – und ich tue gern so, als sei ich einer davon. Sag dem Rest der Familie, daß ich morgen früh wieder zurück bin.«

Warum ist er nur so launisch? fragte sich Scarlett. So viel Arbeit kann doch der Geburtstag einer alten Frau nicht machen. Sicher, man wird einen Kuchen backen müssen, aber was gab es denn sonst noch zu tun? Sie hatte bereits beschlossen, ihrer Großmutter den hübschen Spitzenkragen zu schenken, den sie in Galway gekauft hatte. Auf dem Heimweg würde es noch genug Zeit geben, einen neuen zu kaufen. Gott im Himmel, das ist ja schon in einer Woche!

Kaum war sie im Haus, da erkannte Scarlett, daß ihr eine Menge Arbeit bevorstand. Katie Scarletts Cottage mußte von oben bis unten geschrubbt und poliert werden, auch wenn es bereits sauber war, und für Daniels Haus galt das gleiche. Der Hof vor dem alten Bauernhaus mußte von Unkraut gereinigt und sauber gefegt werden: Auf ihm sollten Bänke, Stühle und Hocker für all jene aufgestellt werden, die im Häuschen keinen Platz mehr finden würden. Gefegt, geschrubbt und mit frischem Stroh versorgt werden mußte schließlich auch die Scheune, weil viele der Gäste in ihr die Nacht verbringen würden. Ein sehr großes Fest stand bevor – nicht viele Menschen wurden hundert Jahre alt.

»Eßt und verschwindet wieder«, sagte Kathleen zu den Männern, als sie zum Essen nach Hause kamen. Sie stellte einen Krug Buttermilch und vier Laibe Sodabrot sowie eine Schüssel voll Butter auf den Tisch. Die Männer waren lammfromm, aßen schneller, als Scarlett es je bei Menschen für möglich gehalten hätte, erhoben sich wieder, bückten sich unter der Eingangstür durch und verschwanden ohne ein weiteres Wort.

»Jetzt fangen wir an«, verkündete Kathleen, als die Männer fort waren. »Scarlett, ich brauche Unmengen Wasser vom Brunnen. Die Eimer sind dort hinter der Tür.« Ebenso wie die männlichen O'Haras wäre Scarlett nie auch nur auf die Idee gekommen, sich Kathleens Anordnungen zu widersetzen.

Nach dem Essen kamen die Frauen aus dem Dorf mit ihren Kindern ins Haus, um bei den Vorbereitungen zu helfen. Es herrschte großer Lärm, die Arbeit erwies sich als ausgesprochen schweißtreibend, und Scarlett bekam nach einer Weile schon die ersten Blasen. Dennoch machte ihr die Arbeit enormes Vergnügen. Barfuß wie die anderen, die Röcke hochgesteckt, eine große Schürze um die Taille und die Ärmel über die Ellenbogen gekrempelt, kam sie sich vor wie ein Kind, das draußen vor der Küche spielt und Mami zur Weißglut bringt, weil es seine Lätzchen bekleckert und verbotenerweise

Schuhe und Strümpfe ausgezogen hat. Der Unterschied war nur der, daß sie diesmal anstelle einer stets jammernden Suellen und eines Babys namens Carreen, mit dem sie noch nichts anzufangen wußte, lustigere Spielgefährtinnen hatte.

Wie lange ist das her? Nicht lange, wenn man an so alte Dinge wie den Turm denkt, schätze ich. Tief verwurzelt... Colum hatte richtig Angst heute morgen. Diese furchtbare Geschichte mit den Schiffen... Es waren meine Onkel, Pas Brüder, die damals ertrunken sind. Schande über diesen englischen Lord. Geschieht ihm nur recht, daß sie ihn aufgehängt haben.

Der Geburtstag der alten Katie Scarlett wurde tatsächlich ein Fest, das seinesgleichen suchte. Mit Eselskarren und Kutschen, hoch zu Roß oder zu Fuß strömten die O'Haras aus der gesamten Grafschaft Meath und von jenseits der Grenzen herbei. Halb Trim war gekommen, und aus Adamstown fehlte nicht eine Seele. Alle brachten sie Geschenke, Geschichten und eigens für das Fest zubereitete Speisen mit, obwohl Scarlett der Meinung gewesen war, mit den bereits vorhandenen Dingen ließe sich eine ganze Armee verköstigen. Aus Trim brachte Mahoneys Kutsche, aus Mullingar Jim Dalys Gefährt gefüllte Bierfässer. Seamus, Daniels Ältester, ritt mit dem Ackerpferd nach Trim und kehrte mit einer Kiste Tonpfeifen zurück, die wie ein großer, eckiger Buckel auf seinen Rücken geschnürt war. Links und rechts baumelten wie Satteltaschen zwei Säcke voll Tabak. Bei einer so einmaligen Gelegenheit mußte jedem Mann – und auch vielen Frauen – eine neue Pfeife gegeben werden.

Scarletts Großmutter empfing den Strom der Gäste und Geschenke wie eine Königin. Sie saß in ihrem Stuhl mit der hohen Lehne und trug über ihrem guten, schwarzen Seidenkleid ihren neuen Spitzenkragen. Wann immer ihr danach war, nickte sie kurz ein, und ihren Tee ließ sie sich mit einem guten Schuß Whiskey verlängern.

Als es zum Angelus-Gebet läutete, befanden sich über dreihundert Personen in oder vor dem kleinen Häuschen. Alle waren sie gekommen, um Katie Scarlett O'Hara zum hundertsten Geburtstag ihre Reverenz zu erweisen.

Sie hatte um »die alten Bräuche« gebeten. Auf dem Ehrenplatz ihr gegenüber vor dem Kamin saß ein betagter Mann. Mit knotigen Fingern wickelte er liebevoll eine in Leinen verpackte Harfe aus, und über dreihundert Stimmen seufzten vor Freude. Es war MacCormac, nach dem Tod des großen O'Carolan mittlerweile der einzige wahre Erbe der Barden. Dann begann er zu sprechen, und schon seine Stimme war wie Musik: »Ich zitiere die Worte des Meisters Turlough O'Carolan: ›Ich verbringe meine Tage in Irland glücklich und zufrieden. Ich trinke mit jedem starken Mann, der ein wahrer Musikliebhaber ist.‹ Und ich füge meine eigenen Worte hinzu: ›Ich trinke mit jedem starken Mann und jeder starken Frau von der Art Katie

Scarlett O'Haras.‹« Er verneigte sich vor ihr. »Das heißt, sofern mir ein Glas geboten wird.« Zwei Dutzend Hände füllten Gläser. MacCormac wählte sorgfältig das größte aus, prostete der alten Katie Scarlett zu und leerte es in einem Zug. »Nun werde ich euch die Ballade von Finn MacCool vortragen«, sagte er. Seine ausgemergelten Finger griffen in die Harfensaiten, und auf einmal war die Luft voller Magie.

Danach verstummte die Musik nicht mehr. Zwei Dudelsackbläser und zahllose Fiedler spielten auf, Dutzende von billigen Flöten und Konzertinas waren im Einsatz, Hände klatschten, und zu allem ertönte unter der strengen Führung von Colum O'Hara der aufreizende, erregende Schlag der Bodhrans.

Frauen füllten die Teller. Daniel O'Hara herrschte über die kleinen Fässer mit irischem Whiskey. Auf dem Hof wurde getanzt, und abgesehen von der alten Katie Scarlett, die sich ab und zu ein Nickerchen genehmigte, gab es keinen, der in dieser Nacht auch nur ein Auge zutat.

»Ein solches Fest übersteigt meine kühnsten Erwartungen«, sagte Scarlett. Sie schnappte nach Luft und mußte sich ein wenig erholen, bevor sie sich wieder unter die Tanzenden mischte, die das rosafarbene Licht der aufgehenden Sonne übergoß.

»Soll das heißen, daß du nie ein Maifest erlebt hast?« riefen entsetzte Cousins von irgendwoher.

»Dann mußt du bis zum ersten Mai hierbleiben, junge Katie Scarlett«, sagte Timothy O'Hara, und ein ganzer Chor bekundete seine Zustimmung.

»Das kann ich nicht. Wir müssen unser Schiff bekommen.«

»Es gibt doch sicher noch andere Schiffe, oder?«

Scarlett sprang von der Bank auf. Sie hatte sich genug erholt, und die Fiedler begannen gerade mit einem neuen Reel. Und während sie sich die Seele aus dem Leib tanzte, drehte sich in ihrem Kopf zur ausgelassenen Weise der Musik immer wieder derselbe Satz: Es gibt doch sicher auch noch andere Schiffe... Warum soll ich nicht noch ein wenig länger meine gestreiften Strümpfe tragen, den Reel tanzen und mich amüsieren? Charleston mit seinen immer gleichen Teepartys in den immer gleichen verfallenden Häusern hinter den hohen, unfreundlichen Mauern läuft mir nicht davon.

Und auch Rhett nicht. Soll er warten. Ich habe in Atlanta lange genug auf ihn gewartet. Nur, daß sich die Verhältnisse geändert haben. Das Baby in meinem Schoß sorgt dafür, daß Rhett mir gehört – wann immer ich will.

Ja, beschloß sie, ich kann noch bis zum Maifest bleiben. Es ist so schön hier.

Am nächsten Tag erkundigte sie sich bei Colum nach dem ersten Schiff im Mai.

Es bot sich in der Tat eine neue Reisemöglichkeit. Ein gutes Schiff, das als erstes Boston anlief. Dort hatte Colum ohnehin zu tun. Und Scarlett und

Bridie würden den letzten Teil der Fahrt nach Savannah ohne weiteres auch ohne ihn auskommen. »Das Schiff fährt am Abend des Neunten. Das heißt, dir bleibt ein halber Tag für deine Einkäufe in Galway.«

Das war mehr als genug, sie hatte es sich bereits überlegt. In Charleston würde niemals jemand Strümpfe oder Unterröcke aus Galway tragen. Sie waren zu bunt, zu »vulgär«. Scarlett hatte sich daher entschieden, von den nach ihrer Ankunft gekauften Kleidern nur einige wenige für sich zu behalten – als schöne Reiseerinnerungen. Die anderen wollte sie Kathleen und ihren neuen Freundinnen im Dorf schenken.

»Am neunten Mai! Das ist aber wesentlich später, als wir es ursprünglich vorhatten, Colum.«

»Gerade acht Tage nach dem Maifest, Katie Scarlett, das ist praktisch überhaupt nichts. Wenn du erst mal gestorben bist...«

Wie recht er hatte! Nie wieder bietet sich mir diese Chance, dachte sie. Und ganz abgesehen davon: Die neue Route ist für Colum wesentlich bequemer. Die Reise von Savannah nach Boston und wieder zurück ist äußerst beschwerlich. Nachdem er die ganze Zeit so nett zu mir war, ist es das mindeste, was ich für ihn tun kann...

So blieben zwei Passagierkabinen unbelegt, als die *Brian Boru* am sechsundzwanzigsten April in See stach. Das Schiff war am Freitag, dem Vierundzwanzigsten, mit Passagieren und Post in Galway eingetroffen. Die Post wurde am Samstag sortiert. Da der Sonntag nun einmal ein Sonntag war, wurde der kleine Postsack nach Mullingar erst einen Tag später weiterbefördert. Am Dienstag lieferte die Postkutsche von Mullingar nach Drogheda einen kleineren Sack in Navan ab, und am Mittwoch machte sich ein Postreiter mit einem Päckchen voller Briefe auf den Weg zur Postmeisterin in Trim. Das Päckchen enthielt einen dicken Umschlag für Colum O'Hara aus Savannah, Georgia. Er bekam eine Menge Post, dieser Colum O'Hara. Die O'Haras waren eine große, eng verschworene Familie und der Geburtstag der alten Dame eine Nacht, die man so schnell nicht vergaß. Der Postreiter gab den Umschlag im Gasthaus zu Adamstown ab. »Es ist doch sinnlos, noch einmal vierundzwanzig Stunden zu warten«, sagte er zu Matt O'Toole, der den Pub und das winzige Lädchen betrieb, in dem eine Ecke als Poststelle eingerichtet war. »In Trim kommt die Post bloß ins Fach ›Adamstown‹ und wird morgen früh von jemand anders ausgetragen.« Bereitwillig akzeptierte der Mann das Glas Porter, das Matt O'Toole ihm in Colums Namen offerierte. Das Wirtshaus war zwar ziemlich klein und bedurfte dringend eines neuen Anstrichs, aber das Porter dort war ausgezeichnet.

Matt O'Toole rief seine Frau, die im Garten die Wäsche zum Trocknen auslegte. »Ich gehe mal kurz rauf zu Onkel Daniel, Kate. Paß du inzwischen auf den Laden auf.« Matts Vater war der Bruder von Daniel O'Haras verstorbener Frau Theresa, Gott hab sie selig.

»Colum! Das ist ja herrlich!« Dem von Jamie an Colum adressierten Umschlag lag ein Brief von Tom MacMahon bei, dem Baumeister der Kathedrale. Der Bischof hatte sich nach einiger Überredung bereit erklärt, Scarlett die Mitgift ihrer Schwester zurückkaufen zu lassen. Tara, dachte sie. Mein Tara. Ich habe großartige Dinge damit vor. Nur ...

Es war nicht zu fassen! »Colum, hast du das gesehen? Dieser habgierige Bischof verlangt fünftausend Dollar für Carreens Drittel von Tara! Du meine Güte! Für fünftausend Dollar bekommt man ja ganz Clayton County! Da wird er aber noch um einiges im Preis heruntergehen müssen.«

Bischöfe pflegten nicht zu handeln, erklärte ihr Colum. Wenn sie die Mitgift zurückhaben wolle und das Geld dafür aufbringen könne, so solle sie den Preis bezahlen. Vielleicht falle ihr das Geschäft ja leichter, wenn sie bedenke, daß sie damit auch der Kirche helfe.

»Du weißt, daß das nicht stimmt, Colum. Ich hasse es ganz einfach, übers Ohr gehauen zu werden, auch von der Kirche. Tut mir leid, wenn dich das kränkt. Trotzdem, mein Tara muß ich ganz einfach zurückhaben, ich wünsche es mir von ganzem Herzen. Oh, was für eine Närrin war ich doch, daß ich mich von dir hab überreden lassen, noch länger hierzubleiben. Wir könnten jetzt schon auf halbem Weg zurück nach Savannah sein!«

Colum verzichtete darauf, sie zu korrigieren. Als er ging, suchte sie nach Briefpapier und Feder. »Ich muß Onkel Henry Hamilton schreiben, und zwar sofort! Er wird damit fertig. Wenn ich zurückkomme, ist alles bereits erledigt.«

Am Donnerstag fuhr Scarlett allein nach Trim. Es war ärgerlich genug, daß Kathleen und Bridie auf der Farm unabkömmlich waren. Als ausgesprochen empörend empfand sie es jedoch, daß Colum verschwunden war, ohne auch nur einer Menschenseele gesagt zu haben, wohin er gegangen war und wann er zurückzukommen gedenke. Doch wie dem auch sein mochte, er war fort, und das ließ sich nicht mehr ändern. Dabei hatte sie soviel zu tun! Sie wollte sich einiges von dem schönen Keramikgeschirr kaufen, das Kathleen in der Küche verwandte, und darüber hinaus jede Menge Körbe in allen Formen. Es gab ja so viele davon! Und Leintücher und Servietten gleich stapelweise – daheim gab es kein vergleichbar gutes und festes Leinen. Die Küche in Tara sollte warm und freundlich sein wie die Küchen in Irland. Bedeutete schließlich nicht schon der altirische Name Tara eine Verpflichtung?

Will und Suellen wollte sie besonders großzügig beschenken, vor allem Will, er hatte es verdient. Es gab genug gutes Land im County, das geradezu nach Beackerung schrie. Wade und Ella würden bei ihr und Rhett in Charleston leben. Rhett hatte die beiden sehr gern. Ich werde eine gute Schule für sie suchen, nahm sie sich vor, eine, wo es nicht so lange Ferien gibt. Rhett wird mit der Art und Weise, wie ich mit den Kindern umgehe, manchmal nicht ganz einverstanden sein, das war ja schon immer so, aber wenn das Baby erst einmal da ist und er sieht, wie sehr ich es liebe, wird er schon mit seiner Nörgelei aufhören. Und den Sommer verbringen wir auf Tara, dem wiedererstandenen wahren Zuhause.

Scarlett wußte, daß sie Luftschlösser baute. Vielleicht ist Rhett gar nicht dazu bereit, Charleston zu verlassen, so daß ich mich mit gelegentlichen Besuchen auf Tara zufriedengeben muß? Aber warum soll ich auf meiner Ausfahrt mit der Ponykutsche bei so herrlichem Frühlingswetter nicht einmal nach Herzenslust in den Tag hineinträumen, rotblau bestrumpft, wie ich bin?

Sie lachte und berührte mit der Peitsche den Hals des Ponys. Hör mir zu, ich klinge schon ganz irisch!

Das Maifest hielt in jeder Beziehung, was man ihr versprochen hatte. Auf allen Straßen in Trim wurde geschmaust und getanzt, und auf dem Rasen innerhalb der Burgmauern standen vier gewaltige Maibäume. Scarlett trug ein rotes Band im Haar und einen Blütenkranz. Als ein englischer Offizier sie bat, mit ihr zum Fluß hinunterzugehen, erteilte sie ihm eine unmißverständliche Absage.

Nach Sonnenaufgang erst kehrten sie nach Adamstown zurück. Scarlett ging die vier Meilen zu Fuß, gemeinsam mit den anderen Mitgliedern der Familie. Obwohl es inzwischen längst Tag war, wollte sie immer noch nicht, daß die Nacht zu Ende ging. Außerdem begann sie bereits, von ihren Cousins und all den anderen Menschen, die sie kennengelernt hatte, Abschied zu nehmen. Sie sehnte sich nach Hause zurück, wollte die letzten Formalitäten, was Tara anging, regeln und dann endlich mit der Arbeit dort beginnen. Trotz allem aber war sie froh, das Maifest abgewartet zu haben. Bis zur Abreise war es nur noch eine Woche – eine Zeit, die wahrscheinlich wie im Fluge vergehen würde.

Mittwochs schaute Frank Kelly, der Postreiter aus Trim, auf ein Gläschen und eine Pfeifenlänge bei Matt O'Toole vorbei. »Ich habe wieder einen dicken Brief für Colum O'Hara dabei«, sagte er. »Hast du eine Ahnung, was da drinstehen könnte?« Sie ließen ihrer Phantasie freien Lauf. In Amerika war alles möglich, da konnte man nach Herzenslust spekulieren. Colum O'Hara war ein freundlicher Mann und ein großer Redner, darüber waren sie sich einig. Doch am Ende seiner Reden blieben immer viele Fragen offen.

Matt O'Toole überbrachte Colum den Brief nicht persönlich. Es erübrigte sich, schließlich wußte er, daß Clare O'Gorman am Nachmittag ihre alte Großmutter besuchen wollte. Sie konnte den Brief mitnehmen, falls Colum nicht vorher ohnehin vorbeikam. Matt wog den Brief in seiner Hand. Bei dem Gewicht und dem Porto muß er ja großartige Nachrichten enthalten, dachte er. Oder es ist etwas ganz Schreckliches passiert . . .

»Post für dich, Scarlett! Colum hat sie auf den Tisch gelegt. Und eine Tasse Tee, wenn du willst. Wie war dein Besuch bei Molly?« Kathleens Stimme verriet gespannte Erwartung.

Scarlett enttäuschte sie nicht. Lächelnd beschrieb sie, was sie erlebt hatte. »Die Frau des Doktors war gerade da. Als ich hereinkam, wäre Molly um ein Haar die Teetasse aus der Hand gefallen. Wahrscheinlich hat sie überlegt, ob sie mich nicht als das neue Dienstmädchen vorstellen könnte, doch da sagte die Frau des Doktors auch schon mit flötender Stimme: ›Oh, die reiche Cousine aus Amerika! Welch eine Ehre!‹ Meinen Aufzug hat sie überhaupt nicht beachtet. Als Molly das merkte, sprang sie auf wie eine Katze, der man heißes Wasser über den Pelz gegossen hat, und begrüßte mich mit einem ihrer Doppelküßchen auf die Wangen. Ich versichere dir, Kathleen, sie hatte Tränen in den Augen, als ich sagte, ich sei nur gekommen, um mir ein Reisekostüm aus dem Schrankkoffer zu holen. Sie wollte mich unbedingt zum Bleiben bewegen, ganz egal, wie ich aussah. Bevor ich ging, habe ich ihr dann meinerseits den Doppelkuß verabreicht – und der Frau des Doktors gleich auch. Wenn schon, denn schon.«

Kathleen krümmte sich vor Lachen. Ihr Nähzeug fiel zu Boden. Scarlett warf ihr Reisekostüm daneben. Es mußte mit Sicherheit um die Taille herum weiter gemacht werden. Wenn die Schwangerschaft sich womöglich auch noch nicht bemerkbar machte, so forderten die leichte Kleidung und das viele Essen gewiß ihren Tribut. Was immer es sein mochte, Scarlett hatte nicht die Absicht, die Rückreise so eng geschnürt anzutreten, daß sie nicht atmen konnte.

Sie nahm den Briefumschlag auf und hielt ihn ins Licht, das durch die Eingangstür fiel. Er war über und über beschrieben und mit gestempelten Datumsangaben versehen. Nicht zu glauben! Großvater ist doch der gemeinste Kerl der Welt, dachte sie empört. Oder eher dieser schreckliche Jerome, wahrscheinlich war er dafür verantwortlich. Der Brief war ihr an Großvaters Adresse zugestellt worden, und der hatte ihn wochenlang liegenlassen, ehe er ihn an Maureen weitergeleitet hatte. Ungeduldig riß sie den Umschlag auf. Er stammte von irgendeiner Behörde in Atlanta und war ursprünglich an das Haus in der Peachtree Street gerichtet gewesen. Hoffentlich habe ich nicht irgendwelche Steuertermine einzuhalten vergessen. Angesichts der anstehenden Baukosten sowie der Summe, die ich dem Bischof für Tara zu zahlen habe, kann ich mir den Luxus von Mahn- oder Strafgebühren kaum leisten. Die Arbeiten in Tara werden viel Geld kosten, und dann wollte ich doch noch Land für Will kaufen... Ihre Finger berührten den Geldbeutel unter ihrem Hemd. Nein, Rhetts Geld bleibt Rhetts Geld.

Das Dokument trug das Datum vom 26. März 1875, dem Tag ihrer Abreise von Savannah auf der *Brian Boru.* Scarlett überflog die ersten Zeilen und hielt inne. Sie ergaben keinen Sinn. Sie fing noch einmal von vorne an und las langsamer. Die Farbe wich aus ihrem Gesicht. »Weißt du, wo Colum ist, Kathleen?« fragte sie und dachte bei sich, wie komisch, meine Stimme klingt ja völlig normal.

»Er ist bei der alten Dame, glaube ich. Clare war vorhin da und hat ihn abgeholt. Hat es nicht ein wenig Zeit? Ich bin fast fertig mit Bridies Reisekleid. Sie will es dir doch unbedingt zeigen.«

»Darauf kann ich jetzt nicht warten.« Sie mußte Colum sprechen. Irgend etwas ist furchtbar schiefgegangen. Wir müssen heute noch abreisen, sofort. Ich muß auf der Stelle nach Hause.

Colum lag im Garten vor dem Häuschen. »Ein so schönes Frühjahr hatten wir noch nie«, sagte er. »Die Katze und ich nehmen ein Sonnenbad.«

Kaum daß sie ihn erblickte, war es um Scarletts unnatürliche Beherrschung geschehen, und als sie bei ihm war, schrie sie förmlich: »Bring mich nach Hause, Colum. Verfluchte O'Haras und verfluchtes Irland! Ich hätte nie herkommen dürfen!«

Sie hielt die Hand zur Faust geballt, die Fingernägel brannten schmerzlich in ihrem Fleisch. Dazwischen befand sich der zerknüllte Bescheid des Staates Georgia, aus dem hervorging, daß einem gewissen Rhett Kinnicut Butler durch Beschluß des von der Bundesregierung der Vereinigten Staaten von Amerika verwalteten Militärbezirks South Carolina die Scheidung von seiner Frau, einer gewissen Scarlett O'Hara Butler, gewährt worden sei, da letztere ihn verlassen habe.

»In South Carolina gibt es gar keine Scheidung«, sagte Scarlett. »Das haben mir zwei Rechtsanwälte bestätigt.« Sie wiederholte die Worte, unablässig, immer wieder, bis sie so heiser schien, daß sie keinen Laut mehr hervorbrachte. Dann bildeten ihre aufgesprungenen Lippen die Worte schweigend nach, und sie sprach sie nur noch in Gedanken aus. Wieder und wieder.

Colum führte sie in einen ruhigen Winkel des Gemüsegartens, setzte sich neben sie und redete beschwichtigend auf sie ein. Aber es gelang ihm nicht, sie zum Zuhören zu bewegen. Da nahm er ihre verkrampften Hände in die seinen und blieb still an ihrer Seite. Er blieb auch bei ihr, als mit einem leichten Regenschauer das Zwielicht anbrach, war bei ihr während des strahlenden Sonnenuntergangs. Es war schon dunkel, als Bridie sie suchte und fand. Das Abendessen wartete. Colum schickte sie fort.

»Scarlett ist ein wenig verstört, Bridie. Sag den anderen, sie sollen sich keine Sorgen machen. Sie braucht lediglich ein wenig Zeit, um sich von dem Schock zu erholen. Sie hat schlechte Nachrichten aus Amerika: Ihr Mann ist schwer krank. Sie fürchtet, er könnte während ihrer Abwesenheit sterben.«

Bridie rannte zurück, um der Familie Bericht zu erstatten. Scarlett bete, sagte sie, worauf auch die Familie zu beten begann. Als man sich endlich dem Essen zuwenden konnte, war es bereits kalt. »Nimm eine Laterne mit, Timothy«, sagte Daniel.

Der Lichtschein spiegelte sich in Scarletts umränderten Augen wider. »Kathleen hat mir auch einen Schal für sie mitgegeben«, flüsterte Timothy. Colum nickte, legte Scarlett den Schal um die Schultern und winkte Timothy fort.

Eine weitere Stunde verging, und am nahezu mondlosen Himmel funkelten die Sterne. Ihr Licht war heller als der Schein der Laterne. Im nahe gelegenen Weizenfeld ertönte ein kleiner spitzer Schrei, dann hörte man leises Flattern. Eine Eule hatte Beute geschlagen.

»Was soll ich tun?« Scarletts rasselnde Stimme schallte durch die Nacht. Colum seufzte leise und dankte Gott. Das Schlimmste war vorüber.

»Wir fahren nach Hause, Scarlett. Wie vorgesehen. Es ist nichts geschehen, das nicht wieder in Ordnung gebracht werden könnte.« Seine Stimme war ruhig, selbstsicher, trostreich.

»Geschieden!« Sie rief es mit gebrochener Stimme, die ein beängstigendes Maß an Hysterie verriet. Colum rieb ihr die Hände.

»Was geschehen ist, läßt sich wieder ungeschehen machen, Scarlett.«

»Ich hätte daheim bleiben sollen. Das werde ich mir nie verzeihen.«

»Sei ruhig! Mit ›hätte‹ und ›sollte‹ ist noch nie ein Problem gelöst worden. Wir müssen uns jetzt darüber Gedanken machen, was als nächstes zu tun ist.«

»Er wird mich nie wieder zurücknehmen! Nicht, wenn sein Herz so verhärtet ist, daß er sich von mir scheiden läßt. Ich habe immer auf ihn gewartet und war ganz sicher, daß er kommen würde, Colum. Wie konnte ich nur eine solche Närrin sein! Du weißt ja gar nicht, was mit mir ist, Colum. Ich bin schwanger. Wie kann ich ein Kind auf die Welt bringen, wenn ich keinen Mann habe?«

»Aber dann ist doch alles klar«, sagte Colum ruhig. »Das brauchst du ihm nur zu sagen.«

Scarlett preßte die Hände auf ihren Bauch. Natürlich! Wie konnte ich nur so dumm sein? Ein stoßartiges Lachen entfuhr ihr und schmerzte ihr in der Kehle. Das Dokument, das Rhett Butler zur Aufgabe seines Kindes veranlassen würde, muß erst noch geschrieben werden. Er kann die Scheidung für ungültig erklären und alle entsprechenden Unterlagen verschwinden lassen. Rhett ist zu allem imstande. Er hat es ja gerade wieder bewiesen. In South Carolina gibt es gar keine Scheidung, es sei denn, Rhett Butler hat sich in den Kopf gesetzt, geschieden zu werden.

»Ich will sofort zurück, Colum. Es muß doch noch ein früheres Schiff geben. Ich verliere den Verstand, wenn ich noch länger warten muß.«

»Wir reisen Freitag morgen in aller Frühe ab, Scarlett-Schatz. Unser

Schiff sticht am Samstag in See. Wenn wir morgen hier losfahren, bleibt uns im Hafen noch ein ganzer Tag. Würdest du den nicht lieber hier verbringen?«

»Nein, nein. Ich muß abreisen, unbedingt. Selbst wenn es nur ein kurzes Stück ist, so bringt es mich Rhett doch wieder näher. Alles wird wieder gut werden, ich werde es schon schaffen. Alles wird gut werden ... Meinst du nicht auch, Colum? Sag, daß alles wieder gut werden wird.«

»Aber gewiß doch, Scarlett. Aber jetzt solltest du etwas zu dir nehmen, zumindest eine Tasse Milch, vielleicht mit einem Schuß Whiskey. Außerdem brauchst du Schlaf. Du mußt bei Kräften bleiben, schon um des Kindes willen.«

»O ja, das will ich! Ich werde sorgsam auf mich aufpassen. Aber zuerst muß ich mich um mein Reisekostüm kümmern. Und dann muß mein Schrankkoffer gepackt werden. Und, Colum, wie finden wir eine Kutsche, die uns zur Bahn bringt?« Ihre Stimme wurde wieder lauter. Colum erhob sich und zog sie zu sich hoch.

»Ich kümmere mich darum und werde die Mädchen bitten, deinen Koffer in Ordnung zu bringen. Aber nur, wenn du jetzt etwas ißt.«

»Ja, ja, das tun wir!« Sie hatte sich ein wenig beruhigt, ihr Zustand war aber immer noch kritisch. Er würde darauf achten müssen, daß sie tatsächlich ein Glas Milch mit Whiskey trank. Sie tat ihm furchtbar leid, und er hätte sich erheblich wohler gefühlt, wenn er mehr über die Frauen und das Kinderkriegen gewußt hätte. Sie hatte in den letzten Tagen kaum geschlafen und getanzt wie ein Derwisch. Konnte so etwas zu einer Frühgeburt führen? Er fürchtete um ihren Verstand, falls sie das Baby verlieren sollte.

55. Kapitel

Wie schon viele andere vor ihm, so unterschätzte auch Colum Scarlett O'Haras Durchsetzungsvermögen. Sie bestand darauf, daß ihr Gepäck noch am selben Abend bei Molly abgeholt wurde, und trug, während Kathleen ihr beim Anlegen des Reisekostüms half, Brigid auf, sie möge so schnell wie möglich ihre Siebensachen packen. Und als sie ihr Korsett anlegte, herrschte sie sie an: »Paß auf, wie es geschnürt wird, Bridie! Wenn wir auf dem Schiff sind, ist das deine Aufgabe. Ich habe hinten keine Augen und kann dir daher nicht dauernd sagen, was du zu tun hast.«

Ihre fiebrige Aufgeregtheit und die abgehackte Stimme hatten Bridie längst in Angst und Schrecken versetzt. Als Scarlett vor Schmerzen aufschrie, weil Kathleen die Schnüre strammzog, schrie auch sie auf.

Daß es weh tut, macht nichts, sagte Scarlett zu sich selbst. Es tut immer weh und hat immer weh getan. Ich hatte bloß vergessen, wie sehr. Ich werde mich schon wieder daran gewöhnen. Dem Baby schadet es nichts. Ich habe während all meiner Schwangerschaften so lange wie möglich ein Korsett getragen. Ich bin erst im dritten Monat. Ich muß einfach in meine Kleider hineinpassen, es geht nicht anders. Und wenn es mich umbringt, morgen sitze ich im Zug.

»Nun zieh schon, Kathleen«, stöhnte sie. »Zieh fester!«

Colum ging zu Fuß nach Trim und bestellte die Kutsche bereits für den nächsten Tag. Auf dem Rückweg machte er die Runde und erzählte allenthalben, welch großes Unglück Scarlett widerfahren sei. Es dauerte lange, bis er damit fertig war, und er war am Ende todmüde. Aber er hatte wenigstens vorgebeugt: Niemand würde neugierige Fragen stellen, warum sich die amerikanische Scarlett O'Hara wie ein Dieb in der Nacht ohne Abschiedsgruß aus dem Staub gemacht hatte.

Das Abschiednehmen im engsten Familienkreis überstand Scarlett mit Bravour. Der Schock vom Vortag hatte sie mit einer Art seelischem Panzer versehen, an dem alles andere abprallte. Sie verlor nur einmal kurz die Fassung, und zwar, als sie sich von ihrer Großmutter verabschiedete – oder eher diese von ihr. »Der Herr begleite dich auf deinen Wegen«, sagte die alte Katie Scarlett, »und die Heiligen mögen deine Schritte lenken. Glücklich bin ich, daß du zu meinem Geburtstag gekommen bist, Tochter Geralds. Schade nur, daß du bei meiner Totenwache nicht dabeisein wirst . . . Warum weinst du denn, Mädchen? Weißt du nicht, daß kein Fest für die Lebenden auch nur halb so großartig ist wie eine Totenwache? Es ist eine Sünde, nicht dabeizusein.«

Während der Kutschenfahrt nach Mullingar und der Bahnreise nach Galway saß Scarlett schweigend auf ihrem Platz. Bridie war zu nervös, um zu sprechen, doch verrieten ihre glänzenden Wangen und die großen, staunenden Augen, wie aufgeregt und glücklich sie war. Noch nie in ihren fünfzehn Lebensjahren war sie weiter als zehn Meilen vom Elternhaus entfernt gewesen.

Als sie im Hotel eintrafen, bestaunte Bridie mit offenem Mund dessen Größe und Pracht. »Ich bringe euch auf euer Zimmer, meine Damen«, sagte Colum, »und komme dann rechtzeitig zurück, um mit euch in den Speisesaal zu gehen. Bis dahin kümmere ich mich unten im Hafen um die Verladung des schweren Gepäcks. Außerdem möchte ich mir unsere Kabinen anschauen. Falls sie unseren Vorstellungen nicht entsprechen, können wir uns noch um andere bemühen.«

»Ich komme mit«, sagte Scarlett. Es waren die ersten Worte, die sie auf dieser Reise sprach.

»Das ist nicht nötig, Scarlett.«

»Für mich schon. Nur wenn ich das Schiff mit eigenen Augen gesehen habe, kann ich sicher sein, daß es auch tatsächlich existiert.«

Colum gab nach, worauf auch Bridie fragte, ob sie mitkommen dürfe. Das Hotel war zu überwältigend für sie. Sie wollte dort nicht allein sein.

Vom Meer her wehte eine frühabendliche, salzgeschwängerte Brise. Scarlett sog den Duft in vollen Zügen ein und mußte an Charleston denken, auch dort war die Luft immer so salzhaltig. Sie merkte nicht, daß ihr Tränen die Wangen herunterrollten. Ach, könnten wir doch sofort losfahren, dachte sie. Ob sich der Kapitän dazu überreden ließe? Sie berührte den Beutel mit Gold zwischen ihren Brüsten.

»Ich suche die *Evening Star*«, sagte Colum zu einem Hafenarbeiter.

»Die liegt dort hinten«, antwortete der Mann und deutete mit dem Daumen die Richtung an. »Ist erst vor 'ner knappen Stunde reingekommen.«

Colum ließ sich seine Überraschung nicht anmerken. Normalerweise hätte das Schiff schon vor dreißig Stunden eintreffen müssen. Die Verzögerung konnte Probleme mit sich bringen, allerdings bestand kein Grund, Scarlett das jetzt schon wissen zu lassen.

Schauerleute wechselten zwischen der *Evening Star* und dem Kai hin und her. Das Schiff beförderte Frachtgut und Passagiere. »Das ist hier jetzt nicht der richtige Ort für eine Frau, Scarlett. Laß uns zum Hotel zurückgehen. Ich komme später noch einmal her.«

Scarlett schob den Unterkiefer vor. »Nein. Ich will mit dem Kapitän sprechen.«

»Er hat jetzt keine Zeit, nicht einmal für einen so hübschen Besucher wie dich.«

Nach Komplimenten stand ihr nicht der Sinn. »Du kennst ihn doch, Colum, nicht wahr? Du kennst doch jeden hier. Sorg dafür, daß ich ihn sprechen kann.«

»Der Mann ist mir vollkommen unbekannt, Scarlett, ich habe ihn noch nie gesehen. Woher sollte ich ihn auch kennen? Wir sind hier in Galway und nicht in der Grafschaft Meath.«

Über die Laufplanke der *Star* kam ein Mann in Uniform. Die beiden großen Segeltuchsäcke über seinen Schultern schienen ihn in keiner Weise zu belasten. Für einen Mann seiner Größe und Statur war er ungewöhnlich leichtfüßig.

»Ja, ist das nicht Vater Colum O'Hara?« platzte er heraus, als er an ihnen vorbeikam. »Was treibt dich denn so weit von Matt O'Tooles Pub fort, Colum?« Er ließ einen der Säcke zu Boden gleiten und zog vor Scarlett und Bridie den Hut. »Ich hab es doch immer gesagt: Diese O'Haras haben ein geradezu teuflisches Glück bei den Frauen!« röhrte er und lachte dröhnend. »Hast du ihnen gesagt, daß du Priester bist, Colum?«

Scarlett lächelte mechanisch, als Colum ihr Frank Mahoney vorstellte. Daß er um soundsoviele Ecken mit Maureens Familie verwandt war, interessierte sie nicht im geringsten. Sie wollte den Kapitän sprechen!

»Ich bringe gerade die Post aus Amerika zum Amt«, sagte Mahoney. »Morgen wird sie sortiert. Willst du sehen, ob was für dich dabei ist? Oder läßt du deine parfümierten Liebesbriefe liegen, bis du zurückkommst?« Wieder lachte er laut und schallend über seinen Witz.

»Das ist nett von dir, Frank«, sagte Colum. »Ich werfe gerne einen Blick darauf, wenn's dir nichts ausmacht.«

Colum schnürte den Postsack vor seinen Füßen auf und zog ihn in den Schein einer Gaslampe. Er fand den Umschlag aus Savannah ohne Schwierigkeiten. »Da habe ich aber Glück gehabt«, sagte er. »Aus dem letzten Brief meines Bruders wußte ich, daß ein weiterer unterwegs ist. Aber ich hatte die Hoffnung schon aufgegeben. Vielen Dank, Frank. Darf ich dich zu einem Bier einladen?« Seine Hand verschwand in der Hosentasche.

»Keine Ursache! Hab ich doch gern getan, allein schon, weil es so einen Heidenspaß macht, die englischen Vorschriften zu brechen.« Frank wuchtete den Sack wieder auf seine Schulter. »Ich muß weiter. Der gottverdammte Aufseher glotzt sicher schon wieder auf seine goldene Uhr. Guten Abend, die Damen!«

In dem großen Umschlag befand sich ein halbes Dutzend kleinerer Briefe. Colum sah sie durch und suchte nach Stephens charakteristischer Handschrift. »Hier ist auch ein Brief an dich, Scarlett«, sagte er und drückte ihr ein blaues Kuvert in die Hand. Dann fand er Stephens Schreiben und riß den Umschlag auf. Er hatte gerade die ersten Zeilen gelesen, als er einen hohen, langgezogenen Schrei hörte und ein Gewicht spürte, das sich gegen seinen Körper lehnte. Ehe er die Arme ausbreiten und Scarlett auffangen konnte, lag sie auch schon vor ihm auf dem Boden. Die Brise riß ihr das blaue Kuvert und die dünnen Briefbogen aus der erschlafften Hand und trieb sie über das Kopfsteinpflaster. Während Colum Scarlett an den Schultern faßte und aufrichtete und mit den Fingern den Puls an ihrem Hals ertastete, rannte Bridie hinter den davonflatternden Seiten her.

Die Droschke, die sie in höchster Eile zum Hotel zurückbrachte, rüttelte sie gehörig durch. Obwohl Colum sich alle Mühe gab, Scarlett fest in seinen Armen zu halten, schlenkerte ihr Kopf immer wieder grotesk von einer Seite zur anderen. Den livrierten Hotelpagen rief er zu: »Holt einen Arzt und geht mir aus dem Weg!«, schleppte Scarlett eilig durch die Lobby und trug sie in ihr Zimmer. Dort legte er sie aufs Bett.

»Komm, Bridie, hilf mir, sie auszuziehen«, sagte er. »Sie braucht dringend Luft.« Aus einer Lederscheide auf der Innenseite seines Mantels zog er ein Messer, während Bridie mit flinken Fingern die Rückenpartie von Scarletts Kleid aufknöpfte.

Colum zerschnitt die Korsettschnüre. »So, und jetzt betten wir ihr den Kopf auf die Kissen und decken sie warm zu.« Er massierte Scarletts Arme und tätschelte vorsichtig ihre Wangen.

»Hast du irgendwo Riechsalz?«

»Nein, Colum, und sie auch nicht, soweit ich weiß.«

»Der Arzt wird schon welches haben. Ich hoffe, es ist bloß eine Ohnmacht.«

»Eine Ohnmacht, Vater, das ist alles«, sagte der Arzt, nachdem er Scarletts Schlafzimmer verlassen hatte. »Eine recht tiefe allerdings. Ich habe ein Stärkungsmittel dagelassen; das Mädchen soll es ihr geben, wenn sie aufwacht. Oh, diese feinen Damen! Um der Mode willen schnüren sie sich ihren gesamten Blutkreislauf ab. Aber kein Grund zur Unruhe, sie kommt schon wieder auf die Beine.«

Colum dankte dem Arzt, bezahlte ihn und begleitete ihn zur Tür. Dann ließ er sich auf einen Stuhl neben dem lampenerhellten Tisch sinken und stützte den Kopf in die Hände. Es gab eine ganze Menge Grund zur Unruhe, ja, er fragte sich sogar, ob Scarlett O'Hara je wieder richtig auf die Beine kommen würde. Auf dem Tisch lagen die zerknitterten, wasserfleckigen Briefbogen. In ihrer Mitte befand sich ein Zeitungsausschnitt mit sorgsam beschnittenen Rändern. »Gestern abend«, so hieß es dort, »schlossen bei einer privaten Feier im Witwen- und Waisenheim der Konföderierten Miss Anne Hampton und Mr. Rhett Butler den Bund der Ehe.«

56. Kapitel

Scarletts Geist wand sich, drehte sich, wirbelte aufwärts aus der Schwärze der Umnachtung in die lichten Gefilde des Bewußtseins, doch war da eine innere Kraft, die sie wieder hinabzwang, und so glitt sie zurück in die Dunkelheit, fort von der unerträglichen Wahrheit, die auf sie lauerte. Es wiederholte sich immer wieder, war ein langer, ermüdender Kampf, der sie erschöpfte. Reglos und bleich wie eine Tote lag sie im Bett.

Sie träumte einen Traum voller Bedrängung und Bewegung. Sie war in Twelve Oaks, und es war wieder schön wie eh und je, so, wie es einst gewesen war, bevor die Brandfackeln Shermans gekommen waren. Die elegant geschwungene Treppe wand sich durch den Raum wie durch Zauberkräfte festgehalten, und sie betrat sie leichtfüßig. Weit vor ihr stieg Ashley die Treppen empor und achtete nicht auf ihre Rufe, mit denen sie ihn zum Stehenbleiben bewegen wollte. »Ashley!« schrie sie, »Ashley, warte auf mich!« und rannte hinter ihm her.

Wie lang und hoch diese Treppe doch war. Sie konnte sich gar nicht daran erinnern. Ihr war, als wüchse sie immer weiter in die Höhe, und Ashley war so weit über ihr. Sie mußte ihn unbedingt erreichen, sie wußte nicht, warum, nur daß sie zu ihm mußte, das wußte sie, und so rannte sie schneller und schneller, bis das Herz in ihrer Brust wild zu hämmern begann. »Ashley!« schrie sie. »Ashley!« Er hielt inne, und sie fand neue, ungeahnte Kräfte und rannte weiter, weiter, schneller noch als zuvor.

Das Gefühl einer ungeheuren Erleichterung durchströmte ihr Körper und Seele, als sie endlich seinen Arm berührte. Doch da drehte er sich um, und sie schrie lautlos auf: Er hatte kein Gesicht. Dort, wo es hätte sein sollen, war nur eine blasse, konturenlos flimmernde Fläche.

Und dann fiel sie, taumelte durch den Raum, den Blick noch immer entsetzt auf die Gestalt über ihr geheftet. Ein Schrei wollte sich ihrer Kehle entringen, doch das einzige vernehmbare Geräusch war Gelächter. Es kam von unten, wölkte empor, umhüllte sie, verhöhnte ihre Stummheit.

Ich sterbe, dachte sie. Furchtbare Schmerzen werden mich zerschmettern, und dann muß ich sterben.

Aber auf einmal schlossen sich starke Arme um sie und entzogen sie mit sanfter Gewalt dem Sturz in die Tiefe. Sie kannte diese Arme, kannte auch die Schulter, die ihren Kopf stützte. Es war Rhett. Rhett hatte sie gerettet. In seiner Umarmung war sie sicher. Sie drehte den Kopf und hob ihn, um Rhett in die Augen zu sehen. Doch da lähmte sie ein eisiger Schreck: Auch sein Gesicht hatte keine Konturen, war nur ein Wabern wie Nebel oder Rauch. Und schon begann auch wieder das Gelächter. Es nahm seinen Ausgang von Rhetts leerem Gesicht.

Auf der Flucht vor dem nackten Entsetzen übersprang Scarletts Geist die Schwelle zum Bewußtsein. Sie öffnete die Augen. Um sie herum war alles dunkel, und sie wußte nicht, wo sie sich befand. Die Lampe war ausgegangen, und Bridie saß in einem für Scarlett unsichtbaren Winkel des riesigen Zimmers in ihrem Sessel und schlief. Scarlett streckte die Arme aus und tastete über das unvertraut große Bett. Ihre Finger fuhren über weiches Leinen, sonst nichts. Die Ränder der Matratze lagen außerhalb ihrer Reichweite. Sie schien ausgesetzt zu sein, verloren in einem Ozean von Weichheit, der sich jeglicher Definition entzog. Vielleicht erstreckte er sich in der dunklen Stille bis ins Unendliche ... Angst schnürte ihr die Kehle zu. Sie war allein und in der Dunkelheit verloren.

Hör auf! Ihr Verstand verdrängte die Panik, gebot ihr, sich zusammenzureißen. Vorsichtig zog Scarlett die Beine an und drehte sich um, bis sie vornübergekauert auf dem Bett kniete. Ihre Bewegungen waren langsam, um ja keine Geräusche zu verursachen. Wer vermochte schon zu sagen, was sich da draußen in der Dunkelheit alles herumtrieb und die Ohren spitzte? Mit äußerster Vorsicht kroch sie weiter, bis ihre Hände die Bettkante und schließlich die harte, solide Wirklichkeit des Holzrahmens ertasteten.

Was bist du nur für ein Dummkopf, Scarlett O'Hara, schalt sie sich, während ihr Tränen der Erleichterung über die Wangen flossen. Natürlich sind dir das Bett und das Zimmer nicht vertraut. Du bist in Ohnmacht gefallen wie eine zimperliche, schwache, hypochondrische Göre. Colum und Bridie haben dich ins Hotel gebracht. Hör jetzt bloß auf mit diesem Unfug, du Angsthase!

Die zurückkehrende Erinnerung traf sie wie ein physischer Schlag. Ich habe Rhett verloren ... Er hat sich scheiden lassen ... hat Anne Hampton geheiratet. Es war unfaßbar, aber wahr. Sie mußte sich der Einsicht fügen.

Warum hat er das getan, warum nur? Ich war so davon überzeugt, daß er mich liebt. Er durfte es einfach nicht tun, er durfte es nicht!

Und doch war es so.

Ich habe ihn nie richtig gekannt. Scarlett hörte die Worte, als hätte sie sie laut ausgesprochen. Ich habe ihn überhaupt nicht gekannt. Was ist das für ein Mensch, den ich da geliebt habe? Wessen Kind wächst da in mir heran?

Was soll aus mir werden?

In jener Nacht, in der furchterregenden Dunkelheit eines ihr unbekannten Hotelzimmers, Tausende von Meilen von ihrem Heimatland entfernt, rang Scarlett O'Hara sich zu der mutigsten Einsicht durch, die ihr je abverlangt worden war: Sie gab zu, versagt zu haben.

Es ist alles meine Schuld. Ich hätte sofort, nachdem klar war, daß ich schwanger bin, nach Charleston zurückkehren sollen. Ich aber habe mich für eine Vergnügungsreise entschieden, die mich nun das einzige Glück gekostet hat, auf das ich wirklich etwas gebe. Ich habe einfach nicht darüber nachgedacht, was in Rhett vorgehen mochte, als ich einfach so davongelaufen bin. Ich habe nicht über den nächsten Tag und den nächsten Tanz hinaus gedacht. Ich habe überhaupt nicht nachgedacht.

Ich habe nie nachgedacht.

In der schwarzen Stille der Nacht suchte Scarlett die Erinnerung an all die Irrtümer und Fehler heim, die sie im Laufe ihres Lebens durch vorschnelles, unbedachtes Handeln begangen hatte, und sie stellte sich ihnen. Da war die Ehe mit Charles Hamilton, den sie geheiratet hatte, um Ashley zu ärgern, obwohl ihr überhaupt nichts an ihm lag. Und Frank Kennedy – wie abscheulich hatte sie sich ihm gegenüber benommen. Sie hatte ihn belogen, was Suellen anging, alles nur, um Frank dazu zu bewegen, sie, Scarlett, zu heiraten und ihr das Geld zu geben, das sie brauchte, um Tara zu retten. Und da war schließlich Rhett – o weh, die Fehler, die sie ihm gegenüber begangen hatte, ließen sich gar nicht mehr zählen ... Sie hatte ihn geheiratet, ohne ihn zu lieben, und sich nicht im geringsten darum bemüht, ihn glücklich zu machen. Ja, es war ihr völlig gleichgültig gewesen, ob er selbst glücklich war oder nicht – bis jetzt, bis es zu spät war.

O Gott, vergib mir. Nie habe ich daran gedacht, was ich ihnen antat, nie ihre Gefühle bedacht. Ich habe sie immer nur verletzt, verletzt, verletzt, jeden von ihnen, weil ich nie auch nur eine Sekunde nachgedacht habe.

Auch Melanie. Ja, Melly ganz besonders. Ich kann die Erinnerung an meine Bosheit kaum ertragen. Nicht ein einziges Mal habe ich ihr gegenüber Dankbarkeit empfunden, für die Zuneigung, die sie mir entgegengebracht hat. Nie habe ich anerkannt, wie sehr sie sich für mich eingesetzt hat. Nie habe ich ihr gesagt, daß ich sie gern habe, weil ich gar nicht auf die Idee gekommen bin – bis zum Ende, und da gab es keine Gelegenheit mehr.

Habe ich mir eigentlich je in meinem Leben Gedanken über mein Tun und Lassen gemacht? Habe ich auch nur ein einziges Mal über die Konsequenzen meines Handelns nachgedacht?

Scham und Verzweiflung ergriffen Scarletts Herz. Wie konnte sie nur so eine Närrin sein? Sie haßte Narren.

Doch dann ballte sie die Hände zur Faust, biß die Zähne zusammen und steifte ihr Rückgrat. Nein, sie wollte nicht länger in der Vergangenheit herumstochern und in Selbstmitleid schwelgen. Jammerei war ihr verhaßt – vor anderen wie vor sich selbst.

Mit trockenen Augen starrte sie in die Dunkelheit. Nein, ich will nicht weinen, jetzt nicht. Dazu bleibt mir bis an mein Lebensende noch genug Zeit. Ich muß nachdenken, sorgfältig nachdenken und dann entscheiden, was zu tun ist.

Ich muß an das Kind denken.

Einen Augenblick haßte sie es. Sie haßte das Dickerwerden, haßte die bevorstehende Unbeholfenheit und Schwere ihres Körpers. Das Kind hatte ihr Rhett zurückgeben sollen, es aber nicht getan. Es gab Mittel und Wege, Abhilfe zu schaffen, sie wußte, daß manche Frauen sich ungewollter Babys entledigten . . .

. . . Rhett würde mir das nie verzeihen. Na und? Rhett ist fort, unwiderruflich.

Aller Willensanstrengung zum Trotz kam ein verbotener Seufzer über Scarletts Lippen.

Verloren. Ich habe ihn verloren. Ich bin geschlagen. Rhett hat gewonnen.

Dann aber durchfuhr sie plötzlicher Zorn, tötete den Schmerz und verlieh ihrem erschöpften Körper und Geist neue Energie.

Ich bin geschlagen, aber ich werde mich revanchieren, Rhett Butler, dachte sie in bitterem Triumph. Und ich werde dich härter treffen, als du mich je getroffen hast.

Sanft legte sie die Hände auf ihren Bauch. O nein, ich werde dieses Baby nicht wegmachen lassen. Ich werde mein Kind umsorgen, wie in der ganzen Weltgeschichte noch kein Kind je umsorgt worden ist.

Bildhafte Erinnerungen an Rhett und Bonnie überkamen sie. Er hat Bonnie stets mehr geliebt als mich. Er würde alles geben, um sie zurückzubekommen, sogar sein Leben. Ich werde eine neue Bonnie haben, die mir ganz allein gehört. Und wenn sie alt genug ist und ich ihr ein und alles bin, nur ich, dann werde ich Rhett erlauben, sie zu sehen, damit er sehen kann, was er verloren hat . . .

Was geht in mir vor? Ich muß verrückt sein. Noch vor einer Minute habe ich mir eingestanden, wie sehr ich ihn verletzt habe, und war voller Selbsthaß. Jetzt hasse ich ihn und denke mir noch weit schlimmere Verletzungen aus, die ich ihm zufügen kann. Ich darf das nicht zulassen. Ich muß mir solche Phantasien verbieten. Ich muß es.

Rhett ist fort, das habe ich eingesehen. Ich darf mich nicht zu ewigen Selbstvorwürfen oder Rachegedanken hinreißen lassen, das ist reine Kraftverschwendung. Ich muß von Grund auf neu anfangen und brauche dazu all meine Energie. Ich muß etwas Neues finden, etwas Wichtiges, für das es sich zu leben lohnt. Und ich kann es finden, wenn ich mich nur bemühe.

Den Rest der Nacht verbrachte Scarlett damit, alle denkbaren Möglichkeiten methodisch auszuloten. Sie geriet in Sackgassen, stieß auf Hindernisse und überwand sie, entdeckte überraschende Nischen der Erinnerung, der Phantasie und der Reife.

Sie dachte an ihre Jugend, an ihre Heimat und die Zeit vor dem Krieg. Die Erinnerungen waren auf seltsame Weise schmerzlos und entrückt und machten ihr klar, daß sie nicht mehr die Scarlett jener Tage war, daß sie sich von ihr befreien und die alte Zeit und ihre Toten in Frieden ruhen lassen konnte.

Sie konzentrierte sich auf die Zukunft, ihre Situation und mögliche Konsequenzen. Ihre Schläfen begannen zu pochen, ja zu hämmern, ihr Kopf schmerzte abscheulich, doch sie gab nicht nach und setzte ihre Überlegungen fort.

Auf der Straße wurde es langsam lebendig, als ihr mit einem Schlag die Antwort einfiel. Unvermittelt wußte sie, wie sie sich zu verhalten hatte. Sie wartete noch, bis durch die geschlossenen Vorhänge genügend Licht ins Zimmer drang, dann rief sie laut: »Bridie?«

Das Mädchen sprang von seinem Sessel auf und blinzelte sich den Schlaf aus den Augen. »Gott sei Dank, du bist wieder zu dir gekommen!« rief sie aus. »Der Doktor hat dir ein Stärkungsmittel dagelassen, hier. Ich muß nur schnell den Löffel holen. Er liegt irgendwo auf dem Tisch.«

Fügsam öffnete Scarlett den Mund und schluckte die bittere Medizin. »Ich bin lang genug auf der Nase gelegen. Zieh die Vorhänge auf, es muß längst Tag sein. Ich brauche ein gutes Frühstück, mein Kopf brummt, und ich muß so schnell wie möglich wieder zu Kräften kommen.«

Es regnete. Ein echter Landregen, keiner von den üblichen verwaschenen Schauern. Scarlett spürte eine dumpfe Befriedigung.

»Colum will sicher wissen, wie es dir geht. Er hat sich solche Sorgen gemacht. Darf ich ihn holen?«

»Noch nicht. Aber sag ihm, daß ich ihn später sehen will. Ich muß mit ihm reden, nur noch nicht jetzt. Geh und sage es ihm. Und bitte ihn, dir zu erklären, wie man das Frühstück aufs Zimmer bestellt.«

Scarlett zwang sich, jeden einzelnen Bissen hinunterzuschlucken, auch wenn ihr gar nicht bewußt war, was sie aß. Sie mußte wieder zu Kräften kommen. Nach dem Frühstück schickte sie Bridie mit der Maßgabe fort, erst in zwei Stunden wiederzukommen. Dann setzte sie sich an den Schreibtisch neben dem Fenster und beschrieb in großer Eile, die Stirn vor Konzentration gefurcht, mehrere unlinierte Bogen dicken, cremefarbenen Briefpapiers. Als sie zwei Briefe geschrieben, die Bogen gefaltet und die Umschläge verschlossen hatte, starrte sie lange Zeit das noch vor ihr liegende, unbeschriebene Papier an. Sie hatte in den Stunden der Nacht alles genauestens geplant und wußte, was sie jetzt schreiben wollte. Dennoch brachte sie es nicht über sich, die Feder zu ergreifen und zu beginnen. Alles in ihr sträubte sich gegen das Unvermeidliche.

Scarlett schauderte und wandte ihre Augen von dem Briefbogen ab. Ihr Blick fiel auf eine hübsche kleine Porzellanuhr, die gleich neben ihr auf einem Beistelltischchen stand. Erschrocken hielt sie den Atem an. So spät war es schon! In einer Dreiviertelstunde würde Bridie zurückkehren.

Ich kann es nicht länger vor mir herschieben, dachte sie. An den Tatsachen ändert sich ohnehin nichts mehr, egal, wie lange ich hier auch sitze. Es gibt keinen anderen Ausweg. Ich muß Onkel Henry schreiben, die Demütige hervorkehren und ihn freundlichst um Hilfe bitten. Er ist der einzige, dem ich vertrauen kann. Scarlett biß die Zähne zusammen und griff nach der Feder. Ihre eigentlich schöne Schrift war verkrampft und unregelmäßig. Man merkte ihr die Überwindung an, die es sie kostete, Henry Hamilton die Kontrolle über ihre Geschäfte in Atlanta sowie ihren in der dortigen Bank deponierten persönlichen Goldschatz zu überschreiben.

Ihr war, als säge sie den Ast ab, auf dem sie saß. Ihr wurde regelrecht übel, fast schwindelig. Sie hatte zwar keine Angst, daß der alte Anwalt sie betrügen könnte, doch war ihr klar, daß er nicht wie sie jeden Penny zweimal umdrehen würde, bevor er ihn ausgab. Es war eine Sache, ihn die Einkünfte aus dem Laden und die Miete für den Saloon kassieren und zur Bank bringen zu lassen, eine ganz andere war es aber, ihm die Kontrolle über die Lagerbestände und die Preise sowie die Entscheidung über die Höhe der Pacht für den Saloon zu übereignen.

Kontrolle. Sie verzichtete auf die Kontrolle über ihr Geld, ihre Sicherheit, ihren Erfolg. Und das zu einem Zeitpunkt, da sie mehr darauf angewiesen war denn je. Der Kauf von Carreens Anteil an Tara würde ein tiefes Loch in ihre Goldreserven reißen. Aber für eine Absage des Geschäfts mit dem Bischof war es inzwischen zu spät. Scarlett hätte es ohnehin nicht rückgängig gemacht, selbst wenn es noch möglich gewesen wäre. Ihr Traum, die Sommer mit Rhett auf Tara zu verbringen, war gestorben, aber Tara blieb Tara, und sie war entschlossen, es sich zu eigen zu machen.

Auch der Bau der Häuser am Stadtrand von Atlanta versprach, teuer zu werden, doch das Projekt durfte ebenfalls nicht abgebrochen werden. Wenn ich nur die Gewißheit hätte, daß Onkel Henry allen Vorschlägen Sam Colletons zustimmt, ohne nach den Kosten zu fragen.

Das schlimmste war, daß sie nicht erfahren würde, wie sich die Dinge entwickelten, zum Guten oder zum Schlechten. Möglich war alles.

»Ich kann es nicht!« Scarlett stöhnte auf, aber sie schrieb weiter. Sie mußte es hinter sich bringen. Sie wolle einen langen Urlaub machen, schrieb sie, und einige Reisen unternehmen. Sie werde voraussichtlich eine ganze Zeitlang nicht zu erreichen sein, da sie keine feste Postanschrift haben werde ... Scarlett starrte auf die Worte vor ihr, bis sie zu verschwimmen begannen, und zwinkerte die Tränen fort. Nichts von alledem, dachte sie. Sie mußte alle Verbindungen abbrechen, das war unabdingbar, weil Rhett sie sonst ausfindig machen würde. Außerdem darf er von dem Kind nichts wissen, bis ich es für richtig halte, ihn darüber in Kenntnis zu setzen.

Aber was wird Onkel Henry mit meinem Geld anstellen? Werde ich die Ungewißheit darüber ertragen können? Was passiert, wenn die Kurse weiter fallen und meine Ersparnisse bedrohen? Was geschieht, wenn mein Haus abbrennt, oder schlimmer noch, der Laden?

Ich muß das Risiko eingehen. Es geht nicht anders.

Die Feder kratzte hastig über das Papier. Scarlett gab Henry Hamilton genaue Instruktionen und verschiedene Ratschläge, obwohl sie wußte, daß er sie aller Wahrscheinlichkeit nach ignorieren würde.

Als Bridie zurückkam, waren alle Briefe geschrieben und die Umschläge sorgfältig verschlossen. Scarlett saß in einem Sessel, und auf ihrem Schoß lag das ruinierte Korsett.

»Oh, das habe ich ganz vergessen«, stöhnte Bridie. »Wir mußten dich herausschneiden, damit du wieder Luft bekamst. Was soll ich jetzt tun? Vielleicht ist hier irgendwo in der Nähe ein Laden, wo ich ...«

»Mach dir keine Gedanken darüber«, sagte Scarlett, »es ist nicht so wichtig. Du kannst mein Kleid mit ein paar Stichen weiter machen, und ich trage darüber einen Mantel, damit man es nicht sieht. Aber mach schnell, es ist schon spät. Ich habe noch viel zu tun.«

Bridie sah zum Fenster. Spät? Mit den Augen der auf dem Land Aufgewachsenen sah sie, daß es noch nicht einmal neun Uhr war. Gehorsam packte sie das Nähzeug aus, das sie sich mit Kathleens Hilfe für ihre neue Aufgabe als Zofe zusammengestellt hatte.

Eine halbe Stunde später klopfte Scarlett an Colums Zimmertür. Sie sah hohläugig und übernächtigt aus, war jedoch makellos gekleidet und absolut gefaßt. Sie spürte keinerlei Müdigkeit mehr. Das Schlimmste hatte sie überstanden. Daß sie jetzt ihre Entschlüsse in die Tat umsetzen mußte, gab ihr neue Kraft.

Als ihr Cousin ihr die Tür öffnete, begrüßte sie ihn mit einem Lächeln.

»Wird dein Kragen deinen Ruf schützen, wenn ich dein Zimmer betrete?« fragte sie. »Ich habe private Dinge mit dir zu besprechen.«

Colum deutete eine Verneigung an und riß die Tür weit auf. »Sei tausendfach gegrüßt«, sagte er. »Es ist mir eine Freude, dich lächeln zu sehen, Scarlett-Schatz.«

»Es wird nicht lange dauern, dann kann ich sogar wieder lachen, hoffe ich ... Ist der Brief aus Amerika verlorengegangen?«

»Nein, ich habe ihn hier. Ganz vertraulich. Ich verstehe jetzt, was geschehen ist.«

»Wirklich?« Wieder lächelte sie. »Dann bist du klüger als ich. Ich weiß es, aber ich werde es wahrscheinlich nie verstehen. Aber das ist auch gleich.« Sie legte ihre drei Briefe auf den Tisch. »Ich erzähle dir gleich, was es mit diesen Briefen auf sich hat. Zuerst muß ich dir allerdings sagen, daß ich nicht mit dir und Bridie zurück nach Amerika fahre. Ich werde in Irland bleiben.« Sie hob die Hand. »Nein, sag jetzt nichts! Ich habe alles genau durchdacht. Ich habe in Amerika nichts mehr verloren.«

»Scarlett, meine gute Scarlett, bist du nicht eventuell ein bißchen voreilig? Habe ich dir nicht gesagt, daß es nichts gibt, was nicht wieder ungeschehen gemacht werden könnte? Dein Ehemann hat schon einmal eine Scheidung durchgesetzt ... Wenn du nun zurückkehrst und ihm von dem Kind erzählst, wird es ihm auch ein zweitesmal gelingen.«

»Du irrst dich, Colum. Rhett wird sich nie von Anne scheiden lassen. Sie ist vom gleichen Schlag wie er. Sie stammt aus seinen Kreisen, aus Charleston. Und davon abgesehen ist sie wie Melanie, was dir natürlich nichts sagt, weil du Melly nie kennengelernt hast. Aber Rhett kennt sie. Er wußte lange vor mir, was für ein besonderer Mensch sie war. Er hat sie geachtet. Sie war die einzige Frau – abgesehen vielleicht von seiner Mutter –, die er je respektiert hat, und er brachte ihr jene Bewunderung entgegen, die sie verdiente. Das Mädchen, das er jetzt geheiratet hat, ist zehnmal soviel wert wie ich, genau wie Melly damals. Rhett weiß das genau. Sie ist auch zehnmal soviel wert wie er, sicher – aber sie liebt ihn eben. Soll er doch dieses Kreuz tragen.« Eine wilde Bitterkeit lag in ihren Worten.

Oh, wie sie leidet, dachte Colum. Es muß eine Möglichkeit geben, ihr zu helfen. »Du hast doch jetzt dein Tara, Katie Scarlett, und du hast so großartige Dinge damit vor. Meinst du nicht, daß du darin Trost finden kannst, bis du über die Sache hinweggekommen bist? Für das Kind, das du unter dem Herzen trägst, kannst du eine Welt ganz nach deinen Vorstellungen errichten, eine große Pflanzung, wie sie sein Großvater und seine Mutter einst aufgebaut haben. Wenn es ein Junge wird, kannst du ihn Gerald nennen.«

»Nichts von dem, was du da sagst, ist mir neu. Ich habe alles bereits in Erwägung gezogen. Ich danke dir, Colum, aber du wirst keine Antwort finden, wo ich keine gefunden habe, glaube mir. Was das Erbe betrifft, so habe ich bereits einen Sohn – ein Kind, von dem du nichts weißt. Das ist das eine. Die Hauptsache aber ist das Baby. Ich kann nicht nach Tara zurück, um es dort zur Welt zu bringen, und auch wenn es geboren ist, kann ich es nicht mit nach Tara nehmen. Die Leute würden mir niemals glauben, daß es ein eheliches Kind ist. Man hat mich in ganz Clayton County und in Atlanta nie für besser gehalten, als man mich haben wollte. Außerdem habe ich Charleston am Tag nach . . . nach dem Anfang des Babys verlassen.« Eine schmerzvolle Sehnsucht ließ sie erbleichen. »Kein Mensch würde mir je abnehmen, daß es Rhetts Kind ist. Wir haben jahrelang in getrennten Zimmern geschlafen. Man würde mich eine Hure und mein Kind einen Bastard schimpfen und dabei noch genüßlich mit der Zunge schnalzen.«

Sie sprach die schlimmen Worte mit verzogenen Lippen aus.

»Nein, Scarlett, das stimmt nicht. Dein Mann kennt die Wahrheit, und er wird das Baby als sein Kind anerkennen.«

Scarletts Augen blitzten auf. »O ja, er wird es anerkennen – und es mir dann fortnehmen! Colum, du ahnst ja gar nicht, wie versessen Rhett auf ein Kind ist – sein Kind, wohlgemerkt. Er wird verrückt vor Liebe, und er muß das Kind für sich haben, es wird sein ein und alles sein. Er würde dieses Kind an sich reißen, kaum daß es den ersten Atemzug getan hat. Glaube ja nicht, das sei unmöglich! Rhett hat seine Scheidung bekommen, obwohl eine Scheidung eigentlich gar nicht möglich ist. Er würde alle Hebel in Bewegung setzen und womöglich sogar für ein neues Gesetz sorgen. Es gibt nichts, wozu er nicht imstande wäre.« Ihre Stimme war zu einem heiseren Flüstern geworden, sie schien sich zu fürchten. Haß und rasendes, vernunftloses Entsetzen verzerrten ihr Gesicht.

Und fielen dann plötzlich wie ein Schleier von ihr ab. Ihre Miene glättete sich und wurde wieder ruhig. Nur die grünen Augen funkelten noch. Auf ihren Lippen zeichnete sich ein Lächeln ab, das Colum O'Hara einen kalten Schauer über den Rücken jagte. »Es ist mein Kind«, sagte Scarlett. Ihre ruhige, tiefe Stimme klang wie das Schnurren einer großen Katze. »Es gehört mir ganz allein, und er wird von seiner Existenz erst erfahren, wenn ich es für richtig halte – und dann wird es zu spät für ihn sein. Ich bete darum, daß es ein Mädchen wird, ein schönes, blauäugiges Mädchen.«

Colum bekreuzigte sich.

Scarlett lachte rauh auf. »Armer Colum. Sei nicht so erschrocken, auch wenn es heißt, daß keine Wut der Hölle so furchtbar ist wie der Zorn einer verschmähten Frau . . . Hab keine Angst, ich erschrecke dich nicht mehr.« Sie lächelte, und Colum fragte sich, ob das, was er nur wenige Augenblicke zuvor in ihrem Gesicht gesehen hatte, nicht allein ein Produkt seiner Phantasie gewesen war. Scarletts Lächeln war offen und liebevoll.

»Ich weiß, daß du mir helfen möchtest, Colum, und ich bin dir wirklich sehr dankbar dafür. Du bist so gut zu mir gewesen, ein so guter Freund, vielleicht der beste Freund, den ich jemals hatte, sieht man einmal von

Melly ab. Du bist wie ein Bruder zu mir, und ich habe mir immer einen Bruder gewünscht. Ich hoffe, du wirst immer mein Freund bleiben.«

Colum versprach es ihr und dachte bei sich: Ich habe noch nie eine Seele gesehen, die so dringend der Hilfe bedarf wie ihre.

»Ich möchte gerne, daß du diese Briefe für mich mit nach Amerika nimmst. Dieser hier ist für meine Tante Pauline. Sie soll wissen, daß ich ihren Brief erhalten habe und daß ihre Vorliebe, andere Leute mit einem ›Ich hab's dir doch gesagt!‹ zu beglücken, in vollem Umfang gewürdigt wird. Der zweite ist an meinen Anwalt in Atlanta gerichtet und betrifft geschäftliche Dinge. Beide Briefe gib bitte in Boston zur Post. Ich wünsche nicht, daß mein genauer Aufenthaltsort bekannt wird. Den dritten liefere bitte persönlich ab. Du wirst einen Umweg machen müssen, aber der Brief ist furchtbar wichtig. Er ist für die Bank in Savannah. Ich habe dort einiges Gold und meine Juwelen im Tresor liegen und zähle darauf, daß du mir beides bei deiner Rückkehr mitbringst. Hat Bridie dir den Beutel gegeben, den ich um den Hals trug? Gut. Das reicht mir hier für den Anfang. Und bevor du fährst, mußt du mir noch einen vertrauensvollen Anwalt besorgen, sofern es hier einen solchen gibt. Ich werde Rhett Butlers Geld benützen. Mein Ziel ist es, Ballyhara zu kaufen, den Ort, aus dem die O'Haras stammen. Das Kind wird ein Erbe bekommen, wie Rhett ihm nie eines verschaffen könnte. Ich werde ihm die eine oder andere Lektion erteilen in Sachen ›tief verwurzelt‹.«

»Scarlett, meine Güte, ich flehe dich an! So überleg dir das alles doch noch einmal. Wir können für eine Weile in Galway bleiben. Bridie und ich, wir werden uns um dich kümmern. Du hast den Schock noch nicht überwunden. Eine Entscheidung nach der anderen, ganz wie sie dir eingefallen sind – das übersteigt im Moment deine Kräfte!«

»Du meinst, ich bin verrückt geworden, wie? Vielleicht. Aber ich habe diese Entscheidung getroffen und gedenke, mich daran zu halten. Mit deiner Hilfe oder ohne sie. Es besteht keinerlei Anlaß für dich und Bridie hierzubleiben. Ich habe vor, morgen zu Daniel und seiner Familie zurückzukehren und sie zu bitten, mich wieder aufzunehmen, bis Ballyhara mir gehört. Wenn du dir also Gedanken um mich machst und meinst, ich brauche Betreuung, auf Kathleen und die anderen kannst du dich doch sicher verlassen, oder?« Sie machte eine kurze Pause. »Gib es zu, Colum«, sagte sie dann, »ich habe dich völlig überrumpelt.«

Er breitete die Hände aus und gab ihr recht.

Später brachte er sie zu einem Anwalt, der in dem Ruf stand, die Fälle, die er annahm, auch erfolgreich abzuschließen. Die Suche nach dem Eigentümer von Ballyhara begann.

Am nächsten Morgen, gleich als die ersten Stände aufgestellt wurden, ging Colum auf den Markt, erledigte die Besorgungen, die Scarlett ihm aufgetragen hatte, und brachte ihr die Einkäufe ins Hotel. »Also gut, Mrs.

O'Hara«, sagte er. »Schwarze Röcke und Hemden, ein schwarzer Schal, ein schwarzer Umhang und schwarze Strümpfe für die arme junge Witwe. Ich habe Bridie gesagt, das sei der Grund für deinen Zusammenbruch gewesen. Dein Ehemann wurde von der Krankheit dahingerafft, bevor du an seiner Seite sein konntest. Und noch etwas, hier ist ein kleines Geschenk von mir. Wenn du vom Tragen der Witwenkleidung trübsinnig wirst, hilft dir vielleicht der Gedanke an das, was du darunter trägst.« Mit diesen Worten legte er ihr einen Stoß bunter Unterröcke in den Schoß.

Scarlett lächelte. Ihre Augen strahlten vor Dankbarkeit. »Woher weißt du, daß ich mich ohrfeigen könnte, weil ich den Cousinen in Adamstown meine gesamte irische Garderobe geschenkt habe?« Sie deutete auf ihr Reisegepäck. »Das Zeug brauche ich jetzt nicht mehr. Nimm es mit und gib es Maureen, sie soll es verteilen.«

»Das ist Verschwendung, Scarlett. Und sehr unbedacht dazu.«

»Papperlapapp! Meine Stiefel und meine Blusen habe ich herausgenommen. Die Kostüme sind nutzlos für mich. Nie wieder werde ich mich in ein Korsett zwängen lassen, nie mehr! Ich bin Scarlett O'Hara, eine Irin im freischwingenden Rock, die heimlich einen roten Unterrock darunter trägt. Frei, Colum! Ich werde mir eine Welt nach meinen eigenen Regeln schaffen. Was andere sagen, kümmert mich nicht mehr. Mach dir keine Sorgen um mich. Ich werde lernen, wie man glücklich ist.«

Colum wich ihrem Blick aus, der finstere Entschlossenheit verriet.

58. Kapitel

Die Abfahrt des Schiffes verzögerte sich um zwei Tage, weshalb Colum und Bridie Scarlett am Sonntag morgen zum Bahnhof bringen konnten. Vorher jedoch besuchten sie gemeinsam die Messe.

»Du mußt mit ihr reden, Colum!« flüsterte ihm Bridie zu, als sie sich auf dem Flur trafen, und gab mit einem Augenrollen zu verstehen, daß sie Scarlett meinte.

Colum verbarg sein Amüsement hinter einem Hustenanfall. Scarlett war gekleidet wie eine verwitwete Landfrau, mit einem Schal anstelle eines Mantels.

»Wir begleiten sie, Bridie«, sagte er mit fester Stimme. »Es ist ihr Recht, so zu trauern, wie sie will.«

»Aber Colum, dieses große englische Hotel. Alle Leute werden uns anstarren und über uns reden.«

»Auch sie haben das Recht darauf, nicht wahr? Laß sie nur schauen und reden. Wir werden es einfach nicht beachten.« Er packte Bridie und bot Scarlett den freien Arm. Sie reichte ihm mit Grazie den ihren, so, als stehe er im Begriff, sie in einen Ballsaal zu führen.

Als sie im Erster-Klasse-Abteil des Zuges Platz genommen hatte, beobachteten Colum mit stiller Freude und Bridie mit Entsetzen, wie eine englische Reisegruppe nach der anderen die Abteiltür öffnete – und sofort zurückschrak.

»Die Behörden sollten solchen Leuten keine Fahrkarten erster Klasse verkaufen«, sagte eine Frau vernehmbar zu ihrem Mann.

Ehe der Engländer die Tür wieder schließen konnte, fuhr Scarletts Hand dazwischen. Sie rief Colum, der immer noch auf dem Bahnsteig stand, zu: »Meiner Treu, ich habe den Korb mit den gekochten Kartoffeln vergessen, Vater! Würden Sie so gut sein, die selige Jungfrau zu bitten, daß in diesem Zug etwas zu essen verkauft wird?« Ihr irischer Dialekt war derart übertrieben, daß Colum die einzelnen Wörter kaum verstand. Er schmunzelte noch immer, als der Schaffner die Tür schloß und der Zug sich in Bewegung setzte. Wie er mit Befriedigung feststellte, hatte das englische Ehepaar bei dem Versuch, in einem anderen Abteil unterzukommen, sein würdevolles Gehabe vollkommen abgelegt.

Scarlett winkte den beiden zum Abschied lächelnd zu, bis sie aus ihrem Blickfeld verschwunden waren.

Dann lehnte sie sich auf ihren Platz zurück. Ihre Gesichtszüge entspannten sich, und eine einzelne Träne durfte sich davonstehlen. Sie war bis auf die Knochen erschöpft und dachte mit Grausen an die Ankunft in Adamstown. Als Ferienquartier war Daniels winziges Häuschen ja recht nett gewesen, so ganz anders als alles, was sie bisher gewohnt gewesen war, und deshalb eine hübsche Abwechslung. Unter den neuen Gegebenheiten aber war es ein enges, vollkommen überfülltes Gebäude ohne jeden Luxus – und dennoch der einzige Fleck, den sie auf absehbare Zeit als ihr Zuhause würde bezeichnen können. Wer vermochte schon zu sagen, ob es dem Anwalt gelang, den Eigentümer von Ballyhara ausfindig zu machen? Wer wußte, ob der Besitzer überhaupt zum Verkauf bereit war? Und vielleicht war der Preis so hoch, daß selbst das Geld, das Rhett ihr gegeben hatte, dafür nicht ausreichte.

Ihr sorgfältig ausgearbeiteter Plan war voller Unwägbarkeiten. Sie hatte keinerlei Gewißheit.

Ich werde mir jetzt nicht länger den Kopf darüber zerbrechen, dachte sie, ich kann im Moment ohnehin weiter nichts tun. Zum Glück habe ich das Abteil für mich und brauche mit niemandem zu reden. Scarlett klappte die Armlehnen der drei Polstersitze hoch und streckte sich mit einem Seufzer der Erleichterung aus. Kurz darauf schlief sie ein. Die Fahrkarte hatte sie zuvor noch auf den Boden des Abteils gelegt, so daß der Schaffner sie nicht übersehen konnte. Sie hatte einen Plan, und den wollte sie so gut wie irgend möglich in die Tat umsetzen. Und das würde ihr mit Sicherheit leichter fallen, wenn sie nicht mehr so entsetzlich müde wäre.

Der erste Schritt verlief problemlos. In Mullingar erstand sie ein Pferd und eine kleine Kutsche, so daß sie von dort aus allein nach Adamstown weiterreisen konnte. Es war kein so elegantes Gespann wie Mollys, der Wagen sah sogar ausgesprochen schäbig aus, doch war das Pony jünger, größer und kräftiger. Und Scarlett hatte einen Anfang gemacht.

Die Familie erschrak bei ihrer Rückkehr furchtbar und versuchte ihr nach Kräften über den schweren Verlust hinwegzuhelfen. Man sprach ihr das Beileid aus, behielt aber danach die eigene Betroffenheit für sich und fragte Scarlett, wie man ihr helfen könne.

»Ihr könnt mir zeigen, wie man einen irischen Hof betreibt«, erwiderte sie.

Von nun an ging sie Daniel und seinen Söhnen bei der täglichen Arbeit zur Hand. Mit zusammengebissenen Zähnen zwang sie sich sogar dazu, den Umgang mit Rindern zu lernen, wozu auch das Melken einer Kuh gehörte. Als sie über alles Bescheid wußte, was es auf Daniels Hof gab, setzte Scarlett all ihre Liebenswürdigkeit ein, um sich zunächst bei Molly und dann bei Mollys abscheulichem Gatten Robert einzuschmeicheln. Roberts Hof war fünfmal so groß wie Daniels. Nach Robert war Mr. Alderson an der Reihe, der Verwalter der gräflichen Ländereien. Nicht einmal in jenen Tagen, da ganz Clayton County ihr zu Füßen gelegen hatte, war Scarlett so bezaubernd gewesen. Und noch nie zuvor in ihrem Leben hatte sie so hart gearbeitet. Der Erfolg ließ nicht auf sich warten. Ihr blieb gar keine Zeit, die kargen Wohnverhältnisse zu beklagen. Alles, was zählte, war die weiche Matratze am Ende eines langen, langen sommerlichen Arbeitstages.

Nach einem Monat kannte sie Adamstown fast so gut wie Alderson und hatte mindestens sechs wichtige Verbesserungsvorschläge. Ungefähr zur gleichen Zeit erhielt sie einen Brief von ihrem Rechtsanwalt in Galway.

Die Witwe des Besitzers von Ballyhara hatte nur ein Jahr nach dessen Tod erneut geheiratet. Vor fünf Jahren war sie dann selbst gestorben. Ihr ältester Sohn und Erbe war mittlerweile siebenundzwanzig und lebte in England. Als Erstgeborener würde er nach dem Tod seines Vaters auch dessen Landgut erben. Er hatte sich bereit erklärt, jedes Angebot für Ballyhara, das fünfzehntausend Pfund überstieg, wohlwollend zu prüfen. Scarlett studierte die Flurkarte von Ballyhara, die dem Schreiben beigefügt war. Der Besitz war viel größer, als sie angenommen hatte.

Es liegt auf beiden Seiten der Straße nach Trim, dachte sie. Und da ist noch ein Fluß. Auf dieser Seite bildet der Boyne die Grenze, auf der anderen der ... Sie kniff die Augen zusammen, um die winzige Schrift lesen zu können ... der Knightsbrook. Was für ein eleganter Name: Knightsbrook! Zwei Flüsse. Ich muß Ballyhara haben. Aber fünfzehntausend Pfund?

Von Alderson hatte sie bereits erfahren, daß zehn Pfund pro Morgen selbst für erstklassiges Ackerland einen hohen Preis darstellten. Acht kam schon eher in Frage, siebeneinhalb mochte ein cleverer Händler herausholen. Zu Ballyhara gehörten aber auch noch beachtliche Moorflächen. Sie boten Torf und damit Brennstoff auf Jahrhunderte hinaus, doch konnte man dort nichts anbauen, und die angrenzenden Felder waren für Weizen zu sauer. Hinzu kam, daß das Land seit dreißig Jahren brachlag. Weite Flächen waren verbuscht, und Unkräuter mit tiefen Pfahlwurzeln hatten Fuß gefaßt. Es mußte neu gerodet werden. Ich sollte nicht mehr als vier oder viereinhalb zahlen. Bei zwölfhundertvierzig Morgen machte das knapp fünftausend, höchstens jedoch gut fünfeinhalbtausend Pfund. Sicher, da ist noch das riesige Haus, auch wenn ich nicht viel darum gebe. Die Gebäude im Ort sind mir wichtiger. Es sollen insgesamt sechsundvierzig sein, dazu zwei Kirchen. Fünf Häuser sind ziemlich groß, zwei Dutzend einfache Cottages.

Und alle sind verlassen und werden es wahrscheinlich auch noch eine ganze Weile bleiben, wenn sich niemand darum kümmert. Insgesamt gesehen, wären zehntausend Pfund ein mehr als faires Angebot. Der Eigentümer sollte froh sein, wenn er so viel bekommt. Zehntausend Pfund – das sind fünfzigtausend Dollar!

Scarlett war entsetzt. Ich muß endlich anfangen, in Pfund und Shilling zu rechnen, sonst werde ich zu leichtsinnig. Zehntausend – das klingt gar nicht so teuer, wenn man an Dollar denkt. Fünfzigtausend hört sich da schon ganz anders an. Das ist ein Vermögen. Trotz aller Knauserei bei den Sägewerken und im Laden, trotz des Verkaufserlöses für die Sägewerke, trotz der Mieteinkünfte aus dem Saloon und obwohl ich jahraus, jahrein nie auch nur einen Penny für irgend etwas Überflüssiges ausgegeben habe, ist es mir innerhalb von zehn Jahren gerade gelungen, etwas mehr als dreißigtausend Dollar auf die Seite zu legen. Und wenn Rhett in den vergangenen sieben Jahren nicht praktisch für alles aufgekommen wäre, hätte ich nicht einmal halb soviel. Onkel Henry meint, ich sei mit meinen Dreißigtausend eine reiche Frau, und wahrscheinlich hat er sogar recht. Die Häuser, die ich in Atlanta errichten lasse, kosten mich kaum mehr als je hundert Dollar. Was um alles in der Welt müssen das für Leute sein, die für eine verfallene Geisterstadt und unbearbeitetes Land fünfzigtausend Dollar auf den Tisch legen?

Leute wie Rhett Butler natürlich. Und ich verfüge über fünfhunderttausend Dollar von ihm. Damit kann ich das Land zurückkaufen, das man meiner Familie gestohlen hat. Ballyhara ist kein beliebiges Landgut, es ist O'Hara-Land. Wie kann ich da überhaupt noch überlegen?

Sie machte ein festes Angebot über fünfzehntausend Pfund – ja oder nein.

Als sie den Brief aufgegeben hatte, zitterte sie am ganzen Körper. Angenommen, Colum kommt mit dem Gold nicht rechtzeitig zurück? Kein Mensch weiß, wie lange der Rechtsanwalt für die Verhandlungen braucht; niemand kann mir sagen, wann Colum tatsächlich wieder da ist. Scarlett verabschiedete sich nur flüchtig von Matt O'Toole, der den Brief entgegengenommen hatte. Sie hatte es eilig.

Sie ging so schnell, wie der unebene Weg es ihr gestattete, und hoffte, es würde bald regnen. Die großen, hohen Wallhecken hielten die Junihitze in dem schmalen Pfad, der zwischen ihnen hindurchführte. Scarlett trug keinen Hut, der ihr den Kopf gekühlt und ihre Haut vor der Sonne geschützt hätte. Sie trug nur sehr selten einen Hut; die häufigen Regenschauer und die Wolken, die ihnen vorausgingen und folgten, brachten es mit sich, daß sich Hüte fast erübrigten. Sonnenschirme waren in Irland reiner Zierat.

Als sie die Furt durch den Boyne erreichte, zog sie ihre Röcke hoch und stellte sich ins Wasser, bis ihr Körper abgekühlt war. Dann ging sie zum Turm.

Seit ihrer Rückkehr zu Daniel und seiner Familie war der Turm für sie sehr wichtig geworden. Immer wenn sie sich über etwas Gedanken machte, wenn Kummer oder Sorgen sie quälten, suchte sie ihn auf. Die großen Steinquader speicherten die Hitze ebenso wie die Kühle. Scarlett konnte ihre Hände oder ihre Wange an die Mauer legen und fand in der uralten, dauerhaften Beständigkeit jenen Trost und Zuspruch, den sie benötigte. Manchmal redete sie mit dem Turm, als wäre es ihr Vater. Seltener geschah es, daß sie die Arme über die Steine breitete und weinte. Nie hörte sie ein anderes Geräusch als ihre eigene Stimme, den Gesang der Vögel und das Flüstern des Flusses. Nie ahnte sie die Gegenwart der Augen, die sie beobachteten.

Am achtzehnten Juni kehrte Colum nach Irland zurück. Von Galway aus schickte er ihr ein Telegramm: »Komme am Fünfundzwanzigsten mit den Sachen aus Savannah stop« Im Dorf herrschte große Aufregung. Ein Telegramm? So etwas hatte man in Adamstown noch nie gesehen. Bislang hatte noch jeder Reiter Matt O'Tooles Porter zu schätzen gewußt, und kein Pferd war so schnell gewesen.

Als zwei Stunden später ein zweiter Reiter auf einem noch eindrucksvolleren Roß ins Dorf galoppierte, gerieten die Bewohner schier aus dem Häuschen. Noch ein Telegamm aus Galway für Scarlett: »Angebot angenommen stop Brief und Vertrag folgen stop«

Es bedurfte keiner langen Debatte, bis die Leute wußten, was sie zu tun hatten. O'Toole und die Schmiede schlossen die Türen, der Doktor seine Praxis. Vater Danaher sollte ihr Sprecher sein. Sie beschlossen, allesamt zu Daniel O'Hara zu marschieren, um festzustellen, worum es ging.

Scarlett war mit ihrem Ponywagen ausgefahren, erfuhren sie, und damit hatte es sich auch schon. Kathleen wußte auch nicht mehr als sie. Doch jeder einzelne nahm die beiden Telegramme in die Hand und las mit eigenen Augen. Scarlett hatte sie zur allgemeinen Kenntnisnahme auf dem Tisch liegenlassen.

Selig vor Glück fuhr Scarlett die kurvenreiche Straße entlang, die nach Tara führte. Jetzt konnte sie endlich anfangen. Sie hatte einen klaren Plan im Kopf, bei dem jeder Schritt eine logische Folgerung aus dem vorhergehenden war. Der Ausflug nach Tara gehörte freilich nicht dazu, sie hatte sich dazu erst nach dem Eintreffen des zweiten Telegramms entschlossen, eher einem inneren Zwang als einer spontanen Eingebung folgend. An einem so herrlichen Sonnentag wollte sie unbedingt das schöne grüne Land sehen, das nun ihre auserwählte Heimat war. Sie mußte es einfach sehen, von den Höhen Taras aus.

Diesmal grasten viel mehr Schafe auf den Hängen als bei ihrem ersten Besuch. Scarlett sah ihre breiten Rücken und dachte an die Wolle. In Adamstown züchtete niemand Schafe, also mußte sie sich anderswo über die Probleme und die wirtschaftlichen Möglichkeiten der Schafzucht informieren.

Unvermittelt blieb sie stehen. Auf den begrasten Buckeln, auf denen einst die große Festhalle gestanden hatte, saßen Menschen. Scarlett hatte nicht damit gerechnet, hier jemandem zu begegnen. Und auch noch Engländer, dachte sie empört, diese verfluchten Eindringlinge. Jeder Ire haßte die Engländer. Der Haß gehörte zum täglichen Leben, und Scarlett hatte ihn mit dem Brot, das sie aß, und der Musik, zu der sie tanzte, in sich aufgenommen. Die Ausflügler hatten kein Recht, hier zu picknicken und ihre Reise- und Tischdecken über jene Stelle zu breiten, an der einst die Hochkönige Irlands gespeist hatten, und ihre grellen Stimmen entweihten den Ort, an dem einst Harfenmusik erklungen war.

Was Scarlett besonders störte, war die Tatsache, daß sich die Engländer gerade jenen Fleck ausgesucht hatten, von dem aus sie in aller Ruhe und Einsamkeit ihr Land betrachten wollte. Wütend starrte sie zu den dandyhaften Männern mit ihren Strohhüten und den Frauen mit ihren geblümten Seidenschirmen hinüber.

Ich lasse mir von denen nicht den Tag verderben! Ich suche mir ein anderes Plätzchen, von dem aus ich sie nicht sehe. Sie ging zu dem zweifach umwallten Hügel, auf dem einst das von Mauern umgebene Haus des Königs Cormac gestanden hatte, des Erbauers der Festhalle. Dort befand sich der *Lia Fail*, der Stein des Schicksals. Scarlett lehnte sich an ihn, so, wie sie es – zu Colums Entsetzen – schon während ihres ersten Besuchs auf Tara getan hatte. Der *Lia Fail* war die Probe, die jeder König anläßlich seiner Krönung bestehen mußte. Schrie der Stein laut auf, so war der Prüfling als Hochkönig Irlands akzeptabel.

Sie war an jenem Tag in einer so eigenartigen, gehobenen Stimmung, daß es sie nicht überrascht hätte, wenn sie von dem alten, verwitterten Granitblock beim Namen genannt worden wäre. Was natürlich nicht geschah. Der Stein war fast so groß wie sie und seine Oberkante wie geschaffen, um den Nacken darauf zu stützen. Verträumt sah Scarlett den Wolken zu, die über den blauen Himmel jagten, und spürte, wie der Wind mit den freien Locken auf ihrer Stirn und den Schultern spielte. Die Stimmen der Engländer waren nur noch ganz entfernt zu hören und wurden von der sanften Musik der Schafsglocken übertönt.

Es ist so friedlich, dachte sie. Vielleicht mußte ich deshalb nach Tara kommen. Bei all der Arbeit in letzter Zeit habe ich mein eigenes Glück vergessen – und dabei ist es doch das wichtigste in meinem Plan. Kann ich in Irland glücklich sein? Werde ich hier je wirklich heimisch werden?

Das freie Leben, das ich hier führe, ist schon an sich eine Art Glücklichsein. Und um wieviel größer wird die Freude erst, wenn ich meinen Plan vollends in die Tat umgesetzt habe! Den schwierigen Teil habe ich bereits hinter mir – den Teil, der vom Tun und Lassen anderer abhängig war. Von nun an bestimme ich selbst, wie es weitergeht. Und es gibt ja noch soviel zu tun! Sie lächelte in den böigen Wind.

Die Sonne verbarg sich hinter den Wolken und lugte wieder hervor. Reich und lebensvoll duftete das üppig wuchernde Gras. Scarletts Rücken glitt langsam an dem Stein hinunter, und bald schon saß sie im Gras. Vielleicht finde ich sogar einen *shamrock*. Colum meint, er wächst nirgendwo auf der Insel dichter als hier. Sie hatte den unverwechselbaren irischen Klee schon mehrfach an grasigen Stellen gesucht, aber bisher nie gefunden. Aus einer Eingebung heraus rollte sie ihre schwarzen Strümpfe herunter und zog sie aus. Wie weiß meine Füße doch sind ... Brrrr! Sie zog die Röcke bis über die Knie hoch und ließ die Sonne ihre Beine wärmen. Der Anblick der gelben und roten Unterröcke unter dem schwarzen Kleid ließ sie wieder lächeln. Colum hatte recht behalten.

Scarlett bewegte ihre Zehen in der frischen Brise.

Was war das? Ihr Kopf fuhr hoch.

Und wieder rührte sich das junge Leben in ihrem Leib. »Oh«, hauchte sie, und gleich noch einmal: »Oh.« Sanft legte sie die Hände auf die kleine Rundung unter ihren Röcken, doch das einzige, was sie spürte, war das dicke, gefaltete Wolltuch ihrer Leibwäsche. Daß die Regung mit der Hand nicht fühlbar war, wunderte sie nicht; sie wußte, daß noch Wochen ins Land gehen würden, bevor sich das Strampeln des Kindes ertasten ließ.

Scarlett erhob sich, das Gesicht dem Wind zugewandt und den behüteten Leib vorgewölbt. Grüne und goldene Felder, unterbrochen nur von reichbelaubten, sommergrünen Bäumen, erstreckten sich vor ihren Augen bis an den Horizont. »All das gehört dir, mein kleines irisches Baby«, sagte sie. »Deine Mutter wird es dir schenken. Ganz aus eigener Kraft!«

Unter ihren Füßen spürte Scarlett das kühle, windzerzauste Gras und die warme Erde.

Sie kniete nieder und rupfte ein Büschel Gras aus. Ihr Gesicht war nicht von dieser Welt, als sie mit bloßen Händen von der feuchten, duftenden Erde nahm und sie mit kreisenden Bewegungen auf ihrem Bauch verrieb und dazu sagte: »Für dich, das grüne, hohe Tara.«

In Daniels Haus sprach man über Scarlett. Das war nicht unbedingt neu, denn schließlich war Scarlett seit dem Tag, da sie Adamstown zum erstenmal betreten hatte, Hauptgesprächsthema der Dorfbewohner. Kathleen nahm daran keinen Anstoß, warum sollte sie auch? Scarlett faszinierte und verblüffte sie ebenso wie die anderen. Ihren Entschluß, in Irland zu bleiben, konnte sie gut verstehen. »War ich denn nicht selbst dauernd heimwehkrank, weil ich in dieser heißen, verschlossenen Stadt den Nebel, die weiche Erde und all das andere vermißte? Sie hat erkannt, um wieviel schöner es hier ist, und begriffen, daß sie es nicht aufgeben darf.«

»Ist es denn wahr, Kathleen, daß ihr Mann sie geschlagen hat und daß sie vor ihm davongelaufen ist, damit dem Baby kein Leid geschieht?«

»Ganz und gar nicht, Clare O'Gorman! Wer verbreitet bloß so furchtbare Lügen über sie?« Peggy Monaghan war empört. »Es ist doch allgemein bekannt, daß die Krankheit, die ihn dahingerafft hat, bereits in ihm steckte und daß er Scarlett fortschickte, damit sie ihr nicht auch in den Leib fuhr.«

»Ein furchtbares Schicksal!« seufzte Kate O'Toole. »Da wird sie Witwe, während ein Kind unterwegs ist, und nun ist sie ganz allein!«

»Wenn man reicher ist als die Königin von England, ist es nicht ganz so schlimm«, erwiderte Kathleen die Kenntnisreiche.

Man rückte auf den Stühlen vor dem Kaminfeuer zusammen und machte es sich gemütlich. Jetzt ging es erst richtig los. Über nichts spekulierte man mit größerem Vergnügen als über Scarletts Reichtum.

Und war es nicht eine großartige Sache, ein Vermögen in irischen Händen zu wissen anstatt in englischen ...?

Niemand unter den Anwesenden ahnte, daß die besten Zeiten für Klatsch und Tratsch gerade erst begonnen hatten.

Scarlett ließ die Zügel auf den Ponyrücken klatschen. »Los, los!« rief sie. »Das Baby will nach Hause!«

Endling ging es nach Ballyhara! Solange noch unklar gewesen war, ob es mit dem Kauf auch klappen würde, hatte es sich Scarlett nicht gestattet, weiter als bis zum Turm auf das Gelände vorzudringen. Endlich konnte sie sich ihren Besitz näher ansehen.

»Meine Häuser in meiner Stadt ... meine Kirchen, meine Pubs, mein Postamt ... mein Moor, meine Felder, meine beiden Flüsse ... Was es da nicht alles zu tun und zu richten gibt! Es ist herrlich!«

Sie war entschlossen, das Kind in seinem künftigen Zuhause auf die Welt zu bringen, dem großen Gutshaus von Ballyhara. Doch auch die anderen Dinge durften nicht vernachlässigt werden. Am wichtigsten waren die Felder. Und schleunigst mußte im Ort eine Schmiede geöffnet werden, damit Türangeln repariert und Pflugscharen hergestellt werden konnten. Dem fortschreitenden Verfall mußte Einhalt geboten werden, nun, da ihr alles gehörte.

Ihr und dem Kind natürlich. Scarlett konzentrierte sich auf das junge Leben in ihr, aber diesmal rührte sich nichts. »Kluges Kind«, sagte sie laut, »schlaf du nur, solange du kannst. Jetzt beginnt eine arbeitsreiche Zeit.« Es blieben ihr noch zwanzig Wochen bis zur Geburt. Das Datum war nicht schwer zu berechnen. Neun Monate nach dem vierzehnten Februar, dem Valentinstag. Scarlett verzog den Mund. Sie wollte jetzt nicht darüber nachdenken. Worauf es ankam, war der vierzehnte November – und die Arbeit, die bis dahin noch erledigt werden konnte. Scarlett lächelte und begann zu singen:

»Als ich die schöne Peggy sah, war Markt, oh, meiner Treu.
Saß oben auf dem Kutschenbock, auf einem Ballen Heu.
Einst war das Heu wohl frisches Gras, mit Frühlingsblumen reich,
doch kam dem schönen Mädchen dort nicht eine einz'ge gleich!
Und wie sie saß da auf dem Bock
und wollte über die Brücke,
da wies der Mann im bunten Rock
die Maut diskret zurücke.
Und rieb sich nur den grauen Kopf
und sah ihr hinterher . . .
Die Peggy auf dem Kutschenbock,
er mag sie doch so sehr.«

Wie schön es doch war, ein glücklicher Mensch zu sein! Die erregende Vorfreude und die unerwartet gute Stimmung, die sich ihrer bemächtigt hatte, trugen dazu bei. Damals in Galway hatte sie sich vorgenommen, glücklich zu sein – und nun war sie es.

»Und wie!« fügte Scarlett laut hinzu und lachte über sich selbst.

59. Kapitel

Zu Colums großer Überraschung stand Scarlett bei seiner Ankunft in Mullingar auf dem Bahnsteig und erwartete ihn. Scarlett ihrerseits wunderte sich, daß er keinem normalen Waggon, sondern dem Gepäckwagen entstieg und obendrein nicht allein war: Hinter ihm sprang ein Begleiter aus dem Zug.

»Das ist Liam Ryan, meine liebe Scarlett, Jim Ryans Bruder.« Liam war ein großer Mann, so groß wie die O'Haras, sah man von Colum einmal ab. Er trug die grüne Uniform der Royal Irish Constabulary. Wie in aller Welt ist es möglich, daß Colum mit so einem Kerl befreundet ist? dachte Scarlett. Die irische Militärpolizei war noch verhaßter als die britische Miliz – handelte es sich doch um Iren, die auf englischen Befehl ihre eigenen Landsleute verhafteten und bestraften.

Ob er das Gold dabeihabe, wollte Scarlett wissen. Colum bejahte die Frage. Liam Ryan sei mit einem Gewehr als Bewacher mitgereist. »Ich habe in meinem Leben schon so manches Gepäckstück begleitet«, meinte Colum, »aber diesmal war ich wirklich ein bißchen beunruhigt.«

»Die Männer von der Bank wissen Bescheid und können den Transport übernehmen«, sagte Scarlett. »Ich habe mich aus Sicherheitsgründen für die Bank in Mullingar entschieden. Hier ist die größte Garnison stationiert.« Sie verachtete die Soldaten, aber zur Bewachung ihres Goldes kamen sie ihr gerade recht. Der bequemer zu erreichenden Bank in Trim konnte sie einen kleineren Betrag anvertrauen.

Das Gold wurde im Tresor der Bank deponiert, und Scarlett leistete die letzten Unterschriften für den Kauf von Ballyhara. Kaum war das geschehen, packte sie Colum am Arm und zerrte ihn auf die Straße.

»Ich habe einen Ponywagen, Colum, wir können sofort losfahren. Es gibt eine Menge zu tun. Ich muß so schnell wie möglich einen Schmied finden, der in Ballyhara die Arbeit aufnimmt. O'Gorman taugt nichts, er ist zu träge. Hilfst du mir, jemanden ausfindig zu machen? Ich gebe ihm gutes Geld für die Übersiedlung nach Ballyhara, und ist er erst dort, wird er gewiß nicht zu kurz kommen, denn Arbeit gibt es mehr als genug. Ich habe Sicheln, Äxte und Schaufeln gekauft, die allesamt geschliffen werden müssen. Oh, und ich brauche auch Landarbeiter, die die Felder vom Unkraut befreien. Ich brauche Zimmerleute, die die Häuser in Ordnung bringen, ich brauche Glaser, Dachdecker, Maler und so weiter!« Ihre Wangen waren vor Erregung gerötet, und ihre Augen glänzten. Sie war unglaublich schön in ihrer schwarzen Bauerntracht.

Colum entzog sich ihrem Griff und packte sie seinerseits am Arm. »Es wird alles so geschehen, wie du es wünschst, Scarlett-Schatz, und auch fast genauso schnell. Aber nicht auf leeren Magen. Wir gehen jetzt erst einmal zu Jim Ryan. Er sieht seinen Bruder aus Galway nur selten. Außerdem ist Mrs. Ryan eine der besten Köchinnen weit und breit.«

Scarlett machte eine ungeduldige Geste mit der Hand, zwang sich dann aber zur Mäßigung. Colums Autorität verfehlte ihren Eindruck nicht. Im übrigen erinnerte sie sich daran, daß sie sich um des Babys willen gut ernähren und viel Milch trinken mußte. Das Kind machte sich inzwischen bereits bemerkbar, immer wieder spürte sie seine Bewegungen.

Als Colum ihr nach dem Essen eröffnete, daß er leider nicht sofort mit ihr heimfahren könne, konnte sie ihren Unmut nicht verbergen. Sie hatte ihm so viel zu zeigen, so viel mit ihm zu besprechen, so viel zu planen. Sie war nicht bereit, sich noch länger vertrösten zu lassen.

»Ich habe noch verschiedene Dinge in Mullingar zu erledigen«, sagte er mit sanfter, unerschütterlicher Ruhe, die keinen Widerspruch duldete. »In drei Tagen bin ich zu Hause, darauf gebe ich dir mein Wort. Und laß uns gleich schon eine Uhrzeit festlegen: Wir sehen uns um zwei Uhr nachmittags bei Daniel.«

»Wir sehen uns in Ballyhara«, erwiderte Scarlett. »Ich bin bereits umgezogen. Ich wohne in dem gelben Haus ziemlich genau in der Ortsmitte.« Unmutig kehrte sie ihm den Rücken und ging zu ihrem Ponywagen.

Spät in der Nacht, die Sperrstunde war längst vorüber, trafen sich die Männer in einem Zimmer über der Gaststube. Jim Ryan hatte die Tür nicht verschlossen, sondern nur zugehakt, so daß jeder Besucher ohne Schwierigkeiten eintreten konnte. Die Männer kamen einzeln und achteten darauf, keinen Lärm zu machen.

Colum erklärte ihnen, was sie zu tun hatten. »Es ist eine gottgesandte Gelegenheit«, sagte er mit glühender Leidenschaft. »Die ganze Stadt gehört uns. Alle Fenier, all ihre Fähigkeiten konzentrieren sich an einem Ort, wo die Engländer sie nie vermuten werden. Alle Welt hält meine Cousine für verrückt, weil sie so viel Geld für ein Gut bezahlt hat, das sie auch umsonst hätte bekommen können, schließlich war der Eigentümer interessiert, die Steuern für den ihm nutzlosen Besitz zu sparen. Außerdem ist Scarlett Amerikanerin, und daß das ein etwas merkwürdiges Völkchen ist, weiß man ja. Die Engländer sind viel zu sehr damit beschäftigt, sich über sie lustig zu machen, als daß die Vorgänge auf Ballyhara ihr Mißtrauen erregen könnten. Wir brauchen schon seit langem ein sicheres Hauptquartier. Scarlett O'Hara lädt uns ja geradezu ein, auch wenn sie natürlich keine Ahnung hat, was wir dort vorhaben.«

Um 2.43 Uhr traf Colum in Ballyhara ein und ritt die vom Unkraut überwucherte Hauptstraße entlang. Scarlett, die Arme in die Seiten gestemmt, erwartete ihn vor ihrem Haus. »Du kommst spät«, warf sie ihm vor.

»O ja, gewiß, meine liebe Scarlett. Aber du wirst mir vergeben, wenn ich dir sage, daß dein Schmied mit einem Planwagen voller Werkzeug, mit Esse, Blasebalg und so weiter bereits unterwegs ist und in Kürze hier eintreffen wird.«

Scarletts Haus war ein Spiegelbild ihrer Devise, erst die Arbeit, dann das Vergnügen – falls überhaupt. Colum besah sich alles mit trügerisch trägem Blick. Die zerbrochenen Fensterscheiben der Wohnstube waren sorgfältig mit quadratischen Ölpappebogen überklebt. Überall lagen neue landwirtschaftliche Geräte und Werkzeuge; die Stahlteile schimmerten silbrig. Die Fußböden waren sauber gefegt, aber nicht poliert. In der Küche stand ein einfaches, schmales Bett. Über der dicken, mit einem Leintuch bezogenen Strohmatratze lag eine Wolldecke. Im großen, gemauerten Kamin brannte ein kleines Torffeuer. Ein eiserner Kessel und ein kleiner Topf waren die einzigen Kochgeräte. Auf dem Kaminsims befanden sich neben Dosen mit Tee und Hafermehl Tassen, Untertassen, Löffel und eine Streichholzschachtel. Der einzige Stuhl im Zimmer stand vor dem großen Tisch gleich unter dem Fenster. Auf dem Tisch lag ein geöffnetes großes Kontobuch mit Eintragungen in Scarletts sauberer Handschrift. Zwei große Öllampen, ein Tintenfaß, eine Schachtel mit Federn und Tintenwischern sowie ein Stapel mit Papieren nahmen den rückwärtigen Teil des Tisches in Anspruch. Auf dem Papier, das von einem großen, ausgewaschenen Stein beschwert wurde, standen Notizen und Kalkulationen. An der Wand neben dem Tisch hingen die Flurkarte von Ballyhara und ein Spiegel, der letztere über einem Brett, auf dem Scarletts Kamm und Bürste lagen, beide silbergefaßt. Auch die silbergekrönten Töpfchen mit Haarnadeln, Puder, Rouge und Rosenwasser-Glyzerincreme fanden sich dort. Colum verkniff sich ein Lächeln, als er diese Dinge sah. Doch als er gleich daneben auch eine Pistole entdeckte, wurde er ärgerlich.

»Der Besitz einer Waffe ist strafbar«, sagte er eine Spur zu laut. »Er kann dich ins Gefängnis bringen.«

»Papperlapapp!« erwiderte Scarlett. »Ich habe sie vom Militärkommandanten persönlich. Eine allein lebende Frau, von der bekannt ist, daß sie eine Menge Gold besitzt, braucht einen gewissen Schutz, hat er gesagt. Er hätte mir sogar einen seiner Spielzeugsoldaten vor die Tür gestellt, wenn ich es zugelassen hätte.«

Als Colum daraufhin lachte, hob sie die Brauen. So lustig war meine Bemerkung nun auch wieder nicht, dachte sie.

Im Regal in der Vorratskammer gab es Butter, Milch, Zucker, eine Schüssel mit Eiern und einen Laib altbackenes Brot. Auf einem gesonderten Brett standen zwei Teller und in einer Ecke mehrere Wassereimer, eine große Dose Lampenöl sowie eine Waschschüssel mit Krug, Seifenschale und einem Handtuchhalter mit Handtuch. An Nägeln an der Wand hingen Scarletts Kleider, und an der Decke baumelte ein Schinken.

»Die Räume im Obergeschoß benutzt du also gar nicht«, bemerkte Colum.

»Warum sollte ich? Alles, was ich brauche, habe ich hier.«

»Du hast Wunder gewirkt, Colum, ich bin wirklich beeindruckt!« Scarlett stand mitten auf der für ihre Breite bekannten Hauptstraße von Ballyhara und betrachtete die allenthalben zu beobachtende Geschäftigkeit. Überall wurde gehämmert, der Geruch von frischer Farbe hing in der Luft, und in einem guten Dutzend Häuser blitzten bereits neue Fensterscheiben. Unmittelbar vor ihr stand ein Mann auf einer Leiter und befestigte ein mit goldenen Lettern beschriftetes Schild über dem Eingang eines Hauses, das auf Colums Veranlassung zuallererst instand gesetzt werden sollte.

»Muß denn ausgerechnet die Kneipe zuerst fertig werden?« fragte Scarlett. Seit Colum ihr dieses Vorhaben angekündigt hatte, stellte sie immer die gleiche Frage.

»Du findest leichter willige Arbeitskräfte, wenn es am Ort eine Gaststube gibt, in der man sich nach getaner Arbeit auf ein Glas zusammensetzen kann«, erwiderte er zum tausendstenmal.

»Und wenn du es mir noch so oft sagst, ich frage mich, ob es nicht genau das Gegenteil bewirkt. Wenn ich nicht dauernd hinter den Leuten her wäre, würde überhaupt nichts geschehen. Dann wären sie genauso faul wie die da.« Scarlett wies mit dem Daumen auf ein paar Müßiggänger, die in kleinen Gruppen hier und da auf der Straße herumlungerten und den Handwerkern neugierig bei der Arbeit zusahen. »Die sollen sich dahin zurückscheren, wo sie herkommen, und sich um ihre eigene Arbeit kümmern, anstatt anderen Leuten beim Arbeiten zuzuschauen!«

»Scarlett, meine Beste, es gehört zum irischen Nationalcharakter, den Freuden des Lebens den Vorrang zu gewähren und sich erst danach den Kopf über die anstehenden Pflichten zu zerbrechen. Darin liegt der irische Charme und die irische Zufriedenheit.«

»Mag sein. Ich allerdings finde es weder charmant noch zufriedenstellend. Es ist schon August, und noch kein einziges Feld ist gerodet. Wie kann ich im kommenden Frühjahr die Saat ausbringen, wenn die Felder im Herbst nicht gepflügt und gedüngt worden sind?«

»Du hast noch monatelang Zeit, Scarlett. So sieh doch, was du innerhalb weniger Wochen geschafft hast.«

Scarlett sah es. Ihre gerunzelte Stirn glättete sich, und sie lächelte. »Da hast du recht«, sagte sie.

Colum erwiderte ihr Lächeln. Daß es ihm nur unter Aufbietung aller Überredungskünste gelungen war, die Männer davon abzuhalten, ihre Werkzeuge niederzulegen und nach Hause zu gehen, ließ er unerwähnt. Sie wollten sich nicht von einer Frau herumkommandieren lassen, schon gar nicht von einer so anspruchsvollen wie Scarlett. Hätten nicht Vertrauensleute der Fenier sie auf den Wiederaufbau Ballyharas eingeschworen, so hätten die meisten der Männer trotz der überdurchschnittlich hohen Löhne, die Scarlett zahlte, inzwischen wohl längst den Dienst quittiert.

Auch Colum ließ den Blick über die geschäftige Straße schweifen. Die

Männer würden hier ein gutes Leben haben, wenn Ballyhara erst einmal wiederhergestellt war. Schon hatten sich bei ihm zwei weitere Wirte gemeldet, die gerne im Ort Fuß gefaßt hätten. Auch der Eigentümer eines gutgehenden Textilgeschäfts in Bective war zum Umzug bereit. Selbst die kleinsten Häuser in Ballyhara waren besser als die Hütten, in denen die von Colum angeworbenen Landarbeiter lebten. Gerade ihnen war daher an der Reparatur der Dächer und Fenster genausoviel gelegen wie Scarlett, denn je eher die Häuser wieder bewohnbar waren, desto schneller konnten sie die Gutsherren, in deren Dienst sie standen, verlassen und auf den Feldern von Ballyhara einen neuen Anfang wagen.

Scarlett verschwand in ihrem Haus und kehrte wenig später wieder zurück. Sie hatte Handschuhe übergestreift und trug einen mit einem Deckel versehenen Milchkrug. »Ich hoffe, du sorgst dafür, daß die Arbeit während meiner Abwesenheit zügig vorangeht«, sagte sie. »Nicht, daß ihr hier ein großes Fest zur Eröffnung des Wirtshauses feiert! Ich reite schnell hinüber zu Daniel und hole Brot und Milch.« Colum versprach, die Leute auf Trab zu halten. Daß er es für töricht hielt, in ihrem Zustand auf einem Pony ohne Sattel durch die Gegend zu springen, verschwieg er. Eine frühere Mahnung dieser Art hatte sie barsch zurückgewiesen.

»Um Himmels willen, Colum, ich bin gerade erst im sechsten Monat! Da ist man doch überhaupt noch nicht richtig schwanger!«

In Wirklichkeit machte sich Scarlett mehr Gedanken, als sie es Colum gegenüber je zugegeben hätte. Alle anderen Schwangerschaften waren leichter gewesen als diese. Sie spürte einen andauernden Schmerz im Bereich der Lendenwirbel, und immer wieder entdeckte sie in ihrer Wäsche und auf den Bettüchern Blutflecken, bei deren Anblick ihr angst und bange wurde. Sie wusch die Wäsche mit der stärksten Seife, die ihr zur Verfügung stand und eigentlich zur Reinigung von Fußböden und Wänden diente; es war, als wollte sie jedesmal zusammen mit den Flecken auch ihre unbekannte Ursache fortwaschen. Dr. Meade hatte sie nach der Fehlgeburt warnend darauf hingewiesen, daß sie sich bei ihrem Sturz möglicherweise schwere innere Verletzungen zugezogen habe, und in der Tat hatte ihre Genesung ungewöhnlich lange Zeit in Anspruch genommen. Scarlett wehrte sich jedoch gegen den Gedanken, daß sie vielleicht wirklich eine dauerhafte Schädigung davongetragen hatte. Das Baby würde nicht so kräftig strampeln, wenn es nicht kerngesund wäre. Und für Anwandlungen von Hypochondrie blieb ihr ohnehin keine Zeit.

Als Folge des ständigen Hin und Her führte inzwischen ein gut kenntlicher Trampelpfad durch die überwucherten Felder zwischen Ballyhara und der Furt durch den Boyne. Das Pony kannte den Weg inzwischen so gut, daß es kaum noch gelenkt zu werden brauchte. Scarlett hatte Zeit zum Nachdenken. Ich besorge mir jetzt besser ein richtiges Pferd, für das Pony bin ich bald zu schwer. Auch das war anders als sonst. Bei keiner ihrer früheren Schwangerschaften war sie so dick gewesen. Angenommen, es werden Zwillinge! Wäre das nichts? Ha, das gäbe Rhett den Rest. Schon jetzt habe ich zwei Flüsse, die durch mein Land fließen. Er hat auf seiner Plantage nur einen. Zwei Kinder von ihm – das wäre ein besonderer Spaß, vorausgesetzt, Anne bekommt nur eines. Aber dazu mußte Rhett sie erst einmal schwängern. Allein der Gedanke daran war Scarlett unerträglich. Sie verdrängte ihn rasch und wandte ihre Aufmerksamkeit den Feldern von Ballyhara zu. Hier muß jetzt endlich etwas geschehen, und zwar so schnell wie möglich, egal, was Colum sagt.

Wie immer legte sie kurz vor Erreichen der Furt eine kleine Pause am Turm ein. Unsere Vorfahren müssen hervorragende Baumeister gewesen sein, dachte sie, und sehr kluge Leute dazu. Schade nur, daß die Treppen nicht erhalten geblieben sind. Der alte Daniel hatte fast eine geschlagene Minute geredet, als sie ihrem Bedauern darüber Ausdruck verlieh. Außen, berichtete er, habe es nie Stufen gegeben, nur innen. Die Tür habe sich vier Meter über dem Erdboden befunden und sei nur über eine Leiter zu erreichen gewesen. Bei Gefahr hatte sich die Bevölkerung in den Turm flüchten, die Leiter hochziehen und den Angreifern durch die schmalen, schießschartenartigen Fenster mit Pfeilen, Steinen und siedendem Öl einen heißen Empfang bereiten können.

Irgendwann hole ich mir eine Leiter und sehe mir den Turm von innen an, dachte Scarlett. Hoffentlich sind keine Fledermäuse darin. Ich hasse Fledermäuse. Wieso hat der heilige Patrick, als er die Schlangen von der Insel vertrieb, nicht auch gleich die Fledermäuse verjagt?

Scarlett sah kurz nach ihrer Großmutter, die jedoch gerade ein Nickerchen machte. Dann schaute sie bei Daniel vorbei.

»Scarlett! Wie schön, dich zu sehen! Komm rein und erzähl uns von den neuesten Wundern aus Ballyhara.« Kathleen griff nach der Teekanne. »Ich habe schon auf deinen Besuch gewartet. Wir haben warmen Rosinenkuchen.« Drei Frauen aus dem Dorf waren zu Gast. Scarlett zog sich einen Stuhl heran und setzte sich zu ihnen.

»Wie geht's dem Baby?« fragte Mary Helen.

»Ausgezeichnet«, sagte Scarlett und sah sich in der ihr so vertrauten Küche um. Es war ein freundlicher, gemütlicher Raum. Dennoch konnte sie es kaum erwarten, Kathleen in ihrer neuen Küche zu sehen, im größten Haus von Ballyhara.

Im Geiste hatte Scarlett bereits längst festgelegt, welche Gebäude sie der Familie überlassen würde. Alle sollten sie große, geräumige Häuser bekommen. Für Colum war das kleinste vorgesehen, eines der Torhäuser zwischen dem Ort und dem Gutsgelände. Er hatte es sich selber ausgesucht, und Scarlett hatte nichts dagegen einwenden wollen. Als Priester würde er ohnehin nie eine Familie gründen. Das beste Haus von Ballyhara hatte sie für Daniel reserviert, weil Kathleen bei ihm wohnte und sie wahrscheinlich auch die Großmutter zu sich nehmen wollten. Außerdem stand dort noch ein Zimmer für Kathleens Familie zur Verfügung. Dank der Mitgift, die Scarlett ihr zusätzlich zu dem Haus geben wollte, würde sie ohne weiteres heiraten können. Auch die Söhne von Daniel und Patrick sollten Häuser bekommen, jeder sein eigenes, selbst der unheimliche Sean, der zur Zeit noch bei der Großmutter lebte. Alle sollten darüber hinaus so viel Ackerland erhalten, wie sie brauchten, um ebenfalls heiraten zu können. Scarlett war entsetzt darüber, daß viele junge Menschen in Irland nicht heiraten konnten, weil sie weder Land besaßen noch das Geld, sich welches zu kaufen. Die Art, wie die englischen Grundbesitzer ihre irischen Untertanen ausbeuteten, kam ihr zutiefst herzlos vor. Die Arbeit auf den Gütern wurde samt und sonders von Iren verrichtet: Iren bauten Weizen und Hafer an, Iren mästeten Rinder und Schafe. Die fertigen Produkte aber mußten sie zu den von Engländern festgesetzten Preisen an Engländer verkaufen.

Getreide und Vieh wurden nach England exportiert, wo wiederum Engländer am Weiterverkauf verdienten. Keinem irischen Bauern blieb nach Zahlung der Pachtsumme, deren Höhe von den Engländern nach Lust und Laune bestimmt wurde, noch viel zum Leben. Das System war schlimmer als das *sharecropping* drüben in Amerika, bei dem die Pächter einen Teil der Ernte abzuführen hatten. Was die Engländer hier trieben, ließ sich am ehesten mit dem Verhalten der Yankees nach dem Krieg vergleichen, als sie sich alles unter den Nagel gerissen hatten, was sie wollten, und Tara dann auch noch mit himmelhohen Steuern belegten. Kein Wunder, daß die Iren die Engländer so haßten. Was Scarlett selbst betraf, so würde sie die Yankees noch hassen, wenn sie ihren letzten Atemzug tat.

Den O'Haras indessen standen bessere Zeiten bevor. Sie werden Augen machen, wenn ich es ihnen erzähle, dachte Scarlett. Lange wird es nicht mehr dauern. Sobald die Häuser wieder bewohnbar sind und die Felder bestellt werden können, ist es soweit. Alles muß rundum stimmen, halbfertige Geschenke gibt es bei mir nicht. Sie waren alle so gut zu mir. Und sie sind meine Familie.

Die Schenkungen waren seit jener Nacht in Galway ihr sorgfältig gehegtes Geheimnis. Nicht einmal Colum hatte sie von ihrem Plan erzählt. Daß sie insgeheim genau wußte, welche Häuser in Kürze O'Hara-Häuser sein würden, erfüllte sie jedesmal, wenn sie sich auf der Hauptstraße von Ballyhara umsah, mit zusätzlicher Freude. Sie sah sich bereits überall als gerngesehenen Gast und an jedem Kamin einen Stuhl für sich bereitstehen. Sie sah ihr Kind im Kreis von Vettern und Cousinen spielen und mit ihnen zur Schule gehen – und im Gutshaus während der Ferien große Feste feiern.

Denn dort, das verstand sich von selbst, würden sie und ihr Kind leben, in jener riesigen, überwältigenden, phantastisch eleganten Villa, die größer war als das Haus in East Battery und größer als das in Dunmore Landing, bevor die Yankees neun Zehntel davon niedergebrannt hatten. Auf einem Grund und Boden, der schon O'Hara-Land war, bevor an Dunmore Landing, an Charleston in South Carolina oder gar an Rhett Butler auch nur zu denken gewesen war. Die Augen werden ihm aus den Höhlen treten, und das Herz wird ihm brechen, wenn er dereinst seine schöne Tochter sehen wird – bitte, lieber Gott, laß es ein Mädchen sein! Und wenn er sieht, in was für einem schönen Haus sie aufgewachsen ist, als eine O'Hara, als Kind, das allein seiner Mutter gehört.

Scarlett schwelgte gerne in Visionen von süßer Rache. Aber bis es soweit war, würden noch viele Jahre ins Land gehen. Die neuen Häuser der O'Haras konnten dagegen schon bald bezogen werden. Sobald sie fertig waren.

60. Kapitel

Der Himmel war noch von der Morgenröte rosa überflammt, als Colum eines Tages im späten August an Scarletts Tür klopfte. Zehn stämmige Männer standen im nebelschweren Zwielicht hinter ihm. »Hier sind die Leute, die deine Felder in Ordnung bringen werden«, sagte er. »Bist du jetzt endlich zufrieden?«

Scarlett stieß einen Freudenschrei aus. »Ich komme gleich«, sagte sie. »Ich hole mir nur schnell einen Schal gegen die Feuchtigkeit. Bring die Männer gleich hinaus aufs erste Feld hinter dem Tor.« Sie war noch nicht fertig angezogen, ihre Haare waren ungekämmt, die Füße nackt. Sie wollte sich beeilen, doch vor Aufregung machte sie alles falsch. So lange hatte sie warten müssen! Inzwischen fiel es ihr von Tag zu Tag schwerer, die Stiefel anzuziehen. Meine Güte, dachte sie, ich bin schwer und unförmig wie ein Haus. Ich glaube, es werden Drillinge.

Zum Teufel mit der Frisur! Scarlett wickelte die wirren Haare zu einem flüchtigen Knoten zusammen und steckte sie mit Haarnadeln fest. Dann schnappte sie sich ihren Schal und lief barfuß auf die Straße hinaus.

Die Männer mit Colum in ihrer Mitte warteten auf dem überwucherten Fahrweg gleich auf der anderen Seite des offenstehenden Tors. »So was hat man noch nicht gesehen ... Das ist ja kein Unkraut, das sind Bäume ... Ein reiner Nessel- und Dornenverhau, wie es scheint ... Da arbeitest du ja bis an dein Lebensende, bevor du einen Morgen sauber hast ...«

»Ihr seid mir die Rechten!« sagte Scarlett mit klarer Stimme. »Habt ihr vielleicht Angst davor, euch die Hände schmutzig zu machen?«

Blicke voller Verachtung trafen sie. Alle hatten sie schon von der kleinen Frau gehört, die ein so herrisches Benehmen an den Tag legte.

»Wir haben gerade besprochen, wie wir's am besten angehen«, sagte Colum besänftigend.

Scarlett war nicht nach Besänftigung zumute. »Wenn ihr noch lange redet, geschieht nie etwas. Ich zeig euch, wie man's am besten angeht.« Mit der Linken ihren vorgewölbten Unterleib stützend, bückte sie sich, packte mit der Rechten einen kleinen, dornenbewehrten Strauch knapp oberhalb der Wurzel, atmete tief durch und riß ihn mit einem entschlossenen Brummen aus. »Da!« sagte sie verächtlich. »Jetzt wißt ihr, wie es geht!« Sie warf den Männern den Strauch vor die Füße. Aus mehreren Wunden an ihrer Hand sickerte Blut. Scarlett spuckte in die offene Handfläche, wischte sie an ihrem schwarzen Witwenhemd ab und stapfte schwerfällig auf ihren blassen, zerbrechlich wirkenden Füßen davon.

Die Männer starrten ihr nach. Einer von ihnen zog den Hut, ein zweiter tat es ihm nach, dann folgten auch die übrigen seinem Beispiel.

Sie waren nicht die einzigen, die Scarlett O'Hara zu respektieren lernten. Die Maler hatten gesehen, wie sie, mit den langsamen Bewegungen einer Krabbe ihre körperliche Unbeholfenheit ausgleichend, die höchsten Leitern erklomm, um übersehene Stellen und ungerade Pinselstriche zu entdecken. Zimmerleute, die versucht hatten, mit Nägeln zu sparen, mußten damit rechnen, daß Scarlett am nächsten Morgen, wenn sie zur Arbeit kamen, eigenhändig den Hammer schwang und das Getane nachbesserte. Neue oder neu eingehängte Türen überprüfte sie, indem sie sie mit Gewalt zuwarf; das jeweilige Krachen hätte Tote erwecken können. Mit einem brennenden Schilfbündel in der Hand stellte sie sich in offene Kamine, suchte nach Rußspuren und erprobte den Zug. Die Dachdecker berichteten ebenso erschrocken wie beeindruckt, daß »nur Vater O'Haras starker Arm sie davon abhalten konnte, über den Dachfirst zu laufen und die Schindeln zu zählen«. Sie trieb alle und jeden an – und sich selbst am härtesten.

Wenn es Abend wurde und die Dunkelheit hereinbrach, gab es drei Glas Bier gratis für jeden Mann, der so lange gearbeitet hatte. Doch selbst danach, wenn sie getrunken, geschimpft und sich großgetan hatten, konnten sie Scarlett durchs Fenster ihrer Küche noch sehen: Über ihre Papiere gebeugt, saß sie im Schein der Lampe am Schreibtisch und arbeitete.

»Hast du dir die Hände gewaschen?« fragte Colum, als er die Küche betrat.

»Ja, und ich habe auch ein wenig Salbe draufgetan. Es sah schlimm aus. Manchmal gerate ich einfach so in Rage, da weiß ich dann nicht mehr, was ich tue. Ich bin gerade beim Frühstückmachen. Möchtest du auch etwas?«

Colum hob die Nase und schnüffelte in der Luft. »Porridge ohne Salz? Gedünstete Brennesseln wären mir lieber.«

Scarlett grinste. »Dann pflück dir welche. Ich hatte in jüngster Zeit so oft geschwollene Knöchel, deshalb verzichte ich im Moment auf Salz. Viel besser ist es allerdings nicht geworden. Ich kann meine Stiefel längst nicht mehr sehen, wenn ich sie zuschnüre. In ein, zwei Wochen werde ich wohl kaum mehr an sie herankommen. Weißt du, was ich glaube, Colum? Ich hab kein einzelnes Baby im Bauch, sondern einen ganzen Wurf ...«

»Weißt du, was ich dagegen glaube, Scarlett? Du brauchst eine Frau, die dir zur Hand geht.« Colum rechnete mit scharfem Protest. Scarlett pflegte jede Andeutung, sie könne das eine oder andere nicht allein schaffen, brüsk zurückzuweisen. Doch diesmal stimmte sie ihm zu. Colum lächelte. Er habe genau die Richtige für sie, sagte er, eine Frau, die sich auf alles verstehe, wenn es sein müsse, sogar auf die Bücher. Die Frau sei schon etwas älter, aber doch noch nicht zu alt, um sich Scarletts Autorität zu fügen. Andererseits habe sie genügend Rückgrat, um ihr gegebenenfalls auch einmal zu widersprechen, und verfüge als Wirtschafterin eines Landguts unweit von Lanacor auf der anderen Seite von Trim über große Erfahrung im Umgang mit Menschen und Geld. Die Frau sei zwar keine Hebamme, wohl aber sechsfache Mutter und von daher auch mit dem Kinderkriegen gut vertraut. Sie sei willig und bereit, sofort zu Scarlett überzusiedeln und sich bis zur Instandsetzung des Gutshauses um sie und ihren Haushalt zu kümmern. Danach könne sie das weibliche Personal anwerben und beaufsichtigen.

»Du wirst zugeben, liebe Scarlett, daß es in Amerika nichts gibt, das sich mit einem großen Gutshaus in Irland vergleichen ließe. Ein solcher Haushalt bedarf erfahrener Leitung. Auch für das männliche Personal, die Butler, Bedienten und so weiter, wirst du einen Verwalter brauchen, darüber hinaus einen Stallmeister für die Pferdeknechte und ungefähr ein Dutzend Gärtner mit einem verantwortlichen Obergärtner.«

»Hör auf!« Wütend schüttelte Scarlett den Kopf. »Ich will hier kein Königtum gründen. Ich brauche eine Frau, die mir hilft, so weit, so gut, aber was diesen riesigen Steinhaufen dort drüben betrifft, so reichen mir fürs erste ein paar Zimmer. Du wirst also jene Frau erst einmal fragen müssen, ob sie bereit ist, von ihrem hohen Roß als oberste Haushofmeisterin herabzusteigen. Ich habe da meine Zweifel.«

»Nun gut, das will ich tun.« Colum war sicher, daß die Frau, die er im Visier hatte, einverstanden sein würde. Rosaleen Mary Fitzpatrick war die Schwester eines von den Engländern hingerichteten Feniers sowie die Tochter und Enkelin von Männern, die mit den »schwimmenden Särgen« untergegangen waren. Niemand im engeren Kreis seiner Widerstandsgruppe diente der Sache mit solcher Leidenschaft und Inbrunst wie sie.

Scarlett fischte drei gekochte Eier aus dem Kessel über dem Feuer und goß das Wasser in eine Teekanne. »Wenn mein Haferbrei unter deiner Würde ist, kannst du auch ein Ei haben oder zwei«, sagte sie. »Ohne Salz natürlich.«

Colum lehnte ab.

»Meine Güte, habe ich einen Hunger.« Sie löffelte Haferbrei auf einen

Teller, schlug ein paar Eier auf und gab sie dazu. Das Eigelb zerrann. Colum wandte den Blick ab.

Scarlett aß schnell und mit gutem Appetit. Zwischen den einzelnen Bissen erläuterte sie ihm ihren Plan. Alle O'Haras, die gesamte Familie, sollten nach Ballyhara ziehen und dort in bescheidenem Luxus leben.

Colum wartete, bis sie ihre Mahlzeit beendet hatte. Dann sagte er: »Da machen sie nicht mit. Sie bearbeiten ihr Land nun schon seit fast zweihundert Jahren.«

»Selbstverständlich machen sie mit! Jeder will sich verbessern, Colum.«

Er schüttelte verneinend den Kopf.

»Du täuschst dich, Colum. Ich werde es dir beweisen, und zwar sofort. Ich frage sie noch heute. Nein, das widerspricht meinem Plan. Erst soll alles fix und fertig sein.«

»Scarlett, ich habe dir deine Bauern heute früh gebracht.«

»Diese Faulpelze?«

»Du hast mir kein Wort von deinen Plänen gesagt. Ich habe diese Leute angeworben. Ihre Frauen und Kinder sind unterwegs hierher. Sie werden in die Hütten am Ende der Straße einziehen. Sie alle haben ihren bisherigen Pachtherren gekündigt.«

Scarlett biß sich auf die Lippe. »Also gut«, sagte sie nach einer Minute. »Die Familie bekommt ohnehin Häuser und keine Hütten. Die Männer können für sie arbeiten.«

Colum öffnete den Mund und schloß ihn wieder. Es war sinnlos, einen Streit vom Zaun zu brechen. Im übrigen war er sicher, daß Daniel niemals umziehen würde.

Am Nachmittag stand Scarlett gerade auf einer Leiter und inspizierte eine frischverputzte Mauer, als Colum sie rief. »Ich will dir zeigen, was deine ›Faulpelze‹ geleistet haben«, sagte er.

Ihr kamen vor Freude und Begeisterung die Tränen. Der Pfad, den sie mit dem Pony ausgetreten hatte, war mit Sicheln und Sensen so erweitert worden, daß er jetzt auch mit dem Wagen befahrbar war. Endlich konnte sie wieder zu Kathleen und Milch für ihren Tee und ihren Haferbrei holen. Schon seit über einer Woche fühlte sie sich fürs Reiten zu schwer.

»Ich fahre gleich zu ihr«, sagte sie.

»Dann laß mich dir die Stiefel schnüren.«

»Nein, sie drücken so. Jetzt, da ich den Wagen benutzen kann, gehe ich lieber barfuß. Aber du kannst das Pony anschirren.«

Als sie davonfuhr, sah Colum ihr erleichtert nach und kehrte in sein Torhaus zurück, wo seine Bücher, seine Pfeife und ein Glas guter Whiskey auf ihn warteten. Er hatte das Gefühl, sich eine kleine Belohnung verdient zu haben. Scarlett O'Hara war das anstrengendste Geschöpf, das ihm bislang begegnet war, gleich welchen Geschlechts, welcher Altersstufe und welcher Nationalität.

Warum nur, fragte er sich, füge ich jedesmal, wenn ich an sie denke, insgeheim »armes Lämmchen« hinzu?

Scarlett sah in der Tat wie ein armes Lämmchen aus, als sie eines späten Sommerabends kurz vor Einbruch der Dunkelheit bei ihm hereinplatzte. Die Familie hatte – sehr freundlich und immer wieder – ihre Einladung, nach Ballyhara überzusiedeln, abgelehnt und sich auch nicht umstimmen lassen, als sie sich aufs Bitten verlegt hatte.

Colum war mittlerweile der Meinung, daß Scarlett kaum noch weinen konnte. Sie hatte keine Tränen vergossen, als die Nachricht von der Scheidung eingetroffen war, ja nicht einmal, als ihr die Kunde von Rhetts Wiederverheiratung den letzten, entscheidenden Schlag versetzt hatte. Doch an diesem warmen, regnerischen Augustabend weinte und schluchzte sie stundenlang, bis sie schließlich auf Colums bequemer Couch, einem Luxus, den es in ihren spartanischen zwei Zimmern nicht gab, vom Schlaf übermannt wurde. Colum breitete eine leichte Decke über sie und begab sich in sein Schlafzimmer. Er war froh, daß sie sich den Kummer von der Seele geweint hatte, fürchtete jedoch, sie selber könne ihren Zusammenbruch in einem anderen Licht sehen. Er ließ sie daher allein, vielleicht war es ihr lieber, ihn ein paar Tage lang nicht zu sehen. Starke Menschen haben es nicht gerne, wenn man sie in ihren schwachen Momenten erlebt.

Er irrte sich – wieder einmal, wie er sich eingestand. Ob ich diese Frau je begreifen werde? Am nächsten Morgen saß Scarlett am Küchentisch und verspeiste seine letzten Eier. »Du hast schon recht, Colum, mit Salz schmecken sie viel besser. Außerdem darfst du dir jetzt Gedanken darüber machen, wer als Mieter meiner Häuser in Frage kommt. Es müssen gute und einigermaßen wohlhabende Leute sein, denn die Häuser sind weit und breit die besten, die es gibt. Ich rechne mit entsprechend hohen Einkünften.«

Obwohl sie sich nie wieder etwas davon anmerken ließ und kein einziges Wort mehr über die Sache verlor, war Scarlett tief verletzt. Nach wie vor fuhr sie mehrmals in der Woche mit dem Wagen zu Daniel, und ihr Arbeitseifer blieb ungebrochen, obwohl die Schwangerschaft zusehends beschwerlicher wurde. Gegen Ende September war der Wiederaufbau Ballyharas vollendet. Die Gebäude waren ausnahmslos gereinigt und innen wie außen frisch gestrichen. Sie besaßen feste Türen, funktionierende Kamine und gut abgedichtete Dächer. Und die Bevölkerung wuchs und wuchs.

Mittlerweile gab es zwei weitere Pubs, einen Schusterladen für Stiefel und Pferdegeschirre, das Textilgeschäft aus Bective hatte seinen Umzug vollzogen, und in der kleinen katholischen Kirche predigte ein älterer Priester. Für die Schule standen zwei Lehrer bereit, die nur noch auf die Genehmigung aus Dublin warteten, um mit dem Unterricht zu beginnen. Ein aufgeregter junger Rechtsanwalt hoffte auf den erfolgreichen Aufbau einer Praxis, und seine noch aufgeregtere junge Ehefrau hatte die Angewohnheit, hinter den Spitzenvorhängen zu stehen und die Passanten zu beobachten. Auf der Straße spielten die Bauernkinder, ihre Mütter saßen auf den Treppchen vor den Hauseingängen und schwatzten, und täglich erschien ein Reiter aus Trim und lieferte die Post bei dem sehr gelehrt aussehenden Gentleman ab, der im Nebenraum des Textilgeschäfts einen kleinen Buch- und Schreibwarenladen eröffnet hatte. Es gab bereits die Zusage, daß nach dem ersten Januar des nächsten Jahres eine offizielle Poststelle eingerichtet werden sollte.

Die für Scarlett wichtigste und erfreulichste Neuigkeit war, daß ein Arzt das größte Haus am Ort angemietet hatte. Die Praxiseröffnung war für die erste Novemberwoche vorgesehen. Bis dahin befand sich die einzige Krankenstation weit und breit im Arbeitshaus von Dunshauglin, vierzehn Meilen von Ballyhara entfernt. Arbeitshäuser waren die letzte Zuflucht der Mittellosen. Scarlett hatte noch nie eines von innen gesehen und hoffte, auch nie in die Verlegenheit zu kommen. Zwar entsprach es durchaus ihrem Credo, daß die Armen arbeiten statt betteln sollten, doch hatte sie nicht den Wunsch, die Unglücklichen, die im Arbeitshaus gelandet waren, näher kennenzulernen. Und mit Sicherheit war das Arbeitshaus nicht der Ort, an dem sie ihr Baby zur Welt bringen wollte.

Ein eigener Arzt. Das entsprach weit eher ihrem Stil. Es war auch gut, ihn in der Nähe zu wissen, wenn die üblichen Kinderkrankheiten wie Keuchhusten und Windpocken kamen. Jetzt mußte sie sich nur noch nach einer Amme für die Zeit ab Mitte November umsehen.

Und das Haus mußte fertig werden.

»Wo bleibt denn deine phantastische Mrs. Fitzpatrick, Colum? Ich dachte, sie hätte schon vor vier Wochen kommen wollen.«

»Vor vier Wochen hat sie zugesagt, in einem Monat zu kommen. So, wie es sich für eine verantwortungsbewußte Person gehört. Am ersten Oktober, also am nächsten Donnerstag, wird sie hiersein. Ich habe ihr angeboten, bei mir zu wohnen.«

»Ach ja? Ich dachte, sie sollte meinen Haushalt führen. Warum wohnt sie dann nicht bei mir?«

»Weil dein Haus, meine gute Scarlett, das einzige in Ballyhara ist, das noch nicht renoviert wurde.«

Verdutzt sah sich Scarlett in ihrer Küche um, die ihr auch als Arbeitszimmer diente. Sie hatte sich bisher nicht um den Zustand der Wohnung gekümmert, schließlich handelte es sich nur um ein vorübergehendes

Domizil, von dem aus sich der Fortgang der Arbeiten in der Stadt bequem überwachen ließ.

»Schauderhaft, wie?« sagte sie. »Sehen wir zu, daß das Gutshaus bald fertig wird, damit ich endlich umziehen kann.« Sie lächelte, aber es fiel ihr schwer. »Tatsache ist, daß ich mit meinen Kräften fast am Ende bin, Colum. Ich bin heilfroh, wenn die Arbeit vorüber ist. Ich brauche Erholung.«

Was Scarlett nicht sagte, war, daß die Arbeit seit der Absage der Cousins und Cousinen eben nur noch Arbeit war. Seitdem feststand, daß es keine O'Haras waren, die vom Wiederaufbau der O'Haraschen Ländereien profitieren würden, machte ihr die Sache kaum noch Spaß. Wieder und wieder hatte Scarlett versucht herauszufinden, warum ihr Angebot abgelehnt worden war. Die einzige Erklärung, die sie gefunden hatte, war die, daß die Verwandten ihre Nähe scheuten und sie trotz aller Freundlichkeit und Wärme, die sie ihr entgegengebracht hatten, im Grunde nicht mochten. Scarlett fühlte sich jetzt, selbst wenn sie bei ihnen war, allein. Das galt sogar für Colums Gegenwart. Sie sah in ihm nach wie vor einen Freund, aber er hatte ihr die Absage der Verwandten vorausgesagt. Er kannte sie, gehörte zu ihnen.

Die Rückenschmerzen ließen mittlerweile nicht mehr nach. Ihre Beine, Füße und Knöchel waren derart geschwollen, daß ihr jeder Schritt zur Qual wurde. Scarlett ärgerte sich über das Baby. Es machte sie krank. Es war daran schuld, daß sie überhaupt auf die Idee gekommen war, Ballyhara zu kaufen. Und noch standen ihr sechs, nein, sechseinhalb Wochen Quälerei bevor.

Wenn ich die Kraft hätte, würde ich nur noch schreien, dachte sie niedergeschlagen. Trotzdem gelang es ihr, Colum ein weiteres schwaches Lächeln zu schenken.

Er sieht so aus, als wolle er mir irgend etwas sagen, ohne genau zu wissen, was. Wie dem auch sei, ich kann ihm nicht helfen. Mir fällt auch nichts mehr ein.

Es klopfte an der Tür. »Ich gehe schon«, sagte Colum und war froh darüber.

Als er wieder in die Küche kam, trug er ein Päckchen in der Hand. Sein Lächeln wirkte nicht überzeugend. »Es war Mrs. Flanagan vom Laden. Der Tabak, den du für Großmutter bestellt hast, ist eingetroffen. Sie hat ihn vorbeigebracht. Ich nehme ihn mit, wenn ich wieder hinüberkomme.«

»Nein.« Scarlett richtete sich schwerfällig auf. »Sie hat mich persönlich darum gebeten. Es ist das einzige, worum sie mich je gebeten hat. Spann das Pony ein und hilf mir auf den Wagen. Ich bringe ihn ihr selbst.«

»Ich begleite dich.«

»Colum, der Platz auf dem Sitz reicht ja kaum noch für mich alleine, geschweige denn für uns beide. Bring mir den Wagen und hilf mir hinauf, das genügt. Bitte.« Wie ich wieder herunterkomme, weiß Gott allein.

Der »unheimliche Sean«, wie Scarlett ihn insgeheim nannte, war zu Hause, als sie bei der Großmutter vorfuhr. Er half ihr vom Wagen und bot ihr den Arm für den Weg ins Haus.

»Nicht nötig«, sagte sie fröhlich, »ich schaff das schon.« Seans Gegenwart machte sie immer nervös. Jede Form von Versagen machte sie nervös, und Sean war der O'Hara, der versagt hatte. Er war Patricks dritter Sohn. Da der älteste gestorben und Jamie nicht Bauer geworden war, sondern in Trim arbeitete, hatte Sean nach Patricks Tod im Jahre 1861 die Farm übernommen. Er war damals »erst« zweiunddreißig, und dieses »erst« hatte ihm als Entschuldigung für all seine Schwierigkeiten gedient. Er hatte den Hof dermaßen heruntergewirtschaftet, daß ein Verlust des gepachteten Landes durchaus in den Bereich des Möglichen gerückt war.

Daniel als der Älteste hatte daraufhin Patricks Kinder und seine eigenen zusammengerufen. Obwohl er schon siebenundsechzig war, vertraute er mehr auf sich selbst als auf Sean oder seinen eigenen, auch »erst« zweiunddreißigjährigen Sohn Seamus. Zeit seines Lebens hatte er mit seinem Bruder zusammengearbeitet, und nun, da Patrick tot war, wollte er nicht schweigend mit ansehen, wie ihr Lebenswerk zugrunde gerichtet wurde. Sean mußte daher gehen.

Sean ging, aber er ging nicht fort. Zwölf Jahre lang lebte er inzwischen schon bei seiner Großmutter und ließ sich von ihr versorgen. Auf Daniels Farm zu arbeiten, lehnte er hartnäckig ab, ein Verhalten, das Scarlett zur Weißglut brachte. So schnell sie ihre nackten, geschwollenen Füße trugen, versuchte sie ihm zu entkommen.

»Geralds Tochter!« begrüßte die Großmutter sie. »Schön, daß ich dich sehen darf, junge Katie Scarlett.«

Scarlett glaubte ihr. Sie glaubte ihrer Großmutter alles. »Ich bringe dir deinen Tabak, alte Katie Scarlett«, sagte sie mit ungespielter Heiterkeit.

»Großartig. Wirst du ein Pfeifchen mit mir rauchen?«

»Nein, danke, Großmutter. So irisch bin ich noch nicht.«

»Ach, das ist schade. Nun, ich jedenfalls bin so irisch, wie Gott die Iren schuf. Dann stopf mir meine Pfeife.«

Im Häuschen war es mucksmäuschenstill, man hörte nur das leise Saugen der Großmutter an der Pfeife. Scarlett legte ihre Beine auf einen Hocker und schloß die Augen. Die friedvolle Stille war ein wahrer Balsam.

Als vor dem Haus plötzlich Geschrei ertönte, fuhr sie wütend auf. War ihr denn nicht einmal ein halbes Stündchen Ruhe vergönnt? So schnell, wie ihr Zustand es erlaubte, eilte sie hinaus auf den Hof, fest entschlossen, dem Radaumacher die Leviten zu lesen.

Draußen erwartete Scarlett ein so entsetzlicher Anblick, daß sie ihre Wut, ihre Rückenschmerzen und das Brennen in den Füßen sofort vergaß. Was blieb, war allein die Angst. Soldaten und Polizisten standen auf

Daniels Hof. Auf einem bockenden Pferd saß ein Offizier mit blankgezogenem Säbel. Die Soldaten errichteten ein großes, dreibeiniges Gerüst aus Baumstämmen. Scarlett humpelte quer über den Hof zu Kathleen, die weinend im Eingang ihres Hauses stand.

»Da ist ja noch eine«, sagte einer der Soldaten. »Schaut sie euch nur an! Diese elenden Iren werfen wie die Kaninchen. Sie sollten besser lernen, Schuhe zu tragen.«

»Im Bett oder hinterm Busch braucht man keine Schuhe«, gab ein anderer zurück. Der Engländer lachte. Die Polizisten starrten auf den Boden.

»He, Sie!« rief Scarlett. »Sie da, auf dem Pferd! Was treiben Sie und diese gewöhnlichen Burschen hier auf dieser Farm?«

»Redest du mit mir, Mädchen?« Der Offizier richtete seine lange Nase auf sie und sah sie an.

Scarlett hob das Kinn und sah ihm mit kalten grünen Augen ins Gesicht.

»Ich bin kein Mädchen, Sir, und Sie sind kein Gentleman, selbst wenn Sie hier als Offizier auftreten.«

Der Unterkiefer des Mannes klappte herunter. Jetzt fällt seine Nase kaum noch auf, dachte Scarlett. Liegt vermutlich daran, daß Fische keine Nasen haben, und genauso sieht er aus, wie ein Fisch auf dem Trockenen. Heiße Kampfeslust verlieh ihr neue Kräfte.

»Sie sind doch gar keine Irin«, sagte der Offizier. »Sind Sie etwa diese Amerikanerin?«

»Wer oder was ich bin, geht Sie nichts an. Mich geht allerdings an, was Sie hier treiben. Erklären Sie sich!«

Der Offizier erinnerte sich daran, wer er war. Er schloß den Mund, und sein Rücken straffte sich. Scarlett fiel auf, daß die Soldaten jetzt alle strammstanden und erst sie, dann aber ihren Offizier anstarrten. Die Polizisten verfolgten die Szene aus den Augenwinkeln.

»Ich führe auf Befehl der Regierung Ihrer Majestät die Vertreibung der auf dieser Farm lebenden Leute durch. Sie haben die Pachtsumme nicht bezahlt.« Er schwenkte ein zusammengerolltes Dokument.

Scarlett klopfte das Herz bis zum Hals. Sie reckte das Kinn noch höher. In einiger Entfernung hinter den Soldaten konnte sie Daniel und seine Söhne sehen. Mit Knüppeln und Mistgabeln bewaffnet stürmten sie, zum Kampf entschlossen, über das Feld und kamen rasch näher.

»Es handelt sich hier ganz offensichtlich um einen Irrtum«, sagte Scarlett. »Um welche Summe handelt es sich denn, die da angeblich nicht bezahlt wurde?« Mach schnell, mach um Himmels willen schnell, du langnasiger Narr, dachte sie verzweifelt. Wenn einer der O'Haras auf die Soldaten losgeht, endet er im Gefängnis oder an einem noch schlimmeren Ort.

Alles schien auf einmal langsamer zu gehen. Der Offizier brauchte schier eine Ewigkeit, um das Dokument zu entrollen. Daniel, Seamus, Thomas, Patrick und Timothy bewegten sich wie unter Wasser. Scarlett knöpfte ihr Hemd auf. Ihre Finger kamen ihr wie Würste vor, die Knöpfe wie unkontrollierbare Talgklumpen.

»Einunddreißig Pfund, acht Shilling und neun Pence«, sagte der Offizier. Der braucht für jedes Wort eine geschlagene Stunde, dachte Scarlett. Schon hörte sie vom Feld her aufgeregtes Geschrei, sah die großen O'Hara-Männer, Fäuste und Waffen schwingend, immer näher kommen. Völlig außer sich, riß sie an der Kordel, die sie um den Hals trug und nestelte, als der Geldbeutel endlich zum Vorschein kam, an dessen fest verschnürtem Verschluß herum.

Ihre Finger ertasteten bereits die Münzen und die zusammengefalteten Banknoten. Wortlos sandte sie ein Dankgebet zum Himmel. Sie hatte die Lohngelder für die Arbeiter in Ballyhara dabei – mehr als fünfzig Pfund. Mit einem Schlag war sie kühl und ruhig wie schmelzende Eiscreme.

Sie zog sich die Kordel über Hals und Kopf und wog den Beutel in der Hand. »Da ist noch ein Trinkgeld für Sie dabei, Sie mißratener Kerl!« rief sie. Ihr Arm war stark, und sie zielte gut. Der Geldbeutel flog dem Offizier mitten ins Gesicht. Pfundnoten und Shillingmünzen purzelten über seinen Uniformrock und fielen zu Boden. »Und jetzt räumen Sie den Saustall auf, den Sie angerichtet haben, und packen Ihr Gerümpel wieder ein!«

Scarlett kehrte den Soldaten den Rücken zu. An Kathleen gewandt, flüsterte sie: »Um Gottes willen, Kathleen, lauf den Männern entgegen und bring sie zur Vernunft, bevor ein Unglück geschieht!«

Später stellte sie wütend den alten Daniel zur Rede. Angenommen, sie wäre nicht zufällig mit dem Tabak herübergekommen? Angenommen, der Tabak wäre erst morgen geliefert worden? Sie funkelte ihren Onkel an, dann brach es aus ihr heraus.

»Warum hast du mir nicht gesagt, daß ihr Geld braucht? Ich hätte es dir gerne gegeben.«

»Die O'Haras nehmen keine Almosen«, erwiderte Daniel.

»Almosen? In der eigenen Familie gibt es keine Almosen, Onkel Daniel.«

Daniel sah sie an. Seine Augen wirkten alt, uralt. »Was man nicht mit seiner Hände Arbeit verdient, ist ein Almosen«, sagte er. »Wir kennen deine Geschichte, junge Scarlett O'Hara. Als mein Bruder Gerald seinen Verstand verlor – wieso hast du dich damals nicht an seine Brüder in Savannah gewandt? Sie gehören auch zur Familie.«

Scarletts Lippen zitterten. Er hatte recht. Weder hatte sie jemanden um Hilfe gebeten, noch war ihr von jemandem geholfen worden. Sie hatte die Last alleine tragen müssen. Ihr Stolz duldete kein Nachgeben, keine Schwäche.

»Und während der Hungersnot?« Sie mußte es wissen. »Pa hätte euch alles geschickt, was er besaß – und Onkel James und Onkel Andrew genauso.«

»Wir hatten uns geirrt. Wir dachten, sie würde schon wieder vorübergehen. Als wir merkten, wie schlimm es wirklich war, war es zu spät.«

Scarlett betrachtete die hageren, geraden Schultern ihres Onkels und die stolze Haltung seines Kopfes. Ja, sie verstand ihn. Sie selbst hätte nicht anders gehandelt. Sie begriff jetzt auch, warum es ein Fehler gewesen war, Ballyhara als Ersatz für das Land anzubieten, das er sein Leben lang bearbeitet hatte. Sein Lebenswerk, die Arbeit seiner Söhne, seiner Brüder, seines Vaters und seines Großvaters wären mit einem Schlag ihrer Bedeutung beraubt gewesen, hätte er sich auf ihr Angebot eingelassen.

»Robert hat die Pacht erhöht, nicht wahr? Wegen meiner frechen Bemerkung über seine Handschuhe. Er wollte es mir heimzahlen – durch euch.«

»Robert ist ein habgieriger Mensch. Niemand sagt, daß es etwas mit dir zu tun hat.«

»Gestattest du mir, euch zu helfen? Es wäre mir eine Ehre.«

Daniel war einverstanden, sie sah es an seinem Blick. Dann blitzte Humor in seinen Augen auf, als er sagte: »Du kennst doch Michael, Patricks Sohn. Er arbeitet als Stallknecht im Gutshaus. Er würde gerne Pferde züchten, hat große Dinge damit vor. Wenn er das Geld hätte, könnte er eine Lehre im Gestüt machen.«

»Ich danke dir«, erwiderte Scarlett förmlich.

»Möchte jemand Abendbrot, oder soll ich das Essen den Schweinen vorwerfen?« fragte Kathleen mit gespielter Wut.

»Ich könnte heulen vor Hunger«, sagte Scarlett. »Ihr wißt ja, daß ich eine furchtbar schlechte Köchin bin.« Ich bin glücklich, dachte sie bei sich. Von Kopf bis Fuß tut mir alles weh, aber ich bin glücklich. Wenn das Baby nicht stolz darauf ist, ein O'Hara zu sein, dann dreh ich ihm den Hals um.

61. Kapitel

»Sie brauchen eine Köchin«, sagte Mrs. Fitzpatrick. »Ich kann nicht gut kochen.«

»Ganz meinerseits«, erwiderte Scarlett salopp, verbesserte sich aber sofort, als sie Mrs. Fitzpatricks strengen Blick bemerkte: »Ich kann auch nicht gut kochen.« Colum mag sagen, was er will, dachte sie, aber ich glaube nicht, daß mir diese Person je sympathisch werden wird. »Mrs. Fitzpatrick«, hatte die Frau auf die Frage nach ihrem Namen geantwortet, obwohl ganz klar gewesen war, daß Scarlett ihren Vornamen hatte wissen wollen. Noch nie habe ich das Personal mit »Mrs.«, »Miss« oder »Mr.« angeredet, allerdings hatte ich ja auch noch nie weiße Bediente. Kathleen und Bridie als

Zofen zählen nicht, schließlich sind sie Cousinen. Ein Glück, daß Mrs. Fitzpatrick nicht mit mir verwandt ist.

Mrs. Fitzpatrick war eine hochgewachsene Frau, mindestens einen halben Kopf größer als Scarlett. Sie war nicht dünn, trug aber auch kein überflüssiges Gramm Fett auf dem Leib und wirkte so solide wie ein Baumstamm. Ihr Alter ließ sich unmöglich schätzen. Die Haut, von der Farbe reicher Sahne, war, dank der milden, stets etwas feuchten Luft, makellos wie der Teint der meisten Irinnen. Die Farbe ihrer Wangen verlieh ihrem Gesicht etwas Dramatisches; ein tiefrosa Streifen überzog sie, kein gleichmäßiges Zartrosa. Ihre Nase war dick, die Nase einer Bäuerin, wenngleich mit einem deutlich hervortretenden Nasenbein. Die Lippen bildeten einen dünnen, langen Schlitz. Am markantesten waren jedoch ihre dunklen, überraschend feinen Brauen, deren vollendeter schmaler Filigranbogen ihre blauen Augen überspannte und einen seltsamen Kontrast zum schneeweißen Haupthaar bildete. Mrs. Fitzpatrick trug ein strenges graues Kleid mit einem einfachen weißen Leinenkragen und weißen Aufschlägen. Die starken, tatkräftigen Hände ruhten gefaltet im Schoß. Scarlett hätte sich am liebsten auf ihre eigenen rauhen Hände gesetzt. Mrs. Fitzpatricks Hände waren glatt, die kurzen Nägel poliert, mit perfekten kleinen Halbmonden.

Ihr irisches Englisch hatte einen unüberhörbaren englischen Beiton; es klang immer noch weich, da sie jedoch dazu neigte, einige Konsonanten zu verschlucken, hatte es ein wenig an Musikalität eingebüßt.

Scarlett ging ein Licht auf. Ich weiß jetzt, was es ist, dachte sie. Sie verhält sich geschäftsmäßig. Die Einsicht hob ihre Stimmung. Mit einer Geschäftsfrau konnte man auskommen, ob man sie nun mochte oder nicht.

»Ich bin überzeugt, daß Sie meine Dienste zu schätzen wissen werden, Mrs. O'Hara«, sagte Mrs. Fitzpatrick, und es konnte nicht der geringste Zweifel daran bestehen, daß Mrs. Fitzpatrick von allem, was sie tat oder sagte, überzeugt war. Scarlett war irritiert. Will diese Frau mich etwa herausfordern? Will sie hier die Zügel an sich reißen?

Mrs. Fitzpatrick war mit ihrer Rede noch nicht fertig. »Ich möchte meiner Freude darüber Ausdruck verleihen, daß ich Ihre Bekanntschaft machen durfte und für Sie arbeiten kann. Es wird mir eine Ehre sein, ›der O'Hara‹ den Haushalt zu führen.«

Was sollte das heißen?

Mrs. Fitzpatrick zog die dunklen Brauen hoch. »Ja, wissen Sie das denn nicht? Es ist doch in aller Munde!« Ihre dünnen, breiten Lippen öffneten sich zu einem strahlenden Lächeln. »Keiner Frau in unserer Generation, ja möglicherweise schon seit Jahrhunderten keiner Frau mehr, ist das gelungen. Man nennt Sie ›die O'Hara‹, das heißt, das Oberhaupt der Familie O'Hara mit all ihren Zweigen und Verästelungen. Zu Zeiten der Hochkönige hatte jede Familie ihren Führer, ihren Repräsentanten, ihren Meister. Vor langer, langer Zeit war ›der O'Hara‹ derjenige Ihrer Ahnen, der stellvertretend den Stolz und die Tapferkeit aller anderen O'Haras verkörperte. Und jetzt wurde der Titel zu neuem Leben erweckt – für Sie!«

»Ich verstehe nicht recht. Was muß ich denn jetzt tun?«

»Sie haben es schon getan. Sie werden respektiert und bewundert, man achtet Sie und vertraut Ihnen. Der Titel wird verliehen, nicht vererbt. Sie müssen nur so bleiben, wie Sie sind. Sie sind ›die O'Hara‹.«

»Ich glaube, ich brauche jetzt erst einmal eine Tasse Tee«, sagte Scarlett mit schwacher Stimme. Sie wußte noch immer nicht, wovon Mrs. Fitzpatrick eigentlich redete. Macht sie sich über mich lustig? Nein, diese Frau ist nicht der Typ für dumme Späße. Aber was soll das heißen – »die O'Hara«? Scarlett formte die Worte lautlos mit den Lippen nach. Die O'Hara. Es klang wie ein Trommelschlag. Tief, verborgen, begraben, ursprünglich. Irgend etwas in ihr fing Feuer. Die O'Hara. Ein Licht leuchtete auf in ihren blassen, müden Augen, ließ sie grün erglühen und aufflammen wie funkelnde Smaragde. Die O'Hara.

Ich muß darüber morgen noch einmal nachdenken – und von da an wohl jeden Tag bis an mein Lebensende. Mir ist so ganz anders, plötzlich fühle ich mich stark. Sie müssen nur so bleiben, wie Sie sind, hat sie gesagt. Was soll das heißen? Die O'Hara ...

»Ihr Tee, Mrs. O'Hara.«

»Ich danke Ihnen, Mrs. Fitzpatrick.« Auf einmal bewunderte sie das Selbstvertrauen der älteren Frau, das sie anfangs geradezu eingeschüchtert hatte. Es störte sie nicht mehr. Sie nahm die Tasse entgegen und sah ihrem Gegenüber in die Augen. »Bitte, trinken Sie eine Tasse mit«, sagte sie. »Wir müssen über die Köchin reden und über viele andere Angelegenheiten auch. Uns bleiben nur noch sechs Wochen, und es gibt eine Menge zu tun.«

Scarlett hatte das Gutshaus noch nie betreten, und Mrs. Fitzpatrick bemühte sich erfolgreich, sich ihr Erstaunen und ihre Neugier nicht anmerken zu lassen. Sie war Wirtschafterin bei einer angesehenen Familie gewesen und hatte auf einem großen Gutshof den Haushalt geführt. Doch so prächtig wie das Herrenhaus von Ballyhara war das andere Haus nicht gewesen. Sie half Scarlett, einen riesigen, fleckigen Messingschlüssel im rostigen Schloß der Eingangstür umzudrehen, und warf sich dann gegen die Tür. Ein muffiger Geruch schlug ihnen entgegen. »Schimmel«, konstatierte Mrs. Fitzpatrick und fügte hinzu: »Da brauchen wir ein ganzes Heer von Frauen mit Schrubbern und Eimern. Doch sehen wir uns erst einmal die Küche an. Keine Köchin, die was taugt, kommt in ein Haus ohne erstklassige Küche. Dieser Teil des Hauses hier kann später renoviert werden. Achten Sie einfach nicht auf die herunterhängenden Tapeten und den Tierkot auf dem Boden. Die Köchin wird diese Räumlichkeiten überhaupt nicht zu Gesicht bekommen.«

Gekrümmte Säulengänge verbanden die Seitenflügel mit dem Hauptgebäude. Die beiden Frauen begaben sich zunächst in den Ostflügel und gelangten dort in ein großes Eckzimmer. Mehrere Türen führten auf Korridore hinaus, die ihrerseits Zugang zu weiteren Zimmern und einem Treppenhaus boten. »Hier wird Ihr Verwalter arbeiten«, sagte Mrs. Fitzpatrick, als sie wieder in das große Eckzimmer zurückkamen. »Die anderen Zimmer können Sie als Vorratsräume nutzen oder auch zur Unterbringung des Personals. Der Verwalter lebt jedoch nicht im Gutshaus. Ihm werden Sie im Ort eine Bleibe anbieten müssen, und zwar eine recht große, die seinem hohen gesellschaftlichen Rang entspricht. Das hier ist offensichtlich das Büro des Guts.«

Scarlett antwortete nicht sofort. Vor ihrem geistigen Auge sah sie ein anderes Büro und den Seitenflügel eines anderen Gutshauses. In Dunmore Landing, hatte Rhett ihr erzählt, war der Flügel für »unverheiratete Gäste« reserviert gewesen. Was sie selbst betraf, so hatte sie nicht die Absicht, ein Dutzend Gästezimmer bereitzustellen, ob die Gäste nun verheiratet waren oder nicht. Aber ein Büro, so, wie Rhett es sich eingerichtet hatte, konnte sie gut brauchen. Ich werde beim Tischler einen großen Schreibtisch bestellen, zweimal so groß wie Rhetts, und an die Wände hänge ich die Pläne des Guts. Dann setze ich mich hin und blicke aus dem Fenster, genau wie er damals, doch mit dem Unterschied, daß mein Blick auf die wohlgefügten Steine von Ballyhara anstatt auf einen Haufen rußgeschwärzter Ziegel fallen wird. Und wo bei ihm nur blühende Büsche stehen, gedeiht bei mir der Weizen.

»Ich werde Ballyhara selber verwalten, Mrs. Fitzpatrick. Ich habe nicht die Absicht, mein Gut von einem Fremden leiten zu lassen.«

»Ich möchte nicht unhöflich sein, Mrs. O'Hara, aber Sie wissen nicht, was Sie da sagen. Eine solche Aufgabe beschäftigt Sie rund um die Uhr. Es geht ja nicht nur um die Vorratshaltung und solche Dinge. Sie müssen sich auch Beschwerden anhören und Streitigkeiten zwischen Bauern, Arbeitern und den Bewohnern des Ortes schlichten.«

»Das werde ich schon tun. Wir stellen im Flur Bänke auf, damit die Leute nicht im Stehen warten müssen. Am ersten Sonntag des Monats nach der Messe stehe ich allen zur Verfügung, die ein Problem mit mir besprechen wollen.« Scarletts gestrafftes Kinn verriet der Wirtschafterin, daß jeder Widerspruch zwecklos war.

»Und noch etwas, Mrs. Fitzpatrick: Spucknäpfe kommen mir nicht ins Haus, ist das klar?«

Mrs. Fitzpatrick nickte, obwohl sie mit der Bemerkung nichts anfangen konnte. In Irland wurde Tabak nicht gekaut, sondern in der Pfeife geraucht.

»Gut«, sagte Scarlett. »Und jetzt sehen wir uns einmal nach der Küche um, die Ihnen solches Kopfzerbrechen bereitet. Sie dürfte sich im anderen Seitenflügel befinden.«

»Meinen Sie, Sie schaffen den ganzen Weg zu Fuß?« fragte Mrs. Fitzpatrick.

»Ich muß einfach«, erwiderte Scarlett. Das Gehen war für ihre Füße und ihren Rücken inzwischen zur Tortur geworden, was sie jedoch nicht daran hinderte, es trotzdem zu tun. Der Zustand des Gebäudes entsetzte sie. Wie sollte das in sechs Wochen zu schaffen sein? Aber egal wie, es mußte einfach geschehen. Das Baby sollte unbedingt im Gutshaus geboren werden.

»Großartig!« verkündete Mrs. Fitzpatrick, als sie die Küche sah. Es war ein höhlenhafter, zwei Stockwerke hoher Raum mit zwei zerbrochenen Oberlichtern in der Decke. Scarlett war überzeugt, daß auch der größte Ballsaal, den sie bisher gesehen hatte, mehr als zweimal in diese Küche paßte. Ein riesiger gemauerter Kamin nahm fast die gesamte Stirnseite ein. Er wurde von zwei Türen flankiert, von denen die nördliche in eine Spülküche mit steinernen Abwaschbecken und die südliche in ein leerstehendes Zimmer führte. »So ist es recht, da kann die Köchin schlafen«, sagte Mrs. Fitzpatrick, »und das da . . .«, sie deutete mit dem Zeigefinger aufwärts, ». . . das ist die intelligenteste Konstruktion, die ich je gesehen habe!« Auf Höhe des ersten Stocks verlief eine mit einem Geländer versehene Galerie. »In den Zimmern über der Spülküche und dem Raum der Köchin werde ich wohnen«, fuhr Mrs. Fitzpatrick fort. »Die Köchin und die Küchenmädchen müssen also stets damit rechnen, daß ich sie beobachte. Das hält sie auf Trab. Die Galerie muß unmittelbar mit dem ersten Stock verbunden sein, das heißt, auch Sie können jederzeit sehen, was in der Küche unten vorgeht. Das Personal wird somit ständig zur Arbeit angehalten.«

»Warum kann ich nicht einfach in die Küche kommen und mir ein Bild machen?«

»Weil sie dann aufhören zu arbeiten. Und während sie vor Ihnen knicksen und auf Ihre Befehle warten, brennt das Essen an.«

»Sie sprechen dauernd von ›ihnen‹ und ›den Küchenmädchen‹, Mrs. Fitzpatrick. Was ist denn mit der Köchin? Ich dachte, eine Frau würde genügen?«

Mit einer weit ausholenden Geste, die Boden, Wände und Fenster umfaßte, verwies Mrs. Fitzpatrick auf die enormen Ausmaße des Raumes. »Eine Frau allein schafft das nicht. Keine Frau, die etwas von Haushaltung versteht, würde es auch nur versuchen. Ich würde jetzt gerne die Vorratsräume und die Waschküche sehen. Sie befinden sich wahrscheinlich im Keller. Wollen Sie mich begleiten?«

»Nein, lieber nicht. Ich setze mich besser draußen irgendwo hin. Ich kann den Gestank nicht mehr ertragen.« Scarlett fand eine Tür, öffnete sie und schreckte sogleich wieder zurück. Die Tür führte in einen völlig überwucherten, von einer Mauer umgebenen Garten. Durch eine weitere Tür gelangte sie in den Säulengang. Scarlett ließ sich vorsichtig auf die Pflastersteine nieder und lehnte sich an eine Säule. Eine bleierne Müdigkeit überkam sie. Nein, daß hier im Haus noch so viel zu tun war, das hatte sie nicht geahnt. Von außen sah doch alles ganz ordentlich aus.

Das Baby strampelte. Geistesabwesend drückte sie auf den Fuß, oder was immer es war. »Hallo, mein kleines Baby«, murmelte sie, »was hältst du denn jetzt davon? Sie nennen deine Mutter ›die O'Hara‹. Das beeindruckt dich doch hoffentlich. Mich beeindruckt es jedenfalls sehr.« Scarlett schloß die Augen, um alles in sich aufzunehmen.

Mrs. Fitzpatrick kam zurück und wischte sich Spinnweben von ihren Kleidern. »Das genügt fürs erste«, sagte sie knapp. »Jetzt brauchen wir beide erst einmal ein gutes Essen. Gehen wir in Kennedys Pub.«

»Ins Wirtshaus? Damen gehen doch unbegleitet nicht ins Wirtshaus.«

Mrs. Fitzpatrick lächelte. »Es gehört Ihnen, Mrs. O'Hara. Als Besitzerin können Sie jederzeit hinein, ganz wie es Ihnen paßt. Sie sind doch die O'Hara.«

Scarlett dachte über ihre Worte nach. Wir sind hier nicht in Charleston oder Atlanta. Warum soll ich nicht ins Wirtshaus gehen? Habe ich nicht die Hälfte der Dielenbretter dort selbst festgenagelt? Und heißt es nicht überall, daß sich Mrs. Kennedy, die Frau des Wirts, auf einen Fleischpastetenteig versteht, der einem im Munde zergeht?

Das Wetter wurde regnerischer. Die kurzen Schauer und nebelfeuchten Tage, an die Scarlett sich inzwischen gewöhnt hatte, wurden immer häufiger durch wahre Wolkenbrüche unterbrochen, die manchmal drei oder vier Stunden andauerten. Wenn die Bauern über ihre frischgerodeten Felder gingen, um die von Scarlett gekauften Mistfuhren auf ihnen zu verteilen, klagten sie darüber, daß der Boden verklumpte. Scarlett hingegen, die Tag für Tag unter großer Selbstüberwindung zum Gutshaus ging, um den Fortgang der Renovierungsarbeiten zu überwachen, dankte insgeheim dem Herrgott für den Schlamm auf dem ungeschotterten Weg, war er doch Balsam für ihre geschwollenen Füße. Schon längst trug sie keine Stiefel mehr, dafür stand gleich hinter der Eingangstür ein Eimer Wasser bereit, in dem sie nach Betreten des Hauses die Füße abspülen konnte. Colum lachte, als er den Eimer sah. »Die Irin in dir wird von Tag zu Tag stärker, Scarlett. Hat dir Kathleen das beigebracht?«

»Nein, die Cousins. Nach der Heimkehr von der Feldarbeit waschen sie sich immer erst die Erde von den Füßen, wahrscheinlich, weil Kathleen fuchsteufelswild würde, wenn sie einfach so über ihren blankgeputzten Boden tappten.«

»Keine Spur! Sie tun es, weil es in Irland seit undenklichen Zeiten so Brauch ist. Rufst du auch ›*seachain*‹, bevor du das Wasser ausschüttest?«

»Natürlich nicht! Das ist doch Unfug. Und ich stelle auch nicht jeden Abend ein Schüsselchen mit Milch auf die Schwelle. Nein, ich glaube wirklich nicht, daß ich jemals Feen und Kobolde verköstigen werde. Das ist doch alles kindischer Aberglaube.«

»Das sagst du! Aber irgendwann wird dir ein *pooka* deine Überheblichkeit schon heimzahlen!« Nervös sah Colum unter ihrem Bett nach und warf auch einen Blick unter ihr Kissen.

Scarlett mußte lachen. »Gut, gut, Colum, ich glaube es dir ja! Aber was ist ein *pooka*? Ein Vetter zweiten Grades von einem Kobold, oder?«

»Die Kobolde würde es allein bei der Vorstellung schütteln. Ein *pooka* ist ein furchterregendes Geschöpf, heimtückisch und verschlagen. Er läßt deine Sahne im Handumdrehn sauer werden und sorgt dafür, daß deine Haare sich in der eigenen Bürste verfangen.«

»Und daß meine Knöchel so anschwellen, wie? Das ist das Heimtückischste, was ich je erlebt habe.«

»Armes Lämmchen. Wie lange dauert es denn noch?«

»Ungefähr drei Wochen. Ich habe Mrs. Fitzpatrick bereits aufgetragen, ein Zimmer für mich frei zu machen und ein Bett zu bestellen.«

»Geht sie dir gut zur Hand, Scarlett?«

Sie mußte diese Frage bejahen. Mrs. Fitzpatrick ließ sich von ihrer gehobenen Stellung nicht zum Müßiggang verleiten. Schon oft hatte Scarlett gesehen, daß sie die Küchenmädchen zur Arbeit anhielt, indem sie ihnen eigenhändig zeigte, wie man den Steinboden schrubbte oder den Ausguß in der Spülküche scheuerte.

»Eines muß ich allerdings sagen, Colum. Sie gibt das Geld aus, als ob meine Reserven unerschöpflich wären. Ich habe mittlerweile schon drei Küchenmädchen, deren Aufgabe einzig und allein darin besteht, alles so in Schuß zu bringen, daß die künftige Köchin daran Gefallen finden wird. Sie hat einen Herd besorgt, wie ich ihn noch nie gesehen habe, mit Brennern, Backröhren und einem Heißwasserschiff. Der kostete fast hundert Pfund – die zehn Pfund Transportkosten vom Bahnhof hierher nicht gerechnet. Und dann mußte der Schmied noch den Kamin mit allen möglichen Rosten, Bratspießen und Haken ausstatten, bloß weil es ja sein könnte, daß die Köchin dieses oder jenes Gericht nicht auf dem Herd kochen will. Köchinnen müssen ja verwöhnter sein als die Königin!«

»Sie sind auch nützlicher. Du wirst schon sehen, wie schön es ist, wenn du in deinem eigenen Speisezimmer die erste gute Mahlzeit einnehmen kannst.«

»Das sagst du. Ich bin vollauf zufrieden mit Mrs. Kennedys Fleischpastetchen. Gestern abend habe ich gleich drei davon verdrückt, eines für mich und zwei für diesen Elefanten da in meinem Bauch. Oh, wie bin ich froh, wenn diese Schinderei endlich vorüber ist ... Colum?« Er war unterwegs gewesen, und Scarlett fühlte sich in seiner Nähe nicht so unbefangen wie sonst. Dennoch mußte sie ihm die Frage irgendwie stellen. »Hast du diese Geschichte schon gehört, ich meine, daß man mich ›die O'Hara‹ nennt?«

Er wußte natürlich Bescheid, und er war stolz auf sie und durchaus der Meinung, daß sie die Ehre auch verdient hatte. »Du bist eine bemerkenswerte Frau, Scarlett O'Hara, darüber sind sich alle, die dich kennen, einig. Du hast Rückschläge überwunden, die eine Geringere – oder einen Geringeren – als dich umgeworfen hätten. Und nie hast du gejammert oder um Mitleid gebeten.« Er lächelte verschmitzt. »Und es grenzt schier an ein Wunder, daß du so viele Iren in solcher Weise, wie es geschehen ist, zum Arbeiten bewegt hast. Tja, und dann hast du einem englischen Offizier in die Augen gespuckt – die Leute sagen, du hättest einem von ihnen aus hundert Schritt Entfernung das Augenlicht ausgeblasen.«

»Das stimmt doch gar nicht.«

»Was soll man eine großartige Geschichte mit der Wahrheit belasten? Der alte Daniel persönlich war der erste, der dich ›die O'Hara‹ genannt hat, und er war ja schließlich dabei.«

Der alte Daniel? Scarlett errötete vor Freude.

»Wenn man so hört, was die Leute sagen, wirst du eines Tages mit Finn MacCools Geist Anekdoten austauschen. Dein Hiersein hat die ganze Gegend reicher gemacht.« Colums leichter Ton nahm einen ernsteren Klang an. »Doch da ist noch eine Sache, Scarlett, vor der ich dich warnen wollte. Rümpfe nicht die Nase über das, was die Menschen hier glauben. Sie empfinden es als Beleidigung.«

»Tu ich doch nicht! Ich gehe jeden Sonntag zur Messe, obwohl Vater Flynn immer so aussieht, als wolle er auf der Stelle einschlafen.«

»Ich meine nicht die Religion, sondern die Feen und Kobolde, die *pookas*. Zu den Heldentaten, die man dir anrechnet, gehört unter anderem auch die, daß du auf O'Hara-Land zurückgekehrt bist, obwohl jedermann weiß, daß dort der Geist des jungen Herrn von Ballyhara umgeht.«

»Das kann doch nicht dein Ernst sein!«

»Das kann es nicht nur, es ist mein voller Ernst. Ob du daran glaubst oder nicht, spielt keine Rolle. Die Leute glauben es. Und wenn du dich darüber lustig machst, beleidigst du sie zutiefst.«

Scarlett konnte das einsehen, so albern es ihr auch vorkam. »Ich werde den Mund halten und nicht lachen, es sei denn, wir sind unter uns. Aber ›*seachain!*‹ brüllen, bevor ich den Eimer ausschütte, werde ich nicht.«

»Das brauchst du auch nicht. Die Leute sagen, dein Respekt sei so groß, daß du es nur ganz leise flüsterst.«

Scarlett lachte, bis sich das Baby gestört fühlte und ihr einen gehörigen Tritt versetzte. »Nun schau, was du angestellt hast, Colum. Ich habe innerlich lauter blaue Flecken. Aber es lohnt sich. Während deiner Abwesenheit habe ich nicht ein einziges Mal so gelacht. Bleib jetzt ein Weilchen hier, ja?«

»Das werde ich. Ich möchte einer der ersten sein, der dieses Elefantenbaby zu sehen bekommt. Ich hoffe, du ernennst mich zum Patenonkel.«

»Geht das denn? Ich zähle eigentlich darauf, daß du ihn, sie oder die beiden taufst.«

Colums Lächeln verschwand. »Das kann ich nicht, Scarlett-Schatz. Ich tue für dich, was du willst, und wenn ich dir den Mond vom Himmel holen soll – nur das nicht. Ich kann dir die Sakramente nicht spenden.«

»Warum denn nicht? Das ist doch dein Beruf.«

»Nein, Scarlett, das ist die Aufgabe des Gemeindepfarrers oder bei besonderen Gelegenheiten auch die des Bischofs, Erzbischofs oder noch höherer Würdenträger. Ich bin ein Missionspriester. Meine Aufgabe besteht darin, den Armen ihr Los ein wenig zu erleichtern. Ich spende keine Sakramente.«

»Du könntest ja mal eine Ausnahme machen.«

»Nein, das kann ich nicht, und dabei lassen wir es bewenden. Aber ich werde der größte Pate aller Zeiten, wenn du mich darum bittest, und ich werde schon aufpassen, daß Vater Flynn das Baby nicht ins Taufbecken oder auf den Boden fallen läßt. Ich werde dem Kleinen den Katechismus mit solcher Beredsamkeit beibringen, daß es glaubt, es lerne einen Limerick. Trage mir diese Bitte an, Scarlett, oder du brichst mir mein sehnsuchtsvolles Herz.«

»Selbstverständlich werde ich dich fragen.«

»Dann ist der Zweck meines Besuchs erfüllt, und ich kann mir getrost einen Ort zum Essen suchen, an dem nicht nur salzlose Kost angeboten wird.«

»Laß dich nicht aufhalten. Ich ruhe mich noch ein wenig aus. Wenn der Regen aufhört, will ich bei Großmutter und Kathleen vorbeischauen, sofern es noch möglich ist. Der Boyne ist jetzt so hoch, daß man kaum noch durch die Furt kommt.«

»Ein Versprechen muß ich dir noch abnehmen, dann laß ich dich zufrieden: Bleib am Samstag abend zu Hause, sperre die Tür ab und zieh die Vorhänge vor. Es ist All Hallow's Eve, der Vorabend von Allerheiligen, und hierzulande glaubt man, daß in dieser Nacht alle Geisterwesen unterwegs sind, die seit Beginn der Zeiten die Welt bevölkert haben. Kobolde, Geister und Gespenster, die ihren Kopf unterm Arm tragen, treiben ihr Unwesen, und es geschehen allerlei unnatürliche Dinge. Halt dich an den Brauch und schließ dich ein, damit du ihnen nicht begegnest. Und verzichte an diesem Tag auf Mrs. Kennedys Fleischpastetchen, koch dir lieber ein paar Eier. Oder mach es auf die irische Art: Trink einen Whiskey und spül ihn mit reichlich Bier hinunter.«

»Kein Wunder, daß alle Iren Gespenster sehen! Aber gut, ich tue, was du sagst. Warum kommst du mich nicht besuchen?«

»Und verbringe die Nacht mit einer verführerischen Person wie dir... Das kostet mich mein Priesteramt.«

Scarlett streckte ihm die Zunge heraus. Verführerisch – ja, vielleicht für einen Elefanten.

Der Wagen schlingerte bedrohlich, als sie die Furt durchquerte. Sie beschloß, nicht lange bei Daniel zu bleiben. Die Großmutter wirkte sehr müde, so daß Scarlett sich gar nicht erst zu ihr setzte. »Ich wollte nur ganz kurz bei dir vorbeischauen, Großmutter, du kannst gleich weiterschlafen.«

»Dann gib mir wenigstens einen Abschiedskuß, junge Katie Scarlett. Bist ein liebes Mädchen, das ist gewiß.« Scarlett schloß den zähen, kleinen Körper in die Arme und drückte der Greisin einen kräftigen Kuß auf die alte Wange. Unmittelbar darauf sank der Großmutter das Kinn auf die Brust.

»Kathleen, ich kann nicht lange bleiben, der Fluß steigt und steigt, und bis er wieder sinkt, komme ich wahrscheinlich gar nicht mehr auf meinen Wagen. Hast du jemals so ein Riesenbaby gesehen?«

»Ja, habe ich, aber davon willst du nichts wissen. Nach meiner Erfahrung gibt es für jede Mutter immer nur ein einziges Baby, nämlich das eigene. Du hast aber doch sicher Zeit für eine Tasse Tee und eine Kleinigkeit zu essen?«

»Ja, obwohl ich eigentlich nein sagen sollte. Darf ich mich auf Daniels Stuhl setzen? Es ist der größte.«

»Aber bitte doch. So freundlich wie zu dir war Daniel noch zu keinem von uns.«

Die O'Hara, dachte Scarlett, und der Gedanke wärmte sie mehr als der Tee und das rauchige Feuer im Kamin.

»Hast du kurz bei Großmutter hereingesehen, Scarlett?« Kathleen stellte einen Hocker mit Tee und Gebäck neben Daniels Stuhl.

»Ja, ich war bei ihr, bevor ich zu dir gekommen bin. Sie schläft jetzt.«

»Schön. Es wäre schade, wenn sie dir nicht Lebwohl hätte sagen können. Sie hat heute ihr Sterbehemd aus der Truhe geholt, in der sie ihre Wertsachen aufbewahrt. Sie wird bald von uns gehen.«

Scarlett starrte Kathleen an, deren Gesicht keine Gemütsbewegung verriet. Wie kann sie so etwas in einem Tonfall aussprechen, als rede sie über das Wetter? Und dann in aller Ruhe Tee trinken und Kuchen essen?

»Wir hoffen jetzt vor allem auf ein paar trockene Tage«, fuhr Kathleen fort. »Die Straßen sind so verschlammt, daß die Trauergäste Mühe haben werden, zum Leichenschmaus zu kommen. Aber wir werden es nehmen müssen, wie es kommt.« Sie bemerkte Scarletts Entsetzen. »Wir werden sie alle vermissen, Scarlett. Aber sie ist zum Sterben bereit. Menschen, die so alt werden wie die alte Katie Scarlett, spüren, wann ihre Stunde naht... Laß mich dir nachschenken! Der Rest in der Tasse muß ja schon ganz kalt sein.«

Die Tasse klirrte, als Scarlett sie absetzte. »Ich kann mich wirklich nicht länger aufhalten, Kathleen. Ich muß noch durch die Furt. Ich muß gehen.«

»Gibst du mir Bescheid, wenn die Wehen beginnen? Ich möchte gerne bei dir sein, wenn es soweit ist.«

»Ja, ich laß es dich wissen. Hilfst du mir bitte auf den Wagen?«

»Möchtest du noch ein Stückchen Kuchen für später mitnehmen? Der ist ganz schnell eingepackt.«

»Nein, nein, vielen Dank. Ich mach mir Sorgen wegen des Wassers.«

Ich fürchte eigentlich eher, den Verstand zu verlieren, dachte Scarlett, als sie wieder abgefahren war. Colum hatte schon recht, ganz Irland glaubte an Gespenster. Wer hätte je von Kathleen so etwas angenommen. Und daß meine eigene Großmutter ihr Totenhemd bereithält. Der Himmel weiß, auf was für Ideen sie an Hallowe'en noch alles kommen. Ich muß die Tür absperren und obendrein noch vernageln. Dieser Unsinn bringt mich ganz durcheinander.

Einmal verlor das Pony während der Fahrt durch den Fluß den Boden unter den Füßen, was Scarlett einen furchtbaren Schrecken versetzte. Ich glaube, ich muß mich daran gewöhnen, daß ich vor der Geburt keine Ausflüge mehr unternehmen kann. Ich hätte den Kuchen unbedingt annehmen sollen.

62. Kapitel

Die drei Dorfmädchen standen in der breiten Tür des Schlafzimmers, das Scarlett für sich selbst ausgewählt hatte. Alle trugen sie große, grobgewirkte Schürzen und breitgerüschte Hauben, doch damit erschöpften sich die Gemeinsamkeiten auch schon. Annie Doyle war klein und mollig wie ein junger Mops, Mary Moran groß und linkisch wie eine Vogelscheuche und Peggy Quinn so hübsch und proper wie eine teure Puppe. Sie hielten sich an den Händen und drängten sich eng aneinander. »Wenn es Ihnen recht ist, gehen wir jetzt, Mrs. Fitzpatrick«, sagte Peggy, »bevor der große Regen kommt.« Die anderen Mädchen bestätigten ihre Worte mit heftigem Nicken.

»Gut«, erwiderte Mrs. Fitzpatrick, »aber dafür kommt ihr am Montag morgen entsprechend früher.«

»Sehr wohl, Mrs. Fitzpatrick«, ertönte es im Chor. Die Mädchen knicksten unbeholfen. Kurz darauf hörte man ihre Schuhe die Treppe hinunterklappern.

»Manchmal können sie einen zur Verzweiflung treiben«, seufzte Mrs. Fitzpatrick. »Aber ich habe schon aus schlimmerem Material gute Hausmädchen gemacht. Wenigstens sind sie guten Willens. Wäre heute nicht Hallowe'en, hätte ihnen der Regen nichts ausgemacht. Wahrscheinlich meinen sie, daß Wolken am Himmel dasselbe bedeuten wie die Abenddämmerung.« Mrs. Fitzpatrick warf einen Blick auf die goldene Uhr, die sie an ihren Busen geheftet hatte. »Dabei ist es erst kurz nach zwei . . . Wo waren wir stehengeblieben? Ja, ich fürchte, wir werden es infolge der anhaltenden feuchten Witterung nicht rechtzeitig schaffen, Mrs. O'Hara. Ich wünschte, es wäre anders, aber ich möchte Ihnen nichts vormachen. Wir haben die alten Tapeten von den Wänden gerissen und alles sauber abgeschrubbt. Aber an manchen Stellen geht es nicht ohne frischen Verputz, und das bedeutet, daß die Wände vollkommen trocken sein müssen. Und dann muß erst einmal der Verputz trocknen, bevor die Wand gestrichen oder tapeziert werden kann. Das geht einfach nicht innerhalb von nur zwei Wochen.«

Scarletts Kinn straffte sich. »Ich werde mein Kind in diesem Hause auf die Welt bringen, Mrs. Fitzpatrick. Ich habe Ihnen das von Anfang an deutlich gesagt.«

Ihr Unmut prallte an Mrs. Fitzpatricks Gelassenheit ab. »Ich habe da einen Vorschlag«, sagte die Wirtschafterin.

»Solange sie mich nicht woanders einquartieren wollen ...«

»Ganz im Gegenteil. Ich glaube, ein gutes Herdfeuer und ein paar hübsche dicke Vorhänge vor den Fenstern lassen uns die nackten Wände gut verschmerzen.«

Scarletts Blick wanderte über den grauen, wasserfleckigen Verputz. Mißmutig sagte sie: »Es sieht grauenhaft aus.«

»Mit einem Wandteppich und ein paar Möbeln davor macht alles schon einen viel freundlicheren Eindruck. Aber ich habe eine Überraschung für Sie – wir haben das Ding auf dem Dachboden gefunden. Kommen Sie, ich zeige es Ihnen!« Mrs. Fitzpatrick öffnete die Tür zum Zimmer nebenan.

Scarlett schleppte sich mit schweren Schritten zur Tür und fing lauthals an zu lachen. »Heiliger Strohsack! Was ist denn das?«

»Ein sogenanntes Staatsbett. Ist es nicht eindrucksvoll?« Auch Mrs. Fitzpatrick fing an zu lachen. Gemeinsam betrachteten die beiden Frauen das außergewöhnliche Möbelstück in der Zimmermitte. Es war in der Tat gewaltig – fast vier Meter lang und knapp drei Meter breit. Vier aus dunkelbraunem Eichenholz geschnitzte griechische Göttinnen bildeten die Bettpfosten und trugen auf ihren lorbeergekrönten Häuptern einen großen Baldachinrahmen. Auch die Rahmenbretter an Kopf- und Fußende waren mit Schnitzereien geschmückt, die Szenen mit heroischen Togaträgern in reben- und blumenumrankten Lauben darstellten. Auf dem abgerundeten oberen Rand des hohen Kopfbretts prangte eine Krone. Sie war vergoldet, doch war das Blattgold stellenweise abgesplittert.

»Was für ein Riese mag darin wohl geschlafen haben?« fragte Scarlett.

»Wahrscheinlich wurde das Bett eigens für einen Besuch des Vizekönigs hergestellt.«

»Wer ist denn das?«

»Der oberste Machthaber in Irland.«

»Wie dem auch sei, das Bett wird sogar für mein Riesenbaby groß genug sein. Ich hoffe nur, die Arme des Doktors sind lang genug. Sonst erreicht er es gar nicht, wenn es schließlich kommt.«

»Dann kann ich die Matratze bestellen? In Trim gibt es einen Mann, der dafür nur zwei Tage braucht.«

»Ja, das können Sie. Und Bettücher. Oder nähen sie ein paar Laken zusammen. Meiner Treu, in dem Monstrum kann man ja eine Woche lang schlafen, ohne zweimal auf dem gleichen Fleck zu liegen.«

»Mit einem Baldachin und Vorhängen ringsherum ist das ein Zimmer für sich.«

»Zimmer? Ein ganzes Haus! Ja, Sie haben recht, da drinnen stören mich die scheußlichen Wände bestimmt nicht mehr. Sie sind ein Schatz, Mrs. Fitzpatrick. Ich fühle mich so gut wie schon seit Monaten nicht mehr. Können Sie sich vorstellen, was es für ein Kind bedeutet, in einer solchen Umgebung das Licht der Welt zu erblicken? Wahrscheinlich wird es später dreieinhalb Meter groß!«

Sie lachten noch immer, als sie kurz darauf gemessenen Schritts die frisch geschrubbten Granittreppen ins Erdgeschoß hinunterstiegen. Die Treppen müssen so schnell wie möglich mit Teppichen ausgelegt werden, dachte Scarlett, und vielleicht schließe ich auch das gesamte zweite Geschoß. Die Zimmer sind so groß, daß ich auf einer Etage soviel Platz habe wie in einem riesigen Haus. Mal sehen, ob Mrs. Fitzpatrick und die Köchin da mitmachen. Aber warum nicht? Was habe ich von der Ehre, »die O'Hara« zu sein, wenn ich meinen Willen nicht durchsetzen kann? Scarlett trat zur Seite, um Mrs. Fitzpatrick die schwere Haustür öffnen zu lassen.

Draußen goß es in Strömen. »Verdammt«, sagte Scarlett.

»Das ist kein Regen mehr, sondern ein Wolkenbruch«, sagte die Wirtschafterin. »Aber das kann ja nicht ewig dauern. Möchten Sie eine Tasse Tee? Die Küche ist warm und trocken. Ich habe den ganzen Tag über eingeheizt, um den Herd auszuprobieren.«

»Meinetwegen.« Scarlett folgte Mrs. Fitzpatrick in die Küche, die Wirtschafterin ging bewußt langsam.

»Das ist ja alles neu«, sagte sie argwöhnisch. Es mißfiel ihr, daß ohne ihre ausdrückliche Zustimmung soviel Geld ausgegeben wurde. Und die mit weichen Kissen versehenen Stühle vor dem Herd kamen ihr übertrieben bequem vor für die Köchinnen und Küchenmädchen, die hier in der Küche eigentlich arbeiten sollten. »Was hat der gekostet?« fragte sie und klopfte auf den schweren Holztisch.

»Ein paar Stangen Seife. Er stand in dem Raum, in dem die Pferdegeschirre aufbewahrt werden, und war vollkommen verdreckt. Die Stühle stammen von Colum. Er meinte, wir sollten die Köchin mit dem Komfort der Küche verlocken, bevor sie den Rest des Hauses sieht. Ich habe eine Liste mit den Möbeln für ihr Zimmer zusammengestellt. Sie liegt auf dem Tisch, damit Sie sie überprüfen können.«

Scarlett fühlte sich schuldig. Doch dann erwachte in ihr der Verdacht, das alles könne sehr geschickt eingefädelt sein, und der Ärger gewann wieder die Oberhand. »Was ist mit den Listen, die ich letzte Woche abgezeichnet habe? Wann kommen die Sachen endlich?«

»Die meisten sind schon da und befinden sich in der Spülküche. Ich wollte sie nächste Woche auspacken, wenn die Köchin dabei ist. Eine gute Köchin hat ihr eigenes Ordnungssystem für die Küchenutensilien.«

Der Ärger war noch nicht verflogen. Der Rücken tat Scarlett weher als sonst. Sie legte die Hände auf die schmerzende Stelle. Da fuhr ihr ein weiterer Schmerz in die Seite und strahlte sofort ins Bein aus. Er war so heftig, daß die Rückenschmerzen mit einemmal völlig belanglos erschienen. Scarlett hielt sich an der Tischkante fest und starrte sprachlos auf die Flüssigkeit, die ihr die Beine hinabrann, die nackten Füße umschloß und eine Pfütze auf dem geschrubbten Steinfußboden bildete.

»Das Fruchtwasser geht ab«, sagte sie schließlich. »Und es ist rot.« Sie sah durchs Fenster in den strömenden Regen hinaus. »Es tut mir leid, Mrs. Fitzpatrick, aber Sie werden jetzt gleich sehr naß werden. Helfen Sie mir auf den Tisch und geben Sie mir was, womit ich das Wasser aufnehmen kann – oder das Blut. Und dann rennen Sie, so schnell sie können, in den Pub und sehen zu, daß jemand den Arzt holt. Er soll reiten wie der Teufel. Ich bekomme ein Kind.«

Der reißende Schmerz wiederholte sich nicht. Mit den Stuhlkissen unter Kopf und Gesäß hatte Scarlett eine recht angenehme Lage gefunden. Sie hätte gerne etwas getrunken, zog es jedoch vor, den Tisch nicht zu verlassen. Wenn der Schmerz wiederkam, bestand die Gefahr, daß sie stürzte und sich verletzte.

Ich hätte wahrscheinlich Mrs. Fitzpatrick gar nicht so zu hetzen brauchen. Die Leute bekommen ja einen furchtbaren Schreck. Seit sie fort ist, habe ich bloß drei Wehen gehabt, das war ja so gut wie gar nichts. Eigentlich geht es mir recht gut; wenn nur dieses viele Blut nicht wäre! Bei jeder Wehe und jedesmal, wenn das Kleine strampelt, sprudelt es nur so heraus. Das war noch nie so. Das Fruchtwasser ist doch normalerweise klar, nicht blutig.

Irgend etwas stimmt nicht.

Wo wohl der Doktor ist? Eine Woche später, und wir hätten einen hier gehabt, gleich vor der Tür. Jetzt kommt vermutlich ein Arzt aus Trim, den ich nicht kenne. Tja, was machen wir jetzt, Herr Doktor? Man weiß ja nie, wie's kommt, aber geplant war es jedenfalls anders. Eigentlich sollte ich in einem Bett mit einer goldenen Krone liegen und nicht auf einem Tisch aus dem Pferdestall. Und das Baby? Was ist das für ein Start ins Leben. Ich werde es »Fohlen« nennen müssen oder »Springer«, irgend etwas Pferdeartiges.

Schon wieder Blut. Das gefällt mir gar nicht. Wieso ist Mrs. Fitzpatrick noch nicht zurück, da bekäme ich dann wenigstens endlich eine Tasse Wasser. Ich bin völlig ausgetrocknet. Hör auf zu strampeln, Kind! Du brauchst nicht auszuschlagen wie ein Pferd, nur weil wir auf einem Tisch liegen, auf dem früher mal Zaumzeug aufbewahrt wurde. Hör auf! Bei jedem Tritt kommt doch bloß noch mehr Blut. Immer mit der Ruhe! Warte, bis der Doktor kommt, dann kannst du raus. Um die Wahrheit zu sagen: Ich bin froh, wenn ich dich los bin.

Eines ist sicher: Der Anfang war wesentlich leichter als dieses Ende... Nein, ich darf nicht an Rhett denken. Ich drehe durch, wenn ich das tue.

Warum hört es denn nicht zu regnen auf? Schütten wäre allerdings der treffendere Ausdruck. Der Wind wird auch immer stärker, das ist ja schon ein ausgewachsener Sturm. Da habe ich mir aber genau die richtige Zeit ausgesucht für die Geburt. Daß die Fruchtblase ausgerechnet jetzt platzen mußte. Warum ist das Wasser nur so rot? Um Himmels willen, ich werde doch nicht verbluten auf diesem Zaumzeugtisch? So ganz sang- und klanglos. Bekomme ich nicht einmal eine Tasse Tee? Oder wie gern hätte ich jetzt einen Schluck Kaffee! Manchmal vermisse ich meinen Kaffee so, daß ich laut aufschreien könnte. Oder weinen... o Gott, schon wieder soviel Blut. Wenigstens tut es nicht weh. Das war ja nicht einmal eine richtige Wehe, bloß ein leises Zwicken. Aber warum blutet es dann so furchtbar? Wie soll denn das erst werden, wenn die richtigen Wehen anfangen? Mein Gott, das wird ja ein regelrechter Bach da unten auf dem Fußboden. Da werden nachher alle ihre Füße waschen müssen. Ob Mrs. Fitzpatrick einen Eimer parat stehen hat? Und ob sie die Kobolde anruft, bevor sie ihn ausschüttet? Wo zum Teufel steckt sie bloß? Sobald ich über den Berg bin, schmeiß ich sie raus. Ohne Zeugnis – jedenfalls mit keinem, das sie anderswo vorzeigen könnte. Läuft einfach weg und läßt mich hier mutterseelenallein verdursten.

Hör auf, so rumzutrampeln! Du bist kein Pferd, sondern ein bockiger Maulesel. O Gott, dieses Blut... Nein, ich lasse mich nicht gehen, ich nicht. Kommt nicht in Frage. Die O'Hara tut so etwas nicht. Die O'Hara – ja, das gefällt mir. Was war das? Der Doktor?

Mrs. Fitzpatrick erschien. »Geht es Ihnen gut, Mrs. O'Hara?«

»Ganz prächtig«, erwiderte die O'Hara.

»Ich habe Bettücher, Decken und weiche Kissen mitgebracht. Ein paar Männer bringen gleich eine Matratze. Kann ich etwas für Sie tun?«

»Ich hätte gern etwas Wasser.«

»Sofort.«

Scarlett stützte sich auf den Ellbogen und trank gierig. »Wer holt den Doktor?«

»Colum. Er hat versucht, den Arzt in Adamstown zu erreichen, aber es ging nicht. Er kam nicht über den Fluß. Jetzt reitet er nach Trim.«

»Dachte ich mir schon. Geben Sie mir bitte noch etwas Wasser und ein frisches Handtuch. Dieses hier ist total voll.«

Jetzt erst sah Mrs. Fitzpatrick das blutdurchtränkte Tuch zwischen Scarletts Beinen. Sie versuchte sich ihr Entsetzen nicht anmerken zu lassen. Sie faltete das Tuch zusammen und trug es eilends zu einem der steinernen Spülbecken. Scarlett sah die Spur aus hellroten Blutstropfen auf dem Fußboden. Das ist ein Teil von mir, dachte sie, ohne es richtig fassen zu können. Sie hatte sich oft genug in ihrem Leben kleinere Verwundungen zugezogen, als Kind beim Spielen oder später bei der Feldarbeit auf Tara und erst jüngst noch, als sie den Dornbusch ausgerissen hatte. Doch auch wenn man all diese Wunden zusammennahm, hatte sie dabei nicht annähernd so viel Blut vergossen, wie sich jetzt in diesem Handtuch befand. Ihr Unterleib zog sich zusammen, Blut sprudelte auf die Tischplatte. Dummes Weib. Ich habe ihr doch gesagt, daß ich ein frisches Handtuch brauche.

»Wieviel Uhr ist es, Mrs. Fitzpatrick?«

»Sechzehn Minuten nach fünf.«

»Bei dem Sturm kommt man nur langsam voran, schätze ich. Ich möchte gern noch etwas Wasser. Und ein frisches Handtuch, bitte. Oder warten Sie: Machen Sie mir einen Tee mit viel Zucker.« Wenn ich der Frau etwas zu tun gebe, dann hört sie vielleicht auf, wie ein Regenschirm über mir herumzuhängen. Ich habe die Konversation und das tapfere Lächeln gründlich satt. Um ehrlich zu sein, ich verliere vor Angst bald den Verstand. Die Wehen werden weder stärker noch häufiger, das führt doch zu nichts. Immerhin liegt sich's auf der Matratze besser als auf dem Tisch. Aber was tun wir, wenn die auch voller Blut ist? Wird der Sturm wirklich immer stärker, oder sehe ich nur Gespenster?

Von heftigen Böen getrieben, peitschte der Regen gegen die Fenster. Im Wald unweit des Gutshauses wäre Colum O'Hara um ein Haar von einem großen Ast getroffen worden, der krachend von einem Baum herabstürzte. Er saß ab, überstieg das Hindernis und wollte, tief vornübergebeugt und zu Fuß, seinen Weg gegen den Wind schon fortsetzen, doch da fiel ihm etwas ein. Er drehte sich um, wurde von einer Bö gegen den Ast geworfen, suchte im Schlamm des Weges nach sicherem Stand und ging erst weiter, nachdem er das Hindernis unter Aufbietung aller Kräfte zur Seite gezogen hatte.

»Wieviel Uhr ist es?« fragte Scarlett.

»Gleich sieben.«

»Handtuch, bitte.«

»Scarlett, meine Liebe, ist es sehr schlimm?«

»Oh, Colum!« Scarlett richtete sich halb auf. »Hast du den Arzt mitgebracht? Das Baby strampelt nicht mehr so wie vorhin.«

»Ich habe eine Hebamme aufgetrieben, in Dunshauglin. Nach Trim ist kein Durchkommen mehr, der Fluß hat die Straße überschwemmt. Aber so leg dich doch zurück, wie es sich für eine gute Mutter gehört! Belaste dich nicht mehr als unbedingt nötig!«

»Wo ist die Frau?«

»Unterwegs. Mein Pferd war schneller, aber sie kommt gleich nach. Sie hat schon Hunderten von Babys ans Licht der Welt verholfen. Du bist bei ihr in guten Händen.«

»Das ist nicht mein erstes Kind, Colum. Diesmal ist es anders. Irgend etwas ist da ganz böse danebengegangen.«

»Sie wird Rat wissen, mein Lämmchen. Hab keine Angst.«

Kurz nach acht traf die Hebamme endlich ein. Ihre gestärkte Schwesterntracht war durchnäßt und völlig aufgeweicht, doch trat sie entschlossen und sachkundig auf. Man merkte ihr nicht an, daß sie zu einem Notfall gerufen worden war.

»Ein Baby, wie? Beruhigen Sie sich, junge Frau. Ich weiß, wie man's anstellt, die kleinen süßen Geschöpfe ins irdische Jammertal zu befördern.« Sie legte ihr Cape ab und reichte es Colum. »Breiten Sie es vor dem Feuer aus, damit es rasch trocknet!« sagte sie mit befehlsgewohnter Stimme und fuhr, an Mrs. Fitzpatrick gewandt, fort: »Bringen Sie mir Seife und warmes Wasser, gute Frau. Ich muß mir die Hände waschen. Ah, da drüben, ich sehe schon, das genügt.« Mit energischen Schritten ging sie zum Spülbekken. Als sie die blutgetränkten Handtücher sah, fuhr sie erschrocken zusammen, winkte mit hektischen Bewegungen Mrs. Fitzpatrick herbei und unterhielt sich mit ihr im Flüsterton.

Der Glanz in Scarletts Augen verschwand. Unvermittelt kamen ihr die Tränen. Sie senkte die Lider.

»Na, dann wollen wir mal sehen, wie's ausschaut«, sagte die Hebamme mit gespielter Heiterkeit, zog Scarlett die Unterröcke über den Bauch und befühlte ihren Unterleib. »Ein prächtiges, kräftiges Baby! Hat mich doch gleich mit einem Tritt begrüßt. Wir werden ihm vorschlagen, möglichst bald herauszukommen und seiner Mama etwas Erholung zu gönnen.« Sie wandte sich an Colum. »Sie lassen uns jetzt am besten allein, Sir. Das ist Frauenarbeit. Ich rufe Sie, wenn Ihr Stammhalter geboren ist.«

Scarlett kicherte.

Colum zog seinen Regenumhang aus. Der Kragen seines geistlichen Gewandes schimmerte im Lampenlicht. »Oh«, sagte die Hebamme. »Ich bitte um Vergebung, Vater.«

»Denn ich habe gesündigt«, ergänzte Scarlett mit schriller Stimme.

»Scarlett«, mahnte Colum ruhig.

Die Hebamme zog ihn zum Spülbecken. »Sie sollten vielleicht in der Nähe bleiben, Vater«, sagte sie. »Für die Sterbesakramente.«

Sie sprach so laut, daß Scarlett ihre Worte verstand. »Oh, lieber Gott!« weinte sie.

»Helfen Sie mir!« befahl die Hebamme Mrs. Fitzpatrick. »Ich zeige Ihnen, wie Sie ihre Beine halten müssen.«

Scarlett schrie auf, als ihr die Hand der Hebamme in den Schoß fuhr. »Lassen Sie das! Himmel, diese Schmerzen! Hören Sie auf!« Als die Untersuchung vorüber war, wimmerte sie nur noch leise vor sich hin. Überall war Blut – auf ihren Schenkeln, auf der Matratze, auf Mrs. Fitzpatricks Kleid, auf der Schwesterntracht der Hebamme und in einem Umkreis von einem Meter beiderseits des Tisches auf dem Fußboden. Die Hebamme schob sich ihren linken Ärmel hoch. Ihr rechter Arm war bis zum Ellbogen hinauf bereits rot.

»Ich muß es mit beiden Händen versuchen«, sagte sie.

Scarlett stöhnte. Mrs. Fitzpatrick baute sich empört vor der Hebamme auf. »Ich habe sechs Kinder«, sagte sie. »Und jetzt raus mit Ihnen. Colum, wirf diese Metzgerin raus, bevor sie Mrs. O'Hara umbringt und ich sie. Denn genau das wird geschehen, so wahr mir Gott helfe.«

Ein gleißender Blitz warf seinen Schein durch Fenster und Oberlichter. Noch ungestümer als zuvor brandeten die Regenfluten gegen die Scheiben.

»Ich gehe nicht!« jammerte die Hebamme. »Es ist stockfinster!«

»Dann bring sie in ein anderes Zimmer, Colum, Hauptsache, sie verläßt diesen Raum. Und wenn sie fort ist, hol den Schmied. Er kümmert sich auch um Tiere und Vieh in der Gegend. Bei einer Frau wird es schon gar so anders nicht sein.«

Colum nahm die sich zusammenkrümmende Hebamme am Oberarm. Wieder fuhr ein zackiger Blitz über den Himmel. Die Frau schrie auf. Colum schüttelte sie wie einen alten Lumpen. »Beruhige dich, Frau.« Mit leeren Augen, bar jeder Hoffnung sah er Mrs. Fitzpatrick an. »Er wird nicht kommen, Rosaleen. Jetzt, wo es dunkel ist, kommt niemand mehr. Hast du vergessen, welche Nacht heute ist?«

Mrs. Fitzpatrick wischte Scarletts Schläfen mit einem kühlen, feuchten Tuch ab. »Wenn du ihn nicht holst, Colum, dann tu ich es. Im Schreibtisch bei dir im Haus habe ich ein Messer und eine Pistole liegen. Die werde ich ihm zeigen, dann wird er schon wissen, daß es wirklichere Dinge zu fürchten gibt als Gespenster.«

Colum nickte. »Ich gehe.«

Joseph O'Neill, der Schmied, bekreuzigte sich. Sein Gesicht glänzte vor Schweiß. Sein schwarzes Haar klebte ihm am Schädel, weil er durch das Unwetter gelaufen war, doch der Schweiß war frisch. »Ich hab mal einer Stute geholfen«, sagte er. »War in der gleichen Lage. Aber einer Frau kann ich solche Gewalt nicht antun.« Er betrachtete Scarlett und schüttelte den Kopf. »Es ist wider die Natur. Ich kann das nicht.«

Auf den Simsen der Spülbecken standen jetzt überall Lampen, und ein Blitz nach dem anderen zuckte vom Himmel herab. Abgesehen von einigen Winkeln, die im Schatten lagen, war es in der riesigen Küche heller als am lichten Tag. Der Orkan attackierte mittlerweile, wie es schien, unmittelbar die dicken Steinmauern des Hauses.

»Sie müssen es tun, Mann! Sonst stirbt sie uns.«

»Sie wird sterben, ja. Und das Kleine auch, falls es nicht schon tot ist. Es bewegt sich nicht mehr.«

»Dann warten Sie nicht länger, Joseph! Um Himmels willen, Mann, es ist ihre einzige Chance.« Colums Stimme war wie ein Befehl; er hatte sie noch immer fest unter Kontrolle.

Fiebernd wand sich Scarlett auf der blutigen Matratze hin und her. Rosaleen Fitzpatrick benetzte ihre Lippen mit Wasser und drückte ihr ein paar Tropfen in den Mund. Scarletts Lider zitterten, dann schlug sie die Augen auf. Fiebriger Glanz lag über ihren Pupillen, und sie stöhnte jämmerlich.

»Joseph! Ich befehle es Ihnen!«

Der Schmied schauderte. Er hob seinen dicken, muskulösen Arm über Scarletts geschwollenen Bauch. Ein Blitz zuckte und spiegelte sich auf der Schneide des Messers in seiner Hand.

»Wer ist das?« fragte Scarlett deutlich.

»Der heilige Patrick stehe mir bei!« rief der Schmied.

»Wer ist diese schöne Frau in dem schönen weißen Mantel, Colum?«

Der Schmied ließ das Messer auf den Boden fallen und stand da wie vom Donner gerührt, die Hände abwehrbereit von sich gestreckt.

Der Wind wirbelte, packte sich einen Ast und warf ihn krachend durch das Fenster über dem Spülbecken. Ein Scherbenregen ergoß sich über Joe O'Neills Arme und seinen Kopf. Schreiend stürzte der Mann zu Boden, und durch das offene Dachfenster stimmte der heulende Wind in sein Geschrei ein. Überall quietschte und kreischte es, draußen, drinnen, in dem schreienden Schmied und um ihn herum, im Sturm und in der Ferne jenseits des Sturms, und im Wind lag ein Wehklagen.

Die Lampen flackerten, einige gingen aus. Da öffnete sich, während der Sturm von der Küche Besitz ergriff, leise die Tür und wurde wieder geschlossen. Eine breite, in einen weiten Schal gehüllte Gestalt war eingetreten und ging an den schreckensstarren Menschen vorbei zum Spülbecken. Es war eine Frau mit einem rundlichen, faltigen Gesicht. Sie griff ins Becken, nahm eines der blutdurchtränkten Handtücher heraus und wrang es aus.

»Was tun Sie da?« Rosaleen Fitzpatrick überwand ihren Schock als erste und ging auf die Frau zu. Colum streckte den Arm aus und hielt sie zurück. Er hatte die *cailleach* erkannt, die weise Frau, die in der Wildnis unweit des Turms hauste.

Die Frau stopfte ein blutbeflecktes Handtuch nach dem anderen in das zersplitterte Fenster, bis das Loch geschlossen war. Dann drehte sie sich um und sagte: »Zündet die Lampen wieder an.« Ihre Stimme klang heiser, als säße ihr Rost im Hals.

Sie entledigte sich ihres durchnäßten schwarzen Schals, faltete ihn sorgsam zusammen und legte ihn auf einen Stuhl. Darunter kam ein brauner Schal zum Vorschein, den sie in gleicher Weise ablegte. Ein blauer mit einem Loch in Höhe der Schulter erschien und darunter ein roter, dessen Wolle an mehreren Stellen durchlöchert war. »Sie haben nicht getan, was ich Ihnen aufgetragen habe«, sagte sie vorwurfsvoll zu Colum, ging zum Schmied und versetzte ihm einen heftigen Tritt in die Seite. »Du bist im Weg, Schmied, geh wieder an deine Esse.«

Unter ihrem strengen Blick entzündete Colum eine Lampe, suchte die nächste, entzündete auch sie und wartete, bis in beiden eine ruhige Flamme brannte.

»Ich danke Ihnen, Vater«, sagte die alte Frau höflich. »Schicken Sie O'Neill jetzt heim, der Sturm läßt nach. Und dann kommen Sie her und halten mir zwei der Lampen über den Tisch.« Sie wandte sich an Mrs. Fitzpatrick. »Du tust dasselbe. Ich kümmere mich um die O'Hara.«

An einer Kordel um ihre Taille hingen ein gutes Dutzend Leinenbeutel unterschiedlicher Färbung. Aus einem von ihnen zog die *cailleach* ein mit einer dunklen Flüssigkeit gefülltes Glasfläschchen. Mit der linken Hand hob sie Scarletts Kopf, und mit der rechten flößte sie ihr die Flüssigkeit ein. Scarlett leckte sich mit der Zunge die Lippen. Die *cailleach* kicherte und ließ Scarletts Kopf wieder aufs Kissen sinken.

Die rostige Stimme summte eine Melodie, die keine war. Knotige, flekkige Finger fuhren über Scarletts Hals und Stirn, zogen die Augenlider hoch und ließen sie wieder über die Pupille gleiten. Dann zog die alte Frau aus einem ihrer Leinenbeutel ein gefaltetes Blatt und legte es auf Scarletts Bauch. Aus einem anderen Beutel kramte sie eine zinnene Schnupftabaksdose und legte sie neben das Blatt. Colum und Mrs. Fitzpatrick standen mit ihren Lampen wie Statuen da, verfolgten jedoch mit ihren Blicken jede Bewegung.

Das entfaltete Blatt enthielt ein weißes Pulver. Die Frau verstreute es auf Scarletts Bauch und rieb es mit Hilfe einer Paste, die sie der Schnupftabaksdose entnahm, in die Haut ein.

»Ich werde sie jetzt festbinden, damit sie sich nicht verletzt«, sagte sie. Sie schlang feste Stricke, die sie ebenfalls um die Taille getragen hatte, um Scarletts Knie und Schultern und band sie an den stämmigen Tischbeinen fest.

Ihre kleinen, alten Augen wanderten von Mrs. Fitzpatrick zu Colum. »Sie wird schreien, aber keinen Schmerz verspüren. Ihr rührt euch nicht von der Stelle. Das Licht ist lebenswichtig.«

Ehe die beiden antworten konnten, nahm die *cailleach* ein dünnes Messer zur Hand, wischte es an etwas ab, das sie aus einem ihrer Leinenbeutel gezogen hatte, und schlitzte mit einem einzigen entschlossenen Schnitt Scarletts Bauchdecke auf.

Scarletts Schrei war wie der Ruf einer verlorenen Seele. Er war noch nicht verklungen, da hielt die *cailleach* auch schon ein blutverschmiertes Baby in den Händen. Sie spuckte etwas, das sie zwischen den Lippen gehalten hatte, auf den Fußboden und blies dem Säugling einmal, zweimal, dreimal in den Mund. Das Kind zappelte mit den Armen und kurz darauf auch mit den Beinen.

Colum flüsterte ein Ave-Maria.

Ein schneller Schnitt trennte die Nabelschnur durch. Das Baby wurde auf die gefalteten Leintücher gelegt. Die alte Frau stand nun an Scarletts Seite. »Kommt mit den Lampen näher heran«, sagte sie.

Ihre Hände und Finger bewegten sich schnell. Ab und zu blitzte das Messer auf, und blutige Gewebeteile fielen neben ihren Füßen auf den Steinboden. Sie flößte Scarlett noch einmal einige Tropfen der dunklen Flüssigkeit ein und träufelte eine farblose Essenz in die klaffende Bauchwunde, die sie alsdann mit genauen, zielstrebigen Handbewegungen und stets von heiserem Gesumm begleitet zunähte.

»Packt sie in Leintücher ein und wickelt sie dann in Wolldecken. Ich wasche inzwischen das Kleine«, sagte die *cailleach*. Ihr Messer zertrennte die Stricke, die Scarlett banden.

Als Colum und Mrs. Fitzpatrick fertig waren, kam sie zu ihnen. Scarletts Kind war in eine weiche weiße Decke gehüllt. »Hat die Hebamme vergessen«, sagte die *cailleach*. Das Baby reagierte auf ihr Kichern mit einem kehligen Glucksen. Dann öffnete das kleine Mädchen die Augen. Die blaue Iris umschloß die schwarzen, noch ungerichteten Pupillen wie ein blasser Ring. Die Kleine hatte lange, schwarze Wimpern, und zwei winzige Striche deuteten die Brauen an. Da sie nicht durch den Geburtskanal gepreßt worden war, wirkte sie nicht so rot und verdrückt wie die meisten Neugeborenen. Ihr kleines Näschen, die Ohren, der Mund und der sanft pulsierende Schädel waren makellos. Die olivfarbene Haut wirkte vor dem Hintergrund der weißen Decke sehr dunkel.

63. Kapitel

Stimmen ... Licht ... unklare Wahrnehmungen, die Scarletts getrübtes Bewußtsein nur mühsam begriff. Da war etwas ... etwas Wichtiges ... eine Frage. Kräftige Hände hielten ihren Kopf, sanfte Finger teilten ihre Lippen, eine kühlende, süße Flüssigkeit umschmeichelte ihre Zunge, rann ihr langsam die Kehle hinab. Erneut fiel sie in Schlaf.

Als sie das nächste Mal erwachte und um geistige Klarheit rang, erinnerte sie sich an die Frage, die entscheidende, alles beherrschende Frage. Das Baby. War es tot? Ihre Hände tasteten nach dem Unterleib, doch die Berührung verursachte ihr einen brennenden Schmerz. Sie biß sich auf die Lippen, fühlte entschlossener nach, dann fielen die Hände schlaff zur Seite. Nichts. Kein Strampeln war zu spüren, nirgends spannte sich die Bauchdecke über der kleinen, harten Wölbung eines vorwitzigen Füßchens. Das Kind war tot. Scarlett stieß einen kleinen, schwachen Klageschrei aus, nicht lauter als ein leises Miauen. Frische, milde Luft füllte ihren Mund. Kärgliche Tränen sickerten unter ihren geschlossenen Lidern hervor. Wieder überwältigte sie die Benommenheit.

Beim drittenmal wollte sie nicht mehr erwachen, versuchte die Dunkelheit um sich herum zu bewahren, wollte weiterschlafen, wehrte sich gegen die Wirklichkeit der Welt. Doch der Schmerz ließ sie nicht mehr zur Ruhe kommen, er zerrte an ihr, und sie bewegte sich, um ihm zu entfliehen. Die Bewegung verlieh ihr die Kraft zu einem hilflosen Wimmern. Das kühle Glasfläschchen kippte auf sie zu, der Schmerz verschwand. Es dauerte lange, bis ihr Bewußtsein sich wieder zurückmeldete. Bereitwillig öffnete sie den Mund, begierig darauf, erneut in traumloser Dunkelheit zu versinken. Doch diesmal spürte sie nur einen kalten, feuchten Lappen, mit dem ihr die Lippen abgetupft wurden, und hörte eine ihr bekannte Stimme, ohne zu wissen, wem sie gehörte. »Scarlett ... liebe Scarlett ... Katie Scarlett O'Hara! Mach die Augen auf!«

Ihr Geist suchte, verlor sich, kam wieder zu sich. Colum. Es war Colum. Ihr Cousin. Ihr Freund ... Warum läßt er mich nicht schlafen, wenn er mein Freund ist? Warum hat er mir keine Medizin gegeben, als der Schmerz zurückkehrte?

»Katie Scarlett ...«

Sie öffnete einen Spaltweit die Augen. Das Licht tat ihr weh, und so schloß sie die Lider wieder.

»Braves Mädchen, gute Scarlett. Mach die Augen auf. Ich habe etwas für dich.« Seine Stimme klang schmeichelnd, beharrlich. Scarlett öffnete die Augen. Irgend jemand hatte die Lampe entfernt. Das Dämmerlicht war erträglich.

Das ist mein Freund Colum ... Sie versuchte zu lächeln, doch dann überwältigte sie die Erinnerung. Ihren gekräuselten Lippen entrangen sich kindische, blubbernde Schluchzer. »Das Baby. Es ist tot ... Colum. Gib mir was ... damit ich wieder schlafe ... Hilf mir, es zu vergessen. Bitte, Colum. Bitte ...«

Das feuchte Tuch streichelte ihre Wangen, wischte über ihren Mund. »Nein, nein, nein, Scarlett ... Nein, nein, das Baby ist hier, es ist nicht tot.«

Langsam begriff sie die Bedeutung seiner Worte. Nicht tot, sagte ihr Kopf. »Nicht tot?« fragte Scarlett.

Sie sah jetzt Colums Gesicht, sein Lächeln. »Nein, es ist nicht tot, mein Schatz, es ist nicht tot. So sieh doch selbst – hier!«

Scarlett versuchte ihren Kopf auf dem Kissen zu drehen. Warum war es so schwierig? Da hielt jemand ein helles Bündel in den Armen. »Deine Tochter, Katie Scarlett«, sagte Colum und faltete die Decke auseinander. Scarlett erblickte ein kleines, schlafendes Gesicht.

»Oh . . .« Sie atmete tief durch. So klein und fein. Und so hilflos. Die Haut wie Rosenblüten, wie Schlagsahne . . . nein, sie ist dunkler als Sahne, und das Rosa ist kaum mehr als ein Hauch. Wie von der Sonne gebräunt, wie . . . wie ein winzigkleiner Pirat. Sie sieht genau aus wie Rhett!

Rhett! Wieso bist du nicht hier, um dein Kind zu bewundern? Dein wunderschönes dunkles Baby.

Mein wunderschönes dunkles Baby. Laß mich dich anschauen.

Scarlett verspürte eine seltsame, furchterregende Schwäche, eine Wärme, die wie eine kräftige, flache, alles umhüllende Woge schmerzlosen Feuers über ihren Körper hinwegglitt.

Das Baby schlug die Augen auf und sah Scarlett an. Und Scarlett spürte die Liebe – ohne Bedingungen, Forderungen, Begründungen, Fragen und Vorbehalte.

»Hallo, kleines Baby«, sagte sie.

»So, nun nimm deine Medizin«, sagte Colum. Das dunkle Gesichtchen war fort.

»Nein! Nein! Ich will mein Baby haben. Wo ist es?«

»Du bekommst es, wenn du wieder aufwachst. Mach den Mund auf, liebe Scarlett.«

»Nein«, wollte sie sagen, doch die Tropfen rannen bereits über ihre Zunge, und einen Augenblick später wurde es wieder dunkel um sie. Mit einem Lächeln auf den Lippen schlief sie ein, es war wie ein Schimmer des Lebens auf der tödlichen Blässe ihres Gesichts.

Vielleicht kam es daher, daß das Baby Rhett so ähnlich sah, vielleicht lag es daran, daß Scarlett immer das am meisten schätzte, was sie sich am härtesten erkämpft hatte, vielleicht war es aber auch der Umstand, daß sie nun schon seit vielen Monaten unter Iren lebte, die ganz vernarrt in Kinder waren. Am ehesten freilich handelte es sich um eines jener Wunder, die einem das Leben ohne jede Begründung beschert. Was immer es sein mochte, Scarlett O'Hara, deren bisheriges Leben von einer großen inneren Leere erfüllt gewesen war und die nie gewußt hatte, was ihr eigentlich fehlte, war auf einmal voll von reiner, verzehrender Liebe.

Von nun an verzichtete Scarlett auf die Einnahme des Schmerzmittels. Die lange rote Narbe auf ihrem Bauch brannte wie ein Streifen weißglühenden Stahls, doch die überwältigende Freude, die sie jedesmal überkam, wenn sie ihr Baby berührte oder es auch nur ansah, ließ sie den Schmerz vergessen.

»Schickt sie fort!« sagte Scarlett, als man die gesunde junge Amme zu ihr brachte. »Nie wieder werde ich, nur um eine feine Dame zu sein und meine Figur zu bewahren, meine Brüste einschnüren und den Milchfluß unter Schmerzen versiegen lassen. Dieses Kind werde ich bei mir behalten und selber stillen. Ich werde es ernähren, ihm Kraft geben und miterleben, wie es wächst und gedeiht.«

Als das Baby zum erstenmal ihre Brustwarze fand und gierig daran saugte – die leicht gerunzelten Brauen verrieten, wie sehr es sich konzentrieren mußte –, sah Scarlett triumphierend auf ihre Tochter herab. »Bist Mamas Kind«, sagte sie. »Bist hungrig wie ein Wolf und weißt genau, was du willst.«

Das Kind wurde, da die Mutter noch zu schwach zum Gehen war, in Scarletts Schlafzimmer getauft. Vater Flynn stand neben dem Bett des Vizekönigs. Scarlett saß aufrecht in den spitzenbesetzten Kissen und hielt das Kind in ihren Armen, bis sie es an Colum, den Taufpaten, weiterreichen mußte. Kathleen und Mrs. Fitzpatrick waren Patinnen. Das Baby trug ein besticktes Leinenmäntelchen. Es war vom vielen Waschen ganz dünn, war es doch im Laufe der Generationen von Hunderten von O'Hara-Babys getragen worden. Die Kleine wurde auf den Namen Katie Colum O'Hara getauft. Sie zappelte mit Armen und Beinen, als das Wasser sie benetzte, aber sie schrie nicht.

Kathleen hatte ihr bestes blaues Kleid mit Spitzenkragen angezogen, obwohl sie eigentlich Trauerkleidung hätte tragen müssen. Die alte Katie Scarlett war gestorben, doch hatte man sich darauf verständigt, Scarlett erst zu informieren, wenn sie wieder etwas kräftiger war.

Rosaleen Fitzpatrick beobachtete Vater Flynn mit Falkenaugen, jederzeit bereit, das Baby an sich zu reißen, falls der geistliche Herr ins Schwanken geraten sollte. Als Scarlett sie gebeten hatte, Patin zu werden, hatte es ihr minutenlang die Sprache verschlagen. »Wie konnten Sie ahnen, was ich für dieses Kind empfinde?« fragte sie, als sie wieder dazu imstande war.

»Ich habe gar nichts geahnt«, erwiderte Scarlett, »aber ich weiß, daß ich kein Baby hätte, wenn Sie dieses Ungeheuer nicht daran gehindert hätten, es umzubringen. Ich kann mich recht gut daran erinnern, was in jener Nacht geschehen ist.«

Als die Taufe vollzogen war, nahm Colum dem alten Flynn das Mädchen ab und legte es in Scarletts ausgestreckte Arme. Dann schenkte er dem Priester und den Paten einen Whiskey ein und brachte einen Trinkspruch aus: »Auf die Gesundheit und das Glück von Mutter und Kind, auf die O'Hara und das jüngste Familienmitglied der O'Haras!« Im Anschluß an die Zeremonie führte er den tatterigen alten Mann in Kennedys Pub, wo er zur Feier des Tages für alle Anwesenden ein paar Runden spendierte. Wider besseres Wissen hoffte er, auf diese Weise der Verbreitung von Gerüchten vorzubeugen, die sich in Windeseile in der Grafschaft Meath verbreiteten.

Joe O'Neill, der Schmied, hatte bis zum Morgengrauen in einem Winkel der Gutshausküche gekauert und war dann in seine Schmiede zurückgekehrt, um sich dort Mut anzutrinken. »Der heilige Patrick selbst hätte in dieser Nacht beten müssen, was das Zeug hält ...« erzählte er allen, die es hören wollten, und das waren sehr viele.

»Ich war bereit, das Leben der O'Hara zu retten, als die Hexe urplötzlich durch die Mauer kommt und mich mit furchtbarer Kraft zu Boden wirft. Und dann tritt sie mich, und ich spüre es in meinem Fleisch, das war kein Menschenfuß, sondern ein Pferdehuf! Da spricht sie einen Zauberspruch über die O'Hara und reißt ihr das Kleine aus dem Schoß! Voller Blut ist das Kindchen, und Blut ist auch auf dem Boden und an den Wänden und in der Luft. Ein geringerer Mann hätte vor einem so grausigen Anblick die Augen verschlossen. Aber Joseph O'Neill hat gesehen, daß das Kind unter all dem Blut gesund und kräftig ist. Und was ich euch sage: Es war ein Junge. Ich sah die Männlichkeit ganz deutlich zwischen seinen Schenkeln. ›Ich wasche nur das Blut ab‹, sagt die Hexe, dreht sich um und hält Vater O'Hara ein spindeldürres, schwächliches, kaum lebendiges Wesen entgegen! Ein Weibchen war's und braun wie die Erde auf dem Gottesacker. Ja, wer will mir da noch was erzählen? Wenn das kein Wechselbalg war in jener schrecklichen Nacht, was war es dann? Da kommt nichts Gutes bei raus, weder für die O'Hara noch für irgendwen, den je der Schatten dieses kleinen Kobolds trifft, den man ihr für ihren gestohlenen Buben in die Wiege gelegt hat.«

Aus Dunshauglin hörte man es anders. Es dauerte eine Woche, bis das Gerücht Ballyhara erreichte. Die O'Hara habe im Sterben gelegen, sagte die Hebamme, und es habe nur eine Möglichkeit gegeben, sie zu retten: Sie mußte von dem toten Baby in ihrem Schoß befreit werden. Und wer verstand sich auf solche Dinge, schlimm, wie sie waren, besser als eine Hebamme mit all ihren einschlägigen Erfahrungen? »Da richtet sich die gepeinigte Mutter auf ihrem Schmerzenslager plötzlich auf und sagt: ›Ich sehe sie, die Todesfee! Hochgewachsen, ganz in Weiß gekleidet und das Gesicht so schön ... so feengleich!‹ Und im selben Augenblick schleudern die Teufel einen Höllenspeer durchs Fenster, und die Todesfee fliegt hinaus und stimmt die Klage an, die die Lebenden zu den Toten ruft. Sie ruft die Seele des verlorenen Kindes. Aber das tote Kind kehrt zurück zu den Lebendigen, indem es der guten alten Frau, die die Großmutter der O'Hara war, die Seele aus dem Leibe saugt! Es war das reinste Teufelswerk, daran besteht kein Zweifel. Und das Kindchen, das die O'Hara für das ihre hält, ist nichts als ein Dämon, der sich von Leichen nährt.«

»Ich glaube, daß wir Scarlett warnen müssen«, sagte Colum zu Rosaleen Fitzpatrick. »Doch was soll ich ihr sagen? Daß die Leute hier abergläubisch sind? Daß Hallowe'en ein gefährliches Datum für eine Geburt ist? Ich weiß nicht, was ich ihr raten soll. Es läßt sich einfach nicht vermeiden, daß über dieses Kind geredet wird.«

»Ich werde mich um Katies Sicherheit kümmern«, sagte Mrs. Fitzpatrick. »Niemand und nichts betritt dieses Haus ohne meine Zustimmung. Dem kleinen Geschöpf wird kein Leid angetan. Das Geschwätz wird sich nach einer Weile schon legen, Colum, das weißt du. Andere Dinge werden geschehen, aus denen sich Garn für neue Geschichten spinnen läßt, und alle Leute werden sehen, daß Katie ein kleines Mädchen ist, das sich in nichts von anderen kleinen Mädchen unterscheidet.«

Eine Woche später brachte Mrs. Fitzpatrick Scarlett ein Tablett mit Tee und Gebäck ans Bett. Ruhig stand sie da, als Scarlett sie von neuem mit einer Tirade von Vorwürfen überschüttete. Schon seit Tagen führte sie dieselbe Klage.

»Ich sehe nicht ein, warum ich ewig in diesem Zimmer festgehalten werde! Ich fühle mich längst gesund genug, um ein wenig herumzugehen. So sehen Sie doch, wie schön die Sonne heute scheint! Ich möchte mit Katie ausfahren und darf doch bloß am Fenster hocken und den fallenden Blättern zuschauen. Sie nimmt schon alles wahr, ich bin mir ganz sicher. Ihre Augen blicken aufwärts und folgen den Blättern auf ihrem Flug nach unten. Oh, sehen Sie, so sehen Sie doch! Schauen Sie sich Katies Augen an, hier im Licht! Die Farbe verändert sich. Sie sind nicht mehr blau. Ich dachte, sie würden braun wie Rhetts Augen, weil sie ihm auch sonst wie aus dem Gesicht geschnitten ist. Aber man sieht jetzt ganz deutlich die ersten kleinen grünen Flecken. Sie bekommt meine Augen!«

Scarlett liebkoste den Hals des Kindes. »Du bist Mamas Mädchen, nicht wahr, Katie O'Hara? Nein, nicht Katie. Katie kann jede heißen. Ich werde dich Kitty Cat nennen, mein kleiner grünäugiger Schatz.« Sie hob das Kind empor, so daß die Wirtschafterin das ernst dreinblickende Kind von Angesicht zu Angesicht sehen konnte. »Mrs. Fitzpatrick, ich möchte Ihnen Cat O'Hara vorstellen.« Scarletts Lächeln war wie reiner Sonnenschein.

Rosaleen Fitzpatrick hatte Angst – so große Angst wie noch nie zuvor in ihrem Leben.

64. Kapitel

Die erzwungene Untätigkeit der Rekonvaleszenz gab Scarlett, zumal das Baby wie alle Säuglinge den größten Teil des Tages und der Nacht verschlief, viel Zeit zum Nachdenken. Scarlett versuchte es mit Büchern. Aber sie hatte dem Lesen nie viel abgewinnen können, und daran hatte sich nichts geändert.

Was sich geändert hatte, waren ihre Gedanken.

Da war vor allem ihre Liebe zu Cat. Das Baby war erst ein paar Wochen alt. Es konnte sich verständlich machen, wenn es Hunger hatte, und es war sichtlich zufrieden mit Scarletts Milch und ihren warmen Brüsten. Für darüber hinausgehende Gefühlsäußerungen war es jedoch noch viel zu jung. Meine Liebe ist es, die mich so glücklich macht, gestand sich Scarlett ein. Mit Geliebtwerden hat das noch nichts zu tun. Daß Cat mich liebt, ist eine schmeichelhafte Illusion, nicht mehr. In Wirklichkeit liebt sie nur meine Milch.

Scarlett konnte auf einmal über sich selbst lachen. Scarlett O'Hara, für die die Kunst, den Männern den Kopf zu verdrehen, aus reiner Lust und Tollerei zu einem regelrechten Sport geworden war, erkannte, daß sie nur mehr als Nahrungsquelle diente – für eine kleine Person, die sie so sehr liebte, wie sie noch nie in ihrem Leben ein menschliches Wesen geliebt hatte.

Denn Ashley hatte sie im Grunde nie richtig geliebt; dessen war sie sich seit langem bewußt. Sie hatte lediglich etwas gewollt, was sie nicht bekommen konnte, und das dann Liebe genannt.

Zehn Jahre meines Lebens habe ich dieser falschen Liebe geopfert. Und ich habe Rhett verloren, den Mann, den ich wirklich geliebt habe.

Oder?

Sie versuchte sich zu erinnern, trotz der Schmerzen, die es ihr bereitete. An Rhett zu denken, daran, daß sie ihn verloren, daß sie ihm gegenüber versagt hatte, tat ihr immer noch weh. Wenn sie jedoch daran dachte, wie er sie behandelt hatte, ließ der Schmerz nach, und die Flamme des Hasses brannte die Wunde aus.

Über lange Phasen war es ihr gelungen, die Gedanken an Rhett zu verdrängen; es war einfach erholsamer. Doch in der Zeit der Untätigkeit nach der Geburt dachte sie zwangsläufig öfter über ihr bisheriges Leben nach, und dabei ließ es sich gar nicht vermeiden, daß sie sich auch mit Rhett beschäftigte.

Hatte sie ihn geliebt?

Ich muß ihn wohl geliebt haben, dachte sie, und immer noch lieben. Wie anders ist es möglich, daß mir so weh ums Herz wird, wenn ich an sein Lächeln denke und seine Stimme zu hören glaube?

Aber zehn Jahre lang hatte sie das Bild Ashleys in gleicher Weise heraufbeschworen, hatte sich sein Lächeln und seine Stimme ins Gedächtnis gerufen.

Und im tiefsten Innern ihrer Seele gestand sie sich ein, daß sie Rhett am meisten begehrte, seit er sie verlassen hatte.

Es war einfach zu verwirrend. Ihr Kopf schmerzte, mehr noch als das Herz. Sie wollte nicht mehr darüber nachdenken. Wieviel schöner war es doch, sich auf Cat zu konzentrieren! Auf Cat und ihr eigenes Glück.

Bin ich glücklich?

Schon vor Cats Geburt war ich glücklich. Eigentlich schon seit jenem Tag, an dem ich in Jamies Haus kam. Es war natürlich nicht das gleiche Glück wie jetzt. Nie hätte ich mir träumen lassen, daß es überhaupt so ein überwältigendes Glück gibt, wie ich es jetzt empfinde, wenn ich Cat in den Armen halte, sie stille oder auch nur anschaue. Dennoch war ich glücklich, ganz einfach, weil die O'Haras mich so genommen haben, wie ich bin. Nie haben sie von mir erwartet, ich solle so werden wie sie. Nie hatte ich das Gefühl, ich hätte mich ihnen zuliebe zu ändern. Nie haben sie mich spüren lassen, an mir und meiner Lebenseinstellung sei etwas nicht in Ordnung.

Obwohl ich manchmal durchaus nicht im Recht war. Ich hatte keinerlei Anspruch darauf, daß Kathleen mich frisierte, mir meine Kleider flickte und mein Bett machte. Ich hab die Vornehme gespielt, und das bei Leuten, die selbst nie auf eine solche Unverfrorenheit gekommen wären. Aber sie haben nie zu mir gesagt: »Ach, hör doch auf, die feine Dame zu spielen, Scarlett.« Nein, sie ließen mich sein, wie ich sein wollte, und haben mich akzeptiert, feine Dame hin oder her. So, wie ich war.

Die fixe Idee, Daniel mit seiner Familie zum Umzug nach Ballyhara zu bewegen, war idiotisch. Ich wollte mich mit ihnen schmücken. Sie sollten in großen Häusern leben und Großbauern werden, mit viel Land und Landarbeitern, die ihnen einen Großteil der Arbeit abgenommen hätten. Ich wollte sie ändern. Was sie selbst wollten, hat mich nicht interessiert. Ich habe sie nicht genommen, wie sie waren.

O nein, das werde ich Cat nie antun. Nie werde ich versuchen, ihr Wesen zu verändern. Ich werde sie immer lieben, wie ich sie heute liebe, von ganzem Herzen, was auch geschehen mag.

Mutter hat mich nie so geliebt, wie ich Cat liebe. Oder Suellen oder Carreen. Sie wollte aus mir immer etwas anderes machen. Sie wollte, daß ich, nein, daß wir alle drei genauso würden wie sie. Das war falsch.

Der Gedanke ließ Scarlett erschaudern. Sie hatte immer geglaubt, ihre Mutter sei ohne jeden Fehl und Tadel gewesen. Es war schlichtweg undenkbar gewesen, daß Ellen O'Hara je einen Fehler gemacht hatte.

Doch der Gedanke ließ sich nicht mehr vertreiben. Er kehrte immer wieder zurück, oft in Augenblicken, wenn sie gar nicht mit ihm gerechnet hatte und ihm folglich schutzlos ausgeliefert war. Bisweilen tarnte er sich auch und verbarg sich hinter schmucken Verkleidungen, doch ließ er sie nicht mehr in Ruhe.

Mutter hat sich nicht richtig verhalten. Freundlich, geduldig und voller Fürsorge hat sie sich um uns Kinder, um Pa und die Farbigen gekümmert. Aber es fehlte die innige, liebevolle Zuneigung, sie war nicht glücklich dabei. Arme Mutter. Ich wünschte, du hättest fühlen können, was ich jetzt empfinde. Du hättest glücklich sein sollen, wie sehr hätte ich dir das gewünscht.

Was hatte Großvater gesagt? Daß seine Tochter Ellen Gerald O'Hara geheiratet hatte, um eine unglückliche Liebe zu vergessen. War das der Grund dafür, daß sie nie glücklich war? Quälte sie sich in unerfüllter Liebe zu jemandem, der für sie unerreichbar war, so, wie es mir einst mit Ashley ergangen ist? So, wie ich mich heute ohne jede Hoffnung nach Rhett sehne?

Wie überflüssig das doch war. Wie entsetzlich überflüssig und sinnlos. Es ist so herrlich, glücklich zu sein, wie kann man da beharrlich an einer Liebe festhalten, die einen nur unglücklich macht? Nein, nicht mit mir, schwor sich Scarlett. Jetzt weiß ich, was es bedeutet, glücklich zu sein. Und das werde ich mir nicht zerstören.

Sie nahm das schlafende Baby in die Arme und drückte es an sich. Cat erwachte und fuchtelte protestierend mit den hilflosen Ärmchen. »Oh, Kitty Cat, es tut mir leid! Aber ich mußte dich einfach in die Arme nehmen.«

Sie haben sich alle falsch verhalten! Der Gedanke war derart aufwühlend, daß er Scarlett aus dem Tiefschlaf riß. Allesamt! Die Leute, die mich in Atlanta so geschnitten haben, Tante Eulalie und Tante Pauline und nahezu alle Menschen, mit denen ich in Charleston zu tun hatte. Sie alle wollten, daß ich so werde wie sie, und weil sie damit keinen Erfolg hatten, haben sie mich abgelehnt, mir das Gefühl gegeben, daß mit mir etwas nicht stimme, und mir eingeredet, ich sei ein schlechter Mensch, dem es ganz recht geschieht, daß man auf ihn herabsieht.

Dabei habe ich überhaupt nichts Schlimmes getan. Sie haben mich allein dafür bestraft, daß ich mich nicht an ihre Regeln hielt. Um Geld zu verdienen, habe ich härter gearbeitet als jeder Landarbeiter, aber eine feine Dame kümmert sich eben nicht um Geldangelegenheiten. Daß ich es war, die dafür sorgte, daß es auf Tara überhaupt weiterging, daß ich die Tanten über Wasser hielt, Ashley und seine Familie unterstützte, das Dach reparieren ließ, im Winter für Kohlen sorgte und obendrein praktisch jeden Bissen bezahlte, der bei Tante Pitty auf den Tisch kam, ließ sie völlig kalt. Statt dessen hielten sie es für unfein, daß ich Tintenfinger bekam, weil ich die Buchführung im Laden selber erledigte, und setzten ein erhabenes Lächeln auf, wenn ich den Yankees Holz verkaufte. Ich habe vieles getan, was besser ungeschehen geblieben wäre, aber daß ich gearbeitet habe, um Geld zu verdienen, war gewiß nicht falsch. Und doch hat man mir vor allem das vorgeworfen ... Nein, das stimmt nicht ganz: Man hat mir vorgeworfen, daß ich dabei erfolgreich war.

Das – und daß ich Ashley davon abgehalten habe, sich in Mellys offenes Grab zu werfen und sich dabei den Hals zu brechen. Hätte ich umgekehrt Melly bei Ashleys Beerdigung das Leben gerettet, so wäre alles in bester Ordnung gewesen. Diese Heuchler!

Woher nehmen Leute, deren Leben eine einzige Lüge ist, das Recht, mich zu verurteilen? Was ist daran falsch, nach Kräften zu arbeiten, selbst wenn man seine Kräfte dabei gelegentlich überstrapaziert? Warum darf man nicht einschreiten und einen Menschen, noch dazu einen Freund, davon abhalten, sich ins Unglück zu stürzen?

Sie waren im Unrecht. Auch hier in Ballyhara habe ich sehr hart gearbeitet. Aber hier hat man mich deswegen bewundert. Ich habe Onkel Daniels Farm gerettet und werde seither »die O'Hara« genannt.

Ja, das erklärt, warum ich mir als die O'Hara so merkwürdig vorkomme und gleichzeitig so froh und glücklich darüber bin. Es kommt daher, daß man an der O'Hara all jene Eigenschaften schätzt, die ich über Jahre hinaus für schlecht gehalten habe. Auch die O'Hara wäre bis tief in die Nacht hinein aufgeblieben, um die Buchhaltung zu erledigen. Und auch sie hätte Ashley gepackt und ihn am Sturz in die Grube gehindert.

Was hat Mrs. Fitzpatrick gesagt? »Sie müssen nur so bleiben, wie Sie sind.« Ich bin Scarlett O'Hara, die manchmal Fehler macht und manchmal das Richtige tut, die aber gewiß nicht mehr vorgibt, etwas zu sein, das sie nicht ist. Ich bin die O'Hara, und das ist ein Titel, den man mir mit Sicherheit nicht verliehen hätte, wenn ich wirklich so schlecht wäre, wie man mich in Atlanta immer gemacht hat. Ich bin überhaupt nicht schlecht, aber ich bin weiß Gott auch keine Heilige. Allerdings bin ich bereit, anders zu sein.

Ich bin die O'Hara, und darauf bin ich stolz. Es macht mich glücklich, es erfüllt mein Leben.

Mit einem gurgelnden Geräusch gab Cat zu verstehen, daß sie wach war und Hunger hatte. Scarlett hob sie aus dem Körbchen und machte es sich mit ihr auf dem Bett bequem. Sie nahm das ungeschützte Köpfchen in die Hand und führte es an ihre Brust.

»Ich gebe dir mein Ehrenwort, Cat O'Hara: Du darfst werden, wie und was du willst, und wenn es sich von mir auch unterscheidet wie die Nacht vom Tage. Wenn es dich reizt, eine feine Dame zu werden, zeige ich dir sogar, wie du es anstellen mußt, ganz egal, was ich darüber denke. Ich kenne schließlich die Sitten und Gebräuche – auch wenn ich mich selbst nicht daran halten kann.«

»Ich gehe heute aus dem Haus. Jedes weitere Wort darüber erübrigt sich.« Scarlett bedachte Mrs. Fitzpatrick mit einem finsteren, eigensinnigen Blick.

Die Wirtschafterin stand wie ein unverrückbarer Berg in der Tür. »Nein, Sie gehen nicht aus.«

Scarlett änderte ihre Taktik. »Ach bitte, lassen Sie mich doch gehen«, bat sie in schmeichlerischem Ton und schenkte Mrs. Fitzpatrick ihr strahlendstes Lächeln. »Die frische Luft wird mir ungeheuer gut tun! Und sie wird auch meinen Appetit anregen, schließlich beklagen Sie sich doch schon seit langem darüber, daß ich zuwenig esse.«

»Das wird sich ändern. Die Köchin ist eingetroffen.«

Scarlett vergaß alle Taktik. »Wird auch höchste Zeit! Hat Ihro Gnaden geruht, uns mitzuteilen, warum sie so lange gebraucht hat?«

Mrs. Fitzpatrick lächelte. »Sie hat sich rechtzeitig auf den Weg gemacht. Leider aber haben sie ihre Hämo . . . – Sie wissen schon – derart gequält, daß sie pro Tag nicht mehr als zehn Meilen zurücklegen konnte und sich dann ein Quartier für die Nacht suchen mußte. Wir brauchen uns, wie es scheint, also nicht zu sorgen, daß sie während der Arbeitszeit im Schaukelstuhl liegt und sich dem Müßiggang hingibt.«

Scarlett konnte sich das Lachen nicht verkneifen. Es war ihr einfach unmöglich, Mrs. Fitzpatrick ernsthaft böse zu sein. Die beiden Frauen standen einander längst viel zu nahe. Die Ältere war am Tag nach Cats Geburt in die Wohnung gezogen, die ihr als Wirtschafterin zustand. Seitdem war sie Scarletts ständige Hausgenossin, die ihr jederzeit zur Verfügung stand.

Während der wochenlangen Genesungszeit nach der Geburt wurde Scarlett von vielen Menschen besucht. Colum kam fast täglich, Kathleen praktisch alle zwei Tage. Die großen Cousins aus dem O'Hara-Clan besuchten sie sonntags nach der Messe, und öfter, als Scarlett lieb war, fand sich auch Molly bei ihr ein. Aber Mrs. Fitzpatrick war immer da. Sie bewirtete die Frauen mit Kuchen und Tee und die männlichen Gäste mit Kuchen und Whiskey. Waren die Besucher wieder fort, tat sie sich an den Resten der servierten Erfrischungen gütlich und ließ sich von Scarlett berichten, was es an Neuigkeiten gab. Ihrerseits erzählte sie, was sich in Ballyhara und Trim zugetragen hatte und welche Gerüchte ihr beim Einkaufen zu Ohren gekommen waren. Auf diese Weise sorgte sie dafür, daß die Genesende sich nicht zu einsam fühlte.

Scarlett bot Mrs. Fitzpatrick an, sie »Scarlett« zu nennen, und fragte: »Wie heißen Sie eigentlich mit Vornamen?«

Mrs. Fitzpatrick beantwortete diese Frage nicht. Die Formalitäten dürften nicht gelockert werden, sagte sie in festem Ton und erklärte Scarlett die strenge Hierarchie in einem irischen Herrenhaus. Jede Vertraulichkeit würde den Respekt, der ihr in ihrer Position als Wirtschafterin zukam, beeinträchtigen, und dies bezöge sich auch auf Vertraulichkeiten seitens der Herrin, ja, möglicherweise auf diese ganz besonders.

Scarlett fand das alles viel zu spitzfindig, doch erkannte sie an Mrs. Fitzpatricks freundlicher Unnachgiebigkeit, daß diese Dinge tatsächlich eine große Rolle spielen mußten. Sie gab sich daher mit den von der Wirtschafterin vorgeschlagenen Anreden zufrieden: Scarlett durfte sie »Mrs. Fitz« nennen, während Mrs. Fitzpatrick Scarlett mit »Mrs. O« anreden wollte. Diese Bezeichnungen waren allerdings nur unter vier Augen erlaubt. Vor Dritten mußte der Etikette nach wie vor voller Respekt gezollt werden.

»Selbst vor Colum?« wollte Scarlett wissen. Mrs. Fitz überlegte einen Augenblick und gab dann nach. Colum war ein Sonderfall.

Scarlett wollte aus dem Vertrauen, das Colum bei ihrer Wirtschafterin offensichtlich genoß, gleich Kapital schlagen. »Ich gehe nur schnell zu ihm rüber«, sagte sie. »Er war ja schon ewig nicht mehr hier. Ich vermisse ihn.«

»Er war in beruflichen Dingen unterwegs, Sie wissen das ganz genau. Ich habe doch gehört, wie er es Ihnen gesagt hat.«

»Ach, zum Kuckuck«, murmelte Scarlett. »Eins zu null für Sie.« Sie setzte sich wieder auf ihren Stuhl am Fenster. »So gehen Sie und reden Sie mit Miss Sitzfleisch.«

Mrs. Fitz lachte laut auf und wandte sich zum Gehen. »Sie heißt übrigens Mrs. Keane. Aber nennen Sie sie, wie Sie wollen. Wahrscheinlich werden Sie nie mit ihr zu tun bekommen. Das ist meine Aufgabe.«

Scarlett wartete, bis sie sicher sein konnte, daß Mrs. Fitz sie nicht erwischen würde, und machte sich dann ausgehfertig. Ich bin lange genug gehorsam gewesen, dachte sie. Die Rekonvaleszenz einer Frau nach der Geburt beträgt einen Monat, den man überwiegend im Bett verbringt. Das ist eine allgemein anerkannte Tatsache, an die ich mich gehalten habe. Es ist nicht einzusehen, daß ich drei Wochen länger im Haus bleiben muß, bloß weil Cat auf etwas ungewöhnliche Weise geboren wurde. Der neue Arzt in Ballyhara erschien ihr recht sympathisch und kompetent, ja, er erinnerte sie sogar ein wenig an Dr. Meade. Doch Dr. Devlin selbst gab freimütig zu, daß er mit Kaiserschnitt-Babys noch keine Erfahrungen habe. Warum soll ich dann also auf seine Ratschläge hören? fragte sich Scarlett, zumal es da etwas gibt, das ich dringend erledigen muß.

Mrs. Fitz hatte ihr von der alten Frau erzählt, die auf einmal, wie von einem Zauber geschickt, aufgetaucht war, um Cat mitten im Hallowe'en-Unwetter ans Licht der Welt zu verhelfen. Es war die *cailleach*, die weise Frau vom Turm. Sie hatte Scarlett und Cat das Leben gerettet, und dafür wollte sich Scarlett unbedingt bedanken.

Mit der Kälte hatte Scarlett nicht gerechnet. Im Oktober war es noch recht warm gewesen – konnte ein einziger Monat denn soviel ausmachen? Sie wickelte das Baby in warme Decken und hüllte es zusätzlich in ihren Umhang. Cat war wach und sah Scarlett mit großen Augen an. »Du süßer, kleiner Schatz«, sagte Scarlett leise. »Du bist so brav, Cat! Du schreist nie, nicht wahr?« Über den gepflasterten Hof vor den Ställen erreichte sie den Weg, den sie schon so oft mit dem Ponywagen entlanggerollt war.

»Ich weiß, daß Sie hier irgendwo stecken«, rief Scarlett in das schier undurchdringliche Dickicht unter den Bäumen, die die den Turm umgebende Lichtung begrenzten. »Sie täten gut daran, sich blicken zu lassen und mit mir zu reden, weil ich nämlich sonst hier stehenbleiben und erfrieren werde. Mitsamt meinem Baby übrigens, falls es Sie interessiert.« Sie wartete voller Zuversicht. Die Frau, die Cat auf die Welt gebracht hatte, würde nicht zulassen, daß das Kind zu lange der feuchtkalten Luft im Schatten des Turms ausgesetzt blieb.

Cat wandte ihren Blick von Scarletts Gesicht ab und schaute von einer Seite zur anderen, es war, als suche sie etwas. Ein paar Minuten später raschelte es im Stechpalmengebüsch rechts von Scarlett, und plötzlich trat die weise Frau zwischen zwei Sträuchern hervor. »Hier entlang«, sagte sie und trat einen Schritt zurück.

Beim Näherkommen entdeckte Scarlett den kleinen Pfad. Hätte die weise Frau nicht mit einem ihrer Schals die kratzigen Stechpalmenzweige auseinandergebogen, so wäre er ihr nie aufgefallen. Scarlett folgte dem Pfad, bis er in einem Gehölz mit lauter niedrigen Ästen verschwand. »Ich geb's auf«, sagte sie. »Wohin jetzt?«

Hinter ihr erscholl ein rostiges Lachen. »Dort lang«, sagte die weise Frau. Sie ging an Scarlett vorbei und bückte sich unter den Ästen hindurch. Scarlett folgte ihr. Nach ein paar Schritten konnte sie sich wieder aufrichten. Sie befanden sich auf einer Lichtung, in deren Mitte eine kleine, reetgedeckte Torfhütte stand. Aus dem Kamin stieg ein dünnes graues Rauchfähnchen. »Kommen Sie herein«, sagte die Frau und öffnete die Tür.

»Sie ist ein feines Kind«, sagte die weise Frau, nachdem sie Cat vom Köpfchen bis hinunter zu den Nägeln der kleinen Zehen untersucht hatte. »Wie haben Sie sie denn genannt?«

»Katie Colum O'Hara.« Erst zum zweitenmal seit Betreten der Hütte öffnete Scarlett den Mund. Sie hatte der weisen Frau gleich zu Beginn wortreich danken wollen, war jedoch sofort unterbrochen worden.

»Geben Sie mir das Baby«, hatte die *cailleach* gesagt und die Hände nach Cat ausgestreckt. Scarlett hatte ihr das Kind widerspruchslos überlassen und während der Untersuchung kein Wort mehr gesagt.

»Katie Colum«, wiederholte die Frau, »das klingt schwach und weich für ein so kräftiges Kind. Ich selber heiße Grainne. Das ist ein starker Name.«

Ihre rauhe Stimme ließ das gälische Wort wie eine Herausforderung klingen. Ein wenig befangen rutschte Scarlett auf ihrem Hocker hin und her. Sie wußte nicht, was sie darauf antworten sollte.

Die Frau wickelte Cat wieder in ihre Windeln und Decken. Dann nahm sie sie auf den Arm und flüsterte ihr leise etwas ins Öhrchen. Obwohl sich Scarlett sehr bemühte, konnte sie die Worte nicht verstehen. Cats Finger erwischten eine Strähne von Grainnes Haar. Die weise Frau drückte das kleine Mädchen an ihre Schulter.

»Sie hätten meine Worte nicht verstanden, selbst wenn Sie sie gehört hätten, O'Hara. Ich habe in der alten Sprache der Iren zu ihr gesprochen. Es war ein Zauberspruch. Man hat Ihnen gewiß erzählt, daß ich mich nicht nur auf die Kräuter, sondern auch auf die Magie verstehe.«

Scarlett nickte.

»Vielleicht verstehe ich mich wirklich darauf. Ich kenne einige alte Sprüche und Bräuche, aber das muß nicht unbedingt Magie sein. Ich beobachte, höre und lerne. Anderen mag es wie Zauberei vorkommen, wenn jemand etwas sieht, was ihnen verborgen bleibt, oder etwas vernimmt, was sie selbst nicht hören können. Es ist weitgehend eine Glaubensfrage. Machen Sie sich also keine Hoffnungen: Ich kann nichts für Sie herbeizaubern.«

»Deshalb bin ich auch nicht zu Ihnen gekommen.«

»Etwa nur, um mir zu danken? Nur deshalb?«

»Ja, nur deshalb. Und jetzt habe ich Ihnen meinen Dank ausgesprochen und muß wieder gehen, bevor ich zu Hause vermißt werde.«

»Ich bitte um Vergebung«, sagte die weise Frau. »Nur wenige Menschen, die meinen Weg kreuzen, sind mir dankbar. Es wundert mich, daß Sie mir nicht böse sind, weil ich Ihrem Körper so etwas angetan habe.«

»Sie haben mir und meinem Baby das Leben gerettet.«

»Aber allen anderen Babys habe ich das Leben genommen. Ein Arzt hätte es besser angestellt.«

»Aber es war weit und breit keiner aufzutreiben. Sonst hätte ich ja einen gehabt!« Scarlett biß sich auf ihre flinke Zunge und rief sich insgeheim zur Ordnung: Du bist gekommen, der weisen Frau zu danken, und nicht, um sie zu beleidigen. Doch wieso drückt sie sich so rätselhaft aus? Ihre rauhe Stimme klingt ganz unheimlich. Man bekommt ja eine richtige Gänsehaut davon.

»Es tut mir leid«, sagte Scarlett. »Das war sehr unhöflich von mir. Ich bin sicher, kein Arzt hätte es besser machen können, wahrscheinlich nicht einmal halb so gut. Aber ich verstehe nicht, wen Sie mit ›alle anderen Babys‹ meinen. Soll das heißen, daß ich Zwillinge hatte und das andere Kind gestorben ist?« Scarlett hielt das nicht für ausgeschlossen, war sie doch während der Schwangerschaft so furchtbar dick gewesen. Aber Mrs. Fitz oder Colum hätten es mir doch gewiß gesagt – oder? Vielleicht auch nicht. Auch vom Tod der alten Katie Scarlett haben sie mir erst mit zwei Wochen Verspätung erzählt.

Das Gefühl, einen unerträglichen Verlust erlitten zu haben, schnürte ihr das Herz ein. »War da noch ein zweites Baby? Sie müssen es mir sagen!«

»Pssst! Sie stören nur die kleine Katie Colum«, erwiderte die weise Frau Grainne. »Nein, Sie hatten kein zweites Kind in Ihrem Schoß. Ich habe nicht geahnt, daß Sie womöglich nicht Bescheid wüßten. Die Frau mit den weißen Haaren machte mir einen recht kundigen Eindruck, ich dachte, sie hätte es begriffen und es Ihnen gesagt. Ich habe die Gebärmutter mitsamt dem Kind herausgenommen und wußte nicht, wie man sie wieder hineintut. Sie werden nie wieder ein Kind bekommen.«

Eine schreckliche Endgültigkeit lag in den Worten der Frau und der Art, wie sie sie aussprach. Nicht eine Sekunde zweifelte Scarlett an ihrem Wahrheitsgehalt. Aber sie konnte, sie wollte nicht daran glauben. Kein Baby mehr? Nie wieder? Wo ich nun endlich die allumfassende, erfüllende Freude der Mutterschaft entdeckt habe und endlich – so spät! – weiß, was es bedeutet zu lieben? Es darf nicht wahr sein. Es ist einfach zu grausam.

Scarlett hatte nie verstanden, was Melanie dazu bewegt hatte, mit einer neuerlichen Schwangerschaft wissentlich ihr Leben aufs Spiel zu setzen. Jetzt war es ihr auf einmal klar. Sie hätte sich genauso verhalten. Sie würde alles wieder und wieder auf sich nehmen, die Schmerzen, die Angst, das viele Blut – nur um noch einmal jenen unvergeßlichen ersten Blick auf das kleine Gesicht eines Neugeborenen werfen zu können.

Cat gab einen sanften Ton von sich, der ein wenig wie ein Miauen klang; auf diese Art gab sie ihrer Mutter zu verstehen, daß sie bald hungrig werden würde. Sofort begann Scarletts Milch zu fließen. Warum nehme ich mir das so sehr zu Herzen? fragte sie sich. Habe ich nicht schon das schönste Baby der Welt? Es hat doch keinen Sinn, daß ich hier sitze und mir den Kopf über nichtvorhandene Kinder zerbreche, während meine Cat, ein Wesen aus Fleisch und Blut, seine Mutter braucht.

»Ich muß jetzt gehen«, sagte Scarlett. »Cat muß bald etwas zu trinken bekommen.« Sie streckte die Arme nach dem Baby aus.

»Ein Wort noch«, sagte Grainne. »Eine Warnung.«

Scarlett erschrak. Plötzlich bereute sie es, Cat mitgenommen zu haben. Warum gibt mir die Frau sie nicht zurück?

»Behalten Sie Ihr Baby gut im Auge. Es gibt da Leute, die sagen, es sei Ihnen von einer Hexe untergeschoben worden und deshalb verhext.«

Scarlett schauderte.

Grainnes fleckige Finger entwanden sich sanft dem Griff der Babyhand. Die alte Frau hauchte einen Kuß auf das mit weichem Haarflaum bedeckte Köpfchen des kleinen Mädchens und murmelte: »Ich wünsche dir Glück,

Dara.« Dann reichte sie das Baby Scarlett. »Ich werde sie als ›Dara‹ in Erinnerung behalten, das bedeutet ›Eichbaum‹. Ich bedanke mich für das Geschenk, daß ich sie sehen durfte, und freue mich über den Dank, den Sie mir überbracht haben. Aber bringen Sie die Kleine nicht wieder her. Sie sollte nicht mit mir in Verbindung gebracht werden. Und jetzt gehen Sie. Ich erwarte eine Besucherin, die Sie hier nicht sehen sollte . . . Nein, nein, der Pfad, den sie nimmt, ist nicht der Ihre. Sie kommt von Norden her. Das ist der Weg, über den mich törichte Frauen erreichen, die Liebes- oder Schönheitstränklein bei mir erwerben oder irgendwelche Essenzen, mit denen sie Menschen schaden wollen, die sie nicht leiden können. Gehen Sie! Und passen Sie gut auf Ihr Kindchen auf!«

Scarlett gehorchte ihr nur allzugern. Mit kräftigen Schritten stapfte sie durch den kalten Regen, der inzwischen vom Himmel fiel, und beschirmte das Kind, in dem sie Kopf und Oberkörper weit vorbeugte. Unter ihrem Umhang ließ Cat leise schmatzende Geräusche vernehmen.

Mrs. Fitzpatrick musterte den feuchten Umhang, der neben dem Kamin auf dem Boden lag, mit kritischem Blick, verkniff sich aber jeden Kommentar. »Miss Sitzfleisch scheint sich recht gut auf einen leichten Teig zu verstehen«, sagte sie. »Ich kann Ihnen daher zum Tee etwas Gebäck servieren.«

»Gut. Ich bin furchtbar hungrig.« Scarlett hatte Cat inzwischen gestillt und ein wenig geschlafen. Draußen schien schon wieder die Sonne. Der Ausflug ist mir prächtig bekommen, dachte Scarlett, ich werde mir auch den nächsten nicht verbieten lassen.

Mrs. Fitz versuchte es gar nicht erst, sie davon abzuhalten. Sie verschwendete keine Zeit auf verlorene Liebesmüh.

Als Colum heimkehrte, besuchte ihn Scarlett in seinem Haus zum Tee. Sie brauchte seinen Rat.

»Ich möchte einen leichten, geschlossenen Einspänner kaufen, Colum. Um im Ponywagen herumzukutschieren, ist es zu kalt, aber schließlich habe ich einiges zu erledigen. Kannst du mir so etwas besorgen?«

Das könne er schon, meinte Colum, aber vielleicht wäre es ihr lieber, sich selbst den richtigen auszusuchen. Der Wagenmacher werde ihr sicher sein Angebot vorführen, wie im übrigen alle anderen Handwerker auch, sobald sie nur den Wunsch äußere. Sie sei schließlich jetzt die Gutsherrin.

»Wieso bin ich darauf nicht selber gekommen?« fragte Scarlett.

Eine Woche später fuhr sie in einem hübschen schwarzen Buggy mit einem dünnen gelben Seitenstreifen umher. Die kleine Kutsche wurde von einem schmucken Grauen gezogen, der tatsächlich hielt, was sein Verkäufer versprochen hatte: Er ging so gut im Geschirr, daß er kaum je eines Winks mit der Peitsche bedurfte.

Scarlett hatte jetzt auch ein »Empfangszimmer«. Es war mit grüngepolsterten, schimmernden Eichenholzmöbeln eingerichtet. Zehn zusätzliche

Stühle standen bereit und konnten jederzeit rund um den Ofen gruppiert werden. An einem runden, mit einer Marmorplatte versehenen Tisch war Platz für sechs Personen. Die Möbel standen auf einem Wilton-Teppich im Raum neben ihrem Schlafzimmer. Mochte Colum noch so kühne Geschichten von französischen Frauen erzählen, die ihre Besucher vom Bett aus unterhielten, sie, Scarlett O'Hara, hatte sich ein ordentliches Besuchszimmer ausbedungen. Und Mrs. Fitz konnte sagen, was sie wollte, die O'Hara sah nicht den geringsten Grund dafür, ihre Besucher im Erdgeschoß zu empfangen, solange es im ersten Stock noch eine Vielzahl ungenutzter Räume gab, die hervorragend für diesen Zweck geeignet waren.

Ihr großer Schreibtisch mit dem dazugehörigen Stuhl fehlte noch, da sie ihn bei einem Schreiner in Ballyhara in Auftrag gegeben hatte. Wenn man schon eine eigene Stadt besitzt, dann muß man auch die dortigen Betriebe nach Kräften unterstützen. Solange die Leute gut verdienten, zahlten sie pünktlich ihre Miete.

Wo immer Scarlett hinfuhr, Cats sorgfältig ausgepolstertes Körbchen stand neben ihr auf dem Kutschsitz. Das Kind brabbelte und blubberte vor sich hin, und Scarlett war fest davon überzeugt, daß sie auf ihren gemeinsamen Überlandfahrten kleine Duette sangen. Stolz präsentierte sie Cat in jedem Haus und jedem Geschäft von Ballyhara. Die Menschen bekreuzigten sich beim Anblick des dunkelhäutigen Babys mit den grünen Augen, und Scarlett war es zufrieden, nahm sie doch an, die Leute segneten das Kind.

Als das Weihnachtsfest näherrückte, verflog die Hochstimmung jedoch zusehends, die Scarlett bei ihrer Befreiung aus der Gefangenschaft der Rekonvaleszenz beflügelt hatte. »Um nichts in der Welt möchte ich jetzt in Atlanta sein, selbst wenn man mich zu sämtlichen Festen einladen würde«, sagte sie zu Cat. »Auch nach Charleston mit seinen dummen Ballkarten und Empfängen zieht mich nichts. Aber ich wäre gerne irgendwo, wo es nicht ständig so kalt und feucht ist wie hier.«

Es wäre schön, wenn wir in einem Cottage wie Kathleen und die Cousins wohnen könnten, dachte sie. Ich könnte es weißeln und das Holzwerk streichen, genau wie sie und all die anderen in Adamstown und anderswo entlang der Straßen es tun. Als sie am zweiundzwanzigsten Dezember zu Kennedys Kneipe hinüberging, fiel ihr auf, daß die erst im Herbst gerichteten und damit noch fast neuen Läden und Wohnhäuser frisch verputzt und gestrichen wurden. Beschwingt setzte sie ihren Weg fort, und die Freude über das Wachsen und Gedeihen ihrer Stadt vertrieb die leichte Traurigkeit, die sie nicht selten verspürte, wenn sie in ihrem eigenen Wirtshaus Gesellschaft suchte. Manchmal hatte sie den Eindruck, daß die Gespräche bei ihrem Eintritt plötzlich ins Stocken gerieten.

»Wir müssen das Haus für Weihnachten schmücken«, sagte sie zu Mrs. Fitz. »Wie macht man das in Irland?«

Stechpalmenzweige auf Simsen und über Türen und Fenstern, meinte die Wirtschafterin. In ein Fenster gehöre eine große – normalerweise rote – Kerze, um dem Christkind den Weg zu beleuchten. »Dann lassen Sie uns in jedes Fenster eine stellen«, erwiderte Scarlett, doch Mrs. Fitz blieb hart. Nur in ein einziges Fenster. Scarlett könne so viele Kerzen haben, wie sie wolle – auf den Tischen oder auf dem Fußboden, wenn sie das glücklich mache. Doch nur ein einziges Fenster dürfe mit einer Kerze geschmückt werden, und diese dürfe nur am Heiligen Abend während des Angelus-Gebets brennen.

Die Wirtschafterin lächelte. »Die Tradition sieht vor, daß das jüngste Kind des Hauses beim ersten Schlag des Angelusläutens am Kohlefeuer im Herd eine trockene Binse entzündet und mit ihr dann die Kerze ansteckt. Sie werden der Kleinen wohl ein wenig dabei helfen müssen.«

Scarlett und Cat verbrachten Weihnachten bei Daniel und den Seinen. Cat schlug dort so viel Bewunderung entgegen, daß sogar Scarlett fast zufrieden war. Und immer wieder kamen andere Leute zur offenen Tür herein und lenkten sie von den Erinnerungen an frühere Weihnachtsfeiern auf Tara ab. Auf Tara, wo die Familie und die Hausdiener nach dem Frühstück mit den Worten »Es ist Weihnachtsbescherung!« auf die große Veranda gerufen wurden ... Wo Gerald O'Hara jedem Landarbeiter zusätzlich zu seinem Mantel und den neuen Stiefeln ein Glas Whiskey und eine Stange Tabak überreichte ... Wo Ellen O'Hara für jede Frau und jedes Kind ein kurzes Gebet sprach und ihnen Kattun- und Flanellbahnen, Orangen und Zuckerstangen schenkte ... Manchmal vermißte Scarlett den warmen, verschliffenen Singsang der schwarzen Stimmen und das aufblitzende Lächeln in den schwarzen Gesichtern heftiger, als sie glaubte, es ertragen zu können.

»Ich muß nach Hause, Colum«, sagte Scarlett.

»Ja, bist du hier denn nicht zu Hause? Wohnst du nicht auf dem Grund und Boden deiner Familie, den du selbst wieder zu O'Hara-Land gemacht hast?«

»Oh, Colum, sei nicht so irisch! Du weißt genau, was ich meine. Ich habe Heimweh nach den Stimmen des Südens, nach der Sonne und den Speisen. Ich möchte Maisbrot haben und gebratene Hähnchen mit Maisbrei. Hier in Irland weiß kein Mensch, was Mais überhaupt ist.«

»Das weiß ich, Scarlett, und es tut mir leid, daß du darunter so leidest. Wie wäre es denn mit einem Besuch in Amerika, wenn wieder gutes Segelwetter herrscht? Du kannst Cat hierlassen. Mrs. Fitzpatrick und ich, wir werden uns schon um sie kümmern.«

»Kommt nicht in Frage! Nie werde ich Cat verlassen.«

Es blieb nichts mehr zu sagen. Doch von Zeit zu Zeit keimte die Idee wieder auf: Die Überfahrt dauert schließlich nur zwei Wochen und einen Tag, und manchmal tummeln sich die Delphine stundenlang neben dem Schiff.

Am Neujahrstag erfuhr Scarlett zum erstenmal, was es bedeutete, die O'Hara zu sein. Mrs. Fitz schickte nicht Peggy Quinn mit dem Frühstückstablett zu ihr, sondern servierte den Morgentee höchstpersönlich. »Möge der Segen aller Heiligen Mutter und Tochter im neuen Jahr begleiten!« rief sie fröhlich aus. »Doch jetzt muß ich Ihnen sagen, welche Pflichten Sie vor dem Frühstück noch zu erledigen haben.«

»Auch Ihnen ein glückliches neues Jahr, Mrs. Fitz! Aber wovon reden Sie um alles in der Welt?«

Von Traditionen und Ritualen, erwiderte die Wirtschafterin, Erfordernissen, denen man sich einfach nicht entziehen dürfe, stünde anderenfalls doch das ganze Jahr unter einem schlechten Stern. Scarlett könne einen Schluck Tee trinken, das sei aber auch alles. Das erste, was am Neujahrstag im Haus gegessen werden dürfe, seien drei Bissen vom speziellen Neujahrskuchen – drei Bissen im Namen der Dreifaltigkeit.

»Bevor Sie damit jedoch beginnen«, fuhr Mrs. Fitz fort, »kommen Sie in das Zimmer, das ich dafür vorbereitet habe. Denn sobald Sie die Dreifaltigkeitshappen verzehrt haben, müssen Sie den Kuchen mit aller Kraft vor die Wand werfen, so daß er in viele Stücke zerbricht. Ich habe gestern sowohl die Wand als auch den Fußboden des Zimmers abschrubben lassen.«

»So etwas Verrücktes habe ich noch nie gehört. Warum soll ich denn einen sicher gelungenen Kuchen vor die Wand werfen? Und was soll das überhaupt: Kuchen zum Frühstück?«

»Es ist eben der Brauch. Und jetzt kommen Sie, erfüllen Sie die Pflicht, die Ihnen als der O'Hara auferlegt ist, bevor die übrigen Bewohner dieses Hauses verhungern. Niemand darf etwas zu sich nehmen, bevor der Neujahrskuchen zerbrochen ist.«

Scarlett warf sich ihren wollenen Morgenrock über und gehorchte. Im Zimmer angelangt, trank sie, um ihren trockenen Mund zu befeuchten, einen Schluck Tee, dann biß sie auf Anweisung von Mrs. Fitz dreimal in den üppigen Fruchtkuchen und nahm ihn auf; weil er so groß war, brauchte sie dazu beide Hände. Sie wiederholte das Gebet gegen den Hunger, das Mrs. Fitz ihr beigebracht hatte, holte mit beiden Armen weit aus und schmetterte den Kuchen an die Wand: Die Brocken flogen durchs ganze Zimmer.

Scarlett lachte. »Was für eine Schweinerei! Aber trotzdem hat es Spaß gemacht.«

»Schön, daß es Ihnen gefallen hat«, sagte die Wirtschafterin. »Da warten noch mehr Kuchen auf Sie. Jeder Mann, jede Frau und jedes Kind in Ballyhara muß ein Stückchen abbekommen, es bringt ihm Glück. Die Leute stehen schon draußen und warten. Wenn Sie fertig sind, sammeln die Hausmädchen die Brocken ein.«

»Oje«, sagte Scarlett, »ich hätte kleinere Bissen nehmen sollen.«

Nach dem Frühstück begleitete Colum Scarlett durch ihre neue Stadt, denn jedem Haus, das am Neujahrstag von einer dunkelhaarigen Person besucht wurde, stand ein glückliches Jahr bevor. Der Brauch verlangte jedoch, daß die besagte Person nach dem Betreten des Hauses wieder hinausbegleitet und dann ein zweites Mal hereingebeten wurde.

»Und untersteh dich zu lachen!« befahl Colum. »Jede dunkelhaarige Person bringt Glück, aber das Oberhaupt des Clans zehnmal soviel.«

Scarlett konnte sich zum Schluß kaum noch auf den Beinen halten. »Gott sei Dank stehen noch viele Gebäude leer«, sagte sie und rang nach Luft. »Ich schwimme in Tee und bin ganz schwerfällig, so liegt mir der Kuchen im Magen. Mußten wir wirklich überall so viel essen und trinken?«

»Wie kann man ohne gewährte und empfangene Gastfreundschaft von einem Besuch sprechen, Scarlett-Schatz? Wärst du ein Mann, so hätte man dir statt Tee Whiskey angeboten.«

Scarlett grinste. »Cat hätte das vielleicht gefallen.«

Der erste Februar galt in Irland als der Beginn des Farmjahrs. Umringt von der arbeitenden Bevölkerung Ballyharas, stand Scarlett mitten auf einem großen Acker, stieß, nachdem sie ein Gebet für eine gute Ernte gesprochen hatte, den Spaten in die Erde und wendete den ersten Stich. Es war das Apfelkuchenfest, an dem man auch der Milch gedachte, denn der erste Februar war gleichzeitig Festtag der heiligen Brigid, der Schutzpatronin Irlands, die auch die Schutzheilige des Milchviehs war.

Als nach der Zeremonie gegessen und geschwatzt wurde, kniete Scarlett vor der umbrochenen Erde nieder und nahm eine Handvoll des reichen Lehmbodens auf. »Das ist für dich, Pa«, murmelte sie. »Siehst du, Katie Scarlett hat nicht vergessen, was du ihr einst erzählt hast, daß nämlich das Land in der Grafschaft Meath das beste der Welt ist, besser noch als das Land in Georgia, auf Tara. Ich tue mein Bestes, Pa, es gut zu pflegen und es zu lieben, wie du es mich gelehrt hast. Es ist O'Hara-Erde, und sie gehört wieder uns.«

Dem uralten Kreislauf aus Pflügen und Eggen, Saat, Pflanzen und Beten wohnte eine einfache, von harter Arbeit geprägte Würde inne, die Scarlett allen Menschen, die vom Bestellen des Landes lebten, Bewunderung und Achtung entgegenbringen ließ. Schon als sie bei Daniel im Haus gelebt hatte, war es ihr so ergangen, und hier, unter den Bauern von Ballyhara, empfand sie das gleiche. Auch sie selbst bezog sich in diese Empfindung mit ein, gehörte sie doch durchaus zu ihnen. Zwar hatte sie nicht die Kraft, die

Pflugschar zu führen, doch trug sie dafür Sorge, daß überhaupt genügend Ackergerät bereitstand. Und die entsprechenden Zugpferde. Und das Saatgut, das in die frischgepflügten Furchen fiel.

Im Büro des Guts fühlte sie sich mehr zu Hause als in ihren Privaträumen im Herrenhaus. Neben dem Schreibtisch stand eine Wiege für Cat, genau wie im Schlafzimmer. Scarlett konnte sie während der Arbeit über den Büchern und Bankauszügen mit dem Fuß hin und her schaukeln. Die Streitigkeiten, mit denen die Leute zu ihr kamen und die Mrs. Fitzpatrick ihr wie ein drohendes Unheil angekündigt hatte, erwiesen sich als ziemlich harmlose, leicht zu schlichtende Angelegenheiten, wobei ihr natürlich zugute kam, daß sie die O'Hara war und ihr Wort Gesetz. Scarlett war seit jeher gewohnt, ihren Willen durchzusetzen. Es genügte, mit ruhiger Stimme Entscheidungen zu treffen, und jede weitere Diskussion erübrigte sich. Mit der Zeit fand sie regelrecht Gefallen an jenem ersten Sonntag im Monat und sah sogar ein, daß auch andere Leute bisweilen durchaus interessante Meinungen vertraten. Die Bauern verstanden tatsächlich von der Landwirtschaft mehr als sie, und sie konnte von ihnen nur lernen. Und das war auch dringend notwendig. Dreihundert Morgen Ackerland von Ballyhara waren für sie selbst reserviert; die Bauern, die sie bearbeiteten, zahlten als Ausgleich nur die Hälfte der Pacht für ihr eigenes Land. Scarlett beherrschte das *sharecropping*-System des amerikanischen Südens, die Rolle der Gutsherrin war nach wie vor neu für sie. Sie war entschlossen, die beste Gutsbesitzerin von ganz Irland zu werden.

»Die Bauern lernen auch von mir«, sagte sie zu Cat. »Von Phosphatdüngung hatten sie noch nie etwas gehört, bis zu dem Tag, da ich ihnen die ersten Säcke gebracht habe. Soll Rhett doch ruhig ein paar Pennys von seinem Geld zurückbekommen, wenn dafür unsere Weizenernte besser wird.«

Scarlett benutzte in Hörweite Cats niemals das Wort »Vater«. Wer vermochte schon zu sagen, wieviel ein kleines Baby aufnehmen und behalten konnte? Vor allem ein Baby, das allen anderen Babys der Welt so eindeutig überlegen war.

Die Tage wurden wieder länger, der Wind und der Regen milder und wärmer. Cat O'Hara wurde von Tag zu Tag faszinierender, wurde zu einem eigenen kleinen Individuum.

»Ich habe dir mit Sicherheit den richtigen Namen gegeben«, sagte Scarlett zu ihr. »Du bist das unabhängigste kleine Wesen, das mir je begegnet ist.« Während die Mutter sprach, beobachteten Cats große grüne Augen sie aufmerksam, um sich danach wieder der intensiven Betrachtung der eigenen Hände zuzuwenden. Das Baby wirkte nie nervös und wußte sich mit unerschöpflicher Erfindungsgabe zu beschäftigen und zu amüsieren. Das Abstillen fiel nur Scarlett schwer, nicht hingegen der Kleinen. Wie großen Spaß machte es Cat doch, ihren Brei mit Mund und Fingern zu untersuchen! Alle neuen Erfahrungen schienen sie außerordentlich zu interessieren. Sie war ein kräftiges Baby mit geradem Rückgrat und trug das Köpfchen immer hoch erhoben. Scarlett himmelte sie an, respektierte sie aber in gewisser Weise auch. Sie nahm Cat gern auf den Arm, küßte ihr weiches Haar, den Hals, die Wangen und die Füße, und gern hätte sie Cat auch öfter auf den Schoß genommen und sanft hin und her gewiegt. Aber das Baby ließ immer nur ein paar Minuten mit sich schmusen, dann strampelte es sich mit Händen und Füßen frei. Das kleine Gesicht mit dem dunklen Teint konnte einen derart empörten Ausdruck annehmen, daß Scarlett, selbst wenn sie sich mit Gewalt zurückgewiesen sah, unweigerlich lachen mußte.

Am meisten genossen Mutter und Kind das gemeinsame Bad am Abend. Cat patschte ins Wasser, lachte, wenn es aufspritzte, und Scarlett hielt sie fest, hob sie hoch, tauchte sie wieder ein und sang ihr Lieder vor. Nach dem Bad trocknete Scarlett Finger um Finger und Zeh um Zeh die wohlgeratenen kleinen Gliedmaßen ab und puderte Cats Seidenhaut samt aller Babyfältchen.

Der Krieg hatte die zwanzigjährige Scarlett über Nacht gezwungen, ihre Jugend aufzugeben. Ihr Wille und ihre Ausdauer waren gefestigt worden, ihr Antlitz hatte sich verhärtet. Im Frühjahr des Jahres 1876, sie war inzwischen einunddreißig, kehrte die Sanftheit der Hoffnung, der Jugend und der Zärtlichkeit Stück für Stück zurück. Scarlett war sich dessen nicht bewußt. Die Beschäftigung mit dem Gut und dem Baby hatte die lebenslange Konzentration auf die eigene Eitelkeit verdrängt.

»Sie brauchen ein paar neue Kleider«, sagte Mrs. Fitz eines Tages. »Wie ich höre, gibt es da eine Schneiderin, die das Haus in Ballyhara, in dem Sie einst gewohnt haben, mieten möchte, vorausgesetzt, es wird frisch gestrichen. Die Frau ist Witwe und durchaus gut situiert, so daß sie eine anständige Miete zahlen kann. Den Frauen in der Stadt wäre es durchaus recht – und Sie brauchen hier ohnehin eine Schneiderin, es sei denn, Sie wollen sich in Trim eine suchen.«

»Was soll denn mit meinem Äußeren nicht in Ordnung sein? Ich trage dezentes Schwarz, so, wie es sich für eine Witwe gehört. Kaum, daß einmal meine Unterröcke vorschauen.«

»Von dezentem Schwarz kann keine Rede sein! Sie sind die Gutsherrin und tragen verschmutzte Bauernkleider mit aufgekrempelten Ärmeln.«

»Ach was, Mrs. Fitz! Wie könnte ich in den Kleidern einer Gutsherrin ausreiten und schauen, ob das Timotheegras wächst? Abgesehen davon habe ich gerne bequeme Kleider. Wenn ich wieder bunte Röcke und Blusen tragen kann, achte ich auch wieder darauf, daß sie nicht schmutzig werden. Ich habe Trauerkleidung immer gehaßt und sehe keinerlei Veranlassung, koste es, was es wolle, aus Schwarz eine lebendige Farbe machen zu wollen – Schwarz bleibt Schwarz.«

»Dann sind Sie also an der Schneiderin nicht interessiert?«

»Aber selbstverständlich! Neue Mieteinkünfte sind immer interessant. Und irgendwann werde ich bei ihr auch ein paar Kleider bestellen, aber das sicher erst, wenn wir gesät und gepflanzt haben. Diese Woche sollten die Felder soweit sein, daß wir den Weizen ausbringen können.«

»Möglicherweise gibt es noch einen weiteren neuen Mieter«, sagte die Wirtschafterin vorsichtig. Mehr als einmal hatte Scarlett sie bei einer unerwarteten Durchtriebenheit überrascht. »Brendan Kennedy verspricht sich einiges von einer Erweiterung seiner Kneipe, mehr ist es ja im Moment wirklich nicht. Er möchte ein richtiges, großes Gasthaus daraus machen. Das Gebäude gleich neben seiner ›Bar‹ wäre dafür geeignet.«

»Wer um alles in der Welt käme auf die Idee, in einem Gasthaus in Ballyhara zu übernachten? Das ist doch eine Schnapsidee. Und ganz davon abgesehen, wenn Brendan Kennedy von mir etwas mieten will, dann soll er mit dem Hut in der Hand zu mir kommen und mit mir darüber reden. Das ist jedenfalls besser, als Sie zu belämmern, bei mir ein gutes Wort einzulegen.«

»Belämmern? Wahrscheinlich war es ohnehin nur Geschwätz.« Mrs. Fitzpatrick reichte Scarlett das Rechnungsbuch mit den Einnahmen und Ausgaben der vorausgegangenen Woche und erwähnte das Gasthaus vorerst nicht mehr. Sollte Colum in der Sache nachhaken; er verfügte über weit bessere Überredungskünste als sie.

»Wenn wir so weitermachen, haben wir bald mehr Personal als die Königin von England«, sagte Scarlett. Sie beklagte sich jede Woche darüber.

»Wenn Sie sich Kühe anschaffen, brauchen Sie auch Hände, die die Kühe melken ...«, erwiderte die Wirtschafterin.

»... die Sahne abschöpfen und die Butter machen«, vollendete Scarlett. »Ja, ja, ich weiß. Und die Butter kann man dann verkaufen. Ich mag eben einfach keine Kühe. Daran wird es liegen. Ich sehe mir das Buch später an, Mrs. Fitz. Ich wollte Cat mit ins Moor nehmen und ihr die Torfstecher bei der Arbeit zeigen.«

»Es wäre besser, wenn Sie gleich einen Blick darauf werfen würden. Wir haben kein Geld mehr in der Küche, und morgen ist Zahltag für die Mädchen.«

»Verflucht! Dann muß ich zur Bank und etwas abheben. Ich fahre nach Trim.«

»Eine Person in Ihrem Aufzug bekäme keinen Penny von mir, wäre ich Bankier.«

Scarlett lachte. »Mecker, mecker, mecker! Sagen Sie der Schneiderin, ich lasse das Haus streichen.«

Nur die Sache mit dem Gasthaus ist noch nicht geklärt, dachte Mrs. Fitzpatrick. Ich muß heute abend mit Colum reden.

Der Geheimbund der Fenier hatte seinen Einfluß im Laufe der Zeit überall in Irland ausgedehnt und viele neue Mitglieder gewonnen. In Ballyhara hatten sie nun endlich das, was ihnen bislang noch gefehlt hatte: einen sicheren Ort, an dem sich die Führer aus den verschiedenen Grafschaften versammeln und über ihre künftige Strategie beraten konnten. Und in Ballyhara hätten auch Männer, die auf der Flucht vor dem Militär waren, Unterschlupf finden können, doch da gab es noch einen Haken: In einem Städtchen, das kaum größer war als ein Dorf, fiel jeder Fremde auf. Obwohl Militär- und Polizeipatrouillen aus Trim nur selten im Ort auftauchten, konnte ein einziger Beobachter mit geschärftem Blick die besten Pläne der Fenier zunichte machen.

»Wir brauchen das Gasthaus unbedingt«, betonte Rosaleen Fitzpatrick. »Für einen Geschäftsmann, der in Trim zu tun hat, wäre es doch durchaus plausibel, hier zu übernachten. Es ist nicht weit und könnte erheblich billiger sein als in der Stadt.«

»Du hast schon recht, Rosaleen«, erwiderte Colum beruhigend. »Ich werde mit Scarlett reden. Aber noch nicht sofort, sonst denkt sie sich ihr Teil und kommt uns auf die Schliche. Warten wir noch ein Weilchen. Wenn ich das Thema gleich anschneide, wird sie sich fragen, warum wir es so eilig damit haben.«

»Aber wir dürfen keine Zeit verlieren, Colum.«

»Und auch nichts übereilen, sonst verlieren wir alles, nicht nur Zeit. Ich spreche Scarlett darauf an, wenn ich es für richtig halte.«

Damit mußte Mrs. Fitzpatrick sich abfinden. Colum war der Boß. Sie tröstete sich damit, daß es ihr immerhin gelungen war, Margaret Scanlon nach Ballyhara zu bekommen. Es war nicht einmal nötig gewesen, sich eine List auszudenken. Scarlett brauchte tatsächlich eine neue Garderobe. Ihr Lebensstil war geradezu schockierend: Sie trug die billigsten Kleider und lebte in zwei Zimmern, obgleich ihr zwanzig zur Verfügung standen. Wäre Colum nicht Colum, hätte sie an seiner Auskunft gezweifelt, der zufolge Scarlett noch vor gar nicht langer Zeit eine höchst modebewußte Frau gewesen war.

»*...and if that diamond ring turns brass, Momma's gonna buy you a looking glass*«, sang Scarlett. Cat planschte lebhaft im schaumigen Badewasser. »Und Mama kauft dir und sich selbst auch ein paar hübsche Kleidchen«, fuhr Scarlett fort. »Und dann machen wir eine Reise mit einem großen, dicken Schiff.«

Sie sah keinen Grund, auf die Reise zu verzichten. Sie mußte nach Amerika. Wenn ich kurz vor Ostern reise, kann ich ohne weiteres rechtzeitig zur Ernte wieder hiersein, dachte sie.

Scarlett traf ihre Entscheidung an dem Tag, an dem sich auf dem Acker, auf dem sie den ersten Spatenstich getan hatte, das erste zarte Grün zeigte.

Von Stolz und freudiger Erregung überwältigt, wäre sie um ein Haar in Tränen ausgebrochen. »Das gehört mir, es ist mein Land, meine Saat geht auf.« Sie blickte hinab auf das noch kaum sichtbare junge Grün und sah vor ihrem geistigen Auge bereits, wie es emporsproß, höher und kräftiger wurde, wie Blumen erblühten, die die Luft mit ihrem süßen Duft erfüllten und die Bienen so trunken machten, daß sie kaum noch fliegen konnten. Dann kam die Zeit der Mahd, die Männer schwangen die silbrig blitzenden Sensen, und wenig später schon wurde das Heu eingebracht. Und Jahr um Jahr würde sich der Kreislauf wiederholen – Saat und Reife, das alljährliche Wunder von Geburt und Wachstum. Gras sproß und wurde zu Heu, Weizen verwandelte sich in Brot, aus Hafer wurde Mehl. Cat würde heranwachsen, krabbeln, laufen und sprechen lernen. Sie würde Hafermehl und Brot essen und sich, genauso wie einst Scarlett in ihrer Kinderzeit, von der Tenne ins Heu plumpsen lassen. Ballyhara war ihre Heimat.

Scarlett blinzelte in die Sonne, sah eine Wolkenfront näher kommen und wußte, daß es bald regnen und kurze Zeit später wieder aufklaren würde. Die Sonne würde die feuchten Felder erwärmen bis zum nächsten Schauer – und so weiter.

Einmal noch will ich die glühende Sonnenhitze in Georgia erleben, dachte Scarlett. Ich habe ein Recht darauf. Manchmal vermisse ich sie sehr, aber Tara ist längst mehr ein Traum als eine Hoffnung. Wie die damalige Scarlett gehört es der Vergangenheit an. Jenes Leben und jene Person haben nichts mehr mit mir zu tun. Ich habe mich entschieden. Cats Tara ist das irische Tara, und das gilt auch für mich. Ich bin die O'Hara von Ballyhara. Ich behalte meine Anteile am amerikanischen Tara als Erbe für Wade und Ella, aber alles, was mir noch in Atlanta gehört, werde ich verkaufen und die Verbindungen dorthin endgültig abbrechen. Meine Heimat ist Ballyhara. Hier liegen unsere Wurzeln – Cats, Pas und meine eigenen. Ich werde mir etwas O'Hara-Erde mit auf die Reise nehmen und sie mit dem Lehm von Georgia vermischen, der Gerald O'Haras Grab bedeckt.

Nur kurz verweilten ihre Gedanken bei den geschäftlichen Dingen, die der Erledigung bedurften. Das alles hatte Zeit. Vorrangig ging es jetzt darum, Mittel und Wege zu ersinnen, um Wade und Ella ihr schönes neues Heim schmackhaft zu machen. Die beiden glauben mir bestimmt nicht, daß ich sie bei mir haben will. Warum auch? Es stimmt ja, daß ich bisher nie Interesse an ihnen gezeigt habe. Doch inzwischen weiß ich, was Mutterliebe und wahre Mutterschaft bedeuten.

Schon mehrmals hatte sie sich klargemacht, daß ihr Vorhaben alles andere als leicht zu verwirklichen war. Aber es ließ sich schaffen. Ich kann meine Vergangenheit vergessen machen. Ich habe so viel Liebe in mir, daß ich fast berste vor Überschwang, und ich möchte meinem Sohn und meiner Tochter davon abgeben. Anfangs wird Irland ihnen vielleicht nicht gefallen, schließlich ist es so ganz anders als Amerika. Doch wenn wir erst ein paarmal auf dem Markt und beim Pferderennen gewesen sind und ich ihnen ihre eigenen Ponys gekauft habe ... Ella muß in den irischen Röcken und Unterröcken großartig aussehen. Alle kleinen Mädchen ziehen sich gern was Hübsches an ... Bei den vielen O'Haras hier gibt es zahlreiche Cousins und Cousinen, mit denen sie spielen können – und dazu noch die Kinder aus dem Ort.

66. Kapitel

»Du kannst uns aber nicht vor Ostern verlassen, Scarlett«, sagte Colum. »Am Karfreitag findet eine Zeremonie statt, die nur von der O'Hara zelebriert werden kann.«

Scarlett erhob keine Einwände. Sie war nun einmal die O'Hara, und das bedeutete ihr inzwischen viel zuviel. Verstimmt war sie dennoch. Was spielte es schon für eine Rolle, wer die erste Kartoffel pflanzte? Außerdem ärgerte es sie, daß Colum sie nicht begleiten wollte. Und daß er in jüngster Zeit soviel unterwegs war. »Geschäftlich«, sagte er. Konnte er nicht auch mal wieder in Savannah Geschäfte machen? Mußte das immer irgendwo anders sein?

Tatsache war, daß der Gedanke an Amerika sie innerlich in Aufruhr brachte. Seitdem sie sich zur Abreise entschlossen hatte, konnte es ihr nicht schnell genug gehen. Sie fuhr Margaret Scanlon, die Schneiderin, an, weil sie sich mit den Kleidern so lange Zeit ließ. Schon bei der Bestellung der Garderobe, die sowohl bunte Seiden- und Leinenkleider als auch schwarze Trauerkleidung umfaßte, hatte sie so neugierig geschaut.

»Ich besuche in Amerika meine Schwester«, hatte Scarlett leichten Sinnes erklärt, »die bunten Kleider sind Mitbringsel für sie«, dabei aber in Gedanken zornig hinzugefügt: Ob du mir das nun glaubst oder nicht, ist deine Sache. Ich bin keine echte Witwe, und ich habe nicht die Absicht, in Atlanta in so eintönigen und langweiligen Sachen herumzulaufen. Ihr so zweckmäßiger schwarzer Rock, die schwarzen Strümpfe, die Bluse und der Schal wirkten plötzlich unsäglich deprimierend auf sie. Sie konnte den Augenblick kaum erwarten, da sie endlich das grüne Leinenkleid mit den Rüschen aus dicker, cremefarbener Spitze anziehen konnte. Oder das rosa und marineblau gestreifte Seidenkleid. Wenn Margaret Scanlon damit jemals fertig werden würde.

»Du wirst dich wundern, wie hübsch deine Mama in ihren neuen Kleidern aussieht«, sagte sie zu Cat. »Für dich habe ich auch ein paar wunderschöne Sachen bestellt.« Das Baby lächelte und ließ eine Reihe kleiner Zähnchen sehen.

»Auf dem großen Schiff wird es dir sicher gut gefallen«, versprach ihr

Scarlett. Sie hatte die größte und beste Kabine auf der *Brian Boru* reservieren lassen. Das Schiff stach am Freitag nach Ostern von Galway aus in See.

Am Palmsonntag schlug das Wetter um. Von böigem Wind getrieben, peitschte ein kalter Regen herab, der sich auch am Karfreitag noch nicht gelegt hatte. Nach der langen Zeremonie auf freiem Feld war Scarlett bis auf die Knochen durchfroren und durchnäßt. Auf schnellstem Wege eilte sie nach Hause. Sie sehnte sich nach einem heißen Bad und einem Kännchen Tee. Doch sie fand nicht einmal Zeit, die Kleider zu wechseln. Kathleen erwartete sie bereits mit einer dringlichen Botschaft.

»Onkel Daniel läßt dich rufen, Scarlett. Er hat sich eine Krankheit zugezogen. Sie steckt ihm in der Brust, und es geht ungeheuer schnell bergab mit ihm. Ich glaube, er liegt im Sterben.«

Als Scarlett den alten Daniel erblickte, hielt sie unvermittelt den Atem an. Kathleen bekreuzigte sich. »Er geht dahin«, sagte sie ruhig.

Daniel O'Haras Augen lagen tief in ihren Höhlen, und die hohlen Wangen ließen sein Gesicht wie einen mit Haut überspannten Totenschädel erscheinen. Scarlett kniete neben dem spartanischen Klappbett nieder und ergriff die Hand ihres Onkels. Sie war heiß und schwach und fühlte sich an wie Papier. »Ich bin's, Onkel Daniel. Katie Scarlett.«

Daniel öffnete die Augen. Scarlett hätte am liebsten geweint, als sie sah, welch gewaltige Willenskraft ihn das kostete. »Ich möchte dich um einen Gefallen bitten«, sagte er. Sein Atem ging ganz flach.

»Was du willst.«

»Begrab mich in O'Hara-Erde.«

Rede keinen Unsinn, bis da ist es noch lange hin, wollte Scarlett sagen. Aber sie brachte es nicht über sich, den alten Mann zu belügen. »Ja, das werde ich«, gab sie zur Antwort.

Daniels Augen fielen zu, und Scarlett fing an zu weinen. Kathleen geleitete sie zu einem Stuhl am Kamin. »Hilfst du mir beim Teekochen, Scarlett? Alle Welt wird kommen.« Scarlett nickte nur, sie brachte kein Wort über die Lippen. Erst jetzt wurde ihr klar, was für eine bedeutende Stellung ihr Onkel inzwischen in ihrem Leben eingenommen hatte. Er sprach nur selten. Sie hatte sich kaum je richtig mit ihm unterhalten. Er war einfach immer nur dagewesen – solide, still, unveränderlich und stark. Das Familienoberhaupt. Für sie war Onkel Daniel »der O'Hara«.

Bevor es dunkel wurde, schickte Kathleen Scarlett nach Hause. »Du mußt dich um dein Baby kümmern. Hier kannst du ohnehin nichts mehr tun. Komm morgen wieder.«

Am Samstag war die Situation unverändert. Den ganzen Tag über erkundigte sich ein unablässiger Strom von Besuchern nach Daniels Befinden. Scarlett war unentwegt beschäftigt: Sie setzte Tee auf, zerteilte die von den Besuchern mitgebrachten Kuchen und bereitete Sandwiches.

Am Sonntag saß sie bei ihrem Onkel am Bett, während Kathleen und die übrigen O'Haras zur Messe gingen. Nach deren Rückkehr machte sie sich wieder auf nach Ballyhara – die Gutsherrin mußte das Osterfest in der dortigen Kirche feiern.

Vater Flynns Predigt scheint einfach kein Ende zu nehmen, dachte sie. Die Leute lassen mich ja nie von hier fort ... Alle Bürger von Ballyhara erkundigten sich nach dem Gesundheitszustand ihres Onkels und gaben ihrer Hoffnung Ausdruck, daß es ihm bald wieder besser gehen möge. Obwohl vierzig Tage strengen Fastens hinter ihr lagen – auch die O'Hara von Ballyhara bekam keinen Dispens –, fehlte Scarlett vor dem großen Ostermahl der Appetit.

»Bringen Sie es doch der Familie Ihres Onkels«, schlug Mrs. Fitzpatrick vor. »Das sind große, starke Männer, die auf den Feldern arbeiten. Die brauchen was Gutes zu essen, und die arme Kathleen ist vollauf mit dem alten Daniel beschäftigt.«

Bevor sie ging, nahm Scarlett Cat auf den Arm und küßte sie. Cat tätschelte mit ihren kleinen Händen die tränenfeuchten Wangen ihrer Mutter. »Wie aufmerksam du bist, Kitty Cat! Ich danke dir, mein Schatz. Mama geht es bald wieder besser, und dann baden wir wieder miteinander und singen und spielen im Wasser. Und danach machen wir eine wunderschöne Reise mit dem großen Schiff.« Scarlett hatte ein furchtbar schlechtes Gewissen, aber der Gedanke ließ sich nicht vertreiben: Hoffentlich verpassen wir nicht die Abfahrt der *Brian Boru*.

An diesem Nachmittag besserte sich Daniels Zustand ein wenig. Er erkannte die Besucher und redete sie mit Namen an. »Gott sei Dank«, sagte Scarlett und dankte Gott auch dafür, daß Colum an ihrer Seite war. Warum war er nur soviel unterwegs? Sie hatte ihn während der letzten Tage sehr vermißt.

Colum war es auch, der ihr am Montag morgen mitteilte, daß Daniel in der Nacht gestorben war.

»Wann findet die Beerdigung statt?« fragte sie. »Ich möchte doch gern am Freitag das Schiff erreichen.« Es war so angenehm, einen Freund wie Colum zu haben. Sie konnte ihm alles sagen, ohne fürchten zu müssen, daß er etwas mißverstand oder übelnahm.

Colum schüttelte langsam den Kopf. »Das geht nicht, Scarlett. Es gibt so viele Menschen, die Daniel sehr geschätzt haben. Und viele O'Haras wohnen weit weg von hier und haben lange Strecken auf verschlammten Straßen vor sich. Die Totenwache wird also mindestens drei Tage dauern, und dann erst findet die Beerdigung statt. Frühestens Donnerstag.«

»O nein, Colum! Sag, daß ich mich nicht an der Totenwache beteiligen muß, das ist zu grausig! Ich glaube, ich würde es nicht aushalten.«

»Du mußt, Scarlett. Ich werde bei dir sein.«

Noch ehe das Haus in Sicht kam, konnte Scarlett schon die Totenklage hören. Sie sah Colum verzweifelt an, doch der verzog keine Miene.

Eine kleine Menschenmenge drängte sich vor der niedrigen Eingangstür. Das kleine Haus bot nicht genügend Platz für alle Trauergäste. Scarlett hörte, wie jemand »die O'Hara« raunte, und sah, daß sich eine Gasse für sie öffnete. In diesem Moment war ihr der Ehrenname eine schwere Last, von der sie sich liebend gern befreit hätte. Aber sie schritt gebeugten Hauptes ins Haus, entschlossen, Daniel formgerecht die letzte Ehre zu erweisen.

»Er ist im Wohnzimmer«, flüsterte Seamus. Scarlett sammelte sich. Das unheimliche Wehklagen kam von dort. Sie trat ein.

Auf den Tischen am Kopf- und Fußende des mächtigen Bettes standen große, dicke Kerzen. Daniel lag auf der Decke. Er war mit einem weißen, schwarzgesäumten Totenhemd bekleidet. Seine abgearbeiteten Hände waren über der Brust gefaltet, zwischen den Fingern lag ein Rosenkranz.

»Warum hast du uns verlassen? *Ochón!*

Ochón, Ochón, Ullagón Ó!«

Die klagende Frau wiegte sich langsam hin und her. Scarlett erkannte ihre Cousine Peggy aus dem Dorf. Sie kniete neben ihr nieder, um für Daniel zu beten, doch die Totenklage verwirrte sie derart, daß sie keinen eigenen Gedanken fassen konnte.

»*Ochón, Ochón.*«

Das traurige, wie aus alter Zeit stammende Wehklagen ging Scarlett ans Herz und erfüllte sie mit Furcht. Sie erhob sich wieder und ging in die Küche.

Ungläubig starrte sie die vielen Menschen an, die sich in dem kleinen Raum versammelt hatten. Man aß, trank und schwatzte, als sei nichts Ungewöhnliches geschehen. Obwohl Tür und Fenster offenstanden, war die Luft schwer vom Rauch aus den Tonpfeifen der Männer. Scarlett begab sich zu einer Gruppe, die sich um Vater Danaher gesellt hatte. »Jawohl, er wachte noch einmal auf, nannte die Leute beim Namen und starb mit reiner Seele. O ja, er hat eine großartige Beichte abgelegt, ich habe nie eine bessere gehört. War ein feiner Mann, der alte Daniel O'Hara. Werden zu unseren Lebzeiten wohl keinem Manne seines Schlages mehr begegnen ...« Scarlett zog sich zurück.

»Und weißt du noch, Jim, wie Daniel und sein Bruder Patrick, Gott hab ihn selig, damals diesem Engländer die preisgekrönte Muttersau entführt haben und unten im Torfmoor ferkeln ließen? Zwölf kleine, quiekende Ferkelchen, und die Sau wütend wie ein wilder Eber. Der Gutsverwalter schlotterte, der Engländer fluchte, und der Rest der Welt kringelte sich vor Lachen!«

Jim O'Gorman lachte und hieb dem Erzähler seine große Schmiedehand auf die Schulter. »Nein, Ted O'Hara, daran erinnere ich mich nicht, genausowenig übrigens wie du, und das ist die reine Wahrheit. Du weißt ganz genau, daß wir beide noch gar nicht geboren waren, als die Geschichte mit der Sau passiert ist. Dir hat sie dein Vater erzählt und mir der meine!«

»Aber wäre es nicht eine tolle Sache, wenn wir das mit eigenen Augen miterlebt hätten, Jim? Dein Vetter Daniel war ein großer Mann, so wahr ich hier sitze!«

Ja, das war er. Scarlett ging von einem zum anderen und erfuhr zahllose Geschichten aus Daniels Leben. Schließlich richtete jemand die Rede an sie: »Und nun erzähl du uns, Katie Scarlett, wie es war, als dein Onkel die Farm mit den hundert Kühen ausschlug, die du ihm geben wolltest.«

Scarlett überlegte kurz, bevor sie antwortete. »Also, das war so...« Ein Dutzend neugierige Zuhörer neigten sich ihr zu. Was soll ich ihnen bloß sagen? »Ich... ich sagte zu ihm: ›Onkel Daniel‹, sagte ich, ›ich möchte dir etwas schenken...‹« Nun streng dich ruhig ein bißchen an, dachte sie bei sich. »›Ich habe da eine Farm mit... mit hundert Morgen‹«, fuhr sie fort, »›einem schnellfließenden Bach, einem eigenen Torfstich und... mit hundert Bullen und fünfzig Milchkühen, dreihundert Gänsen, fünfundzwanzig Schweinen und sechs Pferdegespannen..‹« Das Publikum seufzte vor Bewunderung. Angefeuert spann Scarlett die Geschichte weiter. »›Onkel Daniel‹, sagte ich, ›all das gehört dir. Und ein Säcklein Gold obendrein.‹ Doch er wies mein Angebot zurück, mit einer Stimme, die mich erzittern ließ: ›Nichts von dem werde ich anrühren, Katie Scarlett O'Hara!‹«

Colum ergriff sie am Arm, zog sie zur Haustür hinaus und zerrte sie durch die Menge der Wartenden. Erst hinter der Scheune gab er sie frei und erlaubte sich ein Lachen. »Du bist immer für Überraschungen gut, Scarlett-Schatz. Soeben hast du Daniel zu einem Giganten gemacht – doch ob er ein riesiger Tor ist oder ein Gigant des Edelmuts, der sich weigert, eine törichte Frau zu übervorteilen, kann ich beim besten Willen nicht sagen.«

Scarlett stimmte in sein Lachen ein. »Es fing gerade an, mir Spaß zu machen, Colum. Du hättest mich nicht da herausholen sollen.« Unvermittelt hielt sie sich die Hand vor den Mund. Wie kann ich nur während der Totenwache für Onkel Daniel lachen?

Colum nahm ihr Handgelenk und drückte den Arm wieder nach unten. »Schon gut«, sagte er. »Bei der Totenwache sollen das Leben des Verstorbenen und seine Bedeutung für die Anwesenden gefeiert werden. Das Lachen gehört ebenso dazu wie die Klage.«

Daniel O'Hara wurde am Donnerstag bestattet. Es kamen fast so viele Trauergäste wie zur Beerdigung der Großmutter. Scarlett ging an der Spitze des Leichenzugs. Er endete auf dem uralten, umfriedeten Gottesakker von Ballyhara, den Colum und sie wieder zugänglich gemacht hatten. Dort hatten Daniels Söhne eine Grube ausgehoben.

Scarlett füllte einen Lederbeutel mit Erde von Daniels Grab. Wenn ich sie auf Vaters Grab verstreue, dann ist das fast dasselbe, als habe man ihn neben seinem Bruder beerdigt.

Nach der Beisetzung versammelte sich die Familie zum Leichenschmaus im Gutshaus. Scarletts Köchin war über die Gelegenheit, eine Probe ihres Könnens zu geben, hoch erfreut. Lange, auf Schragen gestellte Tische erstreckten sich über die gesamte Länge des ansonsten unbenutzten Saals, der einst als Salon und Bibliothek gedient hatte. Sie waren bedeckt mit Schinken, Gänse- und Hühnerbraten, mit Rindfleisch, Bergen von Brot und Kuchen. Porter, Whiskey und Tee flossen in Strömen. Den schlammigen Straßen zum Trotz waren zahlreiche O'Haras und ihnen Nahestehende erschienen.

Scarlett holte Cat aus dem Obergeschoß, um sie der Verwandtschaft vorzustellen. Die Bewunderung für die Kleine übertraf alle ihre Erwartungen.

Dann brachte Colum eine Fiedel und seine Trommel, drei Cousins hatten plötzlich kleine Flöten in der Hand, und es wurde stundenlang musiziert. Cat fuchtelte mit ihren Händchen im Takt, bis sie nicht mehr konnte und einschlief. Es macht mir nichts mehr aus, daß ich das Schiff versäume, dachte Scarlett. Es ist so schön hier. Wäre doch nur nicht Daniels Tod der Anlaß für dieses Fest!

Zwei der Cousins kamen auf sie zu, neigten sich aus großer Höhe zu ihr herab und sprachen leise auf sie ein. »Wir brauchen die O'Hara«, sagte Thomas, Daniels Sohn.

»Kannst du morgen nach dem Frühstück zu uns kommen?« fragte Joe, der Sohn Patricks.

»Worum geht es denn?«

»Das sagen wir dir morgen, wenn du Zeit und Ruhe zum Nachdenken hast.«

Die Frage lautete: Wer soll Daniels Farm erben? Infolge der weit zurückliegenden Auseinandersetzung nach dem Tod des alten Patrick gab es jetzt zwei Anwärter auf das Erbe. Wie sein Bruder Gerald hatte auch Daniel nie ein Testament verfaßt.

Da wiederholt sich die Geschichte Taras, dachte Scarlett. Die Entscheidung fiel ihr nicht schwer. Daniels Sohn Seamus hatte dreißig Jahre lang auf dem Hof harte Arbeit geleistet, Patricks Sohn Sean hingegen hatte bei der alten Katie Scarlett gelebt und keinen Finger gerührt. Scarlett sprach die Farm Seamus zu. So, wie Pa Tara mir hätte geben sollen.

Sie war die O'Hara, deshalb gab es keinen Widerspruch. Scarlett war froh darüber. Sie war überzeugt, daß sie Seamus mehr Gerechtigkeit hatte zukommen lassen als ihr selbst je widerfahren war.

Am nächsten Tag stellte eine nicht mehr ganz junge Frau einen Korb mit frischen Eiern auf die Stufe vor dem Eingang des Gutshauses. Es war Seamus' Freundin, wie Mrs. Fitzpatrick schnell herausfand. Seit nahezu zwanzig Jahren wartete sie auf einen Heiratsantrag von ihm. Eine Stunde nach Scarletts Entscheidung war ihr Wunsch in Erfüllung gegangen.

»Das ist ja reizend«, sagte Scarlett. »Ich hoffe nur, daß sie sich mit der Hochzeit noch ein wenig Zeit lassen. Wenn ich so weitermache, komme ich nie nach Amerika.« Sie hatte inzwischen eine Kabine auf einem Segelschiff gebucht, das am sechsundzwanzigsten April ablegen sollte, auf den Tag genau ein Jahr nach jenem Datum, an dem ihr »Urlaub« in Irland ursprünglich hätte zu Ende gehen sollen.

Es handelte sich nicht um die luxuriöse *Brian Boru*, ja nicht einmal um ein anständiges Passagierschiff. Doch Scarlett war mittlerweile selbst von einem Aberglauben besessen: Wenn ich die Abfahrt wiederum über den ersten Mai hinausschiebe, komme ich nie hier fort. Davon abgesehen kannte Colum sowohl das Schiff als auch den Kapitän. Es war ein Frachtschiff, gewiß, aber seine Ladung bestand nur aus Tuchballen bester irischer Qualität, war also in keiner Weise schmutzig. Da die Frau des Kapitäns ihren Gatten immer begleitete, war auch für weibliche Betreuung und Begleitung gesorgt. Was Scarlett aber am besten gefiel, war die Tatsache, daß das Schiff weder eine Dampfmaschine noch ein Schaufelrad besaß. Die Segel blieben also die gesamte Fahrt über gesetzt.

67. Kapitel

Das schöne Wetter hielt über eine Woche an. Die Straßen waren trocken, die Wallhecken voller Blüten. Cat fieberte eine Nacht lang und konnte nicht schlafen, aber es war nur ein neuer Zahn. Am Tag vor der Abreise nach Galway lief Scarlett, halb im Tanzschritt, in die Stadt und holte bei der Schneiderin das letzte der bestellten Kinderkleidchen ab. Jetzt kann nichts mehr schiefgehen, dachte sie bei sich.

Während Margaret Scanlon das Kleid in Seidenpapier einwickelte, sah Scarlett hinaus auf die zur Mittagszeit fast völlig verwaiste Hauptstraße und bekam gerade noch mit, wie Colum in der leerstehenden protestantischen Kirche gegenüber verschwand.

Na gut, dachte sie, hat er sich schließlich doch noch dazu durchgerungen. Ich hatte schon gedacht, er wollte sich auf immer und ewig der Vernunft verschließen. Es ist doch aberwitzig, daß sich die gesamte Bevölkerung der Stadt Sonntag für Sonntag zur Messe in die winzigkleine Kapelle quetscht, während die große Kirche am Ort, nur weil sie einst von Protestanten errichtet worden ist, ungenutzt bleibt! Ich sehe wirklich nicht ein, daß Katholiken sie nur deshalb nicht übernehmen können. Außerdem ist mir völlig schleierhaft, warum Colum bisher so hartnäckig dagegen war. Aber ich werde ihm keine Vorhaltungen machen. Ich sage ihm lediglich, wie sehr es mich freut, daß er seine Meinung doch noch geändert hat.

»Ich bin gleich wieder da!« rief sie Mrs. Scanlon zu, lief über den von Wagenspuren zerfurchten Pfad, der zum kleinen Nebeneingang der Kirche führte, klopfte kurz an und öffnete die Tür. Einmal, zweimal krachte es, dann spürte Scarlett einen scharfen Schlag auf den Arm. Ein Steinregen prasselte vor ihren Füßen auf den Boden, und der Widerhall erfüllte die ganze Kirche mit lautem Dröhnen.

Der Lichtschein, der durch die Türöffnung fiel, beleuchtete einen eigenartigen Mann, der sich bei Scarletts Erscheinen blitzschnell nach ihr umgedreht hatte. Sein zu einer Fratze verzerrtes Gesicht war voller Bartstoppeln, die dunklen, umschatteten Augen erinnerten an die eines wilden Tieres.

Der Mann hatte sich tief geduckt. Zwei Arme ragten aus den Lumpen hervor, die seine Kleidung bildeten, zwei schmutzige Hände umklammerten eine Pistole, die mit tödlicher Präzision auf Scarlett gerichtet war.

Er hat auf mich geschossen! Die Erkenntnis traf Scarlett wie ein Schlag. Er hat Colum getötet und wird nun auch mich töten. Cat! Ich werde Cat nie wiedersehen! Weißglühende Wut löste den Schock, der sie im ersten Moment gelähmt hatte. Mit erhobenen Fäusten ging sie auf den Mann los.

Der nächste Schuß war wie eine Explosion, deren Echo ohrenbetäubend vom Gewölbe zurückgeworfen wurde und kein Ende zu nehmen schien. Schreiend warf sich Scarlett auf den Boden.

»Sei bitte still, Scarlett«, sagte Colum. Stahlhart war seine Stimme. Und eiskalt.

Scarlett blickte auf. Sie sah, daß Colums rechter Arm den Hals und seine Linke das Handgelenk des Angreifers umklammerte. Die Pistolenmündung wies zur Decke.

Langsam rappelte Scarlett sich auf. »Was geht hier vor?« fragte sie vorsichtig.

»Mach bitte die Tür hinter dir zu«, erwiderte Colum. »Durch die Fenster kommt genug Licht.«

»Was ... geht hier vor?«

Colum beantwortete ihre Frage nicht. »Laß die Waffe fallen, Davey, mein Junge«, sagte er, und die Pistole fiel mit metallischem Scheppern auf den Steinfußboden. Langsam senkte Colum den Arm des Mannes. Dann gab er mit einer raschen Bewegung seinen Hals frei, ballte die Fäuste und schlug ihn nieder; der Mann blieb bewußtlos am Boden liegen.

»Das reicht erst einmal«, sagte Colum, ging mit entschlossenen Schritten an Scarlett vorbei, schloß die Tür und schob den Riegel vor. »So, Scarlett, jetzt müssen wir miteinander reden.«

Colums Hand schloß sich von hinten um Scarletts Oberarm. Mit einem heftigen Ruck befreite sie sich aus seinem Griff und wirbelte herum, um ihn zu stellen. »Nicht ›wir‹, Colum! Du! Du erklärst mir jetzt gefälligst, was hier gespielt wird!«

Die alte Wärme und Fröhlichkeit kehrten in seine Stimme zurück. »Es handelt sich in der Tat um einen höchst bedauerlichen Vorfall, meine liebe Scarlett ...«

»Spar dir deine ›liebe Scarlett‹! Ich lasse mir keinen Honig ums Maul schmieren, Colum! Der Mann hat versucht, mich umzubringen. Wie heißt der Kerl? Warum triffst du dich klammheimlich mit ihm? Was geht hier vor?«

Colums Gesicht war nur ein blasses Flimmern zwischen den Schatten, sein Kragen grellweiß. »Komm, wir gehen dort hinüber, wo es heller ist«, sagte er ruhig und führte sie zu einem Fleck, wo dünne Streifen Sonnenlicht durch die mit Brettern vernagelten Fenster fielen.

Scarlett traute ihren Augen nicht. Colum sah sie lächelnd an. »Es ist wirklich ein Jammer«, sagte er. »Wenn wir dieses Gasthaus hätten, wäre das nie passiert. Ich wollte dich aus der Sache heraushalten, Scarlett. Das Wissen darum kann eine arge Belastung sein.«

Wie konnte er sich unterstehen zu lächeln? Sie starrte ihn an. Entsetzen lähmte ihre Zunge.

Und Colum erzählte ihr von der Bruderschaft der Fenier.

Als er seinen Bericht beendet hatte, fand Scarlett ihre Sprache wieder. »Du Judas! Du schmutziger, verlogener Verräter! Ich habe dir vertraut. Ich hielt dich für einen Freund!«

»Ich habe dir ja gesagt, daß die Sache ziemlich unangenehm ist.«

Scarlett war viel zu verzweifelt, um sich über seine lächelnde, reumütige Antwort zu ereifern. Alles war Lug und Trug, alles. Er hat mich vom ersten Tag unserer Bekanntschaft an belogen und mißbraucht – und nicht nur er, Jamie und Maureen, die Cousins und Cousinen in Savannah und hier in Irland, die Farmer und die übrigen Einwohner von Ballyhara, ja selbst Mrs. Fitz. Mein Glück war Einbildung, alles war nur Einbildung.

»Hörst du mir jetzt zu, Scarlett?« Sie haßte Colums Stimme, ihre Melodik und ihren Charme. Nein, ich höre nicht mehr auf dich, dachte sie und preßte die Hände auf die Ohren. Aber seine Worte ließen sich davon nicht aufhalten.

»Denk an den Süden, an deine Heimat. Denk an die Stiefel der einmarschierenden Eroberer. Und denke an Irland, die Schönheiten dieses Landes und sein Blut an den Mörderhänden des Feindes. Sie haben uns unsere Sprache genommen: Kindern Gälisch beizubringen gilt in diesem Land als Verbrechen. Kannst du dir nicht vorstellen, was das bedeutet, Scarlett? Angenommen, die Yankees sprächen eine dir unbekannte Sprache und lehrten sie dich mit vorgehaltener Waffe, und ganz rasch müßtest du das Wort ›stop‹ lernen, denn ein Nichtverstehen bei falscher Gelegenheit könnte dich das Leben kosten. Und dieselben Yankees würden auch dein Kind zwingen, diese Sprache sprechen zu lernen, die nicht deine eigene wäre. Cat würde wie eine Fremde für dich sein, die dich und dein Leben nicht wirklich versteht. Die Engländer haben uns unsere Sprache gestohlen und damit auch unsere Kinder. Sie haben uns unser Land gestohlen und damit auch unsere Mutter. Nach dem Verlust unserer Kinder und unserer Mutter ist uns nichts geblieben. Wir sind besiegt und spüren die Niederlage in tiefster Seele. Denkst du heute noch daran, wie es war, als man dir dein Tara nehmen wollte, Scarlett? Du hast mir doch erzählt, wie du um Tara gekämpft hast, mit all deiner Willenskraft, deiner Intelligenz, mit allen dir zu Gebote stehenden Mitteln. Du warst mit ganzem Herzen dabei und konntest lügen und betrügen, wenn Lüge und Betrug dir weiterhalfen, und konntest sogar töten, als ein Mord erforderlich war. Genauso verhält es sich mit unserem Kampf um Irland.

Wir sind trotz allem in einer glücklicheren Lage als du. Denn noch haben wir Zeit für die Sonnenseiten des Lebens – wir tanzen, wir musizieren, und wir lieben. Du weißt, was es bedeutet zu lieben, Scarlett. Ich habe das Wachsen und Gedeihen deines Kindes miterlebt. Erkennst du nicht, daß Liebe sich ohne Gier aus sich selbst nährt, daß sie ein stets randvoll gefüllter Becher ist, und wenn du noch soviel aus ihm trinkst? Und das gilt auch für unsere Liebe zu Irland und dem irischen Volk. Du wirst von mir geliebt, Scarlett, von uns allen. Unsere brennende Liebe zu Irland bedeutet nicht, daß du ungeliebt bist. Darfst du etwa deine Freunde nicht mehr lieben, weil du dein Kind liebst? Das eine schließt das andere nicht aus. Du sagst, ich sei dein Freund gewesen, dein Bruder. Ich bin es immer noch, Scarlett, und ich werde es bleiben bis ans Ende meiner Tage. Dein Glück erfüllt mich mit Freude, und dein Kummer stimmt auch mich traurig. Und dennoch ist Irland meine Seele, und was immer geschehen mag, solange es geschieht, um Irland aus der Knechtschaft zu befreien, kann ich es nicht für ruchlos oder verräterisch halten. Und meine Liebe zu Irland beeinträchtigt nicht meine Liebe zu dir – im Gegenteil, sie verstärkt sie nur.«

Scarletts Hände hatten sich selbständig gemacht, hatten ihre Ohren freigegeben und hingen nun schlaff herunter. Wie immer, wenn er in diesem Ton zu ihr sprach, war es Colum gelungen, sie zu bezaubern, obgleich sie die Hälfte von dem, was er da sagte, nicht verstand. Sie hatte das Gefühl, von einem dünnen Gazestoff umhüllt zu sein, der sie gleichermaßen wärmte und fesselte.

Der Mann auf dem Fußboden war längst aufgewacht. Schweigend hörte er ihnen zu. Scarlett sah Colum ängstlich an. »Ist dieser Mann ein Fenier?«

»Ja. Er ist auf der Flucht. Er glaubt, ein Freund habe ihn bei den Engländern denunziert.«

»Du hast ihm die Pistole gegeben.« Es war keine Frage.

»Ja, Scarlett. Du siehst, ich versuche dir nichts mehr zu verheimlichen.

Überall in dieser englischen Kirche habe ich Waffen versteckt. Ich bin der Waffenmeister der Bruderschaft. Eines nicht mehr allzu fernen Tages werden Tausende von Iren zu den Waffen greifen und sich gegen die Engländer erheben, und ihre Waffen werden von hier, aus diesem englischen Gebäude stammen.«

»Wann wird es soweit sein?« Scarlett graute vor der Antwort.

»Das Datum steht noch nicht fest. Wir brauchen noch fünf oder, wenn es geht, sechs Lieferungen.«

»Und die organisierst du in Amerika.«

»So ist es. Mit der Unterstützung vieler anderer treibe ich das nötige Geld auf. Wieder andere besorgen damit die Waffen, die ich dann nach Irland bringe.«

»Auf der *Brian Boru*?«

»Und auf anderen Schiffen, ja.«

»Ihr wollt die Engländer töten?«

»Ja. Doch werden wir barmherziger sein als sie. Sie haben nicht nur unsere Männer getötet, sondern auch unsere Frauen und Kinder. Wir werden nur Soldaten töten. Ein Soldat wird fürs Sterben bezahlt.«

»Aber du bist Priester«, erwiderte Scarlett. »Du kannst nicht töten.«

Colum schwieg lange. In den Lichtstreifen, die durch das Fenster fielen und sein gebeugtes Haupt erhellten, tanzten feinste Staubpartikel. Als er aufblickte, sah Scarlett, daß tiefer Kummer seine Augen umschattete.

»Als kleiner Junge von acht Jahren«, sagte er, »sah ich mit Weizen beladene Gespanne und Rinderherden auf der Straße von Adamstown nach Dublin ziehen, wo sie die Tische der Engländer füllten. Im selben Jahr erlebte ich den Hungertod meiner Schwester; sie war gerade zwei und hatte nicht genug Reserven, um den Nahrungsmangel auszugleichen. Mein Bruder war drei, und auch ihm fehlte die Kraft. Die Kleinsten sterben immer zuerst. Sie schrien, weil sie Hunger hatten und nicht begriffen, daß es nichts zu essen gab. Ich war acht und schon gescheiter, deshalb verstand ich, was mir die Erwachsenen sagten. Und deshalb schrie ich auch nicht, denn mir war klar, daß das Schreien die Kräfte aufzehrte, die ich zum Überleben brauchte. Dann starben hintereinander ein siebenjähriger Bruder sowie ein sechs- und ein fünfjähriges Geschwisterchen, wobei ich zu meiner ewigen Schande gestehen muß, daß ich nicht mehr weiß, wer von beiden der Junge und wer das Mädchen war. Als nächste traf es meine Mutter, sie starb jedoch eher an gebrochenem Herzen als an den Qualen, die ihr der leere Magen bereitete.

Der Hungertod dauert monatelang, Scarlett, und er ist alles andere als ein barmherziger Tod. Und all diese Monate lang rollten die Gespanne mit Lebensmitteln an uns vorbei.«

Colums Stimme hatte wie die eines Toten geklungen. Jetzt erwachte sie unvermittelt zu neuem Leben.

»Ich war ein recht vielversprechender Bursche. Als ich zehn war und es wieder genug zu essen gab, machte ich in der Schule rasch Fortschritte. Der Pfarrer in unserer Gemeinde setzte einige Hoffnungen auf mich und sagte meinem Vater, ich könne bei entsprechendem Fleiß vielleicht ins Priesterseminar aufgenommen werden. Mein Vater förderte mich nach Kräften, meine älteren Brüder arbeiteten noch härter als zuvor auf der Farm, so daß ich nicht mitzuhelfen brauchte und mich statt dessen ganz auf meine Bücher konzentrieren konnte. Keiner war mir deshalb gram, galt es doch als große Ehre für die ganze Familie, einen Priester in ihren Reihen zu wissen. Was mich selbst betraf, so nahm ich die Hilfe ohne Gewissensbisse an, denn ich war beseelt von einem reinen, allumfassenden Vertrauen in die Güte Gottes und die Weisheit der heiligen Mutter Kirche. Ich sah in diesem Vertrauen eine Berufung, den Ruf zur Priesterschaft.« Colum hob die Stimme. »Jetzt würde ich die Antwort erfahren, glaubte ich. Im Seminar gab es viele heilige Bücher, viele fromme Männer und die gesammelte Weisheit der Kirche. Ich studierte, betete und suchte. Ich erlebte ekstatische Erfahrungen im Gebet, und das Studium bereicherte mein Wissen enorm. Aber es war nicht das Wissen, nach dem ich strebte. ›Warum‹, fragte ich meine Lehrer, ›warum müssen kleine Kinder verhungern?‹ Und ihre einzige Antwort lautete: ›Vertraue auf die Weisheit Gottes und seine Liebe.‹«

Colum hob die Arme über sein zerquältes Antlitz, und seine Stimme wurde zu einem Schrei: »O Gott, mein Vater, ich fühle Deine Gegenwart und Deine Allmacht, aber ich kann Dein Gesicht nicht schauen. Warum hast Du Dich abgewandt von Deinem Volk, den Iren?« Die Arme sanken herab.

»Es gibt keine Antwort, Scarlett«, fuhr er mit gebrochener Stimme fort, »und es hat auch nie eine gegeben. Aber ich hatte eine Vision, und der bin ich fortan gefolgt. Ich sah die hungernden Kinder zusammenströmen, und in der Masse waren sie weniger schwach als zuvor. Zu Tausenden erhoben sie sich, reckten die mageren Ärmchen und stürzten die Wagen mit den Lebensmitteln um. So blieb ihnen der Tod erspart. Es ist jetzt meine Aufgabe, diese Wagen umzustürzen, die Engländer von ihren Festgelagen zu vertreiben und Irland jene Liebe und Barmherzigkeit zurückzugeben, die Gott diesem Land versagt.«

Seine gotteslästerliche Anmaßung verschlug Scarlett den Atem. »Du wirst zur Hölle fahren.«

»Ich bin längst in der Hölle! Wenn ich sehe, wie Soldaten sich über meine Mutter lustig machen, weil sie um Essen für ihre Kinder betteln muß, dann ist das die Hölle. Wenn ich sehe, wie alte Männer in den Straßendreck geworfen werden, weil Soldaten die Bürgersteige für sich beanspruchen, dann ist auch das für mich die Hölle. Wenn ich Vertreibungen und Auspeitschungen miterlebe und sehe, wie unter ihrem Gewicht ächzende Getreidekarren an meiner Familie und dem handtuchgroßen Kartoffelfeld vorbeiziehen, das ihr zum Leben geblieben ist, dann muß ich sagen, daß Irland tatsächlich die Hölle ist. Und wenn es mir gelingt, dem irischen Volk auch nur eine einzige Stunde dieser Hölle auf Erden zu ersparen, dann sterbe ich gerne und schmore meinetwegen bis in alle Ewigkeit im Fegefeuer.«

Die Heftigkeit seines Ausbruchs erschütterte Scarlett. Sie bemühte sich um Verständnis. Angenommen, ich wäre nicht zufällig dagewesen, als die Engländer mit dem Rammbock Daniels Hof zerstören wollten? Angenommen, ich hätte kein Geld mehr und Cat litte Hunger? Angenommen, die englischen Soldaten benähmen sich tatsächlich wie die Yankees, würden mein Vieh stehlen und die Felder niederbrennen, die ich habe grün werden sehen?

Sie wußte, was es bedeutete, einer fremden Armee hilflos gegenüberzustehen. Es gab Erinnerungen, die sich durch alles Gold der Welt nicht ganz vertreiben ließen.

»Wie kann ich dir helfen?« fragte sie Colum. Er kämpfte für Irland, und Irland war die Heimat ihres Volkes und ihres Kindes.

68. Kapitel

Die Frau des Kapitäns war stämmig und rotgesichtig. Kaum hatte sie Cat entdeckt, streckte sie auch schon begehrlich die Arme nach ihr aus. »Na, kommst du einmal zu mir?« Cat reagierte, indem sie ihrerseits der Frau die Ärmchen entgegenstreckte. Scarlett war überzeugt, daß Cat sich hauptsächlich für die Brille interessierte, die die Kapitänsfrau an einer Kette um den Hals trug, doch das behielt sie für sich. Sie mochte es, wenn man Cat bewunderte, und die Frau des Kapitäns tat ebendies. »Sie ist eine kleine Schönheit – nein, Schätzchen, die Brille gehört auf die Nase, nicht in den Mund! Und was hat sie nur für eine hübsche olivfarbene Haut! Ist ihr Vater Spanier?«

»Ihre Großmutter«, erwiderte Scarlett nach kurzem Nachdenken.

»Wie schön.« Die Frau befreite die Brille aus Cats Händen und ersetzte sie durch ein Stück Schiffszwieback. »Ich bin selbst vierfache Großmutter und kann mir nichts Schöneres vorstellen. Als unsere Kinder erwachsen waren, entschloß ich mich, meinen Mann auf seinen Fahrten zu begleiten. Ich hielt es einfach nicht mehr aus in unserem leeren Haus. Aber die Enkelkinder sind die reine Freude für mich. Von Savannah aus laufen wir Philadelphia an, um dort Ladung aufzunehmen. Da kann ich dann zwei Tage bei meiner Tochter und ihren zwei Kleinen verbringen.«

Die schwatzt mich ja tot, noch ehe wir die Bucht verlassen haben, dachte Scarlett. Zwei Wochen lang halte ich das nie und nimmer aus.

Ihre Befürchtungen erwiesen sich allerdings schon sehr bald als grundlos. Die Kapitänsfrau wiederholte sich so oft, daß Scarlett nach einer Weile nur noch zu nicken und gelegentlich »Meine Güte!« einzuwerfen, nicht aber mehr zuzuhören brauchte. Außerdem wußte die alte Dame hervorragend mit Cat umzugehen, so daß Scarlett sich von Zeit zu Zeit an Deck Bewegung verschaffen konnte, ohne sich um Cat sorgen zu müssen.

Mit Salzgischt und Wind im Gesicht konnte sie am besten nachdenken. Vor allem schmiedete sie Pläne. Es gab eine Menge zu tun. Sie mußte einen Käufer für ihren Laden finden. Und dann war da das Haus in der Peachtree Street. Zwar trug Rhett die Kosten für den Unterhalt, doch war es lächerlich, ein Haus zu behalten, das man nie wieder benützen würde.

Also verkaufe ich nicht nur den Laden, sondern auch das Haus und den Saloon. Scarlett gestand sich ein, daß letzteres im Grunde schade war: Der Saloon war sehr profitabel und lief völlig problemlos. Aber sie hatte sich nun einmal entschlossen, alle Verbindungen mit Atlanta abzubrechen, und der Saloon war ein Teil davon.

Was sollte mit den Häusern geschehen, deren Bau wahrscheinlich noch nicht abgeschlossen war? Sie hatte keine Ahnung, wie weit die Projekte inzwischen gediehen waren. Ich muß das prüfen und sicherstellen, daß der Baumeister tatsächlich Ashleys Holz kauft. Überhaupt muß ich mich um Ashleys Wohl kümmern. Und um Beaus. Das habe ich Melanie versprochen.

Sobald ich in Atlanta alles erledigt habe, fahre ich nach Tara. Vorher geht es nicht, denn wenn Wade und Ella erst einmal erfahren haben, daß sie mit mir kommen sollen, dann werden sie es kaum noch abwarten können. Es wäre unfair, sie dann noch lange auf die Folter zu spannen.

Der Abschied von Tara würde ihr am schwersten fallen. Sie nahm sich vor, ihn möglichst kurz und schmerzlos zu gestalten. Oh, wie sehr sie sich nach Tara sehnte.

Die Fahrt von der Mündung des Savannah River bis zur Stadt schien kein Ende nehmen zu wollen. Das Schiff mußte von zwei dampfgetriebenen Schleppern durch die Fahrrinne gezogen werden. Rastlos wanderte Scarlett über Deck. Sie hielt Cat in den Armen und versuchte, die Aufregung und Freude nachzuvollziehen, die das Baby jedesmal empfand, wenn sich ein Schwarm aufgescheuchter Wasservögel urplötzlich in die Lüfte erhob. Sie waren Savannah so nahe – und brauchten eine Ewigkeit, um es zu erreichen. Scarlett sehnte sich nach Amerika, wollte endlich wieder amerikanische Stimmen hören.

Endlich! Da war die Stadt, da waren die Docks. So hör doch, Cat! Hörst du den Gesang? Das sind die Lieder der Schwarzen, das ist der Süden, spürst du die Sonne? Sie wird jetzt täglich scheinen. Oh, mein Liebling, meine liebe Cat, Mama ist zu Hause!

In Maureens Küche war alles beim alten, nichts hatte sich verändert. Auch die Familie war dieselbe geblieben. Da war wieder die herzliche Zuneigung, und da waren die vielen Kinder. Patricias Baby war ein Sohn, mittlerweile schon fast ein Jahr alt. Katie war schwanger. Cat wurde sofort in den Alltagsrhythmus der drei Haushalte mit einbezogen. Neugierig betrachtete sie die anderen Kinder, zog sie an den Haaren, duldete es, daß auch an ihren Haaren gezerrt wurde, und gehörte nach kurzer Zeit schon dazu.

Scarlett war eifersüchtig. Sie wird mich überhaupt nicht vermissen, und ich bringe es kaum über mich, sie hier zurückzulassen. Aber es gibt keine andere Möglichkeit. Zu viele Leute in Atlanta kennen Rhett, und er würde wahrscheinlich schon bald von ihrer Existenz erfahren. Ich kann sie nicht mitnehmen. Ich habe keine Wahl. Je schneller ich abreise, desto schneller bin ich zurück – und bringe ihr als Mitbringsel ihre Geschwister mit!

Sie schickte Henry Hamilton ein Telegramm an die Büroadresse und ein weiteres an Pansy in der Peachtree Street. Am zwölften Mai bestieg sie den Zug nach Atlanta. Sie war sehr gespannt, aber auch ziemlich nervös. Sie war so lange fortgewesen... Was konnte währenddessen nicht alles geschehen sein! Doch es war sinnlos, sich vorab darüber Gedanken zu machen, sie würde ohnehin in Kürze alles erfahren. Bis es soweit war, wollte sie Georgias Sonne genießen – und das Vergnügen, schicke Kleider anziehen zu können. Selbst auf dem Schiff hatte sie noch Trauerkleidung tragen müssen. In ihrem smaragdgrünen irischen Leinenkleid sah sie großartig aus.

Scarlett hatte jedoch vergessen, wie schmutzig die amerikanischen Züge waren. Die Spucknäpfe an beiden Enden des Waggons waren von übelriechendem Tabaksaft umgeben, und der Gang hatte sich schon nach zwanzig Meilen in eine Müllhalde verwandelt. Ein Betrunkener torkelte an ihrem Sitz vorbei, und erst in diesem Moment fiel ihr ein, daß sie eigentlich nicht allein hätte reisen sollen. Da kann kommen, wer will, meinen kleinen Handkoffer beiseite schieben und sich neben mich setzen. Das machen wir in Irland doch erheblich besser. Dort wird die erste Klasse ihrer Bezeichnung gerecht. Man hat sein eigenes kleines Abteil und bleibt ungestört. Sie nahm die Zeitung aus Savannah zur Hand, um sich mit ihr ein wenig abzuschirmen. Ihr hübsches Leinenkleid war bereits zerknittert und staubig.

Das Durcheinander im Bahnhof von Atlanta und die tollkühnen Kutscher im Mahlstrom von Five Points ließen Scarletts Herz vor Erregung höher schlagen. Der Staub und der Schmutz im Zug waren rasch vergessen. Wie lebendig und vital diese Stadt doch war! Und sie veränderte sich ständig: Viele Gebäude hatte Scarlett noch nie gesehen, über alten Läden prangten neue Namen, überall herrschte Lärm und Gedränge.

Gebannt verfolgte sie durch das Droschkenfenster, wie die Häuser der

Peachtree Street an ihr vorüberzogen. Sie dachte an ihre Besitzer und schloß aus verschiedenen Anzeichen, daß sich die Zeiten für sie wohl gebessert hatten. Das Anwesen der Merriwethers hatte ein neues Dach, das der Meades einen neuen Anstrich. Kaum ein Haus sah so heruntergekommen aus wie noch vor anderthalb Jahren, als sie Atlanta verlassen hatte.

Und da war ihr Haus! Ich kann mich gar nicht erinnern, daß es so viel Platz einnahm, es gibt ja kaum einen Garten. Stand es denn schon immer so nah an der Straße? Ach, ich bin einfach albern. Auf diese Dinge kommt es doch gar nicht an. Ich will es ohnehin verkaufen.

Für einen Verkauf sei die Zeit denkbar ungünstig, meinte Onkel Henry. Die Wirtschaftskrise sei noch nicht ganz überwunden, und allenthalben gingen die Geschäfte schlecht. Das Immobiliengewerbe sei überdies die am meisten betroffene Branche, und gerade für größere Objekte wie Scarletts Haus fänden sich kaum Interessenten. Anstatt sich zu verbessern, seien viele Menschen gezwungen, den Gürtel enger zu schnallen.

Anders, so der Onkel, verhalte es sich mit kleineren Häusern wie denen, die sie am Stadtrand habe errichten lassen. Sie würden einem praktisch, kaum daß sie fertig seien, aus der Hand gerissen. Scarlett mache ein kleines Vermögen damit. Aber warum wolle sie überhaupt verkaufen? Das Haus koste sie ja nichts. Rhett begleiche alle Rechnungen, und es bleibe sogar noch etwas Geld übrig.

Er sieht mich an, als würde ich schlecht riechen oder so etwas. Er macht mich für die Scheidung verantwortlich. Einen Augenblick lang hätte sie am liebsten protestiert und ihm ihre Version der Geschichte erzählt, die wahre Version. Onkel Henry ist der letzte, der auf meiner Seite steht. Er ist die letzte Seele in Atlanta, die nicht verächtlich auf mich herabschaut.

Na und? Was macht das schon? Wie eine Leuchtkugel glühte der Gedanke in ihr auf. Henry Hamilton beurteilt mich so falsch wie alle anderen hier in der Stadt. Ich bin nicht so wie sie und will es auch nicht werden. Ich bin anders. Ich bin ich. Ich bin die O'Hara.

»Wenn dir der Verkauf des Hauses zu mühsam ist, Henry, sag es geradeheraus!« In ihrem Auftreten lag eine schlichte Würde.

»Ich bin ein alter Mann, Scarlett. Es wäre vielleicht bessser für dich, du würdest dir einen jüngeren Anwalt suchen.«

Scarlett erhob sich von ihrem Stuhl und reichte Henry Hamilton die Hand. Ihr Lächeln entsprang echter Zuneigung.

Erst nachdem sie längst fort war, kam er darauf, wie sich die Veränderung Scarletts in Worte fassen ließ.

»Scarlett ist erwachsen geworden. Sie hat mich gar nicht mehr ›Onkel Henry‹ genannt.«

»Ist Mrs. Butler zu Hause?«

Scarlett erkannte Ashleys Stimme auf Anhieb. Eilig verließ sie das Wohnzimmer und lief hinunter in die Halle. Eine knappe Handbewegung entließ das Hausmädchen, das die Tür geöffnet hatte. »Ashley, mein Lieber, es freut mich so, dich zu sehen!« Sie streckte ihm beide Hände entgegen.

Er nahm sie in die seinen und hielt sie fest. »Scarlett!« sagte er und sah sie an. »Du bist schöner denn je. Fremdes Klima sagt dir zu. Erzähl mir, wo du warst und was du getrieben hast. Onkel Henry sagte, er wisse nur, daß du nach Savannah zurückgekehrt seist, danach habe er den Kontakt zu dir verloren. Wir haben alle gerätselt.«

Das kann ich mir denken, daß ihr gerätselt habt, vor allem deine otternzüngige ältere Schwester. »Komm rein und setz dich«, sagte Scarlett. »Du mußt mir unbedingt erzählen, was es an Neuigkeiten gibt, ich brenne darauf.«

Das Hausmädchen hielt sich im Hintergrund. »Bringen Sie uns Kaffee und Gebäck«, flüsterte Scarlett ihr im Vorbeigehen zu.

Sie führte Ashley ins Wohnzimmer, nahm auf der Sofaecke Platz und glättete den Sitz an ihrer Seite. »Komm, setz dich zu mir, Ashley. Ich möchte dich ansehen.« Gott sei Dank, er sieht nicht mehr so niedergeschlagen aus. Henry Hamilton hatte also offensichtlich recht, als er sagte, daß es ihm gutgehe. Während sie auf dem Tisch Platz für das Kaffeetablett freiräumte, musterte sie ihn mit gesenkten Wimpern. Ashley Wilkes war nach wie vor ein gutaussehender Mann. Seine schmalen, aristokratischen Züge waren mit dem Alter noch markanter geworden. Freilich sah er älter aus, als er war. Er kann doch höchstens vierzig sein, dachte Scarlett, und hat schon mehr Silber als Gold im Haar. Wahrscheinlich verbringt er viel mehr Zeit als früher im Sägewerk, seine Haut hat eine gute Farbe und ist nicht mehr so bürograu wie früher. Scarlett sah lächelnd auf. Es war schön, ihn wiederzusehen, vor allem, wo er so gesund und munter wirkte. Es würde ihr nicht schwerfallen, der Verpflichtung gerecht zu werden, die sie Melanie gegenüber eingegangen war.

»Wie geht es Tante Pitty? Und India? Und Beau? Er muß ja mittlerweile so gut wie erwachsen sein!«

Pitty und India hätten sich nicht verändert, antwortete Ashley mit merkwürdig verzogenen Lippen. Pitty rege sich über alles und jedes auf, und India engagiere sich in diversen Komitees zur Verbesserung der Moral in Atlanta. Die beiden verwöhnten ihn ganz abscheulich – zwei alte Jungfern, die darum stritten, wer von ihnen die beste Glucke sei. Auch Beau hätten sie verziehen wollen, aber das habe er nicht zugelassen. Ashleys graue Augen leuchteten vor Stolz auf. Beau sei in der Tat schon ein kleiner Mann. Er werde in Kürze zwölf, doch könne man ihn leicht für fünfzehn halten. Die Jungen aus der Nachbarschaft hätten eine Art Jugendklub gegründet, dessen Vorsitzender er sei. »Im Hof hinter Pittys Haus haben sie sich aus dem besten Holz des Sägewerks ein Baumhaus gebaut. Beau hat das organisiert.« Er verstehe schon jetzt mehr vom Geschäft als sein Vater, meinte Ashley in einer Mischung aus Betroffenheit und Bewunderung und fügte mit deutlichem Stolz hinzu, daß der Junge womöglich das Zeug zum Akademiker habe. Für einen lateinischen Aufsatz habe er schon einen Preis bekommen, außerdem lese er Bücher, für die er eigentlich noch viel zu jung sei.

»Aber das wird dich gewiß langweilen, Scarlett. Stolze Väter können sehr ermüdend sein.«

»Aber nein doch!« log Scarlett. Bücher, Bücher, Bücher, genau da lag der Hase im Pfeffer. In der Familie Wilkes bezog man sämtliche Lebenserfahrung aus Büchern, nicht aus der Wirklichkeit. Aber vielleicht klappte das ja mit dem Jungen. Wenn er sich jetzt schon so gut auf das Holzgeschäft verstand, dann gab das sicher zu Hoffnungen Anlaß. Bleibt ein weiteres Versprechen einzulösen, das ich Melly gegeben habe. Ich hoffe, Ashley stellt sich nicht zu sehr an. Sie legte ihm die Hand auf den Arm. »Ich möchte dich um einen großen Gefallen bitten«, sagte sie mit flehendem Blick.

»Was immer du willst, Scarlett. Das solltest du eigentlich wissen.« Ashley legte seine Hand auf die ihre.

»Ich möchte Beau auf die Universität gehen lassen und ihn danach mit Wade auf die große Reise, die Grand Tour, nach Europa schicken. Darf ich auf deine Zusage rechnen? Es bedeutet mir sehr viel. In gewisser Weise ist er ja auch mein Sohn, schließlich war ich dabei, als er auf die Welt kam. Geld spielt keine Rolle, ich habe in jüngster Zeit eine ganze Menge verdient. Du kannst nicht so engherzig sein, mir diese Bitte abzuschlagen.«

»Scarlett ...« Ashleys Lächeln war verschwunden. Er sah jetzt sehr ernst aus.

Oje, er macht Schwierigkeiten, dachte Scarlett. Ein Glück, daß gerade diese Tranfunzel mit dem Kaffee kommt. Vor ihr kann er nichts sagen, das gibt mir die Chance, noch einmal dazwischenzufahren, bevor er endgültig nein sagt.

»Wie viele Löffel Zucker nimmst du, Ashley? Ich gieße dir ein.«

Ashley nahm ihr die Tasse aus der Hand und stellte sie auf den Tisch. »Der Kaffee kann einen Augenblick warten, Scarlett.« Er nahm ihre Hand in die seine. »Sieh mich an, meine Liebe.« Ein matter Glanz lag in seinen Augen. Scarlett war irritiert. Er sieht fast genauso aus wie der alte Ashley, dachte sie, wie Ashley Wilkes aus Twelve Oaks.

»Ich weiß, wie du zu all dem Geld gekommen bist, Scarlett. Onkel Henry hat geplaudert. Ich verstehe, was du empfinden mußt, aber du brauchst dich nicht aufzuregen. Er war deiner nie würdig. Und jetzt bist du ihn endlich los – wie das geschehen ist, ist doch völlig gleichgültig. Du kannst das alles abhaken und vergessen, als wäre es nie geschehen.«

Potzdonner und Blitz! Ashley will mir einen Heiratsantrag machen!

»Du bist frei von Rhett. Sag, daß du mich heiraten willst, Scarlett, und ich verspreche dir bei meinem Leben, daß ich dich so glücklich machen werde, wie du es verdienst.«

Es hat einmal eine Zeit gegeben, da hätte ich für diese Worte meine Seele verkauft, dachte Scarlett. Und jetzt, da ich sie höre, empfinde ich überhaupt nichts. Das ist nicht fair. O Gott, Ashley – mußte das denn sein? Und warum?

Die Antwort war ihr klar, noch ehe sie die Frage im Geiste formuliert hatte. Es lag an dem alten Geschwätz, das inzwischen eine Ewigkeit zurückzuliegen schien. Ashley war entschlossen, sie vor aller Augen in Atlanta gesellschaftlich zu rehabilitieren. Typisch Ashley! Immer der wahre Gentleman, selbst auf die Gefahr hin, daß er dabei sein eigenes Leben ruiniert.

Und meines nicht minder, nebenbei bemerkt. Daran hat er natürlich nicht gedacht, wie ich annehme. Scarlett biß sich auf die Zunge, um ihn nicht mit Vorwürfen zu überschütten. Der arme Ashley. Er kann ja nichts dafür, daß er so ist, wie er ist. Rhett hat einmal gesagt, Ashley sei ein Mann aus der Zeit vor dem Krieg. In der Welt von heute ist einfach kein Platz für ihn. Ich kann ihm gar nicht ernsthaft böse sein. Ich will niemanden verlieren, der noch die herrlichen Zeiten gekannt hat. Von jener Welt bleiben nur die Erinnerungen und die Menschen, die diese Erinnerungen verbinden.

»Liebster Ashley«, sagte Scarlett, »nein, ich möchte dich nicht heiraten, und das ist mein letztes Wort. Ich bin nicht bereit, die schöne Dame für dich zu spielen, dir etwas vorzulügen und dich hinter mir herhecheln zu lassen. Dafür bin ich inzwischen zu alt, außerdem mag ich dich viel zu gern. Du hast in meinem Leben immer eine große Rolle gespielt, und daran wird sich auch nichts ändern. Bitte, laß es dabei bewenden.«

»Natürlich, meine Liebe. Deine Gefühle ehren mich. Ich werde dich nie wieder mit Heiratsanträgen belästigen.« Er lächelte und sah auf einmal ganz jung aus, so jung wie der junge Ashley auf Twelve Oaks, in den sie einst unsterblich verliebt gewesen war. Der gute Ashley... Nie darf er erfahren, daß ich die Erleichterung in seiner Stimme deutlich bemerkt habe. Doch jetzt ist alles in Ordnung, nein besser noch: Jetzt können wir endlich wahre Freunde sein. Wir haben unter das, was einst gewesen ist, einen klaren Schlußstrich gezogen.

»Wie sehen deine Zukunftspläne aus, Scarlett? Bleibst du nun wieder in der Heimat? Das hoffe ich doch sehr.«

Seit ihrer Abreise aus Galway hatte sich Scarlett auf diese Frage vorbereitet. Sie mußte darauf achten, daß niemand in Atlanta herausbekam, wo sie zu finden war. Es hätte ihre Position Rhett gegenüber geschwächt und das Risiko heraufbeschworen, Cat zu verlieren. »Ich verkaufe meinen Besitz, Ashley«, sagte sie. »Ich möchte eine Zeitlang keinerlei Verpflichtungen haben. Nach meinem Aufenthalt in Savannah habe ich Verwandte Pas in

Irland besucht. Anschließend habe ich verschiedene Reisen unternommen.« Ich muß vorsichtig sein. Ashley war auch im Ausland. Er merkt sofort, wenn ich ihm vorflunkere, irgendwo gewesen zu sein, wo ich in Wirklichkeit nie war. »Durch eine Verkettung merkwürdiger Zufälle habe ich London bisher noch nicht kennengelernt, ich kann mir vorstellen, daß ich mich für eine Weile dort niederlasse. Was meinst du, Ashley, ist das eine gute Idee?« Von Melanie wußte Scarlett, daß Ashley London für die nahezu ideale Stadt hielt. Er würde ins Schwärmen geraten, vom Hundertsten ins Tausendste kommen – und keine weiteren Fragen mehr stellen.

»Ich habe diesen Nachmittag wirklich genossen, Ashley! Du wirst mich doch sicherlich wieder besuchen, nicht wahr? Ich habe hier noch eine Weile zu tun, bis alles erledigt ist.«

»Sooft ich kann. Es ist ja ein seltenes Vergnügen.« Das Hausmädchen reichte ihm Hut und Handschuhe. »Auf Wiedersehen, Scarlett.«

»Auf Wiedersehen! Ach, Ashley, du wirst mir doch sicher meine Bitte erfüllen, oder? Es würde mich sehr betrüben, wenn du nein sagtest.«

»Ich glaube nicht ...«

»Ich schwöre dir, Ashley Wilkes, wenn du mir nicht erlaubst, eine kleine Stiftung für Beau einzurichten, dann heule ich wie ein Schloßhund! Und du weißt genausogut wie ich, daß es sich für einen Gentleman nicht schickt, eine Lady absichtlich zum Weinen zu bringen – niemals!«

Ashley beugte sich über ihre Hand. »Ich habe mich gefragt, ob du dich sehr verändert hast, Scarlett. Diese Frage war völlig fehl am Platz. Du verstehst es nach wie vor, einen Mann um den kleinen Finger zu wickeln, und bringst es sogar fertig, daß er es gern mit sich geschehen läßt. Ich wäre ein schlechter Vater, wenn ich Beau ein Geschenk von dir versagen würde.«

»Oh, Ashley, ich liebe dich aufrichtig und werde es immer tun. Vielen Dank!«

Ab mit dir in die Küche und erzähl alles weiter, dachte Scarlett, als sie sah, wie das Mädchen dicht hinter Ashley die Tür schloß. Sollen die alten Schwätzerinnen doch ruhig etwas Heißes zum Tratschen haben. Davon ganz abgesehen, liebe ich Ashley wirklich – nur eben in einer Weise, die sie nie begreifen werden.

Scarlett brauchte für die Abwicklung ihrer geschäftlichen Angelegenheiten in Atlanta viel länger, als sie erwartet hatte. Erst am zehnten Juni konnte sie nach Tara fahren.

Fast einen Monat lang bin ich jetzt von Cat getrennt! Ich kann es nicht mehr ertragen. Vielleicht hat sie mich schon vergessen. Wahrscheinlich habe ich ein oder gar zwei neue Zähnchen verpaßt. Angenommen, sie war nicht gut aufgelegt, und keiner ist auf die Idee gekommen, sie ein wenig im Wasser planschen zu lassen? Dann geht es ihr doch immer gleich wieder besser. Außerdem ist es furchtbar heiß. Vielleicht hat sie Hitzepickel bekommen. Ein kleines Irenkind ist doch an die Hitze hierzulande nicht gewöhnt.

Während der letzten Woche in Atlanta war Scarlett derart nervös, daß sie kaum Schlaf fand. Warum wollte es bloß nicht regnen? Eine halbe Stunde, nachdem man gewischt hatte, war alles schon wieder mit einer roten Staubschicht überzogen.

Im Zug nach Jonesboro konnte sie sich endlich entspannen. Trotz der Verzögerungen hatte sie alles erreicht, was sie sich vorgenommen hatte, und das war mehr, als sowohl Henry Hamilton als auch ihr neuer Rechtsanwalt für möglich gehalten hätten.

Der Verkauf des Saloons war erwartungsgemäß am einfachsten gewesen. Die Wirtschaftskrise hatte zu einer Umsatzsteigerung geführt, entsprechend höher war auch der Verkaufswert. Das Schicksal des Ladens stimmte Scarlett traurig. Es hatte sich gezeigt, daß das Grundstück mehr wert war als das Geschäft. Die neuen Eigentümer beabsichtigten, das Haus abzureißen und an seiner Stelle ein achtstöckiges Gebäude zu errichten. Five Points war also immerhin Five Points geblieben – Wirtschaftskrise hin oder her. Für den Erlös aus den beiden Verkäufen konnte sie weitere fünfzig Morgen Land am Stadtrand kaufen und hundert neue Häuser errichten lassen. Damit war auf einige Jahre hinaus für Ashleys Auskommen gesorgt. Zudem hatte ihr der Baumeister gesagt, daß auch andere Bauunternehmer damit begonnen hätten, ihr Holz bei Ashley zu kaufen. Bei ihm konnte man sich darauf verlassen, daß man nur gut abgelagertes Holz bekam, was sich von anderen Holzanbietern in Atlanta nicht sagen ließ. Es sah tatsächlich so aus, als könne Ashley allen Widrigkeiten zum Trotz noch ein erfolgreicher Geschäftsmann werden.

Was sie selbst betraf, so stand ihr wirklich ein Vermögen ins Haus. Henry Hamilton hatte nicht übertrieben. Die kleinen Häuser verkauften sich so schnell, wie sie fertiggestellt wurden.

Sie hatten gut verdient. Sehr gut. Scarlett traute ihren Augen nicht, als sie sah, wieviel Geld sich auf ihrem Konto angesammelt hatte. Damit ließen sich alle Kosten begleichen, die sich in Ballyhara über die Monate hinweg angestaut und ihr angesichts der geringen Einkünfte soviel Kopfzerbrechen bereitet hatten. Jetzt stimmte die Kasse wieder. Die Ernte würde sich voll und ganz auf der Habenseite verbuchen lassen und obendrein noch das Saatgut fürs kommende Jahr liefern. Daneben war fest mit wachsenden Mieteinnahmen aus der Stadt zu rechnen. Noch vor ihrer Abreise hatte sich ein Faßbinder nach einem der leerstehenden Häuser erkundigt, und für ein anderes hatte Colum bereits einen Schneider ins Auge gefaßt.

Scarlett hätte die Geschäfte auch getätigt, wenn weniger Geld dabei herausgekommen wäre, aber so, wie die Dinge sich entwickelten, fiel es ihr natürlich leichter. Der Baumeister wurde angewiesen, alle künftigen

Gewinne an Stephen O'Hara nach Savannah zu überweisen. Und dieser konnte mit dem Geld alle Instruktionen ausführen, die Colum ihm erteilt hatte.

Das mit dem Haus in der Peachtree Street war richtig merkwürdig, dachte Scarlett. Eigentlich hätte ich gedacht, die Trennung würde mir schwerfallen. Immerhin haben Rhett und ich dort gewohnt. Bonnie ist dort zur Welt gekommen und hat bis zum Ende ihres so furchtbar kurzen Lebens in diesem Haus gewohnt. Und doch habe ich nur Erleichterung empfunden. Als diese Mädchenschule mir ihr Angebot vorlegte, hätte ich die alte pflaumengesichtige Direktorin küssen können. Es war, als fielen Ketten von mir ab. Jetzt bin ich frei. Ich habe keinerlei Verpflichtungen mehr in Atlanta, nichts mehr, was mich dort bindet.

Scarlett lächelte vor sich hin. Es war das gleiche wie mit den Korsetts. Seit jenem Tag in Galway, an dem Colum und Kathleen sie mit dem Messer von ihrem Mieder befreit hatten, hatte sie sich nie wieder schnüren lassen. Zwar war sie um die Taille ein paar Zentimeter fülliger geworden, doch war sie noch immer schlanker als die meisten Frauen, die ihr, eingeschnürt, daß sie kaum noch atmen konnten, auf der Straße begegneten. Sie hingegen fühlte sich wohl, so wohl jedenfalls, wie man sich in dieser Hitze fühlen konnte. Außerdem konnte sie sich jetzt alleine anziehen und war nicht mehr auf die Hilfe einer Zofe angewiesen. Auch ihr Haar, das sie zu einem dicken Chignon gebunden hatte, konnte sie ohne Mühe selbst frisieren. Es war schön, ohne fremde Hilfe auszukommen. Es war herrlich, sich nicht mehr darum zu scheren, was andere Leute taten oder nicht taten und was sie guthießen oder mißbilligten. Das allerschönste jedoch war, nach Tara heimzukehren und die eigenen Kinder mitzunehmen. Bald würde sie wieder bei ihrer geliebten Cat sein, und dann dauerte es nicht mehr lange bis zur Rückkehr in die frische, süße, regenverwaschene Kühle Irlands. Scarlett streichelte sanft den weichen Lederbeutel auf ihrem Schoß. Doch zuallererst bringe ich die Erde von Ballyhara auf Vaters Grab.

Kannst du uns sehen, Pa, wo immer du jetzt sein magst? Bist du auf dem laufenden? Du wärst ja so stolz auf deine Katie Scarlett, Pa. Ich bin die O'Hara.

69. Kapitel

Will Benteen erwartete sie am Bahnhof von Jonesboro. Scarlett betrachtete sein wettergegerbtes Gesicht und seinen auf den ersten Blick so trügerisch schwächlich wirkenden Körper und strahlte über das ganze Gesicht. Wenn Gott je einen Menschen erschaffen hat, der so aussieht, als könne er auf einem Holzbein schlafen, dann ist es wohl Will. Sie umarmte ihn ungestüm.

»Sachte, sachte, Scarlett. Du solltest einem 'ne Vorwarnung geben. Hättest mich ja beinahe umgeworfen. Freut mich, dich zu sehen.«

»Die Freude ist ganz auf meiner Seite, Will. Das Wiedersehen mit dir freut mich mehr als jede andere Begegnung auf dieser Reise, schätze ich.« Das entsprach durchaus der Wahrheit. Will stand ihr sogar näher als die O'Haras in Savannah – vielleicht, weil er die schlechten Zeiten mit ihr durchlitten hatte oder weil er Tara ebensosehr liebte wie sie. Vielleicht aber lag es auch ganz einfach daran, daß er ein so anständiger, guter Kerl war.

»Wo ist deine Zofe, Scarlett?«

»Ach, ich brauche keine Zofe mehr, Will. Ich habe mich auch sonst von einer ganzen Menge überflüssigem Tand befreit, den ich früher für sehr wichtig hielt.«

Will schob den Strohhalm, an dem er kaute, vom einen in den anderen Mundwinkel. »Das hab ich gemerkt«, sagte er lakonisch. Scarlett lachte. Über die Empfindungen eines Mannes, der eine Frau ohne Korsett umarmt, hatte sie sich bisher noch nie Gedanken gemacht.

»Für mich gibt's keine Käfige mehr, Will, nie mehr – welcher Art auch immer.« Gern hätte sie ihm erzählt, warum sie so glücklich war, hätte ihm von Cat und Ballyhara berichtet. Und wenn es wirklich nur um Will gegangen wäre, so hätte sie keine Sekunde damit gezögert. Sie vertraute ihm. Aber er war Suellens Mann, und ihrer Schwester traute sie ganz und gar nicht über den Weg. Wer weiß, vielleicht fühlt Will sich verpflichtet, seiner Frau alles zu erzählen. Ich muß meine Zunge im Zaum halten.

Sie kletterte zu ihm auf den Kutschbock. Daß Will ihren Einspänner benutzte, war ihr neu. Er hatte die Fahrt nach Jonesboro gleich auch zum Einkaufen genutzt. Der Wagen war mit Säcken und Schachteln beladen.

»Was gibt es Neues, Will?« fragte Scarlett unterwegs. »Ich habe schon eine Ewigkeit nichts mehr gehört.«

»Ja, laß mich nachdenken . . . Ich nehme an, du möchtest zunächst einmal wissen, wie es den Kindern geht. Ella und unsere Susie sind unzertrennlich. Ella ist ein bißchen älter, was ihr eine Art Führungsrolle gibt. Hat ihr richtig gutgetan. Wade wirst du kaum wiedererkennen. Im Januar ist er vierzehn geworden, und mit dem Tag fing er an, in die Höhe zu schießen. Wie es scheint, hat er nicht die Absicht, je mit dem Wachsen aufzuhören. Und so schlaksig er aussieht, er ist stark wie ein Muli und arbeitet wie ein Pferd. Daß wir dieses Jahr zwanzig Morgen Ackerland mehr bestellen konnten, verdanken wir allein ihm.«

Scarlett lächelte. Der kommt mir gerade recht in Ballyhara, dachte sie. Und es wird ihm dort gefallen. Ein geborener Farmer, das hätte ich nie gedacht. Kommt offenbar ganz auf Pa heraus. Der Lederbeutel lag warm in ihrem Schoß.

»Unsere Martha ist jetzt sieben. Jane ist im September zwei geworden. Vergangenes Jahr hat Suellen ein Baby verloren, war auch ein Mädchen.«

»Oh, Will, das tut mir aber leid.«

»Wir wollen es nicht noch einmal versuchen«, sagte Will. »Die Geschichte hat Suellen doch ziemlich mitgenommen. Der Doktor hat uns von weiteren Kindern abgeraten. Schließlich haben wir drei gesunde Mädchen, und das ist ein großes Glück, das vielen anderen versagt bleibt. Natürlich hätte ich gern auch einen Sohn gehabt, jeder Mann wünscht sich wohl einen Jungen, aber ich beklage mich nicht. Zumal Wade wirklich alle Hoffnungen erfüllt, die man in einen Sohn setzen kann. Er ist ein feiner Bursche, Scarlett.«

Wills Bericht machte Scarlett glücklich, überraschte sie aber auch. Er hat recht, dachte sie, ich werde Wade gar nicht erkennen, jedenfalls nicht, wenn der Junge auch nur annähernd Wills Schilderung entspricht. Ich erinnere mich an einen zaghaften, verängstigten, bläßlichen Knaben.

»Ich habe Wade richtig gern«, fuhr Will fort. »Und deshalb habe ich mich auch bereit erklärt, mich bei dir für ihn einzusetzen, obwohl es eigentlich nicht meine Art ist, mich in die Angelegenheiten anderer Leute einzumischen. Er hat immer so eine Art Angst vor dir gehabt, Scarlett, das weißt du ja. Wie dem auch sei, er will nicht auf die höhere Schule gehen, das soll ich dir beibringen. Diesen Monat ist er mit der Schule hier fertig, und mehr muß er nach dem Gesetz nicht.«

Scarlett schüttelte den Kopf. »Nein, Will, das gibt es nicht. Das kannst du ihm sagen, oder ich sag es ihm selbst. Sein Vater hat die Universität besucht, und er wird auch studieren. Das geht nicht gegen dich, Will, aber es ist nun einmal so, daß ein Mann ohne die entsprechende Ausbildung nicht sehr weit kommt.«

»Ich nehm's nicht persönlich. Aber nichts für ungut, Scarlett; ich glaube, du irrst dich. Wade kann lesen und schreiben, und was ein Farmer vom Rechnen verstehen muß, beherrscht er auch. Und das ist der springende Punkt: Er will Farmer werden, Farmer und sonst nichts. Genauer gesagt, er will Farmer auf Tara werden. Er sagt, sein Großvater hat Tara mit ebensowenig Schulbildung aufgebaut. Er sieht nicht ein, warum er das nicht auch kann. Der Junge ist anders als ich, Scarlett. Verdammt, ich kann ja gerade meinen Namen schreiben. Wade war vier Jahre auf der schicken Schule in Atlanta und drei hier bei uns. Er weiß alles, was ein Landjunge wissen muß. Und genau das ist er, Scarlett, ein Landjunge, und er ist es gern. Verdirb ihn nicht, es wäre mir verdammt unangenehm.«

Scarlett war aufgebracht. Weiß dieser Will Benteen eigentlich, mit wem er spricht? Ich bin Wades Mutter! Ich weiß, was für meinen Sohn das Beste ist!

»Da du ohnehin schon in Harnisch bist, kann ich ja ruhig alles sagen, was ich zu sagen habe«, fuhr Will in seiner langsamen, gedehnten Sprechweise fort. Er starrte unverwandt nach vorn auf die von rotem Staub bedeckte Straße. »Ich hab kürzlich die neuen Grundbucheintragungen zu sehen bekommen. Wie's scheint, hast du Carreens Anteil erworben. Ich weiß nicht, was du vorhast, Scarlett, und ich frage dich auch nicht danach. Ich sage dir nur eins: Wenn irgendwer daherkommt und mit einer Urkunde wedelt, in der was von einer Übernahme Taras steht, dann erwarte ich ihn mit der Knarre in der Hand. Darauf kannst du dich verlassen.«

»Ich schwöre es dir auf einen ganzen Stapel von Bibeln, daß ich nichts dergleichen mit Tara vorhabe«, sagte Scarlett und war froh, daß es der Wahrheit entsprach. Wills sanfter, nasaler Singsang klang furchterregender als das laute Gebrüll.

»Freut mich zu hören. Meiner Meinung nach gehört Tara Wade. Er ist der einzige Enkelsohn deines Vaters, und Land soll in der Familie bleiben. Ich hoffe, du läßt ihn, wo er ist, Scarlett. Er soll meine rechte Hand bleiben und mir lieb sein wie ein Sohn, so, wie es jetzt ist. Natürlich wirst du tun, was dir beliebt, so hast du es ja immer gehalten. Ich habe Wade versprochen, mit dir zu reden, und das habe ich hiermit getan. Lassen wir's fürs erste dabei bewenden, wenn's dir recht ist. Ich habe gesagt, was ich zu sagen hatte.«

»Ich werde darüber nachdenken«, versprach Scarlett. Die Kutsche holperte quietschend über die vertraute Straße. Weite Flächen, die sie als kultiviertes Ackerland kannte, waren von Gebüsch und Unkraut überwuchert. Sie hätte heulen können. Will bemerkte ihre hängenden Schultern und die herabgezogenen Mundwinkel.

»Wo bist du nur in den letzten Jahren gewesen, Scarlett? Ohne Carreen hätten wir überhaupt keine Ahnung von deinem Verbleib gehabt, aber zuletzt hat auch sie deine Spur verloren.«

Scarlett zwang sich zu einem Lächeln. »Ich habe eine abenteuerliche Zeit hinter mir, Will, war fast dauernd auf Reisen. Unter anderem habe ich meine O'Hara-Verwandtschaft besucht. Einige von ihnen leben in Savannah, die reizendsten Leute, die du dir vorstellen kannst. Ich bin ziemlich lange bei ihnen geblieben. Dann war ich in Irland, um den Rest der Familie kennenzulernen. Du ahnst ja gar nicht, wie viele O'Haras es dort gibt.« Sie sprach mit tränenerstickter Stimme und preßte den Lederbeutel an ihre Brust.

»Will, ich habe etwas mitgebracht. Für Pa. Kannst du mich am Grab absetzen und mir die anderen eine Weile vom Leibe halten?«

»Aber gern.«

Scarlett kniete in der Sonne vor Gerald O'Haras Grab. Die schwarze irische Erde rieselte durch ihre Finger und vermischte sich mit dem roten Lehmstaub von Georgia. »*Och*, Pa«, murmelte sie, und die Melodie ihrer Worte klang irisch. »Die Grafschaft Meath ist wirklich einmalig. Sie können sich alle gut an dich erinnern, Pa. Es tut mir leid, Pa. Ich wußte nicht Bescheid. Ich wußte nicht, daß dir eine schöne Totenwache zustand, mit all den Geschichten aus deiner Jugendzeit.« Sie hob den Kopf, und das Sonnenlicht glänzte auf der Tränenflut, die ihr Gesicht benetzte. Ihre Stimme war gebrochen, erstickte schier im Weinen, aber sie gab, was sie konnte, und ihre Klage war stark.

»Warum hast du mich verlassen? *Ochón!*
Ochón, Ochón, Ullagón Ó!«

Scarlett war heilfroh, daß sie niemandem in Savannah von ihrem Plan, Wade und Ella mit nach Irland zu nehmen, erzählt hatte. So blieb ihr nämlich die Erklärung erspart, warum sie sie letztlich doch in Tara gelassen hatte. Die Wahrheit zu sagen, wäre für sie sehr erniedrigend gewesen. Ihre Kinder wollten nämlich nichts von ihr wissen, waren ihr ebenso fremd wie sie ihnen. Scarlett konnte es niemandem, nicht einmal sich selbst eingestehen, wie sehr sie darunter litt und welch schwere Vorwürfe sie sich machte. Sie fühlte sich niedrig und gemein, es gelang ihr nicht einmal, sich für Ella und Wade zu freuen, die doch ganz offensichtlich ein glückliches Leben führten.

Alles in Tara hatte ihr weh getan. Sie war sich wie eine Fremde vorgekommen. Im Haus hatte sie, abgesehen von Großmutter Robillards Porträt, kaum etwas wiedererkannt. Suellen hatte von den monatlichen Zuwendungen neue Möbel und Installationen angeschafft. Das narbenlose Holz der Tische kam Scarlett zu geleckt vor, die Farben der Teppiche und Vorhänge waren ihr zu grell. Das eine wie das andere war ihr verhaßt. Und von der glühenden Hitze, nach der sie sich im irischen Regen gesehnt hatte, bekam sie Kopfschmerzen, die sie während ihres gesamten einwöchigen Aufenthalts auf Tara nicht mehr los wurde.

Freude bereitete ihr der Besuch bei Alex und Sally Fontaine, doch erinnerte sie deren neugeborenes Baby daran, wie sehr sie Cat vermißte.

Richtig schön war es lediglich bei den Tarletons. Ihre Farm lief prächtig. Mrs. Tarleton sprach ununterbrochen von ihrer trächtigen Stute und ihren großen Hoffnungen auf den Dreijährigen, den Scarlett unbedingt bewundern mußte.

Das unverbindliche Besuchen und Besuchtwerden ohne förmliche Einladung war von jeher das Beste in Clayton County gewesen.

Zum Schluß war Scarlett froh, Tara wieder verlassen zu können, ja, sie konnte es kaum noch abwarten. Auch das bereitete ihr großen Kummer und hätte ihr wohl das Herz gebrochen, wenn da nicht die Gewißheit gewesen wäre, daß Wade das Land aus ganzer Seele liebte. So konnte sie sich damit trösten, daß ihr Sohn sie würdig vertrat. Nach ihrem Besuch auf Tara suchte sie ihren neuen Rechtsanwalt in Atlanta auf und verfaßte ein Testament, in dem sie ihren Zweidrittelanteil an Tara ihrem Sohn vermachte. Sie wollte es anders machen als ihr Vater und Onkel Daniel und kein großes Durcheinander hinterlassen. Daneben wollte sie Vorsorge treffen für den Fall, daß Will zuerst sterben sollte, denn Suellen war alles zuzutrauen. Schwungvoll setzte sie ihre Unterschrift unter das Dokument – und war frei.

Um zu ihrer Cat zurückzukehren. Die Kleine heilte alle Wunden Scarletts in Sekundenschnelle. Das Babygesicht leuchtete auf, als es die Mutter erblickte, die kleinen Ärmchen reckten sich ihr entgegen. Cat ließ sich sogar bereitwillig umarmen und ohne Murren ein dutzendmal abküssen.

»Wie braun und gesund sie aussieht!« rief Scarlett aus.

»Kein Wunder«, sagte Maureen. »Sie mag die Sonne so sehr. Kaum hast du ihr den Rücken zugedreht, da reißt sie sich auch schon die Haube vom Kopf. Sie ist eine richtige kleine Zigeunerin und den lieben langen Tag die reine Wonne.«

»Und in der lieben langen Nacht auch«, ergänzte Scarlett und drückte Cat an sich.

Stephen gab Scarlett genaue Instruktionen für die Rückreise nach Galway. Das behagte ihr ganz und gar nicht, und sie gestand sich ein, daß sie auch Stephen nicht besonders mochte. Doch da Colum ihr gesagt hatte, Stephen sei für alle organisatorischen Fragen zuständig, legte sie ihre Trauerkleidung an und behielt ihre Vorbehalte für sich.

Das Schiff hieß *The Golden Fleece* und war, was den Luxus anging, der letzte Schrei. Weder an der Größe ihrer Suite noch am Komfort hatte Scarlett etwas auszusetzen. Der Nachteil bestand allein darin, daß das Schiff nicht die direkte Route nahm und daher eine Woche länger unterwegs war. Scarlett hatte es sehr eilig, nach Ballyhara zurückzukehren, wollte sie doch unbedingt wissen, wie das Getreide stand.

Hätte sie nicht bereits auf der Gangway gestanden, als sie das große Schild mit der Abfahrtszeit und der Reiseroute entdeckte, hätte sie auf Stephens Anweisungen gepfiffen und sich geweigert, an Bord zu gehen. Die *Golden Fleece* nahm in Savannah, Charleston und Boston Passagiere auf und setzte sie in Liverpool und Galway wieder ab.

Von Panik ergriffen, drehte Scarlett sich um, drauf und dran, an Land zurückzulaufen. Ich kann nicht nach Charleston reisen, ich kann es einfach nicht! Rhett wird mit Sicherheit erfahren, daß ich an Bord bin. Rhett erfährt ja irgendwie immer alles. Er wird schnurstracks in meine Kabine marschieren und mir Cat wegnehmen.

Nein. Bevor es soweit kommt, bringe ich ihn um. Wut vertrieb die Panik. Scarlett drehte sich erneut um und betrat das Schiffsdeck. Ihr gesamtes Gepäck befand sich bereits an Bord, und sie war überzeugt, daß Stephen in ihren Schrankkoffern Waffen versteckt hatte. Sie waren von ihr abhängig. Außerdem wollte sie nach Ballyhara zurück. Niemand und nichts sollte ihr da in die Quere kommen.

Als Scarlett ihre Suite erreichte, hatte sich in ihr eine verzehrende Wut auf Rhett zusammengebraut. Vor über einem Jahr hatte er sich von ihr scheiden lassen und unmittelbar darauf Anne Hampton geheiratet. Während jenes Jahres war es Scarlett dank ihrer Arbeit und der einschneidenden Veränderungen, denen ihr Leben unterworfen war, gelungen, den Schmerz, den Rhett ihr zugefügt hatte, weitgehend zu verdrängen. Jetzt zerriß er ihr fast das Herz, und mit dem Schmerz kam eine tief sitzende Angst vor Rhetts unberechenbarer Macht. Sie verwandelte beide Empfindungen in Wut, und die Wut verlieh ihr neue Kräfte.

Einen Teil der Strecke begleitete Bridie Scarlett. Der Bostoner Zweig der O'Haras hatte eine gute Anstellung als Zofe für sie ausfindig gemacht. Bevor sie von dem Zwischenhalt in Charleston erfuhr, war Scarlett recht froh über die Reisebegleiterin. Doch nun machte sie der Gedanke an Charleston so nervös, daß sie das ständige Geplapper der jungen Cousine schier zum Wahnsinn trieb. Warum konnte Bridie sie nicht in Ruhe lassen? Nachdem Patricia sie in allen Pflichten ihres Berufs unterwiesen hatte, wollte Bridie nun alles, was sie gelernt hatte, an Scarlett ausprobieren. Daß Scarlett keine Korsetts mehr trug, beklagte sie lauthals, und auch als sie feststellte, daß kein einziges von Scarletts Kleidern ausgebessert werden mußte, hielt sie mit ihrer Enttäuschung nicht hinter dem Berg. Scarlett hätte ihr am liebsten deutlich zu verstehen gegeben, daß die erste Pflicht einer Zofe darin bestand, nur zu reden, wenn sie gefragt wurde. Aber im Grunde hatte sie Bridie sehr gern, und schließlich konnte das Mädchen nichts dafür, daß das Schiff in Charleston anlegte. Scarlett zwang sich daher zu einem Lächeln und tat so, als sei alles in bester Ordnung.

Das Schiff fuhr in der Nacht die Küste hinauf und erreichte im ersten Morgengrauen den Hafen von Charleston. Scarlett hatte kein Auge zugetan und begab sich an Deck, um den Sonnenaufgang mitzuerleben. Über den weiten Wassern der Hafenbucht lag rosagetönter Nebel. Die dahinterliegende Stadt blieb verschwommen, ungreifbar wie eine Traumstadt. Der weiße Turm von Saint Michael war blaßrosa überhaucht. Scarlett bildete sich ein, zwischen den langsamen Schlägen der Schiffsmaschine ganz schwach das vertraute Geläut aus der Ferne herüberklingen zu hören. Am Markt dürften jetzt gerade die Fischerboote gelöscht werden, dachte sie. Nein, dafür ist es noch ein wenig zu früh, die Boote laufen ja erst ein. Angestrengt spähte sie hinaus, doch der Nebel versteckte die Boote, so sie denn tatsächlich da draußen noch irgendwo waren.

Sie versuchte sich die verschiedenen Fischarten ins Gedächtnis zu rufen, auch die Gemüsesorten, die Namen der Kaffeehändler, den Mann am Würstchenstand. Alles war ihr recht, solange es ihr dabei half, Erinnerungen abzuwehren, denen sie sich nicht zu stellen wagte.

Doch als die Sonne den Horizont hinter ihr reinfegte und sich der rosa Nebel hob, da erblickte sie auf einer Seite die genarbten Mauern von Fort Sumter. Die *Fleece* erreichte nun die Gewässer, in denen sich Scarlett und Rhett einst beim Segeln über die Delphine amüsiert hatten und in den Sturm geraten waren.

Verfluchter Kerl! Ich hasse ihn... und dieses verdammte Charleston obendrein...

Am besten schließe ich mich mit Cat in der Kabine ein, dachte Scarlett und blieb doch wie festgewurzelt an Deck stehen. Langsam wurde die Stadt größer und deutlicher, schimmerte in weißen, rosa und grünen Pastellfarben durch die Morgenluft. Jetzt konnte sie die Glocken von Saint Michael deutlich hören, ihre Nase nahm den schweren, süßen Duft tropischer Blüten auf, die Augen gewahrten das opaleszierende Geglitzer der mit zerstampften Muschelschalen geschotterten Fußwege. Das Schiff glitt an der Hafenpromenade vor der East Battery entlang, und Scarlett konnte von ihrem Standort an Deck darüber hinweg sehen. Da waren die baumhohen Säulen des Butlerschen Anwesens, die beschatteten Piazzas, das Portal, die Fenster des Salons, ihr ehemaliges Schlafzimmer. Die Fenster! Und das Fernrohr im Spielzimmer! Scarlett raffte ihre Röcke und rannte davon.

Sie bestellte sich das Frühstück in ihre Suite und bestand darauf, daß Bridie bei ihr und Cat blieb. Es war der einzig sichere, verschlossene Ort. Nur hier konnte Rhett Cat nicht finden und sie ihr fortnehmen.

Der Steward breitete ein blendendweißes Tuch über den runden Tisch in Scarletts Kabine und rollte ein Wägelchen herein, auf dem in zwei Etagen mit Silberkugeln bedeckte Teller standen. Bridie kicherte. Der Steward plauderte über Charleston, während er mit peinlicher Genauigkeit Geschirr und Besteck auftrug und ein Blumengesteck in der Tischmitte arrangierte. Vieles von dem, was er erzählte, war schlicht und einfach falsch, aber Scarlett korrigierte ihn nicht. Er war Schotte und fuhr auf einem schottischen Schiff. Woher sollte er das alles wissen?

»Heute nachmittag um fünf legen wir wieder ab«, sagte der Steward. »Bis dahin ist die Ladung gebunkert, und die neuen Passagiere sind an Bord. Die Damen sind vielleicht an einer Stadtrundfahrt interessiert.« Er stellte die Platten mit den Speisen auf den Tisch und nahm die Deckel ab. »Es gibt da einen hübschen Einspänner mit einem Kutscher, der alle Sehenswürdigkeiten kennt. Kostet nur fünfzig Pence oder zwei Dollar fünfzig amerikanisches Geld. Er wartet gleich unten an der Gangway. Wenn Sie die frischere Luft über dem Wasser vorziehen, können Sie aber auch einen Bootsausflug flußaufwärts unternehmen. Das Boot liegt südlich von hier am nächsten Kai. Vor ungefähr zehn Jahren tobte in Amerika ein großer Bürgerkrieg. Sie können die Ruinen der großen Villen sehen, die während der Kämpfe der beiden Armeen in Flammen aufgegangen sind. Aber Sie müssen sich beeilen, das Boot geht in vierzig Minuten.«

Scarlett versuchte, eine Scheibe Toast zu sich zu nehmen, doch schon der erste Bissen blieb ihr im Halse stecken. Die Minuten verstrichen, begleitet vom Ticken der vergoldeten Uhr über dem Schreibtisch, das Scarlett ungeheuer laut vorkam. Nach einer halben Stunde sprang sie plötzlich auf. »Ich gehe aus, Bridie, aber ohne dich. Öffne die Bullaugen und nimm den Palmwedel dort als Fächer. Du bleibst unter allen Umständen hier bei Cat in der Kabine, so heiß es auch werden mag. Und schließ die Tür ab. Wenn du Hunger oder Durst hast, bestell dir, was du willst.«

»Wo gehst du hin, Scarlett?«

»Mach dir darüber keine Gedanken. Ich bin pünktlich zur Abfahrt des Schiffes wieder da.«

Das Ausflugsboot war ein kleiner Kutter mit einem Schaufelrad am Heck. Auf dem bunten, rot-weiß-blauen Anstrich prangte in goldenen Lettern der Name *Abraham Lincoln.* Scarlett konnte sich gut an das Boot erinnern, sie hatte es mehrfach an Dunmore Landing vorüberfahren sehen.

Der Juli war nicht die Zeit für große Urlaubsreisen in den Süden. Zusammen mit Scarlett nahm nur ein Dutzend Passagiere an der Ausfahrt teil. Sie setzte sich unter eine Markise auf dem Oberdeck, fächelte sich Luft zu und verfluchte insgeheim das langärmelige, hochgeschlossene Trauerkleid, das in der glühenden Sommerhitze wie ein Dampfbad wirkte.

Ein Mann mit einem hohen, rotweißgestreiften Zylinderhut bellte Erklärungen durch ein Megaphon, die Scarlett von Minute zu Minute wütender machten.

Diese feistgesichtigen Yankees kaufen ihm doch alles ab, dachte sie voller Haß. Grausame Sklavenhalter, wenn ich das schon höre! Verraten und verkauft, so ein Quatsch! Wir haben unsere Schwarzen gern gehabt, als gehörten sie zur Familie, und manche von ihnen besaßen eher uns als wir sie! »Onkel Toms Hütte« – reiner Blödsinn! Kein anständiger Mensch liest ein solches Gefasel.

Sie bereute ihren spontanen Entschluß, doch noch an der Ausflugsfahrt teilzunehmen. Es wird mich nur aufregen, dachte sie. Es regt mich schon jetzt auf, obwohl wir noch immer im Hafen sind und den Ashley River noch gar nicht erreicht haben.

Erfreulicherweise ging dem Kommentator bald der Stoff aus, so daß eine Zeitlang nur noch das mechanische Stampfen der Kolben und das Rauschen des vom Schaufelrad aufgewühlten Wassers zu hören waren. Hohes Riedgras, golden und grün, säumte die Ufer, und auf den ansteigenden Böschungen dahinter standen ausladende, moosbehangene Eichen. Libellen flirrten durch die Mückenschwärme, die über dem Riedgras tanzten; gelegentlich sprang ein Fisch aus dem Wasser und tauchte wieder ein. Abseits von den anderen Passagieren saß Scarlett und pflegte in aller Stille ihren Groll.

Rhetts Plantage ist zerstört, und er baut sie offensichtlich nicht wieder auf. Kamelien! In Ballyhara habe ich Hunderte von Morgen mit gesundem Getreide und anderen Feldfrüchten, wo nur noch Ranken und Gestrüpp waren! Ich habe eine ganze Stadt wiederaufgebaut, während Rhett bloß auf seinem Hosenboden gehockt und seine verbrannten Schornsteine angestarrt hat!

Deshalb mache ich diese Dampferfahrt mit, redete sie sich ein. Es wird mir guttun, wenn ich sehe, wie ich ihn ausgestochen habe. Vor jeder Biegung des Flusses verkrampfte sie sich, nur um sich danach wieder zu entspannen. Rhetts Haus war bisher noch nicht in Sicht.

Sie hatte das Anwesen der Ashleys ganz vergessen. Julia Ashleys großes, quadratisches Backsteinhaus in der Mitte der wenig eindrucksvollen Rasenfläche war geradezu von erhabener Scheußlichkeit. »Dies ist die einzige Plantage, die von den heldenhaften Truppen der Union nicht zerstört wurde«, plapperte der Mann mit dem abstrusen Hut. »Das mitfühlende Herz des Kommandanten ließ es nicht zu, der gebrechlichen alleinstehenden Dame weh zu tun, die im Hause krank darniederlag.«

Scarlett lachte schallend auf. Gebrechliche alleinstehende Dame! Das war gut! Miss Julia hat ihm wahrscheinlich die Hölle heiß gemacht! Die anderen Passagiere sahen sich neugierig nach ihr um, ohne daß sich Scarlett ihrer kritischen Blicke bewußt gewesen wäre. Als nächstes kommt Dunmore Landing...

Ja, da war auch schon die Phosphatmine. Wie groß sie geworden ist: Es wurden gerade fünf Lastkähne beladen. Sie versuchte das Gesicht unter dem breitkrempigen Hut des Mannes zu erkennen, der an der Anlegestelle stand. Es war ein Soldat, ein Weißer aus dem Süden, aus kleinen Verhältnissen... Der Name fiel ihr nicht ein, etwas wie Hawkins, egal. Die nächste Biegung noch, vorbei an dieser großen immergrünen Eiche.

Die schräg stehende Sonne modellierte die großen Rasenterrassen von Dunmore Landing in gigantische Treppen aus grünem Samt und streute Goldmünzen auf die Schmetterlingsteiche neben dem Fluß. Scarletts unwillkürlicher Aufschrei verlor sich im aufgeregten Geschrei der Yankees, die sich um sie herum an der Reling versammelt hatten. Die ausgebrannten Kamine am oberen Rand der Terrassen wirkten vor dem schmerzhaft hellen blauen Himmel wie hochgewachsene Schildwachen, und auf der Grasfläche zwischen den Teichen sonnte sich ein Alligator. Dunmore Landing war wie seine Besitzer: kultiviert, verwundet, gefährlich – und unerreichbar. Die Fensterläden an dem erhalten gebliebenen Seitenflügel, in dem Rhett wohnte und sein Büro untergebracht hatte, waren geschlossen.

Scarletts Blicke flogen von einem Punkt zum anderen, und was sie sah, verglich sie mit ihren Erinnerungen. Der Garten war in einem erheblich besseren Zustand, alles schien prächtig zu gedeihen. Hinter dem Haus wurde ein Neubau errichtet; Scarlett sah einen Dachfirst hervorragen und nahm den Duft von frischem Bauholz wahr. Die Fensterläden des Hauses waren repariert oder vielleicht sogar ganz neu. Sie erstrahlten in frischer grüner Farbe, und nicht ein einziger hing windschief in den Angeln. Er hat im Herbst und Winter eine ganze Menge daran getan, dachte sie.

Oder sie hatten es zu zweit . . . Scarlett versuchte, den Blick abzuwenden. Sie wollte die frisch herausgeputzten Gärten gar nicht sehen. Anne liebt diese Blumen genauso wie Rhett. Und die wiederhergestellten Fensterläden bedeuten, daß es irgendwo ein wiederhergestelltes Haus gibt, in dem die beiden zusammenleben. Ob Rhett Anne gerade das Frühstück macht?

»Geht es Ihnen nicht gut, Miss?« Scarlett drängte sich an einem besorgten Fremden vorbei.

»Die Hitze«, sagte sie. »Ich setze mich dort drüben hin, dort ist mehr Schatten.« Den Rest der Ausflugsfahrt verbrachte sie damit, nur noch das ungleichmäßig gestrichene Deck anzustarren. Der Tag schien ewig zu dauern.

70. Kapitel

Es schlug fünf, als Scarlett Hals über Kopf die *Abraham Lincoln* verließ. Dieses verfluchte, idiotische Boot! Sie war über die Laufplanke gerannt und blieb auf dem Kai stehen, um Luft zu schöpfen. Die Gangway der *Golden Fleece* war noch an Ort und Stelle, es war also nichts Schlimmes passiert. Trotzdem hätte sie den Kapitän des Ausflugsboots am liebsten auspeitschen lassen. Schon seit einer Stunde war sie vor Nervosität ganz außer sich gewesen.

»Vielen Dank, daß Sie auf mich gewartet haben«, sagte sie zu dem Schiffsoffizier am oberen Ende der Gangway.

»Ach, da kommen noch viele andere«, erwiderte der Mann, und Scarlett übertrug ihren Zorn auf den Kapitän der *Fleece*. Wenn er die Abfahrt auf fünf Uhr festsetzt, dann soll er gefälligst auch um fünf ablegen! Je eher ich von Charleston fortkomme, desto besser. Das muß doch wirklich der heißeste Fleck auf dieser Erde sein. Sie legte die Hand schützend über die Augen und sah zum Himmel empor. Nirgendwo ein Wölkchen. Kein Regen, kein Wind. Nur Hitze. Sie schlug den Weg zu ihren Kabinen ein. Die arme kleine Cat! Sie muß ja ganz entsetzlich geschwitzt haben. Sobald wir aus dem Hafen heraus sind, gehe ich mit ihr an Deck, damit sie wenigstens noch etwas Fahrtwind abbekommt.

Pferdegetrappel und Frauenlachen ließen sie aufmerken. Mag sein, daß das mit unserer Verzögerung zu tun hat, dachte sie und blickte auf eine offene Kutsche und drei großartige Damenhüte hinab. Noch nie hatte Scarlett solche Hüte gesehen. Schon aus der Entfernung war zu erkennen, daß sie sehr teuer waren. Breitrandig, geschmückt mit Straußenfedern, die von funkelnden Juwelen zusammengehalten wurden und mit einem luftigen Tüllnetz überspannt waren, sahen die Hüte aus Scarletts Perspektive wie schöne Sonnenschirme oder phantasievoll auf großen Tabletts arrangiertes Backwerk aus.

Ich würde phantastisch aussehen mit so einem Hut, dachte sie und lehnte sich leicht über die Reling, um die Frauen besser erkennen zu können. Selbst in der Hitze bewahrten sie ihre Eleganz. Ihre Kleider bestanden aus blassem Organdy oder Voile und waren mit Seidenband – oder war es Rüschenstoff? – gesäumt. Von einer Tournüre war – Scarlett kniff die Augen zusammen – nichts zu bemerken, nicht einmal eine Andeutung; desgleichen fehlten Schleppen. Weder in Savannah noch in Atlanta hatte sie Vergleichbares gesehen. Was waren das für Leute? Mit ihren Blicken verschlang sie die hellen Glacéhandschuhe und die zusammengefalteten Sonnenschirme, Spitze wahrscheinlich, dachte sie, war sich aber nicht ganz sicher. Wer immer diese Leute waren, sie amüsierten sich jedenfalls großartig. Sie lachten aus vollem Halse und hatten es überhaupt nicht eilig, aufs Schiff zu kommen, das schließlich extra auf sie wartete.

Der Mann mit dem Panamahut, der die Damen begleitete, sprang auf die Straße. Er nahm mit der Linken den Hut ab und reichte die Rechte der ersten Frau, die sich zum Aussteigen bereit machte.

Scarletts Hände umklammerten die Reling. Lieber Gott, es ist Rhett! Ich muß sofort in die Kabine. Nein. Nein! Wenn er auf diesem Schiff mitreist, muß Cat so schnell wie möglich an Land. Ich muß sie irgendwo verstecken, uns ein anderes Schiff suchen. Aber das geht ja nicht, im Gepäckraum liegen zwei Schrankkoffer von mir mit Spitzenwäsche und Colums Gewehren dazwischen! Was soll ich um Himmels willen nur tun? Eine unmögliche Idee nach der anderen schoß ihr durch den Kopf, während sie wie blind die Reisegesellschaft fixierte.

Erst langsam wurde ihr klar, was sich dort unten abspielte. Rhett verneigte sich und küßte eine Hand nach der anderen, die sich ihm galant entgegenstreckte. Scarletts Ohren hörten Frauenstimmen, die Floskeln wie »Leben Sie wohl!« und »Haben Sie Dank!« von sich gaben. Cat war sicher.

Aber Scarlett nicht. Ihr vorsorglicher Zorn war verschwunden, und ihr Herz lag frei.

Er sieht mich nicht. Ich kann ihn anschauen, ganz nach meinem Willen. Bitte, bitte, setz den Hut nicht wieder auf, Rhett.

Wie gut er aussah. Seine Haut war gebräunt, sein Lächeln so weiß wie sein Leinenanzug. Er war der einzige Mann auf der Welt, der Leinenanzüge nicht sofort verknittern ließ. Da, die Locke störte ihn, weil sie ihm dauernd in die Stirn fiel. Er schnippte sie mit zwei Fingern fort. Die Geste war Scarlett so vertraut, daß ihr eine besitzergreifende Erinnerung die Knie schwach werden ließ. Was sagte er da? Zweifellos irgendeine unverschämt charmante Schmeichelei. Dessen war sie gewiß, auch wenn sie ihn nicht verstand. Rhett bediente sich jenes tiefen, intimen Tonfalls, den er nur Frauen gegenüber benutzte. Verfluchter Kerl! Verfluchte Weiber da unten! Scarlett wollte diese Stimme für sich haben, ganz allein für sich!

Der Kapitän schritt die Gangway hinunter und rückte sich die mit goldenen Epauletten geschmückte Jacke zurecht. Hetz sie jetzt nicht, wollte Scarlett rufen. Warte, warte noch ein klein wenig. Es ist meine letzte Chance. Ich werde ihn nie wiedersehen. Ich will seinen Anblick in mich aufnehmen.

Er muß gerade vom Friseur kommen. Da ist diese ganz schmale helle Linie über den Ohren. Sind seine Schläfen grauer geworden? Wie elegant das aussieht, diese Silberstreifen in seinem rabenschwarzen Haar! Ich weiß noch, wie es sich anfühlt, so kraus und gleichzeitig so weich. Und die Muskeln an seinen Schultern und Armen, die so geschmeidig unter seiner Haut spielen und sich spannen, wenn sie sich verhärten. Ich will ...

Die Schiffsglocke schrillte laut, und Scarlett sprang auf. Sie hörte rasche Schritte und das Rumpeln der Gangway, richtete ihren Blick jedoch unverwandt auf Rhett. Er lächelte jetzt rechts oben zum Schiff hinauf. Sie konnte seine dunklen Augen sehen, die scharf konturierten Brauen, den tadellos getrimmten Schnurrbart, sein maskulines, unvergeßliches Piratengesicht. »Mein Geliebter«, flüsterte sie, »meine Liebe.«

Rhett verneigte sich einmal mehr. Das Schiff legte langsam vom Kai ab. Er setzte seinen Hut auf und entfernte sich. Sein Daumen schob den Hut leicht in den Nacken.

Geh nicht fort! schrie Scarletts Herz.

Rhett warf einen Blick über die Schulter, als habe er hinter sich ein Geräusch gehört. Sein Blick begegnete dem ihren, sein sportlicher Körper straffte sich vor Überraschung. Ein langer, unermeßlicher Augenblick verstrich, da sie einander in die Augen schauten, während der Abstand zwischen ihnen wuchs und wuchs. Dann legte sich ein sanfter Ausdruck über Rhetts Züge, und er hob zwei Finger zum Gruß an seinen Hut. Scarlett hob die Hand.

Er stand noch immer auf dem Kai, als das Schiff in die Fahrrinne einschwenkte. Als Scarlett ihn nicht mehr sehen konnte, sank sie wie betäubt in einen Liegestuhl.

»Sei nicht dumm, Bridie, der Steward sitzt doch gleich vor der Tür. Sobald Cat sich auch nur umdreht, wird er uns holen. Du kannst also ruhig mit in den Speisesaal kommen. Es geht nicht an, daß du dein Abendbrot jeden Tag hier in der Kabine zu dir nimmst.«

»Doch, Scarlett, ich habe schon meine Gründe. Es ist mir unangenehm, unter so vielen feinen Damen und Herren zu sitzen und so zu tun, als gehörte ich zu ihnen.«

»Du bist genausoviel wert wie sie, das habe ich dir doch erklärt.«

»Ja, das habe ich auch gehört, Scarlett. Aber du hörst nicht auf das, was ich sage. Mir ist es lieber, hier in der Kabine zu essen, da bin ich mit all diesen Silberdeckeln über den Gerichten allein und kann mich benehmen, wie ich will. Ich muß in Kürze ohnehin tun, was mir die Lady, deren Zofe ich werde, vorschreibt. In den eigenen vier Wänden fein zu speisen wird bestimmt nicht zu meinen Aufgaben gehören. Das tue ich lieber jetzt, solange ich es noch kann.«

Scarlett mußte einsehen, daß Bridies Argumente etwas für sich hatten. Ich selbst kann aber unmöglich in der Suite essen, dachte sie, jedenfalls heute abend nicht. Wenn ich nicht herausfinde, was das für Weiber sind und wie sie zu Rhett stehen, werde ich verrückt.

Die Damen waren Engländerinnen, wie Scarlett bereits beim Betreten des Speisesaals in Erfahrung brachte. Der charakteristische Akzent beherrschte das Gespräch am Tisch des Kapitäns.

Scarlett teilte dem Steward mit, daß sie lieber an dem kleinen Tisch an der Wand sitzen wolle. Der Tisch an der Wand befand sich unmittelbar neben dem des Kapitäns.

Vierzehn Menschen saßen dort: ein Dutzend englische Passagiere, der Kapitän und der Erste Offizier. Scarletts aufmerksame Ohren bemerkten sofort, daß die Passagiere einen anderen Akzent hatten als die Schiffsoffiziere, obwohl auch sie Engländer zu sein schienen und daher von allen Menschen, in deren Adern auch nur ein Tropfen irischen Bluts floß, mit tiefer Verachtung zu strafen waren.

Das Gespräch drehte sich um Charleston, und Scarlett bekam mit, daß man keine sehr hohe Meinung von der Stadt hatte. »Meine Lieben«, trompetete eine der Damen, »so etwas Trostloses habe ich mein Lebtag nicht gesehen! Wie konnte mir meine heißgeliebte Mama nur sagen, diese Stadt sei der einzige zivilisierte Ort in Amerika! Es läßt mich fürchten, daß sie wirr im Kopf geworden ist, ohne daß wir etwas davon gemerkt haben.«

»Du mußt allerdings berücksichtigen, Sarah«, sagte der Mann an ihrer Seite, »daß sie diesen Krieg hinter sich haben. Ich fand die Männer durchweg anständig. Abgebrannt bis auf den letzten Shilling, aber lassen wir das. Und die Drinks waren erstklassig, einmalig der Whiskey an der Bar im Club.«

»Geoffrey, mein Bester, du würdest selbst die Sahara für zivilisiert halten, wenn es dort einen Club mit trinkbarem Whiskey gäbe. Aber viel heißer könnte es, weiß der Himmel, auch dort nicht sein! Ein scheußliches Klima.«

Die Zuhörer bekundeten einmütig ihre Zustimmung.

»Andererseits«, meldete sich eine junge Frauenstimme zu Wort, »meint dieser schrecklich attraktive Mr. Butler, daß die Winter dort recht angenehm seien. Er hat uns gleich wieder eingeladen.«

»Er hat allein dich wieder eingeladen, Felicity, so war es wohl gemeint«, erwiderte eine Frau älteren Jahrgangs. »Du hast dich schamlos betragen.«

»Nein, Frances, das habe ich nicht«, protestierte Felicity. »Ich hatte allerdings zum erstenmal auf dieser langweiligen Reise ein wenig Spaß. Ich kann es einfach nicht verstehen, warum Papa mich nach Amerika geschickt hat. Ein ekelhaftes Land, wirklich.«

Ein Mann lachte auf. »Er hat dich fortgeschickt, teure Schwester, um dich aus den Klauen dieses Mitgiftjägers zu befreien.«

»Aber er war so attraktiv. Was hat es für einen Sinn, ein Vermögen zu besitzen, wenn man deshalb jeden attraktiven Mann in England abweisen muß, nur weil er selbst kein Krösus ist.«

»Man erwartet von dir nun einmal, daß du ihn abweist, Felicity«, warf ein Mädchen ein. »Und das ist ja auch nicht schwer. Denk doch nur an unseren armen Bruder. Roger soll reiche amerikanische Erbinnen anziehen wie die Fliegen, um mit dem erheirateten Vermögen die Familienkasse zu füllen.« Roger stöhnte, und alle Tischgäste lachten.

Nun redet schon über Rhett, beschwor Scarlett sie insgeheim.

»Für nachgeborene Adelssprosse gibt es einfach keinen Markt«, fuhr Roger fort. »Ich bekomme das bloß nicht in Papas Kopf. Erbinnen wollen mit Diademen gekrönt werden ...«

Die ältere Frau, die sich Frances nannte, meinte, sie benähmen sich alle schamlos. Sie könne die Jugend von heute einfach nicht begreifen. »Als ich ein junges Mäd ...«, begann sie, doch Felicity kicherte und fiel ihr ins Wort.

»Liebe Frances, als du ein junges Mädchen warst, gab es keine Jugend. Deine Generation war schon vierzig Jahre alt, als sie auf die Welt kam, und hat von vornherein alles miesgemacht.«

»Deine Impertinenz ist unerträglich, Felicity. Ich werde mich mit deinem Vater unterhalten müssen.«

Kurze Zeit herrschte Schweigen in der Runde. Warum um alles in der Welt sagte diese Felicity nichts mehr über Rhett?

Es war Roger, der den Namen schließlich wieder ins Gespräch brachte. Butler, so meinte er, habe ihm für den Fall, daß er im Herbst wieder nach Charleston käme, eine gute Jagdstrecke versprochen. Er besitze anscheinend zahlreiche verwilderte Reisfelder, wo die Enten praktisch auf dem Gewehrlauf landeten. Scarlett zerrupfte ein Brötchen in kleine Stücke. Wer gab schon was auf Enten? Der andere Engländer offenbar. Das Hauptgericht wurde serviert, und unentwegt sprach man am Nebentisch über die Jägerei. Scarlett dachte bereits, daß sie besser daran getan hätte, bei Bridie zu bleiben, als ihre Ohren plötzlich ein leises Zwiegespräch zwischen Felicity und ihrer Schwester wahrnahmen, die, wie sich herausstellte, Marjorie hieß. Beide hielten sie Rhett für einen der faszinierendsten Männer, der ihnen je begegnet war. Scarlett lauschte ihrer Unterhaltung mit einer Mischung aus Neugier und Stolz.

»Jammerschade, daß er seine Frau so anhimmelt«, sagte Marjorie, und Scarlett verließ der Mut.

»So ein farbloses kleines Geschöpf noch dazu«, antwortete Felicity, und Scarlett ging es gleich wieder ein wenig besser.

»Alles Enttäuschung, hab ich gehört. Hat dir das denn niemand erzählt? Er war schon einmal verheiratet, mit einer absolut hinreißenden Schönheit. Sie ist mit einem anderen Mann durchgebrannt und hat Rhett Butler sitzenlassen. Er ist niemals darüber hinweggekommen.«

»Meine Güte, Marjorie, kannst du dir vorstellen, was das wohl für ein Mann sein muß? Wenn sie seinetwegen Rhett Butler verläßt?«

Scarlett lächelte vor sich hin. Daß offensichtlich einige Leute Rhett als den Gehörnten dargestellt hatten und nicht sie, befriedigte sie ganz außerordentlich.

Es ging ihr jetzt erheblich besser als zu Beginn des Abendessens. Sie erwog, sich sogar ein Dessert zu bestellen.

Am nächsten Tag entdeckten die Engländer Scarlett. Die drei jungen Leute sahen in ihr eine höchst romantische Gestalt – die geheimnisumwitterte junge Witwe. »Sieht verflucht gut aus«, fügte Roger hinzu, was ihm seitens seiner Schwestern den Vorwurf der totalen Blindheit eintrug. Mit ihrem blassen Teint, dem dunklen Haar und den grünen Augen sei diese Frau schlichtweg überwältigend. Sie bräuchte nur ein paar anständige Kleider, und alle Welt würde sich nach ihr umdrehen. Die drei beschlossen, sie zu »adoptieren«. Marjorie machte den ersten Schritt. Als Scarlett an Deck erschien, um Cat ein wenig frische Luft zu gönnen, sprach sie sie an und bewunderte die Kleine.

Scarlett ließ sich mehr als bereitwillig »adoptieren«. Sie wollte bis ins letzte Detail wissen, was die drei in Charleston erlebt hatten, in jeder einzelnen Stunde ihres Aufenthalts. Es fiel ihr nicht schwer, die tragische Geschichte einer glücklichen Ehe und eines schmerzlichen Verlusts zu erfinden, die alle melodramatischen Sehnsüchte ihrer neuen Bekannten erfüllte. Roger war bereits nach einer Stunde hoffnungslos in sie verliebt.

Zu den Eigenschaften einer feinen Dame gehörte, dies hatte Scarlett von ihrer Mutter gelernt, eine vornehme Zurückhaltung in familiären Angelegenheiten. Felicity und Marjorie Cowperthwaite schockierten sie daher geradezu, als sie ihr wie beiläufig einen Familienskandal nach dem anderen enthüllten. Ihre Mutter, so erzählten sie, sei eine hübsche, clevere Frau, die sich ihren Vater mit einem Trick geangelt habe. Sie habe es irgendwie hingekriegt, daß sein Pferd sie bei einem Ausritt über den Haufen rannte. »Der arme Papa ist ja so schwer von Begriff«, lachte Marjorie. »Weil ihr Kleid zerrissen war und er ihre nackten Brüste sehen konnte, glaubte er wahrscheinlich, er hätte sie geschändet. Wir sind überzeugt, daß sie das Kleid vorher sorgfältig präpariert hatte. In Null Komma nichts hatte sie ihn auch schon geheiratet. Er merkte überhaupt nicht, was sie vorhatte.«

Zu Scarletts weiterer Verwirrung trug bei, daß Felicity und Marjorie echte Ladies waren, also nicht nur »feine Damen« im Gegensatz zu normalen Frauen. Sie waren Lady Felicity und Lady Marjorie, und ihr »begriffsstutziger Papa« war ein Graf.

Frances Sturbridge, die stets empörte Anstandsdame, war, wie die Schwestern Scarlett erklärten, ebenfalls eine Lady, allerdings Lady Sturbridge und nicht Lady Frances, denn »sie ist keine geborene Lady«. Sie habe vielmehr einen Mann geheiratet, der »nur ein Baron« sei.

»Ich könnte dagegen einen Bedienten heiraten und Marjorie mit einem Stiefelknecht durchbrennen – wir blieben selbst in der stinkenden Gosse von Bristol, wo unsere Ehemänner Opferstöcke plünderten, um uns ernähren zu können, Lady Felicity und Lady Marjorie.«

Scarlett konnte nur lachen. »Das ist mir zu kompliziert«, gestand sie.

»Ach, wissen Sie, meine Liebe, es kann ja noch viel, viel komplizierter sein als in unserer langweiligen kleinen Familie. Wenn Sie's erst mal mit Witwen und gräßlichen kleinen Viscounts, mit den Ehefrauen von Drittgeborenen und so weiter zu tun bekommen, dann geraten Sie in ein Labyrinth. Vor jedem Dinner, das Mama gibt, muß sie einen Experten befragen, damit sie nicht irgendeine furchtbar wichtige Person beleidigt. Man darf einfach nicht die Tochter eines jüngeren Grafensohns wie Roger ungünstiger plazieren als zum Beispiel die arme Frances. Es ist so albern, daß es sich mit Worten kaum beschreiben läßt.«

Recht albern und geschwätzig waren sie, die beiden Ladies Cowperthwaite, und ihr Bruder Roger schien ein wenig von Papas Begriffsstutzigkeit geerbt zu haben. Dennoch bildeten die drei ein freundliches und vergnügliches Trio, das Scarlett aufrichtige Zuneigung entgegenbrachte und ihr eine recht kurzweilige Überfahrt bescherte. Als sie in Liverpool von Bord gingen, verspürte Scarlett tatsächlich so etwas wie Traurigkeit.

Bis Galway blieben ihr noch fast zwei volle Tage. Sie wußte, daß es ihr nun nicht mehr gelingen würde, die Gedanken an die Begegnung mit Rhett in Charleston zu verdrängen, obwohl es im Grunde gar keine echte Begegnung gewesen war.

Ob er genauso erschrocken ist wie ich, als sich unsere Blicke trafen? fragte sie sich. Sie hatte in jenem Augenblick das Gefühl gehabt, als wäre die ganze Welt um sie herum verschwunden, als wären sie beide allein an einem Ort und in einer Zeit, die von jeder menschlichen und dinglichen Existenz abgehoben waren. Wenn ein einziger Blick mich derart an ihn bindet, so muß er doch umgekehrt dasselbe empfinden. Oder nicht?

So oft zerbrach sie sich den Kopf über jene Szene, so oft durchlebte sie sie in Gedanken noch einmal, daß sie schließlich das Gefühl hatte, sie hätte alles nur geträumt oder es sich nur eingebildet.

Als die *Fleece* in die Bucht von Galway einlief, war Scarlett endlich imstande, der Erinnerung an die Begegnung in Charleston neben anderen liebgewordenen Erinnerungen an Rhett einen stillen Platz in ihrem Gedächtnis zuzuweisen. Ballyhara erwartete sie, und die Erntezeit stand bevor.

Doch zuerst mußte sie ein freundliches Lächeln aufsetzen und ihre Schrankkoffer an den Zöllnern vorbeischmuggeln. Colum wartete auf seine Waffen.

Es fiel ihr schwer, sich daran zu erinnern, daß alle Engländer Halunken waren. Die Cowperthwaites waren so nette Leute gewesen.

71. Kapitel

Als Scarlett die *Golden Fleece* verließ, wartete Colum am Ende der Gangway auf sie. Sie hatte nicht mit ihm gerechnet. Das einzige, was sie wußte, war, daß jemand sie abholen und sich um das Gepäck kümmern würde. Der Anblick der untersetzten Gestalt in der abgetragenen schwarzen Soutane und Colums lächelndes, irisches Gesicht gaben ihr das Gefühl, wieder daheim zu sein. Ihr Gepäck passierte anstandslos den Zoll. Der Beamte fragte nur: »Na, wie war's in Amerika?«, worauf sie antwortete: »Furchtbar heiß!«, und: »Wie alt ist denn diese prächtige junge Dame?«

»In drei Monaten wird sie ein Jahr alt«, erwiderte Scarlett stolz. »Aber sie macht schon jetzt die ersten Gehversuche.«

Die kurze Strecke vom Hafen zum Bahnhof nahm fast eine Stunde in Anspruch. Noch nie hatte Scarlett ein solches Verkehrschaos erlebt, nicht einmal in Five Points.

»Die Pferderennen«, erklärte Colum und fügte, noch ehe Scarlett sich daran erinnern konnte, wie es im Vorjahr gewesen war, rasch einige Einzelheiten hinzu: »Steeplechase und Galopprennen, alljährlich fünf Tage im Juli.« Was bedeutete, daß Militär und Polizei in der Stadt alle Hände voll zu tun hatten und es sich nicht leisten konnten, im Hafen herumzulaufen und die Zeit totzuschlagen. Es bedeutete ferner, daß in Galway kein Hotelzimmer mehr zu bekommen war, nicht einmal für sehr viel Geld. Sie würden also den Nachmittagszug nach Ballinasloe nehmen und dort übernachten. Scarlett wäre es lieber gewesen, wenn es noch eine Verbindung nach Mullingar gegeben hätte. Sie wollte unbedingt nach Hause.

»Wie sehen die Felder aus, Colum? Ist der Weizen bald reif? Und das Gras schon geschnitten? Habt ihr genug Sonne gehabt? Und was macht der gestochene Torf? War es genug? Ist er richtig trocken geworden? Taugt er was? Gibt er ein gutes Feuer?«

»Warte es nur ab, Scarlett, und bilde dir dein eigenes Urteil. Ich bin sicher, daß dir dein Ballyhara gefallen wird.«

Gefallen war gar kein Ausdruck. Scarlett war schier überwältigt. Ihr Weg in die Stadt führte unter mit frischem Grün und goldenen Bändern geschmückten Bögen hindurch, die die Bewohner der Stadt eigens für ihre Heimkehr errichtet hatten. Die Menschen säumten den Straßenrand, schwenkten Taschentücher und Hüte und jubelten ihr zu. »Ich danke euch, danke, danke!« rief sie immer wieder, und Tränen standen in ihren Augen.

Im Gutshaus standen Mrs. Fitzpatrick, die drei ungleichen Hausmädchen, die vier Milchmädchen und die Stallknechte zu Scarletts Begrüßung Spalier. Es kostete sie einige Überwindung, Mrs. Fitz nicht um den Hals zu fallen, doch sie hielt sich an die Anstandsregeln ihrer Wirtschafterin und zeigte würdevolle Zurückhaltung. Cat war an diese Regeln noch nicht gebunden. Sie lachte, streckte Mrs. Fitzpatrick die Arme entgegen und fand sich sogleich in einer herzlichen Umarmung wieder.

Keine Stunde später trug Scarlett wieder Galwayer Bauerntracht und stapfte, Cat auf dem Arm, mit raumgreifenden Schritten über ihre Felder. Es tat ihr gut, sich endlich wieder bewegen und die Beine ausstrecken zu können. Viele, zu viele Stunden, Tage und Wochen hatte sie sitzen müssen, in Zügen, in Schiffen, in Büros und auf Sesseln. Jetzt wollte sie laufen, reiten, sich bücken und strecken, rennen und tanzen. Sie war die O'Hara, war wieder zu Hause, und zwischen den sanften, kühlenden, rasch vorübergehenden irischen Schauern kam immer wieder die wärmende Sonne hervor.

Auf den Wiesen türmte sich das duftende, goldene Heu auf Gestellen über zwei Meter hoch zum Trocknen. In einen der »Heupilze« grub Scarlett eine Höhle, kroch hinein und spielte mit Cat »Haus«. Die Kleine fingerte am »Dach« herum, und als schließlich ein Teil davon auf sie herabrieselte und der Heustaub sie zum Niesen brachte, quietschte sie vor Vergnügen. Sie klaubte getrocknete Blüten auf und steckte sie in den Mund, nur um sie gleich wieder auszuspucken. Scarlett mußte über ihre angewiderte Miene lachen. Cat runzelte die Stirn, was Scarlett zu noch heftigerem Gelächter veranlaßte. »Du gewöhnst dich am besten recht bald daran, daß man über dich lacht, Miss Cat O'Hara«, sagte sie. »Du bist nämlich ein herrlich dummes kleines Mädchen und machst deine Mama sehr, sehr glücklich. Und glückliche Menschen lachen nun einmal gern.«

Scarlett brachte Cat zurück ins Freie. Die Kleine fing an zu gähnen. »Pflück ihr das Heu aus den Haaren, solange sie schläft«, sagte Scarlett zu Peggy Quinn. »Ich bin heute abend rechtzeitig zurück, um sie zu füttern und zu baden.«

Sie ging in den Stall hinüber und störte eines der beiden behaglich vor sich hin kauenden Ackerpferde in seiner Ruhe. Ohne Sattel ritt sie in der langsam herabsinkenden Dämmerung über ihren Besitz. Selbst im bläulich überhauchten Zwielicht erstrahlten die Weizenfelder noch in sattem Gelb. Eine üppige Ernte stand bevor. Zufrieden ritt Scarlett nach Hause. Mit

Ballyhara ließ sich wahrscheinlich nie soviel Profit machen wie mit dem Bauen und Verkaufen billiger Häuser, aber hier ging es um weit mehr als das reine Geldverdienen. Das Land der O'Haras war wieder fruchtbar. Sie hatte es zurückgewonnen, zumindest teilweise. Im nächsten Jahr würden weitere Flächen unter den Pflug genommen werden und im Jahr darauf noch mehr.

»Es ist so schön, wieder hierzusein«, sagte Scarlett am nächsten Morgen zu Kathleen. »Ich habe furchtbar viel zu berichten von der Verwandtschaft in Savannah.« Glücklich machte sie es sich neben dem Herd bequem und schickte Cat auf dem Fußboden auf Entdeckungsreise. Es dauerte nicht lange, und die ersten Köpfe erschienen oben in der zweiteiligen Tür. Alle wollten wissen, wie es ihr in Amerika ergangen war, was Bridie machte und was es sonst Neues gab.

Beim Angelusläuten eilten die Frauen wieder zurück ins Dorf, und die O'Hara-Männer kehrten zum Mittagessen von den Feldern zurück.

Sie kamen alle, bis auf Seamus und – natürlich – Sean, der seine Mahlzeiten noch immer in dem kleinen Häuschen einnahm, das er einst mit Großmutter Katie Scarlett geteilt hatte. Scarlett fiel das Fehlen der beiden zunächst nicht auf. Sie war zu sehr damit beschäftigt, Thomas, Patrick und Timothy zu begrüßen, außerdem mußte sie Cat dazu überreden, den großen Löffel wieder loszulassen, den die Kleine offenbar verschlingen wollte.

Erst als die Männer wieder zur Arbeit gegangen waren, berichtete Kathleen, was sich während Scarletts Abwesenheit alles verändert hatte.

»Es tut mir leid, daß ich das sagen muß, Scarlett, aber Seamus hat es schwer getroffen, daß du nicht bis zu seiner Hochzeit hiergeblieben bist.«

»Ich wäre liebend gern geblieben, aber es ging einfach nicht. Das muß er doch gewußt haben. Die geschäftlichen Dinge, die ich in Amerika zu erledigen hatte, duldeten keinen Aufschub.«

»Ich habe das Gefühl, daß die Verstimmung eher von Pegeen kommt. Ist dir nicht aufgefallen, daß sie heute vormittag nicht unter den Besuchern war?«

Scarlett mußte gestehen, daß sie Pegeen nicht vermißt hatte. Sie hatte sie bisher nur ein einziges Mal gesehen und kannte sie daher kaum. Was sie denn für ein Mensch sei, fragte sie Kathleen.

Kathleen wählte ihre Worte mit Bedacht. Pegeen sei eine pflichtbewußte Frau, sagte sie, die das Haus gepflegt halte, eine gute Küche führe und dafür Sorge trage, daß es Seamus und Sean im Häuschen nebenan an nichts fehle. Scarlett würde der Familie einen großen Gefallen erweisen, wenn sie Pegeen einen Besuch abstatten und ihre Haushaltsführung loben könne. Pegeen sei so sehr auf ihre Würde bedachte, daß sie stets darauf wartete, besucht zu werden, bevor sie von sich aus einen Besuch mache.

»Du meine Güte«, sagte Scarlett, »das ist doch wirklich zu dumm. Da muß ich Cat ja extra aufwecken.«

»Laß sie doch hier. Ich passe auf sie auf, während ich meine Flickarbeiten mache. Es ist besser, wenn ich dich nicht begleite.«

Interessant, dachte Scarlett, Kathleen mag die Frau meines Vetters offensichtlich nicht besonders. Überdies legt Pegeen allem Anschein nach Wert darauf, ihren eigenen Haushalt zu führen, anstatt mit Kathleen gemeinsam unter einem Dach zu leben. Zumindest essen sie getrennt zu Mittag. Auf ihre eigene Würde bedacht... in der Tat! Zwei Mahlzeiten zu bereiten anstatt nur einer, das ist doch überflüssige Kraftverschwendung. Scarlett ahnte, daß sie mit Pegeen Schwierigkeiten bekommen würde, nahm sich aber vor, ihr freundlich zu begegnen. Es war gewiß nicht leicht, in eine Familie einzuheiraten, die schon so lange zusammenlebte. Scarlett wußte nur zu gut, was es bedeutete, eine Außenseiterin zu sein.

Pegeen machte es ihr nicht leicht, die gute Miene zu bewahren. Seamus' Frau war eine eher kratzbürstige Natur. Sie sieht aus, als habe sie gerade Essig getrunken, dachte Scarlett. Der Tee, den Pegeen ihr einschenkte, war so lange durchgezogen, daß er kaum noch genießbar war. Womöglich will sie damit klarmachen, daß ich sie zu lange habe warten lassen.

»Ich wünschte, ich hätte an eurer Hochzeit teilnehmen können«, sagte Scarlett tapfer und dachte dabei, am besten packe ich den Stier gleich bei den Hörnern. »Zusätzlich zu meinen eigenen Glückwünschen darf ich euch die allerbesten Wünsche des amerikanischen Teils der Familie überbringen. Ich wünsche dir und Seamus alles Gute miteinander.« Sie war zufrieden mit ihrer Rede. Damit hast du dich elegant aus der Affäre gezogen, dachte sie bei sich.

Pegeen nickte steif. »Ich werde Seamus von deinen guten Wünschen erzählen«, sagte sie. »Er will mit dir reden. Ich habe ihm gesagt, er soll in der Nähe bleiben. Ich hole ihn schnell.«

Na ja, dachte Scarlett, ich bin schon freundlicher empfangen worden. Sie war sich keineswegs sicher, ob sie überhaupt hören wollte, was Seamus mit ihr zu besprechen hatte. Seit sie in Irland war, hatte sie insgesamt vielleicht zehn Worte mit Daniels Ältestem gewechselt. Tatsächlich, dachte sie, nachdem sie sich seine Rede angehört hatte, darauf hätte sie gut und gern verzichten können. Seamus erwartete von ihr, daß sie die in Kürze fälligen Pachtzahlungen für die Farm übernahm, und erhob überdies Anspruch auf das größere der beiden Häuser. Fortan sollten Pegeen und er darin wohnen dürfen, immerhin sei er ja nun als Daniels Nachfolger Pächter der Farm. »Mary Margaret ist gern bereit, für meine Brüder und mich zu kochen und zu waschen. Kathleen kann sich hier im kleinen Haus um Sean kümmern, schließlich ist sie seine Schwester.«

»Die Pacht zahle ich gern«, erwiderte Scarlett, obwohl ihr eine Bitte lieber gewesen wäre als eine Forderung. »Aber ich sehe nicht ein, warum du die Frage, wer wo leben soll, ausgerechnet mit mir erörterst. Ihr könnt das doch mit deinen Brüdern und Kathleen direkt besprechen.«

»Du bist die O'Hara!« Pegeen schrie sie geradezu an. »Du hast doch hier das Sagen!«

»Damit hat sie absolut recht, Scarlett«, sagte Kathleen, als Scarlett sich bei ihr beschwerte, »du bist die O'Hara«, und ehe Scarlett etwas darauf erwidern konnte, lächelte Kathleen und sagte, der Streit erübrige sich sowieso. Sie wolle nämlich heiraten, einen jungen Mann aus Dunsany, und damit werde sie Daniels Haus ohnehin verlassen. Er habe ihr erst am vergangenen Samstag auf dem Markt in Trim einen Heiratsantrag gemacht. »Ich habe den anderen noch nichts davon erzählt«, sagte sie. »Du solltest es als erste erfahren.«

Scarlett umarmte sie. »Wie aufregend! Du erlaubst mir doch, die Hochzeit auszurichten, oder? Das wird ein wunderschönes Fest!«

»Da bin ich noch einmal davongekommen«, sagte sie am Abend zu Mrs. Fitz. »Aber eben nur haarscharf. Die O'Hara zu sein ist doch offenbar nicht ganz das, was ich mir darunter vorgestellt habe.«

»Und was haben Sie sich vorgestellt, Mrs. O?«

»Ich weiß nicht genau. Daß es mehr Spaß macht, wahrscheinlich.«

Im August wurden die Kartoffeln geerntet. Die Bauern sprachen von der besten Ernte aller Zeiten. Danach brachten sie den Weizen ein. Scarlett liebte es, ihnen bei der Arbeit zuzusehen. Die blitzblanken Sicheln funkelten in der Sonne, und die goldenen Halme fielen wie gewellte Seidenbahnen. Manchmal nahm sie die Position des Mannes ein, der dem Schnitter folgte. Sie nahm sich den Stab mit dem gekrümmten Ende und rechte den geschnittenen Weizen zu einzelnen Garben zusammen, die anschließend mit einem Halm zusammengebunden wurden. Das geschah mit einer raschen Drehbewegung, die Scarlett noch nicht beherrschte. Im Umgang mit dem Stab erwies sie sich jedoch schon bald als sehr geschickt.

Es sei auf jeden Fall eine angenehmere Tätigkeit als das Baumwollpflükken, sagte sie zu Colum, und doch gebe es immer wieder Augenblicke, in denen sie unerwartet schmerzliches Heimweh überfalle. Er könne ihre Gefühle verstehen, meinte Colum, und Scarlett glaubte ihm. Er ist wirklich wie der Bruder, nach dem ich mich immer gesehnt habe.

Colum wirkte auf eine seltsame Art geistesabwesend, doch als sie ihn darauf ansprach, meinte er nur, er sei ein wenig ungeduldig, weil die Bauarbeiten am Gasthaus neben Brandon Kennedys Pub durch die Weizenernte verzögert würden. Scarlett mußte an den zu allem entschlossenen Mann in der Kirche denken, den Colum als Flüchtling bezeichnet hatte. Sie fragte sich, ob es noch andere solche Männer gab und was Colum wohl für sie tat, gestand sich dann aber ein, daß sie es gar nicht so genau wissen wollte, und behielt die Frage für sich.

Sie zog es vor, sich mit angenehmeren Gedanken zu befassen, wie zum Beispiel mit Kathleens bevorstehender Hochzeit. Kevin O'Connor war nicht gerade der Mann, den Scarlett für sie ausgesucht hätte, aber er war eindeutig bis über die Ohren in Kathleen verliebt. Außerdem besaß er eine gutgehende Farm mit zwanzig Kühen auf der Weide und galt von daher als sehr gute Partie. Kathleen verfügte über eine ansehnliche Mitgift in Form von Bargeld, das sie sich durch den Verkauf von Butter und Eiern zusammengespart hatte. Außerdem gehörten ihr sämtliche Küchenutensilien in Daniels Haus. Von Scarlett nahm sie diskret ein Geldgeschenk in Höhe von einhundert Pfund an; es sei nicht unbedingt erforderlich, das Geld in die Mitgift einzubeziehen, sagte sie und zwinkerte verschwörerisch mit den Augen.

Daß sie die Hochzeit nicht im Gutshaus ausrichten konnte, war für Scarlett eine große Enttäuschung. Die Tradition verlangte, daß die Vermählung in dem Haus stattfand, in dem das Paar fortan gemeinsam leben wollte. Alles, was Scarlett zur Hochzeitsfeier beitragen konnte, waren ein paar Gänse und ein halbes Dutzend Fäßchen Porter – und selbst das ging, wie Colum mahnend sagte, schon fast ein bißchen zu weit: Gastgeber seien nämlich die Eltern des Bräutigams.

»Wenn ich ohnehin schon zu weit gehe, kann ich ruhig auch gleich ein gutes Stück über das Ziel hinausschießen«, erwiderte sie und weihte vorsorglich Kathleen in ihre Pläne ein. »Ich werde meine Trauerkleidung ablegen. Ich habe diese schwarzen Kleider endgültig satt.«

Auf dem Fest ließ Scarlett keinen Reel aus. Unter einem grünen Rock trug sie leuchtend blaue und rote Unterröcke und grüngelb gestreifte Strümpfe.

Auf dem Rückweg nach Ballyhara weinte sie ununterbrochen. »Ich werde sie furchtbar vermissen, Colum. Auch das Haus und die vielen Besucher werden mir fehlen. Zu der gehässigen Pegeen mit ihrem ungenießbaren Tee gehe ich nicht wieder.«

»Zwölf Meilen ist ja nun auch nicht die Welt, Scarlett-Schatz. Besorg dir ein gutes Reitpferd anstelle des Ponywagens, und du bist im Handumdrehen in Dunsany.«

Das hat was für sich, dachte Scarlett, obwohl zwölf Meilen wirklich eine lange Strecke sind. Sie weigerte sich allerdings, Colums stillen Vorschlag, doch selbst eine neue Heirat zu erwägen, auch nur in Betracht zu ziehen.

Manchmal wachte sie mitten in der Nacht auf, und die Dunkelheit in ihrem Schlafzimmer war wie das dunkle Geheimnis, das jenen Blickkontakt zwischen ihr und Rhett bei der Abfahrt des Schiffes in Charleston umgab. Was hatte er dabei empfunden?

Allein im Schweigen der Nacht, allein in der Weite ihres üppig verzierten Betts, allein in der schwarzen Leere des unbeleuchteten Zimmers, stellte sich Scarlett wieder und wieder diese Frage. Und sie träumte Unmögliches, und manchmal wollte sie ihn so sehr, daß ihr der Schmerz die Tränen in die Augen trieb.

»Cat!« sagte Cat unmißverständlich, als sie ihr Ebenbild im Spiegel erblickte.

»Oh, Gott sei Dank!« rief Scarlett. Sie hatte schon befürchtet, ihre kleine Tochter würde nie sprechen lernen. Cat hatte nur selten gemurmelt oder gebrabbelt wie andere Kleinkinder und pflegte, wenn Erwachsene ihr mit Babygeplapper kamen, stets eine höchst erstaunte Miene aufzusetzen. Mit zehn Monaten konnte sie laufen – das war früh, wie Scarlett wußte –, doch noch einen Monat danach war sie bis auf ihr Lachen so gut wie stumm. »Sag ›Ma-ma‹!« bettelte Scarlett. Aber es half nichts.

»Sag ›Ma-ma‹!« wiederholte sie auch jetzt, nachdem Cat ihr erstes Wort gesprochen hatte, doch das kleine Mädchen entwand sich ihrem Griff und tappte verwegen über den Fußboden. Ihr Gehen war noch immer mehr von Begeisterung als von Geschick bestimmt.

»Du eingebildetes kleines Ungeheuer«, rief Scarlett ihr nach. »Alle Babys sagen zuerst ›Ma-ma‹, nicht ihren eigenen Namen.«

Cat blieb auf wackeligen Füßen stehen, drehte sich nach Scarlett um und sagte beiläufig und mit einem Grinsen, das Scarlett später als »eindeutig diabolisch« bezeichnete: »Mama!« Dann tappte sie unverdrossen weiter.

»Wahrscheinlich hätte sie es längst sagen können, wenn sie nur gewollt hätte«, erzählte Scarlett auf dem Erntefest voller Stolz Vater Flynn. »Sie hat mir das Wort entgegengeworfen, wie man einem Hund einen Knochen zuwirft.«

Der alte Priester lächelte nachsichtig; er hatte in seinem langen Leben schon viele stolze Mütter reden hören. »Ein großer Tag«, befand er freundlich.

»Ein großer Tag in jeder Hinsicht, Vater!« rief Tommy Doyle, der jüngste unter den Bauern von Ballyhara. »Ich bin sicher, wir haben die Ernte des Jahrhunderts eingebracht!« Er füllte sein Glas und schenkte auch Vater Flynn noch einmal ein. Beim Erntefest durfte man entspannen und sich ein wenig amüsieren.

Auch Scarlett ließ sich von ihm ein Glas Porter geben.

Die Trinksprüche standen bevor, und es bedeutete Unglück, wenn sie nicht jeden zumindest mit einem Schlückchen begoß. Nachdem Ballyhara das ganze Jahr über unter einem glücklichen Stern gestanden hatte, wollte sie kein Risiko eingehen.

Ballyharas breite Hauptstraße war mit langen, reich beladenen Tischen gesäumt, von denen jeder einzelne mit einer Weizengarbe geschmückt war, die von einem bunten Band zusammengehalten wurde. Die Tische waren umlagert von lachenden, glücklichen Menschen. Bei solchen Gelegenheiten war es schön, die O'Hara zu sein, die dem munteren Treiben zusah. Alle hatten sie hart gearbeitet, jede Frau und jeder Mann hatte auf ihre oder seine Weise zum Gelingen des Festes beigetragen. Der ganze Ort war zusammengekommen, um den erfolgreichen Abschluß der Arbeit gebührend zu feiern.

Es gab zu essen und zu trinken, Süßigkeiten und ein kleines Karussell für die Kinder. Vor dem noch unfertigen Gasthaus war aus Holzdielen eine Plattform errichtet worden, die später als Tanzboden dienen sollte. Die goldene Nachmittagssonne strahlte über den Tischen, auf denen der goldene Weizen lag, und alle Anwesenden waren vom goldenen Gefühl des gemeinsam errungenen Wohlstands beseelt. Es war ein Erntefest, wie es im Buche stand.

Das Getrappel näher kommender Pferde ließ die Mütter unwillkürlich nach ihren kleinen Kindern Ausschau halten. Scarletts Herzschlag setzte sekundenlang aus, als sie Cat nirgends sehen konnte. Dann entdeckte sie sie: Die Kleine saß am anderen Ende des Tischs auf Colums Knien. Colum unterhielt sich mit seinem Nebenmann, und Cat nickte, als verstünde sie jedes Wort. Scarlett grinste. Meine kleine Tochter ist wirklich ein komischer Kauz, dachte sie.

Ein kleiner Trupp Soldaten erschien am Ende der Straße. Es waren drei einfache Soldaten und drei Offiziere, und ihre gewienerten Messingknöpfe glänzten noch goldener als der Weizen. Sie zügelten ihre Pferde und kamen nur mehr im Schritt näher. Der Lärm an den Tischen erstarb. Einige Männer erhoben sich.

»Wenigstens haben sie den Anstand, nicht im Galopp an uns vorbeizupreschen«, sagte Scarlett zu Vater Flynn. Doch als die Männer vor der aufgelassenen Kirche anhielten, verstummte auch sie.

»Wo geht's hier zum Gutshaus?« fragte einer der Offiziere. »Ich bin gekommen, um mit der Besitzerin zu sprechen.«

Scarlett stand auf. »Ich bin die Besitzerin«, sagte sie und war überrascht, daß ihr plötzlich ganz trockener Mund überhaupt einen Ton hervorbrachte.

Der Offizier musterte ihr wirres Haar und die bunte Bauerntracht. Seine Lippen kräuselten sich verächtlich. »Sehr komisch, Mädchen. Aber wir sind nicht hier, um Spielchen mit dir zu spielen.«

Eine wilde, hochfahrende Wut wallte in Scarlett auf; es war ein Gefühl, das ihr fast fremd geworden war. Sie stieg auf die Bank, auf der sie zuvor gesessen hatte, und stemmte die Hände in die Hüften. Sie wirkte anmaßend und war sich dessen bewußt.

»Niemand hat Sie hergebeten, Soldat. Niemand hat Sie gebeten, hier etwas zu spielen oder mit sich spielen zu lassen. Also, was wollen Sie? Ich bin Mrs. O'Hara.«

Ein zweiter Offizier ließ sein Pferd ein paar Schritte vortreten. Er saß ab, ging zu Fuß auf Scarlett zu und blieb erst kurz vor der Bank stehen. »Wir haben den Befehl, Ihnen das hier zu überreichen, Mrs. O'Hara.« Er zog den Hut, streifte sich einen seiner weißen Reithandschuhe ab und überreichte Scarlett eine Dokumentenrolle. »Die Garnison wird eine Abteilung nach Ballyhara verlegen, um den Schutz der Stadt zu gewährleisten.«

Scarlett spürte die Spannung, die sich wie ein dräuendes Gewitter in der spätsommerlichen Hitze zusammenbraute. Sie entrollte das Dokument und las den Text zweimal aufmerksam durch. Als sie verstanden hatte, worum es ging, löste sich die Verkrampfung in ihren Schultern. Sie sah auf und lächelte, so daß jeder es sehen konnte. Dann wandte sie die volle Stärke ihres Lächelns dem Offizier zu, der vor ihr stand und zu ihr aufblickte. »Das ist ja wirklich sehr nett von dem Colonel«, sagte sie. »Nur, um ehrlich zu sein, ich bin an seinem Angebot nicht interessiert, und ohne meine Zustimmung kann er keinen Soldaten in meine Stadt verlegen. Würden Sie ihm das bitte mitteilen? Ich kann mich in Ballyhara in keiner Weise über Unruhestifter beklagen. Wir kommen hier prächtig miteinander aus.« Sie gab dem Offizier das Pergament zurück. »Sie sehen allesamt ein bißchen durstig aus, meine Herren. Dürfen wir Ihnen ein Glas Ale anbieten?« Ihr bewunderungsvoller Gesichtsausdruck hatte schon auf ihrem fünfzehnten Geburtstag Männern den Kopf verdreht. Dem Offizier erging es nicht anders. Er errötete und fing an zu stottern – wie Dutzende junger Männer in Clayton County, Georgia, vor ihm.

»Danke, Mrs. O'Hara, aber ... äh ... unsere Vorschriften, das heißt, was mich betrifft, ich würde gern ... aber der Colonel wäre wohl dagegen ... er würde glauben ...«

»Ich verstehe«, sagte Scarlett freundlich. »Vielleicht ein anderes Mal?«

Der erste Trinkspruch des Erntefests galt der O'Hara. Er hätte ihr ohnehin gegolten, doch nun verwandelte sich der Salut in donnernden Applaus.

72. Kapitel

Der Winter machte Scarlett rastlos. Vom Reiten abgesehen, gab es nichts Aktives zu tun. Ohne ständige Beschäftigung fühlte sie sich aber nicht wohl. Gegen Mitte November waren die neuen Felder gerodet und gedüngt. Und danach? Was für Probleme standen an? Selbst die Zahl der Beschwerden und Streitfälle, die ihr am jeweils ersten Sonntag des Monats in ihrem Büro vorgetragen wurden, hielt sich in bescheidenen Grenzen. Gewiß, Cat konnte inzwischen ohne Hilfe durchs Zimmer laufen und wollte die Weihnachtskerze anstecken, und am Neujahrstag wurden traditionsgemäß wieder Kuchen vor die Wand geworfen, und Scarlett spielte in der Stadt die glückverheißende dunkelhaarige Besucherin. Trotzdem hatte sie das Gefühl, die kurzen Tage wollten überhaupt kein Ende nehmen. Nachdem inzwischen bekannt war, daß sie die Fenier unterstützte, war sie in Kennedys Bar ein gerngesehener Gast, doch es dauerte nicht lange, und die Gesänge über die seligen Märtyrer des irischen Freiheitskampfs sowie die ständig wiederholte großmäulige Ankündigung, man wolle die Engländer von der Insel vertreiben, begannen sie zu langweilen. Sie ging bald nur noch in die Kneipe, wenn die Sehnsucht nach menschlicher Gesellschaft übermächtig wurde. Am ersten Februar, dem Tag der heiligen Brigid, war sie überglücklich, daß die Feldarbeit wieder begann. Sie vollführte den ersten Spatenstich mit solcher Begeisterung, daß die Erde im hohen Bogen in die Luft flog. »Dieses Jahr wird noch besser als das vergangene«, verkündete sie.

Für die Bauern hingegen erwiesen sich die neuen Felder als eine Belastung, der sie kaum gewachsen waren. Nie reichte die Zeit für die anfallende Arbeit aus. Scarlett bedrängte Colum, noch mehr Landarbeiter anzuheuern, im Ort standen immer noch zahlreiche Cottages leer. Colum indes war nicht bereit, Fremde im Ort anzusiedeln, und Scarlett fügte sich. Sie sah ein, daß strikte Geheimhaltung für die Fenier lebenswichtig war. Aber schließlich fand Colum doch noch einen Kompromiß: Scarlett konnte Saisonarbeiter anwerben, die nur den Sommer über in Ballyhara bleiben sollten. Er, Colum, wollte sie nach Drogheda bringen, wo es einen Arbeitermarkt gab. Auch ein Roßmarkt sollte in Kürze dort stattfinden; da konnte sie endlich die Pferde kaufen, die sie für erforderlich hielt.

»Die ich für erforderlich halte . . .«, wiederholte sie. »Ich muß wirklich blind und obendrein nicht ganz bei Trost gewesen sein, Colum O'Hara, als ich mein gutes Geld für die Zugpferde ausgegeben habe, die bei uns im Stall stehen. Sie sind nicht schneller als eine amerikanische Dosenschildkröte in felsigem Gelände. Noch einmal lasse ich mich nicht so übers Ohr hauen.«

Colum lächelte stillvergnügt vor sich hin. Scarlett war eine erstaunliche Frau mit bewunderswerten Fähigkeiten auf vielen Gebieten. Einen irischen Pferdehändler zu übervorteilen, würde ihr allerdings nie gelingen, davon war er überzeugt.

»Scarlett, meine Liebe, du siehst aus wie ein Dorfmädchen, ganz und gar nicht wie eine Gutsbesitzerin. Dir traut man ja nicht einmal zu, eine Karussellfahrt bezahlen zu können, geschweige denn ein Pferd.«

Sie rügte ihn mit einem Stirnrunzeln. Ihre grüne Bluse ließ ihre Augen grüner denn je erscheinen, und ihr blauer Rock war von der Farbe des Frühlingshimmels. »Würden Sie mir bitte die Freundlichkeit erweisen, diese Kutsche hier in Bewegung zu setzen, ›Vater‹ Colum O'Hara?« fragte sie ihn. »Im übrigen weiß ich genau, was ich tue. Wenn man mir mein Geld ansieht, glaubt der Händler, er könnte mir jede Schindmähre andrehen. In dörflicher Tracht habe ich weit bessere Chancen. Und jetzt komm. Ich warte schon seit Wochen auf diesen Tag. Ich begreife einfach nicht, daß der Arbeitermarkt nicht am Saint-Brigids-Tag stattfinden kann, also zu Beginn der Feldarbeit.«

Colum lächelte sie an. »Einige der Burschen gehen da noch zur Schule, meine liebe Scarlett.« Er ließ die Zügel schnalzen, und sie fuhren los.

»Was sie davon schon haben! Verderben sich die Augen beim Bücherlesen und könnten doch in der frischen Luft arbeiten und nebenbei gutes Geld verdienen.« Ihre Ungeduld machte sie reizbar.

Meile um Meile näherten sie sich ihrem Ziel. Über den Wallhecken lag der süße Duft der Schwarzdornblüten. Nachdem sie ein gutes Stück zurückgelegt hatten, besserte sich Scarletts Laune. Die Ausfahrt gefiel ihr. »Ich war noch nie in Drogheda, Colum. Wird es mir gefallen, was meinst du?«

»Ich glaube schon. Es ist ein sehr großer Markt, viel größer als alle anderen, die du bisher gesehen hast.« Er wußte, daß Scarletts Frage sich nicht auf die Stadt bezog. Sie liebte die erregende Atmosphäre der Märkte. Die Rätsel und Reize verwinkelter Altstadtgassen sagten ihr nichts. Scarlett zog klare, leicht verständliche Dinge vor – ein Charakterzug, der Colum gelegentlich etwas befremdete. Er wußte, daß sie das Ausmaß der Gefahr, in die sie sich mit ihrem Engagement für die Bruderschaft begeben hatte, gar nicht richtig erfaßte. Ihre Unwissenheit konnte katastrophale Folgen haben.

Doch heute waren sie in ihren Geschäften unterwegs, nicht in den seinen. Er nahm sich vor, den Markt ebenso zu genießen wie Scarlett.

»So sieh doch, Colum, der Markt ist ja riesig!«

»Zu riesig, fürchte ich. Was willst du dir zuerst aussuchen: die Burschen oder die Pferde? Die Pferde findest du gleich dort vorn, die Burschen am anderen Ende des Marktes.«

»Ach, die besten gehen doch sicher immer gleich zu Anfang weg. Ich sag dir, wie wir's machen: Du suchst die Burschen aus, und ich kümmere mich um die Pferde. Wenn du fertig bist, holst du mich ab. Bist du sicher, daß die Arbeiter auch unbeaufsichtigt nach Ballyhara kommen werden?«

»Sie wollen angeworben werden, deshalb sind sie hier. Und ans Wandern sind sie gewöhnt. Einige von ihnen dürften an die hundert Meilen weit gelaufen sein, um herzukommen.«

Scarlett lächelte. »Dann sieh dir am besten die Füße an, bevor du irgend etwas unterschreibst. Ich werde mir unterdessen ein paar Gebisse ansehen. Wo muß ich hin?«

»Dort in die Ecke, wo die Fahnen sind. Auf dem Markt von Drogheda sieht man einige der besten Pferde Irlands. Es sollen schon Preise von über hundert Guineen bezahlt worden sein.«

»Papperlapapp, Colum! Für hundert Guineen bekomme ich drei Paar, du wirst's schon sehen.«

Die Pferde waren für die Dauer des Marktes in großen Zelten untergebracht. Ha! dachte Scarlett. In dem trüben Licht da drinnen wird mir niemand ein Pferd verkaufen. Entschlossen drängte sie sich durch die lärmende Menge ins Innere des ersten Zelts.

Oje, mein Lebtag habe ich noch nicht so viele Pferde auf einem Fleck gesehen! War eine gute Idee von Colum, mich herzubringen. Da habe ich wirklich die allergrößte Auswahl. Mit den Ellbogen bahnte sie sich den Weg von einer Pferdebox zur anderen und musterte die Tiere aufmerksam. »Noch nicht!« beschied sie die Händler. Das irische System mit den Zwischenhändlern mißfiel ihr: Man konnte nicht einfach einen Pferdebesitzer ansprechen und ihn fragen, wieviel er für ein Tier wollte. Nein, das wäre zu leicht gewesen. Sobald einer der Händler, die als Vermittler auftraten, merkte, daß Kaufinteresse bestand, sprang er auch schon auf und nannte eine Summe, die völlig illusorisch war, und versuchte dann, Käufer und Verkäufer durch Verhandlungen auf einen Preis festzulegen. Einige der Verkaufstricks kannte Scarlett bereits aus eigener Erfahrung. Es konnte passieren, daß ein Händler ganz einfach die Hand des möglichen Käufers nahm und in sie einschlug, daß es weh tat. Wer nicht aufpaßte, mußte damit rechnen, daß diese Geste als Geschäftsabschluß ausgelegt wurde.

Ein Rotschimmelpaar gefiel ihr. Lauthals verkündete der Händler, beide Tiere seien drei Jahre alt und paßten hervorragend zusammen. Der Preis für beide betrage nur siebzig Pfund. Scarlett verschränkte die Hände hinter dem Rücken. »Führen Sie sie raus ans Tageslicht, damit ich sie besser sehen kann«, sagte sie.

Eigentümer, Händler und alle Umstehenden erhoben wütend Protest. Ein kleiner Mann in Reithosen und Sweater meinte: »Dann macht es ja gar keinen Spaß mehr.«

Scarlett blieb hartnäckig, verließ sich dabei jedoch auf ihren Charme: Mit Honig fängt man Fliegen, dachte sie bei sich. Sie betrachtete das schimmernde Fell der Pferde, strich darüber, und anschließend war ihre Hand voller Pomade. Mit fachmännischem Griff packte sie den Kopf des einen Tieres, untersuchte sein Gebiß und platzte schier vor Lachen. Drei Jahre alt? Das war ja unglaublich! »Bringen Sie sie wieder rein!« sagte sie augenzwinkernd zu dem Händler. »Mein Großvater ist noch jünger als diese Gäule.« Der Roßmarkt gefiel ihr großartig.

Nach einer Stunde hatte sie lediglich drei Pferde gefunden und gekauft, die ihren Vorstellungen entsprachen. In jedem einzelnen Fall hatte sie mit Engelszungen reden müssen, um eine Inspektion bei Tageslicht zu erreichen. Neidisch beobachtete sie die Käufer von Jagdpferden: Für sie war vor dem Zelt ein kleiner Parcours mit Hindernissen errichtet worden. Sie konnten sich die Pferde nicht nur ansehen, sondern gleich auch noch einem Test unterziehen. Es waren wunderschöne Tiere darunter. Bei einem Zugpferd kam es indessen auf Äußerlichkeiten kaum an. Scarlett, die eine Weile draußen zugesehen hatte, ging zurück ins Zelt, lehnte sich an einen der dicken Masten, die das Dach trugen, und gab ihren Augen Zeit, sich wieder an die Dunkelheit zu gewöhnen. Sie wurde langsam müde und hatte doch erst die Hälfte ihrer Käufe getätigt. Sie brauchte noch drei weitere Zugpferde.

»Na, wo ist denn Ihr Pegasus, Bart? Ich sehe ihn gar nicht über die Hindernisse fliegen.«

Scarlett suchte an dem Mast Halt. Ich verliere den Verstand. Das ist doch Rhetts Stimme ...

»Wenn Sie mich zu einer Wildgansjagd mitgenommen hätten ...«

Es ist seine Stimme! Ich irre mich nicht. So eine Stimme gibt es nur einmal auf der Welt. Sie drehte sich rasch um und spähte blinzelnd hinaus auf den sonnenlichtüberfluteten Platz.

Das ist sein Rücken. Oder? Ja, ich bin mir ganz sicher. Wenn er doch nur noch etwas sagen würde. Oder sich umdrehen. Aber es kann ja gar nicht Rhett sein. Was für eine Veranlassung sollte er haben, nach Irland zu kommen. Aber es ist seine Stimme!

Der Mann wandte sich seinem blonden, schmächtigen Gesprächspartner zu. Es war tatsächlich Rhett. Scarletts Fingerknöchel waren weiß, so fest umklammerte sie den Zeltmast. Sie zitterte.

Der kleinere Mann sagte etwas, deutete mit seiner Reitpeitsche irgendwohin und entfernte sich aus Scarletts Blickfeld. Rhett war allein. Scarlett stand im Schatten und sah hinaus ins Licht.

Rühr dich nicht, befahl sie sich, als auch Rhett Anstalten machte, sich zu entfernen. Aber sie konnte sich nicht gehorchen. Sie stürmte aus dem Schatten und rannte ihm hinterher. »Rhett!«

Er blieb unbeholfen stehen – er, der stets so gewandte Rhett – und drehte sich um. Ein Ausdruck, den sie nicht deuten konnte, flackerte über sein Gesicht, und seine dunklen Augen unter dem schattenspendenden Schirm der Mütze wirkten seltsam hell. Und dann lächelte er. Lächelte sein spöttisches Lächeln, das sie so gut kannte.

»Du tauchst aber auch an Orten auf, wo man nicht im entferntesten mit dir gerechnet hätte, Scarlett«, sagte er.

Er lacht mich aus, und es ist mir egal. Alles ist mir egal, solange er mich nur beim Namen nennt und mir nahe ist. Sie konnte ihren eigenen Herzschlag hören.

»Hallo, Rhett!« sagte sie. »Wie geht es dir?« Es war eine dumme, wenig angemessene Frage, aber ihr fiel nichts Besseres ein.

Rhetts Mundwinkel zuckten. »Für einen Toten bin ich ausgesprochen gut in Form«, sagte er im langgezogenen Tonfall des Südens. »Oder irre ich mich? Wenn ich mich recht entsinne, habe ich vom Kai in Charleston aus eine Witwe gesehen.«

»Ja, aber was hätte ich denn sagen sollen? Ich war nicht verheiratet, ich meine, ich hatte keinen Ehemann ...«

»Red dich nicht heraus, Scarlett, das ist nicht deine Stärke.«

»Was soll das heißen?« Steckte da eine Bosheit dahinter? Bitte, Rhett, sei nicht böse zu mir!

»Ist auch nicht wichtig! Was bringt dich hierher? Ich dachte, du wärst in England.«

»Wie kommst du denn darauf?« Warum stehen wir hier herum und sprechen über völlige Belanglosigkeiten? Warum kann ich keinen klaren Gedanken fassen? Warum rede ich solch einen Blödsinn?

»Du bist in Boston nicht von Bord gegangen.«

Scarletts Herz schlug höher, als ihr die Bedeutung seiner Worte bewußt wurde. Er hatte ihr nachgeforscht. Er hatte versucht, ihr Reiseziel herauszufinden. Ihm lag an ihr. Er wollte nicht, daß sie auf Nimmerwiedersehen verschwand. Eine Woge des Glücks überkam sie.

»Darf ich aus deiner lebensfrohen Garderobe schließen, daß du mein Ableben mittlerweile nicht mehr betrauerst?« fragte Rhett. »Schäm dich, Scarlett. Meine Leiche ist noch nicht einmal kalt!«

Sie sah entsetzt an ihrer Bauerntracht herunter. Dann blickte sie auf und sah seine makellose, maßgeschneiderte Reitjacke mit dem weißen Stehkragen und der perfekt darauf abgestimmten Krawatte. Ich komme mir vor wie die letzte Pomeranze. Warum legt er es nur immer darauf an? Und warum kann ich mich nicht einmal darüber ärgern?

Sie liebte ihn, deshalb. Ob er es glaubte oder nicht, es war die Wahrheit.

Ohne es geplant zu haben und ohne über die Folgen nachzudenken, sah Scarlett dem Mann ins Gesicht, der so viele lügenvolle Jahre ihr Ehemann gewesen war. »Ich liebe dich, Rhett«, sagte sie mit schlichter Würde.

»Wie bedauerlich für dich, Scarlett. Du hast anscheinend eine Vorliebe dafür, dich in die Ehemänner anderer Frauen zu verlieben.« Er lupfte höflich seine Mütze. »Bitte entschuldige, wenn ich dich jetzt verlasse, aber ich habe noch einen anderen Termin. Auf Wiedersehen!« Er wandte ihr den Rücken und ging fort. Scarlett sah ihm nach. Ihr war, als habe er sie geohrfeigt.

Und das ohne jede Veranlassung. Sie hatte nichts von ihm verlangt, im Gegenteil, sie hatte ihm etwas vom Wertvollsten geschenkt, das zu verschenken ihr gegeben war. Und er hatte es in den Straßenstaub getreten. Er hatte sie wie eine Idiotin behandelt.

Nein, ich habe mich wie eine Idiotin benommen.

Da stand sie nun, eine buntgekleidete, kleine, einsame Person im Trubel und Lärm eines geschäftigen Roßmarkts. Sie stand da und merkte nicht, wie die Zeit verrann. Als sie die Welt um sich herum wieder wahrnahm, sah sie Rhett und seinen Freund in einem Kreis neugieriger Zuschauer vor einem anderen Zelt. Ein Mann im Tweedanzug hielt einen unruhigen Braunen am Zügel, und ein rotgesichtiger Kerl im Schottenkaro ließ den rechten Arm durch die Luft sausen – die typische Gestik des Pferdehandels. Während der

Händler Rhetts Freund und den Pferdebesitzer noch zum Geschäftsabschluß ermunterte, glaubte Scarlett zu hören, wie Hand auf Hand klatschte.

Es war, als machten sich ihre Beine selbständig. Scarlett überquerte den Platz, der sie von den Männern trennte. Die Menschen, die ihren Weg kreuzten, nahm sie nicht wahr, sie schienen sich irgendwie in Luft aufzulösen.

Die Stimme des Pferdehändlers klang wie ein ritueller Gesang, rhythmisch, hypnotisch. ». . . hundertundzwanzig, Sir, Sie wissen, das ist ein hübscher Preis, selbst für ein so großartiges Tier wie Ihres hier . . . Und Sie, Sir, Sie können sicher auch auf hundertfünfundzwanzig gehen, seien Sie ehrlich, dafür bekommen Sie dann auch ein wahrhaft edles Tier in Ihren Stall . . . Hundertvierzig? Ohne ein bißchen Vernunft geht's aber nicht, Sir, der Gentleman hier ist bereit, hundertfünfundzwanzig auf den Tisch zu legen, da müssen Sie ihm schon ein kleines Stück entgegenkommen, das ist nun mal der Lauf der Welt. Also Sie sagen, Sie sind ja schon ein ganzes Stück runter, na ja, wir kommen heute schon noch zusammen . . . Einhundertundvierzig! Sehen Sie, Sir, der Mann meint's gut mit Ihnen. Zeigen Sie ihm, daß auch Sie guten Willens sind, ja? Sagen Sie hundertdreißig statt hundertfünfundzwanzig, dann wird der Unterschied hauchdünn, gerade mal noch der Gegenwert von ein, zwei Glas . . .«

Scarlett trat in das von Verkäufer, Kunde und Händler gebildete Dreieck. Ihr Gesicht über der grünen Bluse war erschreckend bleich, die Augen grüner als Diamanten. »Hundertvierzig«, sagte sie unüberhörbar. Der Händler starrte sie verwirrt an, seine Litanei setzte abrupt aus. Scarlett spuckte in ihre rechte Hand, schlug auf die seine, daß es klatschte, spuckte noch einmal in die Hand und sah den Verkäufer an. Da hob auch der die Hand, spuckte hinein und schlug zweimal auf die ihre. Damit war das Geschäft nach uraltem Kaufmannsbrauch besiegelt.

Scarlett wandte sich an Rhetts Freund. »Ich hoffe, Sie sind nicht zu sehr enttäuscht«, sagte sie mit Honig in der Stimme.

»Also, ich . . . Nein, natürlich nicht, das heißt . . .«

Rhett unterbrach ihn. »Bart, darf ich vorstellen. Mrs. . .« Er stockte.

Scarlett würdigte ihn keines Blickes. »Mrs. O'Hara«, sagte sie zu Rhetts verblüfftem Begleiter und streckte ihm die noch spuckefeuchte Rechte entgegen. »Ich bin Witwe.«

»John Morland«, erwiderte der Mann, beugte sich vor und drückte ihr einen Kuß auf die Hand. Dann sah er ihr in die strahlenden Augen und lächelte verlegen. »So etwas wie Sie möchte ich mal über den Parcours gehen sehen, Mrs. O'Hara. Sie wissen, wie man das Feld hinter sich läßt. Jagen Sie hier in der Umgebung?«

»Ich . . .« Du lieber Himmel, was habe ich getan? Wie soll ich denn das je erklären? Was soll ich bloß mit einem reinen Jagdpferd im Stall von Ballyhara anfangen? »Ich muß gestehen, Mr. Morland, daß ich allein meiner weiblichen Intuition gefolgt bin. Ich mußte dieses Pferd einfach haben.«

»Das ging mir genauso, nur war ich, wie es scheint, nicht schnell genug.« Der Mann sprach ein kultiviertes Englisch. »Es wäre mir eine Ehre, wenn Sie bei Gelegenheit an einer Jagd bei uns teilnehmen könnten. Ich wohne unweit von Dunsany, falls Sie mit dem Teil der Grafschaft vertraut sind.«

Scarlett lächelte. Vor nicht allzulanger Zeit war sie genau dort gewesen; auf Kathleens Hochzeit. Kein Wunder, daß ihr der Name John Morland bekannt vorkam. Kathleens Ehemann hatte ihr viel von »Sir John Morland« erzählt. »Dafür, daß er ein Gutsherr ist, ist er ein guter Mann«, hatte Kevin O'Connor mindestens ein dutzendmal gesagt. »Hat er mir nicht persönlich gesagt, ich soll als Hochzeitsgeschenk fünf Pfund von der nächsten Pacht abziehen?«

Fünf Pfund, dachte sie jetzt. Wie großzügig. Fünf Pfund von einem Mann, der das Dreißigfache für ein Pferd ausgibt. »Ich kenne Dunsany«, sagte sie. »Feunde von mir wohnen ganz dort in der Nähe. Ihre Einladung zur Jagd ist mir hoch willkommen. Ich komme jederzeit, nennen Sie mir nur ein Datum.«

»Nächsten Samstag?«

Scarlett lächelte verschlagen. Sie spuckte in die Hand und hob den Arm. »Einverstanden!«

John Morland lachte, spuckte ebenfalls in die Hand und schlug zweimal ein. »Einverstanden!? Das erste Glas um sieben, Frühstück dann später.«

Zum erstenmal, seit sie sich in den Handel eingemischt hatte, sah sich Scarlett nach Rhett um. Sein Blick ruhte auf ihr, und es sah aus, als verweilte er schon sehr lange dort. Seine Augen verrieten, daß er sich amüsierte, aber da war noch etwas anderes in seinem Blick, das sie nicht deuten konnte. Das ist doch nicht zu fassen, dachte sie, man könnte meinen, er würde mich überhaupt nicht kennen. »Mr. Butler, es freut mich sehr, Sie zu sehen«, sagte sie formvollendet und reichte ihm graziös ihre beschmutzte Hand.

Rhett zog sich den Handschuh aus, bevor er sie ergriff. »Mrs. O'Hara.« Er verneigte sich. Scarlett nickte dem glotzenden Händler zu und bedachte den vormaligen Besitzer des Pferdes mit einem breiten Grinsen. »Mein Stallknecht wird in Kürze hiersein«, sagte sie von oben herab. »Besprechen Sie alles weitere mit ihm.« Sie streifte ihre Röcke hoch und entnahm dem Strumpfband oberhalb ihres rotgrün gestreiften Knies ein Bündel Banknoten. »Guineen, wenn's recht ist?« Sie zählte das Geld in die Hand des Verkäufers.

Ihre Röcke flogen, als sie sich abwandte und ihres Weges ging.

»Was für eine bemerkenswerte Frau«, sagte John Morland.

Rhett lächelte mit den Lippen. »Erstaunlich, in der Tat«, pflichtete er ihm bei.

»Colum! Ich fürchtete bereits, du seiest verlorengegangen.«

»Aber nein, Scarlett. Ich hatte bloß Hunger. Hast du schon etwas gegessen?«

»Daran habe ich gar nicht gedacht.«

»Bist du mit deinen Pferden zufrieden?«

Scarlett sah von ihrem Aussichtsplatz auf dem Parcoursgeländer zu ihm herab und fing an zu lachen. »Ich glaube, ich habe einen Elefanten gekauft. So ein Riesenpferd hast du noch nie gesehen. Ich mußte es einfach haben, auch wenn ich nicht weiß, warum.« Colum legte ihr beruhigend die Hand auf den Arm. Ihr Gelächter klang rauh, und ihre Augen glänzten vor Schmerz.

73. Kapitel

»Cat ausgehen«, zirpte das kleine Stimmchen.

»Nein, mein Schatz, heute nicht. Bald, aber heute nicht.« Scarlett fühlte sich entsetzlich verwundbar. Wie hatte sie nur so leichtsinnig sein und die Gefahr verkennen können, die ihr Vorhaben für Cat mit sich brachte? So weit entfernt war Dunsany nun auch wieder nicht – nicht annähernd weit genug jedenfalls, um getrost davon ausgehen zu können, daß die O'Hara und ihr dunkelhäutiges Kind dort unbekannt wären. Scarlett behielt Cat jetzt Tag und Nacht bei sich in ihren beiden Zimmern im ersten Stock. Und immer wieder lief sie zum Fenster und spähte besorgt auf die Zufahrt hinaus.

Mrs. Fitz war ihre Mittlerin in allen Dingen, die erledigt werden mußten. Alles mußte schneller gehen als schnell. Die Schneiderin paßte Scarlett in mehreren hastigen Sitzungen ein Reitkleid an, der Schuhmacher schuftete wie ein Schusterkobold bis tief in die Nacht hinein an ihren Stiefeln, der Stallknecht möbelte mit Lumpen und Öl den rissigen, spröden Damensattel auf, der vor Scarletts Einzug dreißig Jahre lang in der Gerätekammer gelegen hatte, und einer der frisch angeworbenen jungen Burschen, der ruhige Hände hatte und gut im Sattel war, trainierte das kraftstrotzende braune Jagdpferd. Als der Samstag heraufdämmerte, war Scarlett bestens gerüstet.

Das Pferd, ein brauner Wallach namens Halbmond, war in der Tat ausgesprochen groß, ein wahrer Riese. Es hatte eine breite Brust, einen langen Rücken und machtvolle, muskulöse Schenkel – das ideale Pferd für einen großgewachsenen Mann. Scarlett wirkte auf ihm winzig, zerbrechlich und sehr fraulich, und sie hegte die Befürchtung, womöglich auch lächerlich.

Sie war sich ziemlich sicher, daß sie sich furchtbar blamieren würde.

Weder kannte sie Halbmonds Temperament noch seine Eigenarten, und es bestand auch keine Chance, sie wirklich kennenzulernen, denn sie ritt das Pferd ja – wie es sich für eine Dame gehörte – im Damensattel. Als Mädchen hatte sie das sehr gerne getan, hatte doch der elegante Fall der Röcke damals ihre schmale Taille betont. Um besser mit den sie begleitenden Männern flirten zu können, war sie in jenen Tagen bei den entsprechenden Gelegenheiten sowieso nur selten schneller als im Schritt geritten.

In ihrer gegenwärtigen Situation bedeutete der Damensattel aber ein schweres Handicap. Da ein Knie um den Sattelknopf gelegt wurde, das andere aber gestreckt bleiben mußte, weil eine Lady ihre ungleichmäßige Gewichtsverteilung nur durch den Halt im Steigbügel ausgleichen konnte, war es Scarlett nicht möglich, sich dem Pferd per Schenkeldruck verständlich zu machen. Wahrscheinlich falle ich herunter, ehe ich überhaupt in Dunsany ankomme, dachte sie voller Verzweiflung. Und spätestens am ersten Zaun breche ich mir den Hals. Von ihrem Vater wußte sie, daß das Springen über Zäune und Gräben, Hecken, Gatter und Mauern bei der Jagd das eigentliche Salz in der Suppe war. Mit seiner Bemerkung, daß die Damen es häufig vermieden, sich aktiv an der Jagd zu beteiligen, hatte Colum auch nicht gerade zu einer Verbesserung ihrer Stimmung beigetragen. Gesellschaftlicher Höhepunkt war das Frühstück, und dazu trug man elegante Reitkleider. Damensättel waren wesentlich unfallträchtiger als normale Sättel, und niemand machte den Damen einen Vorwurf, wenn sie sich entsprechend zurückhielten.

Scarlett war überzeugt, daß Rhett sie nur allzugern feige und schwach erleben würde, und sie wollte sich lieber den Hals brechen, als ihm eine derartige Befriedigung zu gönnen. Mit der Peitsche berührte sie Halbmonds Nacken und seufzte vernehmlich. »Also probieren wir's mal und schauen, ob ich auf diesem albernen Sattel das Gleichgewicht halten kann . . .«

Obwohl Colum ihr den Ablauf einer Fuchsjagd geschildert hatte, war Scarlett auf den ersten Eindruck nicht vorbereitet. Morland Hall war ein Sammelsurium von Baulichkeiten aus mehr als zwei Jahrhunderten. Seitenflügel und Kamine, Fenster und Mauern waren wie Kraut und Rüben aneinandergefügt und gruppierten sich um einen ummauerten Hof, auf dem einst der Burgfried der vom ersten Baron von Morland im Jahre 1615 errichteten Burg gestanden hatte. Auf dem quadratischen Hof wimmelte es von berittenen Jägern und aufgeregten Jagdhunden. Der Anblick ließ Scarlett ihre Beklemmungen vergessen. Colum hatte nicht erwähnt, daß die Männer scharlachrote Jagdröcke – mit dem irreführenden Namen *pinks* – tragen würden. Noch nie hatte Scarlett etwas so Hinreißendes gesehen.

»Mrs. O'Hara!« Sir John Morland ritt auf sie zu, den schimmernden

Zylinderhut in der Hand. »Seien Sie willkommen. Ich hätte nicht gedacht, daß Sie meiner Einladung tatsächlich folgen würden.«

Scarlett kniff die Augen zusammen. »Hat Rhett das gesagt?«

»Im Gegenteil. Wilde Pferde würden Sie nicht schrecken, sagte er.« Morlands Worte klangen aufrichtig. »Nun, wie gefällt Ihnen Ihr Halbmond?« Der Baron streichelte den geschmeidigen Hals des großen Jagdpferds. »Er ist ein wahres Prachtstück.«

»Wie? Ja, das ist er.« Scarletts Blicke schweiften in die Runde. Sie suchte Rhett. So viele Menschen! Verfluchter Schleier, man sieht alles nur verschwommen. Sie trug die konservativste Reitgarderobe, die die Mode gestattete: ein hochgeschlossenes Kleid aus schmuckloser schwarzer Wolle und einen niedrigen schwarzen Zylinder mit einem strammgezogenen Gesichtsschleier, der sich im Nacken um einen dicken, mit einem Netz zusammengehaltenen Haarknoten spannte. Das ist ja noch schlimmer als Trauerkleidung, hatte sie gedacht, aber eben höchst respektabel, das wahre Gegenteil von bunten Röcken und gestreiften Strümpfen. Nur in einem Punkt blieb Scarlett rebellisch: Ein Korsett trug sie auch unter diesem Kleid nicht. Der Damensattel war qualvoll genug.

Rhett beobachtete sie. Nachdem sie ihn endlich ausfindig gemacht hatte, wandte Scarlett rasch den Blick von ihm ab. Er rechnet damit, daß ich mich wieder in den Mittelpunkt spiele. Ich werde es ihm schon zeigen, dem Mr. Rhett Butler. Vielleicht breche ich mir alle Knochen – aber auslachen wird mich keiner, und er am allerwenigsten.

»Reit ganz locker mit, möglichst im hinteren Bereich, und paß auf, was die anderen machen«, hatte Colum gesagt, und zu Anfang hielt sich Scarlett auch daran. Sie spürte, wie ihre Handflächen in den Handschuhen feucht wurden. Weiter vorn wurde das Tempo forciert, dann hörte sie neben sich das Lachen einer Frau, die ihrem Pferd die Peitsche gab, damit es in Galopp verfiel. Scarlett sah kurz auf und bewunderte die Flut der roten und schwarzen Rücken, die vor ihr den Abhang hinunterpreschten. Mühelos übersprangen die Pferde den niedrigen Steinwall am Fuße des Hügels.

Das wär's, dachte sie, trotzdem, es ist zu spät, noch viel darüber zu jammern. Wie von selbst verlagerte sie ihr Gewicht und merkte, daß Halbmond, der schrittsichere Jäger, immer schneller und schneller wurde. Der Wall lag hinter ihnen, und Scarlett hatte den Sprung kaum wahrgenommen. Kein Wunder, daß John Morland so scharf auf das Pferd gewesen war! Scarlett lachte laut auf. Es war belanglos, daß dies die erste Jagd ihres Lebens war und sie seit über fünfzehn Jahren nicht im Damensattel gesessen hatte. Es ging ihr gut, ja besser noch als gut. Sie genoß den Ritt. Kein Wunder, daß Pa fast niemals ein Tor geöffnet hatte. Warum auch, wenn man ebensogut darüberspringen konnte?

Pas und Bonnies Geister, die sie verfolgt hatten, waren fort, und auch

Scarletts Furcht war verflogen. Geblieben war die erregende Berührung der nebeligen Luft, die ihre Haut streichelte, und die Kraft des Tieres, über die sie gebot.

Und hinzu kam der feste Wille, das Feld von hinten aufzurollen, die anderen zu überholen und Rhett Butler weit hinter sich zurückzulassen.

Scarlett hatte die schmutzverkrustete Schleppe ihres Kleides über den linken Arm geworfen. In der rechten Hand hielt sie ein Glas Champagner. John Morland meinte, wenn sie einverstanden sei, würde die Fuchspfote, die ihr feierlich verliehen worden war, auf einen Silbersockel montiert werden.

»Aber herzlich gerne, Sir John.«

»Bitte nennen Sie mich Bart. Alle meine Freunde nennen mich so.«

»Dann sagen Sie bitte Scarlett zu mir. Alle tun das, ob sie nun Freunde sind oder nicht.« Sie war noch ganz schwindelig und rotwangig von der Hochstimmung, in die sie die Jagd und der Erfolg versetzt hatten. »Das ist der schönste Tag meines Lebens«, sagte sie zu Bart, und es stimmte fast. Andere Reiterinnen und Reiter hatten ihr gratuliert, und ihr war weder die unverkennbare Bewunderung in den Blicken der Männer noch die Eifersucht in den Augen der Frauen entgangen. Sie sah sich um: gutaussehende Männer und schöne Frauen, wohin das Auge reichte, Silbertabletts mit Champagner, Diener, Wohlstand. Die Menschen amüsierten sich, genossen das gute Leben. Es war wie damals vor dem Krieg, nur daß sie inzwischen erwachsen war und tun und lassen konnte, was ihr beliebte. Sie war Scarlett O'Hara, ein Mädchen aus dem Norden Georgias, das im Schloß eines Barons mit Lady und Lord Sowieso, ja sogar mit einer echten Gräfin ein Fest feierte. Es war wie eine Geschichte aus dem Märchenbuch und verdrehte ihr schier den Kopf.

Es hätte nicht viel gefehlt, und sie hätte Rhetts Anwesenheit und mit ihr die Erinnerung an zahllose Beleidigungen und Schmähungen vergessen.

Aber das gelang ihr eben nur fast. Heimtückisch rief ihr die Erinnerung immer wieder Beobachtungen und Gesprächsfetzen ins Gedächtnis, die sie während des Rückritts nach der Jagd wahrgenommen hatte: Rhett, der so tat, als lasse ihn die Niederlage, die sie ihm beigebracht hatte, völlig kalt ... der die Gräfin neckte, als handele es sich um eine ganz normale Person ... der so verdammt gelassen, selbstzufrieden und unbeeindruckt wirkte, einfach ... typisch Rhett eben. Mistkerl, dachte sie.

»Herzlichen Glückwunsch, Scarlett!« Unvermittelt stand er neben ihr. Sie hatte ihn nicht kommen sehen. Ihr Arm zuckte hoch, Champagner ergoß sich über ihre Röcke.

»Heiliger Strohsack, Rhett, mußt du dich auch so heimlich an mich heranschleichen?«

»Tut mir leid.« Er reichte ihr ein Taschentuch. »Und verzeih mir bitte auch mein ungehobeltes Benehmen auf diesem Pferdemarkt. Meine einzige Entschuldigung kann der Schock über dein so plötzliches Erscheinen sein.«

Scarlett nahm sein Taschentuch an und beugte sich vor, um die feuchten Flecken aus ihren Röcken zu wischen. Es war im Grunde völlig sinnlos; ihre Reitgarderobe war von der wilden Querfeldeinhatz ohnehin mit Schlammspritzern übersät. Sie nutzte die Ablenkung, um sich ein wenig zu sammeln. Ich will ihm nicht zeigen, wie sehr mir an ihm liegt, schwor sie sich insgeheim. Ich will ihm nicht zeigen, wie sehr er mich verletzt hat.

Sie blickte auf, ihre Augen blitzten, und ihre Lippen verzogen sich zu einem Lächeln. »Du bist also erschrocken«, sagte sie. »Was glaubst du wohl, wie es mir gegangen ist? Was um alles in der Welt treibst du in Irland?«

»Ich kaufe Pferde. Ich bin fest entschlossen, im nächsten Jahr die Rennen zu gewinnen. John Morlands Ställe stehen in dem Ruf, vielversprechende Jährlinge hervorzubringen. Am Dienstag reise ich nach Paris, um mir noch ein paar andere anzuschauen. Aber was um alles in der Welt hat dich veranlaßt, in Landestracht nach Drogheda zu fahren?«

Scarlett lachte. »Ach, Rhett, du weißt doch, wie gern ich mich hübsch anziehe! Die Kleider stammen von einem Hausmädchen. Ich habe sie mir ausgeliehen.« Ihre Blicke schweiften ab; sie suchte John Morland. »So, und jetzt muß ich mich formvollendet verabschieden und schleunigst wieder zurückreiten«, sagte sie über die Schulter. »Meine Freunde werden ungehalten, wenn ich nicht bald wieder zu Hause bin.« Sie bedachte Rhett noch mit einem kurzen Blick und entschwand. Sie wagte es nicht, hatte Angst, länger in seiner Nähe zu sein – auch nicht im selben Raum oder im selben Haus.

Es waren noch etwas mehr als fünf Meilen bis Ballyhara, als es zu regnen begann. Scarlett schob es auf den Regen, daß ihre Wangen feucht waren.

Am Mittwoch nahm sie Cat mit nach Tara. Die uralten Buckel waren gerade hoch genug, um Cat immer wieder mit dem Triumph der erfolgreichen Besteigung zu erfüllen. Scarlett beobachtete, mit welcher Unbekümmertheit sie die Hügel hinablief. Nur mit Mühe zwang sie sich, das kleine Mädchen nicht immer wieder zu warnen.

Sie erzählte Cat von Tara, von ihrer Familie und den Tafelrunden der Könige. Bevor sie wieder zurückkehrten, hob sie die Kleine so hoch wie irgend möglich in die Luft, um ihr einen Überblick über ihr Heimatland zu verschaffen. »Du bist eine kleine irische Cat und tief in diesem Land verwurzelt. Verstehst du etwas von dem, was Mama dir erzählt?«

»Nein«, sagte Cat.

Scarlett setzte sie wieder ab und ließ sie laufen. Die kleinen, strammen Beinchen schienen das Gehen verlernt zu haben, denn sie rannten unentwegt. Oftmals fiel Cat hin, stolperte über Unebenheiten aus alter Zeit, die sich unter dem Gras verbargen. Aber sie weinte nie, sondern rappelte sich wieder auf und rannte weiter.

Ihr zuzusehen war wie Balsam für Scarlett. Sie fand wieder zu sich selbst.

»Dieser Parnell, Colum, was ist das für ein Mann? Während des Jagdfrühstücks unterhielten sich die Leute über ihn, aber ich konnte mir keinen Reim darauf machen.«

Er sei Protestant und Engländer, erwiderte Colum, ein Mann, mit dem man nichts zu schaffen habe.

Scarlett wollte widersprechen, verzichtete jedoch darauf. Es wäre reine Zeitverschwendung gewesen. Colum sprach nie über die Engländer, vor allem nicht über die englischen Grundbesitzer, die »Anglo-Iren«. Ehe man sich versah, pflegte er bei solchen Gelegenheiten das Thema zu wechseln. Nie hätte er zugegeben, daß es womöglich auch anständige Engländer gab. Scarlett ärgerte sich darüber. Sie hatte die Geschwister, die sie auf der Überfahrt von Amerika kennengelernt hatte, sehr gern gehabt, und auch bei der Fuchsjagd waren alle sehr nett zu ihr gewesen. Colums Kompromißlosigkeit riß einen Graben zwischen ihnen auf. Wenn er wenigstens darüber reden würde, dachte sie, anstatt mich immer nur anzublaffen.

Die andere Frage, die ihr auf dem Herzen lag, stellte sie Mrs. Fitz: Wer waren die allenthalben so verhaßten irischen Butlers?

Die Wirtschafterin holte eine Landkarte hervor. »Sehen Sie dieses Gebiet hier?« Sie strich mit der Hand über eine Fläche, die ungefähr so groß war wie die Grafschaft Meath. »Das ist Kilkenny. Butler-Land. Sie sind die Herzöge von Ormonde, wahrscheinlich die einflußreichste englische Familie in Irland.«

Scarlett sah sich die Karte genauer an. Unweit der Stadt Kilkenny entdeckte sie eine Ortsbezeichnung namens Dunmore Cave. Rhetts Plantage hieß Dunmore Landing. Da gab es zweifellos eine Verbindung.

Scarlett mußte lachen. So überlegen hatte sie sich gefühlt, weil die O'Haras Herrscher über zwölfhundert Morgen Land waren – und dort drüben besaßen die Butlers eine ganze Grafschaft. Ohne auch nur einen Finger zu rühren, hatte Rhett wieder einmal gewonnen. Er gewann immer. Wie konnte man es einer Frau verdenken, daß sie einen solchen Mann liebte?

»Und was ist daran so komisch, Mrs. O?«

»Ich, Mrs. Fitz. Ich bin es! Aber Gott sei Dank kann ich darüber lachen.«

Ohne anzuklopfen, steckte Mary Moran den Kopf zur Tür herein. Scarlett verzichtete auf eine Zurechtweisung. Wenn man sie kritisierte, war das spindeldürre, nervöse Mädchen wochenlang kaum noch zu etwas nütze.

Oh, dieses Personal! Selbst wenn man kaum welches hatte, Probleme damit waren an der Tagesordnung. »Was gibt's, Mary?«

»Ein Gentleman möchte Sie sprechen.« Das Mädchen reichte ihr eine Karte. Ihre Augen wirkten noch runder als gewöhnlich.

»Sir John Morland – Bart!«

Scarlett lief die Treppen hinunter. »Bart! Was für eine Überraschung! Kommen Sie herein. Wir können auf der Treppe sitzen. Ich hab noch keine richtigen Möbel.« Sie freute sich aufrichtig über seinen Besuch – nur konnte sie ihn nicht ins Wohnzimmer hinaufbitten, weil Cat nebenan ein Schläfchen hielt.

Bart Morland setzte sich auf die Steinstufen, als wären unmöblierte Häuser das Natürlichste von der Welt. Es sei ihm verflucht schwergefallen, sie zu finden, meinte er mit einem Zwinkern. Erst als er im Pub zufällig dem Briefträger begegnet sei, habe er Erfolg gehabt. Eine andere Entschuldigung für die verspätete Ablieferung der Jagdtrophäe habe er nicht.

Scarlett betrachtete den silbernen Sockel, auf dem ihr Name eingraviert war. Die Pfote des Fuchses war nicht mehr blutverschmiert, das war immerhin schon etwas. Besonders schön war die Trophäe trotzdem nicht.

»Scheußlich, was?« sagte Bart heiter.

Scarlett lachte. Colum konnte sagen, was er wollte, sie mochte John Morland. »Wollen Sie Halbmond guten Tag sagen?«

»Hätte nie gedacht, daß Sie es von sich aus vorschlagen. Ich wollte Ihnen schon einen Wink mit dem Zaunpfahl geben, wußte aber nicht, wie. Wie geht es ihm denn?«

Scarlett machte ein langes Gesicht. »Er wird zuwenig bewegt, fürchte ich. Ich hab schon ein ganz schlechtes Gewissen deswegen, aber ich hatte in letzter Zeit furchtbar viel zu tun. Wir machen gerade Heu.«

»Wie sieht es in diesem Jahr mit dem Getreide aus?«

»So weit, so gut. Hauptsache, wir bekommen nicht zuviel Regen.«

Sie gingen erst durch die Kolonnade und kamen dann an den Ställen vorbei. Scarlett wollte gleich weiter zur Koppel, auf der Halbmond weidete, aber Bart hielt sie zurück. Ob er einen Blick in die Ställe werfen dürfe? Die seien ja geradezu berühmt, und er habe sie noch nie gesehen. Scarlett war verblüfft, stimmte jedoch bereitwillig zu. Die Ackerpferde waren alle draußen auf den Feldern, es gab also nicht viel zu sehen, aber wenn er Wert darauf legte . . .

Die einzelnen Boxen wurden durch Granitsäulen mit dorischen Kapitellen voneinander getrennt. Den Säulen entsprangen hohe Bögen, die sich trafen und kreuzten und sich zu einem steinernen Gewölbe zusammenschlossen, das hell und gewichtlos wirkte wie Himmel und Luft.

John Morland ließ seine Fingerknöchel knacken und entschuldigte sich sogleich dafür. Immer, wenn er sehr aufgeregt sei, tue er das ganz automatisch. »Finden Sie das nicht auch ganz außerordentlich? Sie besitzen einen

Stall, der aussieht wie eine Kathedrale. Ich würde hier eine Orgel einbauen und den Pferden tagsüber Bach vorspielen.«

»Davon bekommen sie wahrscheinlich die Druse.«

Morlands wieherndes Gelächter steckte auch Scarlett an, es klang furchtbar komisch. Sie füllte ihm ein Säckchen Hafer ab, damit er Halbmond etwas mitbringen konnte.

Auf dem Weg zur Koppel plauderte er unentwegt über ihren bewundernswerten Pferdestall. Scarlett ging neben ihm her und überlegte fieberhaft, wie sie seinen Redefluß unterbrechen und ihn mit einer beiläufigen Bemerkung dazu bewegen könnte, ihr von Rhett zu erzählen. Sie hätte sich die Mühe sparen können.

»Ich kann in der Tat von Glück sagen, daß Sie mit Rhett Butler befreundet sind!« rief Bart aus. »Wenn er uns nicht miteinander bekannt gemacht hätte, wäre mir dieses Erlebnis nie vergönnt gewesen.«

»Ich war so überrascht, ihm so mir nichts dir nichts über den Weg zu laufen«, erwiderte Scarlett schnell. »Woher kennen Sie ihn eigentlich?«

Er kenne ihn eigentlich überhaupt nicht, antwortete Bart. Von alten Freunden habe er vor einem Monat einen Brief erhalten. Sie hätten geschrieben, ein gewisser Rhett Butler interessiere sich für irische Pferde und daß sie ihm deshalb seine, John Morlands, Anschrift gegeben hätten. Eines Tages sei Rhett dann mit einem Empfehlungsschreiben der Freunde bei ihm aufgetaucht. »Er ist ein recht bemerkenswerter Mann mit ernsthaftem Interesse an den Pferden. Und er versteht eine ganze Menge von ihnen. Schade, daß er nicht länger bleiben konnte. Aber woher kennen Sie ihn? Sind Sie schon lange miteinander bekannt? Rhett hat es irgendwie nicht fertiggebracht, mich darüber aufzuklären.«

Gott sei Dank, dachte Scarlett und sagte: »Ich habe Verwandte in Charleston und ihn während meines Besuchs dort kennengelernt.«

»Dann müssen Sie auch die Brewtons kennengelernt haben! Es sind Freunde von mir. Als ich noch in Cambridge studiert habe, bin ich während der Saison manchmal extra nach London gefahren, weil ich hoffte, Sally Brewton könnte vielleicht über den Teich gekommen sein. Ich war ganz verrückt nach ihr, wie alle anderen auch.«

»Sally Brewton! Das Affengesicht?« entfuhr es Scarlett, ehe sie sich eines Besseren besinnen konnte.

Bart grinste. »Ebendieses! Ist sie nicht großartig? Sie ist ein solches Original.«

Scarlett nickte begeistert und lächelte. In Wirklichkeit hatte sie nie begreifen können, was Männer an einer so häßlichen Person finden konnten.

John Morland setzte voraus, daß jeder, der Sally kannte, sie automatisch anhimmeln mußte. An den Koppelzaun gelehnt, redete er in der folgenden halben Stunde nur über sie, während er gleichzeitig versuchte,

Halbmond dazu zu bewegen, ihm den mitgebrachten Hafer aus der Hand zu fressen.

Scarlett hörte ihm nur mit halbem Ohr zu. Ihre Gedanken schweiften ab. Erst als plötzlich Rhetts Name fiel, war sie wieder bei der Sache. Kichernd gab Bart den Klatsch wieder, über den Sally in ihrem Brief berichtet hatte. Wie es schien, war Rhett in die älteste Falle der Menschheitsgeschichte getappt. Ein Waisenhaus hatte seinen Landsitz zum Ziel eines Gruppenausflugs erkoren. Als es an der Zeit war, den Rückweg anzutreten, hatte man ein Waisenkind vermißt. Also hatte sich Rhett zusammen mit der Lehrerin auf die Suche gemacht. Das Kind wurde schließlich wohlbehalten wiedergefunden, allerdings erst nach Einbruch der Dunkelheit. Was natürlich bedeutete, daß die unverheiratete Lehrerin kompromittiert war und Rhett sie heiraten mußte. Dabei mußte er erst kurz vorher geschieden worden sein...!

Das Beste aber war, daß man ihn Jahre zuvor schon einmal aus der Stadt gejagt hatte. Damals hatte er sich nach einer ganz ähnlichen Geschichte geweigert, das betreffende Mädchen zu einer ehrbaren Frau zu machen.

»Nach dieser Erfahrung wäre eigentlich etwas mehr Vorsicht angeraten gewesen«, frohlockte Bart. »Er muß wesentlich geistesabwesender sein, als man gemeinhin annehmen möchte. Eine köstliche Geschichte, nicht wahr, Scarlett? Scarlett?«

Sie zwang sich zur Konzentration. »Als Frau würde ich sagen, daß es Mr. Butler ganz recht geschieht. Er sieht aus wie ein Mann, der in seinen weniger geistesabwesenden Momenten vielen Mädchen schon argen Kummer bereitet hat.«

John Morland brüllte vor Lachen. Das Geräusch lockte Halbmond an. Vorsichtig näherte sich der Wallach dem Zaun. Bart schüttelte das Hafersäckchen.

Scarlett hätte heulen können. Was für ein durchtriebenes Luder Anne Hampton doch ist! Sie hat mich aber anständig zum Narren gehalten. Oder auch nicht. Daß es so lange gedauert hat, bis sie endlich ihr abgängiges Waisenkind wiedergefunden haben, war vielleicht mein Glück. Und daß Anne Miss Eleanors besonderer Liebling ist. Und daß sie Melly so ähnlich sieht.

Halbmond lehnte den Hafer offensichtlich ab. John Morland fingerte in seiner Jackentasche herum und zog einen Apfel hervor. Das Pferd wieherte erwartungsvoll.

»Sehen Sie, Scarlett«, sagte Bart und brach den Apfel entzwei. »Ich habe da eine etwas kitzlige Angelegenheit mit Ihnen zu besprechen.« Er streckte den Arm aus und bot Halbmond auf der offenen Handfläche ein Viertel des Apfels dar.

»Etwas kitzlig!« Wenn er wüßte, was für kitzlige Angelegenheiten er im Verlauf des Gesprächs bereits angesprochen hat. Scarlett lachte. »Verwöhnen Sie das Tier ruhig bis auf die Knochen, wenn es das ist, was Sie meinen. Ich habe nichts dagegen.«

»Um Himmels willen nein!« Barts graue Augen weiteten sich. Wie könne sie nur auf so etwas kommen? Es handele sich um eine echt delikate Angelegenheit, erklärte er. Alice Harrington, die stämmige Blonde, die während der Jagd im Graben gelandet war, gab am Wochenende aus Anlaß der Mittsommernacht eine sogenannte »Hausparty«, worunter man ein sich über mehrere Tage erstreckendes geselliges Beisammensein zu verstehen habe. Sie würde Scarlett gern einladen, traue sich aber nicht. Er, Bart, sei nun gewissermaßen in diplomatischer Mission gekommen, um bei ihr vorzufühlen...

Scarlett hatte hundert Fragen, die sich letztlich auf drei reduzierten: Wann? Wo? Was ziehe ich an? Colum wird bitterböse sein, dachte sie, aber es war ihr gleichgültig. Sie wollte sich fein anziehen, Champagner trinken und auf der Fährte der Hunde und des Fuchses wie der Wind über Bäche und Zäune jagen.

74. Kapitel

Harrington House war ein riesiges Gebäude aus Portlandstein. Es lag gar nicht weit von Ballyhara, gleich hinter einem Straßendorf namens Pike Corner. Der Zugang war schwer zu finden, es gab weder Tore noch Torhäuschen, sondern nur zwei ungeschmückte und ungekennzeichnete Steinsäulen. Die kiesbedeckte Zufahrt führte um einen breiten See herum und mündete auf einen flachen, geschotterten Platz direkt vor dem Haus.

Auf das Geräusch des vorfahrenden Einspänners hin kam ein Bedienter zur Tür heraus. Er reichte Scarlett die Hand, half ihr aus dem Gefährt und überließ sie der Obhut eines Hausmädchens, das im Flur bereits auf sie wartete. »Mein Name ist Wilson, Miss«, sagte das Mädchen und machte einen Knicks. »Wünschen Sie nach der Reise ein wenig zu ruhen, oder wollen Sie sich gleich den anderen anschließen?« Scarlett entschloß sich für letzteres, und der Bediente führte sie durch den langen Flur und eine offenstehende Tür auf eine Rasenfläche hinaus.

»Mrs. O'Hara!« rief Alice Harrington. Jetzt konnte Scarlett sich wieder lebhaft an sie erinnern. »Im Graben gelandet« und »stämmig« hatten ihr als Beschreibung nicht viel weitergeholfen. Wäre dagegen von der »lauten Dicken« die Rede gewesen, so hätte Scarlett sofort gewußt, wer gemeint war. Überraschend leichtfüßig kam Alice Harrington jetzt auf sie zu und ließ sie mit schallender Stimme wissen, wie sehr ihr Besuch sie freue. »Ich hoffe, Sie spielen gern Krocket. Ich selbst spiele miserabel, und meine Mannschaft würde mich wahnsinnig gern loswerden.«

»Ich habe noch nie Krocket gespielt«, erwiderte Scarlett.

»Na, um so besser! Dann haben Sie Anfängerglück.« Sie drückte Scarlett ihren Schläger in die Hand. »Grüne Streifen, paßt hervorragend zu Ihnen. Sie haben so ungewöhnliche Augen. Kommen Sie, lernen Sie meine Freunde kennen, und helfen Sie meiner armen Mannschaft.«

Alices »Mannschaft«, zu der Scarlett jetzt gehörte, bestand aus einem älteren Herrn in einem Tweedanzug, der ihr als General Smyth-Burns vorgestellt wurde, sowie einem jungen Paar Anfang Zwanzig. Beide, Emma und Chizzie Fulwich, waren Brillenträger. Der General stellte Scarlett die gegnerische Mannschaft vor – Charlotte Montague, eine hochgewachsene, hagere Frau mit sehr schön zurechtgemachtem, grauem Haar, Desmond Grantley, der seiner Cousine Alice Harrington an Körperfülle nicht nachstand, sowie ein elegantes Paar namens Geneviève und Ronald Bennet. »Passen Sie auf Ronald auf«, sagte Emma Fulwich, »er spielt falsch.«

Das Spiel macht sicher Spaß, dachte Scarlett. Auch sagte ihr der Duft des frischgemähten Rasens noch mehr zu als der von Blumen. Noch ehe sie das dritte Mal an die Reihe kam, war ihr Kampfgeist voll erwacht. Als sie Ronald Bennets Ball abfing und weit hinaus auf den Rasen schlug, trug ihr das ein »Gut gemacht!« des Generals und einen anerkennenden Klaps auf die Schulter ein.

Nach Beendigung des Spiels rief Alice Harrington alle zum Tee. Der Tisch stand unter einer gewaltigen Buche, die allgemein begehrten Schatten spendete. Zu Scarletts Freude war inzwischen auch John Morland erschienen. Aufmerksam hörte er einer jungen Frau zu, die neben ihm auf der Bank saß, erwiderte Scarletts Gruß jedoch mit einem Fingerwackeln. Auch die anderen Gäste waren mittlerweile eingetroffen. Scarlett lernte Sir Francis Kinsman, einen gutaussehenden Draufgängertypen, und dessen Gemahlin kennen und gab im Brustton der Überzeugung vor, daß sie sich von der Fuchsjagd bei Bart her noch gut an Henry, Alices Ehemann, erinnern könne.

Alice stellte ihr Barts Begleiterin vor, die, sichtlich ungehalten über die Unterbrechung, mit frostiger Eleganz reagierte. »Die Ehrenwerte Louisa Ferncliff«, sagte Alice mit aufgesetzter Freundlichkeit. Scarlett lächelte, sagte: »Wie geht es Ihnen?«, und ließ es dabei bewenden. Sie war sich ziemlich sicher, daß die Ehrenwerte nicht gerade begeistert wäre, wenn man sie spontan mit »Louisa« anredete. Andererseits war die Anrede »Ehrenwerte« gewiß auch nicht angemessen, schon gar nicht bei einer Person, die so aussah, als hoffe sie, John Morland würde ihr den Vorschlag machen, zum Zwecke einer unehrenwerten Schmuserei umgehend mit ihm im Gebüsch zu verschwinden.

Desmond Grantley rückte Scarlett einen Stuhl zurecht und fragte, ob er ihr Sandwiches und Kuchen bringen dürfe, was sie ihm großzügig gestattete. Sie blickte in die Runde. Die Gäste gehörten alle zu jener Klasse, die Colum verächtlich als »englische Landbesitzer« bezeichnet hätte. Einmal mehr fragte sie sich, warum er so furchtbar starrköpfig war. Die Leute waren doch alle sehr nett. Der Abend versprach, recht schön zu werden.

Nach dem Tee zeigte Alice Harrington Scarlett das Zimmer, in dem sie übernachten sollte. Der lange Weg führte durch kärglich aussehende Empfangsräume, eine breite Treppe hinauf und einen breiten Flur ohne Läufer entlang. Das Schlafzimmer war geräumig, aber nur spärlich möbliert, die Tapete eindeutig verblaßt. »Sarah hat schon alles für Sie ausgepackt. Wenn es Ihnen recht ist, wird sie Ihnen gegen sieben das Bad richten und Ihnen beim Anziehen behilflich sein. Das Dinner wird um acht serviert.«

Es sei ja alles hervorragend arrangiert, versicherte Scarlett Alice.

»Auf dem Schreibtisch liegen einige Bücher, und in der Schreibtischschublade finden Sie Briefpapier und Schreibzeug. Sollten Sie noch etwas anderes wünschen . . .«

»Um Himmels willen nein, Alice! Aber nun lassen Sie sich durch mich nicht noch mehr Zeit stehlen, Sie haben schließlich Gäste.« Sie nahm ein beliebiges Buch zur Hand. »Oh, das will ich ja schon seit Jahren lesen! Ich kann es gar nicht erwarten, damit anzufangen.«

In Wirklichkeit wollte Scarlett endlich ihre Ruhe haben: Unablässig pries nämlich Alice mit lauter Stimme die Vorzüge ihres dicken Cousins Desmond. Kein Wunder, daß sie wegen der Einladung nervös war, dachte Scarlett. Sie weiß sicher selbst, daß Desmond allein nicht imstande ist, ein Mädchenherz höher schlagen zu lassen. Wahrscheinlich hat sie in Erfahrung gebracht, daß ich eine reiche Witwe bin, und möchte ihm einen Frühstart verschaffen, bevor andere auf die gute Partie aufmerksam werden. Tut mir leid, Alice, aber das ist aussichtslos. Heute und in alle Ewigkeit.

Kaum war Alice gegangen, als es auch schon klopfte. Es war die für Scarlett zuständige Zofe. Das Mädchen machte einen Knicks und lächelte beflissen. »Es ist mir eine Ehre, der O'Hara beim Ankleiden helfen zu dürfen. Wann werden Ihre Koffer eintreffen?«

»Koffer? Was für Koffer?«

Erschrocken legte die Zofe die Hand auf den Mund und jammerte etwas durch die Finger.

»Ich glaube, du setzt dich erst einmal hin«, sagte Scarlett. »Ich habe das Gefühl, ich muß dir eine Menge Fragen stellen.«

Das Mädchen kam der Aufforderung nach, und Scarlett erfuhr etliche Dinge, von denen sie bisher keine Ahnung gehabt hatte. Als ihr klar wurde, wie viele es waren, wurde ihr mit jeder Minute schwerer ums Herz.

Das Schlimmste war, daß keine Jagd stattfinden würde. Jagdzeit war im Herbst und im Winter. Sir John Morland hatte die Fuchsjagd bloß arrangiert, um seinen reichen amerikanischen Gästen seine Pferde präsentieren zu können.

Fast genauso schlimm war die Nachricht, daß Ladys zum Frühstück, zum Mittagessen, zum Nachmittagstee und zum Abendessen die Garderobe wechselten und kein Kleid zweimal trugen. Scarlett hatte zwei Tageskleider, ein Dinnerkleid und ihre Reitkleidung dabei. Einen Kurier nach Ballyhara zu schicken war sinnlos; Mrs. Scanlon, die Schneiderin, hatte schon nächtelang durchgearbeitet, um wenigstens die Kleider, die Scarlett mitgenommen hatte, rechtzeitig fertigzustellen. Und was ihre Amerikagarderobe betraf, so war sie inzwischen sicher hoffnungslos aus der Mode.

»Ich glaube, ich mache mich gleich morgen früh wieder auf den Heimweg«, sagte Scarlett.

»O nein!« jammerte die Zofe. »Das darf die O'Hara nicht tun. Was kümmern Sie die Gewohnheiten der anderen? Das sind doch alles bloß Engländer.«

Scarlett schenkte dem Mädchen ein freundliches Lächeln. »Dann heißt es also, wir gegen sie, Sarah, das willst du damit doch sagen, nicht wahr? Woher weißt du eigentlich, daß ich die O'Hara bin?«

»In der Grafschaft Meath kennt jeder die O'Hara«, antwortete das Mädchen stolz. »Jeder Ire jedenfalls.«

Scarlett ging es längst wieder besser. »Und jetzt, Sarah, erzählst du mir, was du über die Engländer hier weißt«, sagte sie. Sie war überzeugt, daß das Personal alles über die Gäste wußte. Das war immer und überall so.

Sarah enttäuschte sie nicht. Als Scarlett sich zum Abendessen wieder nach unten begab, war sie gegen jeden erdenklichen snobistischen Ausfall gewappnet. Sie wußte über die übrigen Gäste jetzt mehr als deren eigene Mütter.

Dennoch kam sie sich wie die letzte Hinterwäldlerin vor. Und sie war wütend auf John Morland. Er hatte nur gesagt: »Leichte Kleider für tagsüber und etwas eher Freizügiges zum Dinner.« Mehr nicht. Doch während sie ihre Perlen und ihre diamantengeschmückten Ohrgehänge daheim gelassen hatte, waren die übrigen Frauen gekleidet und geschmückt wie Königinnen. Außerdem war Scarlett sicher, daß ihr Kleid den Umstand, daß es von einer Dorfschneiderin stammte, geradezu herausschrie.

Sie biß die Zähne zusammen und beschloß, sich trotzdem zu amüsieren. Ich muß es ausnützen, hiernach lädt mich ohnehin keiner mehr ein.

Es war in der Tat ein abwechslungsreiches Fest. Das Krocketspiel war längst nicht die einzige Attraktion: Auf dem See wurde gerudert, und man konnte sich an einem Wettbewerb im Bogenschießen beteiligen oder sich in einer Sportart namens Tennis üben – zwei Disziplinen, die, wie Scarlett erfuhr, als das Neueste vom Neuesten galten.

Nach dem Dinner am Samstag abend kramten die Gäste in großen Schachteln mit Kostümen, die im Salon bereitgestellt worden waren. Man juxte, lachte ungehemmt und trug eine, wie Scarlett fand, beneidenswerte Unbefangenheit zur Schau. Henry Harrington drapierte einen lamettabesetzten Seidenumhang mit langer Schleppe um Scarlett und setzte ihr eine Krone mit falschen Juwelen auf. »Jetzt sind Sie die Titania dieser Nacht«, sagte er. Auch die übrigen Männer und Frauen verkleideten sich selbst und die anderen Gäste, verkündeten lauthals, in welche Rolle sie geschlüpft seien, rannten kreuz und quer im Saal herum, versteckten sich hinter Stühlen und spielten Fangen.

»Ich weiß, das ist alles furchtbar albern«, sagte John Morland verständnisheischend durch einen riesigen Löwenkopf aus Pappmaché. »Aber es ist nun einmal Mittsommernacht, da darf man ruhig ein wenig über die Stränge schlagen.«

»Ich bin nicht gut auf Sie zu sprechen, Bart«, sagte Scarlett. »Sie haben einer Dame einen wahren Bärendienst erwiesen. Warum haben Sie mir nicht gesagt, daß ich hier Dutzende von Kleidern brauche?«

»Oh, mein Gott, wirklich? Ich achte nie darauf, was die Damen anhaben. Ich verstehe das ganze Theater sowieso nicht, das darum gemacht wird.«

Als die Gäste der Spielereien müde waren, war die lange, lange irische Dämmerung vorüber.

»Es ist dunkel!« rief Alice. »Kommt, schauen wir uns die Feuer an!«

Scarlett wurde plötzlich von schlechtem Gewissen gepeinigt. Im bäuerlichen Brauchtum kam der Mittsommernacht fast die gleiche Bedeutung zu wie dem Tag der heiligen Brigid. Mit Sonnwendfeuern feierte man die kürzeste Nacht des Jahres und stellte Vieh und Getreide unter mystischen Schutz. Die Gäste gingen hinaus auf den dunklen Rasen. Sie sahen Feuerschein in der Ferne und hörten die Klänge eines irischen Reel. Scarlett wußte, daß sie in dieser Stunde in Ballyhara hätte sein müssen. Die O'Hara, die Gutsherrin, mußte an der Sonnwendfeier teilnehmen, sie mußte dabeisein, wenn bei Sonnenaufgang die Rinder durch die ersterbende Glut getrieben wurden. Colum hatte ihr geraten, die Einladung auszuschlagen. Ob sie es glaube oder nicht, die alten Traditionen bedeuteten den Iren eben sehr viel. Scarlett hatte sich aufgeregt: Sie wollte ihr Leben nicht von Aberglauben beherrschen lassen. Inzwischen befürchtete sie, einen schweren Fehler begangen zu haben.

»Warum sind Sie nicht bei der Sonnwendfeier in Ballyhara?« fragte Bart.

»Warum sind Sie nicht bei Ihrer?« gab Scarlett ärgerlich zurück.

»Weil ich dort nicht erwünscht bin«, sagte John Morland, und seine Stimme klang in der Dunkelheit sehr traurig. »Einmal bin ich hingegangen. Ich dachte, hinter dem Brauch, das Vieh durch die Asche zu treiben, könnte ja eine dieser alten Volksweisheiten stecken, vielleicht ist es gut für die Hufe oder so etwas. Ich wollte es mit den Pferden ausprobieren.«

»Hat es geklappt?«

»Das weiß ich bis heute nicht. Als ich ankam, war die freudige Stimmung mit einem Schlag dahin. Also bin ich gleich wieder verschwunden.«

»Ich hätte hier auch gleich wieder verschwinden sollen«, stieß Scarlett hervor.

»Das ist doch absurd! Sie sind die einzige echte Persönlichkeit hier! Und außerdem noch Amerikanerin. Sie sind die exotische Blüte auf einem Unkrautanger, Scarlett.«

So hatte sie ihre Situation bisher nicht gesehen. Es klang durchaus plausibel. Man brüstete sich gerne mit Gästen aus fernen Ländern. Scarletts Laune besserte sich erheblich – bis sie die Ehrenwerte Louisa sagen hörte: »Sind sie nicht unterhaltsam? Ich liebe die Iren, wenn sie sich ihren heidnischen, primitiven Bräuchen hingeben! Wären sie nicht so dumm und faul, ich könnte sogar in Irland leben!«

Scarlett gelobte leise, sich unmittelbar nach ihrer Rückkehr bei Colum zu entschuldigen. Ich hätte Ballyhara und meine Leute dort nie verlassen dürfen.

»Hat nicht jede Menschenseele auf dieser Welt schon einmal einen Fehler gemacht, Scarlett-Schatz? Du mußtest eben selbst herausfinden, wie sie sind – wie hättest du es sonst je glauben können? Und nun wisch dir die Tränen aus dem Gesicht und reite hinaus auf deine Felder. Die angeworbenen Burschen haben schon mit dem Heumachen angefangen.«

In den folgenden Wochen erhielt Scarlett aus dem Kreis der Leute, die sie bei Alice Harrington kennengelernt hatte, zwei weitere Einladungen zu Hauspartys, welche sie jedoch beide mit gestelzt-höflichen Dankesschreiben ablehnte. Als die Wiesen gemäht waren, trug sie den Saisonarbeitern auf, den verwilderten Rasen hinter dem Herrenhaus in Ordnung zu bringen. Im nächsten Sommer würde er soweit sein, daß Cat darauf Krocket spielen konnte. Dieser Teil der Veranstaltung hatte Scarlett Spaß gemacht.

Der Weizen erstrahlte in sattem Goldgelb und war fast erntereif, als ihr ein reitender Bote eine Nachricht überbrachte, sich für eine Tasse Tee »oder etwas Männlicheres« in die Küche einladen ließ und auf die Rückantwort wartete, die Scarlett in der Zwischenzeit verfaßte.

Charlotte Montague wollte ihr, wenn es ihr recht wäre, gerne einen Besuch abstatten.

Wer um alles in der Welt war nur Charlotte Montague? Scarlett brauchte fast zehn Minuten, bis sie sich wieder der freundlichen, unaufdringlichen älteren Dame erinnerte, deren Bekanntschaft sie bei den Harringtons gemacht hatte. Mrs. Montague, so entsann sie sich, war in der Mittsommernacht nicht wie ein wildgewordener Indianer durch die Gegend gerannt, sondern nach dem Dinner irgendwie verschwunden. Weniger englisch wurde sie dadurch freilich auch nicht.

Was will sie nur von mir? fragte sich Scarlett mit wachsender Neugier. In dem Brief war von »einer Angelegenheit, die für uns beide von beträchtlichem Interesse ist«, die Rede.

Sie bat Mrs. Montague schon für den nächsten Nachmittag zum Tee und übergab ihr Antwortschreiben persönlich dem in der Küche wartenden Boten. Ihr war klar, daß sie damit ins Reich von Mrs. Fitz eindrang, erwartete man von ihr doch, daß sie die Küche allenfalls von der brückenartigen Galerie aus inspizierte. Und wenn schon, es ist schließlich meine Küche, nicht wahr? Cat hatte sich angewöhnt, täglich viele Stunden in der Küche zu verbringen – warum sollte ihr, Scarlett, der Zutritt da verwehrt bleiben?

Um ein Haar hätte Scarlett zum Besuch von Mrs. Montague ihr rosafarbenes Kleid angezogen. Es war luftiger als ihre Röcke aus Galway, und an jenem Nachmittag war es für irische Verhältnisse ungewöhnlich warm. Aber nach kurzem Zögern hängte sie das Kleid wieder in den Schrank zurück. Nein, sie wollte nicht zu sein vorgeben, was sie in Wirklichkeit nicht war.

Zum Tee bestellte sie *barm brack* anstelle des üblichen Teegebäcks.

Charlotte Montague trug eine graue Leinenjacke und einen Rock mit Spitzenrüschen, die Scarlett nur allzugern einmal angefaßt hätte; sie hatte noch nie so dicke, kunstvolle Spitze gesehen.

Die ältere Frau entledigte sich ihrer grauen Glacéhandschuhe, legte den Federhut ab und nahm auf dem Plüschsessel vor dem Teetischchen Platz.

»Haben Sie vielen Dank für die Einladung, Mrs. O'Hara. Ich nehme an, Sie haben keine Lust, Ihre Zeit mit Gesprächen über das Wetter zu vertun, sondern wollen wissen, warum ich hier bin. Habe ich recht?« In Mrs. Montagues Stimme und ihrem Lächeln lag feine Ironie.

»Ich sterbe schier vor Neugier«, erwiderte Scarlett, der die Art, wie Mrs. Montague das Gespräch eröffnet hatte, gut gefiel.

»Wie ich erfahren habe, sind Sie eine erfolgreiche Geschäftsfrau, hier wie in Amerika. Haben Sie keine Angst! Was ich über Sie weiß, behalte ich für mich. Diskretion gehört zu meinen großen Vorzügen. Ein anderer liegt darin, daß ich über Mittel und Wege verfüge, an Informationen heranzukommen, die anderen gemeinhin verborgen bleiben. Ich bin ebenfalls Geschäftsfrau und möchte Ihnen, wenn Sie nichts dagegen haben, kurz von meinem Gewerbe erzählen.«

Scarlett konnte nur stumm nicken. Was weiß diese Frau denn noch alles über mich? Und woher?

Sie sei, um es ganz einfach auszudrücken, eine Art Organisatorin, fuhr Mrs. Montague fort. Sie sei die jüngste Tochter eines nachgeborenen

Sohnes aus gutem Hause und mit dem jüngeren Sohn einer anderen Familie verheiratet gewesen. Schon vor dem Tod ihres Gatten, der bei einem Jagdunfall ums Leben gekommen sei, sei ihr ihre gesellschaftliche Randexistenz auf die Nerven gegangen: Von ihr und ihrem Mann habe man stets den Lebensstil eines gutsituierten Ehepaars vornehmer Herkunft erwartet. Sie hätten sich verstellen müssen und ständig unter Geldsorgen gelitten. Als Witwe habe sie sich dann schließlich in der Rolle der armen Verwandten wiedergefunden, die für sie unerträglich gewesen sei.

Ihr Kapital seien Intelligenz, Bildung, Geschmack und der Zugang zu den besten Häusern Irlands. Auf diese Eigenschaften aufbauend und sie durch Diskretion und Wohlinformiertheit ergänzend, habe sie ihre neue Karriere begonnen.

»Ich bin sozusagen ein professioneller Gast und Freund. Ich berate meine Gastgeber ausführlich in Fragen der Mode und der Gestaltung gesellschaftlicher Ereignisse. Ich weiß, wie man Hochzeiten und Empfänge ausrichtet und Häuser dekoriert. Damen- und Herrenschneider, Stiefelmacher, Juweliere, Möbel- und Teppichhändler zahlen mir großzügige Kommissionen. Ich verfüge über Takt und Geschick und glaube, daß nur sehr wenige überhaupt ahnen, daß ich für meine Dienste bezahlt werde. Und wer es vermutet, will es entweder nicht genau wissen, oder aber er ist so zufrieden mit dem Ergebnis, daß es ihm letztlich gleichgültig ist – vor allem, da er selbst nichts zu zahlen hat.«

Scarlett war gleichermaßen erstaunt wie fasziniert. Warum nur erzählt sie ausgerechnet mir all diese Dinge? fragte sie sich.

»Ich erzähle Ihnen das alles, weil ich weiß, daß Sie eine intelligente Frau sind, Mrs. O'Hara. Sie würden sich zu Recht wundern, wenn ich Ihnen meine Hilfe aus, wie man sagt, reiner Herzensgüte offerieren würde. Die reine Güte ist meinem Herzen fremd, es sei denn, sie trägt zu meinem persönlichen Wohlbefinden bei. Ich möchte Ihnen eine geschäftliche Vereinbarung anbieten. Sie haben etwas Besseres verdient als schäbige kleine Feste bei schäbigen kleinen Frauen wie Alice Harrington. Sie sind schön, klug und reich und können ihren eigenen Stil entwickeln. Wenn Sie sich meiner Protektion anvertrauen, mache ich Sie innerhalb von zwei oder drei Jahren zur bewundertsten und begehrtesten Frau in ganz Irland. Die Welt wird Ihnen offenstehen, und Sie können frei entscheiden, was Sie mit ihr anstellen. Sie werden berühmt sein. Und ich werde genug Geld haben, um mich in einen luxuriösen Ruhestand zurückzuziehen.« Mrs. Montague lächelte. »Zwanzig Jahre lang habe ich auf einen Menschen wie Sie gewartet.«

75. Kapitel

Kaum hatte Charlotte Montague sich empfohlen, da eilte Scarlett auch schon über die Küchengalerie zu den Zimmern, in denen Mrs. Fitzpatrick wohnte. Es wäre korrekter gewesen, die Wirtschafterin durch ein Hausmädchen holen zu lassen, doch die Etikette war Scarlett im Augenblick vollkommen gleichgültig. Sie mußte unbedingt mit jemandem reden.

Ehe sie die Tür erreichte und anklopfen konnte, öffnete Mrs. Fitzpatrick sie von innen. »Sie hätten nach mir schicken sollen, Mrs. O'Hara«, sagte sie in gedämpftem Ton.

»Ich weiß, ich weiß, aber das dauert ja immer so lange! Das, was ich Ihnen zu erzählen habe, duldet keinen Aufschub!« Scarlett war wirklich erregt.

Mrs. Fitzpatricks kühler Blick ließ sie schnell wieder zu sich kommen. »Sie werden sich trotzdem einen Moment gedulden müssen«, sagte sie. »Sonst werden die Küchenmädchen alles, was Sie sagen, mitbekommen und es, angereichert mit eigener Phantasie, überall herumerzählen. Folgen Sie mir. Aber langsam.«

Scarlett kam sich vor wie ein gescholtenes Kind. Wortlos fügte sie sich der Anordnung.

Ungefähr in der Mitte der Galerie oberhalb der Küche blieb Mrs. Fitzpatrick stehen und begann mit einem Vortrag über die Verbesserungen, die unter ihrer Leitung in der Küche getroffen worden waren. Scarlett bezwang nur mit Mühe ihre Ungeduld. Die Balustrade ist so breit, daß wir bequem darauf sitzen könnten, schoß es ihr durch den Kopf, aber sie blieb aufrecht stehen wie Mrs. Fitz und sah hinunter in die Küche, wo die Küchenmädchen mit übertriebener Geschäftigkeit ihrer Arbeit nachgingen.

Mrs. Fitzpatrick bewegte sich langsam, aber sicher weiter vorwärts. Kaum hatten sie die Tür zur Galerie hinter sich geschlossen, fing Scarlett an zu erzählen.

»Es ist natürlich lächerlich«, sagte sie, nachdem sie von Mrs. Montagues Angebot berichtet hatte. »Und das habe ich ihr auch gesagt. ›Ich bin Irin‹, habe ich zu ihr gesagt, ›und habe mit den Engländern rein gar nichts im Sinn.‹« Scarlett sprach sehr schnell, und ihre Wangen waren gerötet.

»Da haben Sie genau das Richtige gesagt, Mrs. O. Diese Frau ist, wie sie es selbst wohl nennen würde, nicht besser als eine Diebin!«

Die heftige Reaktion Mrs. Fitzpatricks ließ Scarlett verstummen. Sie erzählte ihr nicht, wie Mrs. Montague auf ihren Vorhalt reagiert hatte: »Ihr Irentum, Mrs. O'Hara, ist ein besonders reizvoller Aspekt Ihres Wesens. Den einen Tag gestreifte Strümpfe und Pellkartoffeln, den anderen Seide und Rebhuhn. Sie verstehen sich auf beides, das wird nur zu Ihrer Legende beitragen. Schreiben Sie mir, wenn Sie sich entschieden haben.«

Colum war außer sich, als Rosaleen Fitzpatrick ihm von Scarletts Besucherin erzählte. »Wieso hat Scarlett sie überhaupt hereingelassen?« schimpfte er.

Rosaleen versuchte ihn zu beruhigen. »Langsam, Colum. Genau das habe ich zuerst auch gedacht. Sie ist einsam, Colum. Außer uns beiden hat sie keine Freunde. Ein Kind bedeutet die Welt für eine Mutter, aber es ist kaum der richtige Ansprechpartner für sie. Ein paar gesellschaftliche Kontakte nach oben würden ihr wahrscheinlich ganz guttun. Und uns auch, wenn man es recht überlegt. Kennedys Gasthaus ist nahezu fertig. Bald gehen unsere Leute da ein und aus. Was kann uns Besseres passieren, wenn auch noch andere Leute hier ihre Aufwartung machen und so die Engländer ablenken?

Ich habe diese Montague sofort durchschaut. Sie ist eiskalt und geldgierig. Ich kann dir schon jetzt sagen, wie sie vorgehen wird: Zuerst wird sie Scarlett einreden, daß das Herrenhaus von Grund auf renoviert und neu möbliert werden muß. Sie wird ihre Spielchen mit den Kosten treiben, aber Scarlett kann es sich ja leisten. Und dann werden Tag für Tag Fremde über Trim nach Ballyhara kommen, mit ihren Farben, ihrem Samt, ihrer französischen Mode. Ein oder zwei andere Reisende fallen da gar nicht mehr auf.

Schon heute herrscht großes Rätselraten über die hübsche Witwe aus Amerika. Warum hält sie nicht Ausschau nach einem neuen Ehemann? Ich sage dir, es ist besser, wenn wir sie zu den Engländern und auf deren Feste schicken, sonst kommen die englischen Offiziere womöglich eines Tages her, um sich um sie zu bemühen.«

Colum versprach ihr, »darüber nachzudenken«. In jener Nacht unternahm er eine meilenweite Wanderung, um zu einer Entscheidung zu kommen. Was war das Beste für Scarlett, was war das Beste für die Bruderschaft, und wie ließ sich beides am besten miteinander vereinbaren?

Schwere Sorgen hatten ihn in jüngster Zeit geplagt und manchmal sein ansonsten so klares Denkvermögen getrübt. Es gab Berichte, daß bei einigen seiner Männer das Engagement für die Bewegung der Fenier nachließ. Die guten Ernten der beiden letzten Jahre hatten ihre Lebensumstände verbessert, und ein besseres Auskommen senkte die Bereitschaft, das Gewonnene wieder aufs Spiel zu setzen. Männern, die in die irische Polizei eingeschleust worden waren, war zu Ohren gekommen, daß es in der Bruderschaft einen Informanten geben sollte. Das bedeutete eine ständige Gefahr für alle Gruppen, die im Untergrund operierten. Schon zweimal war ein geplanter Aufstand in der Vergangenheit durch Verrat gescheitert. Für den nächsten Anlauf hatten sie jede erdenkliche Vorkehrung getroffen, sich viel Zeit für die Planung genommen und nichts dem Zufall überlassen. So kurz vor dem Ziel durfte einfach nichts mehr schiefgehen. Ursprünglich hatte der oberste Kommandorat geplant, im kommenden Winter loszuschlagen; da verfügten die englischen Garnisonen nur über ein Viertel ihrer

Bereitschaft, weil sich der Großteil der Soldaten an irgendwelchen Fuchsjagden beteiligte. Doch inzwischen hatte man den Termin wieder aufgeschoben. Zuerst mußte der Informant gefunden und unschädlich gemacht werden. Die Warterei zehrte an Colums Nerven.

Als die Sonne aufging, begab er sich durch den rosagetönten Morgennebel zum Herrenhaus und suchte Rosaleen in ihrem Zimmer auf. »Ich glaube, du hast recht«, sagte er. »Habe ich mir damit eine Tasse Tee verdient?«

Später am Tag entschuldigte sich Mrs. Fitzpatrick bei Scarlett, gab zu, vorschnell und voller Vorurteile reagiert zu haben, und legte ihr angelegentlich ans Herz, sich mit Charlotte Montagues Hilfe ein gesellschaftliches Umfeld zu schaffen.

»Ich habe längst eine Entscheidung getroffen«, erwiderte Scarlett. »Die Idee ist schlichtweg albern. Ich bin viel zu beschäftigt.«

Colum mußte über Rosaleens Bericht lachen, und als sie sein Haus verließ, schlug sie die Tür mit einem Krachen hinter sich zu.

Ernte, Erntedank, goldene Herbsttage, goldene Blätter, die von den Bäumen fielen. Scarlett freute sich über die reichen Erträge und bedauerte zutiefst das Ende der Feldarbeit. September war der Monat, in dem die halbjährliche Pacht fällig war. Sie wußte, daß ihren Mietern und Pächtern genügend Überschüsse blieben. Es war schon ein erhebendes Gefühl, die O'Hara zu sein.

Zu Cats zweitem Geburtstag veranstaltete sie ein großes Fest. Alle Kinder aus Ballyhara, die noch keine zehn Jahre alt waren, durften in den großen leerstehenden Räumen unten im Gutshaus spielen, bekamen – wahrscheinlich zum erstenmal in ihrem Leben – Eiscreme zu schlecken und reichlich Rosinenkuchen, in den kleine Überraschungen eingebacken waren. Zum Schluß bekamen alle noch eine spiegelblanke Münze geschenkt. Scarlett schickte die Kinder – schließlich war Hallowe'en – rechtzeitig nach Hause und brachte Cat anschließend zum Nachmittagsschlaf die Treppe hinauf.

»Hat dir deine Geburtstagsfeier gefallen, Schätzchen?«

Cat lächelte schlaftrunken. »Ja. Cat ist müde, Mama.«

»Das weiß ich doch, mein Engel. Sonst schläfst du ja auch schon viel früher. Du darfst heute zu Mama ins große Bett, weil dein Geburtstag ist.«

Cat setzte sich sofort wieder auf, als Scarlett sie hingelegt hatte. »Wo ist Cats Geschenk?«

»Ich bringe es dir, Schätzchen.« Sie holte die große Babypuppe aus Porzellan aus der Schachtel, in die Cat selbst sie gelegt hatte.

Cat schüttelte den Kopf. »Das andere!« Sie drehte sich auf den Bauch, rutschte unter der Daunendecke vom Bett, landete mit einem Plumpser auf dem Fußboden und kroch unter das Bettgestell. Als sie wieder hervorkam, hielt sie eine gelbgetigerte Katze in den Armen.

»Um Himmels willen, Cat, wo kommt denn die her? Gib sie mir, bevor sie dich kratzt!«

»Gibst du sie Cat wieder?«

»Ja, natürlich, wenn du sie haben willst. Aber das ist eine Scheunenkatze, mein Baby, sie will vielleicht gar nicht im Haus bleiben.«

»Miau hat Cat lieb.«

Scarlett gab nach. Die Katze schien ihre Krallen nicht gebrauchen zu wollen, und das kleine Mädchen strahlte vor Freude. Warum sollte sie das Tier also nicht behalten? Scarlett legte die beiden in ihr großes Bett. Wahrscheinlich fallen heute nacht Hunderte von Flöhen über mich her, dachte sie. Aber Geburtstag ist nun einmal Geburtstag.

Cat kuschelte sich in die Kissen. Plötzlich riß sie noch einmal die müden Lider auf. »Wenn Annie Cats Milch bringt«, sagte sie, »soll Miau sie ...« Ihre grünen Augen schlossen sich, der kleine Körper entspannte sich im Schlaf.

Annie klopfte an die Tür. Sie brachte Cats Tasse mit warmer Milch. Mrs. O'Hara habe gelacht und gelacht, verkündete sie, als sie wieder zurück in die Küche kam, und sie könne sich einfach nicht vorstellen, warum. Irgend etwas von Katzen und Milch habe sie gesagt. Mary Moran verkündete, ihrer Meinung nach wäre es schicklicher, wenn das Kind – »die Heiligen mögen ihre schützende Hand über das kleine Ding halten« – einen anständigen christlichen Vornamen trüge. Die Köchin und die drei Küchenmädchen bekreuzigten sich dreimal.

Von der Galerie aus sah und hörte Mrs. Fitzpatrick, was in der Küche vorging. Auch sie bekreuzigte sich und sprach ein stilles Gebet. Cat würde bald so groß sein, daß sie nicht mehr rund um die Uhr behütet werden konnte. Die Menschen fürchteten sich vor Wechselbälgen aus der Geisterwelt. Und was man fürchtet, sucht man zu zerstören.

Unten in Ballyhara schrubbten die Mütter ihre Kinder mit Wasser ab, in dem tagsüber eine Angelicawurzel gelegen hatte. Das galt als probates Mittel gegen Hexen und böse Geister.

Das Jagdhorn gab den Ausschlag. Scarlett trainierte gerade Halbmond, als Pferd und Reiterin plötzlich das Horn und dann die Meute hörten. Irgendwo in nächster Nähe ging eine Jagd vonstatten. Es war durchaus möglich, daß auch Rhett zu den Teilnehmern gehörte. Scarlett trieb Halbmond über drei Gräben und vier Hecken, aber es war eben doch nicht dasselbe. Am nächsten Tag schrieb sie an Charlotte Montague.

Zwei Wochen später fuhren drei schwerbeladene Planwagen vor dem Haupteingang vor. Das Mobiliar für Mrs. Montagues Zimmer war eingetroffen. Die Dame selbst folgte mit ihrer Zofe in einer eleganten Equipage.

Sie ließ die Möbel in ein Schlafzimmer und einen Salon neben Scarletts

Wohnräumen bringen und überließ ihrer Zofe das Auspacken des Gepäcks. »Dann wollen wir also beginnen«, sagte sie zu Scarlett.

»Meine Anwesenheit ist so gut wie überflüssig«, beschwerte sich Scarlett. »Die einzige Tätigkeit, die mir noch erlaubt ist, besteht im Abzeichnen skandalös hoher Rechnungen.« Sie unterhielt sich mit Ocras, Cats Tigerkatze. Der Name war gälischen Ursprungs, bedeutete »hungrig« und ließ sich auf einen verzweifelten Ausruf der Köchin zurückführen. Ocras ignorierte die Klage, doch Scarlett hatte keinen anderen Gesprächspartner. Charlotte Montague und Mrs. Fitzpatrick fragten sie kaum noch nach ihrer Meinung. Im Gegensatz zu Scarlett hatten die beiden eine sehr genaue Vorstellung von der Führung eines herrschaftlichen Hauses.

Scarletts Interesse hielt sich allerdings auch in bescheidenen Grenzen. Den größten Teil ihres Lebens hatte sie in Häusern gewohnt, die einfach dagewesen waren, und nicht näher darüber nachgedacht. Tara war Tara. Tante Pittypats Haus war ganz Tante Pitty, obwohl es zur Hälfte Scarlett gehörte. Persönlich gekümmert hatte sich Scarlett nur um das Haus, das Rhett für sie gebaut hatte. Sie hatte es mit den modernsten und teuersten Möbeln ausgestattet und war insofern damit zufrieden gewesen, als ihr Reichtum dadurch augenfällig unter Beweis gestellt worden war. Trotzdem hatte das Haus selbst ihr im Grunde nie besonderes Vergnügen bereitet. Auch für das Herrenhaus von Ballyhara hatte sie kaum je ein Auge. Achtzehntes Jahrhundert, palladianischer Stil, hatte Charlotte gesagt – aber was um alles in der Welt war daran schon so wichtig? Scarletts Interesse galt dem Land, seinem Reichtum und seinem Ertrag, es galt der Stadt mit ihren Diensten und Abgaben. Nicht einmal Rhett besaß eine eigene Stadt.

Indessen sah Scarlett durchaus ein, daß die Annahme von Einladungen sie ihrerseits verpflichtete, Gesellschaften auszurichten. Dies aber war nicht möglich, solange sie in ihrem eigenen Haus nur über zwei möblierte Zimmer verfügte. Wahrscheinlich kann ich von Glück reden, daß Charlotte Montague das Haus für mich herrichtet, dachte sie. Ich selbst brauche meine Zeit für wichtigere Dinge.

In einigen Punkten, die ihr besonders am Herzen lagen, blieb Scarlett allerdings hart: Cats Zimmer mußte neben ihrem eigenen bleiben. Sie weigerte sich, das Kind zum Kindermädchen in eine Art Kinderflügel abzuschieben. Außerdem bestand sie darauf, ihre Buchführung auch weiterhin selbst zu erledigen, anstatt die geschäftlichen Angelegenheiten einem Gutsverwalter zu übertragen. Von diesen beiden Einschränkungen abgesehen, konnten Charlotte und Mrs. Fitz jedoch schalten und walten, wie sie wollten. Die Kosten ließen sie wimmern, aber Scarlett hatte Charlotte freie Hand gegeben und konnte, nachdem die Vereinbarung mit einem Handschlag besiegelt war, nun keinen Rückzieher mehr machen. Hinzu kam, daß Geld für sie längst nicht mehr die Bedeutung besaß wie früher.

Monatelang beherrschten die Handwerker das Haus und ergingen sich in unbekannten, kostspieligen, lärmenden und geruchsintensiven Tätigkeiten. Während Cat sich die Küche eroberte, suchte Scarlett Zuflucht in ihrem Büro. Sie war froh, daß ihr wenigstens die Leitung der Farm und die Pflichten der O'Hara verblieben waren. Außerdem kaufte sie neue Pferde.

»Von Pferden verstehe ich nichts oder nur sehr wenig«, sagte Charlotte Montague, was Scarlett erstaunt die Brauen hochziehen ließ, war sie doch mittlerweile überzeugt, daß sich Charlotte als Expertin für einfach alles bezeichnete. »Aber Sie brauchen mindestens vier Reit- und sechs Jagdpferde. Acht wären allerdings besser. Und bei der Auswahl müssen Sie sich von Sir John Morland beraten lassen.«

»Sechs Jagdpferde!« rief Scarlett. »Um Himmels willen, Charlotte, Sie sprechen von einer Summe von über fünfhundert Pfund! Sie sind ja verrückt geworden!« Sie zwang sich, in ruhigerem Ton weiterzusprechen, denn längst hatte sie die Erfahrung gemacht, daß es reine Kraftverschwendung war, sich Mrs. Montague gegenüber zu ereifern. Diese Frau ließ sich durch nichts aus der Ruhe bringen. »Ich werde Ihnen ein wenig Unterricht in Pferdekunde erteilen«, sagte sie mit giftiger Freundlichkeit. »Reiten können Sie immer nur eines. Gespanne braucht man für Kutschen und Pflüge.«

Zum Schluß aber zog sie, wie üblich, auch in dieser Auseinandersetzung den kürzeren. Auf einen Streit darüber, warum sie unbedingt John Morlands Hilfe in Anspruch nehmen sollte, ließ sie sich folglich gar nicht mehr ein. Insgeheim gestand sie sich ein, daß sie nur auf eine Gelegenheit zu einem Besuch bei Bart gewartet hatte. Vielleicht hatte er Neuigkeiten von Rhett. Am nächsten Tag ritt sie nach Dunsany. Morland war hoch erfreut über ihre Bitte. Selbstverständlich wolle er ihr dabei behilflich sein, die besten Jagdpferde ganz Irlands für sie ausfindig zu machen.

»Haben Sie je wieder etwas von unserem amerikanischen Freund gehört, Bart?« Sie hoffte, die Frage habe so beiläufig wie irgend möglich geklungen. Lange genug hatte sie auf eine Gelegenheit warten müssen. Selbst Pa und Beatrice Tarleton hatten nicht so lange über Pferde reden können wie John Morland.

»Rhett, meinen Sie?« Der Klang seines Namens ging ihr ans Herz. »Ja, doch. Er führt unsere Korrespondenz erheblich verantwortungsvoller, als ich es von mir sagen könnte.« Mit einer Handbewegung deutete er auf einen windschiefen Stapel mit Briefen und Rechnungen auf seinem Schreibtisch.

Wann kommt dieser Mann endlich zur Sache? Was ist mit Rhett?

Bart zuckte mit den Schultern und wandte sich von seinem Schreibtisch ab. »Er ist fest entschlossen, die Stute, die er von mir gekauft hat, bei den Rennen in Charleston an den Start gehen zu lassen. Ich habe ihm zwar gesagt, daß sie für Hindernisrennen gezüchtet worden ist und nicht für die flache Strecke, aber er meint, ihre Geschwindigkeit wird das schon wettmachen. Ich fürchte, da wird er eine Enttäuschung erleben. In drei, vier Jahren mag er ja recht haben, aber wenn man bedenkt, daß ihre Mutter aus dem ...«

Scarlett hörte ihm nicht mehr zu. John Morland stand im Begriff, den Stammbaum des Pferdes bis zur Sintflut zurückzuverfolgen. Warum konnte er ihr nicht einfach erzählen, was sie wissen wollte? War Rhett glücklich? Hatte er irgendwann von ihr gesprochen?

Sie sah das angeregte, vor Eifer strahlende Gesicht des jungen Adligen und verzieh ihm. In seiner eigenen, exzentrischen Art war er einer der charmantesten Männer der Welt.

John Morlands Existenz war auf Pferde gebaut. Er war ein gewissenhafter Landbesitzer, der sich aufrichtig um sein Gut und seine Pächter kümmerte, seine eigentliche Liebe galt jedoch seiner Zucht, den Ställen und den Koppeln, auf denen er Rennpferde trainierte, dicht gefolgt von seiner Leidenschaft für die winterliche Fuchsjagd mit seinen privaten Jagdpferden. Beides diente ihm möglicherweise als Ausgleich für die unglückliche Liebe zu einer Frau, die zu einem Zeitpunkt sein Herz erobert hatte, da beide kaum dem Kindesalter entwachsen waren. John war ihr immer noch treu ergeben, obwohl sie – ihr Name war Grace Hastings – schon seit zwanzig Jahren mit Julian Hastings verehelicht war. John Morland und Scarlett O'Hara teilten das Schicksal einer Liebe ohne Hoffnung auf Erfüllung.

Charlotte hatte Scarlett erzählt, was »jeder in Irland« wußte: Da John nicht viel Geld hatte, war er vor Frauen, die auf einen Ehemann erpicht waren, relativ sicher. Sein Titel und sein Besitz waren alt, beeindruckend alt sogar, aber er verfügte über keinerlei Einkommen, sah man von den Pachtsummen einmal ab. Und das, was er einnahm, gab er fast bis auf den letzten Shilling für seine Pferde wieder aus. Er wirkte bisweilen ein wenig geistesabwesend, was aber durchaus zu seinem guten Aussehen paßte. Er war hoch gewachsen, hatte blondes Haar und warme, mitfühlende graue Augen. Sein Lächeln war geradezu atemberaubend und das unverfälschte Spiegelbild seines gutherzigen Wesens. Für einen Mann, der sein bisheriges, an die vierzig Jahre altes Leben ausschließlich in den weltläufigen Kreisen der britischen Gesellschaft verbracht hatte, war er eine merkwürdig unschuldige Erscheinung. Gelegentlich kam es vor, daß sich eine vermögende Frau wie die Ehrenwerte Louisa in ihn verliebte und ihm entschlossen nachstellte. Während alle Welt sich darüber amüsierte, waren John Morland solche Vorfälle eher peinlich. Sein exzentrisches Verhalten nahm dann noch extremere Formen an – seine Geistesabwesenheit steigerte sich bis zur totalen Leere, seine Westen waren immer öfter falsch geknöpft, sein ansteckendes, wieherndes Gelächter wirkte noch deplazierter als gewöhnlich, und er hängte die Pferdegemälde von George Stubbs, von denen er eine ganze Sammlung besaß, so oft um, daß die Wände seines Hauses inzwischen mit lauter Nagellöchern übersät waren.

Das wunderschöne Porträt eines berühmten Pferdes namens Eclipse ruhte in höchst prekärer Stellung auf einem wackeligen Bücherstapel. Scarlett sah es, kümmerte sich jedoch nicht darum. Sie wollte wissen, was mit Rhett los war. Dann frage ihn eben offen heraus, entschied sie, Bart wird es ohnehin nicht auffallen. »Hat sich Rhett in irgendeiner Weise über mich geäußert?«

Morland, der in Gedanken noch immer bei den Vorfahren seiner Stute war, blinzelte und brauchte eine Weile, bis er die Frage verstanden hatte. »Oh, ja«, erwiderte er dann, »er fragte mich, ob Sie unter Umständen bereit wären, ihm Halbmond zu verkaufen. Überhaupt soll ich meine Augen nun nach geeigneten Jagdpferden für ihn offenhalten.«

»Dann wird er wohl bald wieder nach Irland kommen müssen, wie?« fragte Scarlett und hoffte inständig auf eine Bestätigung.

»Nein, er wollte sich vorläufig auf mich verlassen. Seine Frau erwartet ein Baby, verstehen Sie. Er weicht ihr nicht von der Seite. Doch wo ich mich nun für Sie umschauen muß, kann ich Rhett nicht mehr helfen. Ich werde ihm schreiben, sobald ich die Zeit dazu finde.«

Scarlett war von der Neuigkeit so mitgenommen, daß Bart sie am Arm packen und schütteln mußte, um wieder zu ihr durchzudringen. Wann die Suche nach den Jagdpferden denn beginnen solle, wollte er wissen.

Heute, antwortete sie.

Den ganzen Winter über nahm sie Samstag für Samstag mit John Morland an irgendeiner Jagd in der Grafschaft Meath teil. Und jedesmal probierten sie andere Jagdpferde aus, die ihnen zum Kauf angeboten worden waren. Es war nicht leicht, Pferde zu finden, die Scarletts Ansprüchen genügten. Sie verlangte von ihren Tieren die gleiche Furchtlosigkeit, die sie selbst auszeichnete. Sie ritt wie von Dämonen gejagt, und durch das Reiten gelang es ihr mit der Zeit, das Bild von Rhett als Vater eines fremden Kindes zu verdrängen.

Wenn sie nach Hause kam, bemühte sie sich mit besonderer Aufmerksamkeit und Zuneigung um ihr kleines Mädchen. Nach wie vor verachtete Cat Umarmungen, doch wenn Scarlett ihr Pferdegeschichten erzählte, hörte sie aufmerksam zu.

Anfang Februar grub Scarlett mit der gleichen glückhaften Erregung wie in den vorangegangenen Jahren die erste Scholle um. Es war ihr gelungen, Rhett in die Vergangenheit zu verbannen. Sie dachte nur noch selten an ihn.

Ein neues Jahr hatte begonnen, und es versprach, ein gutes zu werden. Wenn Charlotte und Mrs. Fitz tatsächlich je mit dem Haus fertig werden sollten, kann ich vielleicht sogar ein Fest geben, dachte Scarlett. Sie vermißte Kathleen und den Rest der Familie. Pegeen verstand sich großartig darauf, ihr jede Lust an den Besuchen zu nehmen. So bekam sie ihre Cousins kaum noch zu Gesicht.

Aber das konnte, das mußte einfach hintanstehen. Säen und Pflanzen hatten Vorrang.

Im Juni nahm eine Schneiderin, die Charlotte Montague aus Dublin mitgebracht hatte, an Scarlett Maß. Die Sache schien kein Ende nehmen zu wollen und war sehr anstrengend. Mrs. Sims war gnadenlos. Arme heben, ausstrecken, nach vorne, seitwärts, einen Arm heben, den anderen senken, einen nach vorne, den anderen nach hinten ... Scarlett wurde zu Verrenkungen gezwungen, die sie sich bis dahin nicht hatte vorstellen können. Und so ging es weiter, stundenlang, wie ihr schien. Dann das gleiche im Sitzen, in den Positionen der Quadrille, des Walzers, des Kotillons.

»Das einzige, was sie mir nicht angemessen hat, ist mein Leichentuch«, stöhnte Scarlett.

Charlotte lächelte, was recht selten geschah. »Sie hat es wahrscheinlich getan, ohne daß Sie es bemerkt haben. Daisy Sims ist überaus gründlich.«

»Ich weigere mich zu glauben, daß diese furchterregende Frau Daisy heißt«, sagte Scarlett.

»Daß Sie sie ja nie mit ihrem Vornamen anreden! Es sei denn, sie bietet es Ihnen ausdrücklich an. Niemand unterhalb des Ranges einer Herzogin darf Daisy vertraulich kommen. Sie ist die Beste in ihrem Fach, und niemand würde es wagen, sie zu beleidigen.«

»Sie haben sie doch auch Daisy genannt.«

»Schließlich bin ja auch ich die Beste in meinem Fach.«

Scarlett lachte. Sie mochte Charlotte Montague, hatte aber auch großen Respekt vor ihr. Als einen Menschen, um dessen enge Freundschaft sie sich bemühen würde, hätte sie sie freilich nicht bezeichnet.

Sie zog ihre Bauernkleider wieder an und aß zu Abend, »nahm das Dinner ein«, wie Charlotte sie mahnend berichtigte. Dann begab sie sich hinaus auf die Anhöhe beim Knightsbrook River, um das Sonnwendfeuer zu entzünden. Beim Tanz zur vertrauten Musik von Fiedel, Flöte und Colums Bodhran pries sie insgeheim ihr Glück. Wenn Charlottes Versprechungen sich als zutreffend erwiesen, dann standen ihr künftig zwei Welten offen – die irische und die englische. Dem armen Bart war es nicht einmal auf seinem eigenen Gut erlaubt, das Sonnwendfeuer zu entzünden.

Als Schirmherrin der Erntedanktafel mußte Scarlett erneut daran denken, wie gut es das Schicksal mit ihr meinte. Ballyhara hatte wieder eine gute Ernte eingebracht, sie war zwar nicht ganz so gut wie in den vorhergehenden Jahren, aber doch immer noch reich genug, um die Geldkatzen aller Beteiligten klingeln zu lassen. Ganz Ballyhara feierte sein Glück – nur einer nicht, und das war Colum. Er sieht aus, als habe er eine Woche lang kein Auge zugetan, dachte Scarlett. Gerne hätte sie ihn gefragt, was ihn so unglücklich machte, aber er trug ihr gegenüber schon seit Wochen eine wenig freundliche Miene zur Schau. Auch im Wirtshaus ließ er sich nicht mehr blicken, hatte Mrs. Fitz erzählt.

Scarlett war nicht bereit, sich durch sein finsteres Gesicht ihre gute Laune verderben zu lassen. Der Erntedanktag war schließlich ein Feiertag.

Hinzu kam, daß die Eröffnung der Jagdsaison vor der Tür stand. Scarletts neues Reitkostüm war bezaubernd; sie konnte sich nicht erinnern, je etwas Vergleichbares gesehen zu haben. Mrs. Sims wurde den Vorschußlorbeeren, mit denen Charlotte sie bedacht hatte, in jeder Hinsicht gerecht.

»Wenn Sie fertig sind, machen wir einen Rundgang durch das Haus«, sagte Charlotte Montague. Scarlett stellte die Teetasse ab. Sie wollte sich nicht anmerken lassen, wie neugierig sie war.

»Wirklich sehr freundlich von Ihnen, Charlotte, nachdem mir nun mit Ausnahme meiner eigenen Zimmer nahezu ein Jahr lang sämtliche Türen im Haus verschlossen geblieben sind.« Sie bemühte sich um einen möglichst unwirschen Ton, vermutete jedoch, daß Charlotte sich nicht täuschen lassen würde. »Ich suche nur schnell Cat. Sie soll uns begleiten.«

»Wie Sie wünschen, Scarlett. Cat kennt die Zimmer allerdings schon, weil sie bei den Arbeiten dabei war. Sie hat eine bemerkenswerte Fähigkeit entwickelt, immer gleich zur Stelle zu sein, wenn irgendwo ein Fenster oder eine Tür offensteht. Die Maler haben mehr als einmal einen gehörigen Schrecken erlitten, wenn sie plötzlich auf ihren Gerüsten auftauchte.«

»Ersparen Sie mir solche Geschichten, sonst bekomme ich einen Anfall. Wie ein kleiner Affe klettert sie einfach überall hinauf.« Scarlett rief nach Cat und suchte sie, konnte sie jedoch nicht finden. In Augenblicken wie diesem störte sie die Unabhängigkeit der Kleinen, auf die sie ansonsten so stolz war. »Wenn sie Lust hat, wird sie schon noch kommen«, sagte sie schließlich. »Gehen wir los. Ich bin furchtbar neugierig.« Da war es heraus. Warum sollte sie sich auch verstellen?

Charlotte ging voran. Sie führte Scarlett die Treppen hinauf. Zunächst ging es durch lange Flure, die von Gästezimmern gesäumt waren, danach wieder hinunter in die erste Etage, die als solche zu bezeichnen Scarlett immer noch schwerfiel, handelte es sich doch nach amerikanischem Sprachgebrauch um die zweite. Charlotte führte sie in einen abgelegenen Teil des Hauses, weitab von den Räumlichkeiten, die Scarlett bisher genutzt hatte. »Ihr Schlafzimmer, Ihr Bad, Ihr Boudoir, Ihr Ankleidezimmer, Cats Spielzimmer und Cats Schlafzimmer!« Die Türen flogen auf, und Charlotte präsentierte das Ergebnis ihrer Bemühungen. Das in femininem Hellgrün und Gold gehaltene Mobiliar ihrer eigenen Zimmer bezauberte Scarlett ebenso wie der mit einem Tier-Alphabet geschmückte Fries, der Cats Spielzimmer schmückte. Begeistert klatschte sie in die Hände, als sie die kleinen Kindertische und die winzigen Stühle sah. Wieso war sie nicht selbst darauf gekommen? Auf einem Tischchen stand sogar ein kleines Teeservice und vor dem Ofen ein Kindersessel.

»Ihre privaten Gemächer sind im französischen Stil eingerichtet«, erklärte Charlotte, »Louis-seize, wenn es Sie interessiert. Sie repräsentieren die Robillardsche Seite Ihrer Persönlichkeit. Die O'Harasche dominiert die Empfangsräume im Erdgeschoß.«

Der einzige Raum im Erdgeschoß, den Scarlett kannte, war die Halle mit dem Marmorfußboden. Sie ging hindurch, wenn sie auf den Fahrweg hinauswollte. Charlotte Montague führte sie zu den hohen Doppeltüren auf der anderen Seite, öffnete sie und ließ Scarlett in den Speisesaal treten. »Ach du meine Güte!« rief Scarlett aus. »Ich kenne ja gar nicht so viele Leute, um all die Stühle hier zu besetzen!«

»Sie werden sie kennenlernen«, sagte Charlotte und geleitete Scarlett durch den langgestreckten Raum zur nächsten hohen Tür. »Das hier ist Ihr Frühstücksraum und Vormittagszimmer. In kleinerem Kreis können Sie hier auch das Dinner einnehmen.« Und weiter ging es zu den nächsten Türen. »Der große Salon und Ballsaal. Ich muß gestehen, daß er mir besonders gut gefällt.«

Eine Längswand war mit französischen Türen ausgestattet; die großen Zwischenräume nahmen hohe, vergoldete Spiegel ein. In der Mitte der gegenüberliegenden Wand befand sich ein Kamin, der ebenfalls von einem Spiegel mit vergoldetem Rahmen gekrönt wurde. Sämtliche Spiegel waren kaum merklich gekippt, so daß sich in ihnen nicht nur das Interieur, sondern auch die hohe Zimmerdecke spiegelte, die mit Szenen aus der irischen Heldensage bemalt war. Die Baulichkeiten der Hochkönige auf dem Hügel von Tara sahen aus wie römische Tempel. Scarlett war begeistert.

»Das Mobiliar auf dieser Etage ist samt und sonders irischer Herkunft, ebenso die Stoffe – alles Wolle und Leinen –, das Silber, das Porzellan, das Glas, praktisch alles. Hier gibt die O'Hara ihre Empfänge. Kommen Sie, es fehlt jetzt nur noch die Bibliothek.«

Scarlett gefielen die lederbezogenen Stühle und Sofas, und sie erkannte, daß die ebenfalls ledergebundenen Buchrücken einen sehr guten Eindruck machten. »Sie haben hervorragende Arbeit geleistet, Charlotte«, sagte sie aufrichtig.

»Nun, es war nicht ganz so schwierig, wie ich anfangs gefürchtet hatte. Die Leute, die früher hier lebten, haben den Garten offensichtlich nach den Vorstellungen von Capability Brown angelegt. Wir konnten uns daher auf eine gründliche Säuberung und den Gehölzschnitt beschränken. Der Küchengarten wird nächstes Jahr sehr ertragreich sein. Nur das Spalierobst wird wohl noch ein Jahr länger brauchen, bis es wieder trägt. Es mußte bis auf die Haupttriebe zurückgeschnitten werden.«

Scarlett hatte nicht die entfernteste Ahnung, wovon Charlotte überhaupt sprach, und es interessierte sie auch nicht im geringsten. Wie schön wäre es gewesen, wenn Gerald O'Hara die Deckenbemalung im Ballsaal und Ellen O'Hara die Badezimmereinrichtung hätten bewundern können.

Charlotte öffnete weitere Türen. »Jetzt sind wir wieder in der Halle«, sagte sie. »Ein prächtiges Rund für große Feste. Die georgianischen Architekten wußten genau, was sie taten. Kommen Sie durch die Eingangstür, Scarlett.«

Sie begleitete Scarlett zum oberen Ende der Treppe, die auf die frischgekieste Zufahrt hinabführte. »Ihr Personal, Mrs. O'Hara.«

»Ach du mein Schreck«, sagte Scarlett mit schwacher Stimme.

Vor ihr standen zwei lange Reihen livrierter Diener. Rechts hatte Mrs. Fitzpatrick Aufstellung genommen. Gleich hinter ihr folgte die Köchin, und hinter dieser standen vier Küchenmädchen, zwei Stubenmädchen, vier Etagenmädchen, drei Milchmädchen, die verantwortliche Waschfrau und drei Waschmädchen.

Zu ihrer Linken erblickte Scarlett einen hochnäsig dreinschauenden Mann, bei dem es sich nur um einen Butler handeln konnte, acht Dienstboten, zwei zappelige Burschen, den ihr bereits bekannten Stallmeister, sechs Pferdeknechte und fünf Männer, die sie aufgrund ihrer mit Erde verkrusteten Hände für Gärtner hielt.

»Ich glaube, ich muß mich setzen«, flüsterte sie.

»Zuerst lächeln Sie und begrüßen die Leute auf Ballyhara«, erwiderte Charlotte. Ihr Ton duldete keinen Widerspruch. Scarlett tat, wie ihr geheißen.

Wieder im Haus, das nun ein herrschaftliches Anwesen war, mußte Scarlett unvermittelt lachen. »Die waren ja alle besser angezogen als ich«, sagte sie und blickte in Charlotte Montagues ausdrucksloses Gesicht. »Machen Sie mir nichts vor, Charlotte. Auch Sie platzen gleich vor Lachen. Es muß ja einen Heidenspaß gemacht haben, diese Vorstellung zu inszenieren – Ihnen und Mrs. Fitz.«

»Das hat es«, gab Charlotte zu. Ein Lächeln war das einzige, was dem von Scarlett prophezeiten Lachausbruch auch nur entfernt nahekam.

Scarlett lud die gesamte Bevölkerung von Ballyhara und Adamstown zur Besichtigung des renovierten Hauses ein. Der lange Tisch im Speisesaal war mit kleinen Leckereien und Erfrischungen bedeckt, und die Gastgeberin lief von Raum zu Raum, um die Menschen persönlich zum Zugreifen aufzufordern und sie auf die Hochkönige im Ballsaal aufmerksam zu machen. Am Rande des großen Treppenhauses stand still und stumm Mrs. Montague und mißbilligte wortlos das Geschehen. Scarlett versuchte ihr keine Beachtung zu schenken. Sie versuchte auch darüber hinwegzusehen, daß sich ihre Cousins und die anderen Dörfler sichtlich unbehaglich und deplaziert vorkamen. Dennoch war sie nach einer halben Stunde den Tränen nahe.

»Es verstößt gegen die Tradition, Mrs. O«, flüsterte Rosaleen Fitzpatrick ihr zu. »Mit Ihnen persönlich hat es nichts zu tun. Kein Bauernstiefel hat jemals die Schwelle eines irischen Herrenhauses überschritten. Wir sind ein Volk, das von uralten Sitten und Gebräuchen beherrscht wird. Auf Veränderungen sind wir noch nicht eingestellt.«

»Ich habe gedacht, die Fenier wollten alles auf den Kopf stellen.«

Mrs. Fitz seufzte. »So ist es. Aber der Wandel, den sie anstreben, bedeutet eher eine Rückkehr zu noch älteren Sitten als jenen, die Stiefel aus Herrenhäusern verbannen. Ich wünschte, ich könnte Ihnen das deutlicher erklären.«

»Lassen Sie es nur, Mrs. Fitz. Ich habe eben einen Fehler gemacht, das ist alles. Ich werde es nicht wieder tun.«

»Der Irrtum entsprang Ihrem großzügigen Herzen. Dafür gebührt Ihnen Dank.«

Scarlett zwang sich zu einem Lächeln, obwohl sie noch immer verwirrt und aufgebracht war. Wozu habe ich denn eigentlich all diese irisch geschmückten Räume, wenn sich die Iren selbst nicht wohl darin fühlen? dachte sie. Und warum behandelt mich meine Familie wie eine Fremde im eigenen Haus?

Nachdem der letzte Besucher gegangen war und die Diener alle Spuren des Empfangs beseitigt hatten, wanderte Scarlett allein von Raum zu Raum.

Es gefällt mir, dachte sie, wirklich. Es gefällt mir gut. Es sieht verdammt viel besser aus, als Dunmore Landing je aussah oder aussehen wird.

Sie stand in der Mitte des Ballsaals, umgeben von den Spiegelbildern der Hochkönige, und stellte sich vor, Rhett stünde voller Neid und Bewunderung neben ihr. Es würde Jahre dauern, bis es soweit war. Cat würde eine junge Frau sein, und die Erkenntnis, daß es ihm nicht vergönnt gewesen war, seine Tochter zur schönen Erbin des O'Haraschen Besitzes heranwachsen zu sehen, würde Rhett das Herz brechen.

Scarlett lief zur Treppe und stürmte hinauf in Cats Zimmer. »Hallo«, sagte Cat. Sie saß an ihrem kleinen Tisch und schenkte ihrer großen Tigerkatze sorgfältig eine Tasse Milch ein. Ocras saß in beherrschender Stellung mitten auf dem Tisch und sah ihr erwartungsvoll zu. »Setz dich, Mama«, sagte Cat einladend. Scarlett ließ sich vorsichtig auf einem der kleinen Stühle nieder.

Säße doch nur Rhett jetzt mit uns hier beim Tee. Aber Rhett ist nicht da. Er wird auch nie kommen, und ich muß mich damit abfinden. Er sitzt mit seinem anderen Kind, den Kindern – Annes Kindern! –, beim Tee. Scarlett widerstand dem Impuls, Cat auf den Arm zu nehmen und an sich zu drücken. »Für mich bitte zwei Stück Zucker, Miss O'Hara«, sagte sie.

In jener Nacht konnte Scarlett nicht schlafen. Aufrecht saß sie in ihrem luxuriösen französischen Bett und hatte, um sich warm zu halten, eine seidenbezogene Eiderdaunendecke um sich geschlungen. Aber sie sehnte sich nach Wärme und Trost in Rhetts Armen, wollte hören, wie er sich mit seiner tiefen Stimme über das mißglückte Fest lustig machte, bis sie darüber und über ihren Irrtum lachen konnte.

Sie sehnte sich danach, in ihrer Enttäuschung getröstet zu werden. Sie sehnte sich nach Liebe, gereifter Zuneigung, Verständnis. Ihr Herz hatte lieben gelernt, es floß schier über vor Liebe und wußte nicht, wohin damit.

Schande über Rhett, daß er wieder einmal allem im Weg stand. Warum kann ich mich nicht in Bart Morland verlieben? Er ist ein freundlicher, attraktiver Mann, und ich fühle mich wohl in seiner Gegenwart. Wenn sie ihn wirklich haben wollte, daran zweifelte Scarlett nicht im geringsten, würde sie ihn Grace Hastings schnell vergessen lassen.

Aber das Problem war, daß sie ihn nicht wollte. Sie wollte niemanden außer Rhett.

Das ist gemein! dachte sie wie ein Kind. Und wie ein Kind weinte sie sich schließlich in den Schlaf.

Als sie erwachte, war sie wieder Herrin ihrer selbst. Gut, sie haben mein Fest alle verabscheut . . . Gut, Colum ist nach zehn Minuten wieder gegangen . . . Aber was soll's? Ich habe andere Freunde, und ich werde noch viele weitere dazugewinnen. Seit der Renovierung des Hauses spinnt Charlotte mit der Emsigkeit einer Spinne Zukunftspläne. Im Moment ist noch Jagdsaison. Das Wetter ist hervorragend, und Mrs. Sims hat mir ein Reitkleid geschneidert, das mir ganz hervorragend steht.

76. Kapitel

Sir John Morlands Jagd stand bevor. Scarlett begab sich stilvoll an den Ort des Geschehens. Sie ritt ein normales Reitpferd und wurde von zwei Pferdeknechten begleitet, die Halbmond und Komet, eines der neuen Jagdpferde, am Zügel führten. Die Röcke ihres neuen Kleids fielen in elegantem Schwung über ihren neuen Damensattel. Scarlett war ausgesprochen zufrieden mit sich selbst. Wie eine Tigerin hatte sie mit Mrs. Sims kämpfen müssen und letztlich die Oberhand behalten – kein Korsett! Charlotte war aufs höchste erstaunt gewesen. Niemand sei imstande, eine Auseinandersetzung mit Mrs. Sims siegreich zu überstehen, meinte sie. Niemand außer mir, dachte Scarlett und freute sich, daß sie auch Charlotte bezwungen hatte.

Bart Morlands Jagd sei nicht der richtige Ort für Scarletts Debüt in der irischen Gesellschaft, meinte Charlotte. Er selbst sei zwar über jeden Tadel erhaben und, von seinen Geldsorgen einmal abgesehen, einer der annehmbarsten Junggesellen Irlands, doch verstehe er sich nicht auf eine angemessene Haushaltsführung. Die Bedienten beim Jagdfrühstück seien in Wirklichkeit Pferdeknechte, die man für ein paar Stunden in Livree gesteckt habe. Charlotte hatte eine wesentlich bedeutsamere Einladung für Scarlett arrangiert. Scarlett könne unmöglich vorher noch Morland Hall besuchen, sagte sie.

»Ich kann es nicht nur, ich werde es tun«, sagte Scarlett fest. »Bart ist mein Freund.« Sie wiederholte es so oft, bis Charlotte schließlich nachgab. Allerdings verzichtete Scarlett darauf, ihr die ganze Wahrheit zu sagen. Sie hatte das dringende Bedürfnis nach einer Gesellschaft, wo sie sich zumindest ein kleines bißchen wohl fühlte. Doch je näher der Termin rückte, desto weniger reizte sie die »Gesellschaft«. Ihr fiel ein, daß Mammy sie einmal einen »Maulesel im Pferdegeschirr« genannt hatte. Nachdem die vom Pariser Stil inspirierte Garderobe von Mrs. Sims ins Haus gekommen war, mußte Scarlett immer häufiger an diesen Ausdruck denken, ja, sie glaubte schon zu hören, wie Hunderte von Lords, Ladys und Gräfinnen auf dem ersten bedeutenden Fest, an dem sie nach ihrer Wandlung teilnahm, miteinander tuschelten und sich diese Worte zuflüsterten.

»Bart, es freut mich so, Sie zu sehen!«

»Auch ich freue mich sehr über Ihr Kommen, Scarlett. Halbmond sieht aus, als sei er bestens auf die Jagd vorbereitet. Kommen Sie, nehmen Sie zum Auftakt ein Glas mit meinem Ehrengast. Ich habe mich als Prominentenjäger betätigt und bin stolz wie Luzifer persönlich.«

Scarlett schenkte dem jungen Parlamentsabgeordneten der Grafschaft Meath ein graziöses Lächeln. Ein sehr gutaussehender Mann, dachte sie, obwohl sie Männer mit Bärten eigentlich nicht mochte, selbst wenn sie so gut gestutzt waren wie der dieses Mr. Parnell. Sie hatte den Namen schon einmal irgendwo gehört . . . ach ja, bei Barts Frühstück, jetzt erinnerte sie sich wieder. Colum verabscheute diesen Mann. Scarlett nahm sich vor, Parnell aufmerksam zu beobachten, um Colum über ihn Bericht erstatten zu können. Nach der Jagd. Fürs erste brannte Halbmond auf den Start; und sie desgleichen.

»Ich kann deine Sturheit einfach nicht begreifen, Colum!« Scarletts anfängliche Begeisterung war mühsamen Erklärungsversuchen gewichen und hatte sich schließlich in Wut verwandelt. »Du hast dir nicht ein einziges Mal die Mühe gemacht, dem Mann zuzuhören. Nun, ich habe ihn gehört, und es war faszinierend. Das Publikum hing ihm an den Lippen. Und er will genau das, was auch du immer forderst: Irland den Iren, keine Vertreibungen mehr; ja, nicht einmal mehr Pachten und Gutsbesitzer. Was kannst du denn noch verlangen?«

Colum verlor die Geduld. »Ich kann zum Beispiel verlangen, daß du dich nicht länger wie ein vertrauensseliges Dummchen benimmst! Weißt du denn nicht, daß dein Mr. Parnell selbst Gutsbesitzer ist? Daß er Protestant ist und in Oxford studiert hat? Dieser Mann ist nicht an Gerechtigkeit, sondern einzig und allein an Wählerstimmen interessiert. Seine politische Forderung nach irischer Eigenständigkeit dient ihm einerseits als Knüppel, mit dem er den Engländern drohen kann, und andererseits als Brosamen, die er den armen, unwissenden Iren zuwirft. Und weil er so selbstsicher auftritt und obendrein noch gut aussieht, frißt du ihm aus der Hand.«

»Mit dir kann man einfach nicht mehr reden! Dabei hat er geradeheraus gesagt, daß er die Fenier unterstützt.«

Colum packte Scarletts Arm. »Hast du etwas gesagt?«

Sie riß sich von ihm los. »Nein, natürlich nicht! Du hältst mich für eine Idiotin und kanzelst mich ab wie eine Idiotin! Aber ich bin keine. Und eines weiß ich ganz gewiß: Es besteht kein Grund dafür, Gewehre ins Land zu schmuggeln und einen Krieg vom Zaun zu brechen, wenn man seine Ziele auch auf andere Weise erreichen kann. Ich habe bereits einen Krieg hinter mir, der von einer Bande von Hitzköpfen wegen irgendwelcher hochtrabender Prinzipien angezettelt wurde. Er hat die meisten meiner Freunde getötet und nur Ruinen hinterlassen, für nichts und wieder nichts. Ich sage dir eines, Colum O'Hara: Es gibt einen Weg, Irland den Iren zurückzugeben, ohne zu morden und zu brandschatzen, und für diesen Weg setze ich mich ein. Ab sofort bekommt Stephen kein Geld mehr für seine Waffenkäufe, hast du mich verstanden? Und in meiner Stadt werden auch keine Waffen mehr versteckt. Ich will, daß sie aus dieser Kirche verschwinden. Was ihr damit tut, ist mir gleich, versenkt sie meinetwegen im Moor. Hauptsache, ich bin sie los – und zwar sofort.«

»Und mich willst du auch gleich loswerden, nicht wahr?«

»Wenn du darauf bestehst ...« Scarletts Augen füllten sich mit Tränen. »Was sage ich da? Was sagst du da? Oh, Colum, so weit darf es nicht kommen. Du bist doch mein bester Freund, fast mein Bruder. Bitte, bitte, bitte, Colum, sei nicht so ein Dickschädel. Ich will mich nicht mit dir streiten.« Sie konnte ihre Tränen nicht mehr zurückhalten.

Colum nahm ihre Hand und drückte sie fest. »Ach, Scarlett-Schatz, wenn wir miteinander streiten, geht unser irisches Temperament mit uns durch. Das sind nicht Colum und Scarlett, die sich da in den Haaren liegen und gegenseitig anbrüllen. Verzeih mir, *aroon.*«

»Was heißt das – *aroon*?«

»Es bedeutet ›Liebling‹, ›mein Schatz‹ – ›Scarlett-Schatz‹ heißt bei uns eigentlich ›Scarlett *aroon*‹.«

»Das klingt hübsch.«

»Besonders als Name für dich.«

»Colum, du lockst mit deinem Charme mal wieder die Vögel von den Bäumen. Aber du kannst mich nicht umstimmen. Versprich mir, daß die Waffen verschwinden. Ich bitte dich nicht, Charles Parnell deine Stimme zu geben, aber versprich mir, daß du keinen Krieg beginnst.«

»Ich verspreche es dir, Scarlett *aroon.*«

»Danke, jetzt geht es mir schon viel besser. Aber nun muß ich gehen. Wirst du mich heute abend besuchen und mit mir essen, auch wenn wir das Nachtmahl in meinem schicken Morgenzimmer einnehmen?«

»Leider nicht, ich habe eine Verabredung mit einem Freund.«

»Dann bring den Freund doch mit! Ich habe eine Köchin, die imstande ist, den Legionen von Dienern, die seit kurzem bei mir im Haus herumschwirren, pünktlich das Essen auf den Tisch zu stellen. Da wird für dich und deinen Freund wohl auch etwas abfallen.«

»Ein andermal. Heute abend geht es nicht.«

Scarlett drängte ihn nicht weiter. Sie hatte erreicht, was sie wollte. Auf dem Heimweg machte sie einen Umweg und ließ sich in der kleinen Kapelle von Vater Flynn die Beichte abnehmen. Ihr Wutanfall gegenüber Colum war ein Anlaß dafür, aber nicht der wichtigste. Sie kam zu Vater Flynn, um sich von einer Sünde freisprechen zu lassen, die ihr das Blut in den Adern gefrieren ließ.

John Morland hatte ihr erzählt, Rhetts Frau habe vor einem halben Jahr ihr Baby verloren, und sie hatte Gott dafür gedankt.

Scarlett war noch nicht lange fort, da betrat auch Colum O'Hara den Beichtstuhl. Er hatte sie angelogen, eine schwere Sünde. Nachdem er Buße geleistet hatte, suchte er das Waffenarsenal in der Kirche von Ballyhara auf, um sicherzustellen, daß das Versteck gut genug getarnt war – für den Fall, daß es Scarlett einfallen sollte, die Kirche zu inspizieren.

Nach der Frühmesse am Sonntag reisten Scarlett und Charlotte Montague zu jener Hausparty ab, auf der Scarlett ihr offizielles Debüt geben sollte. Die Festlichkeit sollte eine ganze Woche dauern. Die lange Trennung von Cat war Scarlett unangenehm, doch lag ihre Geburtstagsfeier erst kurze Zeit zurück – Mrs. Fitz preßte beim Gedanken an den Schaden, den die hin und her laufenden Kinder dem Parkettboden im Ballsaal angetan hatten, noch immer in verhaltener Wut die Zähne zusammen – , und Scarlett war sich sicher, daß Cat genug Ablenkung haben und sie nicht vermissen würde. Schließlich gab es so viele neue Möbel und neues Personal zu begutachten. Cat war ein sehr unternehmungslustiges kleines Mädchen.

Scarlett, Charlotte und Evans, Charlottes Zofe, fuhren in Scarletts elegantem Brougham zum Bahnhof nach Trim. Die Hausparty fand in der Grafschaft Monaghan statt, das war zu weit für eine Kutschfahrt.

Scarlett war weniger nervös als vielmehr von erwartungsvoller Spannung erfüllt. Es war eine gute Idee gewesen, zuerst John Morlands Jagd zu besuchen. Charlottes Nervosität reichte für zwei, obgleich sie sich nichts anmerken ließ. Scarletts Zukunft in den höchsten Kreisen der Gesellschaft hing davon ab, welchen Eindruck sie in dieser Woche hinterließ. Und damit stand natürlich auch Charlottes Zukunft auf dem Spiel. Sie betrachtete Scarlett, um sich zu beruhigen. Ja, sie sah wunderschön aus in ihrem Reisekostüm aus grüner Merinowolle. Diese Augen waren ein Geschenk Gottes, charakteristisch und unvergeßlich. Und ihr Körper, schlank und ohne Korsett, würde gewiß zu allerhand Getuschel Anlaß geben und den Pulsschlag der männlichen Gäste rasant beschleunigen. Scarlett entsprach genau der Beschreibung, die Charlotte bei passender Gelegenheit ausgewählten Freunden gegeben hatte: eine schöne, nicht mehr zu junge amerikanische Witwe mit dem frischen Aussehen und kolonialen Charme der Neuen Welt, ein wenig ungehobelt noch, aber deswegen um so erquicklicher; eine romantisch-irische Erscheinung, wie man sie eigentlich nur unter Ausländern finde, gesegnet mit beträchtlichem, vielleicht sogar phänomenalem Reichtum, weshalb sie es sich leisten könne, den Freigeist herauszukehren; aus gutem Hause, mit französischen Aristokraten unter ihren Vorfahren, aber dank ihrer amerikanischen Seite auch lebens- und temperamentvoll; in ihren Reaktionen unberechenbar, doch gut erzogen, naiv und dennoch erfahren . . . insgesamt also eine ebenso faszinierende wie amüsante Bereicherung jener Kreise, in denen jeder ohnehin zuviel vom anderen wußte und nur darauf brannte, neue Gesprächspartner zu finden.

»Vielleicht sollte ich Ihnen noch einmal sagen, wem Sie auf der Party vermutlich alles begegnen werden«, schlug Charlotte vor.

»Nein, bitte nicht, Charlotte! Ich vergesse es sowieso gleich wieder. Worauf es ankommt, weiß ich ohnehin: Ein Herzog ist bedeutender als ein Marquis, dann kommt der Graf, danach der Viscount, der Baron und der Baronet. Ich darf die Männer mit ›Sir‹ anreden wie bei uns im Süden, brauche mich also nicht um ›Mylord‹, ›Euer Ehren‹ und dergleichen zu kümmern. Eine Frau darf ich allerdings nie mit ›Ma'am‹ ansprechen, so, wie es bei uns in Amerika üblich ist. Hier ist die ›Ma'am‹ für Queen Victoria reserviert, die aber mit Sicherheit nicht an dieser Hausparty teilnehmen wird. Solange man mich nicht auffordert, einen Vornamen zu benutzen, beschränke ich mich aufs Lächeln und versuche jegliche Form der Anrede zu vermeiden. Mit einem einfachen alten ›Mister‹ oder einer ›Miss‹ gebe ich mich am besten gar nicht erst ab, es sei denn, sie sind ›Ehrenwert‹. Warum spricht man eigentlich nicht von ›respektabel‹ oder etwas ähnlichem?«

Charlotte schauderte innerlich. Scarlett war übertrieben zuversichtlich, zu forsch. »Sie haben nicht richtig aufgepaßt, Scarlett. Es gibt Namen ohne jeden Titel und ohne ein ›Ehrenwert‹, die genauso wichtig sind wie nichtkönigliche Herzöge – die Herberts zum Beispiel, die Burkes, die Clarkes, die Lefroys, die Blennerhassetts . . .«

Scarlett mußte lachen. Charlotte sprach nicht weiter. Das Schicksal würde seinen Lauf nehmen.

Das Haus war ein gewaltiges Gebäude im gotischen Stil, mit Türmen und Türmchen, hohen Buntglasfenstern wie in einem Dom und an die hundert Meter langen Korridoren. Scarletts Zuversicht ebbte angesichts dieses Anblicks merklich ab. »Du bist die O'Hara«, ermahnte sie sich, schritt die Steintreppen zum Eingang empor und trug dabei das Kinn so hoch, daß niemand es wagte, ihr in den Weg zu treten.

Nach dem Dinner am Abend hatte sie für jeden ein strahlendes Lächeln übrig, nur nicht für den Bedienten hinter ihrem hochlehnigen Stuhl. Das Essen war ausgezeichnet, üppig und exquisit angerichtet, doch Scarlett hatte kaum etwas zu sich genommen. Sie schwelgte in Bewunderung. Sechsundvierzig Gäste nahmen an der Feierlichkeit teil, und alle waren darauf erpicht, sie kennenzulernen.

». . . und am Neujahrstag muß ich an jede einzelne Tür der Stadt klopfen, hinein und hinaus und wieder hinein und noch eine Tasse Tee trinken. Offen gesagt, es ist mir ein Rätsel, warum ich an diesem Tag nicht gelb werde wie ein Chinese, wo ich doch die Hälfte der chinesischen Tee-Ernte in mich hineinschütte. . .« Heiter plauderte sie mit dem Mann zu ihrer Linken, der sich von den Pflichten der O'Hara ganz fasziniert zeigte.

Als man sich auf ein Zeichen der Gastgeberin seinem anderen Nachbarn zuwandte, bezauberte Scarlett den pensionierten General zu ihrer Rechten mit einer detaillierten Schilderung der Belagerung von Atlanta. Ihr Südstaatenakzent entspreche durchaus nicht dem Tonfall, den man von einer Amerikanerin erwarten könnte, erzählten die beiden Männer später jedem, der es hören wollte. Im übrigen sei diese Mrs. O'Hara eine verdammt intelligente Frau.

Sie war auch eine »verdammt attraktive Frau«. Der überdimensionale, mit Diamanten und Smaragden besetzte Verlobungsring, den sie von Rhett geschenkt bekommen hatte, funkelte eindrucksvoll auf ihrem gewagten, aber nicht zu gewagten Ausschnitt. Charlotte hatte ihn zu einem Anhänger umarbeiten lassen, der an einer feinen, nahezu unsichtbaren Weißgoldkette hing.

Nach dem Dinner nahm Scarlett an einer Whist-Partie teil und bewies dabei das ihr eigene Geschick. Ihr Mitspieler konnte mit seinen Gewinnen die bei den letzten drei Hauspartys erlittenen Verluste wettmachen, und Scarlett wurde sowohl für die Damen als auch die Herrin eine begehrte Partnerin.

Am nächsten Vormittag, wie auch an den darauffolgenden fünf Vormittagen, wurde zur Jagd geblasen. Obwohl sie auf ein Pferd aus den Ställen des Gastgebers angewiesen war, erwies sich Scarlett im Sattel als erfahrene, furchtlose Reiterin. Der Erfolg ihres Debüts war damit gesichert, denn in

Kreisen des anglo-irischen Landadels bewunderte man nichts so sehr wie einen guten Reiter.

Charlotte Montague mußte sich zusammennehmen, damit niemand sah, daß ihr Blick an den einer Katze erinnerte, die soeben eine Schale Schlagsahne ausgeschleckt hatte.

»Hat es Ihnen Spaß gemacht?« fragte sie Scarlett auf der Rückfahrt nach Ballyhara.

»Und ob, Charlotte, ich habe jede einzelne Minute genossen! Der Himmel segne Sie dafür, daß Sie mir diese Einladung verschafft haben. Es war alles rundum vollkommen. Wie aufmerksam auch diese Sandwiches im Schlafzimmer. Ich bekomme doch spätabends immer solchen Hunger. Wahrscheinlich geht es anderen Leuten genauso.«

Charlotte lachte, bis ihr die Augen tränten. Scarlett war pikiert. »Was ist denn so komisch an einem gesunden Appetit? Die Kartenspielerei dauert ja ewig, da ist das Dinner schon eine ganze Weile her, wenn man endlich ins Bett kommt.«

Als Charlotte sich wieder gefaßt hatte, erklärte sie ihr, was es mit den Sandwiches auf sich hatte. In allen besseren Häusern pflegte man in die Schlafzimmer der Damen einen solchen Teller zu stellen, der als Signal für Verehrer benutzt werden konnte. Stand der Teller vor der Tür auf dem Korridor, so forderten die Sandwiches einen Mann zum Eintritt auf.

Scarlett errötete bis unter die Haarspitzen. »Oje, Charlotte, ich hab sie alle aufgegessen. Was werden die Zimmermädchen nur von mir denken?«

»Nicht bloß die Zimmermädchen, Scarlett. Alle Gäste werden sich jetzt fragen, wer wohl der glückliche Mann war. Oder die glücklichen Männer. Selbstverständlich würde kein Gentleman den Ruhm für sich beanspruchen, dann wäre er kein Gentleman mehr.«

»Da kann ich ja keinem von ihnen mehr ins Gesicht sehen! Das ist doch eine skandalöse, widerliche Sitte! Und ich hab die Leute für so nett gehalten!«

»Aber mein liebes Kind, es sind doch gerade die netten Leute, die sich solche diskreten Arrangements ausdenken. Jeder kennt die Regeln, und niemand hält sich daran. Wie sich die Leute amüsieren, bleibt ihr Geheimnis, es sei denn, sie reden selbst darüber.«

Dort, wo ich herkomme, sind die Menschen ehrlich und anständig, wollte Scarlett erwidern. Doch dann fiel ihr Sally Brewton ein. Sally hatte sich ähnlich ausgedrückt – »Diskretion« und »amüsieren« und so weiter, als ob Untreue und Promiskuität ganz normale, akzeptierte Verhaltensweisen wären.

Charlotte Montague lächelte selbstzufrieden. Wenn noch irgend etwas an der Bildung einer Legende um Scarlett O'Hara gefehlt hatte, dann hatte das Mißverständnis mit den Sandwiches der Sache den letzten Schliff gegeben. Von nun an würde zu ihrem »kolonialen Charme« auch noch der Ruf einer gewissen Extravaganz kommen, die höchsten Ansprüchen genügte.

Charlotte legte sich in Gedanken bereits einen Zeitplan für ihren Rückzug aus dem Berufsleben zurecht. In ein paar Monaten sollte es soweit sein, dann war ein für allemal Schluß mit diesen quälend langweiligen Partys der feinen Leute.

»Ich werde Ihnen die Irish Times abonnieren«, sagte sie zu Scarlett. »Sie erscheint täglich, und Sie müssen sie Wort für Wort studieren. In Dublin erwartet man von Ihnen, daß Sie mit den Berichten dieser Zeitung vertraut sind.«

»Dublin? Sie haben mir nicht gesagt, daß wir nach Dublin fahren.«

»Habe ich das vergessen? Oh, es tut mir leid, Scarlett, entschuldigen Sie. Ich war ganz sicher, mit Ihnen darüber gesprochen zu haben. Dublin ist der Mittelpunkt von allem, es wird Ihnen gefallen. Es ist eine echte Stadt, kein aus den Fugen geratener Marktflecken wie Drogheda oder Galway. Und das Schloß ist ein Erlebnis! So etwas Aufregendes haben Sie Ihr Lebtag noch nicht gesehen.«

»Ein Schloß? Keine Ruine? Ich wußte gar nicht, daß es dort so etwas gibt. Lebt die Königin darin?«

»Nein, Gott sei Dank nicht. Die Königin ist eine gute Herrscherin, aber eine ausgesprochen langweilige Frau. Nein, im Schloß von Dublin regiert der Repräsentant Ihrer Majestät, der Vizekönig. Sie werden ihm und der Vizekönigin im Thronsaal vorgestellt werden...« Mit blumigen Worten malte Mrs. Montague Scarlett ein Bild von unermeßlichem Glanz und Prunk aus, das all ihre bisherigen Vorstellungen bei weitem übertraf. Charlestons Saint-Cecilia-Ball war nichts dagegen. In Scarlett entstand der innige Wunsch, nun auch in der Dubliner Gesellschaft zu reüssieren. Das würde Rhett Butler endgültig in seine Schranken verweisen, ihn endgültig zur Bedeutungslosigkeit verdammen.

Ich habe ihr sicher nicht zuviel versprochen, dachte Charlotte. Nach dieser erfolgreichen Woche wird die Einladung mit Sicherheit nicht ausbleiben, und damit besteht auch nicht länger die Gefahr, daß ich die Anzahlung auf die Suite im Shelbourne verliere, die ich gleich nach Erhalt von Scarletts Zeilen im vergangenen Jahr geleistet habe, damit wir während der Saison dort logieren können.

»Wo ist meine Cat, mein süßes Schätzchen?« rief Scarlett aus, als sie ins Haus stürmte. »Mama ist wieder daheim, Liebling.« Nach halbstündiger Suche fand sie Cat im Pferdestall. Sie saß auf Halbmonds Rücken und wirkte erschreckend klein auf dem riesigen Pferd. Scarlett dämpfte ihre Stimme, um Halbmond ja nicht zu erschrecken: »Komm zu Mama, Schätzchen, komm in meine Arme!« Ihr Herz drohte auszusetzen, als sie sah, wie ihr Kind neben den kräftigen, eisenbeschlagenen Hufen ins Stroh sprang. Cat war nicht mehr zu sehen, bis ihr kleines, dunkles Gesicht plötzlich über dem unteren Teil der Stalltür erschien. Sie machte die Tür nicht auf, sondern kletterte über sie hinweg. Scarlett kniete nieder, um sie mit offenen Armen aufzufangen. »Oh, ich bin so froh, dich wiederzusehen, mein Engel. Ich habe dich so vermißt. Hast du mich auch vermißt?«

»Ja.« Cat entwand sich ihrer Umarmung. Nun denn, immerhin hat sie mich vermißt, dachte Scarlett, das hat sie bisher noch nie zugegeben. Sie erhob sich, und die heiße Wiedersehensfreude ging auf in jener allumfassenden Liebe, die sie Cat entgegenbrachte.

»Ich wußte gar nicht, daß du Pferde magst, Kitty Cat.«

»Cat mag Pferde. Cat mag alle Tiere.«

Scarlett zwang sich zu einem heiteren Ton. »Möchtest du vielleicht gern ein eigenes Pony haben? Das hätte genau die richtige Größe für ein kleines Mädchen wie dich.« Ich will nicht an Bonnie denken, ich will es einfach nicht, dachte sie. Ich habe versprochen, daß ich Cat nicht einengen werde. Daß ich sie nicht in Watte packen werde, weil ich Bonnie durch diesen Unfall verloren habe. Ich habe Cat gleich nach ihrer Geburt versprochen, daß ich sie sein lassen will, was immer aus ihr auch werden mag, und daß ich ihr all die Freiheit geben will, die ein freier Geist zur Entfaltung braucht. Ich habe ja nicht geahnt, wie schwer mir das fallen und daß ich sie am liebsten rund um die Uhr beschützen würde. Aber ich muß mein Versprechen halten, ich weiß, daß es richtig war. Wenn sie ein Pony haben will, wird sie es bekommen, und sie wird springen lernen, und ich werde mich zwingen, ihr dabei zuzusehen, auch wenn es mich umbringt. Ich liebe Cat zu sehr, als daß ich ihr Hindernisse in den Weg legen könnte.

Scarlett konnte nicht wissen, daß Cat während ihrer Abwesenheit in die Stadt gelaufen war. Die mittlerweile Dreijährige interessierte sich zunehmend für andere Kinder und gemeinsame Spiele. Sie wollte nach ihren Spielkameraden von der Geburtstagsfeier Ausschau halten. Auf der Hauptstraße spielten vier oder fünf kleine Jungen. Als Cat auf sie zukam, rannten sie davon. Zwei von ihnen blieben jedoch lange genug stehen, um ein paar Steine aufzuklauben und Cat damit zu bewerfen. Entsetzt schrien sie: *»cailleach! cailleach!«* Sie hatten das gälische Wort für »Hexe« von ihren Müttern gelernt.

Cat sah zu ihrer Mutter auf. »Ja, ich möchte ein Pony«, sagte sie. Ponys warfen schließlich nicht mit Steinen. Das kleine Mädchen überlegte, ob es seiner Mutter von dem Erlebnis mit den Jungen erzählen und sie nach der Bedeutung des Wortes fragen sollte. Sie lernte gern neue Wörter kennen. Aber dieses gefiel ihr nicht, deswegen unterließ sie die Frage. »Ich möchte ein Pony haben. Jetzt gleich.«

»Heute kann ich dir kein Pony mehr suchen, mein Baby. Aber schon morgen werde ich mich darum bemühen, das verspreche ich dir. So, und jetzt laß uns nach Hause gehen zum Tee.«

»Mit Kuchen?«

»Ja, aber sicher mit Kuchen.«

Oben in ihren Zimmern zog Scarlett, so schnell sie konnte, ihr schönes Reitkostüm aus. Sie verspürte das so vage wie dringende Bedürfnis, endlich wieder Bluse, Rock und bunte Bauernstrümpfe zu tragen.

Gegen Mitte Dezember lief Scarlett wie ein im Käfig gehaltenes Raubtier die langen Flure des Gutshauses auf und ab. Sie hatte vergessen, wie sehr sie die dunklen, kurzen, feuchten Wintertage haßte. Mehrmals dachte sie daran, Kennedys Kneipe aufzusuchen, doch seit dem mißratenen Fest für die Bewohner von Ballyhara fühlte sie sich in ihrer Gegenwart nicht mehr so unbefangen wie früher. Ab und zu ritt sie aus, was im Grunde nicht nötig war, da die Stallknechte die Pferde regelmäßig bewegten. Dennoch drängte es sie selbst im Eisregen hinaus ins Freie, und kam die Sonne für ein paar Stunden hervor, sah sie Cat zu, die auf ihrem Shetlandpony fröhliche Kreise über die winterlichen Koppeln zog. Scarlett wußte, daß die Reiterei der Grasnarbe schlecht bekam und deren Wachstum im kommenden Sommer beeinträchtigen würde, aber Cat war nun einmal ebenso rastlos wie sie selbst. Scarlett konnte lediglich durch gutes Zureden versuchen, sie im Haus zu halten – und sei es wenigstens in der Küche oder den Ställen.

Am Heiligabend zündete Cat die Christkindkerze und die Kerzen des Weihnachtsbaums an, die sie erreichen konnte. Colum hob sie hoch, damit sie auch an die übrigen herankam. »Fremdländische, englische Sitten«, sagte er. »Du wirst wahrscheinlich noch das ganze Haus damit abbrennen.«

Scarlett betrachtete den schimmernden Christbaumschmuck und die brennenden Kerzen. »Mir gefällt das sehr gut, ob der Brauch nun auf die Königin von England zurückgeht oder nicht«, sagte sie. »Außerdem, Colum, habe ich Stechpalmenzweige über alle Fenster und Türen gehängt. Bis auf dieses Zimmer hier ist also ganz Ballyhara rein irisch geschmückt. Sei doch nicht so ein alter Griesgram.«

Colum lachte. »Cat O'Hara«, sagte sie. »Wußtest du schon, daß dein Patenonkel ein alter Griesgram ist?«

»Heute ja«, sagte Cat.

Diesmal klang Colums Lachen nicht gezwungen. »Aus dem Munde der Kinder . . .«, sagte er.

Er half Scarlett, Cats Weihnachtsgeschenk herauszubringen. Es war ein lebensgroßes Stoffpony zum Schaukeln.

Am Morgen des Weihnachtsfeiertags bedachte Cat das Tier mit einem verächtlichen Blick und sagte: »Das ist ja nicht echt.«

»Es ist ein Spielzeug, Liebling. Bei schlechtem Wetter kannst du zu Hause darauf reiten.«

Cat kletterte hinauf und schaukelte. Ihre Miene schien zu sagen: Dafür, daß es nicht echt ist, ist es tatsächlich ganz in Ordnung.

Scarlett atmete erleichtert auf. Ihre Gewissensbisse, was die bevorstehende Reise nach Dublin anging, würden nun nicht mehr so schlimm sein. Drei Tage nach den Teebesuchen an Neujahr war sie mit Charlotte im Gresham-Hotel verabredet.

77. Kapitel

Scarlett hatte gar nicht gewußt, wie nahe Dublin lag. Sie hatte es sich, wie ihr schien, gerade erst im Zug von Trim bequem gemacht, als die Stadt auch schon angekündigt wurde. Evans, Charlotte Montagues Zofe, holte sie vom Bahnhof ab und wies einen Kofferträger an, sich um ihr Gepäck zu kümmern. Dann sagte sie: »Würden Sie mir nun bitte folgen, Mrs. O'Hara«, und setzte sich in Marsch. Scarlett hatte in dem Gedränge auf dem Bahnsteig ihre liebe Not, nicht den Anschluß zu verlieren. Der Bahnhof war das größte und geschäftigste Gebäude, das Scarlett je gesehen hatte.

Verglichen mit dem Verkehr auf Dublins Straßen war das jedoch noch gar nichts. Aufgeregt preßte Scarlett die Nase ans Droschkenfenster. Charlotte hatte recht, Dublin wird mir gefallen.

Allzu schnell hielt die Droschke schon wieder an. Ein Hotelpage in prächtiger Livree half Scarlett beim Aussteigen. Staunend sah sie einer vorbeifahrenden Pferdebahn nach, als Evans ihren Arm berührte. »Hier lang, bitte!«

Charlotte erwartete sie hinter einem Teetischchen im Salon ihrer gemeinsamen Zimmerflucht. »Charlotte!« rief Scarlett. »Ich habe eine zweistöckige Straßenbahn gesehen, und beide Etagen waren gepackt voll!«

»Ich darf Ihnen auch einen guten Tag wünschen, Scarlett. Es freut mich, daß Dublin Ihnen zusagt. Geben Sie Evans Ihren Mantel, und trinken Sie eine Tasse Tee mit mir. Es gibt viel zu tun.«

Am Abend erschien Mrs. Sims mit drei Assistentinnen, die in Musselin gewickelte Kleider mitbrachten. Scarlett stellte und bewegte sich, wie man es von ihr wünschte, während Mrs. Sims und Mrs. Montague alle Kleidungsstücke bis ins Detail diskutierten. Jedes neue Abendkleid übertraf das jeweils vorherige noch an Eleganz. Wenn Mrs. Sims gerade einmal nicht an ihr herumzupfte oder piekste, versuchte sich Scarlett vor dem großen Pfeilerspiegel selbst herauszuputzen.

Als die Schneiderin und ihre Helferinnen wieder gegangen waren, spürte Scarlett plötzlich, daß sie sehr erschöpft war. Sie war froh über Charlottes Vorschlag, das Dinner in der Suite einzunehmen, und aß mit gewaltigem Appetit.

»Sie dürfen um die Taille herum keinen Millimeter zunehmen«, warnte Charlotte, »sonst muß die Anprobe noch einmal wiederholt werden.«

»Ich werde das beim Einkaufen alles wieder los«, erwiderte Scarlett und strich Butter auf ein weiteres Stück Brot. »Auf der Fahrt vom Bahnhof hierher habe ich mindestens acht Schaufenster mit wundervollen Auslagen gesehen.«

Charlotte lächelte nachsichtig; sie erhielt eine sehr willkommene Provision von den Läden, in denen Scarlett einkaufen würde. »Sie finden hier alles, was Ihr Herz begehrt, das kann ich Ihnen versprechen. Allerdings nur nachmittags. Vormittags sitzen Sie Modell für Ihr Porträt.«

»Das ist doch Unfug, Charlotte. Was soll ich denn mit einem Porträt von mir? Ich habe schon einmal eines machen lassen, und es war scheußlich. Ich sah heimtückisch aus wie eine Schlange.«

»Das wird bei diesem nicht der Fall sein, darauf gebe ich Ihnen mein Wort. Monsieur Hervé ist ein Experte für Damen aus gehobenem Stande. Außerdem ist ein Porträt sehr wichtig. Es läßt sich nicht vermeiden.«

»Also meinetwegen. Aber ich tue es nur, weil ich ja ohnehin alles tue, was Sie mir sagen. Gefallen wird es mir nicht, darauf können Sie sich verlassen.«

Am nächsten Morgen weckte Verkehrslärm Scarlett aus dem Schlaf. Es war noch immer dunkel, doch im Licht der Straßenlaternen sah sie Einspänner, Lastkarren und Kutschen aller Formen und Größen auf vier Fahrspuren unter ihrem Schlafzimmerfenster vorbeiziehen. Kein Wunder, daß die Straßen in Dublin so breit sind, dachte sie beglückt, da unten fährt ja fast alles, was in Irland Räder hat! Sie hob die Nase. Ein feiner Duft machte sich bemerkbar. Ich werde wahnsinnig, dachte sie, ich könnte schwören, das ist Kaffee!

Dezent klopfte es an der Tür. »Das Frühstück wartet im Salon, wenn Sie soweit sind«, sagte Charlotte. »Ich habe den Ober fortgeschickt. Sie können ruhig im Morgenrock kommen.«

Scarlett öffnete die Tür so stürmisch, daß sie Mrs. Montague um ein Haar zu Boden geworfen hätte. »Kaffee! Sie ahnen ja nicht, wie sehr ich den vermißt habe. Oh, Charlotte, warum haben Sie mir nicht gesagt, daß man in Dublin Kaffee trinkt? Ich wäre jeden Morgen zum Frühstück mit dem Zug hergefahren!«

Der Kaffee schmeckte noch besser, als er duftete. Glücklicherweise trank Charlotte lieber Tee, und so konnte Scarlett die ganze Kanne leeren.

Nach dem Frühstück zog sie gehorsam die Seidenstrümpfe und die Wäschekombination an, die Charlotte einem Karton entnahm. Sie kam sich richtig verworfen vor. Die leichte, geschmeidige Unterwäsche war etwas völlig anderes als der Batist und der Musselin, die sie bisher getragen hatte. Als Evans mit einer Scarlett unbekannten Frau das Zimmer betrat, zog sie ihren wollenen Morgenmantel noch enger um sich. »Das ist Serafina«, sagte Charlotte. »Sie ist Italienerin, also stören Sie sich nicht daran, wenn Sie sie nicht verstehen. Serafina wird Sie frisieren. Sie brauchen nur still zu sitzen. Und lassen Sie sie getrost ihre Selbstgespräche führen.«

Die unterhält sich ja mit jedem einzelnen Haar auf meinem Kopf, dachte Scarlett nach ungefähr einer Stunde. Ihr Hals wurde langsam steif, und sie hatte nicht die geringste Vorstellung von dem, was die Frau mit ihr anstellte. Charlotte hatte sie vor dem Fenster im Salon Platz nehmen lassen, weil dort das Morgenlicht am hellsten war.

Mrs. Sims und ihre Mitarbeiterin, die schon seit zwanzig Minuten warteten, sahen genauso ungeduldig aus, wie Scarlett es inzwischen war.

»*Ecco!*« sagte Serafina.

»*Benissimo!*« sagte Mrs. Montague.

»Und nun ...«, sagte Mrs. Sims.

Ihre Mitarbeiterin befreite das Kleid, das Mrs. Sims in der Hand hielt, von seiner Musselinhülle. Scarlett hielt den Atem an. Der weiße Satin schimmerte im Licht, und die silberne Stickerei darauf leuchtete wie ein lebendiges Wesen. Es war ein Traum. Scarlett stand auf, ihre Hände strebten nach dem Kleid, wollten es berühren.

»Erst die Handschuhe«, befahl Mrs. Sims. »Jeder Fingerabdruck hinterläßt einen Fleck.« Jetzt erst fiel Scarlett auf, daß die Schneiderin weiße Glacéhandschuhe trug. Sie nahm die makellosen langen Handschuhe entgegen, die Charlotte ihr reichte. Sie waren bereits umgestülpt und gepudert, so daß Scarlett sie anziehen konnte, ohne sie dehnen zu müssen.

Nachdem sich Scarlett die weit die Arme hinaufreichenden Handschuhe übergestreift hatte, setzte Charlotte mit kundiger, flinker Hand einen kleinen silbernen Knopfhaken an, Serafina legte ein Seidentuch über Scarletts Kopf und zog ihr den Morgenrock aus, und Mrs. Sims ließ das Kleid über Scarletts ausgestreckte Arme und ihren Körper gleiten. Während die Schneiderin mit dem Rückenverschluß beschäftigt war, entfernte Serafina rasch das Seidentuch und korrigierte mit hauchzarten Berührungen Scarletts Frisur.

Es klopfte an der Tür. »Alles läuft vorzüglich«, sagte Mrs. Montague. »Das ist sicher Monsieur Hervé. Wir wollen Mrs. O'Hara hier drüben haben, Mrs. Sims.« Charlotte geleitete Scarlett in die Zimmermitte. Scarlett konnte hören, wie sie anschließend die Tür öffnete und sich leise mit jemandem unterhielt. Wahrscheinlich spricht sie jetzt französisch und erwartet von mir, daß ich das auch kann, dachte sie. Aber nein, Charlotte müßte mich mittlerweile besser kennen. Wenn ich nur einen Spiegel hätte! Ich möchte doch endlich sehen, wie mir das Kleid steht.

Mrs. Sims' Helferin klopfte ihr leicht auf die Zehen. Scarlett hob erst den einen Fuß und dann den anderen. Sie konnte die Schuhe, die die

Frau ihr über die Füße streifte, nicht sehen. Mrs. Sims bohrte ihr einen Finger zwischen die Schulterblätter und zischte ihr zu, sie möge doch bitte gerade stehen. Die Helferin fummelte am Saum ihres Rockes herum.

»Mrs. O'Hara«, sagte Charlotte Montague, »bitte gestatten Sie mir, Ihnen Monsieur François Hervé vorzustellen.«

Scarletts Blick fiel auf einen rundlichen, kahlköpfigen Mann, der auf sie zukam und sich vor ihr verneigte. »Wie geht es Ihnen?« fragte sie ihn. Erwartete man von ihr, daß sie dem Maler die Hand reichte?

»*Fantastique!*« sagte der Maler und schnalzte mit den Fingern. Zwei Männer trugen den gewaltigen Spiegel an eine Stelle zwischen den Fenstern. Als sie beiseite traten, konnte Scarlett sich sehen.

Das weiße Satinkleid war tiefer dekolletiert, als sie gedacht hatte. Entgeistert betrachtete sie den gewagten Ausschnitt und die Schulterpartie und dann das Spiegelbild einer Frau, die sie kaum zu erkennen vermochte. Ihr Haar türmte sich zu einem hohen Gebilde aus Locken und Löckchen, die so kunstvoll arrangiert waren, daß es schon fast wieder natürlich aussah. Der weiße, schimmernde Satin folgte der schlanken Silhouette ihres Körpers, und eine silberbesetzte weiße Satinschleppe wallte im Halbkreis um weiße Slipper aus Satin mit silbernen Absätzen.

Ich sehe ja Großmutter Robillards Porträt ähnlicher als mir selbst, dachte Scarlett.

Die Jahre vertrauter Mädchenhaftigkeit fielen mit einem Schlag von ihr ab. Vor ihr stand eine Frau, nicht mehr die kokette *Belle* von Clayton County. Der Anblick gefiel ihr sehr. Diese Fremde verwirrte und erregte sie. Ihre weichen Lippen bebten in den Mundwinkeln, und ihre schräg stehenden Augen schimmerten tiefer und rätselhafter denn je. Ihr Kinn hob sich in einer Regung höchsten Selbstvertrauens, und voller Anerkennung und Herausforderung sah sie in ihre eigenen Augen.

»Das ist sie«, flüsterte Charlotte Montague vor sich hin. »Das ist die Frau, die ganz Irland im Sturm erobern wird – und wenn sie will, die ganze Welt.«

»Die Staffelei!« murmelte der Künstler. »Schnell, ihr Kretins. Dieses Porträt wird mich berühmt machen.«

»Ich verstehe das nicht«, sagte Scarlett nach der Sitzung zu Charlotte. »Mir ist, als hätte ich diese Person nie im Leben gesehen, und doch kannte ich sie ... Ich bin ganz durcheinander.«

»Das, mein liebes Kind, ist der Beginn der Weisheit.«

»Charlotte, lassen Sie uns mit einer dieser entzückenden Pferdebahnen fahren«, bettelte Scarlett. »Ich habe mir eine Belohnung verdient, nachdem ich stundenlang dagestanden bin wie eine Statue.«

Es war eine lange Sitzung gewesen, Charlotte willigte ein; die kommenden würden wahrscheinlich weniger lang dauern. Außerdem war mit Regen zu rechnen, und ohne gutes Licht konnte Monsieur Hervé nicht malen.

»Dann sind Sie also einverstanden! Wir fahren mit der Pferdebahn?« Charlotte nickte. Scarlett wäre ihr am liebsten um den Hals gefallen, aber Mrs. Montague war dafür wohl doch nicht die geeignete Person, und Scarlett spürte, daß es plötzlich irgendwie auch zu ihr selbst nicht mehr paßte. Sich als Frau und nicht mehr als junges Mädchen zu sehen, hatte sie gleichermaßen hingerissen wie beunruhigt. Es würde eine Weile dauern, bis sie sich daran gewöhnt hatte.

Sie stiegen die eiserne Wendeltreppe empor, die zur oberen Etage der Pferdebahn führte. Es war dort recht ungeschützt und kalt, aber man hatte eine wunderbare Aussicht. Scarlett sah sich nach allen Seiten um, sah die Stadt, die verstopften Straßen und die breiten Bürgersteige, auf denen es von Menschen nur so wimmelte. Dublin war die erste richtige Stadt, die sie kennenlernte. Über eine Viertelmillion Menschen lebten hier – Atlanta war dagegen eine rasch wachsende Gemeinde mit zwanzigtausend Einwohnern.

Die Pferdebahn auf ihren Schienen genoß unbedingte Vorfahrt. Fußgänger und Fahrzeuge aller Art stoben oft erst in letzter Sekunde vor ihr davon. Es war ein wahnsinniges, knappes Entkommen, das Scarlett jedesmal ungemein amüsierte.

Dann sah sie den Fluß. Die Pferdebahn hielt auf der Brücke an, so daß sie den Liffey in aller Ruhe überschauen konnte. Brücke folgte auf Brücke, keine sah aus wie die andere, und auf allen herrschte dichter Verkehr. Die Uferstraßen lockten mit Schaufensterfronten und Menschen. Das Wasser glänzte hell im Sonnenlicht.

Sie ließen den Liffey hinter sich, und unvermittelt fiel Schatten über die Pferdebahn. Beiderseits der Straße erhoben sich hohe Gebäude. Scarlett spürte die Kälte.

»An der nächsten Haltestelle gehen wir nach unten«, sagte Charlotte, »an der übernächsten steigen wir dann aus.« Mrs. Montague ging voran. Nachdem sie eine chaotische Kreuzung überquert hatten, deutete sie auf die vor ihnen liegende, kurvige Straße und sagte: »Grafton Street.« Es klang, als wollte sie Scarlett jemandem vorstellen. »Wir werden dann wohl mit der Droschke zum Gresham zurückfahren. Aber die Läden kann man sich nur erlaufen. Wollen Sie erst noch einen Kaffee trinken? Sie sollten Bewley's kennenlernen.«

»Ich weiß nicht, Charlotte. Ich glaube, ich werfe nur schnell noch einen Blick in diesen Laden hier. Dieser Fächer dort im Fenster – sehen Sie, hinten in der Ecke, der mit den rosa Troddeln –, der ist ja ganz bezaubernd. Oh, und der chinesische dort, den hatte ich anfangs gar nicht gesehen. Und diese wertvolle Parfümdose! So schauen Sie doch, Charlotte, das Stickwerk an diesen Handschuhen. Haben Sie je so etwas gesehen? Du meine Güte!«

Charlotte nickte dem livrierten Türsteher zu. Der Mann riß die Tür weit auf und verneigte sich.

Sie erwähnte nicht, daß es in der Grafton Street mindestens noch vier andere Läden mit Hunderten von Fächern und Handschuhen gab. Charlotte war ziemlich sicher, daß Scarlett selbst entdecken würde, daß zu den Hauptmerkmalen einer großen Stadt ein nahezu unbegrenztes Maß an Versuchungen gehörte.

Nach zehn Tagen, in denen sie dem Maler Modell stand, Anproben über sich ergehen ließ und Einkaufsbummel unternahm, machte sich Scarlett mit Dutzenden von Geschenken für Cat auf den Heimweg nach Ballyhara. Auch Mrs. Fitz und Colum sollten nicht leer ausgehen. Sich selbst brachte sie zehn Pfund Kaffee und eine hübsche Kaffeekanne mit. Sie war in Dublin verliebt und konnte es gar nicht abwarten, wieder dorthin zurückzukehren.

In Ballyhara wartete ihre Cat. Kaum hatte der Zug die Großstadt verlassen, überfiel Scarlett eine fiebrige Erwartung. Sie wollte nach Hause. Sie hatte Cat so viele Dinge zu erzählen, so viele Pläne für die Zeit, da sie ihrem lustigen kleinen Äffchen, diesem Landkind, die Stadt zeigen würde. Auch ihre Sprechstunde nach der Messe hatte sie bereits um eine Woche verschoben. Und der Tag der heiligen Brigid stand ebenfalls wieder vor der Tür. Das ist das Schönste, dachte Scarlett, der eigentliche Beginn des Jahres mit dem symbolischen ersten Spatenstich. Sie pries sich überglücklich. Sie hatte jetzt beides, das Land und die Stadt, die O'Hara und die ihr immer noch unbekannte Frau im Spiegel.

Scarlett ließ Cat, die sich in ein Bilderbuch mit lauter Tieren vertieft und die anderen Geschenke noch gar nicht ausgepackt hatte, allein und lief den Fahrweg hinunter, der zu Colums Torhaus führte. Sie hatte ihr Mitbringsel dabei, einen Kaschmirschal, und all ihre Eindrücke von Dublin, die sie unbedingt mit ihm teilen mußte.

»Oh, das tut mir leid«, sagte sie, als sie sah, daß Colum Besuch hatte. Der gutgekleidete Herr war ihr fremd.

»Aber nicht doch, nicht doch«, sagte Colum. »Tritt näher und laß dir John Devoy vorstellen. Er kommt gerade aus Amerika.«

Devoy war höflich, aber offenkundig nicht erbaut von der Unterbrechung. Scarlett entschuldigte sich abermals, gab Colum sein Geschenk und lief eilig wieder nach Hause. Was ist das für ein Amerikaner, der sich in ein gottverlassenes Nest wie Ballyhara verirrt und sich dann noch nicht einmal darüber freut, daß er einen anderen Amerikaner trifft? dachte sie und beantwortete sich die Frage gleich selbst: Das muß einer von Colums Feniern sein! Und er ist wütend, weil Colum bei dieser verrückten Revolution nicht mehr mitspielt.

Tatsächlich war genau das Gegenteil der Fall. John Devoy, einer der einflußreichsten Fenier in Amerika, dachte ernsthaft daran, Parnell zu unterstützen. Für die Revolution kam es allerdings einem Todesurteil gleich, wenn Devoy ihr die Unterstützung entzog. Bis spät in die Nacht argumentierte Colum leidenschaftlich gegen die »Home Rule«, Parnells politische Zielvorstellung für Irland.

»Dieser Mann will Macht, und um sie zu bekommen, wird er vor keiner Hinterlist zurückschrecken«, sagte er.

»Und wie steht es mit Ihnen, Colum?« gab Devoy zurück. »Klingt mir ganz so, als könnten Sie es einfach nicht ertragen, daß einem anderen Mann gelingt, was Sie schon immer wollten – nur mit mehr Erfolg.«

Colum konterte sofort: »Er wird in London Reden schwingen, bis die Hölle einfriert, und überall Schlagzeilen machen. Aber für uns ändert sich dadurch nichts, nach wie vor werden Iren unter der Knute der Engländer hungern müssen. Für das irische Volk wird nichts dabei herauskommen, gar nichts. Und wenn es von Mr. Parnells Schlagzeilen genug hat, erhebt es sich doch, ohne Organisation und ohne Hoffnung auf Erfolg. Ich sage Ihnen, Devoy, wir warten zu lange. Parnell redet, Sie reden, ich rede – und die Iren leiden.«

Nachdem Devoy gegangen war – er übernachtete in Kennedys Gasthaus –, wanderte Colum rastlos in seinem kleinen Wohnzimmer auf und ab, bis der Lampe das Öl ausging. Dann saß er in der kalten Dunkelheit auf einem Hocker neben dem Kamin und sah den verglühenden Scheiten zu. Noch immer grübelte er über Devoy nach. Ist es möglich, daß der Mann recht hat? Kann es sein, daß ich von Machthunger getrieben werde? Und nicht von der Liebe zu Irland? Wie kann man die Wahrheit seiner eigenen Seele erfahren?

Kurz drang die Sonne durch die Nebelnässe, als Scarlett den Spaten in die Erde trieb. Der Tag der heiligen Brigid. Es war ein gutes Omen für das bevorstehende Jahr. Zur Feier des Tages lud Scarlett ganz Ballyhara zu Porter und Fleischpastete in Kennedys Gasthaus. Das beste Jahr von allen steht uns bevor, dachte sie voller Zuversicht. Am Tag darauf fuhr sie wieder nach Dublin, für sechs Wochen, zur sogenannten »Schloß-Saison«.

78. Kapitel

Sie und Charlotte hatten sich diesmal nicht im Gresham, sondern in einer Suite des Shelbourne eingemietet. Das Shelbourne war das Hotel überhaupt für jemanden, der die Saison in Dublin verbrachte. Bei ihrem ersten Besuch in der Stadt hatte Scarlett das imposante Gebäude nicht betreten. »Wir bestimmen die Gelegenheit, zu der man uns sieht«, hatte Charlotte gesagt. Scarlett ließ den Blick durch die gewaltige Empfangshalle schweifen und begriff Charlottes Entscheidung. Alles hier war imponierend – der große Raum, das Personal, die Gäste, die beherrschte, stille Geschäftigkeit.

Sie hob ihr Kinn und folgte dem Gepäckträger die Treppenflucht in den ersten Stock hinauf, der feinsten Etage im feinsten Haus am Platz. Scarlett entsprach, ohne es zu wissen, genau der Beschreibung, die Charlotte dem Portier gegeben hatte: »Sie werden sie sofort erkennen. Sie ist außerordentlich schön und trägt ihr Haupt wie eine Kaiserin.«

Zusätzlich zu der Suite war ein privates Empfangszimmer für Scarlett reserviert worden. Charlotte zeigte es ihr, bevor sie zum Tee hinuntergingen. In einer Ecke des mit grünem Brokat ausgekleideten Zimmers stand auf einer Staffelei aus Messing das fertige Porträt. Scarlett betrachtete es staunend. Sehe ich wirklich so aus? fragte sie sich. Diese Frau da fürchtet weder Tod noch Teufel – und ich bin ein einziges Nervenbündel. Benommen folgte sie Charlotte ins Erdgeschoß.

Charlotte nannte ihr die Namen verschiedener Gäste an anderen Tischen in der luxuriösen Lounge des Hotels. »Sie werden sie mit der Zeit alle kennenlernen. Nach Ihrer Präsentation werden Sie jeden Nachmittag Gäste zu Tee und Kaffee empfangen. Da bringt der eine dann den anderen mit, und so erweitert sich Ihr Bekanntenkreis.«

Wen? wollte Scarlett fragen. Was sind das für Leute, und wer bringt wen mit? Aber sie blieb still. Charlotte wußte stets, was sie tat. Das einzige, worauf Scarlett achten mußte, war, daß sie sich nicht in der Schleppe ihres eigenen Kleids verfing, wenn sie nach ihrer Präsentation zurücktrat. Charlotte und Mrs. Sims hatten ihr bis zum entscheidenden Tag eine tägliche Trainingsstunde in einem eigens für diese Zwecke bereitliegenden Übungskleid verordnet.

Am Tag nach Scarletts Ankunft im Hotel lieferte ein Bote den schweren weißen Umschlag mit dem Siegel des Königlichen Kammerherrn ab. Mit keiner Miene verriet Charlotte, wie erleichtert sie war. Selbst der ausgeklügeltste Plan bot keine hundertprozentige Garantie. Sie öffnete das Schreiben mit ruhiger Hand. »Erstes Audienzzimmer, wie erwartet«, sagte sie. »Übermorgen.«

Scarlett wartete in einer Gruppe weißgekleideter Mädchen und Frauen auf dem Treppenabsatz vor den geschlossenen Doppeltüren des Thronsaals. Ihr war, als harrte sie schon seit hundert Jahren dort aus. Warum in aller Welt lasse ich so etwas mit mir anstellen? Sie konnte die Frage nicht beantworten, die Beweggründe waren einfach zu kompliziert. Einerseits war sie die O'Hara und in dieser Eigenschaft fest entschlossen, die Engländer zu besiegen. Andererseits war sie ein von Glanz und Gloria des britischen Empires und seiner monarchischen Prachtentfaltung geblendetes Mädchen aus Amerika. Doch der Hauptgrund lag wohl darin, daß Scarlett noch nie in ihrem Leben einer Herausforderung aus dem Weg gegangen war und es auch niemals zu tun beabsichtigte.

Wieder wurde ein Name aufgerufen, wieder nicht der ihre. Mein Gott, dachte sie, komme ich etwa als letzte an die Reihe? Charlotte hatte sie darauf nicht vorbereitet, ja, sie hatte ihr überhaupt erst in letzter Sekunde gesagt, daß sie die ganze Prozedur allein durchzustehen hatte. »Wir sehen uns nach der Audienz im Speisesaal.« Das war nun auch nicht gerade die feine Art, einen auf diese Weise den Wölfen zum Fraß vorzuwerfen. Sie riskierte einen weiteren Blick auf ihren Ausschnitt. Entsetzen packte sie bei dem Gedanken, das skandalös tief dekolletierte Kleid könne ihr im entscheidenden Augenblick schlichtweg vom Leibe fallen. Das wäre dann wirklich eine – wie hatte Charlotte gesagt? – »Erfahrung fürs Leben«.

»Madam The O'Hara of Ballyhara.«

Oh, mein Gott, das bin ich. Sie wiederholte noch einmal Charlotte Montagues Verhaltensvorschriften: Vortreten. Vor der Tür stehenbleiben. Ein Bediensteter wird Ihnen die Schleppe abnehmen, die Sie über Ihrem linken Arm tragen, und sie hinter Ihnen korrekt drapieren. Der Königliche Türsteher wird dann die Tür öffnen. Warten Sie, bis er Sie ankündigt.

»Madam The O'Hara of Ballyhara.«

Vor Scarlett lag der Thronsaal. So, Pa, was hältst du nun von deiner Katie Scarlett? dachte sie. Ich spaziere jetzt über diesen ungefähr fünfzig Meilen langen roten Teppich und küsse den Vizekönig von Irland, den Neffen der Königin von England. Sie sah den majestätisch gekleideten Königlichen Türsteher an, und ihr rechtes Augenlid zuckte leicht; es wirkte fast wie ein verschwörerisches Zwinkern.

Wie eine Kaiserin schritt die O'Hara auf Seine rotbärtige Magnifizenz, den Vizekönig, zu und bot ihm die Wange zum zeremoniellen Begrüßungskuß.

Wenden Sie sich dann der Vizekönigin zu. Machen Sie einen Knicks. Rücken gerade. Nicht zu tief. Stehen Sie wieder auf. Und dann zurück, zurück, zurück, drei Schritte. Keine Sorge, das Gewicht der Schleppe hält sie von Ihrem Körper fern. Strecken Sie den linken Arm aus. Warten Sie. Geben Sie dem Diener genug Zeit, die Schleppe wieder richtig über ihren Arm zu drapieren. Dann drehen Sie sich um und gehen hinaus.

Scarletts Knie warteten pflichtschuldig, bis man ihr ihren Platz an einem der langen Bankettische angewiesen hatte. Erst als sie saß, fingen sie an zu zittern.

Charlotte versuchte gar nicht erst, ihre Zufriedenheit zu verbergen. Als sie Scarletts Schlafzimmer betrat, hielt sie die quadratischen Karten aus festem, weißem Karton aufgefächert in der Hand. »Meine liebe Scarlett, Ihr Auftritt war ein großartiger Erfolg. Sehen Sie die Einladungen hier! Sie waren schon da, bevor ich überhaupt aufgestanden und angekleidet war. Der Staatsball, das ist etwas ganz Besonderes. Der Saint-Patricks-Ball, damit war zu rechnen. Zweites Audienzzimmer – da können Sie anderen Leuten bei ihrem Spießrutenlauf zusehen. Und ein kleiner Tanz im Thronsaal. Dreiviertel des irischen Hochadels sind noch nie zu einem dieser kleinen Tänze eingeladen worden.«

Scarlett mußte lachen. Die furchtbare Präsentationszeremonie war vorüber, und sie hatte Erfolg gehabt! »Ich glaube, mir macht es inzwischen gar nichts mehr aus, daß ich den gesamten Erlös der vorjährigen Weizenernte für die neue Garderobe ausgegeben habe. Gehen wir einkaufen und verjubeln wir die Ernte dieses Jahres!«

»Dazu haben Sie leider keine Zeit. Elf Herren, darunter der Königliche Türsteher, haben schriftlich um einen Besuchstermin bei Ihnen nachgesucht. Dazu vierzehn Damen mit ihren Töchtern. Der Nachmittagstee wird zeitlich nicht ausreichen. Sie werden auch an den Vormittagen Kaffee und Tee parat halten müssen. In diesen Minuten öffnen die Zimmermädchen Ihr Empfangszimmer. Ich habe pinkfarbene Blumen bestellt, also ziehen Sie vormittags ihr braun und rosa kariertes Taftkleid und am Nachmittag das grüne Samtkleid mit den rosa Aufschlägen an. Sobald Sie aufgestanden sind, wird Evans kommen und Ihnen das Haar richten.«

Scarlett war der Erfolg der Saison. In Scharen suchten die Gentlemen die reiche und außerdem – *mirabile dictu* – phantastisch schöne Witwe auf. In ihrem privaten Empfangszimmer drängten sich zudem zahlreiche Mütter mit ihren Töchtern, weil sie sich interessante Begegnungen mit den besagten Gentlemen erhofften. Nach dem ersten Tag brauchte Charlotte keine Blumen mehr zu bestellen. Scarletts Verehrer schickten so viele, daß der Raum sie nicht alle fassen konnte. Viele Bouquets enthielten Lederetuis von Dublins bestem Juwelier, doch Scarlett ließ widerstrebend alle Broschen, Armbänder, Ringe und Ohrringe zurückgehen. »Für Gunstbezeigungen muß man sich revanchieren, das wird von einem erwartet«, sagte sie zu Charlotte, »soviel weiß sogar eine Amerikanerin aus Clayton County in Georgia. Ich will niemandem verpflichtet sein, in keiner Weise.«

Über den regen Strom der bei ihr ein und aus gehenden Besucher wurde zuverlässig und manchmal sogar korrekt in der täglichen Klatschspalte der Irish Times berichtet. Ladenbesitzer im Cutaway kamen, um ihr ausgewählte Waren, von denen sie hofften, sie könnten ihr gefallen, persönlich zu präsentieren. Trotzig kaufte sie viele der Juwelen, die als Geschenk anzunehmen sie sich zuvor geweigert hatte. Auf dem Staatsball tanzte zweimal der Vizekönig mit ihr.

Alle Gäste ihrer Tee- und Kaffee-Einladungen bewunderten das Porträt. Scarlett betrachtete es jeden Vor- und jeden Nachmittag vor dem Eintreffen der ersten Gäste. Sie lernte ihre neue Rolle. Charlotte beobachtete die Metamorphose mit Interesse. Die geübte Kokette wich einer heiteren, leicht ironischen Frau, die ihren Gesprächspartnern – ob Mann, ob Frau oder Kind – nur mit ihren rauchgrünen Augen ins Gesicht blicken mußte, um sie wie hypnotisiert auf ihre Seite zu ziehen.

Früher habe ich geackert wie ein Maulesel, um charmant zu wirken, dachte Scarlett. Jetzt strengt es mich überhaupt nicht mehr an. Sie verstand nicht, was mit ihr los war, akzeptierte dieses Geschenk jedoch mit schlichter Dankbarkeit.

»Sagten Sie zweihundert, Charlotte? Verstehen Sie das unter einem ›kleinen Tanz‹?«

»Vergleichsweise ja. Bei Staatsbällen und beim Saint-Patricks-Ball kommen immerhin fünf- bis sechshundert. Und von den zu erwartenden Gästen kennen Sie mindestens schon die Hälfte, wahrscheinlich eher mehr.«

»Trotzdem finde ich es irgendwie unhöflich, daß Sie nicht auch eingeladen sind.«

»Das ist nun mal der Lauf der Welt. Ich nehme daran keinen Anstoß.« Charlotte sah dem Abend mit Spannung entgegen. Sie hatte vor, Bilanz zu ziehen. Scarletts Erfolg und Scarletts Extravaganz übertrafen selbst ihre optimistischsten Erwartungen. Sie fühlte sich wie ein Nabob und weidete sich an ihrem Reichtum. Allein die Tatsache, daß sie darüber entschied, wer zur Kaffeestunde eingeladen wurde, brachte ihr »Geschenke« im Wert von fast hundert Pfund pro Woche ein. Und die Saison dauerte noch zwei Wochen. Sie konnte Scarlett leichten Herzens zu ihrer exklusiven Veranstaltung ziehen lassen.

Im Eingang zum Thronsaal blieb Scarlett stehen, um das Spektakel zu genießen. »Wissen Sie, Jeffrey«, sagte sie zu dem Königlichen Türsteher, »ich werde mich nie an diese Umgebung gewöhnen. Ich komme mir vor wie Aschenbrödel auf dem Weg zum Ball.«

»Ich wäre nie darauf gekommen, Sie mit Aschenbrödel zu vergleichen, Scarlett«, erwiderte Jeffrey voller Bewunderung. Scarlett hatte mit ihrem Zwinkern sein Herz bereits bei der ersten Audienz erobert.

»Sie würden sich wundern«, sagte Scarlett und nickte geistesabwesend vertrauten Köpfen zu, die sich grüßend vor ihr neigten und ihr zulächelten. Wie schön das alles war. Es kann doch gar nicht wahr sein, es ist doch ganz unmöglich, daß ich tatsächlich hier bin. Alles war so schnell gegangen. Sie brauchte Zeit, um es zu verarbeiten.

Der große Saal schimmerte in Gold. Vergoldete Säulen trugen die Decke, die Wände zwischen den hohen, mit goldgesäumten roten Samtvorhängen drapierten Fenstern füllten vergoldete, flache Pilaster. Auf den Tischen entlang der Wände erhob sich jeweils ein goldener Kandelaber, und vor ihnen standen vergoldete, rotgepolsterte Sessel. Blattgold überzog das verschnörkelte Schnitzwerk der mit Gaslichtern versehenen Kronleuchter und den wuchtigen Baldachin über den in Rot und Gold gehaltenen Thronen. Goldtressen schmückten die Hofkleidung der Männer – Brokatumhänge mit Seidensaum und Kniehosen aus weißem Satin. Goldene Schnallen dekorierten ihre Tanzschuhe. Goldknöpfe, Goldepauletten, Goldschnüre und Goldlitzen glitzerten auf den Paradeuniformen der Regimentsoffiziere und den Hofuniformen der hohen Beamten des Vizekönigs.

Viele Männer trugen leuchtende Schärpen über der Brust, auf die juwelengeschmückte Orden geheftet waren. Die Kniehosen des Vizekönigs berührten den Hosenbandorden, der ihm ums Bein gebunden war. Die Männer waren fast noch prachtvoller ausstaffiert als die Frauen.

Fast, aber nicht ganz, denn die Damen trugen Juwelen an Hals, Busen, Ohren und Handgelenken und viele zusätzlich noch ein Diadem. Ihre Kleider waren aus teuren Stoffen geschneidert – Satin, Samt, Brokat und Seide – und oft mit schimmernder Seide, Gold- und Silberfäden bestickt.

Das bloße Zuschauen konnte einen erblinden lassen. Ich gehe besser weiter und mache meinen Knicks. Scarlett durchschritt den Saal und beugte die Knie vor dem vizeköniglichen Gastgeber und seiner Gemahlin. Als sie sich wieder erhob, begann die Musik.

»Darf ich?« Ein mit Goldborten geschmückter roter Arm bot sich an, ihre Hand zu führen. Scarlett lächelte. Es war Charles Ragland. Sie hatte ihn auf einer Hausparty kennengelernt. Seit ihrer Ankunft in Dublin hatte er ihr täglich seine Aufwartung gemacht und trug seine Bewunderung für sie offen zur Schau. Charles' gutaussehendes Gesicht errötete jedesmal, wenn sie das Wort an ihn richtete. Er war ungemein charmant und attraktiv, obwohl er ein englischer Soldat war. Diese Soldaten waren überhaupt nicht zu vergleichen mit den Yankees, da konnte Colum sagen, was er wollte. Auf jeden Fall waren sie unendlich viel besser gekleidet. Scarlett legte ihre Hand sanft auf Raglands Arm, und er führte sie zur Quadrille auf die Tanzfläche.

»Sie sind sehr schön heute abend, Scarlett.«

»Sie auch, Charles. Mir fiel gerade auf, daß die Männer noch feiner herausgeputzt sind als die Frauen.«

»Dem Himmel sei Dank, daß es Uniformen gibt. Kniehosen sind ein teuflisches Zeug. Und in Satinschuhen kommt man sich als Mann entsetzlich dumm vor.«

»Das geschieht ihnen ganz recht. Seit ewigen Zeiten haben die Männer uns auf die Fesseln geschielt, und nun revanchieren wir uns – sollen sie selber sehen, wie man sich dabei fühlt.«

»Scarlett, Sie erschüttern mich.« Die Tanzpartner wechselten, und Charles Ragland war fort.

Das kann ich mir vorstellen, dachte Scarlett. Manchmal war Charles naiv wie ein Schuljunge. Sie sah zu ihrem neuen Partner auf.

»Mein Gott!« sagte sie laut. Es war Rhett.

»Wie schmeichelhaft«, sagte er mit seinem leicht verzogenen halben Lächeln. Niemand lächelte so wie er. Scarlett fühlte sich licht und leicht. Ihr war, als schwebe sie über das glänzende Parkett, trunken vor Glück.

Doch bevor sie auch nur ein weiteres Wort hervorbrachte, riß die Quadrille ihn wieder von ihr fort. Automatisch lächelte sie ihren neuen Partner an. Die Liebe, die in ihren Augen brannte, nahm ihm den Atem. Ihre Gedanken überstürzten sich. Warum ist Rhett hier? Etwa meinetwegen? Um mich zu sehen? Weil er mich unbedingt wiedersehen mußte? Weil er einfach nicht fortbleiben konnte?

Würdevoll nahm die Quadrille ihren Lauf und erfüllte Scarlett mit rasender Ungeduld. Als sie endlich vorüber war, sah Scarlett sich wieder Charles Ragland gegenüber. Mit aller Selbstüberwindung, zu der sie fähig war, lächelte sie ihm zu und murmelte eine hastige Entschuldigung. Dann drehte sie sich um und suchte Rhett.

Ihre Blicke trafen sich fast sofort. Er stand gerade eine Armlänge von ihr entfernt.

Ihr Stolz hinderte sie daran, die Arme nach ihm auszustrecken. Er hat genau gewußt, daß ich ihn gesucht habe, dachte sie wütend. Wer glaubt er eigentlich zu sein? Schiebt sich so mir nichts, dir nichts in meine Welt, stellt sich vor mich hin und erwartet von mir, daß ich ihm um den Hals falle. Es gibt in Dublin, ja allein schon in diesem Saal hier, genügend Männer, die mich mit Aufmerksamkeiten überhäufen. Sie drängen in mein Empfangszimmer, schicken mir täglich Blumen und Billetts, ja sogar Juwelen. Was veranlaßt also den großmächtigen Herrn Rhett Butler zu der Annahme, er bräuchte nur den kleinen Finger zu heben, und schon käme ich gelaufen?

»Welch freudige Überraschung«, sagte sie, und der kühle Ton in ihrer Stimme gefiel ihr.

Rhett reichte ihr die Hand, und sie gab ihm die ihre, ohne weiter darüber nachzudenken. »Darf ich Sie um den nächsten Tanz bitten, Mrs. . . äh . . . O'Hara?«

Scarlett stockte vor Schreck der Atem. »Rhett, du wirst mich doch nicht verraten? Alle glauben, ich sei Witwe!«

Die Musik begann. Er lächelte und nahm sie in die Arme. »Dein Geheimnis ist bei mir sicher, Scarlett.« Sie spürte seine Stimme und seinen warmen Atem auf ihrer Haut. Eine große Schwäche überkam sie.

»Was zum Teufel machst du hier?« fragte sie. Sie mußte es einfach wissen. Seine Hand lag auf ihrer Taille, warm und stark, unterstützte und führte ihren Körper bei jeder Drehung. Unbewußt schwelgte Scarlett in seiner Kraft, begehrte gegen seine Herrschaft über sie auf und genoß es, im schwindelnden, kreisenden Walzerrhythmus seinen Schritten zu folgen.

Rhett lachte. »Ich konnte meine Neugier nicht im Zaum halten«, sagte er. »Ich war geschäftlich in London, und alles sprach dort von einer Amerikanerin, die das Dubliner Schloß im Sturm erobert. ›Könnte das vielleicht Scarlett Streifenstrumpf sein?‹ fragte ich mich. Ich mußte es unbedingt herausfinden. Bart Morland bestätigte meine Vermutungen. Er sprach ununterbrochen von dir, ich konnte ihn gar nicht mehr bremsen. Er brachte mich sogar dazu, mit ihm in deine Stadt zu reiten und sie mir von ihm zeigen zu lassen. Er sagte, du hättest sie eigenhändig wiederaufgebaut.«

Seine Augen musterten sie von Kopf bis Fuß. »Du hast dich verändert, Scarlett«, sagte er leise. »Aus dem charmanten Mädchen ist eine elegante, erwachsene Frau geworden. Ich ziehe meinen Hut; das tue ich wirklich.«

Die unverbrämte Aufrichtigkeit und Herzenswärme seiner Worte ließen Scarlett ihre Vorbehalte mit einem Schlag vergessen. »Danke, Rhett«, sagte sie.

»Bist du glücklich in Irland, Scarlett?«

»Ja, das bin ich.«

»Das freut mich.« Seine Worte ließen eine tiefere Bedeutung ahnen.

Zum erstenmal in all den Jahren, seit sie sich kannten, verstand Scarlett Rhett Butler, zumindest teilweise. Er ist tatsächlich meinetwegen gekommen, dachte sie. Er hat all die Zeit an mich gedacht, sich den Kopf darüber zerbrochen, wo ich stecke und wie es mir geht. Er liebt mich und wird mich immer lieben – genau, wie ich ihn immer lieben werde.

Diese Erkenntnis erfüllte sie mit Glückseligkeit, und sie genoß sie wie ein Glas Champagner, nippte nur an ihr, um sie voll auszukosten. Rhett war da, war bei ihr. In diesem Augenblick waren sie sich näher als je zuvor.

Als der Walzer zu Ende war, kam ein Adjutant auf sie zu. »Seine Exzellenz bittet Sie um die Ehre des nächsten Tanzes, Mrs. O'Hara.«

Rhett hob die Brauen auf jene amüsiert-spöttische Art, die Scarlett nur zu gut kannte. Seine Lippen formten sich zu einem Lächeln nur für sie allein. »Sagen Sie Seiner Exzellenz, daß es mir ein Vergnügen sein wird«, sagte Scarlett. Bevor sie den Arm nahm, den der Adjutant ihr bot, wandte sie sich noch einmal an Rhett. »In Clayton County«, raunte sie ihm zu, »hätte man gesagt, der wächst die Baumwolle in den Himmel.« Sie ging, und sein Lachen folgte ihr.

Ich darf das, sagte sie sich, warf einen Blick zurück über die Schulter und sah ihn lachen. Es ist einfach zuviel, dachte sie, und alles andere als fair. Selbst in diesen albernen Kniehosen und Satinschuhen sieht er noch gut aus. Der Schalk saß ihr in den funkelnden grünen Augen, als sie vor dem Vizekönig ihren Knicks machte. Dann begann der Tanz.

Scarlett war kaum überrascht, daß sie Rhett, als sie sich wieder nach ihm umsah, nirgends finden konnte. Seit sie ihn kannte, war es Rhetts Art, ohne Erklärung zu erscheinen und wieder zu verschwinden. Sein Auftreten heute abend hätte mich gar nicht so zu überraschen brauchen, dachte sie. Ich kam mir ja bereits vor wie Aschenbrödel – warum sollte da nicht auch gleich der einzige schöne Prinz auftauchen, den ich begehre? Sie spürte seine Arme noch auf ihrem Körper, als hätten sie dort ein Mal hinterlassen. Andernfalls, dachte sie, könnte man leicht meinen, daß ich mir das alles nur ausgedacht habe – den vergoldeten Saal, die Musik, seine Gegenwart, ja sogar meine eigene.

Wieder zurück in ihrer Zimmerflucht im Shelbourne, drehte Scarlett die Gaslampe an und betrachtete sich bei hellem Licht in einem großen Spiegel. Sie wollte sich selbst sehen und das, was Rhett gesehen hatte. Sie war schön und selbstsicher, wie ihr Porträt, wie das Porträt ihrer Großmutter.

Ihr war weh ums Herz. Warum konnte sie nicht so sein wie Großmutter Robillard auf jenem anderen Porträt, auf dem gegebene und empfangene Liebe sie so weich und lebensvoll erscheinen ließen?

Denn in Rhetts mitfühlenden Worten, das wußte sie, hatten auch Trauer und Abschiedsschmerz gelegen.

Mitten in der Nacht wachte Scarlett O'Hara in ihrem luxuriösen, duftenden Zimmer auf der besten Etage des besten Hotels in Dublin auf und schluchzte herzzerreißend. Wie ein Rammbock hämmerte es in ihrem Kopf ein ums andere Mal: »Wenn doch nur . . .«

79. Kapitel

Die Qualen jener Nacht hinterließen keine sichtbaren Spuren. Heitere Gelassenheit sprach am nächsten Morgen aus Scarletts Zügen, und als sie den Besucherinnen und Besuchern, die in ihr Empfangszimmer drängten, Tee und Kaffee einschenkte, lächelte sie mit altgewohnter Liebenswürdigkeit. Irgendwann in den dunklen Stunden der Nacht hatte sie den Mut gefunden, Rhett ziehen zu lassen.

Wenn ich ihn liebe, sagte sie sich, darf ich nicht versuchen, ihn festzuhalten. Ich muß lernen, ihm seine Freiheit zu geben, genau wie ich versuche, Cat die ihre zu lassen – weil ich sie liebe.

Ich wünschte, ich hätte Rhett von ihr erzählen können; er wäre so stolz auf sie gewesen.

Ach, wäre diese Saison doch endlich vorüber. Cat fehlt mir ganz fürchterlich. Was sie inzwischen wohl alles anstellt?

Mit der Kraft der Verzweiflung rannte Cat durch den Wald von Ballyhara. Vielerorts hatte sich der Morgennebel noch nicht gehoben, so daß sie kaum die Hand vor Augen sehen konnte. Sie stolperte und fiel, rappelte sich jedoch gleich wieder auf. Sie mußte weiterlaufen, obwohl sie von der Rennerei schon ganz außer Atem war. Sie spürte, daß wieder ein Stein geflogen kam, und duckte sich schutzsuchend hinter einen Baumstamm. Die Jungen, die hinter ihr her waren, schrien und johlten. Sie hatten sie fast eingeholt. Bisher hatten sie sich nie so weit in die Wälder der Umgebung des Gutshauses vorgewagt. Im Augenblick war es jedoch ungefährlich. Sie wußten, daß die O'Hara in Dublin bei den Engländern war; ihre Eltern redeten über nichts anderes mehr.

»Da ist sie!« rief einer, und die anderen Burschen hoben auch schon die Arme, um ihre Steine zu werfen.

Doch die Gestalt, die plötzlich hinter dem Baum hervortrat, war nicht Cat. Es war die *cailleach*. Sie drohte ihnen mit knotigem Finger. Die Jungen schrien vor Angst, machten kehrt und rannten davon.

»Komm mit«, sagte Grainne, »ich gebe dir etwas zu trinken.«

Cat gab der alten Frau die Hand. Sehr langsam trat Grainne aus der Deckung und ging los. Cat hatte keine Mühe, mit ihr Schritt zu halten. »Hast du auch Kuchen?« fragte sie.

»Auch Kuchen«, sagte die *cailleach*.

Trotz ihres Heimwehs harrte Scarlett bis zum letzten Tag der Saison in Dublin aus. Sie stand Charlotte Montague im Wort. Es ist genau wie die Saison in Charleston, dachte sie. Was veranlaßt diese Leute nur dazu, so viel Arbeit und Mühe in die Vorbereitung einer derart langen Vergnügungszeit zu stecken? Scarletts Ruhm wuchs und wuchs. Mrs. Fitz war klug genug, sich die überschwengliche Berichterstattung in der Irish Times zunutze zu machen. Abend für Abend nahm sie die Zeitung mit in Kennedys Pub, um den Leuten von Ballyhara zu zeigen, wie berühmt die O'Hara war. Mit der Zeit verwandelte sich die Mißstimmung über Scarletts Zuneigung zu den Engländern in Stolz, war es doch offensichtlich, daß die O'Hara größere Bewunderung genoß als alle Engländerinnen.

Colum fand für Rosaleen Fitzpatricks raffinierte Taktik kein lobendes Wort. Seine Stimmung war zu trübe, um sie gebührend zu würdigen. »Die Engländer werden sie um den Finger wickeln«, sagte er, »genau wie sie es mit John Devoy getan haben.«

Colum hatte sowohl recht als auch unrecht. Niemand in Dublin verlangte von Scarlett, ihr Irentum preiszugeben, war es doch ein wichtiger Bestandteil ihrer Attraktivität. Die O'Hara galt als Original. Aber Scarlett hatte auch eine beunruhigende Wahrheit entdeckt: Die Anglo-Iren hielten sich für ebenso irisch wie die O'Haras aus Adamstown. »Diese Familien haben schon lange vor der Besiedlung Amerikas in Irland gelebt«, sagte Charlotte einmal nicht ohne eine gewisse Erregung zu Scarlett. »Wie wollen Sie sie denn sonst bezeichnen, wenn nicht als Iren?«

Scarlett sah sich nicht in der Lage, die komplexen Zusammenhänge zu durchschauen, und gab schließlich ihr Bemühen um Verständnis auf. Es sei im Grunde auch nicht ihre Aufgabe, meinte sie. Ihr standen beide Welten offen, das ländliche Irland Ballyharas und das andere, das höfische Irland im Dubliner Schloß. Und Cat würde es nicht anders ergehen, wenn sie heranwuchs. Wäre ich in Charleston geblieben, hätte sie längst nicht so gute Aussichten, redete Scarlett sich ein.

Als um vier Uhr morgens der Saint-Patricks-Ball zu Ende ging, war auch die Schloß-Saison vorüber. Das nächste gesellschaftliche Ereignis, erklärte ihr Charlotte, seien die Pferderennen von Punchestown, einige Meilen von Dublin entfernt, in der Grafschaft Kildare. Von ihr, Scarlett, werde erwartet, sich dort sehen zu lassen.

Scarlett lehnte ab. »Ich mag Pferde und Pferderennen, Charlotte, aber ich möchte jetzt lieber nach Hause. Ich bin mit meinen Sprechstunden weit im Rückstand. Aber ich werde die Hotelzimmer bezahlen, die Sie gebucht haben.«

Das erübrige sich, meinte Charlotte, sie könne die Zimmer problemlos für den vierfachen Preis weitervermitteln. Persönlich sei sie an Pferden ohnehin nicht interessiert.

Sie dankte Scarlett dafür, daß sie mit ihrer Hilfe eine unabhängige Frau geworden sei. »Und auch Sie sind jetzt unabhängig, Scarlett. Sie brauchen mich nicht mehr. Stellen Sie sich gut mit Mrs. Sims, und lassen Sie sich auch weiterhin von ihr einkleiden. Das Shelbourne hat Ihnen die Suite bereits für die kommende Saison reserviert. In Ihrem Haus ist Platz für alle Besucher, die Sie einzuladen wünschen, und Ihre Wirtschafterin ist die tüchtigste Frau, die ich je in einer solchen Stellung gesehen habe. Die Welt gehört Ihnen. Machen Sie mit ihr, was Sie wollen.«

»Und was werden Sie tun, Charlotte?«

»Ich werde mir einen lang ersehnten Wunsch erfüllen – eine kleine Wohnung in einem römischen Palazzo. Gutes Essen, guter Wein und Tag für Tag schönes Wetter. Ich verabscheue Regen.«

Selbst Charlotte könnte sich über dieses Wetter nicht beschweren, dachte Scarlett. Niemand konnte sich an ein so sonnenreiches Frühjahr erinnern. Das Gras stand reich und hoch, und der drei Wochen vor dem Saint-Patricks-Tag gesäte Weizen überzog die Felder mit zartem, frischem Grün. Die Ernte versprach, die leichte Enttäuschung aus dem Vorjahr mehr als wettzumachen. Es war herrlich, wieder daheim zu sein.

»Wie geht's Ree?« fragte sie Cat. Typisch meine Tochter, dachte sie nachsichtig, nennt ihr kleines Shetlandpony »König«. Cat schätzte ihre Lieblinge sehr. Scarlett freute es, daß die Kleine das gälische Wort benutzte. Wie gern sah sie in ihr das reine Irenkind, auch wenn sie wie eine Zigeunerin aussah. Ihr schwarzes Haar ließ sich kaum bändigen, und die viele Sonne hatte ihre Haut noch tiefer gebräunt. Sobald Cat das Haus verließ, riß sie sich die Mütze vom Kopf und zog die Schuhe aus.

»Ree mag keinen Sattel. Ich auch nicht. Ohne Sattel macht es viel mehr Spaß.«

»Nein, das geht nicht, mein Schatz. Du mußt lernen, mit Sattel zu reiten. Auch Ree muß sich daran gewöhnen. Sei froh, daß es kein Damensattel ist.«

»So einen, wie du hast, wenn du zur Jagd gehst?«

»Ja. Eines Tages wirst du auch einen bekommen, aber das hat noch viel, viel Zeit.« Im Oktober wird Cat vier, dachte sie, da fehlt nicht mehr viel, und sie ist so alt wie Bonnie damals war. Der Damensattel hatte wirklich noch Zeit. Wenn Bonnie doch nur in normaler Haltung auf dem Pferd gesessen hätte, anstatt sich im Damensattel zu üben ... O nein, daran darf ich gar nicht denken. Dieses »Wenn doch nur ...« bricht mir noch das Herz.

»Willst du mit mir in die Stadt reiten, Cat? Wir könnten Colum besuchen.« Scarlett machte sich Sorgen um ihn. Er wirkte so mürrisch und in sich gekehrt.

»Cat mag die Stadt nicht. Können wir zum Fluß reiten?«

»Einverstanden. Ich war schon lange nicht mehr am Fluß. Eine gute Idee.«

»Kann ich den Turm hinaufsteigen?«

»Nein, das kannst du nicht. Die Tür ist ganz weit oben, und wahrscheinlich ist er voller Fledermäuse.«

»Gehen wir Grainne besuchen?«

Scarletts Hände spannten sich um die Zügel. »Woher kennst du denn Grainne?« Die weise Frau hatte sie darum gebeten, Cat nicht zu ihr zu bringen und dafür zu sorgen, daß sie sich nicht zu weit vom Haus entfernte. Wer hatte Cat zu ihr geführt? Und warum?

»Grainne hat Cat Milch gegeben.«

Der Ton machte Scarlett stutzig. Cat sprach von sich fast nur dann noch in der dritten Person, wenn sie irgend etwas beunruhigte oder ärgerte. »Hat dir an Grainne etwas nicht gefallen, Cat?«

»Grainne denkt, Cat ist ein anderes Mädchen, das Dara heißt. Cat hat's ihr gesagt, aber Grainne hat nicht zugehört.«

»Ach, Schätzchen, sie kennt dich sehr gut. Dara ist ein besonderer Name, den sie dir gegeben hat, als du noch ein ganz kleines Baby warst. Es ist ein gälischer Name wie Ree und Ocras. Dara bedeutet Eiche, und das ist der beste und stärkste Baum, den es gibt.«

»Das ist dumm. Ein Mädchen ist kein Baum. Ein Mädchen hat keine Blätter.«

Scarlett seufzte. Es freute sie immer, wenn Cat mit ihr reden wollte. Das Kind war sonst meist ziemlich still. Aber es war gar nicht leicht, mit ihr ein Gespräch zu führen. Cat war ein kleiner Dickkopf und ließ sich partout nichts vormachen. Die Wahrheit, die ganze Wahrheit wollte sie hören – oder sie bedachte einen mit einem Blick, der töten konnte.

»So sieh doch, Cat, da ist der Turm. Habe ich dir schon erzählt, wie alt er ist?«

»Ja.«

Scarlett wollte lachen. Es wäre falsch, ein Kind zur Lüge zu erziehen, aber hier und da war eine höfliche Flunkerei doch angebracht.

»Ich mag den Turm«, sagte Cat.

»Ich auch, mein Schatz.« Scarlett fragte sich, warum sie so lange nicht mehr hergekommen war. Sie hatte fast schon vergessen, wie eigenartig ihr in Gegenwart der uralten Steine immer zumute war. Es war ein gleichermaßen unheimliches wie friedliches Gefühl. Sie nahm sich vor, bis zu ihrem nächsten Besuch nicht mehr soviel Zeit verstreichen zu lassen. Immerhin ruhte hier das wahre Herz von Ballyhara. Von hier aus hatte alles seinen Ausgang genommen.

Der April war noch nicht vorüber, da öffneten sich in den Hecken bereits die Schwarzdornblüten. Welch ein Jahr! Scarlett verlangsamte ihre Geschwindigkeit und atmete tief durch. Sie war unterwegs nach Trim, um dort ein Paket mit Sommerkleidern abzuholen, das Mrs. Sims ihr geschickt hatte. Doch die Kleider konnten ruhig noch ein bißchen warten.

Auf ihrem Schreibtisch lagen mittlerweile sechs Einladungen zu Hauspartys allein für den Juni. Scarlett wußte nicht recht, ob sie sich so früh im Jahr schon wieder ins Festgetümmel stürzen sollte. Allerdings sehnte sie sich nach Gesprächen. Cat war ihr ein und alles, aber . . . Und Mrs. Fitz war von der Führung des großen Haushaltes so sehr in Anspruch genommen, daß sie nicht einmal mehr für eine gemütliche Tasse Tee Zeit hatte. Colum war nach Galway gefahren, um Stephen abzuholen. Scarlett wußte nicht, was sie von Stephens Besuch in Ballyhara halten sollte. Der unheimliche Stephen. Aber vielleicht war er in Irland ja gar nicht so unheimlich. Vielleicht hatte er sich in Savannah nur deshalb so seltsam und wortkarg gegeben, weil er in das Waffengeschäft verwickelt gewesen war. Wenigstens damit war endlich Schluß! Das zusätzliche Einkommen, das Scarlett seitdem aus dem Verkauf der Häuser in Atlanta bezog, kam ihr sehr genehm. Ich muß den Feniern ja ein Vermögen überwiesen haben, dachte sie. Lieber gebe ich das Geld für Kleider aus. Die tun niemandem weh.

Stephen würde auch die neuesten Nachrichten aus Savannah mitbringen. Scarlett brannte darauf zu erfahren, wie es den anderen ging. Maureen war eine ebenso schlechte Briefeschreiberin wie sie selbst. Monatelang hatte sie von den O'Haras in Savannah nichts gehört – und auch sonst von niemandem drüben. Es hatte seinen Sinn gehabt, als sie nach der Regelung ihrer Angelegenheiten in Atlanta beschlossen hatte, die Brücken nach Amerika abzubrechen und nicht mehr zurückzuschauen.

Und doch wäre es interessant zu wissen, wie es den Leuten in Atlanta ging. Die kleinen Häuser verkauften sich gut, das ließ sich an den hereinkommenden Gewinnen erkennnen. Ashleys Unternehmen florierte also ebenfalls. Aber wie ging es Tante Pittypat? Und India? War sie inzwischen so weit eingetrocknet, daß sie zu Staub zu zerfallen drohte? Und was trieben all die anderen Menschen, die ihr einst so wichtig gewesen waren? Ich wünschte, ich hätte den persönlichen Kontakt zu den Tanten aufrechterhalten, anstatt ihnen lediglich durch meinen Anwalt Geld zu schicken. Trotzdem, es war schon richtig, daß ich ihnen meinen Aufenthaltsort nicht mitgeteilt habe. Daß ich Cat vor Rhett beschützt habe. Aber so, wie er sich im Schloß benommen hat, würde er inzwischen vielleicht gar nichts mehr unternehmen. Ich brauche bloß Eulalie zu schreiben, und sie wird mir alles berichten, was sich mittlerweile in Charleston ereignet hat. Ich werde auch von Rhett hören. Könnte ich die Nachricht ertragen, daß er und Anne eine glückliche Ehe führen, Rennpferde züchten und kleine Butlers in die Welt setzen? Ich glaube nicht, daß ich das wissen will. Ich lasse die Tanten lieber in Ruhe.

Das einzige, was für mich dabei herausspränge, wären tausend Seiten Vorwürfe und kluge Ratschläge, und darauf kann ich gut und gerne verzichten, denn Mrs. Fitz wäscht mir oft genug den Kopf. Ihr Vorschlag, hin und wieder mal ein Fest auszurichten, ist wahrscheinlich gar nicht falsch. Es ist eigentlich jammerschade, ein solches Haus nicht zu nutzen und das Personal Däumchen drehen zu lassen. Aber was Cat angeht, liegt sie völlig daneben. Was anglo-irische Mütter tun, ist mir gänzlich gleichgültig. Ich lasse Cats Leben nicht von einem Kindermädchen beherrschen. Ich sehe ohnehin herzlich wenig von ihr, schließlich treibt sie sich in den Ställen oder in der Küche herum, strolcht durchs Gelände oder klettert irgendwo auf einen Baum. Der Gedanke, sie auf eine Klosterschule zu schicken, ist schlichtweg verrückt! Die Schule in Ballyhara ist genau das Richtige für sie. Dort wird sie auch Spielkameraden finden. Es macht mir manchmal ein wenig Sorgen, daß sie nie mit anderen Kindern spielen will . . . He, was ist denn da los? Heute ist doch nicht Markttag? Warum drängen sich denn so viele Menschen da vorne auf der Brücke und strömen von überall her? Plötzlich war sie von ganzen Trauben von Leuten umgeben.

Scarlett lehnte sich aus ihrem Einspänner und tippte einer vorbeieilenden Frau auf die Schulter. »Was geht da vor?« Die Frau blickte auf. Ihre Augen leuchteten, und ihre Miene verriet höchste Erregung.

»Eine Auspeitschung. Am besten beeilen Sie sich, sonst versäumen Sie alles!«

Eine Auspeitschung. Scarlett legte keinen Wert darauf, mit anzusehen, wie einem Soldaten, irgendeinem armen Teufel, das Fell gegerbt wurde. In ihrer Vorstellung war das Auspeitschen eine reine Militärstrafe. Sie versuchte, den Einspänner zu wenden, geriet jedoch in den Sog der immer zahlreicher werdenden Menge, die sich das Spektakel nicht entgehen lassen wollte. Ihr Pferd wurde gestoßen, der Buggy schwankte und wurde geschoben. Ihr blieb nichts anderes übrig, als vom Bock zu springen, die Zügel in die Hand zu nehmen und sich dem Schritt der Menge anzupassen. Durch Streicheln und sanfte Worte versuchte sie, das Pferd zu besänftigen.

Als der Strom der Voranstrebenden ins Stocken geriet, konnte Scarlett das Pfeifen der Peitsche und das grauenhafte Geräusch der auftreffenden Schläge hören. Sie wollte sich die Ohren zuhalten, brauchte jedoch ihre

Hände, um das verängstigte Pferd zu beruhigen. Die schrecklichen Geräusche schienen kein Ende nehmen zu wollen.

». . . einhundert. Das wär's«, hörte sie und gleich darauf das enttäuschte Aufstöhnen des Mobs. Sie hielt die Zügel fest umklammert; die Menge begann sich zu zerstreuen, und das Stoßen und Schieben war schlimmer als zuvor.

Sie schloß die Augen erst, als es zu spät war. Scarlett hatte den übel zugerichteten Körper bereits gesehen, und sein Anblick brannte sich in ihr Gedächtnis ein. Der Mann war mit Lederriemen um Handgelenke und Knöchel auf ein aufrecht stehendes Speichenrad gebunden worden. Ein mit purpurroten Flecken bedecktes blaues Hemd hing von seiner Taille über die grobe Wollhose herab und entblößte etwas, was einmal ein breiter Rücken gewesen sein mußte, inzwischen aber eine riesige rote Wunde war, von der in streifigen Fetzen Haut und rohes Fleisch herunterhingen.

Scarlett verbarg ihr Gesicht in der Mähne des Pferdes. Ihr war übel. Das Pferd warf unruhig den Kopf hin und her und stieß sie beiseite. Ein schauderhafter süßlicher Geruch hing in der Luft.

Als sie hörte, wie sich in der Nähe jemand übergab, begann auch ihr eigener Magen zu revoltieren. Sie beugte sich vor, soweit es ihr möglich war, ohne den Zügel loszulassen, und erbrach sich auf das Kopfsteinpflaster.

»Mach dir nichts draus, Bursche, das kommt schon mal vor, daß man bei einer Auspeitschung sein Frühstück wieder von sich gibt. Geh und laß dir im Pub einen doppelten Whiskey verabreichen. Marbury wird mir schon helfen, ihn runterzuschneiden.«

Scarlett hob den Kopf und sah sich nach dem Sprecher um. Es war ein britischer Soldat in der Uniform eines Sergeant der Garde. Seine Worte waren an einen aschfahlen Rekruten gerichtet gewesen, der in diesem Augenblick davonwankte. Ein zweiter Rekrut trat vor, um dem Sergeant zur Hand zu gehen. Sie zerschnitten die Lederriemen auf der Rückseite des Rades, und der Körper plumpste in den blutgetränkten Schlamm davor.

Da wuchs doch letzte Woche noch grünes Gras, dachte Scarlett. Das kann doch nicht sein. Da soll doch weiches, grünes Gras wachsen.

»Was machen wir mit der Frau, Sergeant?« Zwei Soldaten hielten eine stille, sich sträubende Frau in einem mit einer Kapuze versehenen schwarzen Umhang an den Armen fest.

»Laßt sie laufen. Es ist vorbei. Gehen wir. Nachher kommt ein Karren und schafft ihn weg.«

Die Frau rannte den Männern hinterher und erwischte den Sergeant am goldstreifengeschmückten Ärmel. »Ihr Offizier hat mir versprochen, daß ich ihn begraben darf«, schrie sie. »Er hat mir sein Wort gegeben.«

Der Sergeant stieß sie von sich. »Ich hatte nur einen Befehl fürs Auspeitschen, der Rest geht mich nichts an. Laß mich in Ruhe, Weib!«

Die Gestalt im schwarzen Umhang blieb einsam auf der Straße stehen und sah den Soldaten nach, die im nahe gelegenen Pub verschwanden. Sie gab nur einen einzigen Ton von sich, ein tiefes Schluchzen, das ihren ganzen Körper durchzuckte. Dann drehte sie sich um und lief zurück zum Rad und der blutverschmierten Leiche. »Danny, oh, Danny, oh, mein Geliebter!« Sie kniete in dem grausigen Schlamm und versuchte, die zerrissenen Schultern, den baumelnden Kopf auf ihren Schoß zu heben. Die Kapuze glitt ihr vom Kopf und enthüllte ein blasses, feingeschnittenes Gesicht, zu einem sorgfältigen Chignon gebundenes blondes Haar und von Trauerschatten umrahmte blaue Augen. Scarlett rührte sich nicht von der Stelle. Jede Regung, jedes Rattern der Räder über das Kopfsteinpflaster wäre eine obszöne Einmischung in die Tragödie dieser Frau gewesen.

Ein verdreckter kleiner Junge lief barfuß über den Platz. »Darf ich einen Knopf oder so was haben, Lady? Meine Ma möchte ein Andenken haben.« Er rüttelte die Frau an der Schulter.

Scarlett lief über das holprige Pflaster, das blutverschmierte Gras, den zerwühlten Schlamm und packte den Bengel am Arm. Er sah auf und glotzte sie mit aufgerissenem Mund an. Mit aller Kraft schlug sie ihm ins Gesicht, es klatschte wie ein Gewehrschuß. »Verschwinde, du schmutziger kleiner Teufel! Hau ab!« Wimmernd vor Angst rannte der Junge davon.

»Danke«, sagte die Frau des Mannes, den man zu Tode geprügelt hatte.

Scarlett wußte, daß sie jetzt nicht mehr weg konnte. Sie mußte tun, was immer man noch tun konnte; es war ohnehin nicht viel. »Ich kenne einen Arzt in Trim«, sagte sie. »Ich werde ihn holen.«

»Einen Arzt? Damit er ihn vielleicht zur Ader läßt?« Die bitteren, verzweifelten Worte hatten einen englischen Akzent und erinnerten Scarlett an die Stimmen auf den Bällen im Schloß.

»Er wird Ihren Mann für die Bestattung vorbereiten«, sagte Scarlett ruhig.

Mit blutiger Hand ergriff die Frau den Saum von Scarletts Rock und hob ihn an die Lippen, ein Kuß der Dankbarkeit in tiefster Erniedrigung. Scarletts Augen füllten sich mit Tränen. Mein Gott, das verdiene ich nicht, dachte sie. Wenn es mir möglich gewesen wäre, hätte ich den Wagen gewendet und wäre davongefahren. »Nicht«, sagte sie. »Bitte lassen Sie das.«

Die Frau hieß Harriet Stewart, ihr verstorbener Mann Daniel Kelly. Das war alles, was Scarlett von ihnen wußte, bis Daniel Kellys Leiche im geschlossenen Sarg in der katholischen Kapelle lag. Dann blickte die Witwe, die bis dahin lediglich die Fragen des Priesters beantwortet hatte, auf einmal mit flackernden Augen um sich und rief: »Billy, wo ist Billy? Er sollte hiersein!« Der Priester fand heraus, daß es einen Sohn gab, den man in ein Hotelzimmer eingeschlossen hatte, um ihn von der Auspeitschung fernzuhalten. »Die Leute waren sehr freundlich zu mir«, sagte die Frau. »Sie haben mich mit meinem Hochzeitsring bezahlen lassen, obwohl er gar nicht aus echtem Gold ist.«

»Ich hole Ihren Sohn«, sagte Scarlett. »Und Sie, Hochwürden, kümmern sich um Mrs. Kelly?«

»Jawohl, das werde ich. Bringen Sie auch eine Flasche Brandy mit, Mrs. O'Hara. Die arme Frau steht kurz vor dem Zusammenbruch.«

»Ich breche nicht zusammen«, sagte Harriet Kelly. »Ich kann es nicht. Ich muß mich um meinen Sohn kümmern. Er ist ja noch so jung, gerade acht Jahre alt.« Ihre Stimme war dünn und brüchig wie frisches Eis.

Scarlett eilte davon. Billy Kelly war ein kräftiger blonder Junge und für sein Alter schon recht groß. Er schäumte vor Wut – über die englischen Soldaten und darüber, daß man ihn in dieses Zimmer gesteckt und die schwere Tür hinter ihm versperrt hatte. »Ich hol mir eine Eisenrute aus der Schmiede und schlag ihnen die Schädel ein, bis sie mich totschießen!« rief er. Der Wirt mußte all seine Kraft aufwenden, um den Jungen zu bändigen.

»Benimm dich nicht wie ein Narr, Billy Kelly!« Scarletts scharfe Worte wirkten, als hätte sie dem Knaben kaltes Wasser ins Gesicht geschüttet. »Deine Mutter braucht dich, und du willst ihre Trauer nur noch verschlimmern! Du bist mir der Rechte!«

Der Wirt konnte ihn jetzt loslassen. Der Junge schwieg. »Wo ist meine Mutter?« fragte er und klang auf einmal so jung und ängstlich, wie er war.

»Komm mit!« sagte Scarlett.

80. Kapitel

Es dauerte eine Weile, bis Harriet Stewart Kellys Geschichte ans Tageslicht kam. Mutter und Sohn hielten sich schon über eine Woche in Ballyhara auf, ehe Scarlett auch nur die Grundzüge herausbekam. Harriet, die Tochter eines englischen Pfarrers, hatte eine Anstellung als Hilfsgouvernante in der Familie Lord Witleys angenommen. Sie hatte eine für eine Frau recht gute Ausbildung genossen, war neunzehn Jahre alt und besaß nicht die geringste Lebenserfahrung.

Zu ihren Pflichten gehörte es, die Kinder des Hauses auf ihren Ausritten vor dem Frühstück zu begleiten. Dabei verliebte sie sich in das strahlende Lachen und die muntere, melodische Stimme des Reitknechts, der ebenfalls mit von der Partie war. Als er sie bat, mit ihm durchzubrennen, hielt sie seinen Vorschlag für das romantischste Abenteuer der Welt.

Das Abenteuer endete auf dem kleinen Bauernhof von Daniel Kellys Vater. Da davongelaufene Reitknechte und Gouvernanten keine Zeugnisse vorweisen können, fand sich keine Anstellung für die beiden. So arbeitete

Danny mit seinem Vater und seinen Brüdern auf den steinigen Feldern, und Harriet tat, was seine Mutter ihm auftrug, hauptsächlich schrubben und flicken. Und das, obwohl sie sich selbst auf Feinstickerei verstand, etwas, das man von einer Dame erwartete. Die Tatsache, daß Billy ihr einziges Kind geblieben war, legte vom raschen Tod der romantischen Liebe Zeugnis ab. Danny Kelly vermißte die Welt der edlen Rösser in herrschaftlichen Ställen und seine Paradelivree mit schicker Weste, Zylinderhut und hohen Stiefeln. Daß er in Ungnade gefallen war, machte er Harriet zum Vorwurf und suchte fortan im Whiskey Trost. Seine Familie haßte sie, weil sie Engländerin und Protestantin war.

Nach einer Wirtshausattacke auf einen englischen Soldaten hatte man Danny festgenommen. Nach dem Urteilsspruch, der auf hundert Peitschenhiebe lautete, war er für seine Familie so gut wie tot. Sie hielten bereits die Totenwache, als Harriet ihren Billy an die Hand nahm und sich auf den Weg ins zwanzig Meilen entfernte Trim machte, wo das Regiment des in seiner Ehre gekränkten Offiziers lag. Sie bat um das Leben ihres Mannes. Man gewährte ihr gnädigst die Freigabe seiner Leiche zur Bestattung.

»Wenn Sie mir das Geld für die Überfahrt borgen, Mrs. O'Hara, dann gehe ich zurück nach England. Meine Eltern sind tot, aber ich habe noch Vettern und Cousinen, bei denen können wir vielleicht Unterschlupf finden. Das Geld erstatte ich Ihnen zurück. Ich werde schon irgendeine Arbeit finden.«

»Was für ein Unsinn!« erwiderte Scarlett. »Ist Ihnen nicht aufgefallen, daß ich ein kleines Mädchen habe? Cat ist wild wie ein junger Dachs, und sie braucht eine Gouvernante, vor allem aber auch einen Spielkameraden. Sie hängt ja schon jetzt wie ein Schatten an Billy. Sie würden mir einen großen Gefallen erweisen, wenn Sie blieben, Mrs. Kelly.«

Das hatte soweit alles seine Richtigkeit. Was Scarlett allerdings nicht erwähnte und was sie Harriet zum Bleiben überreden ließ, war, daß sie nicht das geringste Vertrauen in Harriets Fähigkeit besaß, tatsächlich das richtige Schiff nach England zu finden, geschweige denn, falls sie es dennoch schaffen sollte, dort auch ein Auskommen für sich und Billy. Sie hatte ihr Urteil über Harriet längst gefällt: energisch, aber nicht gerade gewitzt, außer Bücherweisheiten nicht viel im Kopf. Und von Bücherwürmern hatte Scarlett noch nie etwas gehalten.

Obwohl sie für Harriets mangelnden praktischen Sinn nur Verachtung übrig hatte, war sie doch froh darüber, sie im Haus zu haben. Seit ihrer Rückkehr aus Dublin kam ihr das große Haus beunruhigend leer vor. Nie hätte sie damit gerechnet, daß sie Charlotte Montague vermissen würde, aber genau das war mittlerweile der Fall. Harriet füllte die entstandene Lücke auf angenehme Weise, ja, sie war in mehrfacher Hinsicht sogar eine bessere Gesellschaft als Charlotte. Das lag hauptsächlich daran, daß Harriet von allem, was Kinder taten, fasziniert war, und schien es noch so nebensächlich zu sein. Auf diese Weise erfuhr Scarlett von vielen kleinen Abenteuern, die Cat nie für erwähnenswert gehalten hätte.

Mit Billy Kelly hatte Cat einen Spielkameraden gewonnen, und Scarletts ungutes Gefühl, ihre Tochter könne zu isoliert aufwachsen, fand vorerst ein Ende. Der einzige Wermutstropfen war Mrs. Fitzpatricks Feindseligkeit. »Wir wollen keine Engländer in Ballyhara, Mrs. O«, hatte sie gesagt, als Scarlett Harriet und ihren Sohn aus Trim mitbrachte. »Es war schlimm genug, diese Montague hier zu haben, aber sie hat wenigstens etwas für Sie getan.«

»Gut, Sie wollen also Mrs. Kelly hier nicht haben; aber ich will es, und dieses Haus gehört immer noch mir!« Scarlett war es müde, sich immer wieder sagen lassen zu müssen, was sie zu tun hatte und was nicht. Charlotte hatte sich bereits unentwegt in alles eingemischt, und nun fing auch noch Mrs. Fitz damit an. Harriet krittelte nie an ihr herum – im Gegenteil. Sie war so froh über das Dach über dem Kopf und über die abgelegten Kleider ihrer Herrin, daß Scarlett sie manchmal am liebsten angebrüllt hätte, sie solle bloß nicht immer so verteufelt demütig und bescheiden sein.

Scarlett hätte in jenen Tagen am liebsten alle angebrüllt, und sie schämte sich dessen, denn es gab absolut keinen Grund für ihre schlechte Laune. Alle waren sich einig, daß es seit Menschengedenken noch kein so gutes Jahr gegeben hatte. Das Getreide stand schon jetzt um ein Drittel höher als in normalen Jahren um diese Zeit, und auf den Kartoffeläckern sproß das grüne Kraut dick und üppig wie nie zuvor. Ein herrlicher Sonnentag folgte auf den anderen, und die Feiern am Abend nach dem Wochenmarkt in Trim dauerten bis tief hinein in die milde, warme Nacht. Scarlett tanzte Schuhe und Strümpfe durch, doch trugen weder Musik noch Gelächter zu einer dauerhaften Besserung ihrer Stimmung bei. Als Harriet sich angesichts der jungen Paare, die Arm in Arm am Flußufer entlangschlenderten, zu einem romantischen Seufzer verleiten ließ, wandte Scarlett sich mit einem ungeduldigen Schulterzucken von ihr ab. Gott sei Dank bekomme ich jeden Tag Einladungen zugeschickt, dachte sie. Es schien, als hätten die eleganten Feste und Versuchungen Dublins dem Markttag in Trim jeden Reiz genommen.

Gegen Ende Mai war der Wasserstand des Boyne so stark abgesunken, daß man die Steine sehen konnte, mit denen man vor Jahrhunderten die Furt befestigt hatte. Besorgt blickten die Bauern zu den Wolken empor, die der Westwind über den schönen Himmel blies. Die Felder brauchten Regen. Die kurzen Schauer, die die Luft erfrischten, befeuchteten den Boden nicht ausreichend: Die Feuchtigkeit zog lediglich die Weizen- und Lieschgraswurzeln an die Oberfläche, was zu einer Schwächung der Halme führte.

Cat berichtete, daß sich der nördliche Pfad zu Grainnes Hütte in einen richtigen Weg verwandelt habe. »Sie hat mehr Butter, als sie essen kann«, sagte sie, während sie sich selbst ein Teeplätzchen bestrich. »Die Leute kaufen bei ihr Zaubersprüche, damit es bald regnet.«

»Habt ihr euch mit Grainne angefreundet?«

»Ja. Billy mag Grainne.«

Scarlett lächelte. Billys Worte waren Gesetz für Cat. Ein Glück, daß der Junge so gutmütig war; Cats Bewunderung für ihn hätte anderenfalls eine Plage werden können. Aber Billy war geduldig wie ein Heiliger. Er hatte seines Vaters Art, mit Pferden umzugehen, geerbt und brachte Cat das Reiten viel gründlicher bei, als Scarlett es je hätte tun können. In ein paar Jahren würde Cat kein Pony mehr, sondern ein eigenes Pferd reiten. Mindestens zweimal täglich verkündete sie, daß Ponys nur für kleine Mädchen taugten, Cat hingegen längst ein großes Mädchen sei. Glücklicherweise war es Billy, der hinzufügte: »Aber noch nicht groß genug.« Von Scarlett hätte Cat das nie akzeptiert.

Anfang Juli folgte Scarlett der Einladung zu einer Hausparty nach Roscommon. Nein, ich lasse meine Tochter nicht im Stich, dachte sie zuversichtlich. Wahrscheinlich bemerkt sie meine Abwesenheit nicht einmal – eine ziemlich ernüchternde Erkenntnis.

»Ist das Wetter nicht herrlich?« sagten alle auf dem Fest. Nach dem Dinner wurde auf dem Rasen Tennis gespielt. Das weiche, klare Licht wich erst nach zehn Uhr abends der Dämmerung.

Scarlett genoß es, daß so viele Leute gekommen waren, die sie schon in Dublin besonders ins Herz geschlossen hatte. Der einzige Gast, den sie ohne Begeisterung begrüßte, war Charles Ragland. »Es war Ihr Regiment, das diesen armseligen Mann totgepeitscht hat, Charles. Das kann ich nie vergessen und nie vergeben. Daß Sie jetzt Zivilkleider tragen, ändert nichts an der Tatsache, daß Sie englischer Soldat sind und daß das Militär aus lauter Ungeheuern besteht.«

Überraschenderweise versuchte Charles gar nicht erst, das Vorgehen der Soldaten zu entschuldigen. »Es tut mir wirklich leid, Scarlett, daß Sie das mit ansehen mußten. Das Auspeitschen ist ein schmutziges Geschäft. Aber wir erleben bisweilen noch schlimmere Dinge, und denen muß Einhalt geboten werden.«

Er weigerte sich, ins Detail zu gehen. Scarlett erfuhr jedoch aus Gesprächen mit anderen Gästen, daß sich überall in Irland die Gewalttätigkeiten gegen Landeigentümer häuften. Felder wurden niedergebrannt, Kühen die Hälse durchgeschnitten, und in der Nähe von Galway hatte man den Verwalter eines großen Guts in einen Hinterhalt gelockt und in Stücke gehackt. Hinter vorgehaltener Hand flüsterte man etwas vom Wiederaufleben der »Whiteboys«, gutorganisierter marodierender Banden, die vor vielen Jahren die Grundbesitzer in Angst und Schrecken versetzt hatten. Davon könne keine Rede sein, meinten klügere Köpfe. Es handele sich bei den Ereignissen in jüngster Zeit nur um sporadische Zwischenfälle an weit voneinander entfernt liegenden Orten, die gemeinhin auf das Konto bekannter Unruhestifter gingen. Dennoch trugen sie dazu bei, daß man sich als Grundbesitzer etwas unbehaglich fühlte, wenn man in der Kutsche an seinen Pächtern vorbeifuhr und die zu einem hineinstarrten.

Scarlett vergab Charles schließlich doch. Aber er könne von ihr nicht erwarten, daß sie das Erlebte vergesse.

»Ich nehme sogar Ihren Tadel an der Auspeitschung auf mich, wenn Sie mich deshalb nicht aus Ihren Gedanken verbannen«, sagte er, glühend vor Eifer, um noch im gleichen Atemzug wie ein Schuljunge zu erröten. »Verdammt, wenn ich in der Kaserne bin und an Sie denke, erfinde ich Reden, die eines Lord Byron würdig gewesen wären. In Ihrer Gegenwart aber plappere ich dann immer nur irgendwelchen Blödsinn. Sie wissen doch, daß ich ganz abscheulich in Sie verliebt bin, oder?«

»Ja, ich weiß. Lassen Sie's gut sein, Charles. Ich glaube nicht, daß mir Lord Byron besonders gefallen hätte, dafür mag ich Sie sehr gern.«

»Ist das wahr, mein Engel? Darf ich darauf hoffen, daß ...«

»Ich glaube nicht, Charles. Nun schauen Sie doch nicht so verzweifelt! Das liegt nicht an Ihnen. Das ›Ich glaube nicht‹ gilt auch für alle anderen.«

Die Sandwiches in Scarletts Zimmer bogen sich während dieser Nacht an ihren Rändern langsam auf.

»Es ist so schön, wieder daheim zu sein! Ich fürchte, ich bin eine ganz merkwürdige Person, Harriet. Wenn ich fort bin, sehne ich mich nach Hause, und wenn ich mich noch so sehr amüsiere. Doch wetten, daß ich noch vor Ende dieser Woche das nächste Fest herbeiwünsche, zu dem ich eingeladen bin? Erzählen Sie mir, was während meiner Abwesenheit alles passiert ist. Hat meine Cat Ihren Billy inzwischen halb totgeärgert?«

»Eigentlich gab es nicht sehr viel. Die beiden haben ein neues Spiel erfunden, das sie ›Wikinger versenken‹ nennen. Wie sie ausgerechnet auf diesen Namen gekommen sind, weiß ich auch nicht. Cat meinte, Sie könnten mir das besser erklären, sie selbst könne sich nur an den Namen erinnern. Sie haben am Turm eine Strickleiter angebracht. Billy benutzt sie dazu, Steine heraufzuziehen, die die beiden dann durch die Schießscharten in den Fluß werfen.«

Scarlett lachte. »Dieser kleine Frechdachs! Sie wollte schon immer unbedingt in den Turm hinaufklettern. Und die Schwerarbeit überläßt sie, wie ich sehe, Billy. Dabei ist sie noch nicht einmal vier. Mit sechs wird sie eine wahre Furie sein. Sie werden ihr die Buchstaben mit dem Stock eintrichtern müssen.«

»Das glaube ich nicht. Sie fragt ja schon immer nach dem Tier-Alphabet in ihrem Zimmer.«

Scarlett lächelte, legte Harriets Antwort doch den Schluß nahe, daß ihre

Tochter womöglich eine Art Genie war. Nur allzugern war sie bereit zu glauben, daß Cat alles früher und besser lernte als jedes andere Kind, das je auf Erden geboren worden war.

»Erzählen Sie mir von dem Fest?« fragte Harriet sehnsuchtsvoll. Die Lebenserfahrung hatte ihre romantischen Träume noch nicht vertrieben.

»Es war sehr schön«, sagte Scarlett. »Wir waren . . . na, ich würde sagen, zwei Dutzend Leute, und zum erstenmal war kein langweiliger General im Ruhestand dabei, der ohne Unterlaß darüber schwadronierte, was der Herzog von Wellington ihm alles beigebracht hat. Es gab ein heißumkämpftes Krocket-Turnier mit Wetten und Quoten wie beim Pferderennen. Ich habe in einer Mannschaft mit . . .«

»Mrs. O'Hara!« Die Worte klangen wie ein Schrei. Scarlett sprang von ihrem Stuhl auf. Ein Hausmädchen stürmte ins Zimmer, keuchend und rotgesichtig. »In der Küche . . .«, stammelte sie. »Cat . . . verbrannt . . .« Scarlett hätte sie beinahe umgeworfen, als sie an ihr vorbeifegte.

Auf halbem Weg durch die Halle konnte sie Cat schon jammern hören. Scarlett rannte noch schneller. Cat weinte sonst nie.

»Sie wußte nicht, daß die Pfanne heiß war . . .« – ». . . die Hand schon mit Butter eingerieben . . .« – ». . . hat sie gleich wieder fallen lassen . . .« – »Mama! Mama!« Stimmen, überall Stimmen, doch Scarlett hörte nur Cats.

»Mama ist hier, Liebling. Wir bringen das ganz schnell wieder in Ordnung.« Scarlett nahm das weinende Kind in die Arme und eilte zur Tür. Sie hatte die quer über die Handfläche verlaufende tiefrote Strieme sofort gesehen. Die Hand war so geschwollen, daß die kleinen Finger weit gespreizt waren.

Sie hätte schwören können, daß die Auffahrt plötzlich doppelt so lang war. Scarlett rannte, so schnell sie konnte, ohne einen Sturz zu riskieren. Wenn Dr. Devlin nicht zu Hause ist, dann ist er bei seiner Rückkehr obdachlos. Ich werfe die Möbel einzeln auf die Straße und seine Familie gleich hinterher.

Doch der Arzt war zu Hause. »Nun, nun, Mrs. O'Hara, zu Panik besteht kein Anlaß. Kindern passiert immer mal wieder etwas. Lassen Sie mich sehen.«

Cat schrie auf, als er ihre Hand anfaßte. Es ging Scarlett durch Mark und Bein.

»Eine üble Brandwunde, das ist schon richtig«, sagte Dr. Devlin. »Wir müssen sie fortlaufend einreiben, bis sich die Brandblase füllt. Die schneiden wir dann auf und lassen die Flüssigkeit auslaufen.«

»Es tut ihr aber weh, Doktor! Können Sie denn nichts gegen die Schmerzen unternehmen?« Cats Tränen fielen auf Scarletts Schulter.

»Butter ist das Beste. Sie kühlt die Wunde mit der Zeit.«

»Mit der Zeit?« Scarlett nahm Cat, drehte sich um und rannte davon.

Sie dachte an die Flüssigkeit, die man ihr während Cats Geburt auf die Lippen geträufelt hatte. Das Mittel hatte sie rasch von ihren Schmerzen befreit.

Sie wollte ihr Kind zur weisen Frau bringen.

So weit! Sie hatte vergessen, wie weit es zum Fluß und zum Turm war. Ihre Beine ermüdeten. Das durfte nicht sein. Scarlett rannte, als wären sämtliche Hunde der Hölle hinter ihr her. »Grainne!« rief sie, als sie das Stechpalmendickicht erreichte. »Hilfe! Um Himmels willen, hilf uns!«

Die weise Frau trat aus dem Schatten. »Setzen wir uns gleich hierher«, sagte sie ruhig. »Dann hat die Rennerei ein Ende.« Sie setzte sich auf den Boden und streckte die Arme aus. »Komm zu Grainne, Dara. Gleich tut es nicht mehr weh.«

Scarlett setzte Cat der weisen Frau auf den Schoß und kauerte nieder, jederzeit bereit, das Kind wieder an sich zu reißen und weiterzurennen. Überallhin, wo man Cat würde helfen können. Wenn ihr nur jemand einfiele.

»Ich möchte, daß du dein Händchen in meine Hand legst, Dara. Ich werde es nicht anfassen. Lege es nur einfach hinein. Ich werde dann mit der Wunde sprechen, und sie wird auf mich hören und fortgehen.« Grainnes Stimme war ruhig und fest. Cats grüne Augen blickten in Grainnes gelassenes, runzeliges Gesicht. Sie legte ihre kleine, verletzte Hand offen auf Grainnes lederige, vom Kräutersammeln fleckige Handfläche.

»Du hast eine große, schwere Brandwunde, Dara. Ich werde sie überreden müssen. Es wird ziemlich lange dauern, aber bald schon wirst du merken, daß der Schmerz nachläßt.« Vorsichtig blies Grainne auf das versengte Fleisch, einmal, zweimal, dreimal. Dann brachte sie ihre Lippen nahe an die Wunde und sprach flüsternd auf Cats Handfläche ein.

Ihre Worte blieben unhörbar, und ihre Stimme war wie das Gewisper weicher, junger Blätter oder das Plätschern seichten Wassers über Bachkiesel im Sonnenlicht. Nach kaum drei Minuten hörte Cat zu weinen auf, Scarlett spürte, wie die Erleichterung ihre Muskeln schwach werden ließ, und sank erschöpft zu Boden. Das Wispern dauerte an, leise, monoton, entspannend. Cat nickte ein, ihr Köpfchen fiel auf Grainnes Brust. Das Geflüster hörte nicht auf. Scarlett lehnte sich auf ihre Ellbogen zurück. Später sank ihr Kopf nach hinten über, sie ließ sich auf den Rücken gleiten und schlief rasch ein. Und noch immer besprach Grainne die Wunde, hörte nicht auf, während Mutter und Tochter längst schliefen, und langsam, langsam ging die Schwellung zurück, und die Rötung verblaßte, bis Cats Haut schließlich aussah, als hätte es nie eine Brandwunde gegeben. Da hob Grainne den Kopf und befeuchtete ihre aufgesprungenen Lippen mit der Zunge. Sie legte die eine Kinderhand auf die andere, nahm das schlafende Kind in die Arme und wiegte es unter leisem Summen sanft hin und her. Nach langer, langer Zeit hielt sie inne.

»Dara.« Cat öffnete die Augen. »Es ist Zeit zu gehen. Weck deine Mutter. Grainne ist müde und will sich ausruhen. Du mußt deine Mutter nach Hause bringen.« Die weise Frau stellte Cat auf die Füße. Dann drehte sie sich um und verschwand auf allen vieren im Stechpalmengebüsch.

»Mama, wir müssen gehen.«

»Cat? Wie konnte ich nur einfach so einschlafen? Oh, mein Engel, es tut mir so leid! Was ist geschehen? Wie geht es dir, mein Baby?«

»Ich hab einen Nachmittagsschlaf gehalten. Meine Hand tut nicht mehr weh. Darf ich in den Turm hinauf?«

Scarlett betrachtete die unversehrte Hand des kleinen Mädchens. »Oh, Kitty Cat, deine Mama muß jetzt unbedingt in den Arm genommen werden. Sie braucht einen dicken Kuß. Bitte.« Sie drückte Cat kurz an sich und ließ sie wieder frei – ihr Geschenk für Cat.

Cat drückte ihre Lippen auf Scarletts Wange. »Ich will lieber erst Tee und Kuchen haben und dann hinauf in den Turm«, sagte sie. Das war ihr Geschenk für ihre Mutter. »Gehen wir nach Hause.«

»Die O'Hara stand unter einem Zauber, und die Hexe und ihr Wechselbalg unterhielten sich in einer Sprache, die kein Mensch versteht.« Sie habe es mit eigenen Augen gesehen, sagte Nell Garity, und es habe sie so entsetzt, daß sie auf dem Absatz kehrtgemacht habe und, ohne an die Furt zu denken, in den Boyne gerannt sei. Bei normalem Wasserstand wäre sie sicher ertrunken.

»Die haben die Wolken besprochen, damit sie ohne Regen an uns vorüberziehen!«

»Und hat nicht Annie McGintys Kuh genau an dem Tag keine Milch gegeben? Dabei ist es eine der besten Milchkühe in ganz Trim.«

»Dan Houlihan in Navan hatte plötzlich unzählige Warzen an den Füßen. Er kann gar nicht mehr auftreten.«

»Der Wechselbalg reitet auf einem Wolf, der tagsüber als Pony verkleidet ist.«

»Sein Schatten ist über mein Butterfaß gefallen, da wurde die Butter nicht.«

»Leute, die's genau wissen, sagen, daß sie im Dunkeln sehen kann. Ihre Augen leuchten wie Feuer auf ihren Beutegängen.«

»Ja, kennen Sie denn die Geschichte von ihrer Geburt nicht, Mr. Reilly? Es war an All Hallow's Eve, und der Himmel war aufgerissen von lauter Kometen ...«

Die Geschichten wurden von einem Haus zum anderen getragen und wanderten so durch die gesamte Grafschaft.

Es war Mrs. Fitzpatrick, die Cats Tigerkatze auf der Türschwelle des Gutshauses fand. Ocras war erdrosselt und ausgeweidet worden. Mrs.

Fitzpatrick rollte die Überreste in ein Tuch und versteckte sie in ihrem Zimmer, bis sich ihr eine Gelegenheit bot, sie unbeobachtet zum Fluß hinunterzutragen und zu versenken.

Rosaleen Fitzpatrick stürmte, ohne anzuklopfen, in Colums Haus. Er blickte auf, erhob sich jedoch nicht von seinem Stuhl.

»Genau, was ich erwartet habe!« rief sie aus. »Du kannst nicht im Wirtshaus saufen, wie es sich für einen anständigen Mann gehört, nein, du gibst dich deiner Schwäche heimlich hin – hier, in Begleitung dieses armseligen Mannsbilds.« Ihre Stimme troff vor Verachtung, und der Tritt mit der Stiefelspitze, den sie Stephen O'Haras schlaffen Beinen versetzte, war eine Geste von ebensolcher Geringschätzung. Stephen schnarchte unregelmäßig, sein Unterkiefer hing herab, der Mund stand offen. Whiskeydunst hing in seinen Kleidern und sättigte seinen Atem.

»Laß mich in Ruhe, Rosaleen«, sagte Colum müde. »Stephen und ich betrauern den Tod aller Hoffnungen für Irland.«

Mrs. Fitzpatrick stemmte die Hände in die Hüften. »Und was ist mit den Hoffnungen deiner Cousine, Colum O'Hara? Ersäufst du deinen Kummer mit einer weiteren Flasche, wenn Scarlett den Tod ihres geliebten Kindes betrauert? Wirst du mit ihr wehklagen, wenn dein Patenkind tot ist? Denn ich sage dir eines, Colum: Das Kind schwebt in Lebensgefahr.«

Rosaleen fiel vor seinem Stuhl auf die Knie und schüttelte seinen Arm. »Um der Liebe Christi und Seiner gesegneten Mutter willen, Colum, du mußt etwas unternehmen! Ich habe alles versucht, was in meiner Macht steht, aber die Leute wollen einfach nicht auf mich hören. Vielleicht ist es ohnehin schon zu spät, und sie hören auch nicht mehr auf dich, aber du mußt es wenigstens versuchen. Du kannst dich nicht einfach so vor der Welt verkriechen. Die Menschen spüren, daß du sie im Stich läßt – und deine Cousine Scarlett ebenso.«

»Katie Colum O'Hara«, murmelte Colum.

»Ihr Blut wird an deinen Händen sein«, sagte Rosaleen mit kalter Deutlichkeit.

Am nächsten Tag, bis spät in den Abend hinein, besuchte Colum in aller Ruhe die Häuser, Hütten und Kneipen von Ballyhara und Adamstown. Sein erster Besuch galt dem Büro des Gutshauses, wo er Scarlett beim Studieren ihrer Bilanzen vorfand. Ihr Stirnrunzeln verflog, als sie ihn in der Tür stehen sah, kehrte jedoch wieder, als er ihr vorschlug, sie möge doch ihren Vetter Stephen anläßlich seiner Rückkehr nach Irland mit einem Begrüßungsfest willkommen heißen.

Sie gab schließlich nach, wie er es vorausgesehen hatte. Mit der Einladung zum Fest hatte Colum nun einen Anlaß für seinen Rundgang durch Ballyhara. Aufmerksam achtete er auf Anzeichen, aus denen sich hätte schließen lassen, daß Rosaleens Warnung begründet war, konnte zu seiner großen Erleichterung jedoch nichts feststellen.

Nach der Sonntagsmesse kamen die Dorfbewohner und sämtliche O'Haras aus dem gesamten Distrikt auf Ballyhara zusammen, um Stephen in der alten Heimat willkommen zu heißen und Neues aus Amerika zu erfahren. Auf dem Rasen waren auf Böcken lange Holztische errichtet worden, auf denen dampfende Platten mit gekochtem Salzfleisch und Kohl, Körbe voller heißer Pellkartoffeln und schaumbedeckte Porterkrüge auf die Gäste warteten. Die Glastüren zum Salon mit den irischen Helden an der Decke standen einladend offen: Jeder, der wollte, durfte das Gutshaus betreten.

Es war ein fast geglücktes Fest.

Scarlett tröstete sich später mit dem Gedanken, daß sie ihr Bestes gegeben hatte. Außerdem hatte sie viel Zeit für ein langes Gespräch mit Kathleen gehabt. »Ich vermisse dich sehr, Kathleen«, hatte sie zu ihrer Cousine gesagt. »Nichts ist mehr so wie früher, seitdem du fortgezogen bist. Und selbst wenn die Furt nur auf drei Meter Breite unter Wasser steht, es ist mir einfach zuwider, Pegeen zu besuchen.«

»Wenn die Dinge immer gleich blieben, was hätte es da noch für einen Sinn zu atmen?« erwiderte Kathleen. Sie war inzwischen Mutter eines gesunden Knaben, dem sie, wie sie hoffte, in ungefähr sechs Monaten ein Brüderchen schenken wollte.

Sie hat mich überhaupt nicht vermißt, schloß Scarlett traurig.

Stephen war in Irland nicht gesprächiger als in Amerika. Die Familie schien es nicht zu stören. »Er ist ein schweigsamer Mensch, so ist es nun einmal.« Scarlett ging ihm aus dem Weg. Für sie war er nach wie vor der »unheimliche Stephen«. Immerhin wußte er eine delikate Neuigkeit mitzuteilen: Großvater Robillard war gestorben und hatte sein Vermögen Pauline und Eulalie hinterlassen. Gemeinsam lebten sie nun im rosa Haus, machten alltäglich ihren Verdauungsspaziergang und waren angeblich sogar reicher als die Telfair-Schwestern.

Nachmittags donnerte es plötzlich in der Ferne. Alle Gespräche verstummten, niemand aß mehr, niemand lachte. Alle sahen hoffnungsvoll zum Himmel hinauf, dessen strahlendes Blau ihren Erwartungen zu spotten schien. Vater Flynn las täglich eine zusätzliche Messe, und die Menschen zündeten Kerzen an und beteten jeder für sich um Regen. Es blieb trocken.

Am Mittsommertag schließlich trieben die von Westen her kommenden Wolken nicht vorüber, sondern türmten sich übereinander. Am Spätnachmittag bedeckten sie düster und schwer den Horizont. Die Männer und Frauen, die das Sonnwendfeuer für die nächtliche Feier aufschichteten, hoben die Köpfe und rochen den Regen im Stakkato des böigen Windes.

Sollte es wirklich regnen und die Ernte erhalten bleiben, so bestand in der Tat Anlaß zum Feiern.

Das Unwetter begann mit dem Einbruch der Dämmerung. Blitze erleuchteten den Himmel heller als das Licht des Tages, ohrenbetäubende Donnerschläge folgten, und eine wahre Sintflut brach los. Die Menschen fielen zu Boden und bedeckten schützend ihre Köpfe. Hagel mit walnußgroßen Eisbrocken prasselte auf sie hernieder. Angst- und Schmerzensschreie erfüllten die stillen Augenblicke zwischen den knisternden Blitzen und dröhnenden Donnern.

Scarlett hatte gerade das Haus verlassen wollen, um sich den Tanzenden und Musizierenden am Sonnwendfeuer anzuschließen. Nach wenigen Schritten und in Sekundenschnelle bis auf die Haut durchnäßt, stürzte sie zurück ins Haus und rannte die Treppe hinauf, um Cat zu suchen. Die grünen Augen weit aufgerissen, stand die Kleine vor dem Fenster und schaute hinaus. Harriet Kelly kauerte in einer Ecke und hielt Billy in den Armen. Scarlett kniete neben Cat nieder und starrte gebannt nach draußen. Die Natur war außer Rand und Band.

Nach einer halben Stunde war der Himmel sternenklar, und es schien ein schimmernder Dreiviertelmond. Der Holzstoß für das Sonnwendfeuer war durchnäßt, und die Scheite lagen weit verstreut. Der Weizen auf den Feldern und das Gras auf den Wiesen waren niedergewalzt und von einer dicken Schicht ungestalter Hagelkörner bedeckt. Da erhob sich eine Klage aus den Kehlen der Iren in Ballyhara, deren schriller Ton die Wände und Scheiben von Cats Zimmer durchdrang. Scarlett schauderte und zog ihr dunkles Kind an sich. Cat wimmerte leise vor sich hin. Ihre Hände reichten nicht aus, um das Geräusch von ihren Ohren fernzuhalten.

»Wir haben unsere Ernte verloren«, rief Scarlett. Sie stand mitten auf der breiten Hauptstraße von Ballyhara auf einem Tisch und sprach zu den Bewohnern der Stadt. »Aber es läßt sich noch sehr viel retten. Das Gras wird trocknen und zu Heu werden, und die Weizenhalme geben uns Stroh, auch wenn die Ähren uns kein Mehl schenken. Ich fahre nach Trim, Navan und Drogheda, um Wintervorräte einzukaufen. In Ballyhara wird es keinen Hunger geben. Darauf gebe ich euch mein Wort, das Wort der O'Hara.«

Da applaudierten sie ihr.

Doch abends an ihren Herdfeuern ging die Rede von der Hexe und dem Wechselbalg. Und man erzählte sich, wie der Wechselbalg den Geist des gehenkten Lord in seinem Turm aufgestört und seine Rache herausgefordert hatte.

81. Kapitel

Der blaue Himmel und die unbarmherzige Hitze kehrten zurück und dauerten an. Die erste Seite der Times bestand nur noch aus Berichten und Spekulationen über das Wetter. Auf Seite zwei und drei häuften sich die Meldungen über Anschläge auf das Eigentum reicher Grundbesitzer und deren Verwalter.

Scarlett überflog die Zeitung jeweils nur kurz und warf sie dann fort. Gott sei Dank brauchte sie sich ihrer Pächter wegen keine Gedanken zu machen. Sie wußten, daß sie sich gut um sie kümmern würde.

Leicht war es allerdings nicht. Zu oft geschah es, daß sie in eine Stadt kam, in der es angeblich noch Lagerbestände an feinem und grobem Mehl gab, nur um feststellen zu müssen, daß sie einem Gerücht aufgesessen oder zu spät gekommen war. Anfangs feilschte sie nach Kräften um günstige Preise, doch mit der Zeit wurde das Angebot immer knapper, so daß sie zahlte, was man von ihr verlangte, nicht selten teures Geld für minderwertige Ware.

Es ist so schlimm wie damals nach dem Krieg in Georgia, dachte sie. Nein, sogar noch schlimmer: Damals kämpften wir gegen die plündernden und brandschatzenden Yankees. Heute kämpfe ich um das Leben von mehr Menschen, als in Tara je von mir abhängig waren, und ich weiß nicht einmal, wer der Feind ist. Ich kann einfach nicht glauben, daß Gott Irland mit einem Fluch belegt hat.

Dennoch kaufte sie Unmengen von Kerzen, die die Bewohner von Ballyhara zum Gebet in der Kapelle entzünden konnten. Und wenn sie in der Kutsche oder zu Pferd unterwegs war, machte sie einen sorgfältigen Bogen um die Steinhaufen, die auf einmal überall an den Wegen und auf den Feldern auftauchten. Sie wußte nicht, welche alten Götter es waren, die man auf diese Weise zu besänftigen suchte, doch hätten sie Regen gebracht, so wäre Scarlett bereit gewesen, ihnen jeden Stein der Grafschaft Meath zu überlassen, ja, sie hätte sie eigenhändig herbeigeschleppt.

Scarlett fühlte sich hilflos, und das war eine neue, furchterregende Erfahrung. Da sie auf einer Plantage aufgewachsen war, hatte sie geglaubt, sich auf die Landwirtschaft zu verstehen. Die guten Jahre in Ballyhara hatten sie nicht überrascht, weil sie selbst hart gearbeitet und von allen anderen das gleiche verlangt hatte. Doch was sollte sie tun, wenn die eigene Kraft allein nicht mehr ausreichte?

Sie sagte die Einladungen nicht ab, die sie einst voller Freude angenommen hatte. Doch tat sie es nicht mehr der Unterhaltung wegen, sondern weil sie wissen wollte, wie andere Landbesitzer sich in der Not verhielten.

Zur Hausparty der Giffords in Kilbawney Abbey traf Scarlett mit einem Tag Verspätung ein. »Es tut mir schrecklich leid, Florence«, sagte sie zu Lady Gifford. »Der Anstand hätte es zumindest geboten, Ihnen ein Telegramm zu schicken. Tatsache ist jedoch, daß ich von Pontius zu Pilatus gelaufen bin, um Mehl zu ergattern, und vor lauter Rennerei schließlich die Tage durcheinandergebracht habe.«

Lady Gifford war so erleichtert, daß Scarlett doch noch gekommen war, daß sie ihre Ungehaltenheit über die Verspätung vergaß. Mit dem Hinweis auf Scarletts Kommen geködert, hatten die übrigen Gäste alle anderen Verpflichtungen abgesagt.

»Ich warte schon lange auf die Gelegenheit, Ihnen die Hand zu schütteln, junge Frau.« Der rüstige alte Gentleman in Knickerbockern schien ihre Hand gar nicht mehr loslassen zu wollen. Der Marquis von Trevanne hatte einen widerspenstigen weißen Rauschebart und eine schnabelartige Nase mit beunruhigend purpurrotem Adergeflecht.

»Ich danke Ihnen, Sir«, sagte Scarlett und fragte sich insgeheim: Warum nur?

Der Marquis beantwortete ihre Frage mit der lauten Stimme des Schwerhörigen, so laut, daß alle Gäste es erfuhren, ob sie es nun hören wollten oder nicht. Sein Gebrüll war sogar noch draußen auf dem Krocket-Rasen zu verstehen.

Sie verdiene höchstes Lob, schrie er, weil es ihr gelungen sei, Ballyhara zu retten. Er selbst habe Arthur damals gewarnt. Sei doch kein Narr, habe er gesagt, vergeude nicht dein Geld, indem du den Dieben, die dich bestohlen haben, ihre Schiffe abkaufst. Die Kerle hätten ihm nämlich vorgemacht, das hölzerne Spantenwerk sei in bester Ordnung. Aber Arthur habe einfach nicht auf ihn hören wollen. Er sei entschlossen gewesen, sich zu ruinieren. Achtzigtausend Pfund habe er ausgegeben, mehr als die Hälfte seines väterlichen Erbteils, eine Summe, mit der er die ganze Grafschaft Meath hätte aufkaufen können. Arthur sei eben ein Narr gewesen, immer schon, sogar schon in der gemeinsam verbrachten Knabenzeit. Doch sei es, wie es sei, er habe Arthur gemocht wie seinen leibhaftigen Bruder, Narr hin, Narr her. Einen besseren Freund als Arthur habe er nie besessen. Als Arthur sich schließlich aufgehängt habe, habe er – »ja, es ist wirklich wahr« – weinen müssen. Er habe immer gewußt, daß Arthur ein Narr gewesen sei, aber wer hätte sich denn je träumen lassen, daß er solch ein Narr war? Arthur habe jenen Fleck Erde geliebt, er habe sein Herz dafür gegeben und am Ende auch sein Leben. Daß Constance Ballyhara aufgegeben habe, sei schlichtweg kriminell gewesen. Sie hätte es zum Andenken an Arthur bewahren sollen.

Der Marquis dankte Scarlett dafür, daß sie etwas getan hatte, was Arthurs eigene Witwe allen Regeln zum Trotz unterlassen hatte.

»Darf ich Ihnen noch einmal die Hand schütteln, Mistress O'Hara?«

Sie ließ ihn gewähren. Was sagte der alte Mann da? Der junge Lord von

Ballyhara hat sich doch nicht selbst aufgehängt! Ein Mann aus der Stadt hat ihn in den Turm geschleift und aufgeknüpft, so hat Colum es mir erzählt. Der Marquis muß sich irren. Alte Leute bringen in der Erinnerung vieles durcheinander ... Oder hat etwa Colum sich geirrt? Er war damals ja noch ein Kind und weiß es auch nur aus zweiter Hand. Nicht mal in Ballyhara war er zu jener Zeit, die Familie lebte doch noch in Adamstown ... Aber der Marquis ist auch nicht dabeigewesen, ihm ist die Geschichte auch nur erzählt worden. Ach, das ist alles viel zu kompliziert.

»Hallo, Scarlett!« Es war John Morland. Mit einem reizenden Lächeln entzog Scarlett dem Marquis ihre Hand und hakte sich bei Morland ein.

»Bart, ich bin so froh, Sie zu sehen. Auf allen Festen der Saison habe ich vergeblich nach Ihnen Ausschau gehalten!«

»Ich habe dieses Jahr einmal ausgesetzt. Was ist ein Vizekönig schon gegen zwei trächtige Stuten? Wie ist es Ihnen ergangen?«

Eine Ewigkeit war verstrichen seit ihrer letzten Begegnung, und was war unterdessen nicht alles geschehen! Scarlett wußte kaum, womit sie beginnen sollte. »Ich habe eine interessante Neuigkeit für Sie, Bart«, sagte sie. »Eines der Jagdpferde, die ich mit Ihrer Hilfe erstanden habe, springt inzwischen besser als Halbmond. Die Stute heißt Komet. Eines Tages, so scheint es, hat sie sich gesagt, daß es ihr wirklich Spaß macht ...«

Sie suchten einen stilleren Winkel auf, um sich ungestört unterhalten zu können. Schon bald hatte Scarlett herausgebracht, daß Bart ihr nichts Neues von Rhett berichten konnte. Dann bekam sie einen Vortrag über die Geburtshilfe bei Fohlen zu hören, die sich im Mutterleib auf die falsche Seite gedreht haben, der weit über das hinausging, was sie zu diesem Thema hatte wissen wollen. Es machte ihr jedoch nichts aus. Bart gehörte zu den sympathischsten Leuten, die sie kannte, und das würde auch immer so bleiben.

Alle Gespräche drehten sich um das Wetter. Noch nie in seiner Geschichte war Irland von einer Trockenheit heimgesucht worden – und wie sollte man diese endlose Folge von Sonnentagen anders bezeichnen? Fast überall im Land herrschte Wassernot. Im September, wenn die Pachten fällig wurden, mußte mit erheblichen Unruhen gerechnet werden.

Scarlett stockte das Herz. Daran hatte sie noch gar nicht gedacht. Aber es stimmte natürlich: Kaum ein Bauer würde seine Pacht zahlen können. Und wenn sie ihnen die Schuld erließ, wie konnte sie dann von den Leuten in der Stadt erwarten, daß sie ihre Mieten zahlten? Die Läden, die Wirtshäuser, ja, sogar der Arzt waren abhängig von dem Geld, das die Bauern bei ihnen ausgaben.

Ich werde völlig ohne Einnahmen dastehen, dachte sie.

Plötzlich fiel es ihr entsetzlich schwer, nach außen hin weiter eine fröhliche Miene zur Schau zu stellen, aber was blieb ihr übrig? Oh, wie froh würde sie sein, wenn dieses Wochenende endlich vorüber war!

Der letzte Abend fiel auf den vierzehnten Juli, den Tag der Bastille. Die Gäste waren aufgefordert worden, in Phantasiekostümen zu erscheinen. Scarlett trug ihre beste und bunteste Galwayer Tracht mit vier verschiedenfarbigen Petticoats unter einem roten Rock. Die gestreiften Strümpfe kratzten in der Hitze, erregten jedoch ein solches Aufsehen, daß sich das Opfer lohnte.

»Ich hätte nie gedacht, daß die Bauern unter ihrem Dreck so reizend gekleidet sein könnten!« rief Lady Gifford aus. »Ich werde mir das auch besorgen, von allem etwas, und es nächstes Jahr in London tragen. Die Leute werden mich händeringend um den Namen meiner Schneiderin bitten.«

Was für ein dummes Weib, dachte Scarlett. Gott sei Dank ist das heute der letzte Abend.

Nach dem Dinner, rechtzeitig zum Tanz, erschien unvermutet Charles Ragland. Er war auf einem anderen Fest gewesen, das am Vormittag zu Ende gegangen war. »Und ich wäre auf jeden Fall nach Hause gefahren«, erzählte er Scarlett später, »aber als ich erfuhr, daß Sie so nahe sind, mußte ich einfach kommen.«

»So nahe? Fünfzig Meilen sind eine ziemliche Entfernung.«

»Auch hundert hätten mir nichts ausgemacht.«

Im Schatten der großen Eiche ließ Scarlett sich von Charles küssen. Es war so furchtbar lang her, daß sie geküßt worden war und gefühlt hatte, wie sich die starken Arme eines Mannes schützend um sie legten. Sie spürte, wie sie in seine Umarmung hineinschmolz. Es war wunderbar.

»Geliebte«, sagte Charles mit rauher Stimme.

»Pssst! Küß mich nur, Charles. Küß mich, bis mir schwindelig wird.«

Schwindelig wurde ihr. Um nicht zu fallen, hielt sie sich an seinen breiten, muskulösen Schultern fest. Doch als er sagte, er wolle zu ihr aufs Zimmer kommen, entzog sich Scarlett ihm mit klarem Kopf. Küsse waren eine Sache, das Bett mit ihm zu teilen eine andere. Das kam keinesfalls in Frage.

Sie verbrannte den Zettel mit den reumütigen Zeilen, den er während der Nacht unter ihrer Tür hindurchgeschoben hatte, und reiste am nächsten Morgen so früh ab, daß ihr das Abschiednehmen erspart blieb.

Als sie nach Hause kam, machte sie sich gleich auf die Suche nach Cat. Sie war nicht überrascht, als sie erfuhr, daß die Kleine mit Billy zum Turm gelaufen war, schließlich war der Turm der einzige kühle Ort in der Umgebung. Erstaunlicher war da schon der Empfang, den Colum und Mrs. Fitzpatrick ihr bereiteten: Hinter dem Haus unter einem großen Baum, in dessen Schatten ein reich gedeckter Tisch stand, erwarteten die beiden sie zum Tee.

Scarlett war entzückt. Colum hatte sich lange Zeit wie ein Fremder verhalten und sich allen Einladungen gegenüber äußerst reserviert gezeigt. Es war schön, den Mann, der ihr fast ein Bruder war, wieder zurückzuhaben.

»Ich habe dir eine sehr, sehr merkwürdige Geschichte zu erzählen«, sagte sie. »Sie hat mich schier verrückt gemacht, als ich sie hörte. Was hältst du davon, Colum? Ist es möglich, daß sich der junge Lord selbst im Turm erhängt hat?« Lachend und mit hinterhältiger Genauigkeit beschrieb sie den Marquis von Trevanne, und als sie die Geschichte wiederholte, ahmte sie sogar seine Redeweise nach.

Colum setzte mit strenger, beherrschter Präzision seine Teetasse ab. »Ich kann dazu nichts sagen, Scarlett-Schatz.« Seine Stimme klang so leicht und humorvoll, wie Scarlett sie aus besseren Tagen in Erinnerung hatte. »In Irland ist alles möglich, sonst gäbe es ja auch bei uns eine Schlangenplage.« Er lächelte und erhob sich. »Aber jetzt muß ich gehen. Ich habe mich von meinen täglichen Pflichten ablenken lassen, um deine schöne Gegenwart genießen zu können. Und was immer dir diese Frau hier über meine Begeisterung für das Teegebäck sagen mag, achte nicht darauf!«

Er entfernte sich so schnell, daß Scarlett nicht einmal die Zeit fand, ihm ein wenig Gebäck zum Mitnehmen in eine Serviette zu wickeln.

»Ich bin gleich wieder da«, sagte Mrs. Fitz und eilte hinter Colum her.

»Meinetwegen!« sagte Scarlett. Am anderen Ende des verdorrten braunen Rasens entdeckte sie Harriet Kelly und winkte sie zu sich. »So kommen Sie doch zum Tee!« rief sie. Es war noch viel übrig.

Rosaleen Fitzpatrick mußte ihren Rock anheben und rennen, um Colum auf halber Höhe der Auffahrt einzuholen. Schweigend ging sie neben ihm her, bis sie wieder einigermaßen bei Atem war und sprechen konnte. »Und was jetzt?« fragte sie. »Im Laufschritt heim zur Flasche, stimmt's?«

Colum blieb stehen und drehte sich zu ihr um. »Nichts stimmt mehr«, sagte er, »und das ist es ja gerade, was mich so rasend macht. Hast du denn nicht gehört, wie sie die Lügen dieses Engländers nachplappert und ihnen Glauben schenkt? Genau wie Devoy und die anderen die strahlenden englischen Lügen Parnells für bare Münze nehmen. Ich konnte einfach nicht länger bleiben, Rosaleen. Ich hatte Angst, ich könnte ihre feinen englischen Teetassen zerschlagen und wie ein Kettenhund zu heulen anfangen.«

Rosaleen sah den Schmerz in Colums Augen, und ihre Miene verhärtete sich. Zu lange hatte sie Mitgefühl für seine verwundete Seele aufgebracht; es war umsonst gewesen. Ihn quälte der Gedanke, versagt zu haben und verraten worden zu sein. Nach über zwanzigjährigem Einsatz für die Freiheit Irlands, nach erfolgreicher Erledigung aller ihm übertragenen Aufgaben, nach der Einrichtung des geheimen Waffenlagers in der Kirche von Ballyhara – nach alldem hatte man ihm klargemacht, daß seine Mühen umsonst gewesen waren. Parnells politische Aktivitäten liefen ihm den

Rang ab. Colum war immer bereit gewesen, für sein Vaterland zu sterben; er konnte nicht leben ohne den Glauben, Irland mit seinem Tun zu unterstützen.

Rosaleen Fitzpatrick teilte Colums Mißtrauen, was Parnell anging, sie teilte sein Gefühl der Ohnmacht angesichts der Tatsache, daß sein, ihr gemeinsames Werk von den Führern der Fenier abgelehnt wurde. Anders als er war sie jedoch imstande, ihre Gefühle zurückzudrängen und auf die geänderten Umstände zu reagieren. Ihr Engagement war so groß wie seines, vielleicht sogar größer, denn mehr noch als nach Gerechtigkeit gierte sie nach persönlicher Rache.

In diesem Augenblick aber war es um ihre Ergebenheit gegenüber den Zielen der Bruderschaft geschehen. Colums Selbstquälerei traf sie mehr als das Leiden ihres Landes, denn sie liebte ihn in einer Weise, wie keine Frau es sich gestatten sollte, einen Priester zu lieben, und sie konnte es nicht zulassen, daß er sich durch Zweifel und Wut selbst zerstörte.

»Was für ein Ire bist du eigentlich, Colum O'Hara?« fragte sie hart. »Willst du Devoy und die anderen allein entscheiden und ihren falschen Weg beschreiten lassen? Du hörst doch, was allenthalben geschieht. Die Menschen nehmen den Kampf auf eigene Faust auf und zahlen einen furchtbaren Preis, weil ihnen ein geeigneter Führer fehlt. Sie wollen Parnell genausowenig wie du. Du hast die Voraussetzungen für die Bewaffnung einer Armee geschaffen. Warum gehst du jetzt nicht hin und baust sie auch auf? Wäre das nicht allemal besser, als sich wie ein großmäuliger Tagedieb in der Eckkneipe totzusaufen?«

Colum sah ihr ins Gesicht und dann an ihr vorbei in die Ferne. Langsam kehrte die Hoffnung in seine Augen zurück.

Rosaleen blickte zu Boden. Sie konnte es nicht riskieren, daß er die Gefühle erkannte, die in ihren Augen brannten.

»Ich weiß nicht, wie Sie diese Hitze ertragen können«, sagte Harriet Kelly. Auf dem feingeschnittenen Gesicht unter dem Sonnenschirm lag ein glänzender Schweißfilm.

»Ich genieße sie richtig«, sagte Scarlett. »Es ist wie zu Hause. Habe ich Ihnen jemals vom Süden erzählt, Harriet?«

Nein, das habe sie nicht, antwortete Harriet.

»Der Sommer war mir die liebste Jahreszeit«, sagte Scarlett. »Die Hitze und die Trockenheit waren genau das, was ich brauchte. Es war einfach herrlich. Auf den Feldern sah man, so weit das Auge reichte, die grünen Baumwollpflanzen in Reihe und Glied stehen. Die Kapseln standen kurz vor dem Aufplatzen, die Feldarbeiter sangen beim Unkrautjäten, und ihre Stimmen trugen weit über das Land . . .« Scarlett hörte ihre eigenen Worte und war entsetzt. Was hatte sie da gesagt? Zu Hause? Mein Zuhause ist jetzt hier, in Irland.

»Wie schön!« seufzte Harriet mit traumverlorenem Blick. Voller Widerwillen sah Scarlett sie an, kehrte jedoch ihren Zorn gleich gegen sich selbst. Ihre romantische Verträumtheit hatte Harriet Kelly in kaum zu bewältigende Schwierigkeiten gebracht, und noch immer schien sie nichts gelernt zu haben.

Aber ich weiß es mittlerweile besser. Ich habe den Süden nicht hinter mir lassen müssen, das hat General Sherman für mich erledigt. Ich bin zu alt, um so zu tun, als wäre das alles nicht geschehen. Ich weiß einfach nicht, was mit mir los ist, ich bin total durcheinander. Vielleicht ist es die Hitze. Kann sein, daß ich sie nicht mehr vertrage.

»Ich muß mich um meine Bücher kümmern, Harriet«, sagte Scarlett. Die säuberlichen Zahlenreihen hatten eine beruhigende Wirkung auf sie, und im Moment war ihr, als müsse sie jeden Augenblick aus der Haut fahren.

Die Kontobücher erwiesen sich jedoch als niederschmetternd. Das einzige Geld, das noch hereinkam, stammte aus ihren Bauunternehmungen am Stadtrand von Atlanta. Immerhin fließen die Einkünfte nun nicht mehr dieser revolutionären Bewegung zu, der auch Colum angehört hat, dachte sie. Das Geld kam sehr gelegen, aber es reichte bei weitem nicht aus. Scarlett hatte Unsummen für das Haus und die Ortschaft ausgegeben und natürlich auch für Dublin. Es war schier unglaublich, auf welch großem Fuße sie dort gelebt hatte. Die Zahlenreihen in ihrem Kontobuch gaben jedoch deutliches Zeugnis davon ab und waren über jeden Zweifel erhaben.

Wenn doch nur Joe Colleton die Baukosten ein wenig drücken könnte! Die Häuser würden trotzdem reißenden Absatz finden, nur der Profit wäre viel größer. Scarlett war allerdings nicht bereit, auf billigeres Holz umzusteigen, schließlich war es ja von allem Anfang an das Ziel des Projekts gewesen, Ashley ein gutes Auskommen zu ermöglichen. Sicher gab es eine Menge anderer Einsparungsmöglichkeiten. Fundamente, Kamine... Es mußte ja nicht jeder Ziegelstein höchsten Qualitätsanforderungen genügen.

Scarlett schüttelte ungeduldig den Kopf. Von allein würde Joe Colleton nie etwas unternehmen. Er war genau wie Ashley ein grundehrlicher Kerl, der voller Ideale steckte, die für einen Geschäftsmann nichts taugten. Wenn je der Spruch »Gleich und gleich gesellt sich gern« auf zwei Menschen zugetroffen hatte, dann auf diese beiden. Scarlett konnte sich gut vorstellen, daß die zwei mitten im Gespräch über die Holzpreise plötzlich das Thema wechselten und über ein dummes Buch redeten, das sie gelesen hatten.

Nachdenklich starrte sie vor sich hin.

Ich sollte Harriet Kelly nach Atlanta schicken.

Sie wäre die perfekte Ehefrau für Ashley. Gleich und gleich... Beide bezogen sie ihre Lebensweisheiten aus Büchern, beide waren sie hoffnungslos unpraktisch im täglichen Leben. Dennoch, Harriet war zwar in vielfacher Hinsicht völlig unfähig, aber sie stand zu ihren Verpflichtungen. Immerhin war sie fast zehn Jahre bei ihrem mißratenen Ehemann geblieben. Außerdem verfügte sie über eine gehörige Portion Mut. Es gehörte schon einiges dazu, in zerschlissenen Schuhen zum Oberbefehlshaber zu marschieren und um Danny Kellys Leben zu bitten. Eine solche Stütze war genau das, was Ashley fehlte. Obendrein brauchte er auch jemanden, um den er sich kümmern konnte. Daß India und Tante Pitty ihn dauernd umsorgten, konnte ihm langfristig nur schlecht bekommen, und für Beau war es noch schlimmer, daran durfte man gar nicht denken. Billy Kelly würde ihn schon auf Vordermann bringen. Scarlett grinste. Und Tante Pitty schicke ich zusammen mit dem Jungen eine Dose Riechsalz.

Ihr Grinsen verschwand. Aber das ist ja alles Unsinn. Cat bricht es das Herz, wenn Billy sie verläßt. Schon als Ocras verschwunden ist, hat sie eine ganze Woche lang den Kopf hängenlassen, und Billy spielt in ihrem Leben eine weit wichtigere Rolle als das Tigerkätzchen.

Und ganz abgesehen davon: Harriet vertrug ja keine Hitze.

Nein, dieser Plan ließ sich nicht in die Tat umsetzen. Keinesfalls.

Scarlett beugte sich wieder über ihre Bilanzen.

82. Kapitel

»Wir müssen endlich aufhören, so viel Geld auszugeben«, sagte Scarlett ärgerlich zu Mrs. Fitzpatrick und schwenkte das Kontobuch. »Das Brotmehl kostet inzwischen ein Vermögen. Es besteht nicht der geringste Anlaß, eine ganze Armee von Hausangestellten durchzufüttern. Mindestens die Hälfte von ihnen muß entlassen werden. Ich frage mich sowieso, wozu sie nütze sind. Und fangen Sie mir ja nicht wieder mit dem alten Lied an, daß man Sahne schlagen muß, wenn man Butter haben will. Wenn es im Moment von einem zuviel gibt, dann ist das Butter. Man bekommt ja nicht mal mehr einen Halfpenny fürs Pfund!«

Mrs. Fitzpatrick hörte sich Scarletts Predigt bis zum Ende an. Dann nahm sie ihr ruhig das Buch aus der Hand und legte es auf den Tisch. »Sie wollen die Leute auf die Straße werfen, ja?« fragte sie. »Da werden Sie sich in guter Gesellschaft befinden, denn in etlichen Gutshäusern in Irland geschieht genau das, was Sie da vorschlagen. Tag für Tag klopfen ein Dutzend oder mehr arme Schlucker an unsere Küchentür und betteln um ein Schüsselchen Suppe. Wollen Sie, daß es noch mehr werden?«

Ungeduldig ging Scarlett zum Fenster. »Nein, natürlich nicht, so machen Sie sich doch nicht lächerlich. Aber es muß schließlich Mittel und Wege geben, die Kosten etwas zu senken.«

»Die Ernährung Ihrer feinen Reitpferde ist teurer als die Ihrer Diener.« Mrs. Fitzpatricks Stimme war kalt.

Scarlett drehte sich zu ihr um. »Jetzt reicht es mir!« rief sie wütend. »Lassen Sie mich allein!« Sie nahm das Buch wieder an sich und setzte sich an ihren Schreibtisch, aber aufgebracht, wie sie war, konnte sie sich nicht auf ihre Buchführung konzentrieren. Wie kann Mrs. Fitz nur so gemein zu mir sein? Ich jage für mein Leben gern, das weiß sie doch. Das einzige, was mich diesen entsetzlichen Sommer überstehen läßt, ist die Vorfreude auf die nächste Jagdsaison.

Scarlett schloß die Augen und versuchte sich die frische, kalte Morgenstimmung ins Gedächtnis zu rufen, wenn der leichte Nachtfrost sich in Nebelschwaden auflöste und das Jagdhorn den Beginn der Jagd verkündete. Ein winziger Muskel zuckte unfreiwillig im weichen Fleisch über ihrem zusammengepreßten Kiefer. Phantasien waren nicht ihre Sache. Ihre Stärke war die Praxis.

Sie öffnete die Augen und vertiefte sich wieder in ihre Bilanzen. Ohne Getreide, das man verkaufen konnte, ohne Pacht- und Mieteinnahmen würde sie in diesem Jahr nur Geld verlieren. Es war eine schmerzliche Erkenntnis, denn bisher waren ihre Geschäfte stets profitabel gewesen. Daß sie plötzlich Verluste machte, war eine höchst unangenehme Veränderung.

Doch Scarlett O'Hara war in einer Welt aufgewachsen, in der Mißernten und Unwetter durchaus nichts Ungewöhnliches waren. Sie wußte, daß es im nächsten Jahr wieder anders und mit Sicherheit besser aussehen würde. Die furchtbare Dürre und der Hagelsturm waren nicht ihre Schuld. Es war nicht dasselbe wie im Holzgeschäft oder in ihrem Laden in Atlanta, wo sie für ausbleibende Profite in aller Regel selbst verantwortlich gewesen war.

Hinzu kam, daß die Verluste ihr Vermögen kaum ankratzten. Sie konnte sich bis an ihr Lebensende alle Extravaganzen erlauben, und Ballyhara konnte Jahr für Jahr Mißernten einfahren – das Geld würde ihr deshalb noch lange nicht ausgehen.

Unwillkürlich seufzte Scarlett. So viele Jahre über hatte sie gearbeitet, geknausert und gespart und dabei gedacht, sie wollte schon glücklich sein, wenn sie nur erst über genügend Geld verfügte. Und nun hatte sie es, dank Rhett, und irgendwie bedeutete es ihr überhaupt nichts. Fast im Gegenteil – nun gab es im Grunde nichts mehr, worauf zu planen und wonach zu streben sich lohnte.

Sie war nicht so töricht, daß sie sich wünschte, wieder arm und verzweifelt zu sein, aber sie brauchte eine Herausforderung für ihre rasche Intelligenz, brauchte Hindernisse, die überwunden werden wollten. Und so dachte sie voller Sehnsucht an Zäune und Gräben, über die sie mit einem starken Pferd springen wollte, das sie ihrer Willenskraft unterworfen hatte.

Als sie mit den Bilanzen fertig war, wandte sich Scarlett mit einem stillen Stöhnen dem Berg an unerledigter Privatpost zu. Das Briefeschreiben war ihr verhaßt. Sie wußte schon, was in den Schreiben stand, und mit Sicherheit waren wieder viele Einladungen darunter. Sie legte sie alle auf einen Stapel. Harriet konnte für sie die höflich formulierten Absagen schreiben, kein Mensch würde merken, daß sie nicht aus ihrer eigenen Feder stammten. Harriet machte sich sowieso sehr gern nützlich.

Auch zwei neue Heiratsanträge befanden sich unter den Briefen. Scarlett erhielt pro Woche mindestens einen. Sie kamen als Liebesbotschaften, doch wußte Scarlett sehr wohl, daß sie, wäre sie keine reiche Witwe, all die Anträge nie erhalten hätte, die meisten jedenfalls nicht.

Den ersten beantwortete sie mit den üblichen Phrasen wie ». . . fühle mich sehr geehrt durch Ihre Aufmerksamkeit . . .«, ». . . sehe mich leider außerstande, Ihre Zuneigung in dem Maße zu erwidern, wie Sie es verdient hätten . . .« und ». . . lege unschätzbaren Wert auf Ihre Freundschaft . . .«. Das sah das Protokoll vor, und damit war ihm Genüge geleistet.

Der zweite Antrag war nicht so leicht zu beantworten. Er stammte von Charles Ragland. Von allen Männern, die ihr in Irland begegnet waren, war Charles tatsächlich der attraktivste. Seine Verehrung für sie war überzeugend, ganz anders als das umständliche Herumscharwenzeln vieler anderer Männer, die ihr den Hof machten. Hinter ihrem Geld war er nicht her, dessen war sie sich sicher, schließlich stammte er selbst aus einer begüterten Familie. Seine Eltern waren reiche Landbesitzer in England. Als der jüngere Sohn, der er war, hatte er sich für die Armee anstatt für die Kirche entschieden. Dennoch mußte er über recht beachtliche Eigenmittel verfügen. Scarlett war überzeugt, daß seine Paradeuniform teurer gewesen war als all ihre Ballkleider zusammengenommen.

Und sonst? Charles sah gut aus. Er war so groß wie Rhett, nur eben blond und nicht dunkel. Aber es war kein ausgewaschenes Blond wie so oft bei blonden Menschen, sondern ein Goldblond mit einem leichten Stich ins Rötliche, das in auffallendem Kontrast zu seiner stets leicht gebräunten Haut stand. Er sah wirklich sehr gut aus. Die Frauen verschlangen ihn mit ihren Blicken.

Warum liebte sie ihn dann nicht? Oft und lang hatte Scarlett darüber nachgedacht. Es ging einfach nicht, er war ihr nicht wichtig genug.

Aber ich will jemanden lieben. Es ist das schönste Gefühl auf der Welt. Und ich kann die Ungerechtigkeit nicht ertragen, daß ich so spät erst erfahren habe, was die Liebe bedeutet. Charles liebt mich, und ich will geliebt werden, ich brauche es. Ohne Liebe bin ich einsam. Warum kann ich ihn nicht lieben?

Weil ich Rhett liebe, deshalb. Deshalb hat weder Charles noch sonst ein Mann auf dieser Welt bei mir eine Chance. Keiner von ihnen ist wie Rhett.

Du wirst Rhett nie bekommen, sagte ihr Verstand.

Und ihr Herz schrie vor Schmerzen auf: Glaubst du, ich weiß das nicht? Glaubst du, ich werde das je vergessen können? Weißt du nicht, daß es mich jedesmal durchzuckt, wenn ich ihm in Cat begegne? Weißt du nicht, daß es mich immer dann, wenn ich glaube, daß mein Leben endlich mir und nur mir gehört, wie aus dem Nichts heraus überfällt?

In den freundlichsten Worten, zu denen sie fähig war, lehnte Scarlett Charles Raglands Antrag ab. Doch wie konnte er je verstehen, wenn sie ihm sagte, daß sie ihn wirklich gern hatte, daß sie ihn in einer winzigen Nische ihres Herzens vielleicht sogar liebte, weil er sie liebte, und daß es gerade ihre Zuneigung zu ihm war, die es ihr unmöglich machte, ihn zu heiraten? Sie wünschte ihm Besseres als eine Frau, die ewig einem anderen gehören würde.

Die letzte Hausparty in jenem Jahr fand in der Nähe von Kilbride statt, und Kilbride lag nicht weit von Trim entfernt. Scarlett konnte auf die umständliche Zugreise verzichten und selber hinfahren. Sie verließ Ballyhara im frühen Morgengrauen, als es noch kühl war. Ihre Pferde litten unter der Hitze, obwohl sie viermal täglich mit dem Schwamm abgerieben wurden. Selbst ihr setzte die Sonne mittlerweile zu. Wenn sie abends einzuschlafen versuchte, fühlte sie sich verschwitzt und konnte kaum still liegen. Gott sei Dank war es bereits August. Der Sommer war fast am Ende seiner Kraft, auch wenn er es noch nicht zugeben wollte.

Der Himmel war noch rosa überhaucht, doch in der Ferne flimmerte schon der Hitzedunst. Scarlett hoffte, daß sie die Fahrtdauer richtig berechnet hatte. Wenn die Sonne hoch am Himmel stand, wollte sie für sich und ihr Pferd ein Schattenplätzchen haben.

Ob Nan Sutcliffe wohl schon wach ist? Wie eine Frühaufsteherin sah sie mir eigentlich nie aus. Egal. Ich hätte nichts gegen ein kühles Bad einzuwenden und würde mich auch ganz gern umziehen, bevor ich mich unter die Leute begebe. Hoffentlich haben sie eine anständige Zofe für mich, nicht so einen dummen Tolpatsch wie bei den Giffords. Hätte doch tatsächlich, als sie mein Kleid aufhängte, um ein Haar die Ärmel abgerissen. Vielleicht hat Mrs. Fitz ja doch wieder recht, wie üblich. Aber ich mag nun einmal keine persönliche Zofe, die ununterbrochen um mich herumschwirrt und mir keine ruhige Minute läßt. Peggy Quinn genügt mir zu Hause vollkommen. Wenn die Leute wollen, daß ich sie besuche, werden sie sich eben daran gewöhnen müssen, daß ich keine eigene Zofe mitbringe. Ich sollte wirklich selbst einmal eine Hausparty geben, allein schon um mich für die Gastfreundschaft zu revanchieren, die mir überall zuteil geworden ist. Aber nicht mehr in diesem Jahr, das geht auch noch im nächsten Sommer. Ich kann immer sagen, daß es in diesem Jahr einfach zu heiß war und daß ich Sorgen hatte wegen der Farmen . . .

Zwei Männer traten aus dem Schatten, der eine von links, der andere von rechts. Der eine packte das Zaumzeug, der andere hielt ein Gewehr auf sie gerichtet. Scarletts Gedanken überschlugen sich, ihr Herz raste. Warum nur habe ich meine Pistole vergessen? Wenn ich ihnen mein Wort gebe, niemandem zu sagen, wie sie ausgesehen haben, geben sie sich ja vielleicht mit meiner Ausrüstung und meinen Koffern zufrieden und lassen mich zu Fuß nach Trim zurücklaufen. Idioten! Warum können sie nicht wenigstens diese Masken tragen, von denen in der Zeitung immer die Rede ist?

Heiliger Strohsack! Die Burschen tragen ja Uniform. Es sind also gar keine Whiteboys.

»Schande über euch! Ihr habt mich fast zu Tode erschreckt!« Sie konnte die Männer noch immer nicht richtig sehen. Das Grün der Uniform, das die Männer als Mitglieder der Royal Irish Constabulary auswies, vermischte sich mit den Schatten der Wallhecken.

»Ich muß Sie bitten, sich auszuweisen, Madam«, sagte der Mann, der das Pferd hielt. »Kevin, du siehst dir mal an, was hinten in der Kutsche liegt.«

»Untersteht euch, meine Sachen anzurühren. Für wen haltet ihr euch eigentlich? Ich bin Mrs. O'Hara von Ballyhara und unterwegs zu den Sutcliffes in Kilbride. Mr. Sutcliffe ist Richter. Er wird dafür sorgen, daß ihr beide euch auf der Anklagebank wiederfindet!« Sie wußte nicht, ob Ernest Sutcliffe tatsächlich Richter war, aber mit seinem buschigen rotblonden Schnauzbart sah er zumindest so aus wie einer.

»Das ist Mrs. O'Hara?« Kevin, der Mann, der den Buggy inspizieren sollte, trat vor und zog seinen Hut. »Wir haben in der Kaserne von Ihnen gehört, Ma'am. Erst vor ein paar Wochen habe ich Johnny gefragt, ob wir nicht einmal bei Ihnen vorbeikommen und uns vorstellen sollten.«

Scarlett starrte ihn ungläubig an. »Wieso denn das?« fragte sie.

»Es heißt, Sie kommen aus Amerika, Mrs. O'Hara, und wenn ich Sie so reden höre, kann ich das nur bestätigen. Und es heißt ferner, daß Sie aus dem großen Staat Georgia stammen. Uns beiden ist dieser Staat sehr ans Herz gewachsen, wissen Sie. Wir haben nämlich dreiundsechzig und später dort gekämpft.«

Scarlett lächelte. »Ja wirklich?« Wer hätte das gedacht? Da trifft man auf der Fahrt nach Kilbride Leute aus der Heimat. »Wo waren Sie denn genau, in welcher Gegend von Georgia? Und unter wem haben Sie gekämpft? Unter General Hood?«

»Nein, Ma'am, ich hab zu den Jungs von General Sherman gehört. Hier, der Johnny, stand auf seiten der Konföderierten, daher auch sein Spitzname ›Johnny der Rebell‹ und so.«

Scarlett schüttelte den Kopf, um ihre Gedanken zu ordnen. Sie glaubte, sich verhört zu haben, doch wurde das Gehörte durch mehrmaliges Nachfragen und entsprechende Antworten bestätigt. Die Männer, beide Iren, waren inzwischen dicke Freunde – mit glücklichen, gemeinsamen Erinnerungen an einen furchtbaren Krieg, in dem sie auf verschiedenen Seiten gekämpft hatten.

»Ich begreife das nicht«, gestand sie schließlich ein. »Vor fünfzehn

Jahren haben Sie versucht, sich gegenseitig umzubringen, und heute sind Sie befreundet. Streiten Sie denn nie über die Gegensätze zwischen dem Norden und dem Süden und darüber, wer damals im Recht war?«

Johnny der Rebell lachte. »Was bedeutet für einen Soldaten schon Recht oder Unrecht? Er ist da, um zu kämpfen, das macht ihm Spaß. Es kommt gar nicht so sehr auf den Gegner an. Hauptsache, er liefert einen guten Kampf.«

Der Butler im Hause der Sutcliffes hätte um ein Haar seine berufseigene Fassung verloren, als Scarlett ihn gleich nach ihrer Ankunft um einen Brandy zum Kaffee bat. Ihre Verwirrung war so groß, daß sie sie anders nicht bewältigen konnte.

Danach nahm sie ein Bad, zog ein frisches Kleid an und kam zurück nach unten. Sie hatte sich wieder beruhigt, doch dann erblickte sie ausgerechnet Charles Ragland. Er sollte doch gar nicht hiersein! Sie tat, als habe sie ihn nicht bemerkt.

»Sie sehen blendend aus, Nan! Und Ihr Haus ist ganz entzückend. Mein Zimmer ist so hübsch, daß ich mir schon überlegt habe, ob ich nicht hierbleiben soll.«

»Nichts würde mir größere Freude bereiten, Scarlett. Sie kennen doch John Graham, nicht wahr?«

»Nur vom Hörensagen. Ich habe schon lange auf eine Gelegenheit gewartet, ihn kennenzulernen. Wie geht es Ihnen, Mr. Graham?«

»Mrs. O'Hara.« John Graham war ein hochgewachsener schlanker Mann mit der lockeren Gelassenheit des geborenen Sportlers. Er war der Master of the Hounds, oberster Jagdleiter der Galway Blazers, der vielleicht berühmtesten Jagd in ganz Irland. Jeder Fuchsjäger in Großbritannien hoffte, einmal zu einer Jagd der Blazers eingeladen zu werden. Graham wußte das, und Scarlett wußte, daß er es wußte. Zurückhaltung war da fehl am Platze.

»Mr. Graham, kann man Sie bestechen?« Warum hörte Charles nicht endlich auf, sie so anzustarren? Was hatte er überhaupt hier zu suchen?

John Graham warf lachend den Kopf mit dem Silberhaar zurück. Seine Augen funkelten vergnügt, als er wieder auf Scarlett herabschaute. »Ich habe schon des öfteren gehört, daß ihr Amerikaner immer gleich zur Sache kommt, Mrs. O'Hara. Jetzt weiß ich, daß es stimmt. Sagen Sie, was haben Sie denn im einzelnen zu bieten?«

»Würde ein Arm oder ein Bein genügen? Ich halte mich auch einbeinig im Damensattel – was im übrigen der einzige mir bekannte Vorteil dieser Art von Sätteln ist. Und für die Zügel brauche ich auch nur eine Hand.«

Der Master lächelte. »Was für ein extravagantes Angebot. Amerikaner neigen zu Extravaganzen, das hörte ich auch schon.«

Scarlett wurde der Neckerei überdrüssig, außerdem war sie durch Charles' Gegenwart gereizt. »Was Sie vielleicht noch nicht gehört haben,

Mr. Graham, ist, daß die Amerikaner über Zäune springen, wenn die Iren durchs Tor spazieren und sich die Engländer umdrehen und nach Hause reiten. Wenn Sie mich bei den Blazers mitreiten lassen, springt mindestens eine Pfote für mich heraus. Wenn nicht, dann verzehre ich vor Ihrer aller Augen einen ganzen Krähenschwarm, und zwar ohne Salz.«

»Bei Gott, Madam, mit diesem Stil sind Sie stets willkommen, wann immer Sie wünschen.«

Scarlett lächelte. »Das Wort gilt!« sagte sie und spuckte sich in die Hand. Graham grinste breit, spuckte in seine und schlug ein. Es klatschte laut und hallte durch den ganzen langen Korridor.

Scarlett ging hinüber zu Charles Ragland. »Charles«, sagte sie, »ich habe Sie in meinem Brief gebeten, von einer einzigen Hausparty im ganzen Land fernzubleiben, und zwar von dieser hier. Nun sind Sie doch gekommen. Ich finde das empörend.«

»Ich bin nicht hier, um Sie in Verlegenheit zu bringen, Scarlett. Ich wollte Ihnen etwas sagen, persönlich, nicht in einem Brief: Sie brauchen keinesfalls zu befürchten, daß ich sie bedränge oder belästige. Nein heißt nein, das verstehe ich durchaus. Mein Regiment wird nächste Woche nach Donegal verlegt, deshalb war das heute meine letzte Chance, Ihnen zu sagen, was ich Ihnen sagen wollte – und natürlich, das gebe ich zu, ist es auch meine letzte Chance, Sie zu sehen. Ich verspreche Ihnen, Sie mit heimlichen Blicken aus seelenvollen Augen zu verschonen.« Er lächelte mit wehmütiger Heiterkeit. »Ich habe diese Rede natürlich geübt. Wie klang sie?«

»Ganz gut. Was ist los in Donegal?«

»Die Whiteboys sorgen für Unruhe. Sie sind dort offenbar stärker konzentriert als in allen anderen Grafschaften.«

»Ich wurde unterwegs von zwei Polizisten angehalten. Sie wollten meinen Buggy durchsuchen.«

»Alle Streifen sind zur Zeit im Einsatz. Die Pacht ist in Kürze fällig, da... Aber ich will Sie nicht mit Militärkram belästigen. Was haben Sie denn zu John Graham gesagt? Ich hab ihn schon seit Jahren nicht mehr so lachen hören.«

»Kennen Sie ihn?«

»Sehr gut sogar. Er ist mein Onkel.«

Scarlett lachte, bis sie Seitenstechen bekam. »Oh, ihr Engländer! Ist es das, was euch so ›anders‹ macht? Hätten Sie doch nur ein wenig angegeben, Charles, Sie hätten mir viel Mühe erspart. Seit einem Jahr schon versuche ich, an die Blazers heranzukommen, wußte aber nicht, wie.«

»Meine Tante Letitia wird Ihnen besonders gefallen. Sie reitet Onkel John in Grund und Boden und schaut nie zurück. Kommen Sie, ich stelle sie Ihnen vor.«

Trotz vielversprechenden Donnergrollens fiel kein Regen. Gegen Mittag war die Luft zum Ersticken. Ernest Sutcliffe ließ den Gong erschallen, um die Gäste auf sich aufmerksam zu machen. Er und seine Frau hätten einen Alternativvorschlag für das Nachmittagsprogramm, meinte er. »Es gibt zwar das übliche Krocket-Spiel, nicht wahr? Und das Bogenschießen. Oder im Haus die Bibliothek, äh, und den Billardtisch, nicht wahr? Oder was man gemeinhin so alles treibt, nicht ... Was?«

»Nun komm schon zur Sache, Ernest«, mahnte seine Frau.

Umständlich, immer wieder von neuem beginnend, innehaltend und sich verhaspelnd, kam Ernest zur Sache: Für alle Gäste, denen der Sinn danach stehe, lägen Badekostüme bereit, und über den Fluß habe man Seile gespannt, an denen sich abenteuerlustige Gemüter während des Abkühlens im reißenden Wasser festhalten könnten.

»›Reißend‹ kann man kaum sagen«, korrigierte Nan Sutcliffe. »Aber eine nette kleine Strömung ist schon vorhanden. Zudem werden Diener mit eisgekühltem Champagner zur Stelle sein.«

Scarlett gehörte zu den ersten, die den Vorschlag begrüßten. Es klang, als wolle man den Nachmittag in einer Badewanne mit kaltem Wasser verbringen.

Es war noch sehr viel schöner als in einer Badewanne, obgleich das Wasser nicht so kalt war, wie Scarlett gehofft hatte. Langsam hangelte sie sich am Seil ins tiefe Wasser der Flußmitte und wurde unvermittelt von der Strömung erfaßt. Sie war kälter, erheblich kälter als das Wasser im Uferbereich, so daß sich auf Scarletts Armen eine Gänsehaut bildete. Und die Strömung war tatsächlich reißend. Sie schob sie gegen das Seil und riß ihr die Füße vom Grund. Scarlett klammerte sich fest; es ging um ihr Leben. Ihre Beine wirbelten unkontrollierbar hin und her, die Strömung zerrte an ihrem Körper. Sie verspürte die gefährliche Versuchung, das Seil loszulassen und sich wirbelnd der Strömung zu überlassen, wo immer die sie hintreiben würde. Ohne Boden unter den Füßen, frei von Mauern und Straßen, frei von allem Beherrschten oder Beherrschenden. Es war ein langer, langer Augenblick, in dem sie nur ihr Herz rasen hörte und davon träumte, loszulassen, nur loszulassen ...

Die Anstrengung, die es sie kostete, ihren Griff um das Seil nicht zu lockern, ließ sie am ganzen Körper erbeben. Langsam und mit äußerster Konzentration und Entschlossenheit hangelte sie sich weiter, bis sie der Strömung endlich entronnen war. Sie sah nicht zu den anderen hinüber, die spritzend und schreiend im Wasser herumtollten, und plötzlich weinte sie, ohne zu wissen, warum.

Im wärmeren Wasser des Uferbereichs kreiselten hier und da kleinere Strudel, Händen gleich, die aus der Strömung herauslangten. Langsam wurde sich Scarlett ihrer Liebkosung bewußt und gab sich ihnen, im Wasser schwebend, hin. Bewegung, warm und zart wie gelocktes Haar, streichelte ihre Beine und Schenkel, ihren Leib und ihre Brüste. Sie rankte sich unter Überkleid und wollenen Pumphosen um Taille und Knie, und Scarlett fühlte ein Sehnen, das sie nicht benennen konnte, eine innere Leere, die nach Erfüllung schrie. »Rhett«, flüsterte sie gegen das Seil, rieb sich die Lippen auf, suchte die Rauheit und den Schmerz.

»Ist es nicht herrlich amüsant?« schrie Nan Sutcliffe. »Wer möchte Champagner?«

Es kostete Scarlett einige Überwindung, sich umzusehen. »Scarlett, tapferes Mädchen, Sie haben sich ja gleich in die Höhle des Löwen geworfen. Jetzt müssen Sie zurückkommen. Keiner von uns hat den Mumm, Ihnen Ihren Champagner da hinüberzubringen.«

Ja, dachte Scarlett, ich muß zurück.

Nach dem Dinner gesellte sie sich zu Charles Ragland. Ihre Wangen waren sehr blaß, ihre Augen hell und klar.

»Darf ich Ihnen heute abend ein Sandwich anbieten?« fragte sie leise.

Charles war ein erfahrener, geschickter Liebhaber. Seine Hände waren zärtlich, seine Lippen fest und warm. Scarlett schloß die Augen und ließ ihre Haut seine Berührungen spüren, wie sie die Liebkosungen des Flusses hingenommen hatte. Dann sprach er ihren Namen aus, und sie fühlte, wie die betörenden Empfindungen verschwanden. Nein, dachte sie, nein, ich will sie nicht verlieren ... Ich darf es nicht. Sie schloß ihre Augen noch fester, dachte an Rhett und versuchte sich einzubilden, daß es Rhetts Hände und Rhetts Lippen waren, die sie liebkosten, daß es Rhetts Wärme war, die kraftvoll ihre schmerzende Leere durchdrang.

Es war nicht gut. Es war nicht Rhett. Sie war so traurig, daß sie am liebsten gestorben wäre. Sie wandte ihr Gesicht von Charles' fragendem Mund ab und weinte, bis er zur Ruhe kam.

»Mein Liebling«, sagte er, »ich liebe dich so sehr.«

»Bitte«, schluchzte Scarlett, »so geh doch fort, bitte.«

»Was ist denn, mein Liebling? Stimmt etwas nicht?«

»Ich. Ich stimme nicht. Ich habe mich geirrt. Bitte laß mich allein.« Ihre Stimme war so klein, so bitter vor Verzweiflung, daß Charles den Arm nach ihr ausstreckte, um sie zu trösten, ihn jedoch im vollen Bewußtsein dessen wieder zurücknahm, daß es nur einen einzigen Trost gab, den er ihr geben konnte. Ruhig sammelte er seine Kleider ein und schloß fast lautlos die Tür hinter sich.

»Ich habe mich meinem Regiment angeschlossen. Ich werde niemals aufhören, Dich zu lieben. Dein Charles.«

Scarlett faltete das Briefchen sorgfältig zusammen und schob es unter die Perlen in ihrer Schmuckschatulle. Wenn doch bloß...

Aber in ihrem Herzen war kaum Raum für jemand anderen. Rhett füllte es aus – Rhett, der sie auslachte und überlistete, der sie herausforderte und ihr immer ein Stückchen voraus war, der sie beherrschte und beschützte.

Mit tiefen, dunklen Schatten unter den Augen, Zeugnissen einer verzweifelt durchweinten Nacht, ging Scarlett hinunter, um zu frühstücken. Ihr minzegrünes Kleid ließ sie kühl erscheinen. Sie selbst fühlte sich wie in Eis gehüllt.

Sie mußte lächeln, reden, zuhören, lachen – den Gästen oblag schließlich die Pflicht, die Hausparty zum gesellschaftlichen Erfolg zu machen. Sie ließ ihren Blick über die Menschen zu beiden Seiten des langen Tisches schweifen, sah sie lächeln, reden, zuhören und lachen. Wie viele von ihnen, fragte sie sich, leiden wohl so wie ich an inneren Wunden? Wie viele fühlen sich wie abgestorben und sind auch noch dankbar für ihr Schicksal? Wie tapfer die Menschen sein müssen...

Sie nickte dem Diener zu, der vor der langen Anrichte stand und einen Teller für sie bereithielt. Auf ihre Geste hin hob er einen Deckel nach dem anderen von den großen Silberschüsseln und erwartete ihre Entscheidung. Sie ließ sich ein paar Scheiben gebratenen Speck und einen Löffel Hühnerfrikassee auflegen. »Ja, auch eine gegrillte Tomate«, sagte sie, »nein, nichts Kaltes.« Schinken, eingelegtes Gänsefleisch, gelierte Wachteleier, scharfgewürztes Roastbeef, Fisch in Aspik, Eiscreme, Obst, Käse, Brot, einzelne angerichtete Appetithäppchen, Marmeladen, Saucen, Wein, Ale, Apfelmost, Kaffee – nein, danke. »Ich trinke Tee.«

Ein wenig Tee bringe ich gewiß hinunter, dachte sie, und anschließend kann ich ja wieder auf mein Zimmer gehen. Es handelte sich glücklicherweise um ein sehr großes Fest, dessen Hauptattraktion das Schießen und Jagen war. Die meisten Männer waren wahrscheinlich schon mit ihren Flinten im Gelände. Gegen Mittag sollte sowohl im Haus als auch irgendwo im Freien ein Büfett aufgebaut werden – eben dort, wo geschossen wurde. Auch Tee würde es drinnen wie draußen geben. Es blieb den Gästen selber überlassen, wie sie ihre Zeit verbringen wollten. Bis zum Abendessen mußte sich niemand zu einem bestimmten Zeitpunkt an einem bestimmten Ort einfinden. Die Gästekarte im Zimmer verlangte lediglich das pünktliche Erscheinen um Viertel vor acht im Salon, also vor dem ersten Abendessen. Das Dinner selbst begann eine Viertelstunde später.

Scarlett deutete auf den Stuhl neben einer Frau, die sie nicht kannte. Der Diener stellte ihren Teller und das kleine Tablett mit Teekännchen und

Teetasse davor auf den Tisch. Dann ließ er sie Platz nehmen, rückte ihr dabei den Stuhl zurecht, schüttelte ihre gefaltete Serviette aus und breitete sie über ihren Schoß. Scarlett nickte der Frau zu. »Guten Morgen«, sagte sie. »Ich bin Scarlett O'Hara.«

Die Frau schenkte ihr ein liebenswürdiges Lächeln. »Guten Morgen. Ich habe mich schon darauf gefreut, Ihre Bekanntschaft machen zu dürfen. Meine Cousine Lucy Fane erzählte mir, sie habe Sie bei Bart Morland kennengelernt, als auch Parnell dort war. Sagen Sie, finden Sie es nicht ganz köstlich rebellisch zuzugeben, daß man für die ›Home Rule‹ ist? Ach, übrigens, mein Name ist May Taplow.«

»Einer meiner Cousins ist der Meinung, ich wäre absolut nicht für die ›Home Rule‹, wenn Parnell klein und dick wäre und Warzen im Gesicht hätte«, sagte Scarlett und goß sich Tee ein, während May Taplow lebhaft lachte. Scarlett sagte sich, daß ihrer Tischnachbarin die Anrede »Lady May Taplow« zustand. Mays Vater war ein Herzog, ihr Ehemann der Sohn eines Viscount. Komisch, wie man von Gesellschaft zu Gesellschaft immer mehr von diesen Einzelheiten aufschnappte. Noch komischer war, daß eine einfache Landpomeranze aus Georgia sich darüber Gedanken zu machen begann, wie »man« dies oder das tat. Als nächstes werde ich mir wohl angewöhnen, wie ein Brite »To-ma-te« zu sagen, damit der Diener begreift, was ich will. Aber diese Dinge gab es auch schon bei den Schwarzen, die manchmal ihre ganz eigenen Wörter hatten.

»Ich fürchte, Ihr Cousin hätte gar nicht unrecht, wenn er mir denselben Vorwurf machte«, gestand May. »Als Bertie immer pummeliger wurde, hab ich nach und nach sämtliches Interesse an der Thronfolge verloren.«

»Wer ist denn Bertie? Ich weiß es leider nicht ...« Nun war es Scarlett, die etwas zu gestehen hatte.

»Wie dumm von mir«, sagte May. »Natürlich wissen Sie das nicht. Sie verbringen die Saison ja nicht in London, nicht wahr? Lucy sagte, Sie leiten Ihre Besitzungen ganz allein. Ich muß Ihnen sagen, ich finde das wunderbar. Es läßt die Männer, die nicht ohne Gutsverwalter auskommen, als das erscheinen, was sie wirklich sind, nichts als aufgeblasen, jedenfalls die Hälfte von ihnen. Bertie ist der Prinz von Wales. Er ist ein Schatz, wirklich, und spielt so gern den ungezogenen Jungen. Aber allmählich sieht man's ihm eben an. Seine Frau Alexandra würden Sie sicher ganz hinreißend finden. Stocktaub, man kann ihr ein Geheimnis allenfalls schriftlich mitteilen, aber unvergleichlich schön und ebenso süß wie hübsch.«

Scarlett lachte. »Sie würden umkommen vor Lachen, May, wenn Sie wüßten, wie ich mich fühle. Wo ich aufgewachsen bin, galt der höchste Klatsch dem Mann, dem die Eisenbahn gehörte. Jeder fragte sich, wann er wohl angefangen hatte, Schuhe zu tragen. Es ist für mich geradezu unfaßbar, daß ich heute hier sitze und über den künftigen König von England rede.«

»Lucy prophezeite mir, daß ich Sie ungemein schnell in mein Herz schließen würde, und so ist es in der Tat. Versprechen Sie mir eines: Wenn Sie je nach London reisen sollten, wohnen Sie doch bitte bei uns! Wie ging's denn weiter mit dem Mann von der Eisenbahn? Was für Schuhe trug er? Hat er in ihnen gehumpelt? Ich bin sicher, Amerika würde mir großartig gefallen.«

Verblüfft stellte Scarlett fest, daß sie ihr ganzes Frühstück aufgegessen hatte und immer noch hungrig war. Sie hob die Hand, und der Diener hinter ihrem Stuhl trat vor. »Entschuldigen Sie, May, ich will nur um einen zweiten Gang bitten«, sagte sie. »Etwas Kedgeree, bitte. Und Kaffee mit viel Sahne.«

Das Leben geht weiter, dachte sie, und es ist wahrhaftig kein schlechtes Leben. Ich habe mich entschlossen, glücklich zu werden, und ich glaube, ich bin es längst. Ich muß es nur merken.

Sie lächelte ihrer neuen Freundin zu. »Der Mann mit der Eisenbahn war so *cracker* wie Sie ...«

May sah sie fragend an.

»Oh, Pardon ... Also, *cracker* nennen wir einen Weißen, der vermutlich nie im Leben Schuhe getragen hat. Das ist aber nicht das gleiche wie ein ›armer Weißer‹ ...« Die Tochter des Herzogs lauschte hingerissen.

Während des Abendessens fing es an zu regnen. Alle Gäste liefen aus dem Haus und vollführten Freudentänze. Der unerträgliche Sommer schien zu Ende zu gehen.

Scarlett fuhr tags darauf um die Mittagszeit nach Hause. Es war kühl, die staubigen Hecken waren über Nacht saubergewaschen worden, und bald war wieder Jagdzeit. Die Galway Blazers! Ich will auf jeden Fall meine eigenen Pferde reiten. Wahrscheinlich werde ich sie per Bahn vorausschikken müssen. Am besten wäre wohl, sie von Trim nach Dublin und von dort aus zurück nach Galway zu transportieren. Möglicherweise kann man sie aber auch die lange Strecke nach Mullingar bringen und ihnen dort vor der Weiterreise nach Galway eine Ruhepause gönnen. Ob ich Futter mitschikken soll? Erst einmal muß ich herausfinden, wie sie untergebracht werden. Morgen schreibe ich an John Graham.

Die Heimfahrt verging wie im Fluge.

»So eine gute Nachricht, Scarlett!« Sie hatte Harriet noch nie so aufgeregt erlebt. Herrje, sie ist viel hübscher, als ich dachte. Sie muß sich nur richtig anziehen.

»Während Sie fort waren, habe ich einen Brief von einem meiner Cousins in England bekommen. Ich hatte Ihnen doch erzählt, daß ich ihm von meinem großen Glück und Ihrer Güte und Freundlichkeit geschrieben hatte, oder? Dieser Cousin – er heißt Reginald Parsons, aber die ganze

Familie hat ihn nie anders als Reggie genannt –, dieser Cousin hat also durchgesetzt, daß Billy mit seinem Sohn, also Reggies Sohn, in dieselbe Schule gehen kann. Der Sohn heißt ...«

»Einen Augenblick mal, Harriet! Wovon reden Sie eigentlich? Ich dachte, Billy sollte hier in Ballyhara in die Schule gehen.«

»Natürlich sollte er das, wenn es nicht anders gegangen wäre. Genau das habe ich Reggie auch geschrieben.«

Scarlett schob das Kinn vor. »Vielleicht können Sie mir sagen, was denn so schlimm ist an der hiesigen Schule?«

»Gar nichts, Scarlett. Es ist eine gute irische Dorfschule. Aber für Billy möchte ich etwas Besseres, das werden Sie doch sicher verstehen.«

»Ich verstehe nichts dergleichen!« Schon im Begriff, die Schule in Ballyhara, sämtliche Schulen Irlands, ja, wenn es denn sein mußte, Irland in seiner Gesamtheit lautstark zu verteidigen, fiel ihr Blick auf Harriet Kellys sanftes, wehrloses Gesicht ... Und da war auf einmal keine Spur von Sanftheit oder Schwäche mehr zu sehen. Harriets gewöhnlich so traumverlorene graue Augen waren voller Festigkeit und Entschlossenheit, für ihren Sohn zu kämpfen, koste es, was es wolle. Scarlett war eine derartige plötzliche Wandlung vom Lämmchen zur Löwin nicht unbekannt, hatte sie vor langer Zeit doch auch bei Melanie erlebt, daß sie ungeheuer vehement für die Dinge einzutreten vermochte, an die sie glaubte.

»Und was ist mit Cat? Ohne Billy wird sie recht einsam sein.«

»So leid es mir tut, Scarlett, aber ich muß vor allem das Wohl Billys im Auge behalten.«

Scarlett seufzte. »Dann würde ich Ihnen allerdings gerne einen ganz anderen Vorschlag machen, Harriet. Wir wissen doch beide, daß Billy in England gebrandmarkt wäre – der irische Sohn eines irischen Stallknechts. In Amerika dagegen kann er alles werden, was Sie sich für ihn wünschen ...«

Anfang September hielt Scarlett eine stoisch schweigende Cat in den Armen, die Billy und seiner Mutter zum Abschied nachwinkte, als das Schiff den Hafen von Kingstown mit Kurs auf Amerika verließ. Billy weinte, während Harriets Miene Entschlossenheit und Hoffnung ausstrahlte und ihre Augen voller Träume waren. Scarlett hoffte, daß wenigstens einige dieser Träume in Erfüllung gehen würden. Sie hatte an Ashley und Onkel Henry geschrieben und die beiden gebeten, sich ein wenig um Harriet zu kümmern und ihr bei der Suche nach einer Unterkunft und einer Stellung als Lehrerin zu helfen. Das würden sie mit Sicherheit auch tun, mindestens ... Alles andere lag bei Harriet selbst und daran, wie sich die Dinge ergaben.

»Gehen wir in den Zoo, Kitty Cat. Dort gibt's Giraffen, Löwen und Bären und einen riesengroßen Elefanten.«

»Cat mag die Löwen am liebsten.«

»Das ändert sich vielleicht, wenn du erst einmal die jungen Bären gesehen hast.«

Sie blieben eine ganze Woche lang in Dublin, gingen jeden Tag in den Zoo, aßen hinterher Kuchen in Bewleys Café, gingen ins Marionettentheater und tranken schließlich im Shelbourne ihren Tee, wo Silberplatten voller Sandwiches und Teekuchen, Schüsseln voller Schlagsahne und Tabletts voller Eclairs bereitstanden. Scarlett lernte zwei Dinge über ihre Tochter: Sie wurde einfach nicht müde, und ihr Verdauungsapparat schien unverwüstlich zu sein.

Wieder zu Hause in Ballyhara, half Scarlett Cat dabei, den Turm in einen Rückzugsort zu verwandeln, in dem nur geladene Gäste willkommen waren. Erst fegte Cat die staubigen Spinnweben und den Schmutz der Jahrhunderte aus der hochgelegenen Tür, dann zog Scarlett Wassereimer um Wassereimer aus dem Fluß, und gemeinsam schrubbten sie den Boden und die Wände des Turminneren sauber. Cat lachte, spritzte mit Wasser um sich und blies Seifenblasen. Scarlett fühlte sich an die Badevergnügen aus Cats Babyjahren erinnert. Es störte sie nicht im geringsten, daß sie über eine Woche brauchten, bis Cats Turmzimmer richtig sauber war, und daß die Steinstufen zu den oberen Etagen fehlten. Cat hätte am liebsten den gesamten Turm von oben bis unten geputzt.

Sie wurden genau zu jener Zeit fertig, da in früheren Jahren die Ernte eingebracht worden war. Colum hatte Scarlett von jeder Art von Erntefest abgeraten, wo es tatsächlich doch nichts zu feiern gab. Er half ihr bei der Verteilung von Mehlsäcken, von Salz und Zucker, Kartoffeln und Rüben, die von den Lieferanten aus der Stadt auf breiten Karren nach Ballyhara geschafft worden waren.

»Sie haben sich nicht einmal bedankt«, bemerkte Scarlett erbittert, als die Schinderei vorüber war. »Und wenn mal einer den Mund aufgemacht hat, dann klang es keineswegs, als meinte er's auch so. Man sollte eigentlich annehmen, manchen Leuten dämmerte zumindest allmählich, daß ich ebenfalls unter der Dürre zu leiden habe. Schließlich sind mein Weizen und meine Weiden nicht weniger ruiniert worden als ihre Felder, und darüber hinaus verliere ich auch noch die Pachteinnahmen und habe das ganze Zeug hier einkaufen müssen.«

Was sie daran indes wirklich verletzte, brachte sie gar nicht erst über die Lippen: Das Land – das O'Hara-Land! – und die Leute, die Bürger von Ballyhara, hatten sich gegen sie gewandt.

Ihre gesamte Energie floß nun in Cats Turm. Die Frau, die einst nicht einmal aus dem Fenster gesehen hatte, um zu verfolgen, was aus ihrem eigenen Haus wurde, verbrachte nun Stunden damit, jedes Möbelstück und jeden Teppich, jede Decke, jeden Überwurf und jedes einzelne Kissen zu inspizieren und jeweils das Beste auszusuchen. Die letzte Entscheidung traf Cat. Sie begutachtete die Auswahl ihrer Mutter, wählte eine hellgeblümte Matte, drei Patchworkdecken und für ihre Malpinsel eine Sèvres-Vase aus. Matte und Decken verschwanden in einer großen Mauernische – »für mein Mittagsschläfchen«, behauptete Cat. Geduldig wanderte Cat zwischen Haus und Turm hin und her und trug ihre Lieblingsbilderbücher, ihre Malkästen, ihre Blättersammlung sowie schließlich auch noch eine Dose voller trockener Krümel hinüber, die von Kuchen stammten, welche ihr besonders gut geschmeckt hatten. Sie wollte Vögel und anderes Getier in ihr Turmzimmer locken und Bilder von ihnen an die Wände malen.

Scarlett lauschte den Plänen ihrer Tochter und beobachtete sie bei ihren fleißigen Vorbereitungen. Cats Entschlossenheit, sich auch ohne Billy eine eigene kleine Welt aufzubauen, erfüllte sie mit Stolz. Von meiner vierjährigen Tochter kann ich noch einiges lernen, dachte sie traurig. Das Geburtstagsfest zu Allerheiligen richtete sie genau nach Cats Vorstellungen aus: Vier kleine Kuchen wurden gebacken und jeder mit vier Kerzen besteckt. Einen Kuchen aßen Mutter und Tochter, auf dem Fußboden in Cats Turmheiligtum sitzend, den zweiten schenkten sie Grainne, der sie beim Essen Gesellschaft leisteten, und die letzten beiden ließen sie, als sie nach Hause gingen, für die Vögel und die anderen Tiere zurück.

Wie jedermann sonst in Irland las auch Scarlett in jenem Herbst die Zeitungen zunächst mit Sorge, die allerdings schon bald in Wut umschlug. Grund dafür war die große Zahl der Zwangsausweisungen, über die berichtet wurde. Scarlett hatte Verständnis für die Gegenwehr der Kleinbauern. Die Leute griffen in ihrer Verzweiflung Verwalter und Polizisten mit Mistgabeln oder den bloßen Fäusten an. Betrüblich war nur, daß dadurch keine einzige Vetreibung verhindert wurde. Die Bauern trugen an der Mißernte und den ausbleibenden Erlösen keine Schuld – das wußte Scarlett nur zu gut.

Bei den Jagdpartien in der Umgebung, an denen Scarlett teilnahm, gab es nur noch ein einziges Gesprächsthema, und wie sich zeigte, waren die anderen Grundbesitzer sehr viel weniger verständig als Scarlett. Der hier und da aufflackernde Widerstand der Bauern empörte sie. »Verdammt, was erwarten die Kerle denn? Wer die Pacht nicht zahlt, fliegt raus. So war es schon immer, und das wissen sie genau. Die wollen doch nur Aufruhr und Unruhe, verflucht . . .«

Als die Whiteboys sich schließlich einmischten, reagierte Scarlett ebenso wie die benachbarten Grundbesitzer. Den ganzen Sommer über hatte es Zwischenfälle gegeben, doch plötzlich war alles besser organisiert und wurde immer brutaler. Nacht für Nacht gingen Heuschober und Scheunen in Flammen auf, Rinder und Schafe wurden abgestochen, Schweinen die Kehle durchgeschnitten, Eseln und Zugpferden die Beine gebrochen oder die Sehnen durchtrennt. Und je mehr sich der Herbst dem Winter zuneigte, desto öfter wurden aus dem Hinterhalt Anschläge verübt, auf englische Soldaten und die irische Miliz, auf den Adel zu Pferde oder in Kutschen. Scarlett fuhr nur mehr mit einer Eskorte von zwei Stallknechten zu ihren Einladungen.

Und sie machte sich große Sorgen um Cat. Der Verlust Billys schien die Kleine weit weniger getroffen zu haben, als Scarlett anfangs befürchtet hatte. Trübsal zu blasen war nicht Cats Art. Immer war sie mit irgend etwas beschäftigt, oft in ein selbsterfundenes Spiel vertieft. Aber es beunruhigte Scarlett, daß das Kind mit seinen gerade vier Jahren so oft ganz allein durch die Gegend zog. Sie hatte nicht die geringste Absicht, ihre Tochter einzusperren, doch insgeheim wünschte sie sich immer häufiger, Cat wäre weniger unternehmungslustig, weniger unabhängig und furchtlos. Das Mädchen strolchte in Ställen und Scheunen, Vorrats- und Milchkammern, Gärten und Gartenhäuschen herum. Sie wanderte durch Wald und Feld, als wäre sie dort zu Hause, und das Haus selbst war ein Abenteuerspielplatz voller ungezählter Räume und Winkel – Dachböden voller Kisten und Kästen, Dienstbotenzimmer nebst Bügelkammer, Wäschezimmer, Nähzimmer, einer Schreinerwerkstatt, einem Schuhputzzimmer . . . –, kurzum, mit genügend Platz für alles, was zur Führung eines großen Gutshauses notwendig war.

Cat irgendwo zu suchen war ein vollkommen sinnloses Unterfangen, sie konnte überall sein. Zu den Mahlzeiten und zum Baden tauchte sie regelmäßig auf. Scarlett hatte keine Ahnung, woher das Kind wußte, wieviel Uhr es war. Cat verspätete sich nie.

Jeden Tag ritten Mutter und Tochter nach dem Frühstück gemeinsam aus. Scarlett machte sich allerdings zunehmend Sorgen wegen der Whiteboys, und da ihr die Zeit, die sie allein mit ihrem Kind verbrachte, lieb und teuer war, wollte sie sie nicht durch die Mitnahme einer berittenen Eskorte verderben. So mied sie schließlich alle öffentlichen Straßen und beschränkte sich auf den Pfad, den sie bei ihrem allerersten Besuch auf Ballyhara benutzt hatte. Es war der Weg, der am Turm vorbei und durch die Furt zu Daniels Häuschen führte. Pegeen O'Hara wird das kaum passen, dachte Scarlett, aber sie wird sich mit Cat und mir abfinden müssen, wenn sie will, daß ich weiterhin Seamus' Pacht zahle. Wenn sich doch Timothy, Daniels Jüngster, nicht so viel Zeit mit der Brautschau ließe! Denn wenn er heiratete, würde er ins Häuschen ziehen, und seine Frau würde, verglichen mit Pegeen, ganz sicher ein Fortschritt sein. Die gemütliche Gelassenheit, die zwischen ihr und ihrer Familie vor Pegeens Einheirat geherrscht hatte, fehlte Scarlett sehr.

Jedesmal, bevor Scarlett zu einer Jagdpartie aufbrach, fragte sie Cat, ob es ihr etwas ausmache, zu Hause zu bleiben. Dann runzelte sich verwundert die kleine gebräunte Stirn über den klaren grünen Augen, und Cat sagte zu Scarletts Erleichterung: »Wem soll das schon etwas ausmachen?« Im Dezember dann erklärte sie ihrer Tochter, sie werde dieses eine Mal länger als sonst fortbleiben, da sie eine weite Reise mit dem Zug vorhabe. Cats Antwort war die gleiche.

Es war an einem Dienstag, als Scarlett sich auf den Weg zur lang ersehnten Jagd mit den Galway Blazers machte, die am darauffolgenden Donnerstag stattfinden sollte. Sowohl sich selbst als auch ihren Pferden zuliebe wollte sie nach der Anreise einen Erholungstag zur Verfügung haben. Nicht, daß sie müde gewesen wäre, ganz im Gegenteil: Sie war ungeheuer aufgeregt und konnte kaum stillsitzen. Aber sie wollte absolut kein Risiko eingehen. Sie mußte besser sein als je zuvor. Und sollte sie tatsächlich am Donnerstag siegen, so wollte sie auch über Freitag und Samstag noch bleiben – da brauchte sie dann nur noch so gut wie sonst auch immer zu sein.

Am Ende des ersten Jagdtages überreichte John Graham Scarlett die blutverklebte Pfote, die sie gewonnen hatte, und sie nahm sie mit einem knappen Knicks entgegen. »Danke, Euer Exzellenz.« Alles applaudierte.

Der Applaus steigerte sich noch, als zwei Bedienstete mit einer riesigen Platte erschienen, auf der sich eine dampfende Fleischpastete befand. »Ich habe allen Anwesenden von Ihrem sportlichen Gelübde berichtet, Mrs. O'Hara«, sagte Graham, »und wir haben uns einen Scherz für Sie ausgedacht. Diese Pastete enthält gehacktes Krähenfleisch. Ich werde als erster ein Stück davon essen, und alle anderen Blazers werden es mir nachtun. Eigentlich war ich davon ausgegangen, Sie müßten das selbst verspeisen.«

Scarlett revanchierte sich mit ihrem süßesten Lächeln. »Ich werde Ihren Bissen für Sie salzen, Sir.«

Am dritten Tag der Jagdpartie lernte sie dann endlich den falkengesichtigen Mann kennen, der den Rappen ritt. Er war ihr von Beginn an aufgefallen, denn er war einfach nicht zu übersehen. Er ritt mit einer arroganten Rücksichtslosigkeit, von der eine gefährliche Faszination ausging. Einmal wäre Scarlett beinahe aus dem Sattel gefallen, als ebendieser Reiter unmittelbar vor ihr einen unmöglichen Sprung wagte. Um ihn zu beobachten, hatte sie unwillkürlich abrupt die Zügel angezogen.

Beim Frühstück wurde er von vielen Leuten umringt, die alle auf ihn einredeten, während er selbst kaum etwas sagte. Er war groß genug, daß Scarlett sogar aus der Entfernung sein Raubvogelgesicht mit den dunklen Augen und sein Haar erkennen konnte, das so schwarz war, daß es fast schon blau schimmerte.

»Wer ist der große Mann, der immer so gelangweilt wirkt?« fragte Scarlett eine Bekannte.

»Oh, meine Liebe, das ist Luke Fenton, der faszinierendste und gerissenste Mann im ganzen Königreich.«

Scarlett enthielt sich jeden Kommentars. Insgeheim jedoch dachte sie, dem Burschen täte es nur gut, wenn ihn mal jemand von seinem hohen Roß herunterholte.

Fenton lenkte sein Pferd neben Scarletts Tier, und sie war froh, daß sie auf Halbmond saß, denn das brachte sie fast auf Augenhöhe mit ihm. »Guten Morgen«, sagte Fenton und tippte an seinen Hutrand. »Wie ich höre, sind wir Nachbarn, Mistress O'Hara. Wenn es Ihnen recht ist, würde ich Ihnen gern einmal meine Aufwartung machen.«

»Ich würde mich freuen. Woher kommen Sie denn?«

Fenton zog die dichten schwarzen Brauen hoch. »Das wissen Sie nicht? Aus Adamstown, auf dem anderen Ufer des Boyne.«

Er war also der Graf von Kilmessan! Scarlett war froh über ihre bisherige Unwissenheit, hatte der Mann doch allzu offensichtlich vorausgesetzt, daß sie ihn kannte. Eingebildeter Kerl!

»Adamstown ist mir gut bekannt«, sagte sie. »Dort leben mehrere Verwandte von mir, allesamt O'Haras. Es sind Ihre Pächter.«

»Tatsächlich? Ich habe mich noch nie um die Namen meiner Pächter bemüht.« Er lächelte und entblößte dabei strahlendweiße Zähne. »Sehr charmant, Ihre amerikanische Offenherzigkeit über Ihre bescheidene Herkunft. Es fand sogar in London Erwähnung. Sie sehen also, daß es Ihren Zielen bestens dient.« Er tippte mit der Reitpeitsche an seinen Hut und war fort.

Der Mann hat Nerven! dachte Scarlett. Und schlechte Manieren obendrein. Nicht einmal vorgestellt hat er sich.

Nach Hause zurückgekehrt, trug sie Mrs. Fitz auf, dem Butler Anweisung zu geben, daß sie für den Graf von Kilmessan erst bei dessen drittem Besuch zu sprechen sei.

Danach konzentrierte sich Scarlett auf die Ausschmückung des Hauses für das bevorstehende Weihnachtsfest. Dieses Jahr, so entschied sie, müßte endlich ein größerer Baum her.

Das Paket aus Atlanta öffnete sie, kaum daß man es in ihrem Büro abgeliefert hatte. Harriet Kelly – Gott segne ihr gütiges Herz – hatte ihr Maismehl geschickt. Wahrscheinlich beklage ich mich öfter, als mir bewußt ist, darüber, wie sehr mir das Maisbrot fehlt, dachte Scarlett. Ein Geschenk von Billy für Cat – ich gebe es ihr, wenn sie zum Tee heimkommt. Ah, da ist er ja, der Brief, und ein ziemlich langer dazu, wie es den Anschein hat ... Ehe sie ihn las, machte es sich Scarlett mit einem Kännchen Kaffee gemütlich. Harriets Briefe steckten stets voller Überraschungen.

Der erste, den sie gleich nach ihrer Ankunft in Atlanta geschrieben hatte, enthielt, auf acht engbeschriebenen Seiten zwischen nicht enden wollenden Dankesbezeigungen, die unglaubliche Nachricht, daß India Wilkes wahrhaftig einen ernsthaften Verehrer hatte. Einen Yankee – sieh an! –, der dazu noch der neue Prediger der Methodistenkirche war. Die Vorstellung amüsierte Scarlett. Ausgerechnet India Wilkes, das wandelnde Gewissen der Konföderierten! Laß einen Yankee in Reithosen kommen und um sie herumscharwenzeln, und schon ist der Krieg vergeben und vergessen.

Scarlett überflog die Briefbögen auf der Suche nach Passagen über die Fortschritte, die Billy inzwischen gemacht hatte. Cat interessierte sich bestimmt dafür; sie wollte ihr die entsprechenden Teile später vorlesen. Doch dann fand sie, was sie wirklich gesucht hatte: Ashley hatte Harriet gebeten, seine Frau zu werden.

Das ist doch genau das, was ich wollte – oder? Lächerlich, dieser kleine Stich Eifersucht. Wann soll denn die Hochzeit sein? Ich werde ein phantastisches Geschenk schicken. Ach, um Himmels willen! Tante Pitty kann nach Indias Heirat nicht mit Ashley allein unter einem Dach wohnen bleiben! Ist das denn noch zu glauben? Aber natürlich, da würde Tante Pitty schier in Ohnmacht fallen. Was sollen denn die Leute sagen, wenn sie, die älteste Jungfer der Welt, plötzlich mit einem alleinstehenden Mann das Haus teilt? Nun ja, Harriets Hochzeit wird dadurch auf jeden Fall nicht hinausgezögert. Nicht gerade ein leidenschaftlicher Heiratsantrag, den Ashley da gemacht hat. Aber ich denke, Harrietts Vorstellungskraft sorgt schon ganz allein für Spitzenschleier und Rosenduft. Im Februar also . . . das ist doch zu schade! Ich wäre wirklich gerne dabeigewesen, aber doch nicht so gern, daß ich deswegen die Schloß-Saison dreingebe. Kaum zu glauben, daß ich Atlanta mal für eine Großstadt gehalten habe! Ob Cat mich nach Neujahr wohl gern nach Dublin begleiten würde? Mrs. Sims behauptet, die Anproben dauern bloß ein paar Stunden am Vormittag. Was sie wohl im Winter mit den armen Zootieren anstellen?

»Ist noch eine Tasse Kaffee für mich übrig, Mistress O'Hara? War ziemlich frostig auf dem Ritt hierher.«

Mit vor Überraschung offenem Mund starrte Scarlett den Grafen von Kilmessan an. Meine Güte, ich muß vielleicht einen Anblick bieten! Hätte ich mir doch nur die Haare gründlicher gebürstet . . . »Ich habe meinen Butler angewiesen, niemanden hereinzulassen«, platzte sie heraus.

Luke Fenton grinste. »Ich bin durch die Hintertür gekommen. Darf ich mich setzen?«

»Erstaunlich, daß Sie überhaupt noch fragen. Bitte sehr. Aber ziehen Sie vorher die Glocke. Da ich nicht mit Besuch gerechnet habe, ist nur eine Tasse hier.«

Fenton zog am Strang und wählte einen Stuhl gleich neben ihrem. »Ich nehme Ihre Tasse, wenn es Sie nicht stört. Es dauert bestimmt eine Ewigkeit, bis die zweite gebracht wird.«

»Es stört mich aber!« rief Scarlett empört. »Und damit basta!« Dann mußte sie unwillkürlich lachen. »Ich glaube, es ist sicher zwanzig Jahre her, seit ich zum letztenmal ›Und damit basta!‹ gesagt habe. Es wundert mich, daß ich Ihnen nicht auch noch die Zunge herausstrecke. Sie sind enervierend, Mylord.«

»Luke.«

»Scarlett.«

»Kann ich etwas Kaffee haben?«

»Die Kanne ist leer... Und damit basta!«

Fenton lachte, aber er wirkte auf einmal nicht mehr ganz so überheblich.

84. Kapitel

Noch am selben Nachmittag besuchte Scarlett ihre Cousine Molly und veranlaßte die gesellschaftlich ambitionierte Dame zu einem wahrhaft vulkanischen Ausbruch an Höflichkeiten, so daß ihre eigenen beiläufigen Fragen nach dem Grafen von Kilmessan kaum auffielen. Scarlett blieb nicht lange. Molly wußte kaum etwas, nur, daß der Entschluß des Grafen, eine Zeitlang auf seinem Besitz in Adamstown zu leben, seine Bediensteten und den Verwalter schwer erschüttert hatte. Zwar hielten sie Haus und Ställe jederzeit für einen eventuellen Besuch von ihm bereit, doch es war das erste Mal seit fast fünf Jahren, daß er tatsächlich aufgetaucht war.

Das Personal, so Molly, treffe derzeit Vorbereitungen für eine Hausparty. Beim letzten Besuch des Grafen seien vierzig Gäste dagewesen – alle mit eigener Dienerschaft und eigenen Pferden. Auch die Jagdhunde des Grafen samt ihren Hundeführern seien gekommen. Die Jagd habe zwei Wochen gedauert, mit einem Jägerball zum Abschluß.

Die O'Hara-Männer in Daniels Haus kommentierten die Ankunft des Grafen mit bitterer Ironie. Kilmessan habe sich diesmal keine gute Zeit ausgesucht, sagten sie. Die Felder seien zu trocken und der Boden zu hart; die Jäger könnten ihn daher nicht wie beim vorigenmal ruinieren. Die Trockenheit sei Kilmessan und seiner Horde zuvorgekommen.

Nicht klüger als zuvor kehrte Scarlett nach Ballyhara zurück. Ihr gegenüber hatte Luke Fenton weder eine Jagd noch eine Hausparty erwähnt. Veranstaltete er dennoch das eine oder andere, ohne sie einzuladen, so käme das einem Schlag ins Gesicht gleich. Nach dem Abendessen schrieb sie ein halbes Dutzend Briefchen an Freunde aus der vergangenen Saison. »Es herrscht hier furchtbare Aufregung«, schrieb sie, »bloß weil Luke Fenton plötzlich auf seinem Besitz aufgetaucht ist. Er hat sich so viele Jahre lang hier nicht sehen lassen, daß nicht einmal die Krämer über ihn zu klatschen wissen.«

Sie lächelte, als sie die Briefchen versiegelte. Wenn das nicht alle Leichen aus seinem Keller holt, dann weiß ich auch nicht weiter.

Am nächsten Morgen kleidete sie sich sorgfältig in eines jener Gewänder, die sie in ihrem Empfangszimmer in Dublin getragen hatte. Ich pfeife darauf, ob ich auf diese Nervensäge von einem Mann anziehend wirke oder nicht, redete sie sich ein. Ich will nur vermeiden, daß er mich wieder völlig unvorbereitet überrascht.

Der Kaffee in der Kanne wurde kalt.

Fenton tauchte am Nachmittag auf, als sie mit Komet über die Felder ritt. Sie trug ihre irische Tracht und saß im Herrensitz.

»Wie klug von Ihnen, Scarlett«, sagte er. »Es ist schon seit eh und je meine Überzeugung, daß Damensättel ein gutes Pferd ruinieren, und Ihr Tier macht einen prächtigen Eindruck. Was dagegen, wenn wir uns auf einer kurzen Strecke aneinander messen?«

»Es wäre mir ein Vergnügen«, gab Scarlett honigsüß zurück. »Aber die Dürre hat alles so ausgetrocknet, daß Sie womöglich an meiner Staubwolke ersticken.«

Fenton hob die Brauen. »Der Verlierer stellt den Champagner, mit dem wir uns die Kehlen wieder freispülen.« Das war eine klare Herausforderung.

»Einverstanden. Bis Trim?«

»Bis Trim.« Fenton riß sein Pferd herum und sprengte davon, ehe Scarlett noch wußte, wie ihr geschah. Als sie ihn einholte, war sie über und über mit Staub bedeckt. Sie bekam kaum noch Luft und hustete, als sie auf Komet gleichzog. Gleichauf mit ihrem Konkurrenten donnerte sie über die Brücke.

Sie zügelten die Pferde auf dem Rasen vor den Burgmauern. »Sie schulden mir was zu trinken«, bemerkte Fenton.

»Den Teufel tue ich! Wir waren gleichauf.«

»Dann schulde ich Ihnen ebenfalls was zu trinken. Wollen wir uns zwei Flaschen leisten, oder ist es Ihnen lieber, daß wir das Rennen erst auf dem Rückweg entscheiden?«

Scarlett versetzte Komet einen Tritt in die Flanken und galoppierte los. Hinter sich hörte sie Luke Fentons Gelächter.

Das Rennen endete im Hof des Gutshauses, und Scarlett hatte die Nase vorn. Sie grinste fröhlich, sichtlich zufrieden mit sich selbst, zufrieden auch mit Komet und sogar mit Fenton, denn die Sache hatte ihr großen Spaß gemacht.

Er tippte mit der Peitsche an seinen verstaubten Hut. »Ich bringe den

Champagner zum Abendessen mit«, sagte er. »Sie dürfen um Punkt acht mit mir rechnen.« Sprach's und galoppierte davon.

Konsterniert sah Scarlett ihm nach. Der hatte vielleicht Nerven! Komet tänzelte seitwärts, und sie merkte, daß ihr die Zügel aus der Hand gefallen waren. Sie nahm sie wieder auf und tätschelte Komets von schweißigem Schaum bedeckten Hals. »Du hast schon recht«, sagte sie laut. »Du brauchst eine Abkühlung und gute Pflege. Genau wie ich. Ich glaube, ich bin eben nach allen Regeln der Kunst ausmanövriert worden.« Sie mußte lachen.

»Wozu ist das?« fragte Cat, die fasziniert beobachtete, wie sich ihre Mutter Diamanten in die Ohrläppchen steckte.

»Zum Schmuck«, sagte Scarlett. Sie drehte den Kopf, und die hin und her schwingenden Diamanten funkelten im Licht.

»Wie ein Weihnachtsbaum?« meinte Cat.

Scarlett lachte. »Ja, so ähnlich. Auf den Gedanken bin ich noch nicht gekommen.«

»Wirst du mich zu Weihnachten auch so schmücken?«

»Erst, wenn du noch ein gutes Stück älter bist, Kitty Cat. Kleine Mädchen tragen nur Halsketten aus winzigen Perlen oder einfache Goldreifen. Diamanten sind etwas für erwachsene Damen. Hättest du zu Weihnachten auch gerne ein bißchen Schmuck?«

»Nein. Keinen für kleine Mädchen. Warum schmückst du dich denn heute? Es dauert doch noch so lange bis Weihnachten.«

Verblüfft nahm Scarlett zur Kenntnis, daß ihre Tochter sie nie zuvor in Abendkleidung gesehen hatte. In Dublin hatten sie das Dinner stets in ihren eigenen Räumen eingenommen. »Heute abend kommt ein Gast zum Essen«, erklärte sie. »Ein Gast, für den man sich schön machen muß.« Der allererste dieses Schlages in Ballyhara, dachte sie. Mrs. Fitz hatte von Anfang an recht: Ich hätte schon viel eher Gäste einladen sollen. Es macht so viel Spaß, Gesellschaft zu haben und sich ein wenig zurechtzumachen.

Der Graf von Kilmessan erwies sich als unterhaltsamer, geschliffener Dinnergast. Im Laufe des Abends fiel Scarlett auf, daß sie viel mehr redete, als sie sich vorgenommen hatte – über die Jagd, über das Reitenlernen in der Kindheit, über Gerald O'Hara und seine urirische Liebe zu Pferden. Luke Fenton war ein sehr guter Zuhörer.

So gut in der Tat, daß ihr erst am Ende des Essens wieder einfiel, was sie ihn fragen wollte. »Ihre Gäste müssen ja nun wohl bald eintreffen«, äußerte sie, als der Nachtisch aufgetragen wurde.

»Welche Gäste?« Luke hob sein Champagnerglas gegen das Licht, als wolle er die Farbe prüfen.

»Nun, Ihre Jagdgäste natürlich«, gab Scarlett zurück.

Fenton nippte an seinem Glas und nickte dem Butler zustimmend zu. »Wie kommen Sie darauf? Ich will weder jagen, noch erwarte ich Gäste.«

»Was tun Sie dann in Adamstown? Die Leute sagen, Sie lassen sich dort sonst nie blicken.«

Inzwischen waren beide Gläser gefüllt, und Luke hob das seine zu einem Toast. »Trinken wir auf unser Vergnügen?« schlug er vor.

Scarlett fühlte, wie sie errötete. Sie war fast sicher, daß dies als unsittlicher Antrag zu verstehen war. »Trinken wir darauf, daß Sie ein guter Verlierer sind und Ihr Champagner ausgezeichnet schmeckt«, erwiderte sie lächelnd und beobachtete ihn mit gesenkten Wimpern.

Lukes Worte gingen ihr noch im Kopf herum, als sie sich zum Schlafengehen zurechtmachte. War er nur ihretwegen nach Adamstown gekommen? Und was hatte er vor? Wollte er sie verführen? Nun, in diesem Fall würde er sein blaues Wunder erleben. In diesem Spielchen bezwang sie ihn mit Leichtigkeit, wie sie ihn schon beim Reiten bezwungen hatte.

Es macht sicher Spaß, dachte sie, einen so arroganten, selbstzufriedenen Kerl wie Luke so weit zu bringen, daß er sich hoffnungslos in mich verliebt... Männer dürften eigentlich gar nicht so gut aussehen und so reich sein. Sie bilden sich dann nur ein, alles müsse nach ihrem Willen gehen.

Scarlett legte sich ins Bett und kuschelte sich unter die Decken. Sie freute sich auf den gemeinsamen morgendlichen Ausritt, den sie Fenton versprochen hatte.

Diesmal war Pike Corner das Ziel ihres Rennens. Fenton gewann, ebenso das Rennen zurück nach Adamstown. Scarlett wollte nur die Pferde wechseln und es gleich noch einmal wagen, doch Luke lehnte lachend ab. »So finster entschlossen, wie Sie sind, brechen Sie sich womöglich noch den Hals, und ich bekomme meinen Gewinn nie.«

»Welchen Gewinn? Wir haben diesmal nicht gewettet.«

Er lächelte schweigend, doch der Blick, den er über ihren Körper schweifen ließ, sprach Bände.

»Luke Fenton, Sie sind unausstehlich!«

»Das hat man mir schon des öfteren beizubringen versucht, allerdings noch nie derart vehement. Sind alle Amerikanerinnen von so leidenschaftlicher Natur?«

Das mußt du schon selbst herausfinden, dachte Scarlett. Aber nicht bei mir. Doch sie zügelte ihre Zunge ebenso wie ihr Pferd. Es war ein Fehler gewesen, sich von ihm so reizen zu lassen, und sie ärgerte sich mehr über sich selbst als über ihn. Ich sollte es eigentlich besser wissen, dachte sie. Rhett hat mich ständig in Rage gebracht und behielt auf die Weise immer die Oberhand.

Rhett... Scarlett betrachtete Luke Fentons schwarzes Haar, seine dunklen, spöttischen Augen, seine perfekte, maßgeschneiderte Kleidung. Kein Wunder, daß er ihr unter den vielen Menschen im Feld der Galway Blazers aufgefallen war. Er erinnerte sie durchaus ein wenig an Rhett, allerdings nur auf den ersten Blick. Irgend etwas an ihm war ganz und gar anders, sie wußte nur noch nicht zu sagen, was.

»Vielen Dank für das Rennen, Luke, auch wenn ich diesmal nicht gewonnen habe«, sagte sie. »Aber jetzt muß ich mich auf den Weg machen. Die Arbeit wartet.«

Überraschung blitzte in seinen Augen auf. Dann lächelte er. »Ich bin davon ausgegangen, daß wir gemeinsam frühstücken würden.«

Scarlett erwiderte sein Lächeln. »Ich weiß.« Sie ritt davon und spürte seinen Blick in ihrem Nacken. Als am Nachmittag ein Bursche mit einem Bukett Gewächshausblumen und einer Einladung zum Abendessen auftauchte, wunderte sie sich nicht. Sie schrieb eine höfliche Ablehnung und gab sie dem Burschen mit.

Dann lief sie lachend die Treppe hinauf und zog ihr Reitkleid an. Sie war gerade dabei, die Blumen in einer Vase zu arrangieren, als Luke in den Salon geschlendert kam.

»Sie wollten ein zweites Rennen nach Pike Corner, wenn ich mich nicht irre?«

Scarletts Lachen zeigte sich nur in ihren Augen. »In diesem Punkt irren Sie sich nicht«, sagte sie.

Colum kletterte auf den Tresen in Kennedys Bar. »Jetzt hört doch endlich mit eurem Geschrei auf, allesamt. Was hätte die arme Frau denn sonst noch tun sollen? frage ich euch. Hat sie euch nicht sogar die Pacht erlassen? Hat sie euch nicht mit Lebensmitteln für den Winter versorgt? Hält sie nicht zusätzlich noch Korn und Mehl im Lagerhaus bereit für den Fall, daß euch die Vorräte ausgehen? Es treibt mir die Schamröte ins Gesicht, wenn ich gestandene Männer Schmollmünder ziehen sehe, als wären sie kleine Babys. Wenn ich mit ansehen muß, wie sie sich irgendwelche Beschwerden aus den Fingern saugen, nur damit sie eine Ausrede für ein weiteres Glas haben! Spült euch meinetwegen den letzten Verstand aus dem Kopf, jeder Mann hat das Recht, sich mit Whiskey den Magen zu vergiften und das Hirn zu zerstören, aber hört endlich auf, eure eigenen Schwächen der O'Hara anzukreiden!«

»Sie ist zu den Grundbesitzern übergelaufen...« – »Treibt sich den ganzen Sommer lang mit Lords und Ladys herum...« – »'s vergeht kaum ein Tag, an dem sie nicht mit diesem schwarzen Teufel aus Adamstown um die Wette reitet...« Ein böses Wort gab das andere. Die ganze Wirtsstube war in Aufruhr.

Colum brüllte sie alle nieder. »Was sind denn das für Männer, die sich wie die Weiber über anderer Weiber Kleider, Feste und Liebschaften das

Maul zerreißen? Mir wird schlecht, wenn ich euch zuhöre.« Er spuckte auf den Tresen. In der plötzlichen Stille war nahezug jede Reaktion denkbar. Colum spreizte die Beine, bereit, seine Hände zu Fäusten zu ballen.

»Ach, Colum«, sagte da der Älteste unter den Bauern, »wir sind einfach unruhig. Weit und breit kein Grund für uns zum Schießen und Zündeln, wie man's von den Burschen aus anderen Städten hört. Geh und hol deine Trommel. Ich nehm die Flöte, Kennedy die Fiedel, und wir begleiten dich. Singen wir die alten Lieder aus der Zeit der Erhebung und besaufen uns gemeinsam, wie es sich für gute Fenier gehört.«

Colum ließ sich die Chance, die Leute zu beruhigen, nicht entgehen. Er sprang vom Tresen und hatte ein Lied angestimmt, noch ehe seine Füße den Boden berührten.

»Habt ihr dort unten am rauschenden Flusse
die Männer, die dunklen, am Ufer gesehn?
Und saht ihr hoch über den schimmernden Waffen
die grüne, geliebte Fahne wehn?
Tod den Feinden, den Verrätern!
Vorwärts! Stimmt das Marschlied an!
Ein Hurra der Freiheit, Brüder!
Seht, der Mond strebt himmelan!«

Daß Scarlett und Fenton sich in der Umgebung von Ballyhara und Adamstown fast schon regelmäßig Rennen lieferten und dabei über Zäune, Gräben und Hecken sprengten, entsprach durchaus der Wahrheit. Auch der Boyne war ihnen kein Hindernis. Eine Woche lang kam Fenton beinahe jeden Morgen durch die Furt geritten, schlenderte in Scarletts Frühstückszimmer, verlangte Kaffee und forderte die Herrin von Ballyhara zu einem Rennen heraus. Und Scarlett erwartete ihn jedesmal nach außen hin ungerührt, innerlich jedoch aufs höchste gereizt. Fentons Ideen und sein Geist waren lebhaft, seine Gesprächsthemen nie vorhersagbar, so daß Scarlett stets auf der Hut sein mußte und ihr keine ruhige Minute blieb. Luke brachte sie zum Lachen, versetzte sie in Zorn – und verlieh ihr das Gefühl, bis in die Finger- und Zehenspitzen springlebendig zu sein.

Die wilden Querfeldeinrennen machten die Anspannung, unter der sie in Fentons Gegenwart stand, etwas erträglicher: Da hatte die zwischen ihnen tobende Schlacht ein klares Ziel, und die ihnen beiden eigene Rücksichtslosigkeit mußte nicht verschleiert werden. Dennoch empfand Scarlett die Erregung, die sie jedesmal ergriff, wenn sie ihren Mut bis an die äußerste Grenze forderte, als ebenso spannend wie bedrohlich. Tief in sich verborgen spürte sie eine unbekannte Kraft, die drauf und dran war, sich ihrer Kontrolle zu entziehen.

Mrs. Fitz warnte sie. Ihr Verhalten irritierte die Bewohner von Ballyhara. »Sie verlieren den Respekt vor der O'Hara«, mahnte sie streng. »Ihr gesellschaftlicher Umgang mit den Engländern ist etwas anderes, das findet anderswo statt. Aber diese Herumjagerei mit dem Grafen von Kilmessan stößt die Leute geradezu mit der Nase auf Ihre Vorliebe für den Feind.«

»Sollen sie sich ihre Nasen doch blutig stoßen! Mein Privatleben geht sie nichts an.«

Scarletts Heftigkeit verblüffte Mrs. Fitzpatrick. »Ach, daher weht der Wind?« sagte sie, und jegliche Strenge war aus ihrer Stimme gewichen. »Haben Sie sich also in ihn verliebt?«

»Nein, das habe ich nicht, und ich werde es auch nicht tun. Lassen Sie mich also in Ruhe, und empfehlen Sie das auch allen anderen.«

Rosaleen Fitzpatrick behielt ihre Gedanken für sich. Aber ihr weiblicher Instinkt sah Kummer in den fiebrig glänzenden Augen Scarletts.

Habe ich mich in Luke Fenton verliebt? Mrs. Fitzpatricks Worte zwangen Scarlett, sich die Frage selbst zu stellen. Die Antwort ließ nicht auf sich warten: Nein.

Aber warum bin ich dann den ganzen Tag so außer mir, wenn er sich vormittags nicht hat blicken lassen?

Auf diese Frage fand sie keine überzeugende Antwort.

Sie ließ sich durch den Kopf gehen, was in den Briefen ihrer Bekannten stand, die auf ihre Frage nach Fenton reagiert hatten. Der Graf von Kilmessan sei berüchtigt, hatten sie alle erklärt. Er sei einer der reichsten Männer Großbritanniens, hieß es, er verfüge über Grundbesitz nicht nur in Irland, sondern ebenso in England und in Schottland, und er sei ein Vertrauter des Prinzen von Wales. In London unterhielt er ein riesiges Haus, wo, Gerüchten zufolge, nicht nur bacchantische Orgien gefeiert wurden, sondern auch stilgemäße Empfänge stattfanden; die Einladungen dazu waren hoch begehrt. Kilmessan war seit über zwanzig Jahren, seit er mit achtzehn seinen Titel und sein Vermögen geerbt hatte, das ausgesuchte Ziel aller Eltern gewesen, die über Töchter im heiratsfähigen Alter verfügten, doch war es bisher keiner gelungen, seiner habhaft zu werden, nicht einmal einigen erlesenen Schönheiten, die selbst aus betuchtem Hause stammten. In den Briefen ging die Rede von Geschichten, die man sich hinter vorgehaltener Hand erzählte – von gebrochenen Herzen, diesem oder jenem geschädigten Ruf, ja sogar von Selbstmorden. Und mehr als ein betrogener Ehemann schien Luke Fenton zum Duell gefordert zu haben. Er war, so hieß es, unmoralisch, gefährlich und, wie manche behaupteten, bösartig. Und daher natürlich der mysteriöseste und faszinierendste Mann der Welt.

Scarlett stellte sich vor, welche Sensation es wäre, hätte eine irisch-amerikanische Witwe, die zu allem schon über dreißig war, eben da Erfolg, wo all die adeligen Schönheiten versagt hatten ... Ihre Lippen bogen sich unwillkürlich zu einem versteckten Lächeln, das gleich darauf wieder verschwand.

Luke Fenton verriet keinerlei Anzeichen, die darauf hindeuteten, daß er sich hoffnungslos in sie verliebt hätte. Er wollte Scarlett besitzen, nicht heiraten.

Scarlett kniff die Augen zusammen. Nein, meinen Namen wird er nicht auf die lange Liste seiner Eroberungen setzen.

Dennoch konnte sie sich der Vorstellung nicht entziehen, wie es wohl wäre, wenn Luke Fenton sie küßte.

85. Kapitel

Der Graf von Kilmessan gab seinem Pferd die Peitsche und preschte, laut lachend, an Scarlett vorbei. Sie beugte sich vor und feuerte Halbmond an: »Schneller, schneller!« Aber kaum hatte sie das gesagt, mußte sie ihr Pferd auch schon wieder zügeln. Die Straße schlängelte sich zwischen hohen Steinwällen entlang. Luke war stehengeblieben, hatte das Pferd halb gewendet und versperrte ihr den Weg.

Sie forderte eine Erklärung: »Was soll dieses Spielchen? Um ein Haar wäre ich voll in Sie hineingeritten.«

»Genau das hatte ich im Sinn«, sagte Fenton. Ehe Scarlett wußte, wie ihr geschah, hatte er Halbmond an der Mähne gepackt und die beiden Pferde nebeneinandergezogen. Seine andere Hand legte sich um Scarletts Nacken und hinderte sie daran, ihren Kopf zu bewegen, während sein Mund sich auf ihren preßte. Sein Kuß war verletzend, zwang ihre Lippen, sich zu öffnen, und zog ihre Zunge zwischen seine Zähne. Seine Hand gab nicht nach. Scarletts Herz klopfte vor Überraschung, Furcht und, je länger der Kuß dauerte, vor Erregung darüber, daß sie sich seiner Stärke unterwarf. Als er sie freigab, fühlte sie sich erschüttert und schwach.

»Jetzt werden Sie meine Dinner-Einladungen wohl nicht mehr zurückweisen«, sagte Luke. Seine dunklen Augen glänzten vor Zufriedenheit.

Scarlett riß sich zusammen. »Ihre Einbildung spielt Ihnen Streiche«, sagte sie und ärgerte sich maßlos über ihre Atemlosigkeit.

»Meinen Sie? Das bezweifle ich.« Lukes Arm fuhr ihr über den Rücken und zog sie erneut an sich. Wieder küßte er sie. Seine Hand fand ihre Brust und drückte sie so fest, daß es ihr weh zu tun drohte. Leidenschaft wallte in ihr auf. Sie wollte seine Hände auf ihrem ganzen Körper spüren und seine brutalen Lippen auf ihrer Haut.

Die Pferde bewegten sich unruhig und rissen die Umarmung auseinander. Beinahe wäre Scarlett zu Boden gestürzt. Mühsam rang sie um ihr inneres wie äußeres Gleichgewicht. Ich darf das nicht tun, dachte sie, ich darf mich ihm nicht ausliefern, darf ihm nicht nachgeben. Sobald er mich erobert hat, interessiert er sich nicht mehr für mich, soviel steht fest.

Und sie wollte ihn nicht verlieren. Sie wollte ihn besitzen. Er war kein liebeskranker Junge wie Charles Ragland, er war ein Mann. Und in einen solchen Mann würde sie sich sogar verlieben können.

Scarlett streichelte Halbmond, um ihn zu beruhigen, und insgeheim dankte sie ihm auch, weil er sie vor einer großen Torheit bewahrt hatte. Als sie sich wieder Luke Fenton zuwandte, dehnten sich ihre geschwollenen Lippen zu einem breiten Lächeln.

»Warum hängen Sie sich eigentlich kein Tierfell über und schleifen mich an den Haaren in Ihre Behausung?« fragte sie, und ihre Stimme traf genau die richtige Mischung aus Humor und Verachtung. »Dann würden Sie wenigstens die Pferde nicht so erschrecken.« Sie ließ Halbmond im Schritt gehen, drängte ihn dann zum Trab und ritt den Weg zurück, auf dem sie gekommen war. Doch zuvor drehte sie sich noch einmal um und rief Luke über die Schulter zu: »Nein, Luke, zum Dinner komme ich nicht. Aber Sie dürfen mir nach Ballyhara folgen, zum Kaffee. Falls Ihnen das nicht reicht, kann ich Ihnen einen frühen Lunch oder ein spätes Frühstück anbieten.«

Scarlett flüsterte Halbmond leise etwas ins Ohr und trieb ihn damit zu größerer Eile an. Sie wußte sich keinen Reim auf Fentons Grimasse zu machen, doch das Gefühl, das sich ihrer bemächtigte, besaß Züge von Angst.

Sie war bereits abgesessen, als Luke in den Hof vor den Ställen ritt. Er schwang sich von seinem Pferd und warf einem Stallknecht die Zügel zu.

Scarlett tat so, als sei ihr gar nicht aufgefallen, daß Luke den einzigen Stallknecht weit und breit zu sich befohlen hatte. Um einen anderen Burschen zu finden, führte sie Halbmond selbst in den Stall.

Als sich ihre Augen an die Düsternis gewöhnt hatten, blieb Scarlett unvermittelt stehen und wagte sich nicht mehr zu rühren. In der Box unmittelbar vor ihr stand Cat ohne Schuhe und Strümpfe auf Komets Rücken, die kleinen Arme zur Wahrung des Gleichgewichts ausgestreckt. Sie trug einen dicken Wollpullover, den sie sich von einem der Stalljungen geliehen hatte. Der Pullover bauschte sich über ihren hochgezogenen Rökken, und die Ärmel hingen weit über ihre Fingerspitzen hinaus. Wie üblich hatten sich ihre schwarzen Haare der Disziplin der Zöpfe entzogen und bildeten eine arg zerzauste Mähne. Sie sah aus wie ein Kobold oder ein Zigeunerkind.

»Was machst du denn da, Cat?« fragte Scarlett ruhig. Das reizbare Wesen des großen Pferdes war ihr wohlbekannt. Ein lautes Geräusch genügte, und es geriet außer Rand und Band.

»Ich übe für den Zirkus«, sagte Cat. »Wie das Bild in meinem Buch mit der Frau und dem Pferd. In der Manege brauche ich aber bitte einen Sonnenschirm.«

Scarletts Stimme blieb gleichmäßig. Die Szene war furchterregender als damals bei Bonnie. Komet konnte jederzeit scheuen, Cat abwerfen und sie mit seinen Hufen zertrampeln. »Komet hätte es sicher lieber, du würdest bis Anfang des nächsten Sommers damit warten, Cat. Deine Füße sind gewiß sehr kalt auf Komets Rücken.«

»Oh!« Cat ließ sich sofort auf den Boden gleiten, in unmittelbarer Nähe der eisenbeschlagenen Hufe. »Daran hab ich nicht gedacht.« Ihre Stimme kam von tief unten aus der mit einem Gatter verschlossenen Box. Scarlett hielt die Luft an. Doch da kletterte Cat auch schon, ihre Stiefel und die Wollstrümpfe in der Hand, über das Gatter. »Die Stiefel tun ihm weh, das hab ich gewußt.«

Es kostete Scarlett Überwindung, ihr Kind nicht sofort in die Arme zu schließen. Was ihr eine große Erleichterung gewesen wäre, hätte Cat ihr übelgenommen. Sie blickte sich um, hoffte einen Stallburschen zu finden, der ihr Halbmond abnehmen konnte. Doch sie sah nur Luke Fenton. Still stand er da und starrte Cat an.

»Das ist meine Tochter, Katie Colum O'Hara«, sagte sie und dachte dabei, mach draus, was du willst, Luke Fenton.

Cat, die sich gerade darauf konzentrierte, ihre Schuhe zuzubinden, schaute auf und studierte aufmerksam Fentons Gesicht, bevor sie sagte: »Ich heiße Cat. Und wie heißt du?«

»Luke«, sagte der Graf von Kilmessan.

»Guten Morgen, Luke. Möchtest du das Gelbe von meinem Ei? Ich gehe nämlich jetzt frühstücken.«

»Ja, das mag ich«, erwiderte er. »Sehr gern sogar.«

Sie bildeten eine merkwürdige Prozession, Cat führte die beiden Erwachsenen zum Haus. Luke Fenton ging neben ihr her und paßte seinen Schritt ihren kurzen Beinchen an. »Ich habe vorhin schon gefrühstückt«, erzählte ihm Cat. »Aber jetzt habe ich wieder Hunger. Deshalb frühstücke ich noch einmal.«

»Das klingt mir außerordentlich vernünftig«, sagte er bedächtig und ohne jeden spöttischen Unterton.

Scarlett ging hinter den beiden her. Sie war noch immer ganz durcheinander von dem Schrecken, den Cat ihr eingejagt hatte. Aber auch von der leidenschaftlichen Gefühlsaufwallung, die über sie gekommen war, als Luke sie geküßt hatte, hatte sie sich noch nicht ganz erholt. Sie fühlte sich benommen und verwirrt. Fenton war der letzte Mensch auf Erden, von dem sie Kinderliebe erwartet hätte, und doch schien Cat ihn zu faszinieren. Und er behandelte sie genau richtig: Er nahm sie ernst, anstatt ihr, weil sie so klein war, mit Herablassung zu begegnen. Mit Menschen, die sie wie ein Baby behandelten, hatte Cat keine Geduld. Luke schien das zu begreifen und zu respektieren.

Scarlett spürte, wie sich ihre Augen mit Tränen füllten. Oh, ja, sie könnte diesen Mann durchaus lieben. Was für ein Vater könnte er ihrem geliebten Kind sein! Sie zwinkerte energisch. Für sentimentale Anwandlungen war jetzt nicht der richtige Zeitpunkt. Um Cats und ihrer selbst willen mußte sie stark bleiben und einen klaren Kopf behalten.

Sie betrachtete Luke Fentons glattes, dunkles Haar. Er neigte Cat seinen Kopf zu, wirkte sehr groß, breit und stark. Unbesiegbar.

Ein innerer Schauer schüttelte sie, dann aber warf sie ihre Feigheit ab. Am Ende würde sie obsiegen. Es blieb ihr nichts anderes übrig. Sie wollte ihn haben – für sich und für Cat.

Beinahe hätte Scarlett gelacht, so lustig war die Szene, die sich ihr darbot. Cat war vollauf mit der schwierigen Aufgabe beschäftigt, dem gekochten Ei die Spitze abzuschneiden, ohne es dabei vollends zu Bruch gehen zu lassen. Und Fenton sah ihr ebenso konzentriert zu.

Plötzlich und ohne jede Vorwarnung jedoch wich die Belustigung einer tiefen Verzweiflung. Die dunklen Augen, die Cat beobachteten, sollten Rhetts Augen sein, nicht Luke Fentons! Rhett war derjenige, der von seiner Tochter fasziniert sein sollte, Rhett sollte sich mit ihr das Frühstücksei teilen! Rhett sollte neben Cat hergehen und seine Schritte ihrem Getrippel anpassen!

Schmerzvolle Sehnsucht grub ein Loch in Scarletts Brust, wo eigentlich ihr Herz sein sollte, und erfüllte sie mit genau der furchtbaren Seelenqual, die sie sich so lange erfolgreich vom Leib gehalten hatte. Sie gierte nach Rhetts Gegenwart, seiner Stimme, seiner Liebe.

Hätte ich ihm doch nur von Cat erzählt, bevor es zu spät war ... Wäre ich doch nur in Charleston geblieben ... Hätte ich nur ...

Cat zupfte sie am Ärmel. »Willst du dein Ei essen, Mama? Ich mach's dir auf.«

»Danke, mein Schatz«, sagte Scarlett zu ihrem Kind und sei doch kein Narr zu sich selbst. Sie lächelte erst Cat, dann Fenton an. Was vergangen war, war vergangen. Sie mußte an die Zukunft denken. »Ich habe den Verdacht, daß Sie noch einen Dotter zu essen bekommen, Luke«, sagte sie und lachte.

Nach dem Frühstück verabschiedete sich Cat und rannte zur Tür hinaus. Luke Fenton aber blieb. »Bring uns noch Kaffee«, sagte er zu dem Mädchen, das sie bediente, ohne es auch nur anzusehen. »Erzählen Sie mir von Ihrer Tochter«, sagte er zu Scarlett.

»Sie mag bloß das Weiße vom Ei«, antwortete Scarlett und lächelte, um ihre Beunruhigung zu überdecken. Was soll ich ihm erzählen, wenn er mich nach Cats Vater fragt? dachte sie. Angenommen, er will wissen, wie er hieß, wie er starb und was für ein Mensch er war.

Doch Luke erkundigte sich nur nach Cat: »Wie alt ist Ihre bemerkenswerte Tochter, Scarlett?«

Er zeigte sich erstaunt, als er erfuhr, daß Cat erst vier war, und fragte, ob sie schon immer so geistesgegenwärtig gewesen sei, ja, so frühreif? War sie etwas überdreht? Scarlett ging bereitwillig auf sein offenbar ungespieltes Interesse an ihrer Tochter ein und redete über Cats Vorzüge, bis sie heiser wurde.

»Sie sollten Sie erst mal auf ihrem Pony sehen, Luke. Sie reitet besser als ich – oder Sie . . . Und klettern tut sie wie ein Affe, überallhin. Die Maler mußten sie von ihren Leitern holen . . . Die Wälder in der Gegend kennt sie wie ein Fuchs, und offenbar hat sie einen eingebauten Kompaß, jedenfalls verläuft sie sich nie . . . ›Überdreht‹? Keine Spur, sie ist ruhig bis auf die Knochen, vollkommen gelassen. Ihre Furchtlosigkeit versetzt mich manchmal in Angst und Schrecken. Nie gibt es Theater, wenn sie sich eine Beule geholt oder die Knie aufgeschlagen hat. Selbst als Baby hat sie kaum geweint, und als sie laufen lernte, hat sie, immer wenn sie auf die Nase fiel, nur verdutzt um sich geschaut und sich sofort wieder aufgerappelt . . . Natürlich ist sie gesund! Haben Sie nicht gesehen, wie kräftig und wie gerade sie gewachsen ist? Sie futtert wie ein Pferd und war noch nie krank. Sie glauben ja nicht, welche Mengen von Eclairs und Cremetaschen sie vertilgen kann, ohne mit der Wimper zu zucken . . .«

Als Scarlett sich ihrer Heiserkeit bewußt wurde, sah sie auf die Uhr und lachte. »Meine Güte, ich habe ja eine ganze Ewigkeit geprahlt. Aber das ist alles Ihre Schuld, Luke, schließlich haben Sie mich dauernd angetrieben. Sie hätten mich bremsen sollen!«

»Ganz und gar nicht. Es hat mich interessiert.«

»Passen Sie bloß auf, sonst werde ich noch eifersüchtig! Sie tun ganz so, als hätten Sie sich in meine Tochter verliebt.«

Fenton hob die Brauen. »Liebe ist was für Krämer und Groschenromane. Ich finde sie interessant.« Er stand auf, verneigte sich, nahm Scarletts Hand aus ihrem Schoß und streifte sie mit einem flüchtigen Kuß. »Ich reise morgen nach London und darf mich daher von Ihnen verabschieden.«

Scarlett erhob sich und stand dicht vor ihm. »Ich werde unsere Rennen vermissen«, sagte sie, und es war ihr ernst damit. »Kommen Sie bald zurück?«

»Ich melde mich bei Ihnen und Cat, wenn ich wieder da bin.«

Nun, dachte Scarlett, nachdem er gegangen war. Er hat nicht einmal versucht, mir einen Abschiedskuß zu geben. War das ein Kompliment oder ein Affront? Sie kam zu dem Schluß, daß er wahrscheinlich sein Verhalten im Hohlweg bedauerte. Da hatte er wohl einfach die Beherrschung verloren. Und mit Sicherheit fürchtet er sich vor dem Wort »Liebe«.

Luke Fenton, so dachte sie, zeigt alle Symptome eines Mannes, der sich gegen seinen Willen verliebt hat. Der Gedanke machte sie sehr glücklich. Er wäre ein wunderbarer Vater für Cat. Sanft fuhr sich Scarlett mit der Fingerspitze über ihre wunden Lippen. Und er ist ein sehr aufregender Mann.

86. Kapitel

Luke Fenton ging Scarlett in den folgenden Wochen nicht mehr aus dem Kopf. Rastlos ritt sie in den klaren Stunden des Morgens die Strecken ab, die sie zuvor gemeinsam zurückgelegt hatten. Als sie zusammen mit Cat den Weihnachtsbaum schmückte, mußte sie daran denken, mit welcher Freude sie sich an jenem Abend, als er zum erstenmal nach Ballyhara gekommen war, für das Dinner zurechtgemacht hatte. Und als sie mit Cat das Gabelbein der Weihnachtsgans brach, wünschte sie sich, er möge schon bald aus London zurückkehren.

Manchmal schloß sie die Augen und versuchte sich vorzustellen, wie es gewesen war, als er sie umarmt hatte, doch jeder neue Versuch trieb ihr die Tränen der Wut ins Gesicht, weil Rhetts Gesicht, Rhetts Umarmung und Rhetts Gelächter Luke Fenton in ihrer Erinnerung stets verdrängten. Das muß daran liegen, daß ich Luke erst seit so kurzem kenne, sagte sie sich. Mit der Zeit wird seine Gegenwart die Erinnerungen an Rhett auslöschen, das ist nur logisch.

Am Sylvesterabend gab es plötzlich eine große Aufregung. Gefolgt von zwei Fiedlern, marschierte Colum herein und schlug die Bodhran, Rosaleen Fitzpatrick klapperte dazu mit den »Knochen«. Scarlett war so überrascht und glücklich, daß sie Colum mit einem Aufschrei um den Hals fiel. »Ich hatte schon jede Hoffnung auf deine Heimkehr aufgegeben, Colum. Jetzt wird das neue Jahr garantiert gut – wo es schon so schön beginnt.« Sie weckte Cat, und sie erlebten die ersten Minuten des Jahres 1880 eingehüllt in Musik und Liebe.

Der Neujahrstag begann mit Gelächter: Der Kuchen flog gegen die Wand, Krümel und Rosinen spritzten über die tanzende Cat und ihr nach oben gerichtetes Gesicht mit dem offenstehenden Mund. Doch dann verdunkelten Wolken den Himmel, und ein eisiger Wind zerrte an Scarletts Schal, als sie zu ihrer Neujahrstour durch die Stadt aufbrachen. Colum trank keinen Tee, sondern ließ sich in jedem Haus zu einem Schnaps einladen. Unentwegt politisierte er mit den Männern, bis Scarlett das Gefühl hatte, sie müsse gleich losschreien.

»Willst du nicht mitkommen in den Pub, Scarlett?« fragte er sie, nachdem sie den letzten Hausbesuch hinter sich gebracht hatten. »Wir wollen ein Glas heben auf ein kühnes neues Jahr und neue Hoffnung für die Iren.«

Scarletts Nasenflügel bebten, als sie den Whiskeygeruch spürte, der von ihm ausging. »Nein, ich friere und bin müde. Ich gehe nach Hause. Komm mit, wir machen uns einen ruhigen Abend vor dem Kamin.«

»Nichts verabscheue ich mehr als einen ruhigen Abend, Scarlett *aroon*. In der Stille bemächtigt sich die Dunkelheit der menschlichen Seele.« Unsteten Schritts verschwand er im Eingang von Kennedys Pub, während Scarlett langsam die Zufahrt zum Gutshaus hinauftrottete. Sie hatte den Schal fest um sich gewickelt. Im kalten, grauen Licht wirkten ihr roter Rock und die blauen und gelben Streifen auf ihren Strümpfen fahl und farblos.

Als sie die schwere Vordertür aufstemmte, versprach sie sich eine Tasse heißen Kaffee und ein heißes Bad. Beim Betreten der Halle vernahm sie verhaltenes Gekicher, und ihr Herz zog sich zusammen. Cat spielte offenbar Verstecken mit ihr. Sie tat so, als habe sie nichts bemerkt, schloß die Tür hinter sich, warf den Schal auf einen Stuhl und sah sich um.

»Ein glückliches neues Jahr, O'Hara«, sagte Luke Fenton. »Oder habe ich es mit Marie Antoinette zu tun? Ist dies die Bauerntracht, die die feinsten Damenschneider von London dieses Jahr zum Maskenball empfehlen?« Er stand auf dem Treppenabsatz.

Scarlett starrte zu ihm hinauf. Er war zurück. Oh, warum nur habe ich mich zu diesem Blick hinreißen lassen? Er hat bestimmt etwas gemerkt. So war es nicht geplant. Doch wenn schon . . . Luke war wieder zurück. Ihre Müdigkeit war verflogen. »Ein glückliches neues Jahr«, sagte sie. Ja, das war es wirklich.

Fenton machte einen Schritt zur Seite, und Scarlett entdeckte Cat hinter ihm auf der Treppe. Mit beiden Händen versuchte das kleine Mädchen, die schimmernde goldene Krone auf ihrem zerzausten Köpfchen zu stabilisieren. Sie schritt die Stufen hinab und ging auf Scarlett zu. Ihre grünen Augen lachten, ihr Mund zuckte, weil sie ein Grinsen unterdrücken wollte. Hinter sich her zog sie eine lange, breite Schleppe aus karminrotem, mit einem breiten Hermelinsaum versehenen Samt.

»Cat trägt die Insignien Ihrer königlichen Würde, meine Verehrteste«, sagte Luke. »Ich bin gekommen, unsere Hochzeit zu arrangieren.«

Scarletts Knie gaben nach. Sie setzte sich auf den Marmorfußboden, umgeben von einem roten Kreis, unter dem hier und da grüne und blaue Unterröcke hervorlugten. In den Schreck und das erregende Triumphgefühl hinein mischte sich eine Prise Ärger. Das darf doch nicht wahr sein! Das ist ja viel zu leicht und nimmt der ganzen Sache den Reiz!

»Unsere Überraschung war offensichtlich erfolgreich, Cat«, sagte Luke. Er knüpfte die schwere Seidenkordel an ihrem Hals auf und nahm ihr das Krönchen aus den Händen. »Du darfst jetzt gehen. Ich muß mit deiner Mutter etwas besprechen.«

»Darf ich meine Schachtel aufmachen?«

»Ja, sie ist in deinem Zimmer.«

Cat warf Scarlett einen schnellen Blick zu und lief kichernd die Treppe hinauf. Luke legte sich die Robe über seinen linken Arm und streifte sich die Krone übers Handgelenk. Er wirkte sehr groß und sehr stark, seine Augen waren sehr dunkel. Scarlett reichte ihm die Hand, und er zog sie zurück auf die Füße.

»Gehen wir in die Bibliothek«, sagte Fenton. »Dort brennt ein Feuer, und es steht eine Flasche Champagner bereit, auf daß wir unseren Handel mit einem guten Schluck besiegeln können.«

Scarlett ließ ihn vorangehen. Er wollte sie heiraten, sie konnte es immer noch nicht fassen. Sie war wie betäubt: Der Schreck hatte ihr die Sprache verschlagen. Während Luke den Champagner eingoß, wärmte sie sich am Feuer.

Er reichte ihr ein gefülltes Glas. Scarlett nahm es entgegen. Langsam begann sie das Geschehen zu begreifen, und sie fand ihre Stimme wieder.

»Wieso sprechen Sie von einem ›Handel‹, Luke?« Warum hatte er nicht gesagt: Ich liebe Sie und möchte, daß Sie meine Frau werden?

Fenton stieß mit dem Rand seines Glases gegen ihres. »Was ist die Ehe denn anderes als ein Handel, Scarlett? Unsere jeweiligen Anwälte werden die Eheverträge aufsetzen ... doch das ist nur eine Formalität. Sie wissen gewiß, was auf Sie zukommt. Sie sind weder ein kleines Mädchen noch eine Unschuldige.«

Scarlett stellte ihr Glas vorsichtig auf den Tisch und ließ sich bedächtig auf einem Stuhl nieder. Irgend etwas an der Geschichte war faul, furchtbar faul. Weder seine Worte noch seine Miene verrieten irgendeine Spur von Herzlichkeit. Er sah sie nicht einmal an. »Ich würde gerne von Ihnen wissen, was auf mich zukommt«, sagte sie langsam.

Fenton zuckte ungeduldig mit den Schultern. »Wenn Sie es wünschen ... Sie werden in mir einen sehr großzügigen Partner finden. Ich nehme an, das ist Ihr Hauptanliegen.« Er sei, fuhr er fort, einer der wohlhabendsten Männer Englands, obwohl sie das vermutlich schon selbst herausgefunden habe. Er bewundere aufrichtig ihre Klugheit und ihren gesellschaftlichen Aufstieg. Ihr eigenes Vermögen könne sie behalten. Für ihre Garderobe, die Equipage, Schmuck, Diener und dergleichen werde selbstverständlich er aufkommen. Er seinerseits erwarte von ihr, daß sie ihm Ehre mache; nach seinen Beobachtungen habe sie das Zeug dazu.

Auch Ballyhara sollte bis an ihr Lebensende ihr Eigentum bleiben. Der Gedanke schien sie zu amüsieren. Und schließlich konnte sie auch mit Adamstown spielen, wenn sie sich ihre Stiefel schmutzig machen wollte. Nach ihrem Tod würde Ballyhara an ihren Sohn fallen, genau wie Adamstown dereinst. Die Zusammenlegung aneinandergrenzender Ländereien sei schon immer eines der Hauptmotive für Eheschließungen gewesen.

»Denn einer der wichtigsten Punkte des Handels besteht natürlich darin, daß Sie mir einen Erben verschaffen. Ich bin der letzte Sproß unserer Familie, und es ist meine Pflicht, die männliche Linie fortzusetzen. Sobald

Sie mir einen Sohn geschenkt haben, gehört Ihr Leben wieder Ihnen, wobei ich davon ausgehe, daß nach außen hin der übliche Anschein von Diskretion gewahrt wird.«

Luke füllte sein Glas zum zweitenmal und leerte es in einem Zug. Scarlett könne sich bei Cat für ihre Krone bedanken, meinte er. »Es erübrigt sich zu sagen, daß ich nie daran gedacht hatte, Sie zur Gräfin von Kilmessan zu machen. Sie verkörpern einen Frauentyp, mit dem ich gern spiele. Je stärker der Geist, desto größer das Vergnügen, ihn zu brechen und meinem Willen zu unterwerfen. Es wäre interessant gewesen, wenngleich nicht so interessant wie dieses Kind, das Sie da haben. Ich möchte einen Sohn, der ist wie Cat – furchtlos, mit einer unverwüstlichen, robusten Gesundheit. Das Blut der Fentons ist durch Inzucht dünn geworden. Ihre rustikale Vitalität wird das auffrischen. Mir fällt auf, daß die O'Haras unter meinen Pächtern – also Ihre Verwandten – alle sehr alt werden. Sie sind ein wertvoller Besitz, Scarlett. Sie werden mir einen Erben schenken, auf den ich stolz sein kann, und Sie werden weder ihm noch mir gesellschaftlich Schande machen.«

Scarlett blickte Luke inzwischen an wie ein vom Blick einer Schlange hypnotisiertes Tier. Doch endlich gelang es ihr, den Bann zu brechen. Sie nahm ihr Glas vom Tisch und warf es mit den Worten »Da können Sie warten, bis die Hölle gefriert!« in den offenen Kamin. »Da haben Sie den guten Schluck, mit dem Sie Ihren ›Handel‹ besiegeln wollten, Luke Fenton. Verlassen Sie auf der Stelle mein Haus. Das ist ja grauenhaft, was Sie da von sich geben!«

Fenton lachte. Scarlett spannte alle Muskeln an. Sie war bereit, auf ihn loszugehen und ihm in sein lachendes Gesicht zu schlagen. »Ich dachte, Ihnen liegt etwas an Ihrem Kind«, sagte er und rümpfte verächtlich die Nase, »aber da muß ich mich wohl getäuscht haben.« Seine Worte bewirkten, daß Scarlett von ihrem Vorhaben abließ. Sie rührte sich nicht von der Stelle.

»Sie enttäuschen mich, Scarlett, das muß ich schon sagen«, fuhr er fort. »Ich hatte Ihnen mehr Scharfsinn zugetraut, als Sie jetzt zu erkennen geben. Vergessen Sie Ihre verletzte Eitelkeit und bedenken Sie, welche Möglichkeiten sich Ihnen eröffnen. Da ist die unanfechtbare gesellschaftliche Stellung für Sie selbst und für Ihre Tochter. Ich werde Cat adoptieren, und sie wird Lady Catherine sein. ›Katie‹ kommt natürlich nicht in Frage, das ist ein Name für Küchenmädchen. Als meine Tochter wird sie bei allem, was sie braucht oder will, den unmittelbaren, unbestrittenen Zugang zum Besten vom Besten haben. Was Freunde betrifft, letztlich auch den Ehemann, sie wird sich alles nach Belieben aussuchen können. Ich werde ihr nie etwas zuleide tun, ist sie mir doch viel zu wertvoll als Vorbild für meinen Sohn. Können Sie ihr all dies versagen, bloß weil Ihre Unterklassensehnsucht nach romantischer Liebelei nicht erfüllt wird? Das glaube ich nicht.«

»Cat braucht Ihre wertvollen Titel und das, was Sie fürs ›Beste vom

Besten‹ halten, nicht, Luke Fenton. Und ich genausowenig. Wir sind bisher sehr gut ohne Sie ausgekommen, und das wird auch weiterhin der Fall sein.«

»Aber wie lange noch, Scarlett? Verlassen Sie sich ja nicht zu sehr auf Ihren Erfolg in Dublin! Sie sind eine Neuheit – und Neuheiten sind nur von kurzer Lebensdauer. In einer provinziellen Umgebung wie Dublin könnte Ihnen schon ein gutangezogener Orang-Utan den Rang ablaufen. Ich gebe Ihnen noch eine Saison, allenfalls zwei, und dann sind Sie vergessen. Cat braucht den Schutz eines Namens und eines Vaters. Ich bin einer der ganz wenigen Männer, der über die Macht verfügt, Ihrem Kind das Odium des Bastards zu nehmen... Sparen Sie sich Ihre Proteste! Ihre Ausreden interessieren mich nicht. Wenn Sie und Ihr Kind in Amerika willkommen wären, dann säßen Sie nicht hier in diesem gottverlassenen Winkel Irlands. Doch genug damit. Die Sache beginnt mich zu langweilen, und ich hasse Langeweile. Geben Sie mir Bescheid, wenn Sie zur Besinnung gekommen sind, Scarlett. Sie werden auf meinen Handel eingehen. Ich bekomme immer, was ich will.«

»Augenblick!« rief Scarlett, und Fenton blieb stehen. Ein Punkt war ihr noch unklar. »Sie können nicht alles erzwingen, was Sie wollen, Luke Fenton. Haben Sie jemals darüber nachgedacht, daß Ihre Zuchtstute von Ehefrau anstelle eines Jungen vielleicht ein Mädchen zur Welt bringen könnte?«

Fenton drehte sich um und sah ihr ins Gesicht. »Sie sind eine starke, gesunde Frau. Über kurz oder lang sollte es schon ein Junge werden. Aber selbst im schlimmsten Fall, wenn Sie mir nur Mädchen schenken, so könnte eines von ihnen einen Mann heiraten, der bereit ist, seinen Namen aufzugeben und ihren anzunehmen. In diesem Fall würde ein Fenton den Titel erben und die Linie fortführen. Damit wäre meiner Pflicht Genüge geleistet.«

Scarletts Kälte entsprach der seinen. »Sie denken an alles, wie? Angenommen, ich bin unfruchtbar? Oder Sie können keine Kinder zeugen?«

Fenton lächelte. »Ihr Versuch, mich zu beleidigen, berührt mich nicht. Die Bastarde, die ich in allen Städten Europas hinterlassen habe, beweisen meine Männlichkeit in ausreichendem Maße. Und was Sie betrifft, ist da ja Cat.« Ein Anflug von Überraschung zeigte sich auf seinem Gesicht. Mit ein paar raschen Schritten ging er auf Scarlett zu. Seine plötzliche Annäherung ließ sie zusammenzucken.

»Kommen Sie, Scarlett, lassen Sie das Theater. Habe ich Ihnen nicht gerade gesagt, daß ich nur Mätressen Gewalt antue, keinen Frauen? Ich habe kein Verlangen danach, Sie jetzt zu berühren, aber ich hätte um ein Haar Ihre Krone vergessen. Bis zur Hochzeit muß ich sie an einem sicheren Ort verwahren, sie ist ein altes Familienerbstück. Sie werden sie beizeiten tragen. Melden Sie sich, wenn Sie zur Übergabe bereit sind. Ich begebe mich jetzt nach Dublin, um mein Haus dort zu öffnen und auf die kommende Saison vorzubereiten.« Nach einer formvollendeten höfischen Verneigung verließ er lachend das Zimmer.

Scarlett hielt den Kopf stolz erhoben, bis sie hörte, wie die Eingangstür hinter ihm zufiel. Dann lief sie zur Tür der Bibliothek und verschloß sie. So vor den Blicken ihres Personals geschützt, warf sie sich auf den dicken Teppich und begann heftig zu schluchzen. Wie war es möglich, daß sie sich so geirrt hatte? Und was sollte sie jetzt tun? Vor ihrem Auge erschien das Bild von Cat auf den Stufen, mit der Krone auf dem Kopf, strahlend vor Entzücken. Was sollte sie tun?

»Rhett!« rief Scarlett mit brechender Stimme. »Rhett, wir brauchen dich so sehr!«

87. Kapitel

Nach außen ließ Scarlett sich nicht anmerken, wie sehr sie sich schämte. Innerlich machte sie sich jedoch wegen der Gefühle, die sie für Luke Fenton empfunden hatte, schwerste Vorwürfe. Wenn sie allein war, kratzte sie an der Erinnerung wie an einer halbverheilten Wunde und strafte sich mit dem entstehenden Schmerz.

Verrückt mußte sie gewesen sein, daß sie nach jenem Frühstück gleich von einem glücklichen Familienleben zu träumen begonnen hatte. Und daß sie sich eingebildet hatte, diesen Mann dazu bringen zu können, sie zu lieben. Lächerlich! Wenn das herauskommt, dachte sie, bin ich dem Gespött der ganzen Welt preisgegeben.

Rachephantasien überkamen sie. Ich erzähle in ganz Irland herum, daß er mir einen Heiratsantrag gemacht und ich ihn abgelehnt habe. Ich werde Rhett schreiben, und Rhett wird kommen und Fenton umbringen, weil der sein Kind einen »Bastard« geschimpft hat. Vor dem Altar werde ich Fenton ins Gesicht lachen und ihm sagen, daß ich keine Kinder mehr bekommen kann. Er wird dastehen wie ein begossener Pudel. Ich lade ihn zum Dinner ein und vergifte sein Essen . . .

Haß brannte in ihrem Herzen. Scarlett übertrug ihn rasch auf alle Engländer und nahm voller Leidenschaft ihre Unterstützung für Colums Bruderschaft wieder auf.

»Aber ich habe im Moment gar keine Verwendung für dein Geld, meine liebe Scarlett«, sagte er. »Im Augenblick erarbeiten wir eine Strategie für die ›Land League‹. Du hast uns doch am Neujahrstag darüber sprechen hören, erinnerst du dich nicht?«

»Erkläre mir noch einmal, worum es dabei geht, Colum. Es muß doch irgend etwas geben, wobei ich euch helfen kann.«

Es gab aber nichts. Die Mitgliedschaft in der Land League war auf Pachtbauern beschränkt, und vor der Fälligkeit der Pacht im Frühling waren keine Unternehmungen geplant. Sie sollte dann von jeweils einem Bauern pro Gut entrichtet werden, während alle anderen die Zahlung verweigerten. Wenn der Grundbesitzer daraufhin die säumigen Pächter per Zwangsausweisung vertrieb, sollten sie alle ins Cottage des einen Bauern ziehen, der die Pacht gezahlt hatte.

Scarlett sah darin keinen Sinn. Der Grundbesitzer würde sich einfach andere Pächter suchen.

Oh, nein, meinte Colum, denn das war der Punkt, an dem die League eingriff. Sie würde zu verhindern wissen, daß andere Pächter die Plätze der Vertriebenen übernahmen. Ohne Bauern aber würde der Grundbesitzer nicht nur die Pachteinkünfte verlieren, sondern auch die neue Ernte, um die sich ja dann niemand mehr kümmerte. Die Idee war genial – das einzige, was Colum betrübte, war, daß sie nicht von ihm selbst stammte.

Scarlett besuchte ihre Familie und drängte sie, sich der Land League anzuschließen. Im Falle ihrer Zwangsausweisung konnten sie nach Ballyhara kommen.

Ohne jede Ausnahme lehnten die O'Haras ihren Vorschlag ab. Scarlett führte darüber bittere Klage vor Colum.

»Nun mach du dir doch nicht die Blindheit anderer zum Vorwurf, Scarlett«, sagte er. »Schließlich tust du alles, was erforderlich ist, um ihre Schwächen auszugleichen. Bist du nicht die O'Hara und machst diesem Namen alle Ehre? Weißt du nicht, daß in jedem Haus von Ballyhara und in halb Trim Ausschnitte aus den Dubliner Zeitungen gehortet werden, die die O'Hara als strahlenden Stern im Schloß des englischen Vizekönigs darstellen? Sie bewahren die Ausschnitte in der Bibel auf, bei ihren Gebetskarten und Heiligenbildchen.«

Am Tag der heiligen Brigid fiel leichter Regen. Scarlett sprach die rituellen Gebete für eine gute Wachstumsperiode mit bislang unbekannter Inbrunst, und als sie die erste Scholle umstach, standen ihr die Tränen in den Augen. Vater Flynn segnete die Erde mit Weihwasser, dann wanderte der Wasserkelch von Hand zu Hand, und jeder trank einen Schluck daraus. Die Bauern verließen das Feld rasch und mit gesenkten Köpfen. Noch so ein Jahr wie das vergangene würde keiner von ihnen überstehen.

Scarlett kehrte nach Hause zurück und zog sich die schlammverkrusteten Stiefel aus. Dann lud sie Cat zum Kakao in ihr Zimmer ein und traf noch einige Vorbereitungen für Dublin. Bis zur Abreise war es nur noch eine knappe Woche. Sie wollte eigentlich gar nicht an der Saison teilnehmen, mußte sie doch damit rechnen, dort Luke Fenton zu begegnen. Wie sollte sie ihm gegenübertreten? Hocherhobenen Hauptes – etwas anderes kam nicht in Frage. Ihre Leute erwarteten es von ihr.

Scarletts zweite Saison in Dublin war ein noch größerer Erfolg als ihre erste. Im Shelbourne erwarteten sie Einladungen zu sämtlichen Veranstaltungen bei Hofe sowie zu fünf kleinen Tänzen und zwei Nachtessen in den Privatgemächern des Vizekönigs. In einem versiegelten Umschlag fand sie sogar die begehrteste Einladung vor, die es gab: Ihre Kutsche erhielt das Privileg, den besonderen Eingang auf der Rückseite des Schlosses benutzen zu dürfen. Fortan entfiel das stundenlange Warten auf der Dame Street, das sich daraus ergab, daß immer nur vier Kutschen auf einmal in den Schloßhof einfahren und Gäste absetzen durften.

Darüber hinaus gab es Einladungen zu Empfängen und Dinnerpartys in privaten Haushalten, die allgemein als weit unterhaltsamer galten als die Massenveranstaltungen im Schloß, an denen Hunderte von Leuten teilnahmen. Scarlett lachte aus tiefer Kehle. Bin ich ein Orang-Utan in feinen Kleidern? Nein, der Stapel mit den Einladungen beweist das Gegenteil. Ich bin die O'Hara von Ballyhara, bin Irin und stolz darauf. Ich bin eine Persönlichkeit aus eigenem Recht. Was macht es schon, daß Luke Fenton sich in Dublin herumtreibt? Ich kann ihm ohne Furcht und Scham in die Augen sehen und ihn abblitzen lassen.

Sie sortierte den Stapel und traf wählerisch ihre Entscheidungen. Nun verspürte sie doch ein wenig freudige Erregung. Ja, es war schön, begehrt zu sein, schön, hübsche Kleider zu tragen und in prachtvollen Ballsälen zu tanzen. Die feine Gesellschaft in Dublin wurde zwar von den Engländern dominiert, aber was hieß das schon? Scarlett kannte sich inzwischen gut genug aus, um das Lächeln und Stirnrunzeln der Gesellschaft, die Regeln und Regelverstöße, die Ehrungen und Scherbengerichte, Triumphe und Niederlagen richtig zu deuten. Sie alle gehörten zum Spiel dazu und waren in der Wirklichkeit außerhalb der vergoldeten Ballsäle doch sämtlich ohne Belang. Aber Spiele waren nun einmal erfunden worden, um gespielt zu werden, und Scarlett war eine gute Spielerin. Letztlich war sie froh darüber, nach Dublin gekommen zu sein. Sie siegte gern.

Unmittelbar nach ihrer Ankunft erfuhr Scarlett, daß Luke Fentons Anwesenheit in Dublin für höchste Aufregung sorgte und eine Flut von Spekulationen ausgelöst hatte.

»Selbst in London redet man von nichts anderem, meine Liebe«, sagte May Taplow. »Alle Welt weiß, daß Fenton Dublin für ein drittklassiges Provinznest hält. Sein Haus war jahrzehntelang nicht mehr geöffnet. Was in aller Welt treibt er plötzlich hier?«

»Keine Ahnung«, erwiderte Scarlett. Allein die Vorstellung, wie May reagieren würde, wenn sie ihr reinen Wein einschenkte, bereitete ihr ein diebisches Vergnügen.

Überall, wo sie hinging, schien auch Fenton aufzutauchen. Scarlett grüßte ihn kühl und höflich und ignorierte den Ausdruck verächtlicher Selbstsicherheit in seinen Augen. Nach der ersten Begegnung packte sie nicht einmal mehr die Wut, wenn sich ihre Blicke zufällig trafen. Er hatte nicht mehr die Macht, sie zu verletzen.

Nicht als er selbst. Aber Scarlett durchfuhr jedesmal ein stechender Schmerz, wenn sie den Rücken eines hochgewachsenen, in Samt oder Brokat gekleideten schwarzhaarigen Mannes erblickte und sich dann herausstellte, daß es Fenton war. Denn in jeder Menschenansammlung hielt Scarlett nach Rhett Ausschau. Im vergangenen Jahr war er im Schloß gewesen – warum dann nicht in diesem Jahr ... heute abend ... hier in diesem Zimmer?

Doch immer war es Fenton. Wo sie auch hinsah oder hinhörte, in allen Gesprächen, in allen Zeitungen, die sie las. Sie mußte ihm schon fast dankbar sein, daß er sie mit besonderen Aufmerksamkeiten verschonte, wäre doch sonst auch sie sofort von Gemunkel und Getuschel verfolgt worden. Dennoch wünschte sie sich inständig, daß sein Name nicht unablässig in aller Munde geführt würde.

Die Gerüchte verdichteten sich mit der Zeit zu zwei Theorien: Entweder hatte der Graf von Kilmessan sein lange vernachlässigtes Haus für einen heimlichen, inoffiziellen Besuch des Prinzen von Wales in Ordnung gebracht, oder aber er war in den Bann von Lady Sophia Dudley geraten, die im Mai Gesprächsthema Nummer eins der Londoner Saison gewesen war und ihren Erfolg nun in Dublin wiederholte. Es war eine der ältesten Geschichten der Welt – ein Mann stößt sich die Hörner ab, weiß jahrelang allen Listen und Schlichen der Frauen zu widerstehen, bis er mit vierzig plötzlich Knall auf Fall den Kopf verliert und sich bis über alle Ohren in Schönheit und Unschuld verliebt.

Lady Sophia Dudley war siebzehn. Sie hatte Haare so golden wie reifes Heu, Augen vom Blau des Sommerhimmels und einen rosaweißen Teint, der auch feinstes Porzellan noch in den Schatten stellte – zumindest hieß es so in den Balladen, die über sie verfaßt und an allen Straßenecken zum Preis von einem Penny verkauft wurden.

Tatsächlich war Sophia ein schönes, scheues Mädchen, das sehr stark von ihrer ehrgeizigen Mutter beherrscht wurde und angesichts all der Aufmerksamkeit und der Galanterien, die ihr zuteil wurden, oftmals höchst attraktiv errötete. Scarlett sah sie ziemlich häufig. Sophias privates Empfangszimmer lag gleich neben ihrem eigenen. Was die Einrichtung und die Aussicht betraf, war es das zweitbeste Zimmer, hinsichtlich der Leute, die um eine Audienz wetteiferten, jedoch das beste. Und das, obwohl Scarlett in keiner Weise vernachlässigt wurde; für eine reiche, angesehene Witwe mit faszinierenden grünen Augen würde es immer eine Nachfrage geben.

Warum sollte ich überrascht sein, dachte Scarlett. Ich bin doppelt so alt wie sie, und im letzten Jahr war ich an ihrer Stelle. Dennoch fiel es ihr manchmal schwer, ihren Mund zu halten, wenn Sophias Name mit Luke Fenton in Verbindung gebracht wurde. Es war allgemein bekannt, daß ein

Herzog um Sophias Hand angehalten hatte. Alle Welt war sich jedoch darüber einig, daß Fenton für sie eine bessere Partie wäre. Zwar stand ein Herzog rangmäßig höher als ein Graf, doch war Fenton vierzigmal so reich wie besagter Herzog und sah hundertmal besser aus. »Außerdem gehört er mir, wenn ich nur will«, hätte Scarlett oft gerne gesagt. Über wen dann wohl Balladen geschrieben würden?

Sie tadelte sich selbst für ihre kleinliche Gehässigkeit. Auch daß sie immer wieder an Luke Fentons Voraussage, sie würde in ein, zwei Jahren vergessen sein, denken mußte, kam ihr töricht vor. Und sie beschloß, sich wegen der winzigen Krähenfüßchen, die sich in ihren Augenwinkeln zeigten, keine Gedanken zu machen.

Am ersten Sonntag des Monats kehrte Scarlett kurz nach Ballyhara zurück, um ihre regelmäßige Sprechstunde abzuhalten. Sie war froh und glücklich darüber, Dublin vorübergehend verlassen zu können. Die letzten Wochen der Saison zogen sich schier unendlich in die Länge.

Es war schön, wieder daheim zu sein und sich anstatt mit der Frage, welches Kleid man bei der nächsten Party tragen sollte, mit handfesten Problemen wie Paddy O'Faolains Ersuchen um eine größere Torfzuteilung zu befassen. Und es war schlichtweg der Himmel auf Erden, bei der Begrüßungsumarmung von Cats starken kleinen Ärmchen nahezu erdrosselt zu werden.

Als der letzte Streit beigelegt und die letzte Bitte bewilligt waren, begab sie sich mit Cat zum Nachmittagstee ins Frühstückszimmer.

»Du kriegst die andere Hälfte, Mama«, sagte Cat. Ihr Mund war voller Schokolade von den Eclairs, die Scarlett aus Dublin mitgebracht hatte.

»Es ist komisch, Kitty Cat, aber ich habe eigentlich gar keinen Hunger. Möchtest du noch mehr?«

»Ja.«

»Ja, bitte, heißt das.«

»Ja, bitte. Darf ich sie gleich essen?«

»Ja, du darfst, mein kleines Schweinchen.«

Ehe Scarlett ihre Tasse geleert hatte, waren die Eclairs auch schon verschwunden. Cat verschlang sie geradezu mit Hingabe.

»Wohin sollen wir denn heute nachmittag unseren Spaziergang machen?« fragte Scarlett, und Cat erwiderte, sie würde gerne Grainne besuchen.

»Grainne hat dich lieb, Mama. Mich hat sie noch lieber, aber dich mag sie gern.«

»Ja, das wäre nett«, sagte Scarlett. Die Idee, zum Turm zu gehen, gefiel ihr. Der Turm verlieh ihr immer ein Gefühl heiterer Gelassenheit – und an heiterer Gelassenheit im Herzen mangelte es ihr sehr.

Scarlett schloß die Augen und legte ihre Wange für eine lange Weile an die uralten, glatten Steine. Cat zappelte unruhig hin und her.

Dann zog Scarlett an der Strickleiter, die zu der hohen Tür hinaufführte, und prüfte ihre Haltbarkeit. Sie war dreckig und von Wind und Wetter zerschlissen, wirkte aber noch sicher. Trotzdem beschloß Scarlett, schon bald eine neue anbringen zu lassen. Wenn die alte riß und Cat zu Boden stürzte . . . Sie konnte den Gedanken nicht ertragen. Es wäre so schön, wenn Cat mich einladen würde, ihr kleines Reich dort oben zu besuchen, dachte sie und zog demonstrativ noch einmal an der Leiter.

»Grainne wartet schon auf uns, Mama. Wir haben viel Krach gemacht.«

»Schon gut, Schätzchen, ich komme.«

Die weise Frau sah nicht älter aus als beim erstenmal, da Scarlett sie gesehen hatte. Sie hatte sich überhaupt nicht verändert. Ich gehe jede Wette ein, daß sie sogar dieselben Schals trägt wie damals, dachte Scarlett. Cat begann sogleich, in der kleinen, düsteren Hütte herumzuwerkeln. Sie holte Tassen vom Regal und schob den urig duftenden Torf im Kamin zu einem kleinen glühenden Haufen zusammen, über dem der Wasserkessel erhitzt werden konnte. Man merkte, daß sie sich wie zu Hause fühlte. »Ich gehe zur Quelle und fülle den Kessel«, sagte sie schließlich und verschwand nach draußen. Grainne sah ihr liebevoll nach.

»Dara besucht mich oft«, sagte die weise Frau. »Sie tröstet meine einsame Seele. Ich bringe es nicht übers Herz, sie fortzuschicken, denn sie hat ja recht. Einsame Herzen erkennen einander.«

Scarlett war aufgebracht. »Cat ist gern allein«, sagte sie. »Sie muß nicht einsam sein. Ich habe sie immer wieder gefragt, ob sie nicht mit den anderen Kindern spielen will, aber sie sagt immer nein.«

»Ein kluges Kind. Sie versuchen, sie zu steinigen. Aber Dara ist zu flink für sie.«

Scarlett traute ihren Ohren nicht. »Was versuchen sie?«

Die Kinder aus der Stadt, erklärte ihr Grainne ruhig, jagten Dara wie ein wildes Tier durch den Wald. Dara höre sie freilich immer rechtzeitig, so daß ihre Verfolger sie nie erwischten. Nur die allergrößten kämen ihr schon einmal so nahe, daß sie die eigens mitgebrachten Steine nach ihr werfen könnten, aber das gelänge ihnen auch nur, weil sie längere und ältere Beine hätten und von daher schneller laufen könnten als Dara. Trotzdem wisse die Kleine ihnen jedesmal zu entkommen. Die Burschen trauten sich nämlich nicht, ihr in den Turm zu folgen. Sie fürchteten sich vor ihm, weil der Geist des gehenkten jungen Lords darin herumspuke.

Scarlett war entsetzt. Cat, ihr kleines Juwel, wurde von den Kindern aus Ballyhara gequält! Ich peitsche sie eigenhändig aus, jeden einzelnen von diesen Bengeln, dachte sie. Ich jage ihre Eltern fort und mache Kleinholz aus ihren Möbeln! Sie sprang von ihrem Stuhl auf.

»Wollen Sie das Kind mit der Zerstörung Ballyharas belasten?« fragte

Grainne. »Setzen Sie sich wieder hin, Frau. Andere würden genauso sein. Sie haben Angst vor jedem, der anders ist als sie. Und so versuchen sie, das, was ihnen angst macht, fortzuscheuchen.«

Scarlett sank auf ihren Stuhl zurück. Sie wußte, daß die weise Frau recht hatte. Sie selbst hatte für ihr Anderssein immer wieder bezahlen müssen. Die Steine, die sie hatte spüren müssen, waren Kälte, Kritik und Verachtung gewesen. Aber sie hatte sie selbst auf sich gezogen. Cat dagegen war noch ein kleines Mädchen. Sie konnte nichts dafür. Und sie schwebte in Gefahr! »Kann ich denn überhaupt nichts dagegen tun?« rief sie. »Das ist unerträglich! Ich muß ihnen doch irgendwie Einhalt gebieten!«

»Gegen Unwissenheit ist kein Kraut gewachsen. Dara hat eine Zuflucht gefunden. Die Steine verletzen ihre Seele nicht, und in ihrem Turmzimmer ist sie sicher.«

»Das genügt eben nicht! Was ist, wenn sie doch einmal von einem Stein getroffen wird? Angenommen, sie wird verletzt? Warum hat sie mir nie gesagt, daß sie einsam ist? Ich kann es nicht ertragen, wenn sie unglücklich ist.«

»Hören Sie, was Ihnen eine alte Frau zu sagen hat, O'Hara. Hören Sie mit Ihrem Herzen. Es gibt ein Land, das die Menschen nur aus den Gesängen der *seachain* kennen. Es heißt ›Tir na nOg‹, und es liegt unter den Hügeln. Es leben dort Männer und Frauen, die den Weg dorthin gefunden haben. Wo sie herkommen, hat man sie nie wiedergesehen. In Tir na nOg gibt es weder Tod noch Verfall, weder Sorgen noch Schmerz, weder Haß noch Hunger. Alle Menschen leben in Frieden miteinander, und es herrscht Überfluß, ohne daß jemand arbeiten muß. Das ist der rechte Ort für mein Kind, werden Sie sagen. Doch aufgepaßt! Weil es in Tir na nOg keine Sorgen gibt, gibt es dort auch keine Freude. Verstehen Sie die Bedeutung des Gesangs der *seachain*?«

Scarlett schüttelte den Kopf.

Grainne seufzte. »Dann kann ich Ihnen Ihr Herz nicht leichter machen. Dara hat mehr Einsicht. Lassen Sie sie, wie sie ist.« Cat kam zur Tür herein, als hätte die alte Frau sie gerufen. Sie konzentrierte sich auf den schweren, mit Wasser gefüllten Kessel und achtete weder auf ihre Mutter noch auf Grainne. Stumm sahen die beiden Frauen zu, wie Cat den Kessel sorgfältig an den Eisenhaken über dem Feuer hängte und darunter noch mehr Torfglut anhäufte.

Scarlett mußte sich abwenden. Wenn sie ihrem Kind noch länger zusah, würde sie nichts mehr davon abhalten können, aufzuspringen, Cat zu ergreifen und in schützender Umarmung an sich zu drücken. Cat würde das nicht ausstehen können. Ich darf auch nicht weinen, sagte sich Scarlett, es würde sie womöglich erschrecken. Sie würde meine Angst spüren.

»Schau mal, Mama«, sagte Cat. Vorsichtig goß sie dampfendes Wasser in eine alte, gebräunte Teekanne aus Porzellan. Süßer Duft stieg mit dem

Dampf empor. Cat lächelte. »Ich habe genau die richtigen Blätter hineingetan, Grainne«, gluckste sie und sah sehr stolz und glücklich aus.

Scarlett ergriff den Schal der weisen Frau. »So sagen Sie mir doch, was ich tun soll«, bat sie.

»Sie müssen tun, was Ihnen zu tun gegeben ist. Gott wird Dara behüten.«

Ich verstehe kein Wort, dachte Scarlett. Dennoch hatte sich die furchtbare Angst gelegt. In der anheimelnden Stille und Wärme des düsteren, von Kräuterduft erfüllten Raums trank sie Cats Gebräu. Sie war froh, daß ihre Tochter hier ein und aus gehen konnte. Und daß sie den Turm hatte. Ehe sie wieder nach Dublin zurückfuhr, gab sie eine neue, stärkere Strickleiter in Auftrag.

88. Kapitel

In diesem Jahr besuchte Scarlett die Rennen in Punchestown. Ihr lag eine Einladung des Grafen von Clonmel zu Bishopscourt vor, der unter dem Spitznamen »Earlie« bekannt war. Zu ihrer Freude war auch John Morland unter den Gästen. Daß Luke Fenton ebenfalls gekommen war, fand sie dagegen eher betrüblich.

Bei der erstbesten Gelegenheit suchte Scarlett das Gespräch mit Morland. »Bart! Wie geht es Ihnen? Sie sind der schlimmste Stubenhocker, der mir in meinem ganzen Leben begegnet ist. Überall halte ich nach Ihnen Ausschau, aber nirgendwo lassen Sie sich blicken.«

Morland strahlte vor Glück und ließ seine Fingerknöchel vernehmlich knacken. »Ich war sehr beschäftigt, Scarlett, aber auf ganz wunderbare Weise. Nach so vielen Jahren habe ich jetzt endlich eine todsichere Siegerin.«

Das hatte Scarlett ihn schon des öfteren sagen hören. Bart liebte seine Pferde so sehr, daß er bei jedem Fohlen »todsicher« war, es würde dereinst das Grand National gewinnen. Am liebsten wäre sie ihm um den Hals gefallen. Auch ohne seine Verbindung zu Rhett wäre ihr John Morland ans Herz gewachsen.

»... habe sie Diana ganannt, die Leichtfüßige und so, Sie wissen schon. Und John nach mir. Alles in allem und abgesehen von der biologischen Seite bin ich ja praktisch ihr Vater. Wenn man das zusammenzieht, bekommt man ›Dijon‹. Herrje, hab ich mir erst gedacht, französischer Senf, also nein, das geht nicht, nicht für ein irisches Pferd. Aber dann habe ich es mir doch noch mal überlegt. Scharf und gepfeffert, daß es dir die Tränen in die Augen treibt, das paßt nicht schlecht. So wie ›Platz da, jetzt komme ich!‹. Also bleibt's bei Dijon. Sie wird mir ein Vermögen einbringen. Setzen Sie getrost einen Fünfer auf sie, Scarlett, sie ist ein sicherer Tip.«

»Ich setze sogar zehn Pfund auf sie.« Sie überlegte, wie sie das Gespräch auf Rhett bringen könnte, weshalb ihr John Morlands nächste Sätze entgingen.

». . . tief in der Tinte, wenn ich mich nicht irren sollte. Meine Pächter verweigern mir die Pacht und beteiligen sich an diesem Streik, den sich die Land League ausgedacht hat. Kann mir nicht einmal mehr den Hafer leisten. Ich frage mich wirklich, wie ich dazu kommen konnte, so große Stücke auf Charles Parnell zu halten. Hätte nie gedacht, daß der Bursche am Ende mit diesen barbarischen Feniern gemeinsame Sache macht.«

Scarlett war entsetzt. Nicht im Traum wäre sie auf den Gedanken gekommen, die Land League könnte sich auch gegen Leute wie Bart richten.

»Das ist ja unglaublich, Bart. Was werden Sie denn jetzt tun?«

»Wenn Dijon hier gewinnt oder auch nur auf einen der ersten Plätze kommt, wird sie das nächste große Rennen wohl in Galway laufen. Dann kommt Phoenix Park. Und vielleicht melde ich sie auch noch zu ein, zwei kleineren Rennen im Mai und Juni an, damit sie nicht aus der Übung kommt, sozusagen.«

»Nein, nein, Bart, ich meinte nicht Dijon! Was werden Sie wegen der Pachtverweigerung unternehmen?«

Das Strahlen wich aus John Morlands Gesicht. »Ich weiß es nicht«, sagte er. »Die Pacht ist das einzige, was ich habe. Nicht ein einziges Mal habe ich einen Pächter zwangsvertrieben, ja nie auch nur daran gedacht. Aber jetzt bleibt mir möglicherweise nichts anderes übrig. Eine Schande wär's, eine verdammte!«

Scarlett dachte an Ballyhara. Ein Glück, daß sie sich keine solchen Sorgen zu machen brauchte. Sie hatte bis zur nächsten Ernte auf alle Pachteinnahmen verzichtet.

»Ehe ich's vergesse, Scarlett: Ich habe sehr erfreuliche Nachrichten von unserem Freund Rhett Butler aus Amerika erhalten.«

Scarletts Herz schlug unwillkürlich höher. »Kommt er herüber?«

»Nein, obwohl ich ihn erwartet habe. Ich hab ihm von Dijon geschrieben, aber er hat geantwortet, er könne leider nicht kommen, weil er im Juni Vater wird. Diesmal haben sie größte Sorgfalt walten lassen. Seine Frau hat monatelang gelegen, damit nicht noch einmal das gleiche passiert wie beim letztenmal. Inzwischen geht alles ganz hervorragend. Sie ist wieder auf den Beinen und glücklich wie ein Zaunkönig. Er auch, natürlich. Hab noch nie in meinem Leben einen Mann so sehr den stolzen Vater rauskehren sehen . . .«

Scarlett mußte sich an einer Stuhllehne festhalten. Welch unrealistische Tagträume und heimliche Hoffnungen sie noch gehegt haben mochte, sie hatten sich nun endgültig in Luft aufgelöst.

Earlie hatte für seine Gäste einen ganzen Block auf der weißgestrichenen Gittertribüne reservieren lassen. Scarlett stand mitten unter ihnen und betrachtete die Rennstrecke durch ein perlmuttbesetztes Opernglas. Der Turf war glänzend grün, und das Innenfeld des langgestreckten Ovals schien nur aus Farbe und Bewegung zu bestehen. Die Zuschauer standen auf ihren Karren, auf den Sitzen und Dächern ihrer Kutschen, spazierten einzeln oder in Gruppen umher und drängten sich an der Absperrung vor der Rennbahn.

Es fing an zu regnen. Scarlett war froh, die zweite Etage der Haupttribüne über sich zu haben, welche den privilegierten Sitzplatzinhabern darunter ein Dach bot.

»Um so besser«, frohlockte Bart Morland. »Dijon ist in Matsch ganz vernarrt.«

»Na, auf wen setzen Sie, Scarlett?« fragte eine aalglatte Stimme an ihrem Ohr. Es war Fenton.

»Ich habe mich noch nicht entschieden, Luke.«

Als die Reiter auf die Strecke kamen, jubelte und klatschte Scarlett mit den anderen. Mindestens zwanzigmal stimmte sie John Morland zu: Ja, ganz recht, schon mit bloßem Auge erkannte man, daß Dijon das beste Pferd von allen war... Doch während sie so redete und weiterredete und stets ihre lächelnde Miene bewahrte, arbeitete ihr Hirn systematisch alle Möglichkeiten durch, die sich ihr boten. Luke Fenton zu heiraten wäre ein zutiefst ehrloses Verhalten. Er wollte ein Kind, und sie konnte ihm keines schenken; außer Cat, für die in diesem Fall natürlich bestens gesorgt wäre. Kein Mensch würde sie je nach ihrem leiblichen Vater fragen... na ja, nicht ganz, es würde schon Getuschel geben, aber sei's drum... Sie, Scarlett, wäre dann immerhin die O'Hara von Ballyhara und die Gräfin von Kilmessan.

Und welche Ehre schulde ich Luke Fenton schon? dachte sie. Er besitzt doch selbst keine. Wie komme ich da überhaupt auf die Idee, er hätte Anspruch auf ein ehrenvolles Verhalten meinerseits?

Dijon gewann das Rennen, und John Morland schwebte im siebten Himmel. Augenblicklich fand er sich von einer Menschenmenge umringt. Von allen Seiten wurde ihm auf die Schultern geklopft und gratuliert.

Im Schutz des freudigen Durcheinanders suchte Scarlett nach Luke Fenton. »Sagen Sie Ihrem Anwalt, er möge sich wegen der Verträge mit dem meinen in Verbindung setzen. Ich habe auch bereits den Zeitpunkt der Eheschließung festgelegt: Ende September, nach dem Erntefest.«

»Colum, ich werde den Grafen von Kilmessan heiraten«, sagte Scarlett.

Er lachte. »Und ich nehme mir Lilith zur Braut. Das gibt vielleicht ein Fest. Heerscharen von Teufeln als Gäste auf dem Hochzeitstanz!«

»Ich meine es ernst, Colum.«

Sein Gelächter endete abrupt. Er starrte Scarlett in ihr blasses, entschlossenes Gesicht. »Das erlaube ich nicht!« brüllte er. »Der Kerl ist ein Teufel und ein Engländer noch dazu!«

Rote Flecken erschienen auf Scarletts Wangen. »Du ... *erlaubst* das nicht?« fragte sie langsam. »Für wen hältst du dich eigentlich, Colum? Für den lieben Gott?« Mit zornfunkelnden Augen trat sie dicht vor ihn hin. »Jetzt hör mir mal gut zu, Colum O'Hara: Weder du noch sonst irgendwer auf Erden hat das Recht, so mit mir zu reden. Das dulde ich nicht!«

Sein Blick und seine Wut konnten es durchaus mit ihrer Erregung aufnehmen. Einen zeitlosen Augenblick standen sie einander wie versteinert gegenüber. Dann neigte Colum den Kopf ein wenig zur Seite und lächelte. »Na, wenn das nicht unser gemeinsames O'Harasches Temperament ist, Scarlett-Schatz. Legt uns Worte in den Mund, die keiner von uns beiden so meint, wie er sie ausspricht. Ich bitte dich um Entschuldigung, aber laß uns die Sache noch einmal in aller Ruhe besprechen.«

Scarlett trat einen Schritt zurück. »Versuche nicht wieder, mich zu beschwatzen, Colum«, sagte sie traurig. »Du wirst mich nicht überzeugen können. Eigentlich wollte ich mich mit meinem besten Freund aussprechen, aber er scheint nicht hierzusein. Vielleicht hat es ihn auch überhaupt nie gegeben.«

»Nein, Scarlett, meine Liebe, so geht es einfach nicht. So nicht!«

Sie zuckte knapp und niedergeschlagen mit den Schultern. »Es ist mir auch egal. Mein Entschluß steht fest. Ich werde Luke Fenton heiraten und im September nach London übersiedeln.«

»Du machst deinem Volk Schande, Scarlett O'Hara.« Colums Stimme klang hart wie Stahl.

»Das ist eine Lüge«, gab Scarlett müde zurück. »Sag das zu Daniel, der in O'Hara-Land begraben liegt, das jahrhundertelang verloren war. Oder deinen edlen Feniern, die mich die ganze Zeit über ausgenutzt haben. Keine Sorge, Colum, ich werde euch nicht verraten. In Ballyhara bleibt alles beim alten – mit dem Gasthaus als Zuflucht für Leute, die sich vor der Polizei verstecken müssen, und den Pubs, in denen ihr gegen die Engländer hetzen könnt. Ich werde dich zu meinem Verwalter ernennen, und Mrs. Fitz führt das Haus genauso weiter wie jetzt. Darum geht es dir doch in Wirklichkeit und nicht um mich.«

»Nein!« brach es aus Colum hervor. »O Scarlett, du hast ganz und gar unrecht. Du bist mein ganzer Stolz, mein ganzes Glück. Und Katie Colum hält mein Herz in ihren kleinen Händchen. Nur ... Irland, das ist eben meine Seele und das Wichtigste von allem.« Flehend streckte er ihr die Hände entgegen. »Sag, daß du mir glaubst, denn es ist die reine Wahrheit.«

Scarlett versuchte zu lächeln. »Ich glaube dir. Aber du mußt auch mir vertrauen. Die weise Frau hat mir gesagt: ›Sie müssen tun, was Ihnen zu tun gegeben ist.‹ Und so ist für dich das eine richtig, Colum, und für mich das andere.«

Mit schweren Schritten kehrte Scarlett zum Gutshaus zurück. Es war, als wäre ihr die Last ihres Herzens in die Füße gefahren. Die Szene mit Colum war ihr sehr nahegegangen. Vor allen anderen hatte sie ihn eingeweiht, hatte Verständnis und Mitgefühl erwartet und verzweifelt gehofft, er könnte ihr vielleicht doch noch einen Ausweg zeigen. Aber Colum hatte versagt, und nun fühlte sie sich sehr, sehr einsam. Sie fürchtete sich, Cat in die Hochzeitspläne einzuweihen, ihr zu sagen, daß sie die Wälder um Ballyhara mitsamt dem geliebten Turm verlassen mußte.

Doch die Antwort ihrer Tochter war eine große Erleichterung für Scarlett. »Ich mag Städte«, sagte Cat. »Dort gibt es einen Zoo.« Ich tue doch das Richtige, dachte Scarlett, jetzt weiß ich es ganz genau. Sie bestellte in Dublin Bücher mit Bildern von London und bat Mrs. Sims brieflich um einen Termin. Das Hochzeitskleid mußte in Auftrag gegeben werden.

Ein paar Tage später brachten zwei von Fentons Männern einen Brief und ein Päckchen. Luke schrieb, er werde sich bis eine Woche vor der Hochzeit in England aufhalten, und die Anzeige solle erst nach Ende der Londoner Saison erscheinen. Scarlett möge sich ihr Kleid passend zu den Juwelen entwerfen lassen, die der Bote ihr mit dem Brief überbringe. Noch drei Monate blieben ihr! Vor der Veröffentlichung der Verlobungsanzeige würde sie niemand mit Fragen belästigen und mit Einladungen bedrängen.

Dem Päckchen entnahm sie ein quadratisches, mit feiner Goldschmiedearbeit beschlagenes Kästchen aus ochsenblutfarbenem Leder. Scarlett klappte den Deckel auf und hielt den Atem an. Das Kästchen war mit grauem Samt ausgelegt, und sorgfältig darin eingebettet lagen ein Collier, zwei Armbänder und ein Paar Ohrringe.

Die Fassungen waren aus schwerem, altem Gold von trübem, beinahe bronzenem Glanz gearbeitet. Die Juwelen, blutrote Rubine, waren genau aufeinander abgestimmt, ein jeder Stein mindestens so groß wie Scarletts Daumennagel. Die Ohrringe bestanden aus jeweils einem ovalen, meisterhaft geschliffenen Rubintropfen, die Armbänder aus je zwölf Steinen. Die Steine des zweireihigen Colliers waren durch schwere Kettenglieder miteinander verbunden. Zum erstenmal begriff Scarlett den Unterschied zwischen Schmuck und Juwelen. Kein Mensch käme auf die Idee, diese Rubine als »Schmuck« zu bezeichnen, dazu waren sie viel zu erlesen und viel zu wertvoll. Ihre Finger zitterten, als sie die Armbänder um ihre Handgelenke schloß. Das Schließen des Colliers konnte sie nicht allein bewerkstelligen, sie mußte nach Peggy Quinn läuten. Als Scarlett sich schließlich im Spiegel betrachtete, mußte sie tief durchatmen. Ihre Haut schimmerte wie Alabaster unter dem tiefen Rot der Rubine, ihr Haar wirkte irgendwie dunkler und glanzvoller. Sie versuchte sich daran zu erinnern, wie die kleine Krone aussah. Ja, auch sie war mit Rubinen besetzt. Ich werde, wenn man mich der Queen vorstellt, selbst aussehen wie eine Königin, dachte sie. Sie kniff ihre grünen Augen ein wenig zusammen. London verspricht eine weitaus größere Herausforderung zu werden als Dublin. Wer weiß, vielleicht gefällt es mir ja mit der Zeit sogar sehr gut dort.

Peggy Quinn verlor keine Zeit. In kürzester Zeit wußten die übrige Dienerschaft sowie Peggys Familie in Ballyhara Bescheid. Das herrliche Geschmeide, der hermelinbesetzte Überwurf, dazu all die morgendlichen Kaffeestunden mit Luke Fenton, das alles ließ nur einen Schluß zu: Die O'Hara beabsichtigte den Grafen von Kilmessan zu heiraten, diesen Erzbösewicht und Pachtwucherer.

Und was wird aus uns? Fragen und Befürchtungen eilten wie ein Buschfeuer von Haus zu Haus.

Im April ritt Scarlett mit Cat über die Weizenfelder, und das Kind rümpfte die Nase über den Gestank des frisch ausgebrachten Dungs. Die Ställe und Scheunen, die täglich ausgemistet wurden, rochen nie so unangenehm. Scarlett lachte ihre Tochter aus. »Zieh kein solches Gesicht, bloß weil frisch gedüngt ist, Cat O'Hara. Für die Bauern duftet der Mist wie das köstlichste Parfüm, und du stammst immerhin von ihnen ab. Vergiß das nie, Cat. Vergiß das niemals.« Voll Stolz schweifte ihr Blick über die Äcker, auf denen schon bald das Korn gedeihen würde. Mein Land! Ich habe es zu neuem Leben erweckt, ich allein. Dieser Teil ihres Lebens, das wußte sie, würde ihr am meisten fehlen, wenn sie erst einmal nach London gezogen war. Doch die Erinnerung und die Befriedigung über ihre Leistung würden bleiben. Sie war die O'Hara, und in ihrem Herzen würde sie es immer bleiben. Und wenn Cat eines Tages erwachsen war und auf sich selber aufpassen konnte, dann hatte sie die Möglichkeit, hierher zurückzukehren. »Vergiß nie, vergiß niemals, woher du kommst«, ermahnte Scarlett ihre Tochter. »Du kannst stolz darauf sein.«

»Keine Menschenseele darf davon etwas erfahren«, sagte Scarlett zu Mrs. Sims. »Das werden Sie mir auf einen ganzen Stoß Bibeln schwören müssen.«

Die exklusivste Damenschneiderin von Dublin bedachte Scarlett mit ihrem eisigsten Blick. »Bisher hatte noch nie jemand Anlaß, meine Diskretion in Frage zu stellen, Mrs. O'Hara.«

»Ich werde heiraten, Mrs. Sims, und dafür brauche ich von Ihnen ein Hochzeitskleid.« Sie nahm die Schmuckschatulle zur Hand und öffnete sie. »Ein Kleid, das hierzu paßt.«

Mund und Augen der Schneiderin formten stumme Ohs, und Scarlett fühlte sich für all die qualvollen Stunden diktatorischer Ankleideproben reich entschädigt: Der Schreck, den sie ihr verpaßt hatte, mußte die gute Frau zehn Jahre ihres Lebens kosten.

»Gehe ich recht in der Annahme, daß Sie dazu Hermelin tragen werden, Mrs. O'Hara?«

»Selbstverständlich.«

»Dann gibt es nur eine einzige Möglichkeit: weißer Seidensamt mit aufgenähter Spitze, am besten Galway-Spitze. Wieviel Zeit bleibt mir? Die Spitze muß geklöppelt und dann auf den Samt genäht werden, jedes einzelne Blütenblatt rundum. Das kostet Zeit.«

»Reichen Ihnen fünf Monate?«

Mrs. Sims raufte sich mit ihren sorgfältig manikürten Fingern ihr sorgfältig frisiertes Haar. »So schnell... Lassen Sie mich nachdenken... Wenn ich zusätzlich noch zwei Näherinnen einstelle... und die Nonnen nichts anderes mehr tun lasse... Über diese Hochzeit wird ganz Irland reden, ach was, ganz Großbritannien... Es muß gehen, egal wie.« Erst jetzt wurde ihr klar, daß sie laut gedacht hatte. Sie hielt sich die Hand vor den Mund, aber es war bereits zu spät.

Scarlett hatte Mitleid mit ihr. Sie erhob sich und reichte ihr die Hand. »Ich überlasse das alles vertrauensvoll Ihnen, Mrs. Sims. Lassen Sie mich wissen, wann ich zur ersten Anprobe nach Dublin kommen soll.«

Mrs. Sims nahm die dargebotene Hand und schüttelte sie. »O nein, Mrs. O'Hara, ich werde zur Anprobe zu Ihnen kommen. Es wäre mir überdies eine große Freude, wenn Sie mich Daisy nennen wollten.«

Niemand in der Grafschaft Meath war glücklich über den strahlenden Sonnentag. Die Bauern fürchteten schon, ihnen könnte ein weiteres Dürrejahr ins Haus stehen. In Ballyhara schüttelte man die Köpfe und erging sich in finstersten Vorhersagen. Hatte Molly Keenan nicht den Wechselbalg aus dem Hexenhaus kommen sehen? Und Paddy Conroy, hatte der nicht das gleiche gesehen, wenn auch zu einem anderen Zeitpunkt – was er selbst dort zu suchen gehabt hatte, hätte er freilich allenfalls im Beichtstuhl bekannt. Hatte nicht drüben in Pike Corner am hellichten Tag eine Eule gerufen? Und war nicht Mrs. MacGruders prächtiges Kalb über Nacht ohne jeden ersichtlichen Grund gestorben?

Der Regen, der tags darauf fiel, brachte die Gerüchte nicht zum Verstummen.

Im Mai fuhren Colum und Scarlett zum Markt nach Drogheda, um Arbeitskräfte anzuheuern. Der Weizen stand gut, das Gras mußte gemäht werden, und auf den Kartoffeläckern schimmerte das Kraut in langen grünen Reihen und war kerngesund. Die beiden waren unterwegs ungewöhnlich schweigsam, ein jeder tief in Gedanken versunken. Colums Sorgen galten hauptsächlich der überall in der Grafschaft Meath verstärkten Truppenpräsenz, einschließlich der irischen Miliz. Ein ganzes Regiment sollte seinen Informationen zufolge nach Navan verlegt werden. Die Land League leistete gute Arbeit, aber die Pachtstreiks hatten die Landbesitzer auf den Plan gerufen. Die Zwangsausweisungen wurden jetzt ohne Vorwarnung durchgeführt, und der rote Hahn saß oft schon auf den Strohdächern, ehe die Bewohner auch nur ihre armselige Habe in Sicherheit bringen konnten. Zwei Kinder seien bei den Strafaktionen bereits verbrannt, hieß es, und tags darauf hatte es zwei Verletzte unter den Soldaten gegeben. In Mullingar waren drei Fenier verhaftet worden, darunter auch Jim Daly. Man warf ihm Anstachelung zur Gewalt vor, obwohl er die ganze Woche über Tag und Nacht in seinem Pub hinter dem Tresen gestanden hatte.

Scarlett konnte sich an den Markt in Drogheda nur erinnern, weil sie dort im vergangenen Jahr Rhett und John Morland begegnet war. Nicht einmal für den Pferdemarkt interessierte sie sich. Als Colum ihr vorschlug, sich in aller Ruhe umzusehen und den Tag zu genießen, fuhr sie ihn beinahe an. Nein, sie wolle so schnell wie möglich wieder nach Hause, sagte sie. Die Entfremdung, die zwischen ihr und Colum seit dem Tag herrschte, an dem sie ihm verkündet hatte, sie wolle Luke Fenton heiraten, dauerte an. Zwar kam kein böses Wort über Colums Lippen, doch seine wütenden, vorwurfsvollen Blicke sprachen Bände.

Mit Mrs. Fitz ist es nicht anders, dachte Scarlett. Für wen halten sich die beiden eigentlich, daß sie mich dermaßen verurteilen? Genügt es ihnen denn nicht, daß Ballyhara praktisch ihnen gehört, sobald ich fort bin? Darauf haben sie doch schon immer spekuliert! Nein, das ist ungerecht. Colum ist wie ein Bruder zu mir und Mrs. Fitz eine wahre Freundin. Um so mehr aber müßte ich von ihnen ein wenig mehr Mitgefühl erwarten können. Es ist nicht gerecht!

Scarlett begann allmählich überall Mißgunst zu wittern, selbst in den Mienen der Ladenbesitzer von Ballyhara, und das, obwohl sie sich in den mageren Wochen vor der Ernte immer wieder neue Dinge einfallen ließ, die sie bei ihnen kaufen konnte. Sei doch kein Dummkopf, schalt sie sich, du bildest dir das alles nur ein, weil du dir über den Kurs, den du eingeschlagen hast, selbst nicht im klaren bist. Für Cat und dich ist es aber genau richtig so. Und außerdem geht das alles niemanden etwas an. Scarlett begegnete den Menschen um sich herum – bis auf Cat – schlecht gelaunt und gereizt, und ihre Tochter bekam sie auch kaum noch zu Gesicht. Einmal war sie schon ein paar Sprossen die neue Strickleiter hinaufgeklettert, hatte sich dann aber doch noch anders entschieden. Ich bin eine erwachsene Frau, dachte sie, ich kann mich doch nicht bei einem kleinen Kind ausheulen! Froh um die Beschäftigung, half sie tagtäglich draußen auf den Feldern beim Heuen und war sogar noch dankbar für die Schmerzen in Armen und Beinen, die sie danach verspürte. Am meisten freute sie sich jedoch auf die reiche Ernte, und allmählich wichen ihre Befürchtungen, der Mißerfolg des vergangenen Jahres könne sich wiederholen.

Das Mittsommernachtfest am vierundzwanzigsten Juni brachte die letzte Beruhigung. Das Feuer loderte höher denn je, und im Tanz und der Musik fand Scarlett genau die richtige Entspannung für ihre gereizten Nerven und ihren unruhigen Geist. Als der Trinkspruch auf die O'Hara über die Felder von Ballyhara hallte, schien die Welt für Scarlett wieder in Ordnung.

Daß sie für diesen Sommer alle Einladungen zu Hauspartys abgelehnt hatte, bedauerte sie inzwischen ein wenig. Aber es war ihr nichts anderes übriggeblieben; sie hatte Angst, Cat allein zu Hause zu lassen. Scarlett war einsam und hatte zuviel Zeit – zuviel Zeit zum Grübeln und zuviel Zeit, sich Sorgen zu machen. Daher war sie beinahe froh über das halb hysterische Telegramm von Mrs. Sims, das besagte, die Spitze aus dem Kloster in Galway sei immer noch nicht eingetroffen, und die Nonnen antworteten weder auf Briefe noch auf Telegramme.

Scarlett lächelte, als sie ihren Buggy in aller Frühe zum Bahnhof von Trim lenkte. Mit einer Mutter Oberin hatte sie so ihre Erfahrungen ... und sie freute sich schon auf eine Auseinandersetzung, bei der die Fronten endlich wieder einmal klar gezogen waren.

89. Kapitel

Am Vormittag blieb Scarlett gerade genug Zeit, Mrs. Sims in ihrem Atelier in Dublin aufzusuchen, sie zu beruhigen und die Anweisungen für Länge und Muster der bestellten Spitze mitzunehmen. Dann hastete sie zum Bahnhof und erwischte eben noch den Zug nach Galway. Sie machte es sich auf ihrem Sitz bequem und schlug die Zeitung auf.

Um Himmels willen, da steht es! Die Irish Times berichtete auf der Titelseite von ihren Hochzeitsplänen. Scarlett sah sich verstohlen im Abteil um, ob nicht vielleicht auch andere Reisende die Times in Händen hielten. Der Knabe im Tweedanzug war in eine Sportzeitschrift vertieft, die gepflegt gekleidete Mutter spielte mit ihrem Sohn Cribbage. Scarlett versenkte sich wieder in die Nachrichten über sich selbst. Die Times hatte der Ankündigung noch einen langen Kommentar hinzugefügt. Scarlett konnte sich das Lächeln nicht verkneifen, als sie die Passage las, in der es hieß, »die O'Hara von Ballyhara« sei »eine wahre Zierde der engsten Gesellschaftskreise um den Vizekönig« sowie eine »exzellente und wagemutige Reiterin«.

Für die Reise nach Dublin und Galway hatte sie nur einen einzigen, kleineren Koffer mitgenommen, so daß sie auf dem Weg vom Bahnhof zum nahegelegenen Hotel mit einem Gepäckträger auskam.

Das Foyer war vollkommen überfüllt. »Was zum Teufel ist denn hier los?« fragte Scarlett indigniert.

»Die Rennen«, sagte der Gepäckträger. »Sagen Sie bloß, Sie bilden sich ein, hier jetzt noch ein Zimmer zu kriegen? Wie kann der Mensch denn so was annehmen!«

Impertinenter Bursche, dachte Scarlett, mit einem Trinkgeld braucht der nicht zu rechnen. »Warten Sie hier!« sagte sie und kämpfte sich zur Rezeption durch. »Ich möchte gern den Direktor sprechen.«

Der geplagte Portier sah sie von oben bis unten an, sagte: »Ja, selbstverständlich, Madam, einen Moment bitte«, und verschwand hinter einer Milchglasscheibe. Schon nach kurzer Zeit kehrte er zurück, begleitet von einem Herrn im schwarzen Gehrock, dessen Haar sich bereits stark lichtete.

»Sie haben eine Beschwerde, Madam? Ich fürchte, daß der Service während der Rennen ein wenig ... äh, sagen wir, weniger reibungslos abläuft. Welche Unannehmlichkeit ...«

Scarlett fiel ihm ins Wort. »Der Service war bisher immer tadellos.« Sie setzte ein gewinnendes Lächeln auf. »Deswegen möchte ich auch ein Zimmer hier im Railway. Ich brauche es nur für diese Nacht. Ich bin Mrs. O'Hara aus Ballyhara.«

Das salbungsvolle Benehmen des Direktors verdampfte wie Tau im August. »Ein Zimmer für heute nacht? Das ist ganz und gar un ...« Der Empfangsportier zupfte ihn am Ärmel, worauf der Direktor ihm einen zornigen Blick zuwarf. Der Portier flüsterte ihm etwas ins Ohr und deutete auf ein Exemplar der Irish Times, das auf der Theke lag.

Der Direktor verneigte sich vor Scarlett. Sein Lächeln war etwas zittrig und wirkte daher sehr bemüht. »Es ist uns eine große Ehre, Mrs. O'Hara. Wir werden Ihnen eine ganz besondere Suite geben, auf Kosten des Hauses selbstverständlich. Wo haben Sie Ihr Gepäck? Es wird sogleich hinaufgebracht.«

Scarlett verwies ihn auf den Träger. Offenbar sprach doch einiges für die Ehe mit einem Grafen. »Schicken Sie es auf mein Zimmer. Ich komme später zurück.«

»Sofort, Mrs. O'Hara.«

Eigentlich rechnete Scarlett gar nicht damit, daß sie die Räume brauchen würde. Sie hoffte, alles, was sie vorhatte, so schnell zu erledigen, daß sie noch den Nachmittagszug nach Dublin erreichen würde – mit etwas Glück sogar den, der schon am frühen Nachmittag fuhr. Dann könnte sie den Abendzug nach Trim nehmen. Gott sei Dank bleibt es zur Zeit lange hell, da habe ich notfalls bis zehn Uhr Zeit ... So, und nun wollen wir doch mal sehen, ob sich die Nonnen von Luke Fenton ebenso beeindrucken lassen wie der Hoteldirektor. Ein Jammer, daß er Protestant ist.

Scarlett wandte sich dem Ausgang zu, der auf den Platz hinausführte. Puuh, was für einen üblen Geruch diese Menschenmenge verbreitet! Die müssen in ihren Tweedanzügen während des letzten Rennens wohl naß geworden sein. Sie schlüpfte zwischen zwei rotgesichtigen, heftig gestikulierenden Männern hindurch und prallte buchstäblich mir Sir John Morland zusammen. Um ein Haar hätte sie ihn gar nicht erkannt. Er sah aus, als wäre er schwer krank. Sein sonst so rosiges Gesicht hatte alle Farbe verloren, und der Blick seiner gewöhnlich freundlichen, interessierten Augen war ohne jeden Glanz. »Bart, mein Lieber! Geht es Ihnen nicht gut?«

Es bereitete ihm offensichtlich Mühe, ihr gerade ins Gesicht zu sehen. »Oh, Scarlett, entschuldigen Sie. Bin etwas daneben, ja. Einen zuviel hinter die Binde und solche Sachen, wissen Sie . . .«

Zu dieser Tageszeit? Das paßte ganz und gar nicht zu John Morland. Er pflegte so gut wie nie ein Glas über den Durst zu trinken, und ganz gewiß nicht vor dem Mittagessen. Sie packte ihn entschlossen am Arm. »Kommen Sie mit, Bart. Sie gehen jetzt mit mir einen Kaffee trinken und etwas essen.« Sie führte ihn in den Speisesaal des Hotels. Seine Schritte waren unsicher. Nun werde ich das Hotelzimmer wohl doch noch brauchen, dachte Scarlett, denn Bart hat auf jeden Fall Vorrang vor der Jagd nach irgendwelcher Spitze. Was in aller Welt mag ihm nur zugestoßen sein?

Nach etlichen Tassen Kaffee kam es heraus. John Morland brach vollkommen zusammen und weinte, als er ihr erzählte, was vorgefallen war.

»Sie haben meine Ställe niedergebrannt, Scarlett, meine Ställe! Ich war mit Dijon beim Rennen in Balbriggan, kein großes Rennen, aber ich dachte, vielleicht mag sie die Sandbahn dort. Und als wir heimkamen, standen von den Ställen nur noch verkohlte Ruinen. Mein Gott, dieser Geruch! Nachts höre ich die Pferde schreien, und selbst wenn ich wach bin, hallt es noch in meinem Schädel wider!«

Scarlett wurde ganz übel. Sie setzte die Tasse ab. Das konnte doch nicht wahr sein! Kein Mensch war zu einer solchen Untat fähig. Es mußte sich um einen Unfall gehandelt haben.

»Meine Pächter waren es. Wegen der Pacht, verstehen Sie. Wie können sie mich bloß so sehr hassen? Ich habe mich immer bemüht, ihnen ein guter Herr zu sein, immer. Und wieso haben sie nicht mein Haus in Brand gesteckt wie bei Edmund Barrows? Sie hätten mich auch gleich mit verbrennen können, mir wär's egal gewesen. Hauptsache, sie hätten die Pferde verschont. Oh, mein Gott, Scarlett, was haben ihnen denn die armen verbrannten Gäule je angetan?«

Dazu gab es nichts zu sagen. Die Ställe waren sein ein und alles gewesen . . . Doch halt! Er war mit Dijon unterwegs gewesen, seinem größten Stolz und seiner größten Freude.

»Sie haben immer noch Dijon, Bart. Mit ihr können Sie eine neue Zucht anfangen. Sie ist eine herrliche Stute, die schönste, die ich je gesehen habe. Ich stelle Ihnen die Ställe von Ballyhara zur Verfügung. Erinnern Sie sich? Sie haben sie damals mit einer Kathedrale verglichen. Wir stellen eine

Orgel hinein, dann können Sie Ihre neuen Fohlen mit Musik von Bach großziehen. Sie dürfen sich nicht unterkriegen lassen, Bart. Sie müssen weitermachen. Ich weiß, wovon ich rede. Ich war auch schon einmal ganz unten. Sie dürfen nicht aufgeben, Bart, Sie dürfen es einfach nicht!«

John Morlands Augen schimmerten wie verlöschende Glut. »Heute abend um acht geht das Schiff, das mich nach England bringt. Ich will nie wieder ein irisches Gesicht sehen und nie wieder eine irische Stimme hören. Ich habe Dijon vorübergehend an einem sicheren Ort untergebracht und meinen gesamten Besitz hier verkauft. Dijon geht heute nachmittag im *claiming race* an den Start, mal sehen, was sie mir bringt; und wenn das dann vorüber ist, ist Irland für mich passé.« Johns Augen waren nicht mehr so unstet wie zuvor. Die Tränen waren verschwunden. Scarlett wünschte sich fast, er möge von neuem zu weinen anfangen, denn so blickte er drein, als sei er nie wieder imstande, Gefühle zu empfinden. Er sah aus wie tot.

Doch während Scarlett ihn noch beobachtete, vollzog sich eine Wandlung mit ihm: Durch schiere Willensanstrengung erwachte Sir John Morland zu neuem Leben. Seine Schultern strafften sich, und seine Lippen verzogen sich zu einem Lächeln, ja, sogar seine Augen deuteten ein Lächeln an. »Arme Scarlett«, sagte er, »was hab ich da nur alles auf Ihnen abgeladen. Das war scheußlich von mir. Verzeihen Sie mir. Ich halte schon durch, wie ein Soldat. Und nun seien Sie so lieb, trinken Sie Ihren Kaffee aus, und begleiten Sie mich zum Rennplatz. Ich setze für Sie einen Fünfer auf Dijon. Und wenn der Rest des Feldes ihre Hufe von hinten betrachtet hat, können Sie mit Ihrem Gewinn den Champagner bezahlen.«

Nie in ihrem Leben hatte Scarlett vor einem Menschen solche Hochachtung gehabt wie in diesem Augenblick vor Bart Morland. Es gelang ihr, sein Lächeln zu erwidern.

»Und ich lege meinerseits noch einen Fünfer drauf, Bart, und davon bezahlen wir dann auch noch den Kaviar. Einverstanden?« Sie spuckte in die Rechte und streckte sie ihm entgegen. Morland tat es ihr nach, schlug ein und lächelte.

»Braves Mädchen«, sagte er.

Auf dem Weg zum Rennplatz versuchte sich Scarlett daran zu erinnern, was es mit diesen *claiming races* eigentlich auf sich hatte. Die teilnehmenden Pferde standen zum Verkauf, das war es, und die Preise wurden von den Besitzern vorher festgesetzt. Am Ende des Rennens stand es jedem frei, einen Anspruch auf eines der Pferde zu erheben, und der Eigner war verpflichtet, es zum genannten Preis zu verkaufen. Es wurde also – im Gegensatz zu jedem anderen Pferdegeschäft in Irland – nicht gehandelt.

Scarlett glaubte keine Sekunde daran, daß die Pferde nicht auch schon vor dem Rennen gekauft werden konnten, Regeln hin oder her. Am Rennplatz angekommen, fragte sie Bart nach der Nummer seiner Box und gab vor, sie wolle sich noch ein wenig frischmachen.

Sobald Bart sich entfernt hatte, wandte sie sich an einen der Ordner und ließ sich von ihm den Weg zu dem Büro zeigen, in dem man seine Ansprüche anmelden konnte. Sie hoffte, daß Bart für seine Stute einen unverschämt hohen Preis festgelegt hatte. Ihre Absicht war es, Dijon zu kaufen und sie Bart nachzuschicken, wenn er sich in England niedergelassen hatte.

»Was soll das heißen, daß auf Dijon schon ein Anspruch besteht? Ich denke, die Ansprüche sollen erst nach dem Rennen erhoben werden?«

Der zuständige Angestellte, ein Mann mit einem Zylinder auf dem Kopf, hütete sich zu lächeln. »Madam, Sie sind nicht der einzige vorausschauende Mensch. Im übrigen muß es sich dabei um einen amerikanischen Charakterzug handeln. Der Herr, der den Anspruch erhoben hat, ist ebenfalls Amerikaner.«

»Ich zahle das Doppelte.«

»Das geht nicht, Mrs. O'Hara.«

»Angenommen, ich kaufe Sir John Dijon schon vor Beginn des Rennens ab?«

»Das ist nicht möglich.«

Scarlett war der Verzweiflung nahe. Sie mußte dieses Pferd ganz einfach für Bart erwerben.

»Wenn ich vielleicht einen Vorschlag machen dürfte...«

»O ja. Bitte! Was kann ich unternehmen? Es handelt sich wirklich um eine sehr, sehr wichtige Angelegenheit.«

»Sie könnten den neuen Besitzer fragen, ob er zum Verkauf der Stute bereit ist.«

»Das will ich tun.« Wenn's sein mußte, würde sie dem Mann ein Vermögen bezahlen. Ein Amerikaner also. Um so besser. Geld bewirkte in Amerika bisweilen Wunder. »Können Sie mir sagen, wo ich ihn finde?«

Der Mann mit dem Zylinder warf einen Blick auf seine Unterlagen. »Wahrscheinlich auf der Tribüne. Vielleicht auch im Jury's, seinem Hotel; das hat er jedenfalls als Adresse angegeben. Sein Name ist Butler.«

Scarlett, die sich schon halb zum Gehen gewandt hatte, bewahrte nur mühsam ihre Fassung. Mit einer Stimme, die ihr seltsam dünn vorkam, fragte sie: »Es wird sich doch nicht zufällig um Mr. Rhett Butler handeln?«

Der Mann schien eine Ewigkeit zu brauchen, bis er seinen Blick wieder auf das Papier in seiner Hand richtete und nachsah. Endlich kam die Antwort: »Ja, richtig, so heißt er.«

Rhett ist hier! Bart muß ihm von den niedergebrannten Ställen, seinen Verkaufsabsichten und von Dijon berichtet haben. Rhett hat wahrscheinlich das gleiche vor wie ich. Er ist aus Amerika angereist, um seinem Freund unter die Arme zu greifen.

Oder um sich einen sicheren Sieger für die nächsten Rennen in Charleston zu verschaffen. Aber das ist alles völlig egal. Selbst der gute, arme, vom Schicksal getroffene Bart ist da nicht mehr wichtig. Gott möge mir vergeben. Ich werde Rhett wiedersehen! Plötzlich wurde Scarlett klar, daß sie unentwegt rannte, die Menschen, ohne sich zu entschuldigen, beiseite stieß und rannte. Zum Teufel mit ihnen, zum Teufel mit allem! Rhett ist hier, nur ein paar hundert Meter entfernt. Bestimmt ist er in Barts Box.

»Box Nummer acht«, keuchte sie, und ein Ordner wies ihr den Weg. Scarlett zwang sich, langsam durchzuatmen, bis sie den Eindruck hatte, wieder halbwegs normal zu erscheinen. Daß ihr das Herz bis zum Halse klopfte, konnte doch wohl niemand sehen, oder? Sie stieg die zwei Stufen in die fähnchengeschmückte Box hinauf. Draußen auf dem großen ovalen Turf sah sie zwölf Jockeys in hellen Hemden ihre Pferde mit der Peitsche dem Finish zutreiben. Scarlett war umringt von begeisterten Zuschauern, die die Pferde lauthals anfeuerten, doch waren ihre Ohren taub dafür. Da war er. Rhett verfolgte das Rennen durch einen Feldstecher. Seine Whiskeyfahne war schon aus drei Metern Entfernung wahrzunehmen, und er schwankte. War er betrunken? Rhett doch nicht. Der konnte schließlich einiges vertragen. Hatte ihn Barts Unglück dermaßen aus der Bahn geworfen?

Sieh mich an, rief ihr Herz. Nimm dein Fernglas von den Augen und sieh mich an. Sag meinen Namen. Sag meinen Namen und laß mich dabei deine Augen sehen. Sage mir etwas mit deinen Augen. Du hast mich einmal geliebt.

Die Zuschauer johlten und stöhnten. Das Rennen ging zu Ende, Rhett ließ mit fahriger Hand den Feldstecher sinken. »Verdammt, Bart, jetzt hab ich zum viertenmal hintereinander auf den Falschen gesetzt.« Er lachte.

»Hallo, Rhett«, sagte Scarlett.

Sein Kopf fuhr herum, und sie sah seine dunklen Augen. Sie las nichts darin, nichts außer Zorn. »Ach, hallo, Gräfin.« Er musterte sie von ihren Ziegenlederstiefeln bis hinauf zu der Reiherfeder auf ihrem Hut. »Sie sehen ja wirklich ... teuer aus.« Unvermittelt wandte er sich wieder an John Morland. »Sie hätten mich vorwarnen sollen, Bart, dann wäre ich in der Bar geblieben. Lassen Sie mich durch!« Er gab Morland einen Stoß, daß er ins Taumeln geriet, und verließ die Box auf der Scarlett gegenüberliegenden Seite.

Ohne Hoffnung sah sie ihm nach, bis er in der Menge verschwunden war. Ihre Augen füllten sich mit Tränen.

John Morland tätschelte ihr unbeholfen die Schulter. »Scarlett, also, ich kann nur sagen, ich entschuldige mich für Rhett. Er hat ebenfalls einen zuviel gekippt – da haben Sie's heute gleich mit zweien von der Sorte zu tun. Nicht sehr erfreulich für Sie.«

Nicht sehr erfreulich. So nennt Bart das also. Nein, es ist in der Tat »nicht sehr erfreulich«, wenn so auf einem herumgetrampelt wird. Ich habe doch gar nichts von ihm verlangt. Bloß, daß er hallo sagt und mich beim Namen nennt. Woher nimmt Rhett das Recht, so wütend und ausfällig zu reagieren? Darf ich mich nicht wieder verheiraten, nachdem er mich hinausgeworfen hat wie den letzten Dreck? Verdammter Kerl. Zur Hölle mit ihm! Wieso ist es für ihn schick und fein, sich von mir scheiden zu lassen, um ein hochanständiges Charlestoner Mädchen zu heiraten, hochanständige Charlestoner Babys in die Welt zu setzen und die dann auch noch zu hochanständigen Charlestoner Bürgern zu erziehen? Und wenn ich wieder heiraten will, um seiner Tochter all das geben zu können, was eigentlich er ihr bieten sollte, dann ist das zutiefst unanständig.

»Hoffentlich stolpert er über seine betrunkenen Füße und bricht sich den Hals«, sagte sie zu Bart Morland.

»Seien Sie nicht zu hart mit ihm, Scarlett. Er hat in diesem Frühjahr eine wirkliche Tragödie durchstehen müssen. Es beschämt mich, daß ich wegen meiner Ställe in Selbstmitleid versinke, wo es Leute gibt wie Rhett, die es noch weit schlimmer getroffen hat. Ich habe Ihnen doch von dem Baby erzählt, nicht wahr? Furchtbar, ganz furchtbar, was passiert ist. Rhetts Frau ist bei der Geburt gestorben, und das Kind hat sie nur um vier Tage überlebt.«

»Wie? Was? Sagen Sie das noch einmal!« Sie schüttelte Morlands Arm so heftig, daß ihm der Hut vom Kopf fiel. Verwirrt, erschrocken, ja fast ärgerlich sah er sie an. Da war eine Wildheit, eine Kraft in ihr, wie er sie noch nicht erlebt hatte. Er wiederholte, daß Rhetts Frau und das Kind gestorben seien.

»Wo ist er hin?« schrie Scarlett. »Sie müssen es wissen, Bart! Sie müssen doch irgendeine Ahnung haben, wohin er gegangen sein könnte!«

»Ich weiß es nicht, Scarlett. Irgendwohin. In die Bar, in sein Hotel, einen Pub ...«

»Will er heute abend mit Ihnen nach England?«

»Nein. Er hat gesagt, er wolle irgendwelche Freunde besuchen. Ist schon ein erstaunlicher Bursche, hat überall Freunde sitzen. Wußten Sie, daß er mal mit dem Vizekönig von Indien auf einer Großwildjagd war, zu der sie ein Maharadscha eingeladen hatte? Ich muß schon sagen, es überrascht mich, daß er sich derart betrunken hat. Normalerweise hört er immer früher auf als ich. Gestern abend hat er mich noch ins Hotel gebracht, sogar ins Bett und so. War wirklich in guter Form, ein starker Arm, der einem Halt gibt. Aber als ich heute früh die Treppe runterkomme, sagt mir der Portier, Rhett habe auf mich gewartet, sich einen Kaffee und die Zeitung kommen lassen und sei dann urplötzlich davongestürzt. Nicht einmal bezahlt hatte er. Ich bin also in die Bar, um auf ihn zu warten ... aber, Scarlett, was ist denn los? Ich werde heute einfach nicht klug aus Ihnen. Warum weinen Sie denn? Hab ich irgendwas falsch gemacht? Hab ich etwas Verkehrtes gesagt?«

Scarlett flossen die Augen über. »O nein, nein, nein, liebster, allerliebster John Morland. Bart... Sie haben ganz und gar nichts Verkehrtes gesagt. Er liebt mich. Er liebt mich! Das ist das Beste, das Wunderbarste, was Sie mir überhaupt sagen konnten!«

Rhett ist meinetwegen hier. Deshalb ist er in Irland, nicht wegen Barts Pferd. Er ist gekommen, mich zu suchen, kaum daß er wieder frei war. Vor einem Luke Fenton hat er keine Angst. Rhett muß mich ebensosehr wollen wie ich ihn. Ich muß ihn finden, muß ihn für immer wiederfinden. Rhett Butler wird sich doch nicht von Titeln, Hermelinen und Kronen beeindrukken lassen. Er will mich, und er ist hier, um mich zu holen. Ich weiß es. Ich wußte, daß er mich liebt, und ich hatte recht damit, die ganze Zeit über hatte ich recht. Und er wird nicht aufgeben – wenn's sein muß, wird er nach Ballyhara kommen, um mich mit sich mitzunehmen...

»Leben Sie wohl, Bart«, sagte Scarlett. »Ich muß jetzt gehen.«

»Ja wollen Sie denn Dijon nicht siegen sehen? Und was ist mit unseren Fünfern?« John Morland schüttelte den Kopf. Scarlett war schon auf und davon. Amerikaner! Unglaublich interessante Leute, dachte er, aber begreifen werde ich sie nie.

Als sie schließlich im Jury's am Empfang nach ihm fragte, hieß es, Mr. Butler sei gerade vor einer halben Stunde abgereist. Ja, er habe nach den Zugverbindungen nach Dublin gefragt... Den durchgehenden Zug nach Dublin verpaßte sie um zehn Minuten. Der nächste ging erst viel später. Enttäuscht biß sich Scarlett auf die Unterlippe; sie wollte unbedingt noch vor Rhett wieder in Ballyhara sein. »Wann geht der nächste Zug Richtung Osten, egal wohin?« fragte sie. Der Mann hinter dem Sprechgitter am Schalter war ja zum Verrücktwerden langsam.

»Sie können jetzt gleich nach Ennis fahren, wenn Sie Lust haben, das heißt also östlich bis Athenry und dann südwärts. Der Zug hat zwei neue Waggons, sehr hübsche übrigens, meinen die Ladys... Ja, und dann gibt's noch den Zug nach Kildare, aber den erreichen Sie nicht mehr, der wurde schon abgepfiffen... Und da ist noch der nach Tuam, nur eine kurze Strecke und eher nach Norden als nach Osten, aber die Lokomotive ist die beste der ganzen Great-Western-Linie ... Madam?«

Scarletts Tränen fielen bereits auf die Uniform des Mannes an der Sperre vor den Gleisen. »Vor zwei Minuten erst bekam ich das Telegramm... Mein Mann ist von einem Milchkarren überfahren worden, und ich muß den Zug nach Kildare noch erwischen!« Damit schaffe ich über die Hälfte der Strecke nach Trim und Ballyhara, dachte sie. Den Rest gehe ich, wenn's sein muß, zu Fuß.

Jeder Halt war eine Folter. Wieso konnten die sich nicht beeilen? Schneller, schneller, schneller, forderten ihre Gedanken im Rhythmus der ratternden Zugräder. Ihr Koffer stand in der besten Suite des Railway-Hotels in Galway, und im Kloster machten die Nonnen mit entzündeten Augen die letzten winzigen Stiche an ihrer exquisiten Spitze. Aber auf all das kam es jetzt nicht an. Scarlett mußte nach Hause und auf Rhett warten. Wäre John Morland doch nur gleich zur Sache gekommen und hätte nicht so lange geschwafelt, und wäre ich nicht auch erst in die Hotelbar gelaufen, um nach ihm zu suchen . . .

Der Zug brauchte über dreieinhalb Stunden bis Moate, wo Scarlett ausstieg. Es war schon vier, aber immerhin war sie schon ein Stück weiter und verließ nicht gerade erst den Bahnhof von Galway. »Wo kann ich hier ein gutes Pferd kaufen?« fragte sie den Bahnhofsvorsteher. »Der Preis spielt keine Rolle, solange es einen Sattel und Zügel hat und schnell laufen kann.« Sie hatte immer noch fünfzig Meilen zurückzulegen.

Der Besitzer des Pferdes hatte handeln wollen. »Ohne Feilschen macht ein Geschäft doch nur halb soviel Spaß, nicht wahr?« fragte er seine Kumpane im King's Coach Pub, nachdem er eine Runde für alle bestellt hatte. Aber dieses verrückte Weibsbild hatte ihm nur die Goldsovereigns zugeworfen und war auch schon fort, als wäre der Teufel hinter ihr her. Im Herrensitz noch dazu. Nein, er würde niemandem erzählen, wieviel er von ihrer Spitzenunterwäsche gesehen habe – und erst von ihren Beinen, die nur von dünnen Seidenstrümpfen bedeckt gewesen seien und von ein paar leichten, dünnen Stiefeln, mit denen man kaum auftreten könne, geschweige denn je einen Steigbügel benutzen.

Kurz vor sieben Uhr führte Scarlett das hinkende Pferd über die Brücke nach Mullingar. Am Mietstall drückte sie einem Stallburschen die Zügel in die Hand. »Er lahmt nicht«, sagte sie. »Er ist bloß außer Atem und etwas schwach auf der Brust. Kühl ihn ein bißchen ab, aber langsam! Dann ist er wieder so gut wie vorher. Besonders gut war er allerdings nie. Ich überlasse ihn dir, wenn du mir dafür eines von den Jagdpferden verkaufst, die ihr für die Offiziere oben im Fort habt. Und erzähl mir ja nicht, ihr hättet keines! Ich war schon zur Jagd mit ihnen und weiß genau, wo sie ihre Pferde mieten. Wenn du den Sattel in weniger als fünf Minuten wechselst, gibt's eine Guinea extra.« Um zehn nach sieben war sie wieder unterwegs, vor sich noch sechsundzwanzig Meilen und im Kopf die Instruktionen für eine Abkürzung querfeldein.

Gegen neun Uhr ritt sie an der Burg von Trim vorbei und erreichte die Straße nach Ballyhara. Jeder einzelne Muskel tat ihr weh, und sie hatte das Gefühl, alle ihre Knochen seien zerschlagen. Aber jetzt waren es nur noch weniger als drei Meilen bis nach Hause, und das nebelige Zwielicht war eine Labsal für Haut und Augen. Sachte fing es an zu nieseln. Scarlett beugte sich vor und tätschelte dem Pferd den Hals. »Gleich sind wir da, und dann wirst du abgerieben und bekommst das beste Futter, das es in der ganzen Grafschaft Meath zu fressen gibt, mein guter . . . Wie heißt du eigentlich? Du bist ja gesprungen wie ein Champion. Gleich sind wir da, du hast dir die

Ruhe wirklich verdient.« Scarletts Augen waren halb geschlossen, und sie ließ den Kopf hängen. Heute nacht werde ich so fest schlafen wie nie zuvor, dachte sie. Kaum zu glauben, daß ich am Morgen noch in Dublin gewesen bin und seit dem Frühstück schon zweimal ganz Irland durchquert habe.

Da ist die Holzbrücke über den Knightsbrook. Danach bin ich schon auf Ballyhara-Land. Nur noch eine Meile bis zum Ort, eine halbe bis zur Kreuzung, dann noch die Auffahrt, und ich hab's geschafft. Noch fünf Minuten, nicht viel mehr. Sie richtete sich auf, schnalzte mit der Zunge und trieb das Pferd noch einmal an.

Irgend etwas stimmt da nicht. Ballyhara liegt direkt vor mir – und kein einziges erleuchtetes Fenster? Um diese Zeit strahlen normalerweise zumindest die Wirtshäuser heller als der Mond ... Scarlett ließ das Pferd die Hacken ihrer malträtierten feinen Stadtstiefeletten spüren. An fünf dunklen Häusern war sie schon vorbei, als sie an der Kreuzung vor der Zufahrt zum Gutshaus die dort versammelten Männer erblickte. Rotröcke. Militär. Was haben die hier zu suchen, hier, in meiner Stadt? Ich habe ihnen doch schon einmal gesagt, daß ich sie hier nicht haben will. Und ausgerechnet heute abend, wo ich vor Müdigkeit fast vom Pferd falle. Kein Wunder, daß alles dunkel ist. Für die Engländer hat keiner ein Bier übrig. Ich will zusehen, daß ich sie loswerde. Wenn ich doch nur nicht so zerzaust aussähe. Es ist schwer, Befehle zu erteilen, wenn einem sozusagen die gesamte Unterwäsche irgendwo heraushängt. Am besten gehe ich zu Fuß. Dann fallen die Röcke wenigstens über die Knie.

Sie hielt an und unterdrückte nur mit Mühe ein Stöhnen, als sie das Bein über den Rücken des Pferdes schwang. Sie sah einen Soldaten, nein, einen Offizier, von der Kreuzung her auf sie zukommen. Um so besser! Sie war genau in der Stimmung, ihm unverblümt die Meinung zu sagen. Seine Männer trieben sich ohne Grund in ihrer Stadt herum, ja, sie standen ihr sogar im Weg und hinderten sie daran, endlich heimzukommen.

Der Offizier blieb vor dem Postamt stehen. Er sollte zumindest den Anstand besitzen, mir entgegenzukommen. Mit steifen Schritten marschierte Scarlett auf ihn zu. Sie ging mitten auf der breiten Hauptstraße ihres Städtchens.

»He, du da mit dem Gaul! Bleib stehen, oder ich schieße!« Scarlett hielt mitten in ihrer Bewegung inne – nicht wegen des Befehls, sondern wegen der Stimme des Offiziers. Diese Stimme kannte sie doch! Herrgott im Himmel, war das nicht genau die Stimme, von der sie gehofft hatte, sie niemals in ihrem ganzen Leben wieder hören zu müssen? Ich muß mich geirrt haben. Ich bin einfach übermüdet, das ist es. Deshalb bilde ich mir das alles bloß ein, den ganzen Alptraum.

»Alle anderen in die Häuser! Schickt den Priester Colum O'Hara heraus, dann passiert euch nichts. Ich habe einen Haftbefehl für ihn. Wenn er sich stellt, wird niemandem etwas geschehen.«

Scarlett hatte das verrückte Gefühl, gleich in Gelächter ausbrechen zu müssen. Das konnte doch nicht wahr sein! Sie hatte sich nicht geirrt, sie kannte die Stimme. Das letzte Mal hatten sie ihr Liebesworte ins Ohr geflüstert. Der Offizier war Charles Ragland. Einmal, ein einziges Mal in ihrem Leben, war sie mit einem Mann ins Bett gegangen, mit dem sie nicht verheiratet gewesen war, und ausgerechnet der war nun vom anderen Ende Irlands nach Ballyhara gekommen, um ihren Cousin zu verhaften! Es war wahnsinnig, absurd, schlichtweg unmöglich. Doch immerhin konnte sie sich einer Sache gewiß sein: Wenn es ihr gelang, bei seinem Anblick nicht vor Scham tot zusammenzubrechen, dann war Charles Ragland der einzige Offizier der gesamten britischen Armee, der sich auf ihre Bitte hin zurückziehen und sie mitsamt ihrem Cousin und ihrer Gemeinde in Frieden lassen würde.

Sie ließ die Zügel des Pferdes fallen und ging auf ihn zu. »Charles?«

Im gleichen Augenblick rief Ragland »Halt!« und feuerte mit seinem Revolver in die Luft.

Scarlett zuckte zusammen. »Charles Ragland, bist du verrückt geworden?« rief sie. Ein zweiter Schuß übertönte ihre Worte. Ragland schien in die Luft zu springen, bevor er zu Boden stürzte und alle viere von sich streckte. Scarlett fing an zu rennen. »Charles! Charles!« Sie hörte weitere Schüsse und aufgeregte Rufe, kümmerte sich aber nicht darum.

»Scarlett!« hörte sie jemanden rufen. Und wieder: »Scarlett!«, diesmal aus einer anderen Richtung. Und dann ein schwaches »Scarlett ...« von Charles, als sie neben ihm niederkniete. Aus einer grauenhaften Halswunde sprudelte Blut und ergoß sich über seine Uniformjacke.

»Scarlett, liebe Scarlett, geh in Deckung, Scarlett *aroon*!« Das war Colum, ganz in der Nähe, aber sie konnte ihn jetzt nicht ansehen.

»Charles, o Charles, ich hole einen Arzt oder, besser noch, Grainne, die kann dir helfen.« Charles hob die Hand, und sie griff danach. Zwar spürte sie Tränen auf ihren Wangen, doch wurde ihr nicht wirklich bewußt, daß sie weinte. Er durfte nicht sterben, Charles doch nicht, er war so lieb, so liebevoll, so zärtlich zu ihr gewesen. Er durfte nicht sterben! Ein so guter, sanfter Mann.

Ringsum herrschte furchtbarer Lärm. Irgend etwas pfiff an ihrem Kopf vorbei. Gütiger Gott, was geht hier vor? dachte sie. Das sind doch Schüsse! Irgendwer schießt. Die Engländer wollen meine Leute umbringen. Das kann ich nicht zulassen. Zuallererst aber mußte sie sich um Charles kümmern. Er brauchte sofort Hilfe, Stiefel trampelten vorbei. Colum schrie etwas. Lieber Gott, hilf mir, wie soll ich das bloß beenden? Oh, lieber Gott, Charles' Hand wird ganz kalt. »Charles, Charles, du darfst nicht sterben!«

»Dort ist der Pfaffe!« schrie eine Stimme, und aus den dunklen Fenstern von Ballyhara fielen Schüsse. Ein Soldat taumelte und fiel zu Boden.

Von hinten schob sich ein Arm um Scarlett, und sie warf die eigenen Arme hoch, um sich gegen die unvermutete Umklammerung zu wehren. »Später, mein Herzblatt, im Moment hat es keinen Sinn zu streiten«, sagte Rhett. »Eine bessere Chance bekommen wir nicht mehr. Ich trage dich. Bleib ganz locker.« Er nahm sie über die Schulter, einen Arm um ihre Kniekehlen geschlungen, und lief mit seiner Last tief geduckt in die Schatten der Nacht. »Gibt es irgendeinen Schleichweg, auf dem wir hier rauskommen?« fragte er fordernd.

»Laß mich runter, ich zeige ihn dir«, sagte Scarlett. Rhett stellte sie auf die Füße. Seine großen Hände schlossen sich um ihre Schultern, ungeduldig zog er sie an sich, küßte sie kurz und fest und ließ sie wieder los.

»Es wäre mir ausgesprochen zuwider, erschossen zu werden, bevor ich bekommen habe, weswegen ich hergekommen bin«, sagte er, und in seiner Stimme schwang ein Lachen mit. »Und jetzt bring uns hier raus, Scarlett.«

Sie nahm ihn bei der Hand und schlüpfte in einen schmalen, finsteren Durchgang. »Komm mit, hier geht es zu einem kleinen *boreen*. Wenn wir erst einmal zwischen den Hecken sind, kann man uns nicht mehr sehen.«

»Geh du voran«, sagte Rhett. Er entzog ihr seine Hand und schob sie nach vorn. Scarlett hätte ihn am liebsten nie wieder losgelassen, doch das Gewehrfeuer war laut und nah, und so rannte sie auf den *boreen* zu, der ihnen Sicherheit bot.

Die Wallhecken waren dicht und hoch. Nach ein paar Schritten waren die Schießerei und das Geschrei nur noch gedämpft und undeutlich wahrzunehmen. Scarlett blieb stehen – um wieder zu Atem zu kommen, um Rhett anzusehen, um überhaupt zu fassen, daß sie wirklich endlich zusammen waren. Ihr Herz war übervoll vor Glück.

Doch dann drängte sich wieder die scheinbar so weit entfernte Schießerei in ihr Denken, und schlagartig wurde ihr bewußt, was sich zugetragen hatte. Charles Ragland war tot. Sie hatte gesehen, wie ein weiterer Soldat verwundet oder sogar getötet worden war. Das Militär war hinter Colum her, schoß auf die Einwohner von Ballyhara, tötete sie womöglich. Auch sie selbst wäre um ein Haar erschossen worden; und Rhett ebenso.

»Wir müssen uns zum Gutshaus durchschlagen«, sagte sie. »Dort sind wir in Sicherheit. Ich muß die Dienerschaft warnen. Die Leute sollen das Dorf meiden, bis alles vorüber ist. Komm, Rhett, wir müssen uns beeilen.«

Schon wollte sie losrennen, doch Rhett hielt sie am Arm fest. »Warte, Scarlett! Ich glaube, es ist nicht ratsam, zum Haus zu gehen. Ich komme gerade von dort. Alles ist dunkel und leer, Liebling, und die Türen stehen offen. Das Personal ist geflohen.«

Scarlett riß sich von ihm los, raffte ihre Röcke und stürmte los. Sie stöhnte vor Entsetzen. Sie rannte schneller als je zuvor in ihrem Leben.

Cat! Wo war Cat? Sie hörte Rhetts Stimme hinter sich, schenkte ihr aber keine Beachtung mehr. Sie mußte Cat finden, unbedingt.

Auf der breiten Hauptstraße von Ballyhara lagen fünf Leichen in roten Uniformen und drei in grober Bauernkleidung. Der Buchhändler lag in den Scherben seines zerborstenen Fensters. Blutige Schaumtropfen troffen ihm bei jedem Wort des Gebets, das er flüsterte, von den Lippen. Colum O'Hara war bei ihm, betete mit ihm und schlug ein Kreuz über der Stirn des Sterbenden. In den Glasscherben spiegelte sich das bleiche Licht des Mondes, der vor dem rasch schwärzer werdenden Himmel sichtbar wurde. Der Regen hatte aufgehört.

Mit drei langen Schritten durchmaß Colum den Raum, nahm einen Handbesen aus Reisig vom Haken über dem Herd und stieß die dürren Äste in die glühenden Kohlen. Einen Augenblick lang hörte man nur Geknister, dann hatte der Besen Feuer gefangen.

Als Colum auf die Straße hinauslief, schien ein Funkenregen auf seinen schwarzen Talar herabzusprühen. Sein weißes Haar war heller als der Mond. »Mir nach, ihr englischen Schlächter!« rief er, während er in langen Sätzen auf die verlassene protestantische Kirche zuhielt. »Laßt uns gemeinsam für die Freiheit Irlands sterben!«

Zwei Kugeln zerrissen ihm die breite Brust, und er sank auf die Knie. Schwankend rappelte er sich wieder auf, taumelte noch sieben Schritte weiter, dann trafen ihn kurz hintereinander erneut drei Kugeln. Sein Körper zuckte nach rechts, zuckte nach links, wieder nach rechts und stürzte zu Boden.

Scarlett rannte, Rhett einen Schritt hinter sich, die breite Vordertreppe hinauf und stürmte in die finstere, große Halle. »Cat!« schrie sie gellend, »Cat!« Das Wort brach sich in vielfachem Echo an den Wänden, auf den Steinstufen und dem Marmorfußboden. »Cat!«

Rhett packte sie an den Oberarmen. In der Dunkelheit sah er nur ihr weißes Gesicht und ihre blassen Augen. »Scarlett!« sagte er laut und deutlich. »Scarlett! So reiß dich doch zusammen. Wir müssen hier weg. Die Diener scheinen etwas gewußt zu haben. Hier im Haus sind wir nicht sicher.«

»Cat!«

Rhett schüttelte sie. »Hör auf damit! Deine Katze ist jetzt vollkommen unwichtig. Wo sind die Ställe, Scarlett? Wir brauchen Pferde.«

»Ach, du Narr!« erwiderte Scarlett. Ihre überanstrengte Stimme war jedoch voller Liebe. »Du weißt ja gar nicht, was du sagst. Laß mich los. Ich muß Cat finden – Katie O'Hara, genannt Cat. Deine Tochter.«

Rhetts Hände schlossen sich schmerzhaft um Scarletts Arme. »Teufel auch, wovon redest du?« Er sah ihr ins Gesicht, doch in der Dunkelheit konnte er ihre Miene nicht erkennen. »Antworte mir, Scarlett!« verlangte er und schüttelte sie erneut.

»Laß mich los, verdammt noch mal! Wir haben jetzt keine Zeit für Erklärungen. Cat muß hier irgendwo stecken, aber es ist dunkel, und sie ist ganz allein. Laß mich los, Rhett. Fragen kannst du später. Das ist jetzt alles nicht so wichtig.« Sie versuchte sich aus seinem Griff zu befreien, doch Rhett war zu stark.

»Für mich *ist* es wichtig.« Seine Stimme klang rauh vor Ungeduld.

»Ist ja schon gut. Es ist nach unserer Segeltour passiert, der Sturm, du erinnerst dich doch. Ich bin nach Savannah und habe auf dich gewartet, aber du bist nicht gekommen. Auf dem Schiff dann habe ich gemerkt, daß ich schwanger war, habe aber gedacht, es wäre noch Zeit, und wollte dich überraschen. Woher hätte ich auch wissen sollen, daß du Anne Hampton heiraten würdest, bevor ich dir von dem Baby erzählen konnte?«

»O gütiger Gott!« stöhnte Rhett und gab Scarlett frei. »Wo ist sie?« fragte er. »Wir müssen sie finden.«

»Wir werden sie finden, Rhett. Auf dem Tisch neben der Tür steht eine Lampe. Reiß ein Streichholz an, damit wir sie sehen.«

Die gelbe Zündholzflamme brannte gerade so lange, bis die Messinglampe gefunden und entzündet war. Rhett hielt sie in die Höhe. »Wo suchen wir zuerst?«

»Sie kann überall sein. Komm mit!« Scarlett führte ihn eilig durch den Salon und das Frühstückszimmer. »Cat!« rief sie ein ums andere Mal. »Kitty Cat, wo bist du?« Ihre Stimme war kraftvoll, aber nunmehr ohne jeden hysterischen Beiklang, der ein kleines Mädchen hätte erschrecken können.

»Colum!« kreischte Rosaleen Fitzpatrick. Sie kam aus Kennedys Pub gestürzt. Überall waren britische Soldaten. Mit Händen und Füßen kämpfte sie sich zu Colums Leiche durch, die mitten auf der breiten Straße lag.

»Nicht schießen!« rief ein Offizier. »Es ist eine Frau!«

Rosaleen warf sich auf die Knie und bedeckte Colums Wunden mit ihren Händen. *»Ochón!«* klagte sie, und ihr Oberkörper schwankte hin und her. Das Gewehrfeuer erstarb, ihre Trauer verlangte Respekt. Die Männer wandten die Augen von ihr ab.

Rosaleen schloß mit sanften, von Colums Blut bedeckten Fingern die toten Augen und flüsterte auf gälisch ein Lebewohl. Dann ergriff sie die glühende Reisigfackel, sprang auf und schwenkte sie durch die Luft, bis die Flamme wieder zum Leben erwachte. Grausig war ihr Gesicht im Feuerschein. Und dann war sie so schnell auf und davon, daß erst wieder ein Schuß fiel, als sie den Weg, der zur Kirche führte, längst erreicht hatte. »Für Irland und seinen Märtyrer Colum O'Hara!« schrie sie triumphierend und verschwand, die Fackel schwingend, im Innern des Waffenlagers. Einen Augenblick lang herrschte absolute Stille. Dann explodierte die Kirchenmauer mit einem ohrenbetäubenden Knall in einer turmhohen Stichflamme, und die Trümmer regneten auf die breite Straße herab.

Der Himmel war heller noch als am hellichten Tage. »Mein Gott!« keuchte Scarlett. Die Explosion nahm ihr den Atem. Sie preßte die Hände auf die Ohren und rannte weiter, unentwegt Cats Namen rufend. Draußen ertönte eine Explosion nach der anderen, während Ballyhara in Flammen aufging.

Rhett an ihrer Seite, lief sie die Treppe hinauf und rannte den Korridor entlang zu Cats Zimmer. »Cat!« rief sie, wieder und immer wieder, verzweifelt darum bemüht, sich ihre Angst nicht anmerken zu lassen. »Cat!« Die Tierfiguren an der Wand leuchteten orangerot auf, das Teeservice stand auf einem frischgebügelten Tischtuch, die Decke auf Cats Bett war glatt und unberührt.

»Die Küche!« sagte Scarlett. »Sie hält sich so gern in der Küche auf.« Wieder rannte sie den Flur entlang, und Rhett blieb ihr dicht auf den Fersen. Durch das Wohnzimmer mit den Menüvorschlägen, den Geschäftsbüchern und der Liste mit den Namen der Freunde, die sie zur Hochzeit hatte einladen wollen. Durch die Tür zur Galerie, die zu Mrs. Fitzpatricks Zimmer hinüberführte. Mitten auf der Galerie blieb sie stehen und beugte sich über die Balustrade. »Kitty Cat!« rief sie sanft. »Bitte sag Mama, ob du da unten bist. Es ist sehr wichtig, mein Herz.« Es gelang ihr, ihre Stimme ruhig zu halten.

Orangefarbenes Licht spielte in den Kupferpfannen an der Wand neben dem Herd, in dem rot die Kohlen glühten. Die große Küche lag still unter ihr, in dunkle Schatten gehüllt. Scarlett spähte angestrengt nach unten und spitzte die Ohren. Sie wollte sich schon wieder abwenden, als endlich ein dünnes Stimmchen sagte: »Mir tun die Ohren so weh!« Oh, Gott sei Dank! jubelte Scarlett innerlich, beherrschte sich jedoch. Nur ruhig jetzt, ganz ruhig.

»Ich weiß, mein Schatz, das war ein gräßlicher Krach. Halt dir nur schön die Ohren zu. Ich komme jetzt zu dir hinunter. Wartest du auf mich?« Sie sprach in ganz normalem Ton, als gäbe es nichts zu befürchten. Die Balustrade zitterte, so fest hielt sie sie umklammert.

»Ja.«

Scarlett gab Rhett ein Zeichen, und er folgte ihr leise zurück ins Wohnzimmer. Scarlett schloß die Tür sorgfältig, dann erst begann sie zu zittern. »Ich hatte eine solche Angst. Ich glaubte schon, sie hätten sie verschleppt oder ihr etwas angetan.«

»Scarlett, so sieh doch!« sagte Rhett. »Wir müssen uns beeilen.« Die offenen Fenster über der Zufahrt rahmten einen ungeordneten Haufen lodernder Fackeln, die sich auf das Haus zubewegten.

»Nichts wie weg!« rief Scarlett. Im rötlichen Widerschein des flammenden Himmels sah sie Rhetts Gesicht, zuversichtlich und stark. Nun konnte sie ihn ansehen, sich auf ihn verlassen. Cat war in Sicherheit. Er legte ihr die Hand unter den Arm und stützte sie selbst dann noch, als er sie zur Eile antrieb.

Sie liefen die Treppe hinunter, durchquerten den Ballsaal. Die Helden von Tara wurden im Feuerschein lebendig. Die Kolonnade, die zum Küchenflügel führte, war strahlend hell erleuchtet. Aus der Ferne drangen Stimmenfetzen an ihre Ohren, wütendes Geschrei. Scarlett warf die Küchentür hinter ihnen zu. »Hilf mir mit dem Riegel«, keuchte sie. Rhett nahm ihr die Eisenstange aus der Hand und ließ sie einrasten.

»Wie heißt du?« fragte Cat, die aus dem Schatten neben dem Herd hervortrat.

»Rhett.« Seine Kehle war wie zugeschnürt.

»Ihr beide könnt euch später noch anfreunden«, sagte Scarlett. »Wir müssen jetzt rasch hinüber zu den Ställen. Da vorn ist eine Tür zum Küchengarten, aber der hat hohe Mauern, und ich weiß nicht, ob er noch eine weitere Tür hat, durch die man zu den Ställen kommt. Cat, kennst du dich da nicht aus?«

»Laufen wir weg?«

»Ja, Kitty Cat, die Leute, die den schrecklichen Lärm gemacht haben, wollen uns weh tun.«

»Haben sie Steine?«

»Ganz große.«

Rhett hatte die Tür geöffnet und sah hinaus. »Ich könnte dich auf meine Schultern heben, Scarlett. Von da aus kannst du auf die Mauer klettern. Cat hebe ich dann zu dir hinauf.«

»Schön, aber vielleicht gibt es ja eine Tür. Cat, wir müssen uns beeilen. Ist da eine Tür in der Mauer?«

»Ja.«

»Gut, dann gib Mama deine Hand, und wir laufen los.«

»Zu den Ställen?«

»Ja. Nun komm schon, Cat.«

»Durch den Tunnel geht's aber schneller.«

»Durch welchen Tunnel?« Scarletts Stimme klang besorgt. Rhett kam durch die Küche zurück und legte seinen Arm um ihre Schultern.

»Der Tunnel nach drüben auf die andere Seite. Die Diener müssen ihn benutzen, wenn sie durchs Fenster zusehen wollen, wie wir frühstücken.«

»Das ist ja furchtbar«, sagte Scarlett. »Wenn ich das gewußt hätte...«

»Cat, sei so gut und führe deine Mutter und mich zu diesem Tunnel«, sagte Rhett. »Darf ich dich tragen, oder willst du lieber laufen?«

»Wenn wir's eilig haben, trägst du mich am besten. Ich kann nicht so schnell laufen wie du.«

Rhett kniete nieder, breitete die Arme aus, und seine Tochter kam vertrauensvoll zu ihm. Er achtete darauf, sie in der kurzen Umarmung, der er nicht widerstehen konnte, nicht allzu fest an sich zu drücken. »Also dann, auf meinen Rücken mit dir, Cat. Halt dich an meinem Hals fest und sag mir, wo's langgeht.«

»Am Herd vorbei. Durch die offene Tür. Das ist die Spülküche. Die Tür zum Tunnel ist auch offen. Ich hab sie aufgemacht, weil ich dachte, ich muß vielleicht weglaufen. Mama war in Dublin.«

»Komm schon, Scarlett, zum Heulen ist später noch Zeit. Cat will uns gerade den Hals retten, sowenig wir's eigentlich auch verdienen.«

Der »Tunnel« war ein Gang mit hohen, vergitterten Fenstern, durch die kaum noch Licht fiel. Dennoch schritt Rhett gleichmäßig voran, ohne ein einziges Mal zu stolpern. Er hatte die Arme angewinkelt, seine Hände hielten Cats Knie. Er ließ sie auf seinen Schultern hüpfen, und die Kleine quietschte vor Vergnügen.

Meine Güte, wir schweben allesamt in höchster Lebensgefahr, und dieser Mann spielt Hoppereiter mit Cat! Scarlett wußte nicht recht, ob sie lachen oder weinen sollte. Hatte es je einen Mann gegeben, der so kindervernarrt war wie Rhett Butler?

Vom Personalflügel aus wies Cat ihnen den Weg durch eine Tür, die in den Stallhof führte. Die Pferde waren von panischer Angst wie besessen. Sie scheuten, wieherten und hämmerten mit den Hufen gegen die Stalltüren. »Halt Cat gut fest, während ich sie freilasse«, drängte Scarlett. Sie mußte an Bart Morland denken.

»Halt du sie und laß mich das machen.« Rhett drückte Scarlett das Kind in die Arme.

Sie zog sich mit Cat in den sicheren Tunnel zurück. »Kitty Cat, kann ich dich ein klein bißchen hier allein lassen? Mama möchte Rhett bei den Pferden helfen.«

»Ein klein bißchen, ja. Ich möchte nicht, daß Ree was passiert.«

»Ich schicke ihn auf die gute Weide. Du bist ein tapferes Mädchen.«

»Ja«, sagte Cat.

Scarlett eilte Rhett zur Seite. Gemeinsam ließen sie alle Pferde frei, ausgenommen Komet und Halbmond. »Wir brauchen keine Sättel«, sagte Scarlett. »Ich hole Cat.« Inzwischen konnten sie sehen, wie sich die Fackeln durchs Haus bewegten. Plötzlich stand ein Vorhang, hoch wie eine Leiter, lichterloh in Flammen. Scarlett rannte zum Tunnel. Rhett beruhigte die Pferde. Als sie mit Cat im Arm zurückkam, saß er bereits auf Komet und hielt mit einer Hand Halbmond an der Mähne fest. »Gib mir Cat«, sagte er, und Scarlett reichte ihm seine Tochter hinauf. Dann stieg sie auf einen Holzbock und von dort auf Halbmonds Rücken.

»Cat, zeig Rhett den Weg zur Furt. Wir reiten zu Pegeen, du kennst doch die Strecke, nicht wahr? Von dort aus erreichen wir die Straße von Adamstown nach Trim. Das ist nicht weit, und im Hotel gibt's dann Tee und Kuchen. Du darfst jetzt nur nicht trödeln. Zeig Rhett den Weg. Ich reite hinter euch her. Und jetzt ab mit euch.«

Am Turm hielten sie an. »Cat möchte uns in ihr Zimmer einladen«, sagte Rhett in beherrschtem Ton. Scarlett spähte über seine breiten Schultern und sah, daß der Himmel am anderen Ufer des Flusses von Flammen gerötet war. Adamstown brannte also auch! Ihr Fluchtweg war abgeschnitten. Sie sprang von ihrem Pferd.

»Sie sind uns dicht auf den Fersen«, sagte sie. Sie war ganz ruhig. Die Gefahr war viel zu nahe, um noch aufgeregt zu sein. »Spring ab, Cat, und dann schnell die Strickleiter hoch!« Rhett und sie ließen die Pferde am Flußufer frei davonjagen. Dann folgten sie Cat in den Turm.

»Zieh die Leiter ein, damit sie uns nicht bekommen«, sagte Scarlett zu Rhett.

»Aber dann wissen sie, daß wir hier sind«, gab Rhett zurück. »Ich kann auch so jeden abwehren, der hier rauf will. Sie können ja immer nur einer nach dem anderen auf die Leiter. Still jetzt! Ich höre sie.«

Scarlett verkroch sich mit Cat in ihrer Kuschelecke und zog ihr Töchterchen an sich.

»Cat hat keine Angst.«

»Pssst, Schätzchen. Mama fürchtet sich sehr.«

Cat legte die Hände auf den Mund, um ihr Kichern zu unterdrücken.

Die Stimmen und die Fackeln rückten immer näher. Scarlett erkannte den Schmied Joe O'Neill an seinem Angeberton. »Hab ich's euch nicht immer gesagt, daß wir die Engländer bis zum letzten Mann erledigen würden, sollten sie es je wagen, in Ballyhara einzumarschieren? Habt ihr es gesehen, das Gesicht von dem Kerl, als ich den Arm hob? ›Wenn du einen Gott hast‹, hab ich gesagt, ›was ich freilich bezweifle, dann mach jetzt deinen Frieden mit ihm.‹ Und ich jag ihm den Spieß rein wie einem dicken fetten Spanferkel.« Scarlett preßte ihre Hände auf Cats Ohren. Meine furchtlose kleine Cat, dachte sie, wie sehr muß dich das Entsetzen gepackt haben. Noch nie hast du dich so eng an mich gekuschelt. Scarlett blies ihr ins Genick, *aroon, aroon,* und wiegte sie sanft auf ihrem Schoß hin und her, als wären ihre Arme die sicheren hohen Wände eines stabilen Bettchens.

Andere Stimmen vermischten sich mit dem Geprahle O'Neills. »Hab ich's euch nicht schon lange gesagt, daß die O'Hara zu den Engländern übergelaufen ist?« – »*Aye*, das hast du, Brandon, und ich war dumm genug, mit dir darüber zu streiten.« – »Hast du's gesehen, vorhin, wie sie auf den Knien neben dem Rotrock lag?« – »Erschießen ist noch viel zu gut für sie. Ich meine, wir sollten sie ganz langsam aufhängen!« – »Verbrennen ist besser! Brennen soll sie!« – »Der Wechselbalg muß verbrannt werden, das dunkle Ding, das all das Elend über uns gebracht hat. Ich sag euch, der

Wechselbalg hat die O'Hara verhext!« – ». . . hat die Felder verhext. . .« – ». . . hat den Regen aus den Wolken gehext. . .« – »Wechselbalg!« – »Wechselbalg!« – »Wechselbalg!«

Scarlett hielt den Atem an. Die nahen Stimmen klangen unmenschlich wie das Geheul wilder Tiere. Sie richtete den Blick auf Rhetts Schattenriß in der Dunkelheit neben der Türöffnung. Sie spürte seine beherrschte Wachsamkeit. Gewiß, er kann jeden töten, der es wagt, die Leiter heraufzuklettern. Aber wie soll er eine Kugel aufhalten, wenn er sich in der Öffnung zeigt? Rhett, o Rhett, sei vorsichtig! Trotz aller Gefahr fühlte sich Scarlett von einer prickelnden Woge des Glücks überkommen, die ihren ganzen Körper einhüllte. Rhett war gekommen. Er liebte sie.

Der Mob hatte den Turm erreicht und blieb stehen. »Der Turm, da sind sie drin!« Das klingt wie das Gekläff der Meute, die den toten Fuchs verbellt. Scarlett schlug das Herz bis zum Hals. Dann übertönte die Stimme O'Neills alle anderen.

». . . sie sind nicht drin! Seht ihr denn nicht, daß die Strickleiter noch runterhängt?« – »Die O'Hara ist raffiniert und will uns damit bloß reinlegen!« wandte jemand ein, und dann meldeten sich auch die anderen zu Wort. »Geh du rauf, Danny, und sieh nach! Du hast die Seile gedreht und weißt, ob sie halten.« – »Schau doch selbst nach, Dave Kennedy, schließlich war's deine Idee!« – »Der Wechselbalg bespricht sich dort oben mit dem Geist, sagen die Leute.« – »Er hängt noch immer da, mit weit aufgerissenen Augen. Der Blick geht durch dich durch wie ein Messer!« – »Meine alte Mutter hat ihn an Hallowe'en herumstreifen sehen. Er zog den Strick hinter sich her, und alles, was er damit berührte, befiel der Brand. Es schrumpfte und wurde schwarz!« – »Mir läuft es kalt den Rücken herunter. Dieser verhexte Ort ist mir unheimlich. Ich verzieh mich lieber.« – »Aber wenn sie doch dort oben hocken, die O'Hara und der Wechselbalg. Wir müssen sie töten, weil sie uns so übel mitgespielt haben.« – »Laßt sie doch einfach verhungern da oben, das ist doch genausogut wie verbrennen, he? Haltet eure Fackeln an die Stricke, Freunde! Wenn sie wieder rauswollen, brechen sie sich den Hals.«

Der Geruch der brennenden Strickleiter stieg Scarlett in die Nase. Am liebsten hätte sie vor Freude laut gejubelt. Sie waren in Sicherheit! Jetzt konnte niemand mehr zu ihnen herauf. Morgen, dachte sie, schneiden wir die Decken, auf denen wir sitzen, in Streifen und klettern an ihnen herunter. Die größte Gefahr ist überstanden. Wir werden uns schon irgendwie nach Trim durchschlagen. Fürs erste sind wir sicher. Scarlett biß sich auf die Lippen, um nicht laut herauszulachen, um nicht zu schreien oder gar Rhett beim Namen zu rufen. Zu gern hätte sie den Klang seines Namens in ihrer Kehle gespürt, das Wort durch die Luft schallen hören und seine, Rhetts, tieftönende selbstsichere Antwort, seine Stimme, wie sie ihren Namen aussprach.

Es verstrich eine ganze Weile, bis das Geschrei und Getrampel des Haufens endgültig in der Ferne verklungen war, und noch immer sagte Rhett kein Wort. Statt dessen kam er zu ihnen und umfing sie beide, Cat und Scarlett, mit seinen starken Armen. Mehr wollte sie nicht. Scarlett legte den Kopf an seine Brust und war wunschlos glücklich.

Viel später, als Cats entspannte Schwere verriet, daß sie eingeschlafen war, bettete Scarlett das Kind auf sein Lager und deckte es zu. Dann suchte sie Rhett, ihre Arme schlangen sich um seinen Hals, und seine Lippen fanden die ihren.

»Das also ist das ganze Geheimnis«, flüsterte sie bebend, als der lange Kuß sein Ende fand. »He, Mr. Butler, ich muß schon sagen, Sie sind einfach atemberaubend.«

Ein ersticktes Lachen schüttelte seine Brust. Er befreite sich sanft aus Scarletts Umarmung und trat einen Schritt zurück. »Komm. Wir müssen miteinander reden.«

Cat rührte sich nicht bei seinen ruhigen, beherrschten Worten. Rhett steckte die Decke um sie herum fest. »Komm hierher, Scarlett«, sagte er, verließ rückwärts die Nische und ging zu einem der Fenster. Sein Profil vor dem lodernden Himmel hatte etwas Adlerhaftes. Scarlett folgte ihm und hatte dabei das Gefühl, bis ans Ende der Welt mit ihm gehen zu können. Er brauchte ja nur ihren Namen zu sagen – niemand hatte ihren Namen je so ausgesprochen wie Rhett.

»Wir kommen hier raus«, sagte sie zuversichtlich, als sie neben ihm stand. »Es gibt einen versteckten Pfad, der gleich hinterm Hexenhäuschen beginnt.«

»Wo?«

»Sie ist keine richtige Hexe, zumindest glaube ich es nicht, aber es spielt ohnehin keine Rolle mehr. Sie wird uns den Pfad zeigen. Oder Cat kennt einen Schleichweg. Sie treibt sich schließlich dauernd in den Wäldern herum.«

»Gibt es auch irgend etwas, was Cat nicht weiß?«

»Sie weiß nicht, daß du ihr Vater bist.« Scarlett sah, wie sich seine Kinnmuskeln spannten.

»Eines Tages werde ich dich noch grün und blau prügeln, weil du mir nichts von ihr erzählt hast.«

»Ich wollte es ja!« gab Scarlett hitzig zurück. »Aber du hast ja alles so arrangiert, daß ich es gar nicht mehr konnte! Du hast dich scheiden lassen, obwohl es eigentlich unmöglich war, und ehe ich wußte, wie mir geschah, warst du auch schon wieder verheiratet. Was hätte ich denn tun sollen? Mein Kind in einen Schal wickeln und wie ein gefallenes Mädchen vor deiner Haustür herumlungern? Wie konntest du mir das nur antun, Rhett? Das war einfach ekelhaft von dir!«

»Ekelhaft von mir, ja? Nachdem du sang- und klanglos verschwunden warst, ohne auch nur irgend etwas zu sagen? Meine Mutter war krank vor Sorge, buchstäblich krank, bis deine Tante Eulalie ihr erzählte, du seist in Savannah.«

»Aber ich habe ihr doch einen Brief hinterlassen! Ich würde deiner Mutter doch nie im Leben weh tun wollen. Ich mag Miss Eleanor.«

Rhett nahm ihr Kinn in die Hand und drehte es so, daß der flackernde grelle Feuerschein ihr Gesicht erhellte. Unvermittelt küßte er sie, legte seine Arme um sie und drückte sie an sich. »Es ist schon wieder passiert«, sagte er. »Meine liebste, hitzköpfige, dickschädelige, wunderbare Scarlett, die mich so herrlich zur Raserei treiben kann! Ist dir eigentlich klar, daß wir das alles schon einmal durchgemacht haben? Falsch verstandene Zeichen, verpaßte Chancen, gänzlich überflüssige Mißverständnisse. Wir müssen dem ein Ende setzen. Ich bin zu alt für derlei Theatralik.«

Er vergrub seine Lippen und sein Lachen in Scarletts wirrem Haar. Sie schloß die Augen und lehnte sich an seine Brust. Geborgen im Turm, geborgen in Rhetts Umarmung, konnte sie es sich endlich erlauben, ihrer Müdigkeit und Erleichterung nachzugeben. Sie ließ die Schultern hängen, ließ den üppigen Tränen der Erschöpfung freien Lauf. Rhett hielt sie in den Armen und streichelte ihren Rücken.

Lange Zeit später schlossen sich seine Arme fester und fordernder um sie, und Scarlett spürte neue, erregende Energie durch ihre Adern schießen. Sie hob ihm das Gesicht entgegen, und die blinde Ekstase, die sie empfand, als ihre Lippen sich trafen, kannte weder Ruhe noch Geborgenheit. Ihre Finger fuhren durch sein dichtes Haar, zogen seinen Kopf zu sich herab und preßten seinen Mund auf den ihren, bis sie sich schwach werden fühlte und gleichzeitig doch stark und zu vollem Leben erwacht. Allein die Furcht, Cat aus dem Schlaf zu wecken, hinderte sie daran, ihrer Freude mit einem wilden Schrei aus tiefer Kehle Ausdruck zu verleihen.

Als ihre Küsse allzu verlangend wurden, riß Rhett sich von ihr los. Er hielt sich am Fenstersims fest. Sein Atem kam stoßweise. »Der Selbstbeherrschung eines Mannes sind Grenzen gesetzt, meine Schöne«, sagte er, »und wenn ich mir noch etwas Unbequemeres als einen feuchten Strand vorstellen kann, dann ist das ein blanker Steinfußboden.«

»Sag mir, daß du mich liebst«, forderte Scarlett.

Rhett grinste. »Was bringt dich denn auf diese Idee? Ich komme doch nur deshalb so oft auf diesen verfluchten stampfenden und ratternden Dampfern nach Irland, weil mir das Klima hier so zusagt.«

Scarlett lachte. Dann schlug sie ihn mit beiden Fäusten auf die Schultern. »Sag mir, daß du mich liebst.«

Rhett fing ihre Arme ein und umschloß sie mit seinen Händen. »Ich liebe dich, du fürchterliches Biest.« Seine Miene versteinerte. »Und sollte dieser Fenton versuchen, dich mir wegzunehmen, dann bringe ich ihn um.«

»Ach Rhett, sei doch nicht albern. Ich kann Luke Fenton überhaupt nicht leiden. Er ist ein grauenhaftes, kaltblütiges Ungeheuer. Ich wollte ihn nur heiraten, weil ich dich nicht bekommen konnte.« Rhetts skeptisch hochgezogene Brauen ließen sie fortfahren. »Und irgendwie gefiel mir die Vorstellung von London ... Gräfin zu sein ... und ihm seine Beleidigungen heimzuzahlen, indem ich ihn heiratete und Cat damit sein gesamtes Vermögen verschaffte ...«

Rhetts schwarze Augen lachten sie erheitert an, und er küßte Scarletts noch immer gefangene Hände. »Du hast mir gefehlt«, sagte er.

Sie redeten die ganze Nacht hindurch, Hand in Hand und dicht beieinander auf dem kalten Boden sitzend. Rhett konnte gar nicht genug über Cat zu hören bekommen, und Scarlett genoß es, ihm alles zu erzählen, genoß seinen Stolz auf all das, was er von ihr erfuhr. »Ich werde tun, was ich kann, damit sie mich mehr liebt als dich«, warnte er.

»Du hast keine Chance«, erwiderte Scarlett zuversichtlich. »Cat und ich kommen prächtig miteinander aus, und sie mag es bestimmt nicht, wenn du sie wie ein Baby behandelst und nach Strich und Faden verwöhnst.«

»Wie wäre es mit maßloser Bewunderung?«

»Ach, daran ist sie gewöhnt. Die hat sie von Anfang an schon von mir bekommen.«

»Warten wir's ab. Man hat mir gesagt, ich könne gut mit Frauen umgehen.«

»Und sie weiß gut mit Männern umzugehen. Ehe noch eine Woche vergangen ist, hat sie dich so weit abgerichtet, daß du für sie durch den Reifen springst. Es gab da einen kleinen Jungen namens Billy Kelly ... oh, Rhett, weißt du davon? Ashley ist wieder verheiratet, und ich habe die Ehe vermittelt! Ich habe Billys Mutter nach Atlanta geschickt ...« Die Geschichte von Harriet Kelly führte zu der Neuigkeit, daß India Wilkes nun auch endlich einen Ehemann gefunden hatte, was wiederum Rhett zu der Mitteilung veranlaßte, daß Rosemary nach wie vor unverheiratet sei.

»Und so, wie es aussieht, bleibt sie es wohl auch«, meinte er. »Sie lebt auf Dunmore Landing, steckt ihr ganzes Geld in die Wiederherstellung der Reisfelder und wird Julia Ashley von Tag zu Tag ähnlicher.«

»Ist sie glücklich?«

»Sie strahlt nur so vor Glück. Sie hätte mir eigenhändig die Sachen gepackt, wenn sie dadurch meine Abreise hätte beschleunigen können.«

Scarlett sah ihn fragend an. Ja, sagte Rhett, er habe Charleston verlassen. Die Annahme, er werde imstande sein, dort ein ruhiges, zufriedenes Leben zu führen, sei von vornherein falsch gewesen. »Ich werde sicher von Zeit zu Zeit hinfahren; wenn man aus Charleston stammt, dann liegt einem die Stadt einfach im Blut. Aber ich werde mich auf einzelne Besuche beschränken, bleiben will ich dort nicht mehr.« Er habe es versucht, fuhr er fort, habe sich eingeredet, er brauche die Stabilität der Familie, die Tradition.

Aber am Ende hatte immer ein nagender Schmerz gestanden – das Gefühl, man habe ihm die Flügel gekappt. Nicht mehr fliegen zu können, gebunden zu sein an die Erde, die Vorfahren, die heilige Cecilia, an Charleston. Er liebte Charleston – o Gott, wie sehr er es liebte! –, die Schönheit der Stadt, ihre Anmut, die milde, salzhaltige Brise, den Lebenswillen trotz Niederlage und Ruin. Aber es genügte ihm nicht, er brauchte die Herausforderung, das Risiko, er brauchte Blockaden, die es zu brechen galt.

Scarlett seufzte still auf. Charleston war ihr verhaßt, und sie war sich sicher, daß es Cat ähnlich ergehen würde wie ihr. Gott sei Dank hatte Rhett nicht die Absicht, sie beide dorthin zu bringen.

Mit ruhigen Worten erkundigte sie sich nach Anne. Es dauerte eine Ewigkeit, bis Rhett antwortete. Als er es schließlich tat, war seine Stimme kummerschwer. »Sie hätte etwas Besseres verdient gehabt als mich, etwas Besseres, als das Leben ihr gewährte. Anne besaß eine stille Tapferkeit und Stärke, die jeden sogenannten Helden beschämen muß ... Ich bin damals schier verrückt geworden. Du warst fort, ohne Nachricht. Im ersten Impuls habe ich dir noch nachgeforscht, aber dann dachte ich, nur ein eindeutiger, tiefer Schnitt würde noch helfen. Ich wollte los von dir – wahrscheinlich auch, um dich zu bestrafen und dir zu beweisen, daß mir dein Verschwinden überhaupt nichts ausmachte. Die Scheidung war wie eine Amputation.«

Rhett starrte blicklos ins Nichts. Scarlett wartete. Er bete darum, sagte er, daß er Anne nicht weh getan habe. Er habe sein Gewissen und sein Gedächtnis erforscht und sei auf keine böswillige Attacke gestoßen. Anne sei zu jung, zu verliebt in ihn gewesen, um zu vermuten, daß Zärtlichkeit und Zuneigung nur die Schatten der Liebe eines Mannes seien. Niemals werde er wissen, wie groß seine Schuld tatsächlich gewesen sei. Anne sei glücklich gewesen. Es war eine der Ungerechtigkeiten dieser Welt, daß die Unschuldigen und Liebevollen so leicht und mit so wenig glücklich zu machen waren.

Scarlett legte ihren Kopf an seine Schulter. »Jemanden glücklich zu machen ist schon sehr viel«, sagte sie. »Das habe ich vor Cats Geburt nie begriffen. Überhaupt habe ich sehr viele Dinge nicht begriffen. Doch von Cat habe ich gelernt.«

Rhett legte seine Wange auf ihr Haar. »Du hast dich verändert, Scarlett. Du bist erwachsen geworden. Ich muß dich von Grund auf neu kennenlernen.«

»Und ich muß dich überhaupt erst einmal kennenlernen! Ich habe mich nie darum bemüht, nicht einmal, als wir zusammengelebt haben. Diesmal mache ich es besser, das verspreche ich dir.«

»Gib dir nicht zuviel Mühe, das wird zu anstrengend für mich.« Rhett lachte leise und küßte sie auf die Stirn.

»Hör auf, mich auszulachen, Rhett Butler – ach, tu, was du willst. Ich mag es, selbst wenn du mich damit zum Wahnsinn treibst.« Sie hob die Nase und schnupperte. »Es regnet. Das sollte die Brände löschen. Bei Sonnenaufgang sehen wir, was übriggeblieben ist. Wir sollten versuchen, noch ein wenig Schlaf zu bekommen, in ein paar Stunden haben wir alle Hände voll zu tun.« Sie schmiegte ihren Kopf in seine Halsbeuge und gähnte.

Als sie schlief, wiegte Rhett sie im Schoß, wie Scarlett vorher Cat gehalten hatte. Der weiche irische Regen zog einen Vorhang aus sanfter Stille um den alten Turm.

Bei Sonnenaufgang bewegte sich Scarlett und erwachte. Das erste, was sie sah, als sie die Augen aufschlug, war Rhetts von Bartstoppeln beschattetes, hohläugiges Gesicht. Sie lächelte zufrieden und streckte sich, wobei sie leise stöhnte. »Mir tut alles weh«, klagte sie und kniff die Brauen zusammen. »Außerdem bin ich schier am Verhungern.«

»Beständigkeit, dein Name ist Weib«, murmelte Rhett. »Steh auf, Liebste, du brichst mir sonst die Beine.«

Vorsichtig schlichen sie zu Cats Versteck. Sie lag noch im Dunkeln, doch konnten sie ein leises Schnarchen hören. »Wenn sie sich auf den Rücken dreht, schläft sie mit offenem Mund«, flüsterte Scarlett.

»Ein Kind mit vielen Talenten«, erwiderte Rhett.

Scarlett unterdrückte ihr Lachen. Sie nahm Rhett bei der Hand und zog ihn zu einem der Fenster. Ein ernüchternder Anblick bot sich ihnen. Allenthalben stiegen immer noch dunkle Rauchsäulen auf und malten schmutzige Flecken auf das zarte Rosa des Himmels. Scarletts Augen füllten sich mit Tränen.

Rhett legte ihr den Arm um die Schultern. »Wir können alles wieder aufbauen, Liebling.«

Scarlett blinzelte die Tränen fort. »Nein, Rhett, das möchte ich nicht. Cat kann sich in Ballyhara ihres Lebens nicht mehr sicher sein, und ich wahrscheinlich auch nicht. Verkaufen werde ich nicht, schließlich ist es O'Hara-Land, und das gebe ich nicht her. Aber ich will kein neues Gutshaus, kein neues Dorf. Meine Cousins sollen sich Pächter suchen, die die Felder bewirtschaften. Die Iren werden ihr Land immer lieben, da mag schießen und brandschatzen, wer will. Pa hat immer gesagt, das Land sei für einen Iren wie eine Mutter, aber was mich betrifft, so gehöre ich nicht mehr hierher. Vielleicht habe ich nie wirklich hierhergehört, denn wäre ich sonst so bereitwillig nach Dublin und zu den englischen Festen und Jagden gefahren? Ich weiß nicht, wo ich hingehöre, Rhett. Ich fühle mich ja nicht einmal mehr auf Tara zu Hause, wenn ich dort bin.«

Zu Scarletts Überraschung brach Rhett in ein Gelächter aus, aus dem die blanke Freude sprach. »Du gehörst zu mir, Scarlett, hast du das denn immer noch nicht gemerkt? Und uns gehört die Welt, die ganze Welt. Wir sind an kein Stück Land mehr gebunden, sind keine Heimchen am Herd! Wir sind Abenteurer, Freibeuter, Blockadebrecher. Ohne Herausforderung ist unser

Leben nur die Hälfte wert. Wir können ziehen, wohin wir wollen, und jeder Ort, den wir uns aussuchen, wird uns gehören, solange wir nur zusammenbleiben. Allerdings werden wir nicht ihm gehören, mein Schatz. So etwas überlassen wir anderen Leuten, für uns ist das nichts. Das habe ich jetzt endlich begriffen.«

Er sah sie an, und seine Mundwinkel zitterten vor Vergnügen. »Scarlett, sag mir die Wahrheit an diesem ersten Morgen unseres gemeinsamen neuen Lebens. Liebst du mich wirklich von ganzem Herzen – oder willst du mich bloß, weil du mich bisher nicht haben konntest?«

»Also, Rhett, wie kannst du nur so etwas Häßliches sagen! Ich liebe dich von ganzem Herzen, auf immer und ewig!«

Die Pause vor der Beantwortung seiner Frage war so winzig klein, daß nur Rhett sie bemerkt haben konnte. Er warf den Kopf in den Nacken und mußte laut lachen. »Meine Geliebte«, sagte er, »ich sehe schon, daß unser Leben nie langweilig werden wird. Ich kann kaum erwarten, damit anzufangen.«

Eine schmutzige kleine Hand zupfte an seinem Hosenbein, und Rhett sah nach unten.

»Cat will auch mit«, sagte seine Tochter.

Er hob sie hoch, und die Vaterfreude schimmerte in seinen Augen. »Sind Sie bereit, Mrs. Butler?« fragte er Scarlett. »Die Blockaden warten auf uns.«

Cat lachte fröhlich auf. Sie wechselte einen Blick mit Scarlett, der voller gemeinsamer Geheimnisse war. »Die alte Strickleiter liegt drüben unter den Decken, Mama. Grainne hat gesagt, ich soll sie aufheben.«